HISTOIRE DE GIL BLAS DE SANTILLANE

LESAGE

HISTOIRE DE GIL BLAS DE SANTILLANE

Chronologie, introduction, bibliographie, établissement du texte, glossaire, notes,

par

Roger Laufer

ouvrage publié avec le concours du Centre National des Lettres.

GF-Flammarion

ISBN 2-08-070286-6

CHRONOLOGIE

1668 : 8 mai. Alain-René naît à Sarzeau (Morbihan), d'une famille de petits officiers royaux (occupant des fonctions judiciaires).

1677 : 11 septembre. Il perd sa mère.

1682 : 24 décembre. Alain-René perd son père. Elève au Collège des Jésuites de Vannes, il voit ses oncles accaparer son héritage.

1690 : Il monte à Paris, où il étudie sans doute le droit.

1694 : 28 septembre. Il épouse Marie-Elisabeth Huyard, dont il a quatre enfants : une fille, qui reste chez ses parents et trois fils, dont deux deviennent comédiens malgré leur père et le troisième se fait abbé.

1695 : *Lettres galantes d'Aristénète.* Libre adaptation d'un recueil grec tardif. Ce premier travail de librairie passe inaperçu.

1700 : *Théâtre espagnol.* Adaptation plus ambitieuse de pièces de Francisco de Rojas et de Lope de Vega. Aucun succès.

Lesage avait été mis sur la voie de la littérature espagnole par l'abbé de Lyonne, fils d'un ancien ministre des Affaires étrangères de Louis XIV. Celui-ci lui servit une pension jusqu'à sa mort, survenue en 1721.

1702 : *Le Point d'honneur* (d'après Francisco de Rojas) n'a que deux représentations au Théâtre-Français.

1704 : *Nouvelles Aventures de l'admirable Don Quichotte de la Manche.* Ce roman, en partie traduit de la suite anonyme du roman de Cervantès, en partie inventé, lui vaut un succès d'estime.

1707 : *Don César Ursin* (d'après Calderón) est boudé par le public du Théâtre-Français, qui acclame au contraire *Crispin rival de son maître*, ouvrage original et percutant.

1707 : *Le Diable boiteux*. Lesage part du roman de Vélez de Guevara, le remanie, puis improvise. C'est l'un des trois ou quatre plus grands succès de librairie du XVIIIe siècle.

1709 : *Turcaret*. Les milieux d'affaires empêchent longtemps la représentation, qui est enfin ordonnée par le duc d'Orléans. La pièce fait une bonne saison.

1710-1712 : *Les Mille et un Jours*. Ce recueil de contes est écrit pour profiter du succès des *Mille et une Nuits*, alors en cours de publication. L'ouvrage, paru sous le nom de l'orientaliste Pétis de la Croix, qui fournit des traductions du turc, fut récrit et remanié par Lesage. C'est l'un de ses meilleurs ouvrages.

1712-1730 : *Théâtre de la Foire*. Lesage écrit, seul ou en collaboration, de nombreuses pièces courtes ou livrets, dont il réunit et publie les meilleurs sous ce titre. On jouait, à la Foire, des spectacles mêlés de chant et de danse, d'où sortit l'opéra-comique.

1715-1724-1735 : *Histoire de Gil Blas de Santillane*.

1732 : *Histoire de Guzman d'Alfarache*. Adaptation abrégée et édulcorée du chef-d'œuvre contre-réformiste de Mateo Alemán.

1732 : *Aventures de Robert Chevalier, dit de Beauchêne*. Roman original tiré des Mémoires d'un flibustier.

1736-1738 : *Le Bachelier de Salamanque*. Ce roman, longtemps estimé, n'est qu'une seconde mouture du *Gil Blas*, sans la fantaisie ni la variété. Les autres romans et recueils de la vieillesse ont encore moins de vigueur : *Estévanille Gonzalez*, *La Valise trouvée*, *Mélange amusant de saillies d'esprit et de traits historiques des plus frappants*.

1747 : 17 novembre. Mort de Lesage à Boulogne-sur-Mer chez son fils le chanoine. L'âge l'avait grandement affaibli.

INTRODUCTION

La meilleure introduction à ce roman est la déclaration de l'auteur lui-même. Que le lecteur curieux s'y rapporte !

SITUATION DE L'HISTOIRE DE GIL BLAS DE SANTILLANE

Depuis deux siècles et demi, avec les fluctuations inévitables du goût, le public conserve sa faveur à l'*Histoire de Gil Blas de Santillane*. La variété du récit et la généralité de l'expérience vécue par le héros en font une grande œuvre narrative, une somme littéraire et morale. Celle-ci résume en effet le roman du Siècle d'Or espagnol et, le réduisant à un savoir, exprime l'ironie propre au Siècle des « Lumières ». Moins subtile, moins originale que les romans mondains des Marivaux, des Crébillon, des Duclos, des Laclos, elle est plus largement humaine, plus riche de lieux communs, dans le sens que la rhétorique donnait à ce terme, celui de la sagesse traditionnelle des cultures judéo-chrétienne et gréco-romaine. Elle appartient certes à la Régence, autant que les *Lettres persanes* (1721) de Montesquieu : de nombreux personnages s'y embarquent pour Cythère; mais les chemins du travail, les rêves d'aventure, les espoirs, les efforts de la jeunesse puis les heures lentes de la maturité et de la vieillesse, réussites, échecs, ambition, amitié, mariage, maladie, mort y sont aussi dépeints. Spectacle et réflexion ne vont pas d'ailleurs sans quelque malice, comme le donnent à entendre dès le seuil du livre les propos contraires tenus par l'auteur et le narrateur sur le bon usage de la lecture.

La robustesse de l'ensemble et l'accentuation du détail ne doivent pas cacher les qualités d'une technique ancienne mais adéquate à la vision du monde qu'elle transcrit. Les récits intercalaires, loin d'être des pièces rapportées, ont pour fonction d'ouvrir au héros-narrateur la conscience d'autrui, conformément à une conception non individualiste des rapports entre les personnes. Le monologue extérieur (le héros se parlant à lui-même), loin d'imiter un procédé du théâtre classique, en fonde la convention à une époque où l'acte de communication est compris comme nécessairement objectif, où je me parle à moi-même comme à un tiers. Le dialogue obéit aux règles de la conversation, toujours sociale et publique : un homme et une femme qui ont ce qu'on appelle alors un *entretien particulier* s'expliquent sans témoins et sans paroles. Les descriptions, les développements sentencieux sont évités avec une élégance allusive que l'auteur s'amuse à relever parfois directement : « J'aurais dans cet endroit de mon récit une occasion de vous faire une belle description » (p. 263; voir aussi p. 322, etc.), parfois indirectement en insérant, à la manière des romanciers antérieurs, des apologues : celui du cochon de lait (p. 155), celui de Zéangir, au lieu de les dramatiser à son habitude (duel de don Mathias, p. 164; testament du chien, p. 270) et selon les idées sur le roman exposées par lui dans les *Nouvelles Aventures de Don Quichotte* et la préface de *Guzman d'Alfarache*. La sûreté du métier se remarque dans l'agencement des chapitres et des livres, le maniement du suspense, les échos thématiques, bien que l'art soit dissimulé par le souci constant de la vraisemblance. Du moins

pour les événements et les lieux; la chronologie, Lesage l'avoue dans un préambule au troisième tome, n'est pas scrupuleusement respectée; la dimension de la durée fait défaut à l'organisation volontaire de l'ouvrage entier. Cela s'explique par l'espacement de la publication (donc de la rédaction) sur une période de vingt années. L'auteur s'efforce de ne pas rompre l'enjouement des premiers livres, alors que le cœur n'y est plus; il masque les rides des personnages afin de mieux garder les ressemblances. Les lecteurs fidèles devaient sans hésiter reconnaître Gil dans le héros qui leur était proposé neuf ans et vingt ans plus tard; ainsi le début du troisième tome rappelle littéralement la situation de Gil à la fin du roman de 1715, sans besoin pour qui tient en main les quatre tomes du roman achevé (l'éditeur Cazin, peu scrupuleux avec le texte, n'hésita pas à supprimer ce début en 1783). En réalité, l'ouvrage complet reste pris dans l'histoire de sa publication : quand Lesage le revit pour la postérité dans sa retraite de Boulogne-sur-Mer, il en remania le style mais n'osa ou ne put refondre l'ensemble.

On se souviendra que les deux premiers tomes (livres I à VI) parurent en 1715, le troisième (livres VII à IX) en 1724, le quatrième (livres X à XII) en 1735. On pourra sans inconvénient poser le livre, qui n'est pas mince, à ces endroits-là.

Les légères incohérences et répétitions qui résultent de ce mode de publication, courant à l'époque, sont compensées, et au-delà, par le renouvellement de l'écriture, du sujet et du ton.

L'écriture : les deux premiers tomes présentent de nombreuses variations thématiques sur l'avarice, la convoitise, l'orgueil..., « les sept péchés mortels » (p. 176). Le retour ultérieur des personnages et les rappels de situation dans un registre d'abord satirique puis sentimental tissent un réseau complexe de références formant un simulacre du monde réel où l'ordre et le hasard semblent coexister : pareil effet d'indétermination est rare dans les œuvres de fiction.

Le sujet : les deux premiers tomes donnent libre cours à la fantaisie qui emporte les imaginations à la fin du règne de Louis XIV : *les Aventures de Télémaque* (1699) de Fénelon, *les Mille et une Nuits* (1704-1718) de Galland, *le Diable boiteux* (1707) et *les Mille et un Jours* (1710-1712) de Lesage (utilisant pour ces derniers des traductions de Pétis de la Croix) sont les succès de la librairie. Le troisième tome s'inspire de la vogue des Mémoires historiques authentiques et apocryphes publiés dans les années 1717-1720 et montre dans l'Espagne du duc de Lerme un reflet des mœurs ecclésiastiques, financières, politiques et mondaines de la Régence; le quatrième tome y fait succéder les valeurs sentimentales, bourgeoises et chrétiennes remises à l'honneur sous le ministère du cardinal de Fleury.

Le ton : Lesage réussit à suivre les changements du goût, car la pente des temps correspond assez bien à l'évolution de sa vie et aux étapes du roman : verve et gaieté de la jeunesse, force et sérieux de la maturité, nostalgie et conformisme de la vieillesse. Il a mis beaucoup de lui-même dans ce roman : consciemment dans Gil, le rédacteur, et Fabrice, le poète; inconsciemment dans les rapports de Gil avec sa mère et avec Laure, la comédienne. Il interroge le sens de la vie, les limites de la liberté. Nul doute que la réussite unique de l'*Histoire de Gil Blas* ne s'explique par les destinées parallèles du héros et de l'écrivain.

Avant *Gil Blas*, le romancier avait montré son talent dans les *Nouvelles Aventures de Don Quichotte* (1704) (à moitié prises d'Avellaneda, à moitié originales) et s'était affirmé dans *le Diable boiteux* et *les Mille et un Jours*. Ensuite, il fit un *Gusman d'Alfarache* (1732) (qui interprète et dénature l'œuvre de Mateo Alemán sans parvenir à la recréer) et *les Aventures de Robert Chevalier, dit de Beauchêne* (1732) (dont les épisodes de flibuste se lisent encore avec plaisir). L'*Histoire d'Estévanille Gonzalez* (1734-1741) et *le Bachelier de Salamanque* (1736-1738), malgré des pages spirituelles, méritent l'oubli. Dramaturge, il avait écrit après des essais malheureux à la Comédie-Française un brillant lever de rideau, *Crispin rival de son maître* (1707) et une bonne comédie régulière, *Turcaret*

(1709); il collabora longtemps aux spectacles forains, qui firent courir Paris et dont les livrets, imprimés de 1721 à 1737 sous le nom de *Théâtre de la Foire*, conservent le souvenir.

Né à Sarzeau (Morbihan) en 1668, Lesage s'était installé dans la capitale vers 1690. Issu d'un milieu de petits officiers royaux, il fut de bonne heure orphelin de mère puis de père : la rancune qu'il exprima maintes fois contre ses tuteurs trahit sans doute le double regret du patrimoine dilapidé et de l'affection perdue. Il fit des études de droit, comme beaucoup d'écrivains de l'Ancien Régime. Il fut protégé par l'abbé de Lyonne (fils d'un ancien ministre des Affaires étrangères de Louis XIV) et conserva de bons rapports avec le pouvoir. Le premier de nos grands écrivains, il vécut de sa plume. De 1707 à 1725, il fut l'un des hommes de lettres parisiens les plus en vue. Il mourut dans l'obscurité à Boulogne-sur-Mer en 1747. Son chef-d'œuvre, l'*Histoire de Gil Blas de Santillane*, devenait un classique.

La célébrité posthume du roman fut immense, au point d'offusquer le mérite de la tradition picaresque dont il était sorti; ce malentendu engendra la malheureuse « question de *Gil Blas* » : le Français aurait démarqué un manuscrit inconnu, il aurait, du moins, à force de plagiats, réuni un florilège dépourvu d'originalité. Le XIXe siècle posa cette question par ignorance et incompréhension : l'esprit baroque et contre-réformiste de l'Age d'Or espagnol n'a d'affinités que lointaines avec l'ironie régence et laïque de Lesage; l'imitation du fonds littéraire collectif a survécu au cliché romantique du mage. Gil partage plusieurs traits des *pícaros* (gueux et forbans) Guzmán de Alfarache et Pablo de Ségovie, comme de Panurge, de Polichinelle et du fripon des Winnebagos; mais, compte tenu des différences nationales, il est plus proche encore de son contemporain Robinson Crusoé. La réinterprétation d'une tradition a permis une création, qui est redécouverte d'une figure mythique de l'humanité, à un moment de l'histoire. L'ironie du narrateur conserve intacte l'abondance du récit : excluant le sérieux, le mal, le tragique, elle autorise néanmoins des lectures innombrables.

LA PRÉSENTE ÉDITION

LE COMMENTAIRE.

Quelques explications sont nécessaires à une compréhension attentive. La langue du XVIIIe siècle a légèrement vieilli : les mots et expressions qui *font difficulté* (et seulement ceux-là) ont été rassemblés dans un GLOSSAIRE, qu'on pourra consulter et de préférence parcourir de bout en bout avant la lecture, pour éviter d'en interrompre le fil. Une brève LISTE élucide les noms propres espagnols employés facétieusement.

En NOTES ont été commentées les *citations* et *allusions*. Les sources ont été indiquées dans la mesure où elles sont connues, et avec des extraits assez longs des textes non littéraires, ce qui permet de mesurer le travail que le romancier a fait subir à ses documents; pour les textes littéraires, la place aurait manqué d'autant que les changements significatifs portent sur la structure du récit. Les noms des personnages historiques ou mythologiques n'ont pas été relevés, chacun pouvant chercher l'information qui lui manque dans les dictionnaires usuels. Les remarques proprement littéraires n'ont pas davantage leur place dans les notes : on trouvera la référence aux travaux critiques principaux et aux outils bibliographiques en fin d'*Introduction*.

LE TEXTE.

La diffusion d'un texte en entraîne la détérioration, puisque les éditions se copient au hasard et que les erreurs typographiques plausibles s'additionnent : or *Gil Blas* a été publié plus de 250 fois en français depuis deux siècles et demi; d'autre part, la publication originale du roman à trois époques et les révisions successives de l'auteur ont créé une confusion que les éditeurs ont accrue en mêlant des textes disparates. Nombre de fautes qui subsistent dans les meilleures éditions modernes proviennent de l'édition Neufchâteau de 1820, laquelle revenait au texte de 1747 : les notes de Neufchâteau (aidé par Victor Hugo pour l'espagnol) restent aujourd'hui précieuses, car elles ont parfois valeur de témoignage tardif. Dès 1730, la veuve de Pierre Ribou, qui pourtant détenait le privilège, suivit dans le tome I le premier état de 1715^1 (1re édition) pour les deux tiers du texte (signatures A-Y) et pour le reste 1715^2 (2e édition; signatures Z-2K). L'éditeur Bert fit mieux encore en 1797 puisqu'il passait environ toutes les quarante pages du texte de 1715^1 à celui de 1747 : c'est-à-dire que les ouvriers typographes qui composèrent le texte utilisèrent chacun un exemplaire différent comme copie. Ceci pour la petite histoire.

Quant à l'histoire des éditions ayant quelque autorité, en voici les données principales, résumées en un tableau :

Editeur	Tomes I et II	Tome III	Tome IV
Pierre Ribou	1715[1]		
Pierre Ribou	1715[2] (revu)		
Veuve Ribou	(1721)		
Veuve Ribou		1724	
Veuve Ribou	(1730)	(1729)	
Veuve Ribou	1732 (revu)	1732 (revu)	
Pierre-Jacques Ribou			1735[1]
Pierre-Jacques Ribou			1735[2] (revu)
Libraires associés	1747 (revu)	1747 (revu)	1747 (revu)

Remarques : le tome III de 1729 existe avec un titre de relance (date rafraîchie : 1730); cette édition de 1729-1730, typographiquement mauvaise, n'a été ni revue, ni utilisée par Lesage. Par contre, celle de 1721, non revue, lui a servi de base pour celle de 1732; le tome IV de 1735[2] existe avec un titre de relance (daté 1737); les trois tomes de 1732 et le quatrième de 1735[2] existent aussi avec un titre de relance (daté 1738) : ces republications indiquent une mévente de l'ouvrage.

Quel ensemble d'éditions choisir comme texte de base ? Quatre combinaisons sont cohérentes : 1) 1715[1], 1724, 1735[1]; 2) 1715[2], 1724 (1732 ?), 1735[2]; 3) 1732, 1735[2]; 4) 1747. A dire vrai, la solution 2 semble supérieure à 1, puisqu'elle comprend des variantes faites dans les mois qui ont suivi la publication originale : elle pose cependant un problème grave concernant le troisième tome. On connaît en effet deux pages de titre différentes pour le volume de 1724 mais pas d'édition corrigée (de seconde édition) la même année : l'édition de 1732 reproduit-elle pour l'essentiel le texte revu en 1724 et qu'on retrouverait un jour, ou bien comporte-t-elle seule des corrections d'auteur, alors que les deux premiers tomes, réédités en 1732, suivent l'édition non revue de 1721 ? Ce qui est certain, c'est que le troisième tome de 1732 comporte des révisions d'auteur, peu nombreuses d'ailleurs. Il est vraisemblable que Lesage, travaillant au quatrième tome, a relu et corrigé le tome précédent. La solution 3 introduirait dans le texte des variantes clairsemées et postérieures de huit ans à la rédaction originale, donc étrangères à sa veine. C'est pourquoi la solution 3 a été écartée. Ces mêmes critères esthétiques ont fait repousser, plus sûrement encore, la solution 4.

Je pense en effet, à la suite de Calemard et d'Etiemble, que Lesage a abîmé son texte en 1747. Il convient de préciser : les corrections de détail améliorent généralement l'expression, mais les ajouts alourdissent, abêtissent même l'écriture. La vieillesse et la fatigue expliquent sans doute cette détérioration. Lesage n'a pas personnellement surveillé l'impression de 1747 : Neufchâteau, dont le témoignage n'est pas toujours digne de foi, parlait en 1820 de « l'exemplaire corrigé, sur lequel a été donnée l'édition de 1747 »; il suffit de relever combien les ajouts ont été mal ponctués pour constater le bien-fondé de son affirmation. La publication de 1747 fut peut-être posthume. Toutefois, même si on se place sur le plan de l'appréciation littéraire, force est de reconnaître que dès 1715 Lesage commentait à l'occasion son texte. Ainsi au début du deuxième chapitre : « Je n'étais pas maître de ma joie », omis, chose curieuse, en 1747 : il est vrai qu'il s'agit vraisemblablement alors d'une erreur typographique par saute du même au même (« Je... Je »); mais au chapitre VIII « qui n'avait garde de comprendre le vrai sens de mes paroles » est incontestablement un avis au lecteur indolent. L'argument du goût littéraire est fragile.

J'ai néanmoins décidé de reproduire l'ensemble d'éditions 2, qui donne le meilleur texte (aux fautes près) des tomes lors de leur publication séparée. La raison en est que jamais Lesage n'a refondu le roman dans sa totalité : l'*Avertissement* de 1724 comparé aux variantes onomastiques apportées en 1747 à l'*Histoire de don Pompeyo de Castro* (III, VII) le montre trop clairement. L'édition collective de 1747 présente un ensemble disparate de retouches, de variantes et de graphies, qu'une édition modernisée et uniformisée dissimule mal. Spirituellement et matériellement, l'œuvre écrite sur une période de vingt années a résisté à son auteur. Mieux vaut ne pas cacher les ruptures architecturales de *Gil Blas :* elles en font la grandeur.

Les graphies.

La modernisation de l'orthographe est une commodité que presque tout justifie. Les éditions anciennes juxtaposent en effet les orthographes de plusieurs compositeurs d'imprimerie, dont les particularités ont un faible intérêt historique. Il convient toutefois de conserver les genres anciens (*un* outre, *une* exemple) et certains accords grammaticaux pour lesquels l'usage différait du nôtre et qu'on ne saurait altérer sans abus (verbe au singulier avec plusieurs sujets singuliers, passage du genre grammatical au genre naturel : par exemple, reprise du mot *personnes* avec le pronom *ils*, etc.). L'emploi des majuscules a été rendu conforme à nos règles, sinon à notre pratique : il n'est pas raisonnable, dans un texte de l'Ancien Régime, de distinguer *état/Etat*, *dieux/Dieu* et d'écrire uniment *ciel*, *cour*, etc. Les normes du Premier Empire introduisent subrepticement des traces d'une idéologie caduque.

La modernisation de la ponctuation pose un problème plus difficile dans la mesure où des habitudes variables plus que des règles ont prévalu hier comme aujourd'hui. L'introduction systématique des ! et ? pour les exclamations et interrogations, la ponctuation exclamative des *Ah!* et des *Oh!* est simple convention. Au contraire, l'usage des virgules est délicat, car très souvent autrefois, au lieu de mettre entre virgules, c'est-à-dire d'employer virgules ouvrante et fermante, on se contentait de fermer par une virgule de valeur double. Néanmoins, la virgule avait aussi valeur simple, si bien qu'aucune règle de transformation ne permet de passer du système ancien dans le nôtre : les rapports sont perturbés. Ainsi, toute proposition relative sujet placée devant le verbe était séparée du verbe par une virgule alors que la forme « Celui qui..., fut » est devenue impossible. Inversement, une proposition infinitive circonstancielle placée après le verbe était introduite par une virgule, dont l'emploi, facultatif et rare aujourd'hui, prendrait pour nous une fonction expressive injustifiée : cette virgule a été éliminée. Parfois nous conservons l'usage ancien des ; et des : dans les discours indirect et direct, car le système de notation impliquait des contraintes différentes des nôtres : les longues périodes étaient mieux notées (par ; et :) que nous ne pouvons le faire; au contraire, le style direct, en particulier le dialogue, ressortait mal du contexte faute de guillemets, de tirets et d'alinéas (les italiques n'étaient employés que pour des paroles citées) : il en résulte que Lesage multiplie les incises et les exclamations pour marquer les locuteurs. Utiliser l'un des systèmes modernes de ponctuation trahirait l'écriture de Lesage. Nous nous en tenons donc à une solution de compromis.

Roger LAUFER.

BIBLIOGRAPHIE

1° Sur les éditions et le texte de *Gil Blas :*

Bulletin des Bibliothèques de Bretagne, III (1947), n° 4, Rennes. *Catalogue général des livres imprimés de la Bibliothèque Nationale*, tome XCV, 1929 (à compléter par les catalogues postérieurs).

CALEMARD (J.) : « Une erreur littéraire à propos de *Gil Blas* », *Bulletin du bibliophile et du bibliothécaire*, 1926, p. 351-364 et 405-418.

ETIEMBLE (R.) : « Préface », *Romanciers du XVIII*e *siècle*, I, Gallimard (« Bibliothèque de la Pléiade »), Paris, 1960, p. 260-262, et notes, etc., p. 1515-1519 (repris dans l'édition *Folio*).

2° Ouvrages généraux sur Lesage et ses romans :

CLARETIE (L.) : *Essai sur Lesage romancier*, A. Colin, 1890 (encore utile).

LINTILHAC (E.) : *Lesage*, Hachette, Paris, 1893 (reste la meilleure présentation de l'écrivain : jugements fins).

LAUFER (R.) : *Lesage ou le métier de romancier*, Gallimard (« Bibliothèque des Idées »), Paris, 1971.

3° Choix d'études modernes sur *Gil Blas :*

CASSOU (J.) : « Lesage », dans *Tableau de la littérature française*, préface d'André Gide, Gallimard, Paris, 1939, p. 214-221.

LA VARENDE (J. DE) : « Avant-Propos », *Gil Blas*, Club du Livre, Paris, 1955 (inexact pour les faits mais pénétrant).

ALTER (R.) : « The incorruptibility of the picaresque hero », *Rogue's progress : studies in the picaresque novel*, Harvard, Cambridge (Mass.), U.P., 1964, p. 11-34 (situe la moralité du personnage à l'intérieur de la tradition picaresque).

COULET (H.) : « Lesage », *Le roman jusqu'à la Révolution*,

tome I de l'*Histoire du roman en France*, A. Colin (« Collection U »), Paris, 1967, p. 330-342 (bonne présentation; ouvrage essentiel pour la compréhension du contexte littéraire).

PARKER (A. A.) : « The picaresque tradition in England and France », *Literature and the Delinquent*, Edinborough U.P., Edimbourg, 1967, p. 99-137 et 177-183 (solide).

MOLHO (M.) : « Introduction à la pensée picaresque », *Romans picaresques espagnols*, Gallimard, Paris, 1968, (« Bibliothèque de la Pléiade »), p. CXVII-CXXVIII en particulier (outré mais excellent pour une mise en perspective historique).

MOLINO (J.) : « Les six premiers livres de l'*Histoire de Gil Blas de Santillane* », dans *Annales Fac. Lettres d'Aix*, 1968, p. 81-101 (suggestif sur les qualités et limites de la technique romanesque).

PINGAUD (B.) : Préface, *Gil Blas*, Club Diderot, Paris, 1969 (présentation et appréciation contemporaines du roman).

4° Parmi les auteurs anciens, on se reportera en particulier aux études de Neufchâteau, Nodier, Sainte-Beuve, Brunetière, Lanson. On en trouvera aisément les références dans le *Catalogue* de la Bibliothèque Nationale ou le *Bulletin des Bibliothèques de Bretagne*, 1947, n° 4.

5° Outils bibliographiques :

Pour les recherches plus approfondies, on se reportera aux bibliographies de la littérature française :

annuelles : KLAPP (O.) : *Bibliographie der französischen Literaturwissenschaft*, Klostermann, Francfort-sur-le-Main, depuis 1960;
RANCŒUR (R.) : *Bibliographie de la littérature française*, A. Colin, Paris, depuis 1958;

cumulatives : CIORANESCU (A.) : *Bibliographie de la littérature française du XVIII*ᵉ *siècle*, 3 vol., C.N.R.S., Paris, 1965-1966-1969;

analytiques : CABEEN et al. : *A Critical Bibliography of French literature*. IV, *The Eighteenth Century*, *Syracuse* U.P., Syracuse, 1955. *A Critical Bibliography of French Literature*, IV, *The Eighteenth Century*, *Supplement*, *ibid.*, 1968.

HISTOIRE
DE
GIL BLAS DE SANTILLANE

TOME PREMIER

DÉCLARATION DE L'AUTEUR.

Comme il y a des personnes qui ne sauraient lire sans faire des applications des caractères vicieux ou ridicules qu'elles trouvent dans les ouvrages, je déclare à ces lecteurs malins qu'ils auraient tort d'appliquer les portraits qui sont dans le présent livre. J'en fais un aveu public : je ne me suis proposé que de représenter la vie des hommes telle qu'elle est; à Dieu ne plaise que j'aie eu dessein de désigner quelqu'un en particulier! Qu'aucun lecteur ne prenne donc pour lui ce qui peut convenir à d'autres, aussi bien qu'à lui; autrement, comme dit Phèdre, il se fera connaître mal à propos. *Stulte nudabit animi conscientiam* [1].

On voit en Castille, comme en France, des médecins dont la méthode est de faire un peu trop saigner leurs malades. On voit partout les mêmes vices et les mêmes originaux. J'avoue que je n'ai pas toujours exactement suivi les mœurs espagnoles; et ceux qui savent dans quel désordre vivent les comédiennes de Madrid pourraient me reprocher de n'avoir pas fait une peinture assez forte de leurs dérèglements; mais j'ai cru devoir les adoucir, pour les conformer à nos manières.

GIL BLAS AU LECTEUR

Avant que d'entendre l'histoire de ma vie, écoute, ami lecteur, un conte que je vais te faire[2].

Deux écoliers allaient ensemble de Peñafiel à Salamanque. Se sentant las et altérés, ils s'arrêtèrent au bord d'une fontaine qu'ils rencontrèrent sur leur chemin. Là tandis qu'ils se délassaient après s'être désaltérés, ils aperçurent par hasard auprès d'eux sur une pierre à fleur de terre quelques mots déjà un peu effacés par le temps et par les pieds des troupeaux qu'on venait abreuver à cette fontaine. Ils jetèrent de l'eau sur la pierre pour la laver, et ils lurent ces paroles castillanes : Aqui está encerrada el alma del licenciado Pedro Garcias. ICI EST ENFERMÉE L'AME DU LICENCIÉ PIERRE GARCIAS.

Le plus jeune des écoliers, qui était vif et étourdi, n'eut pas achevé de lire l'inscription, qu'il dit en riant de toute sa force : Rien n'est plus plaisant. Ici est enfermée l'âme... Une âme enfermée... Je voudrais savoir quel original a pu faire une si ridicule épitaphe. En achevant ces paroles, il se leva pour s'en aller. Son compagnon, plus judicieux, dit en lui-même : Il y a là-dessous quelque mystère : je veux demeurer ici pour l'éclaircir. Celui-ci laissa donc partir l'autre, et sans perdre de temps se mit à creuser avec son couteau tout autour de la pierre. Il fit si bien qu'il l'enleva. Il trouva dessous une bourse de cuir qu'il ouvrit. Il y avait dedans cent ducats avec une carte sur laquelle étaient écrites ces paroles en latin : Sois mon héritier, toi qui as eu assez d'esprit pour démêler le sens de l'inscription, et fais un meilleur usage que moi de mon argent. *L'écolier, ravi de cette découverte, remit la pierre comme elle était auparavant, et reprit le chemin de Salamanque avec l'âme du licencié.*

Qui que tu sois, ami lecteur, tu vas ressembler à l'un ou à l'autre de ces deux écoliers. Si tu lis mes aventures, sans prendre garde aux instructions morales qu'elles renferment, tu ne tireras aucun fruit de cet ouvrage; mais, si tu le lis avec attention, tu y trouveras, suivant le précepte d'Horace, l'utile mêlé avec l'agréable.

LIVRE PREMIER

CHAPITRE PREMIER

De la naissance de Gil Blas, et de son éducation.

Blas de Santillane, mon père, après avoir longtemps porté les armes pour le service de la monarchie espagnole, se retira dans la ville où il avait pris naissance. Il y épousa une petite bourgeoise, qui n'était plus dans sa première jeunesse, et je vins au monde dix mois après leur mariage. Ils allèrent ensuite demeurer à Oviedo, où ma mère se fit femme de chambre, et mon père écuyer. Comme ils n'avaient pour tout bien que leurs gages, j'aurais couru risque d'être assez mal élevé, si je n'eusse pas eu dans la ville un oncle chanoine. Il se nommait Gil Perez. Il était frère aîné de ma mère et mon parrain. Représentez-vous un petit homme haut de trois pieds et demi, extraordinairement gros, avec une tête enfoncée entre les deux épaules : voilà mon oncle. Au reste, c'était un ecclésiastique, qui ne songeait qu'à bien vivre, c'est-à-dire qu'à faire bonne chère, et sa prébende, qui n'était pas mauvaise, lui en fournissait les moyens.

Il me prit chez lui dès mon enfance, et se chargea de mon éducation. Je lui parus si éveillé, qu'il résolut de cultiver mon esprit. Il m'acheta un alphabet, et entreprit de m'apprendre lui-même à lire; ce qui ne lui fut pas moins utile qu'à moi; car, en me faisant connaître mes lettres, il se remit à la lecture, qu'il avait toujours fort négligée, et, à force de s'y appliquer, il parvint à lire couramment son bréviaire : ce qu'il n'avait jamais fait auparavant. Il aurait encore bien voulu m'enseigner la langue latine; c'eût été autant d'argent d'épargné pour lui : mais, hélas! le pauvre Gil Perez! il n'en avait de sa vie su les premiers principes; c'était peut-être (car je n'avance pas cela comme un fait certain) le chanoine du Chapitre le plus ignorant. Aussi j'ai ouï dire qu'il n'avait point obtenu son bénéfice par son érudition; il le devait uniquement à la reconnaissance de quelques bonnes religieuses dont il avait été le discret commissionnaire, et qui avaient eu le crédit de lui faire donner l'ordre de prêtrise sans examen.

Il fut donc obligé de me mettre sous la férule d'un maître : il m'envoya chez le docteur Godinez, qui passait pour le plus habile pédant d'Oviedo. Je profitai si bien des instructions qu'on me donna, qu'au bout de cinq à six années j'entendais un peu les auteurs grecs et assez bien les poètes latins. Je m'appliquai aussi à la logique, qui m'apprit à raisonner beaucoup. J'aimais tant la dispute, que j'arrêtais les passants, connus ou inconnus, pour leur proposer des arguments. Je m'adressais quelquefois à des figures hibernoises qui ne demandaient pas mieux, et il fallait alors nous voir disputer! Quels gestes! quelles grimaces! quelles contorsions! Nos yeux étaient pleins de fureur et nos bouches écumantes. On nous devait plutôt prendre pour des possédés que pour des philosophes.

Je m'acquis toutefois par là dans la ville la réputation de savant. Mon oncle en fut ravi, parce qu'il fit réflexion que je cesserais bientôt de lui être à charge. Ho çà, Gil Blas, me dit-il un jour, le temps de ton enfance est passé; tu as déjà dix-sept ans, et te voilà devenu habile garçon. Il faut songer à te pousser; je suis d'avis de t'envoyer à l'université de Salamanque : avec l'esprit que je te vois, tu ne manqueras pas de trouver un bon poste. Je te donnerai quelques ducats pour faire ton voyage, avec ma mule qui vaut bien dix à douze pistoles; tu la vendras à Salamanque, et tu en emploieras l'argent à t'entretenir jusqu'à ce que tu sois placé.

Il ne pouvait rien me proposer qui me fût plus agréable, car je mourais d'envie de voir le pays. Cependant j'eus assez de force sur moi pour cacher ma joie; et lorsqu'il fallut partir, ne paraissant sensible qu'à la douleur de quitter un oncle à qui j'avais tant d'obligation, j'attendris le bonhomme, qui me donna plus d'argent qu'il ne m'en aurait donné s'il eût pu lire au fond de mon âme. Avant mon départ, j'allai embrasser mon père et ma mère, qui ne m'épargnèrent pas les remontrances. Ils m'exhortèrent à prier Dieu pour mon oncle, à vivre en honnête homme, à ne me point engager dans de mauvaises affaires, et, sur toutes choses, à ne pas prendre le bien d'autrui. Après qu'ils m'eurent très longtemps harangué, ils me firent présent de leur bénédiction, qui était le seul bien que j'attendais d'eux. Aussitôt je montai sur ma mule, et sortis de la ville.

CHAPITRE II

Des alarmes qu'il eut en allant à Peñaflor; de ce qu'il fit en arrivant dans cette ville, et avec quel homme il soupa.

Me voilà donc hors d'Oviedo, sur le chemin de Peñaflor, au milieu de la campagne, maître de mes actions, d'une mauvaise mule et de quarante bons ducats, sans compter quelques réaux que j'avais volés à mon très honoré oncle. La première chose que je fis fut de laisser ma mule aller à discrétion, c'est-à-dire au petit pas. Je lui mis la bride sur le cou, et, tirant de ma poche mes ducats, je commençai à les compter et recompter dans mon chapeau. Je n'étais pas maître de ma joie. Je n'avais jamais vu tant d'argent. Je ne pouvais me lasser de le regarder et de le manier. Je le comptais peut-être pour la vingtième fois, quand tout à coup ma mule, levant la tête et les oreilles, s'arrêta au milieu du grand chemin. Je jugeai que quelque chose l'effrayait; je regardai ce que ce pouvait être : j'aperçus sur la terre un chapeau renversé sur lequel il y avait un rosaire à gros grains, et en même temps j'entendis une voix lamentable qui prononça ces paroles : Seigneur passant, ayez pitié, de grâce, d'un pauvre soldat estropié; jetez, s'il vous plaît, quelques pièces d'argent dans ce chapeau; vous en serez récompensé dans l'autre monde. Je tournai aussitôt les yeux du côté que partait la voix; je vis au pied d'un buisson, à vingt ou trente pas de moi, une espèce de soldat, qui sur deux bâtons croisés appuyait le bout d'une escopette qui me parut plus longue qu'une pique, et avec laquelle il me couchait en joue. A cette vue, qui me fit trembler pour le bien de l'Église, je m'arrêtai tout court; je serrai promptement mes ducats, je tirai quelques réaux et, m'approchant du chapeau disposé à recevoir la charité des fidèles effrayés, je les jetai dedans l'un après l'autre, pour montrer au soldat que j'en usais noblement. Il fut satisfait de ma générosité, et me donna autant de bénédictions que je donnai de coups de pied dans les flancs de ma mule pour m'éloigner promptement de lui; mais la maudite bête, trompant mon impatience, n'en alla pas plus vite. La longue habitude qu'elle avait de marcher pas à pas sous mon oncle lui avait fait perdre l'usage du galop.

Je ne tirai pas de cette aventure un augure trop favorable pour mon voyage. Je me représentai que je n'étais pas encore à Salamanque et que je pourrais bien faire une plus mauvaise rencontre. Mon oncle me parut très imprudent de ne m'avoir pas mis entre les mains d'un muletier. C'était sans doute ce qu'il aurait dû faire; mais il avait songé qu'en me donnant sa mule mon voyage me coûterait moins; et il avait plus pensé à cela qu'aux périls que je pouvais courir en chemin. Ainsi, pour réparer sa faute. je résolus, si j'avais le bonheur d'arriver à Peñaflor, d'y vendre ma mule, et de prendre la voie du muletier pour aller à Astorga, d'où je me rendrais à Salamanque par la même voiture. Quoique je ne fusse jamais sorti d'Oviedo, je n'ignorais pas le nom des villes par où je devais passer; je m'en étais fait instruire avant mon départ.

J'arrivai heureusement à Peñaflor : je m'arrêtai à la porte d'une hôtellerie d'assez bonne apparence. Je n'eus pas mis pied à terre, que l'hôte vint me recevoir fort civilement. Il détacha lui-même ma valise, la chargea sur ses épaules et me conduisit à une chambre, pendant qu'un de ses valets menait ma mule à l'écurie. Cet hôte, le plus grand babillard des Asturies, et aussi prompt à conter sans nécessité ses propres affaires que curieux de savoir celles d'autrui, m'apprit qu'il se nommait André Corcuelo; qu'il avait servi longtemps dans les armées du roi en qualité de sergent, et que depuis quinze mois il avait quitté le service pour épouser une fille de Castropol qui, bien que tant soit peu basanée, ne laissait pas de faire valoir le bouchon. Il me dit encore une infinité d'autres choses, que je me serais fort bien passé d'entendre. Après cette confidence, se croyant en droit de tout exiger de moi, il me demanda d'où je venais, où j'allais, et qui j'étais. A quoi il me fallut répondre article par article, parce qu'il accompagnait d'une profonde révérence chaque question qu'il me faisait, en me priant d'un air si respectueux d'excuser sa curiosité que je ne pouvais me défendre de la satisfaire. Cela m'engagea dans un long entretien avec lui, et me donna lieu de parler du dessein et des raisons que j'avais de me défaire de ma mule, pour prendre la voie du muletier. Ce qu'il approuva fort, non succinctement, car il me représenta là-dessus tous les accidents fâcheux qui pouvaient m'arriver sur la route. Il me rapporta même plusieurs histoires sinistres de voyageurs. Je croyais qu'il ne finirait point. Il finit pourtant, en disant que, si je voulais vendre ma mule, il connaissait un honnête maquignon qui l'achèterait. Je lui témoignai qu'il me ferait plaisir de l'envoyer chercher : il y alla sur-le-champ lui-même avec empressement.

Il revint bientôt accompagné de son homme, qu'il me présenta et dont il loua fort la probité. Nous entrâmes tous trois dans la cour, où l'on amena ma mule. On la fit passer et repasser devant le maquignon, qui se mit à l'examiner depuis les pieds jusqu'à la tête. Il ne manqua pas d'en dire beaucoup de mal. J'avoue qu'on n'en pouvait dire beaucoup de bien : mais, quand ç'aurait été la mule du pape, il y aurait trouvé à redire. Il assurait donc qu'elle avait tous les défauts du monde; et, pour mieux me le persuader, il en attestait l'hôte, qui sans doute avait ses raisons pour en convenir. Eh bien! me dit froidement le maquignon, combien prétendez-vous vendre ce vilain animal-là ? Après l'éloge qu'il en avait fait et l'attestation du seigneur Corcuelo, que je croyais homme sincère et bon connaisseur, j'aurais donné ma mule pour rien : c'est pourquoi je dis au marchand que je m'en rapportais à sa bonne foi : qu'il n'avait qu'à priser la bête en conscience et que je m'en tiendrais à la prisée. Alors, faisant l'homme d'honneur, il me répondit qu'en intéressant sa conscience, je le prenais par son faible. Ce n'était pas effectivement par son fort; car, au lieu de faire monter l'estimation à dix ou douze pistoles, comme mon oncle, il n'eut pas honte de la fixer à trois ducats, que je reçus avec autant de joie que si j'eusse gagné à ce marché-là.

Après m'être si avantageusement défait de ma mule, l'hôte me mena chez un muletier qui devait partir le lendemain pour Astorga. Ce muletier me dit qu'il partirait avant le jour et qu'il aurait soin de me venir réveiller. Nous convînmes de prix tant pour le louage d'une mule que pour ma nourriture; et quand tout fut réglé entre nous, je m'en retournai vers l'hôtellerie avec Corcuelo, qui, chemin faisant, se mit à me raconter l'histoire de ce muletier. Il m'apprit tout ce qu'on en disait dans la ville. Enfin, il allait de nouveau m'étourdir de son babil importun, si par bonheur un homme assez bien fait ne fût venu l'interrompre en l'abordant avec beaucoup de civilité. Je les laissai ensemble et continuai mon chemin, sans soupçonner que j'eusse la moindre part à leur entretien [3].

Je demandai à souper dès que je fus dans l'hôtellerie. C'était un jour maigre. On m'accommoda des œufs. Pendant qu'on me les apprêtait, je liai conversation avec l'hôtesse que je n'avais point encore vue. Elle me parut assez jolie et je trouvai ses allures si vives, que j'aurais bien jugé, quand son mari ne me l'aurait pas dit, que ce cabaret devait être fort achalandé. Lorsque l'omelette qu'on me faisait fut en état de m'être servie, je m'assis tout seul à une table. Je n'avais pas encore mangé le premier morceau, que l'hôte entra, suivi de l'homme qui l'avait arrêté dans la rue. Ce cavalier portait une longue rapière et pouvait bien avoir trente ans. Il s'approcha de moi d'un air empressé : Seigneur écolier, me dit-il, je viens d'apprendre que vous êtes le seigneur Gil Blas de Santillane, l'ornement d'Oviedo et le flambeau de la philosophie. Est-il bien possible que vous soyez ce savantissime, ce bel esprit dont la réputation est si grande en ce pays-ci ? Vous ne savez pas, continua-t-il en s'adressant à l'hôte et à l'hôtesse, vous ne savez pas ce que vous possédez. Vous avez un trésor dans votre maison. Vous voyez dans ce jeune gentilhomme la huitième merveille du monde. Puis se tournant de mon côté et me jetant les bras au cou : Excusez mes transports, ajouta-t-il; je ne suis point maître de la joie que votre présence me cause.

Je ne pus lui répondre sur-le-champ, parce qu'il me tenait si serré que je n'avais pas la respiration libre, et ce ne fut qu'après que j'eus la tête dégagée de l'embrassade, que je lui dis : Seigneur cavalier, je ne croyais pas mon nom connu à Peñaflor. Comment connu! reprit-il sur le même ton. Nous tenons registre de tous les grands personnages qui sont à vingt lieues à la ronde. Vous passez ici pour un prodige et je ne doute pas que l'Espagne ne se trouve un jour aussi vaine de vous avoir produit, que la Grèce d'avoir vu naître ses sages. Ces paroles furent suivies d'une nouvelle accolade, qu'il me fallut encore essuyer, au hasard d'avoir le sort d'Antée [4]. Pour peu que j'eusse eu d'expérience, je n'aurais pas été la dupe de ses démonstrations ni de ses hyperboles; j'aurais bien connu à ses flatteries outrées que c'était un de ces parasites que l'on trouve dans toutes les villes, et qui, dès qu'un étranger arrive, s'introduisent auprès de lui pour remplir leur ventre à ses dépens; mais ma jeunesse et ma vanité m'en firent juger tout autrement. Mon admirateur me parut un fort honnête homme et je l'invitai à souper avec moi. Ah! très volontiers, s'écria-t-il; je sais trop bon gré à mon étoile de m'avoir fait rencontrer l'illustre Gil Blas de Santillane, pour ne pas jouir de ma bonne fortune le plus longtemps que je pourrai. Je n'ai pas grand appétit, poursuivit-il : je vais me mettre à table pour vous tenir compagnie seulement, et je mangerai quelques morceaux par complaisance.

En parlant ainsi, mon panégyriste s'assit vis-à-vis de moi. On lui apporta un couvert. Il se jeta d'abord sur l'omelette avec tant d'avidité, qu'il semblait n'avoir mangé de trois jours. A l'air complaisant dont il s'y prenait, je vis bien qu'elle serait bientôt expédiée. J'en ordonnai une seconde, qui fut faite si promptement, qu'on nous la servit comme nous achevions, ou plutôt comme il achevait de manger la première. Il y procédait pourtant d'une vitesse toujours égale et trouvait moyen, sans perdre un coup de dent, de me donner louanges sur louanges : ce qui me rendait fort content de ma petite personne. Il buvait aussi fort souvent; tantôt c'était à ma santé et tantôt à celle de mon père et de ma mère, dont il ne pouvait assez vanter le bonheur d'avoir un fils tel que moi. En même temps, il versait du vin dans mon verre et m'excitait à lui faire raison. Je ne répondis point mal aux santés qu'il me portait : ce qui, avec ses flatteries, me mit insensiblement de si belle humeur que, voyant notre seconde omelette à moitié mangée, je demandai à l'hôte s'il n'avait pas de poisson à nous donner. Le seigneur Corcuelo, qui, selon toutes les apparences, s'entendait avec le parasite, me répondit : J'ai une truite excellente; mais elle coûtera cher à ceux qui la mangeront : c'est un morceau trop friand pour vous. Qu'appelez-vous trop friand ? dit alors mon flatteur d'un ton de voix élevé; vous n'y pensez pas, mon ami. Apprenez que vous n'avez rien de trop bon pour le seigneur Gil Blas de Santillane, qui mérite d'être traité comme un prince.

Je fus bien aise qu'il eût relevé les dernières paroles de l'hôte et il ne fit en cela que me prévenir. Je m'en sentais offensé et je dis fièrement à Corcuelo : Apportez-nous votre truite et ne vous embarrassez pas du reste. L'hôte, qui ne demandait pas mieux, se mit à l'apprêter et ne tarda guère à nous la servir. A la vue de ce nouveau plat, je vis briller une grande joie dans les yeux du parasite, qui fit paraître une nouvelle complaisance, c'est-à-dire qu'il donna sur le poisson comme il avait donné sur les œufs. Il fut pourtant obligé de se rendre, de peur d'accident, car il en avait jusqu'à la gorge. Enfin, après avoir bu et mangé tout son soûl, il voulut finir la comédie. Seigneur Gil Blas, me dit-il en se levant de table, je suis trop content de la bonne chère que vous m'avez faite pour vous quitter sans vous donner un avis important dont vous me paraissez avoir besoin. Soyez désormais en garde contre les louanges. Défiez-vous des gens que vous ne connaîtrez point. Vous en pourrez rencontrer d'autres qui voudront comme moi se divertir de votre crédulité et peut-être pousser les choses encore plus loin. N'en soyez point la dupe, et ne vous croyez point sur leur parole la huitième merveille du monde. En achevant ces mots, il me rit au nez et s'en alla.

Je fus aussi sensible à cette baie que je l'ai été dans la suite aux plus grandes disgrâces qui me sont arrivées. Je ne pouvais me consoler de m'être laissé tromper si grossièrement, ou, pour mieux dire, de sentir mon orgueil humilié. Eh quoi! dis-je, le traître s'est donc joué de moi! Il n'a tantôt abordé mon hôte que pour lui tirer les vers du nez, ou plutôt ils étaient d'intelligence tous deux. Ah! pauvre Gil Blas, meurs de honte d'avoir donné à ces fripons un juste sujet de te tourner en ridicule. Ils vont composer de tout ceci une belle histoire, qui pourra bien aller jusqu'à Oviedo, et qui t'y fera beaucoup d'honneur. Tes parents se repentiront sans doute d'avoir tant harangué un sot. Loin de m'exhorter à ne tromper personne, ils devaient me recommander de ne me pas laisser duper. Agité de ces pensées mortifiantes, enflammé de dépit, je m'enfermai dans ma chambre et me mis au lit : mais je ne pus dormir et je n'avais pas encore fermé l'œil, lorsque le muletier me vint avertir qu'il n'attendait plus que moi pour partir. Je me levai aussitôt et, pendant que je m'habillais, Corcuelo arriva avec un mémoire de la dépense, où la truite n'était pas oubliée, et, non seulement il m'en fallut passer par où il voulut, j'eus même le chagrin, en lui livrant mon argent, de m'apercevoir que le bourreau se ressouvenait de mon aventure. Après avoir bien payé un souper dont j'avais fait si désagréablement la digestion, je me rendis chez le muletier avec ma valise, en donnant à tous les diables le parasite, l'hôte et l'hôtellerie.

CHAPITRE III

De la tentation qu'eut le muletier sur la route; quelle en fut la suite, et comment Gil Blas tomba dans Charybde en voulant éviter Scylla.

Je ne me trouvai pas seul avec le muletier [5]. Il y avait deux enfants de famille de Peñaflor, un petit chantre de Mondoñedo qui courait le pays et un jeune bourgeois d'Astorga, qui s'en retournait chez lui avec une jeune personne qu'il venait d'épouser à Verco. Nous fîmes tous connaissance en peu de temps et chacun eut bientôt dit d'où il venait et où il allait. La nouvelle mariée, quoique jeune, était si noire et si peu piquante, que je ne prenais pas grand plaisir à la regarder : cependant sa jeunesse et son embonpoint donnèrent dans la vue du muletier, qui résolut de faire une tentative pour obtenir ses bonnes grâces. Il passa la journée à méditer ce beau dessein et il en remit l'exécution à la dernière couchée. Ce fut à Cacabelos. Il nous fit descendre à la première hôtellerie en entrant. Cette maison était plus dans la campagne que dans le bourg et il en connaissait l'hôte pour un homme discret et complaisant. Il eut soin de nous faire conduire dans une chambre écartée, où il nous laissa souper tranquillement; mais, sur la fin du repas, nous le vîmes entrer d'un air furieux. Par la mort! s'écria-t-il, on m'a volé. J'avais dans un sac de cuir cent pistoles. Il faut que je les retrouve. Je vais chez le juge du bourg, qui n'entend pas raillerie là-dessus, et vous allez tous avoir la question, jusqu'à ce que vous ayez confessé le crime et rendu l'argent. En disant cela d'un air fort naturel, il sortit, et nous demeurâmes dans un extrême étonnement.

Il ne nous vint pas dans l'esprit que ce pouvait être une feinte, parce que nous ne nous connaissions point les uns les autres. Je soupçonnai même le petit chantre d'avoir fait le coup, comme il eut peut-être de moi la même pensée. D'ailleurs, nous étions tous de jeunes sots. Nous ne savions pas quelles formalités s'observent en pareil cas : nous crûmes de bonne foi qu'on commencerait par nous mettre à la gêne. Ainsi, cédant à notre frayeur, nous sortîmes de la chambre fort brusquement. Les uns gagnent la rue, les autres le jardin; chacun cherche son salut dans la fuite, et le jeune bourgeois d'Astorga, aussi troublé que nous de l'idée de la question, se sauva comme un autre Enée, sans s'embarrasser de sa femme. Alors le muletier, à ce que j'appris dans la suite, plus incontinent que ses mulets, ravi de voir que son stratagème produisait l'effet qu'il en avait attendu, alla vanter cette ruse ingénieuse à la bourgeoise, et tâcher de profiter de l'occasion; mais cette

Lucrèce des Asturies, à qui la mauvaise mine de son tentateur prêtait de nouvelles forces, fit une vigoureuse résistance et poussa de grands cris. La patrouille, qui par hasard en ce moment se trouva près de l'hôtellerie, qu'elle connaissait pour un lieu digne de son attention, y entra et demanda la cause de ces cris. L'hôte, qui chantait dans sa cuisine et feignait de ne rien entendre, fut obligé de conduire le commandant et ses archers à la chambre de la personne qui criait. Ils arrivèrent bien à propos. L'Asturienne n'en pouvait plus. Le commandant, homme grossier et brutal, ne vit pas plus tôt de quoi il s'agissait, qu'il donna cinq ou six coups du bois de sa hallebarde à l'amoureux muletier, en l'apostrophant dans des termes dont la pudeur n'était guère moins blessée que de l'action même qui les lui suggérait. Ce ne fut pas tout : il se saisit du coupable et le mena devant le juge avec l'accusatrice, qui, malgré le désordre où elle était, voulut aller elle-même demander justice de cet attentat. Le juge l'écouta, et, l'ayant attentivement considérée, jugea que l'accusé était indigne de pardon. Il le fit dépouiller sur-le-champ et fustiger en sa présence; puis il ordonna que le lendemain, si le mari de l'Asturienne ne paraissait point, deux archers, aux frais et dépens du délinquant, escorteraient la complaignante jusqu'à la ville d'Astorga.

Pour moi, plus épouvanté peut-être que tous les autres, je gagnai la campagne. Je traversai je ne sais combien de champs et de bruyères, et, sautant tous les fossés que je trouvais sur mon passage, j'arrivai enfin auprès d'une forêt. J'allais m'y jeter et me cacher dans le plus épais hallier, lorsque deux hommes à cheval s'offrirent tout à coup audevant de mes pas. Ils crièrent : Qui va là ? et comme ma surprise ne me permit pas de répondre sur-le-champ, ils s'approchèrent de moi et, me mettant chacun un pistolet sur la gorge [6], ils me sommèrent de leur apprendre qui j'étais, d'où je venais, ce que je voulais aller faire en cette forêt, et surtout de ne leur rien déguiser. A cette manière d'interroger, qui me parut bien valoir la question dont le muletier nous avait fait fête, je leur répondis que j'étais un jeune homme d'Oviedo qui allait à Salamanque : je leur contai même l'alarme qu'on venait de nous donner, et j'avouai que la crainte d'être appliqué à la torture m'avait fait prendre la fuite. Ils firent un éclat de rire à ce discours, qui marquait ma simplicité, et l'un des deux me dit : Rassure-toi, mon ami. Viens avec nous et ne crains rien. Nous allons te mettre en sûreté. A ces mots, il me fit monter en croupe sur son cheval et nous nous enfonçâmes dans la forêt.

Je ne savais ce que je devais penser de cette rencontre. Je n'en augurais pourtant rien de sinistre : Si ces gens-ci, disais-je en moi-même, étaient des voleurs, ils m'auraient volé et peut-être assassiné. Il faut que ce soient de bons gentilshommes de ce pays-ci, qui, me voyant effrayé, ont pitié de moi et m'emmènent chez eux par charité. Je ne fus pas longtemps dans l'incertitude. Après quelques détours que nous fîmes dans un grand silence, nous nous trouvâmes au pied d'une colline, où nous descendîmes de cheval. C'est ici que nous demeurons, me dit un des cavaliers. J'avais beau regarder de tous côtés, je n'apercevais ni maison, ni cabane, pas la moindre apparence d'habitation. Cependant ces deux hommes levèrent une grande trappe de bois, couverte de broussailles, qui cachait l'entrée d'une longue allée en pente et souterraine, où les chevaux se jetèrent d'eux-mêmes, comme des animaux qui y étaient accoutumés. Les cavaliers m'y firent entrer avec eux; puis, baissant la trappe avec des cordes qui y étaient attachées pour cet effet, voilà le digne neveu de mon oncle Perez pris comme un rat dans une ratière.

CHAPITRE IV

Description du souterrain,
et quelles choses y vit Gil Blas.

Je connus alors avec quelle sorte de gens j'étais, et l'on doit bien juger que cette connaissance m'ôta ma première crainte. Une frayeur plus grande et plus juste vint s'emparer de mes sens. Je crus que j'allais perdre la vie avec mes ducats. Ainsi, me regardant comme une victime qu'on conduit à l'autel, je marchais déjà plus mort que vif entre mes deux conducteurs, qui, sentant bien que je tremblais, m'exhortaient inutilement à ne rien craindre. Quand nous eûmes fait environ deux cents pas en tournant et en descendant toujours, nous entrâmes dans une écurie qu'éclairaient deux grosses lampes de fer pendues à la voûte. Il y avait une bonne provision de paille et plusieurs tonneaux remplis d'orge. Vingt chevaux y pouvaient être à l'aise; mais il n'y avait alors que les deux qui venaient d'arriver. Un vieux nègre, qui paraissait pourtant encore assez vigoureux, s'occupait à les attacher au râtelier.

Nous sortîmes de l'écurie et à la triste lueur de quelques autres lampes qui semblaient n'éclairer ces lieux que pour en montrer l'horreur, nous parvînmes à une cuisine où une vieille femme faisait rôtir des viandes sur des brasiers et préparait le souper. La cuisine était ornée des ustensiles nécessaires, et tout auprès on voyait une office pourvue de toutes sortes de provisions. La cuisinière, il faut que j'en fasse le portrait, était une personne de soixante et quelques années. Elle avait eu dans sa jeunesse les cheveux d'un blond très ardent; car le temps ne les avait pas si bien blanchis, qu'ils n'eussent encore quelques nuances de leur première couleur. Outre un teint olivâtre, elle avait un menton pointu et relevé avec des lèvres fort enfoncées; un grand nez aquilin lui descendait sur la bouche et ses yeux paraissaient d'un très beau rouge pourpré.

Tenez, dame Léonarde, dit un des cavaliers en me présentant à ce bel ange des ténèbres, voici un jeune garçon que nous vous amenons. Puis il se tourna de mon côté, et remarquant que j'étais pâle et défait : Mon ami, me dit-il, reviens de ta frayeur. On ne te veut faire aucun mal. Nous avions besoin d'un valet pour soulager notre cuisinière. Nous t'avons rencontré. Cela est heureux pour toi. Tu tiendras ici la place d'un garçon qui s'est laissé mourir depuis quinze jours. C'était un jeune homme d'une complexion très délicate. Tu me parais plus robuste que lui, tu ne mourras pas sitôt. Véritablement, tu ne reverras plus le soleil, mais, en récompense, tu feras bonne chère et beau feu. Tu passeras tes jours avec Léonarde, qui est une créature fort humaine. Tu auras toutes tes petites commodités. Je veux te faire voir, ajouta-t-il, que tu n'es pas ici avec des gueux. En même temps il prit un flambeau et m'ordonna de le suivre.

Il me mena dans une cave, où je vis une infinité de bouteilles et de pots de terre bien bouchés, qui étaient pleins, disait-il, d'un vin excellent. Ensuite il me fit traverser plusieurs chambres. Dans les unes, il y avait des pièces de toile; dans les autres, des étoffes de laine et de soie. J'aperçus dans une autre de l'or et de l'argent, et beaucoup de vaisselle à diverses armoiries. Après cela je le suivis dans un grand salon, que trois lustres de cuivre éclairaient et qui servait de communication à d'autres chambres. Il me fit là de nouvelles questions. Il me demanda comment je me nommais; pourquoi j'étais sorti d'Oviedo; et lorsque j'eus satisfait sa curiosité : Eh bien! Gil Blas, me dit-il, puisque tu n'as quitté ta patrie que pour chercher quelque bon poste, il faut que tu sois né coiffé, pour être tombé entre nos mains. Je te l'ai déjà dit, tu vivras ici dans l'abondance, et rouleras sur l'or et sur l'argent. D'ailleurs, tu y seras en sûreté. Tel est ce souterrain, que les officiers de la sainte Hermandad [7] viendraient cent fois dans cette forêt sans le découvrir. L'entrée n'en est connue que de moi seul et de mes camarades. Peut-être me demanderas-tu comment nous l'avons pu faire sans que les habitants des environs s'en soient aperçus; mais apprends, mon ami, que ce n'est point notre ouvrage, et qu'il est fait depuis longtemps. Après que les Maures se furent rendus maîtres de Grenade, de l'Aragon et de presque toute l'Espagne, les chrétiens qui ne voulurent point subir le joug des infidèles prirent la fuite et vinrent se cacher dans ce pays-ci, dans la Biscaye, et dans les Asturies, où le vaillant don Pélage s'était retiré. Fugitifs et dispersés par pelotons, ils vivaient dans les montagnes ou dans les bois. Les uns demeuraient dans les cavernes, et les autres firent plusieurs souterrains, du nombre desquels est celui-ci. Ayant ensuite eu le bonheur de chasser d'Espagne leurs ennemis, ils retournèrent dans les villes. Depuis ce temps-là leurs retraites ont servi d'asile aux gens de notre profession. Il est vrai que la sainte Hermandad en a découvert et détruit quelques-unes; mais il en reste encore et grâce au Ciel, il y a près de quinze années que j'habite impunément celle-ci. Je m'appelle le capitaine Rolando [8]. Je suis chef de la compagnie; et l'homme que tu as vu avec moi est un de mes cavaliers.

CHAPITRE V

De l'arrivée de plusieurs autres voleurs dans le souterrain, et de l'agréable conversation qu'ils eurent tous ensemble.

Comme le seigneur Rolando achevait de parler de cette sorte, il parut dans le salon six nouveaux visages. C'était le lieutenant avec cinq hommes de la troupe qui revenaient chargés de butin. Ils apportaient deux mannequins remplis de sucre, de cannelle, de poivre, de figues, d'amandes et de raisins secs. Le lieutenant adressa la parole au capitaine et lui dit qu'il venait d'enlever ces mannequins à un épicier de Benavente, dont il avait aussi pris le mulet. Après qu'il eut rendu compte de son expédition au bureau, les dépouilles de l'épicier furent portées dans l'office. Alors il ne fut plus question que de se réjouir. On dressa dans le salon une grande table et l'on me renvoya dans la cuisine, où la dame Léonarde m'instruisit de ce que j'avais à faire. Je cédai à la nécessité, puisque mon mauvais sort le voulait ainsi, et dévorant ma douleur, je me préparai à servir ces honnêtes gens.

Je débutai par le buffet, que je parai de tasses d'argent et de plusieurs bouteilles de terre pleines de ce bon vin que le seigneur Rolando m'avait vanté. J'apportai ensuite deux ragoûts, qui ne furent pas plus tôt servis que tous les cavaliers se mirent à table. Ils commencèrent à manger avec beaucoup d'appétit; et moi, debout derrière eux, je me tins prêt à leur verser du vin. Je m'en acquittai de si bonne grâce, que j'eus le bonheur de m'attirer des compliments. Le capitaine en peu de mots leur conta mon histoire, qui les divertit fort. Ensuite, il leur dit que j'avais du mérite : mais j'étais alors revenu des louanges, et j'en pouvais entendre sans péril. Là-dessus, ils me louèrent tous. Ils dirent que je paraissais né pour être leur échanson : que je valais cent fois mieux que mon prédécesseur. Et comme, depuis sa mort, c'était la señora Léonarda qui avait l'honneur de présenter le nectar à ces dieux infernaux, ils la privèrent de ce glorieux emploi pour m'en revêtir. Ainsi, nouveau Ganymède, je succédai à cette vieille Hébé.

Un grand plat de rôt, servi peu de temps après les ragoûts, vint achever de rassasier les voleurs, qui, buvant à proportion qu'ils mangeaient, furent bientôt de belle humeur et firent un beau bruit. Les voilà qui parlent tous à la fois. L'un commence une histoire, l'autre rapporte un bon mot; un autre crie, un autre chante. Ils ne s'entendent point. Enfin Rolando, fatigué d'une scène où il mettait inutilement beaucoup du sien, le prit sur un ton si haut, qu'il imposa silence à la compagnie. Messieurs, leur dit-il, écoutez ce que j'ai à vous proposer. Au lieu de nous étourdir les uns les autres en parlant tous ensemble, ne ferions-nous pas mieux de nous entretenir comme des gens raisonnables ? Il me vient une pensée. Depuis que nous sommes associés, nous n'avons pas eu la curiosité de nous demander quelles sont nos familles et par quel enchaînement d'aventures nous avons embrassé notre profession. Cela me paraît toutefois digne d'être su. Faisons-nous cette confidence pour nous divertir. Le lieutenant et les autres, comme s'ils avaient eu quelque chose de beau à raconter, acceptèrent avec de grandes démonstrations de joie la proposition du capitaine, qui parla le premier dans ces termes.

Messieurs, vous saurez que je suis fils unique d'un riche bourgeois de Madrid. Le jour de ma naissance fut célébré dans la famille par des réjouissances infinies. Mon père, qui était déjà vieux, sentit une joie extrême de se voir un héritier et ma mère entreprit de me nourrir de son propre lait. Mon aïeul maternel vivait encore en ce temps-là. C'était un bon vieillard qui ne se mêlait plus de rien que de dire son rosaire et de raconter ses exploits guerriers, car il avait longtemps porté les armes. Je devins insensiblement l'idole de ces trois personnes. J'étais sans cesse dans leurs bras. De peur que l'étude ne me fatiguât dans mes premières années, on me les laissa passer dans les amusements les plus puérils. Il ne faut pas, disait mon père, que les enfants s'appliquent sérieusement, que le temps n'ait un peu mûri leur esprit. En attendant cette maturité, je n'apprenais ni à lire ni à écrire; mais je ne perdais pas pour cela mon temps. Mon père m'enseignait mille sortes de jeux. Je connaissais parfaitement les cartes; je savais jouer aux dés, et mon grand-père m'apprenait des romances sur les expéditions militaires où il s'était trouvé. Il me chantait tous les jours les mêmes couplets et, lorsque, après avoir répété pendant trois mois dix ou douze vers, je venais à les réciter sans faute, mes parents admiraient ma mémoire. Ils ne paraissaient pas moins contents de mon esprit, quand, profitant de la liberté que j'avais de tout dire, j'interrompais leur entretien pour parler à tort et à travers. Ah! qu'il est joli! s'écriait mon père, en me regardant avec des yeux charmés. Ma mère m'accablait aussitôt de caresses et mon grand-père en pleurait de joie. Je faisais aussi devant eux impunément les actions les plus indécentes. Ils me pardonnaient tout. Ils m'adoraient. Cependant j'entrais déjà dans ma douzième année, et je n'avais pas encore eu de maîtres. On m'en donna un. Mais il reçut en même temps des ordres précis de m'enseigner sans en venir aux voies de fait. On lui permit seulement de me menacer quelquefois pour m'inspirer un peu de crainte. Cette permission ne fut pas fort salutaire; car, ou je me moquais des menaces de mon précepteur, ou bien, les larmes aux yeux, j'allais m'en plaindre à ma mère ou à mon aïeul, et je leur disais qu'il m'avait maltraité. Le pauvre diable avait beau venir me démentir, il passait pour un brutal, et l'on me croyait toujours plutôt que lui. Il arriva un jour que je m'égratignai moi-même. Puis je me mis à crier comme si l'on m'eût écorché. Ma mère accourut et chassa le maître sur-le-champ, quoiqu'il protestât et prît le ciel à témoin qu'il ne m'avait pas touché.

Je me défis ainsi de tous mes précepteurs, jusqu'à ce qu'il vînt s'en présenter un tel qu'il me le fallait. C'était un bachelier d'Alcala. L'excellent maître pour un enfant de famille! Il aimait les femmes, le jeu et le cabaret. Je ne pouvais être en meilleure main. Il s'attacha d'abord à gagner mon esprit par la douceur. Il y réussit, et par là se fit aimer de mes parents qui m'abandonnèrent à sa conduite. Ils n'eurent pas sujet de s'en repentir. Il me perfectionna de bonne heure dans la science du monde. A force de me mener avec lui dans tous les lieux qu'il aimait, il m'en inspira si bien le goût, qu'au latin près je devins un garçon universel. Dès qu'il vit que je n'avais plus besoin de ses préceptes, il alla les offrir ailleurs.

Si dans mon enfance j'avais vécu au logis fort librement, ce fut bien autre chose quand je commençai à devenir maître de mes actions. Je me moquais à tous moments de mon père et de ma mère. Ils ne faisaient que rire de mes saillies; et plus elles étaient vives, plus ils les trouvaient agréables. Cependant, je faisais toutes sortes de débauches avec de jeunes gens de mon humeur : et, comme nos parents ne nous donnaient pas assez d'argent pour continuer une vie si délicieuse, chacun dérobait chez lui ce qu'il pouvait prendre; et, cela ne suffisant point encore, nous commençâmes à voler la nuit. Malheureusement le corrégidor [9] apprit de nos nouvelles. Il voulut nous faire arrêter, mais on nous avertit de son mauvais dessein. Nous eûmes recours à la fuite, et nous nous mîmes à exploiter sur les grands chemins. Depuis ce temps-là, messieurs, Dieu m'a fait la grâce de vieillir dans la profession malgré les périls qui y sont attachés.

Le capitaine cessa de parler en cet endroit et le lieutenant prit ainsi la parole : Messieurs, une éducation tout opposée à celle du seigneur Rolando a produit le même effet. Mon père était un boucher de Tolède. Il passait avec justice pour le plus grand brutal de la ville, et ma mère n'avait pas un naturel plus doux. Ils me fouettaient, dans mon enfance, comme à l'envi l'un de l'autre. J'en recevais tous les jours mille coups. La moindre faute que je commettais était suivie des plus rudes châtiments. J'avais beau demander grâce les larmes aux yeux et protester que je me repentais de ce que j'avais fait, on ne me pardonnait rien et le plus souvent on me frappait sans raison. Quand mon père me battait, ma mère, comme s'il ne s'en fût pas bien acquitté, se mettait de la partie, au lieu d'intercéder pour moi. Ces traitements m'inspirèrent tant d'aversion pour la maison paternelle, que je la quittai avant que j'eusse atteint ma quatorzième année. Je pris le chemin d'Aragon et me rendis à Saragosse en demandant l'aumône. Là je me faufilai avec des gueux, qui menaient une vie assez heureuse. Ils m'apprirent à contrefaire l'aveugle, à paraître estropié, à mettre sur les jambes des ulcères postiches, et caetera. Le matin, comme des acteurs qui se préparent à jouer une comédie, nous nous disposions à faire nos personnages. Chacun courait à son poste; et le soir, nous réunissant tous, nous nous réjouissions pendant la nuit aux dépens de ceux qui avaient eu pitié de nous pendant le jour. Je m'ennuyai pourtant d'être avec ces misérables, et, voulant vivre avec de plus honnêtes gens, je m'associai avec des chevaliers de l'industrie. Ils m'apprirent à faire de bons tours; mais il nous fallut bientôt sortir de Saragosse, parce que nous nous brouillâmes avec un homme de justice qui nous avait toujours protégés. Chacun prit son parti. Pour moi, j'entrai dans une troupe d'hommes courageux qui faisaient contribuer les voyageurs; et je me suis si bien trouvé de leur façon de vivre, que je n'en ai pas voulu chercher d'autre depuis ce temps-là. Je sais donc, messieurs, très bon gré à mes parents de m'avoir si maltraité; car, s'ils m'avaient élevé un peu plus doucement, je ne serais présentement sans doute qu'un malheureux boucher, au lieu que j'ai l'honneur d'être votre lieutenant.

Messieurs, dit alors un jeune voleur qui étais assis entre le capitaine et le lieutenant, les histoires que nous venons d'entendre ne sont pas si composées ni si curieuses que la mienne. Je dois le jour à une paysanne des environs de Séville. Trois semaines après qu'elle m'eut mis au monde (elle était encore jeune, propre, et bonne nourrice) on lui proposa un nourrisson. C'était un enfant de qualité, un fils unique qui venait de naître dans Séville. Ma mère accepta volontiers la proposition. Elle alla chercher l'enfant. On le lui confia, et elle ne l'eut pas sitôt apporté dans son village, que, trouvant quelque ressemblance entre nous, cela lui inspira le dessein de me faire passer pour l'enfant de qualité, dans l'espérance qu'un jour je reconnaîtrais bien ce bon office. Mon père, qui n'était pas plus scrupuleux qu'un autre paysan, approuva la supercherie. De sorte qu'après nous avoir fait changer de langes, le fils de don Rodrigue de Herrera fut envoyé, sous mon nom, à une autre nourrice, et ma mère me nourrit sous le sien.

Malgré tout ce qu'on peut dire de l'instinct et de la force du sang, les parents du petit gentilhomme prirent aisément le change. Ils n'eurent pas le moindre soupçon du tour qu'on leur avait joué; et jusqu'à l'âge de sept ans je fus toujours dans leurs bras. Leur intention étant de me rendre un cavalier parfait, ils me donnèrent toutes sortes de maîtres; mais j'avais peu de disposition pour les exercices qu'on m'apprenait et encore moins de goût pour les sciences qu'on me voulait enseigner. J'aimais beaucoup mieux jouer avec les valets que j'allais chercher à tous moments dans les cuisines ou dans les écuries. Le jeu ne fut pas toutefois longtemps ma passion dominante. Je n'avais pas dix-sept ans que je m'enivrais tous les jours. J'agaçais aussi toutes les femmes du logis. Je m'attachai principalement à une servante de cuisine qui me parut mériter mes premiers soins. C'était une grosse joufflue dont l'enjouement et l'embonpoint me plaisaient fort. Je lui faisais l'amour avec si peu de circonspection, que don Rodrigue même s'en aperçut. Il m'en reprit aigrement, me reprocha la bassesse de mes inclinations, et, de peur que la vue de l'objet aimé ne rendît ses remontrances inutiles, il mit ma princesse à la porte.

Ce procédé me déplut. Je résolus de m'en venger. Je volai les pierreries de la femme de don Rodrigue; et courant chercher ma belle Hélène, qui s'était retirée chez une blanchisseuse de ses amies, je l'enlevai en plein midi, afin que personne n'en ignorât. Je passai plus avant; je la menai dans son pays, où je l'épousai solennellement, tant pour faire plus de dépit aux Herrera que pour laisser aux enfants de famille un si bel exemple à suivre. Trois mois après ce mariage, j'appris que don Rodrigue était mort. Je ne fus pas insensible à cette nouvelle. Je me rendis promptement à Séville pour demander son bien, mais j'y trouvai du changement. Ma mère n'était plus, et, en mourant, elle avait eu l'indiscrétion d'avouer tout en présence du curé de son village et d'autres bons témoins. Le fils de don Rodrigue tenait déjà ma place, ou plutôt la sienne, et il venait d'être reconnu avec d'autant plus de joie, qu'on était moins satisfait de moi. De manière que, n'ayant rien à espérer de ce côté-là et ne me sentant plus de goût pour ma grosse femme, je me joignis à des chevaliers de la fortune, avec qui je commençai mes caravanes.

Le jeune voleur ayant achevé son histoire, un autre dit qu'il était fils d'un marchand de Burgos; que, dans sa jeunesse, poussé d'une dévotion indiscrète, il avait pris l'habit et fait profession dans un ordre fort austère, et que quelques années après il avait apostasié. Enfin, les huit voleurs parlèrent tour à tour, et lorsque je les eus tous entendus, je ne fus pas surpris de les voir ensemble. Ils changèrent ensuite de discours. Ils mirent sur le tapis divers projets pour la campagne prochaine, et, après avoir formé une résolution, ils se levèrent de table pour s'aller coucher. Ils allumèrent des bougies et se retirèrent dans leurs chambres. Je suivis le capitaine Rolando dans la sienne, où pendant que je l'aidais à se déshabiller : Eh bien! Gil Blas, me dit-il, tu vois de quelle manière nous vivons. Nous sommes toujours dans la joie. La haine ni l'envie ne se glissent point parmi nous. Nous n'avons jamais ensemble le moindre démêlé. Nous sommes plus unis que des moines. Tu vas, mon enfant, poursuivit-il, mener ici une vie bien agréable; car je ne te crois pas assez sot pour te faire une peine d'être avec des voleurs. Eh! voit-on d'autres gens dans le monde [10] ? Non, mon ami; tous les hommes aiment à s'approprier le bien d'autrui. C'est un sentiment général. La manière seule en est différente. Les conquérants, par exemple, s'emparent des Etats de leurs voisins. Les personnes de qualité empruntent et ne rendent point. Les banquiers, trésoriers, agents de change, commis et tous les marchands tant gros que petits ne sont pas fort scrupuleux. Pour les gens de justice, je n'en parlerai point. On n'ignore pas ce qu'ils savent faire. Il faut pourtant avouer qu'ils sont plus humains que nous, car souvent nous ôtons la vie aux innocents, et eux quelquefois la sauvent aux coupables.

CHAPITRE VI

De la tentative que fit Gil Blas pour se sauver, et quel en fut le succès.

Après que le capitaine des voleurs eut fait ainsi l'apologie de sa profession, il se mit au lit, et moi, je retournai dans le salon, où je desservis et remis tout en ordre. J'allai ensuite à la cuisine, où Domingo, c'était le nom du vieux nègre, et la dame Léonarde soupaient en m'attendant. Quoique je n'eusse point d'appétit, je ne laissai pas de m'asseoir auprès d'eux. Je ne pouvais manger, et, comme je paraissais aussi triste que j'avais sujet de l'être, ces deux figures équivalentes entreprirent de me consoler. Pourquoi vous affligez-vous, mon fils? me dit la vieille; vous devez plutôt vous réjouir de vous voir ici. Vous êtes jeune et vous paraissez facile. Vous vous seriez bientôt perdu dans le monde. Vous y auriez rencontré des libertins qui vous auraient engagé dans toutes sortes de débauches. Au lieu que votre innocence se trouve ici dans un port assuré.

La dame Léonarde a raison, dit gravement à son tour le vieux nègre, et l'on peut ajouter à cela qu'il n'y a dans le monde que des peines; Rendez grâce au ciel, mon ami, d'être tout d'un coup délivré des périls, des embarras et des afflictions de la vie.

J'essuyai tranquillement ce discours, parce qu'il ne m'eût servi de rien de m'en fâcher. Enfin Domingo, après avoir bien bu et bien mangé, se retira dans son écurie. Léonarde prit aussitôt une lampe, et me conduisit dans un caveau qui servait de cimetière aux voleurs qui mouraient de leur mort naturelle, et où je vis un grabat qui avait plus l'air d'un tombeau que d'un lit. Voilà votre chambre, me dit-elle. Le garçon dont vous avez le bonheur d'occuper la place y a couché tant qu'il a vécu parmi nous, et il y repose encore après sa mort. Il s'est laissé mourir à la fleur de son âge. Ne soyez pas assez simple pour suivre son exemple. En achevant ces paroles, elle me donna la lampe et retourna dans sa cuisine. Je posai la lampe à terre, et me jetai sur le grabat, moins pour prendre du repos que pour me livrer tout entier à mes réflexions. O ciel! dis-je, est-il une destinée aussi affreuse que la mienne ? On veut que je renonce à la vue du soleil, et comme si ce n'était pas assez d'être enterré tout vif à dix-huit ans, il faut encore que je sois réduit à servir des voleurs, à passer le jour avec des brigands et la nuit avec des morts! Ces pensées qui me semblaient très mortifiantes, et qui l'étaient en effet, me faisaient pleurer amèrement. Je maudis cent fois l'envie que mon oncle avait eue de m'envoyer à Salamanque. Je me repentis d'avoir craint la justice de Cacabelos. J'aurais voulu être à la question. Mais, considérant que je me consumais en plaintes vaines, je me mis à rêver aux moyens de me sauver; et je me dis : Est-il donc impossible de me tirer d'ici ? Les voleurs dorment. La cuisinière et le nègre en feront bientôt autant. Pendant qu'ils seront tous endormis, ne puis-je avec cette lampe trouver l'allée par où je suis descendu dans cet enfer ? Il est vrai que je ne me crois point assez fort pour lever la trappe qui est à l'entrée. Cependant voyons. Je ne veux rien avoir à me reprocher. Mon désespoir me prêtera des forces et j'en viendrai peut-être à bout.

Je formai donc ce grand dessein. Je me levai quand je jugeai que Léonarde et Domingo reposaient. Je pris la lampe et sortis du caveau en me recommandant à tous les saints du paradis. Ce ne fut pas sans peine que je démêlai les détours de ce nouveau labyrinthe. J'arrivai pourtant à la porte de l'écurie, et j'aperçus enfin l'allée que je cherchais. Je marche, je m'avance vers la trappe avec autant de légèreté que de joie; mais, hélas! au milieu de l'allée je rencontrai une maudite grille de fer bien fermée et dont les barreaux étaient si près l'un de l'autre qu'on y pouvait à peine passer la main. Je me trouvai bien sot à la vue de ce nouvel obstacle, dont je ne m'étais point aperçu en entrant, parce que la grille était alors ouverte. Je ne laissai pas pourtant de tâter les barreaux. J'examinai la serrure. Je tâchais même de la forcer, lorsque tout à coup je me sentis appliquer entre les deux épaules cinq ou six bons coups de nerf de bœuf. Je poussai un cri si perçant, que le souterrain en retentit, et, regardant aussitôt derrière moi, je vis le vieux nègre en chemise qui d'une main tenait une lanterne sourde, et de l'autre l'instrument de mon supplice. Ah! ah! dit-il, petit drôle, vous voulez vous sauver! Oh! ne pensez pas que vous puissiez me surprendre. Je vous ai bien entendu. Vous avez cru la grille ouverte, n'est-ce pas ? Apprenez, mon ami, que vous la trouverez désormais toujours fermée. Quand nous retenons ici quelqu'un malgré lui, il faut qu'il soit plus fin que vous pour nous échapper.

Cependant, au cri que j'avais fait, deux ou trois voleurs se réveillèrent en sursaut, et, ne sachant si c'était la sainte Hermandad qui venait fondre sur eux, ils se levèrent et appelèrent leurs camarades. Dans un instant ils sont tous sur pied. Ils prennent leurs épées et leurs carabines, et s'avancent presque nus jusqu'à l'endroit où j'étais avec Domingo. Mais sitôt qu'ils surent la cause du bruit qu'ils avaient entendu, leur inquiétude se convertit en éclats de rire. Comment donc, Gil Blas, me dit le voleur apostat, il n'y a pas six heures que tu es avec nous, et tu veux déjà t'en aller ? Il faut que tu aies bien de l'aversion pour la retraite. Eh! que ferais-tu donc si tu étais chartreux ? Va te coucher. Tu en seras quitte cette fois-ci pour les coups que Domingo t'a donnés; mais s'il t'arrive jamais de faire un nouvel effort pour te sauver, par saint Barthélemy! nous t'écorcherons tout vif. A ces mots, il se retira. Les autres voleurs s'en retournèrent aussi dans leurs chambres. Le vieux nègre, fort satisfait de son expédition, rentra dans son écurie, et je regagnai mon cimetière, où je passai le reste de la nuit à soupirer et à pleurer.

CHAPITRE VII

De ce que fit Gil Blas, ne pouvant faire mieux.

Je pensai succomber les premiers jours au chagrin qui me dévorait. Je ne faisais que traîner une vie mourante; mais enfin mon bon génie m'inspira la pensée de dissimuler. J'affectai de paraître moins triste. Je commençai à rire et à chanter, quoique je n'en eusse aucune envie. En un mot, je me contraignis si bien que Léonarde et Domingo y furent trompés. Ils crurent que l'oiseau s'accoutumait à la cage. Les voleurs s'imaginèrent la même chose. Je prenais un air gai en leur versant à boire, et je me mêlais à leur entretien, quand je trouvais occasion d'y placer quelque plaisanterie. Ma liberté, loin de leur déplaire, les divertissait : Gil Blas, me dit le capitaine, un soir que je faisais le plaisant, tu as bien fait, mon ami, de bannir la mélancolie. Je suis charmé de ton humeur et de ton esprit. On ne connaît pas d'abord les gens. Je ne te croyais pas si spirituel ni si enjoué.

Les autres me donnèrent aussi mille louanges. Ils me parurent si contents de moi, que, profitant d'une si bonne disposition : Messieurs, leur dis-je, permettez que je vous découvre mes sentiments. Depuis que je demeure ici, je me sens tout autre que je n'étais auparavant. Vous m'avez défait des préjugés de mon éducation, j'ai pris insensiblement votre esprit. J'ai du goût pour votre profession. Je meurs d'envie d'avoir l'honneur d'être un de vos confrères et de partager avec vous les périls de vos expéditions. Toute la compagnie applaudit à ce discours. On loua ma bonne volonté. Puis il fut résolu tout d'une voix qu'on me laisserait servir encore quelque temps pour éprouver ma vocation; qu'ensuite on me ferait faire mes caravanes. Après quoi on m'accorderait la place honorable que je demandais.

Il fallut donc continuer de me contraindre et d'exercer mon emploi d'échanson. J'en fus très mortifié, car je n'aspirais à devenir voleur que pour avoir la liberté de sortir comme les autres; et j'espérais qu'en faisant des courses avec eux, je leur échapperais quelque jour. Cette seule espérance soutenait ma vie. L'attente néanmoins me paraissait longue, et je ne laissai pas d'essayer plus d'une fois de surprendre la vigilance de Domingo : mais il n'y eut pas moyen; il était trop sur ses gardes. J'aurais défié cent Orphées de charmer ce Cerbère. Il est vrai aussi que, de peur de me rendre suspect, je ne faisais pas tout ce que j'aurais pu faire pour le tromper. Il m'observait, et j'étais obligé d'agir avec beaucoup de circonspection pour ne me pas trahir. Je m'en remettais donc au temps que les voleurs m'avaient prescrit pour me recevoir dans leur troupe, et je l'attendais avec autant d'impatience que si j'eusse dû entrer dans une compagnie de traitants.

Grâce au ciel, six mois après, ce temps arriva. Le seigneur Rolando dit à ses cavaliers : Messieurs, il faut tenir la parole que nous avons donnée à Gil Blas. Je n'ai pas mauvaise opinion de ce garçon-là. Je crois que nous en ferons quelque chose. Je suis d'avis que nous le menions demain avec nous cueillir des lauriers sur les grands chemins. Prenons soin nous-mêmes de le dresser à la gloire. Les voleurs furent tous du sentiment de leur capitaine; et pour me faire voir qu'ils me regardaient déjà comme un de leurs compagnons, dès ce moment ils me dispensèrent de les servir. Ils rétablirent la dame Léonarde dans l'emploi qu'on lui avait ôté pour m'en charger. Ils me firent quitter mon habillement, qui consistait en une simple soutanelle fort usée, et ils me parèrent de toute la dépouille d'un gentilhomme nouvellement volé. Après cela, je me disposai à faire ma première campagne.

CHAPITRE VIII

Gil Blas accompagne les voleurs.
Quel exploit il fait sur les grands chemins.

Ce fut sur la fin d'une nuit du mois de septembre que je sortis du souterrain avec les voleurs. J'étais armé comme eux d'une carabine, de deux pistolets, d'une épée et d'une baïonnette, et je montais un assez bon cheval, qu'on avait pris au même gentilhomme dont je portais les habits. Il y avait si longtemps que je vivais dans les ténèbres, que le jour naissant ne manqua pas de m'éblouir; mais peu à peu mes yeux s'accoutumèrent à le souffrir.

Nous passâmes auprès de Pontferrada, et nous allâmes nous mettre en embuscade dans un petit bois qui bordait le grand chemin de Léon. Là nous attendions que la fortune nous offrît quelque bon coup à faire, quand nous aperçûmes un religieux de l'Ordre de Saint-Dominique, monté, contre l'ordinaire de ces bons pères, sur une mauvaise mule. Dieu soit loué, s'écria le capitaine en riant, voici le chef-d'œuvre de Gil Blas. Il faut qu'il aille détrousser ce moine. Voyons comme il s'y prendra. Tous les voleurs jugèrent qu'effectivement cette commission me convenait, et ils m'exhortèrent à m'en bien acquitter. Messieurs, leur dis-je, vous serez contents; je vais mettre ce père nu comme la main et vous amener ici sa mule. Non, non, dit Rolando, elle n'en vaut pas la peine. Apporte-nous seulement la bourse de Sa Révérence; c'est tout ce que nous exigeons de toi. Là-dessus je sortis du bois, et poussai vers le religieux, en priant le Ciel de me pardonner l'action que j'allais faire. J'aurais bien voulu m'échapper dès ce moment-là. Mais la plupart des voleurs étaient encore mieux montés que moi : s'ils m'eussent vu fuir, ils se seraient mis à mes trousses, et m'auraient bientôt rattrapé, ou peut-être auraient-ils fait sur moi une décharge de leurs carabines, dont je me serais fort mal trouvé. Je n'osai donc hasarder une démarche si délicate. Je joignis le père et lui demandai la bourse en lui présentant le bout d'un pistolet. Il s'arrêta tout court pour me considérer, et, sans paraître fort effrayé : Mon enfant, me dit-il, vous êtes bien jeune. Vous faites de bonne heure un vilain métier. Mon père, lui répondis-je, tout vilain qu'il est, je voudrais l'avoir commencé plus tôt. Ah! mon fils, répliqua le bon religieux, qui n'avait garde de comprendre le vrai sens de mes paroles, que dites-vous ? quel aveuglement! souffrez que je vous représente l'état malheureux... Oh! mon père, interrompis-je avec précipitation, trêve de morale, s'il vous plaît. Je ne viens pas sur les grands chemins pour entendre des sermons. Je veux de l'argent. De l'argent ? me dit-il d'un air étonné; vous jugez bien mal de la charité des Espagnols, si vous croyez que les personnes de mon caractère aient besoin d'argent pour voyager en Espagne. Détrompez-vous. On nous reçoit agréablement partout. On nous loge. On nous nourrit, et l'on ne nous demande que des prières. Enfin nous ne portons point d'argent sur la route. Nous nous abandonnons à la Providence. Eh! non, non, lui repartis-je, vous ne vous y abandonnez pas. Vous avez toujours de bonnes pistoles pour être plus sûrs de la Providence. Mais, mon père, ajoutais-je, finissons. Mes camarades, qui sont dans ce bois, s'impatientent. Jetez tout à l'heure votre bourse à terre, ou bien je vous tue.

A ces mots, que je prononçai d'un air menaçant, le religieux sembla craindre pour sa vie. Attendez, me dit-il, je vais donc vous satisfaire, puisqu'il le faut absolument. Je vois bien qu'avec vous autres, les figures de rhétorique sont inutiles. En disant cela, il tira de dessous sa robe une grosse bourse de peau de chamois, qu'il laissa tomber à terre. Alors je lui dis qu'il pouvait continuer son chemin, ce qu'il ne me donna pas la peine de répéter. Il pressa les flancs de sa mule, qui, démentant l'opinion que j'avais d'elle, car je ne la croyais pas meilleure que celle de mon oncle, prit tout à coup un assez bon train. Tandis qu'il s'éloignait, je mis pied à terre. Je ramassai la bourse qui me parut pesante. Je remontai sur ma bête, et regagnai promptement le bois, où les voleurs m'attendaient avec impatience, pour me féliciter de ma victoire. A peine me donnèrent-ils le temps de descendre de cheval, tant ils s'empressaient de m'embrasser. Courage, Gil Blas, me dit Rolando, tu viens de faire des merveilles. J'ai eu les yeux sur toi pendant ton expédition. J'ai observé ta contenance. Je te prédis que tu deviendras un excellent voleur de grand chemin. Le lieutenant et les autres applaudirent à la prédiction, et m'assurèrent que je ne pouvais manquer de l'accomplir quelque jour. Je les remerciai de la haute idée qu'ils avaient de moi et leur promis de faire tous mes efforts pour la soutenir.

Après qu'ils m'eurent d'autant plus loué que je méritais moins de l'être, il leur prit envie d'examiner le butin dont je revenais chargé. Voyons, dirent-ils, voyons ce qu'il y a dans la bourse du religieux. Elle doit être bien garnie, continua l'un d'entre eux, car ces bons pères ne voyagent pas en pèlerins. Le capitaine délia la bourse, l'ouvrit et en tira deux ou trois poignées de petites médailles de cuivre, entremêlées d'*agnus Dei*, avec quelques scapulaires [11]. A la vue d'un larcin si nouveau, tous les voleurs éclatèrent en ris immodérés. Vive Dieu! s'écria le lieutenant, nous avons bien de l'obligation à Gil Blas. Il vient, pour son coup d'essai, de faire un vol fort salutaire à la compagnie. Cette plaisanterie en attira d'autres. Ces scélérats, et particulièrement celui qui avait apostasié, commencèrent à s'égayer sur la matière. Il leur échappa mille traits qui marquaient bien le dérèglement de leurs mœurs. Moi seul, je ne riais point. Il est vrai que les railleurs m'en ôtaient l'envie en se réjouissant aussi à mes dépens. Chacun me lança son trait et le capitaine me dit : Ma foi, Gil Blas, je te conseille, en ami, de ne te plus jouer aux moines. Ce sont des gens trop fins et trop rusés pour toi.

CHAPITRE IX

De l'événement sérieux qui suivit cette aventure.

Nous demeurâmes dans le bois la plus grande partie de la journée, sans apercevoir aucun voyageur qui pût payer pour le religieux. Enfin nous en sortîmes pour retourner au souterrain, bornant nos exploits à ce risible événement, qui faisait encore le sujet de notre entretien, lorsque nous découvrîmes de loin un carrosse à quatre mules. Il venait à nous au grand trot et il était accompagné de trois hommes à cheval qui nous parurent bien armés. Rolando fit faire halte à la troupe, pour tenir conseil là-dessus, et le résultat fut qu'on attaquerait. Aussitôt, il nous rangea de la manière qu'il voulut et nous marchâmes en bataille au-devant du carrosse. Malgré les applaudissements que j'avais reçus dans le bois, je me sentis saisi d'un grand tremblement et bientôt il sortit de tout mon corps une sueur froide, qui ne me présageait rien de bon. Pour surcroît de bonheur, j'étais au front de la bataille, entre le capitaine et le lieutenant, qui m'avaient placé là pour m'accoutumer au feu tout d'un coup. Rolando, remarquant jusqu'à quel point nature pâtissait chez moi, me regarda de travers et me dit d'un air brusque : Ecoute, Gil Blas, songe à faire ton devoir. Je t'avertis que, si tu recules, je te casserai la tête d'un coup de pistolet. J'étais trop persuadé qu'il le ferait comme il le disait, pour négliger l'avertissement. C'est pourquoi je ne pensai plus qu'à recommander mon âme à Dieu.

Pendant ce temps-là, le carrosse et les cavaliers s'approchaient. Ils connurent quelle sorte de gens nous étions, et, devinant notre dessein à notre contenance, ils s'arrêtèrent à la portée d'une escopette. Ils avaient aussi bien que nous des carabines et des pistolets. Tandis qu'ils se préparaient à nous recevoir, il sortit du carrosse un homme bien fait et richement vêtu. Il monta sur un cheval de main, dont un des cavaliers tenait la bride, et il se mit à la tête des autres. Il n'avait pour armes que son épée et deux pistolets. Encore qu'ils ne fussent que quatre contre neuf, car le cocher demeura sur son siège, ils s'avancèrent vers nous avec une audace qui redoubla mon effroi. Je ne laissai pas pourtant, bien que tremblant de tous mes membres, de me tenir prêt à tirer mon coup; mais, pour dire les choses comme elles sont, je fermai les yeux et tournai la tête en déchargeant ma carabine, et, de la manière que je tirai, je ne dois point avoir ce coup-là sur la conscience.

Je ne ferai point un détail de l'action. Quoique présent, je ne voyais rien, et ma peur en me troublant l'imagination me cachait l'horreur du spectacle même qui m'effrayait. Tout ce que je sais, c'est qu'après un grand bruit de mousquetades, j'entendis mes compagnons crier à pleine tête : *Victoire! victoire!* A cette acclamation, la terreur qui s'était emparée de mes sens se dissipa, et j'aperçus sur le champ de bataille les quatre cavaliers étendus sans vie. De notre côté, nous n'eûmes qu'un homme de tué. Ce fut l'apostat, qui n'eut, en cette occasion, que ce qu'il méritait pour son apostasie, et pour ses mauvaises plaisanteries sur les scapulaires. Le lieutenant reçut au bras une blessure, mais elle se trouva très légère, le coup n'ayant fait qu'effleurer la peau.

Le seigneur Rolando courut d'abord à la portière du carrosse. Il y avait dedans une dame de vingt-quatre à vingt-cinq ans, qui lui parut très belle, malgré le triste état où il la voyait. Elle s'était évanouie pendant le combat, et son évanouissement durait encore. Tandis qu'il s'occupait à la regarder, nous songeâmes, nous autres, au butin. Nous commençâmes par nous assurer des chevaux des cavaliers tués, car ces animaux, épouvantés du bruit des coups, s'étaient un peu écartés après avoir perdu leurs guides. Pour les mules, elles n'avaient pas branlé, quoique, durant l'action, le cocher eût quitté son siège pour se sauver. Nous mîmes pied à terre pour les dételer, et nous les chargeâmes de plusieurs malles que nous trouvâmes attachées devant et derrière le carrosse. Cela fait, on prit par ordre du capitaine la dame qui n'avait point encore rappelé ses esprits, et on la mit à cheval entre les mains d'un voleur des mieux montés. Puis, laissant sur le grand chemin le carrosse et les morts dépouillés, nous emmenâmes avec nous la dame, les mules et les chevaux.

CHAPITRE X

De quelle manière les voleurs en usèrent avec la dame. Du grand dessein que forma Gil Blas et quel en fut l'événement.

Il y avait déjà plus d'une heure qu'il était nuit quand nous arrivâmes au souterrain. Nous menâmes d'abord les bêtes à l'écurie, où nous fûmes obligés nous-mêmes de les attacher au râtelier et d'en avoir soin, parce que le vieux nègre était au lit depuis trois jours. Outre que la goutte l'avait pris violemment, un rhumatisme le tenait entrepris de tous ses membres. Il ne lui restait rien de libre que la langue qu'il employait à témoigner son impatience par d'horribles blasphèmes. Nous laissâmes ce misérable jurer et blasphémer et nous allâmes à la cuisine, où nous donnâmes toute notre attention à la dame. Nous fîmes si bien que nous vînmes à bout de la tirer de son évanouissement. Mais quand elle eut repris l'usage de ses sens et qu'elle se vit entre les bras de plusieurs hommes qui lui étaient inconnus, elle sentit son malheur. Elle en frémit. Tout ce que la douleur et le désespoir ensemble peuvent avoir de plus affreux parut peint dans ses yeux, qu'elle leva au ciel, comme pour se plaindre à lui des indignités dont elle était menacée. Puis, cédant tout à coup à ces images épouvantables, elle retombe en défaillance, sa paupière se referme et les voleurs s'imaginent que la mort va leur enlever leur proie. Alors le capitaine, jugeant plus à propos de l'abandonner à elle-même que de la tourmenter par de nouveaux secours, la fit porter sur le lit de Léonarde, où on la laissa toute seule, au hasard de ce qu'il en pouvait arriver.

Nous passâmes dans le salon, où un des voleurs, qui avait été chirurgien, visita le bras du lieutenant et le frotta de baume. L'opération faite, on voulut voir ce qu'il y avait dans les malles. Les unes se trouvèrent remplies de dentelles et de linge, les autres d'habits : mais la dernière qu'on ouvrit renfermait quelques sacs pleins de pistoles. Ce qui réjouit infiniment messieurs les intéressés. Après cet examen, la cuisinière dressa le buffet, mit le couvert et servit. Nous nous entretînmes d'abord de la grande victoire que nous avions remportée. Sur quoi Rolando m'adressant la parole : Avoue, Gil Blas, me dit-il, avoue que tu as eu grand'peur. Je répondis que j'en demeurais d'accord de bonne foi; mais que je me battrais comme un paladin, quand j'aurais fait seulement deux ou trois campagnes. Là-dessus toute la compagnie prit mon parti, en disant qu'on devait me le pardonner : que l'action avait été vive, et que, pour un jeune homme qui n'avait jamais vu le feu, je ne m'étais point mal tiré d'affaire.

La conversation tomba ensuite sur les mules et les chevaux que nous venions d'amener au souterrain. Il fut arrêté que, le lendemain, avant le jour, nous partirions tous pour les aller vendre à Mansilla, où probablement on n'aurait point encore entendu parler de notre expédition. Cette résolution prise, nous achevâmes de souper. Puis nous retournâmes à la cuisine pour voir la dame. Nous la trouvâmes dans la même situation. Néanmoins, quoiqu'elle parût à peine jouir d'un reste de vie, quelques voleurs ne laissèrent pas de jeter sur elle un œil profane, et de témoigner une brutale envie, qu'ils auraient satisfaite, si Rolando ne les en eût empêchés, en leur représentant qu'ils devaient du moins attendre que la dame fût sortie de cet accablement de tristesse qui lui ôtait tout sentiment. Le respect qu'ils avaient pour leur capitaine retint leur incontinence. Sans cela rien ne pouvait sauver la dame. Sa mort même n'aurait peut-être pas mis son honneur en sûreté.

Nous laissâmes encore cette malheureuse femme dans l'état où elle était. Rolando se contenta de charger Léonarde d'en avoir soin et chacun se retira dans sa chambre. Pour moi, lorsque je fus couché, au lieu de me livrer au sommeil, je ne fis que m'occuper du malheur de la dame. Je ne doutais point que ce ne fût une personne de qualité, et j'en trouvais son sort plus déplorable. Je ne pouvais, sans frémir, me peindre les horreurs qui l'attendaient, et je m'en sentais aussi vivement touché que si le sang ou l'amitié m'eussent attaché à elle. Enfin, après avoir bien plaint sa destinée, je rêvai aux moyens de préserver son honneur du péril où il était et de me tirer en même temps du souterrain. Je songeai que le vieux nègre ne pouvait se remuer, et que, depuis son indisposition, la cuisinière avait la clef de la grille. Cette pensée m'échauffa l'imagination et me fit concevoir un projet que je digérai bien; puis j'en commençai sur-le-champ l'exécution de la manière suivante.

Je feignis d'avoir la colique [12]. Je poussai d'abord des plaintes et des gémissements. Ensuite, élevant la voix, je jetai de grands cris. Les voleurs se réveillent et sont bientôt auprès de moi. Ils me demandent ce qui m'oblige à crier ainsi. Je répondis que j'avais une colique horrible et, pour mieux le leur persuader, je me mis à grincer des dents, à faire des grimaces et des contorsions effroyables et à m'agiter d'une étrange façon. Après cela, je devins tout à coup tranquille, comme si mes douleurs m'eussent donné quelque relâche. Un instant après, je me remis à faire des bonds sur mon grabat et à me tordre les bras. En un mot, je jouai si bien mon rôle, que les voleurs, tout fins qu'ils étaient, s'y laissèrent tromper, et crurent qu'en effet je sentais des tranchées violentes. Aussitôt ils s'empressent tous à me soulager. L'un m'apporte une bouteille d'eau-de-vie et m'en fait avaler la moitié; l'autre me donne, malgré moi, un lavement d'huile d'amandes douces, un autre va chauffer une serviette et vient me l'appliquer toute brûlante sur le ventre. J'avais beau crier miséricorde; ils imputaient mes cris à ma colique, et continuaient à me faire souffrir des maux véritables, en voulant m'en ôter un que je n'avais point. Enfin, ne pouvant plus y résister, je fus obligé de leur dire que je ne sentais plus de tranchées, et que je les conjurais de me donner quartier. Ils cessèrent de me fatiguer de leurs remèdes et je me gardai bien de me plaindre davantage, de peur d'éprouver encore leur secours.

Cette scène dura près de trois heures. Après quoi les voleurs, jugeant que le jour ne devait pas être fort éloigné, se préparèrent à partir pour Mansilla. Je voulus me lever pour leur faire croire que j'avais grande envie de les accompagner. Mais ils m'en empêchèrent. Non, non, Gil Blas, me dit le seigneur Rolando, demeure ici, mon fils. Ta colique pourrait te reprendre. Tu viendras une autre fois avec nous. Pour aujourd'hui, tu n'es pas en état de nous suivre. Je ne crus pas devoir insister fort sur cela, de crainte que l'on ne se rendît à mes instances. Je parus seulement très mortifié de ne pouvoir être de la partie. Ce que je fis d'un air si naturel, qu'ils sortirent tous du souterrain sans avoir le moindre soupçon de mon projet. Après leur départ, que j'avais tâché de hâter par mes vœux, je m'adressai ce discours : Oh çà! Gil Blas, c'est à présent qu'il faut avoir de la résolution. Arme-toi de courage pour achever ce que tu as si heureusement commencé. Domingo n'est point en état de s'opposer à ton entreprise, et Léonarde ne peut t'empêcher de l'exécuter. Saisis cette occasion de t'échapper. Tu n'en trouveras jamais peut-être une plus favorable. Ces réflexions me remplirent de confiance. Je me levai. Je pris mon épée et mes pistolets et j'allai d'abord à la cuisine; mais avant que d'y entrer, comme j'entendis parler Léonarde, je m'arrêtai pour l'écouter. Elle parlait à la dame inconnue, qui avait repris ses esprits et qui, considérant toute son infortune, pleurait alors et se désespérait. Pleurez, ma fille, lui disait-elle, fondez en larmes. N'épargnez point les soupirs. Cela vous soulagera. Votre saisissement était dangereux; mais il n'y a plus rien à craindre, puisque vous versez des pleurs. Votre douleur s'apaisera peu à peu et vous vous accoutumerez à vivre ici avec nos messieurs qui sont d'honnêtes gens. Vous serez mieux traitée qu'une princesse. Ils auront pour vous mille complaisances, et vous témoigneront tous les jours de l'affection. Il y a bien des femmes qui voudraient être à votre place.

Je ne donnai pas le temps à Léonarde d'en dire davantage. J'entrai, et, lui mettant un pistolet sur la gorge, je la pressai d'un air menaçant de me remettre la clef de la grille. Elle fut troublée de mon action, et, quoique très avancée dans sa carrière, elle se sentit encore assez attachée à la vie pour n'oser me refuser ce que je lui demandais. Lorsque j'eus la clef entre les mains, j'adressai la parole à la dame affligée. Madame, lui dis-je, le Ciel vous a envoyé un libérateur. Levez-vous pour me suivre. Je vais vous mener où il vous plaira que je vous conduise. La dame ne fut pas sourde à ma voix, et mes paroles firent tant d'impression sur son esprit, que, rappelant tout ce qui lui restait de forces, elle se leva et vint se jeter à mes pieds, et me conjura de conserver son honneur. Je la relevai, et l'assurai qu'elle pouvait compter sur moi. Ensuite je pris des cordes que j'aperçus dans la cuisine; et, à l'aide de la dame, je liai Léonarde aux pieds d'une grosse table, en lui protestant que je la tuerais si elle poussait le moindre cri. Après cela, j'allumai de la bougie et j'allai avec l'inconnue à la chambre où étaient les espèces d'or et d'argent. Je mis dans mes poches autant de pistoles et de doubles pistoles qu'il y en put tenir; et, pour obliger la dame à s'en charger aussi, je lui représentai qu'elle ne faisait que reprendre son bien. Quand nous en eûmes une bonne provision, nous marchâmes vers l'écurie, où j'entrai seul avec mes pistolets en état. Je comptais bien que le vieux nègre, malgré sa goutte et son rhumatisme, ne me laisserait pas tranquillement seller et brider mon cheval, et j'étais dans la résolution de le guérir pour jamais de ses maux s'il s'avisait de vouloir faire le méchant; mais, par bonheur, il était alors si accablé des douleurs qu'il avait souffertes et de celles qu'il souffrait encore, que je tirai mon cheval de l'écurie sans même qu'il parût s'en apercevoir. La dame m'attendait à la porte. Nous enfilâmes promptement l'allée par où l'on sortait du souterrain. Nous arrivons à la grille. Nous l'ouvrons, et nous parvenons enfin à la trappe. Nous eûmes beaucoup de peine à la lever, ou plutôt, pour en venir à bout, nous eûmes besoin de la force nouvelle que nous prêta l'envie de nous sauver.

Le jour commençait à paraître, lorsque nous nous vîmes hors de cet abîme. Nous songeâmes aussitôt à nous en éloigner. Je me jetai en selle; la dame monta derrière moi, et, suivant au galop le premier sentier qui se présenta, nous sortîmes bientôt de la forêt. Nous entrâmes dans une plaine coupée de plusieurs routes. Nous en prîmes une au hasard. Je mourais de peur qu'elle ne nous conduisît à Mansilla et que nous ne rencontrassions Rolando et ses camarades. Heureusement ma crainte fut vaine. Nous arrivâmes à la ville d'Astorga sur les deux heures après midi. J'aperçus des gens qui nous regardaient avec une extrême attention, comme si c'eût été pour eux un spectacle nouveau de voir une femme à cheval derrière un homme. Nous descendîmes à la première hôtellerie. J'ordonnai d'abord qu'on mît à la broche une perdrix et un lapereau. Pendant qu'on exécutait mon ordre, je conduisis la dame à une chambre, où nous commençâmes à nous entretenir. Ce que nous n'avions pu faire en chemin, parce que nous étions venus trop vite. Elle me témoigna combien elle était sensible au service que je venais de lui rendre, et me dit qu'après une action si généreuse elle ne pouvait se persuader que je fusse un compagnon des brigands à qui je l'avais arrachée. Je lui contai mon histoire pour confirmer la bonne opinion qu'elle avait conçue de moi. Par là, je l'engageai à me donner sa confiance et à m'apprendre ses malheurs, qu'elle me raconta comme je vais le dire dans le chapitre suivant.

CHAPITRE XI

Histoire de doña Mencia de Mosquera.

Je suis née à Valladolid et je m'appelle doña Mencia de Mosquera. Don Martin, mon père, après avoir consumé presque tout son patrimoine dans le service, fut tué en Portugal à la tête d'un régiment qu'il commandait. Il me laissa si peu de bien, que j'étais un assez mauvais parti, quoique je fusse fille unique. Je ne manquai pas toutefois d'amants, malgré la médiocrité de ma fortune. Plusieurs cavaliers des plus considérables d'Espagne me recherchèrent en mariage. Celui qui s'attira mon attention fut don Alvar de Mello. Véritablement il était mieux fait que ses rivaux, mais des qualités plus solides me déterminèrent en sa faveur. Il avait de l'esprit, de la discrétion, de la valeur et de la probité. D'ailleurs, il pouvait passer pour l'homme du monde le plus galant. Fallait-il donner une fête ? rien n'était mieux entendu, et, s'il paraissait dans des joutes, il y faisait toujours admirer sa force et son adresse. Je le préférai donc à tous les autres et je l'épousai.

Peu de jours après notre mariage, il rencontra dans un endroit écarté don André de Baësa, qui avait été un de ses rivaux. Ils se piquèrent l'un l'autre et mirent l'épée à la main. Il en coûta la vie à don André. Comme il était neveu du corrégidor de Valladolid, homme violent et mortel ennemi de la maison de Mello, don Alvar crut ne pouvoir assez tôt sortir de la ville. Il revint promptement au logis, où, pendant qu'on lui préparait un cheval, il me conta ce qui venait de lui arriver. Ma chère Mencia, me dit-il ensuite, il faut nous séparer. Vous connaissez le corrégidor. Ne nous flattons point. Il va me poursuivre vivement. Vous n'ignorez pas quel est son crédit. Je ne serai pas en sûreté dans le royaume. Il était si pénétré de sa douleur et de celle dont il me voyait saisie, qu'il n'en put dire davantage. Je lui fis prendre de l'or et quelques pierreries. Puis il me tendit les bras et nous ne fîmes pendant un quart d'heure que confondre nos soupirs et nos larmes. Enfin, on vint l'avertir que le cheval était prêt. Il s'arrache d'auprès de moi. Il part et me laisse dans un état qu'on ne saurait représenter. Heureuse si l'excès de mon affliction m'eût fait alors mourir! Que ma mort m'aurait épargné de peines et d'ennuis! Quelques heures après que don Alvar fut parti, le corrégidor apprit sa fuite. Il le fit poursuivre et n'épargna rien pour l'avoir en sa puissance. Mon époux toutefois trompa sa poursuite et sut se mettre en sûreté. De manière que le juge se voyant réduit à borner sa vengeance à la seule satisfaction d'ôter les biens à un homme dont il aurait voulu verser le sang, il n'y travailla pas en vain. Tout ce que don Alvar pouvait avoir de fortune fut confisqué.

Je demeurai dans une situation très affligeante. J'avais à peine de quoi subsister. Je commençai à mener une vie retirée, n'ayant qu'une femme pour tout domestique. Je passais les jours à pleurer, non une indigence que je supportais patiemment, mais l'absence d'un époux chéri, dont je ne recevais aucune nouvelle. Il m'avait pourtant promis dans nos tristes adieux qu'il aurait soin de m'informer de son sort dans quelque endroit du monde où sa mauvaise étoile pût le conduire. Cependant sept années s'écoulèrent sans que j'entendisse parler de lui. L'incertitude où j'étais de sa destinée me causait une profonde tristesse. Enfin, j'appris qu'en combattant pour le roi de Portugal, dans le royaume de Fez, il avait perdu la vie dans une bataille. Un homme revenu depuis peu d'Afrique me fit ce rapport, en m'assurant qu'il avait parfaitement connu don Alvar de Mello, qu'il avait servi dans l'armée portugaise avec lui et qu'il l'avait vu périr dans l'action. Il ajoutait à cela d'autres circonstances encore qui achevèrent de me persuader que mon époux n'était plus.

Dans ce temps-là, don Ambrosio Mesia Carrillo, marquis de la Guardia, vint à Valladolid. C'était un de ces vieux seigneurs qui par leurs manières galantes et polies font oublier leur âge et savent encore plaire aux femmes. Un jour, on lui conta par hasard l'histoire de don Alvar et, sur le portrait qu'on lui fit de moi, il eut envie de me voir. Pour satisfaire sa curiosité, il gagna une de mes parentes qui m'attira chez elle. Il s'y trouva. Il me vit et je lui plus malgré l'impression de douleur qu'on remarquait sur mon visage; mais que dis-je, malgré ? peut-être ne fut-il touché que de mon air triste et languissant qui le prévenait en faveur de ma fidélité. Ma mélancolie peut-être fit naître son amour. Aussi bien, il me dit plus d'une fois qu'il me regardait comme un prodige de constance et même qu'il enviait le sort de mon mari, quelque déplorable qu'il fût d'ailleurs. En un mot, il fut frappé de ma vue et il n'eut pas besoin de me voir une seconde fois pour prendre la résolution de m'épouser.

Il choisit l'entremise de ma parente pour me faire agréer son dessein. Elle me vint trouver, et me représenta que mon époux ayant achevé son destin dans le royaume de Fez, comme on nous l'avait rapporté, il n'était pas raisonnable d'ensevelir plus longtemps mes charmes : que j'avais assez pleuré un homme avec qui je n'avais été unie que quelques moments, et que je devais profiter de l'occasion qui se présentait : que je serais la plus heureuse femme du monde. Là-dessus, elle me vanta la noblesse du vieux marquis, ses grands biens et son bon caractère; mais elle eut beau s'étendre avec éloquence sur tous les avantages qu'il possédait, elle ne put me persuader. Ce n'est pas que je doutasse de la mort de don Alvar, ni que la crainte de le revoir tout à coup, lorsque j'y penserais le moins, m'arrêtât. Le peu de penchant, ou plutôt la répugnance que je me sentais pour un second mariage, après tous les malheurs du premier, faisait le seul obstacle que ma parente eût à lever. Aussi ne se rebuta-t-elle point. Au contraire, son zèle pour don Ambrosio en redoubla. Elle engagea toute ma famille dans les intérêts de ce vieux seigneur. Mes parents commencèrent à me presser d'accepter un parti si avantageux. J'en étais à tout moment obsédée, importunée, tourmentée. Il est vrai que ma misère, qui devenait de jour en jour plus grande, ne contribua pas peu à laisser vaincre ma résistance.

Je ne pus donc m'en défendre; je cédai à leurs pressantes instances, et j'épousai le marquis de la Guardia, qui dès le lendemain de mes noces m'emmena dans un très beau château qu'il a auprès de Burgos entre Grajal et Rodillas. Il conçut pour moi un amour violent. Je remarquais dans toutes ses actions une envie de me plaire. Il s'étudiait à prévenir mes moindres désirs. Jamais époux n'a eu tant d'égards pour une femme, et jamais amant n'a fait voir tant de complaisance pour une maîtresse. J'aurais passionnément aimé don Ambrosio malgré la disproportion de nos âges, si j'eusse été capable d'aimer quelqu'un après don Alvar. Mais les cœurs constants ne sauraient avoir qu'une passion. Le souvenir de mon premier époux rendait inutiles tous les soins que le second prenait pour me plaire. Je ne pouvais donc payer sa tendresse que de purs sentiments de reconnaissance.

J'étais dans cette disposition, quand, prenant l'air un jour à une fenêtre de mon appartement, j'aperçus dans le jardin une manière de paysan qui me regardait avec attention. Je crus que c'était un garçon jardinier. Je pris peu garde à lui; mais le lendemain, m'étant remise à la fenêtre, je le vis au même endroit et il me parut encore fort attaché à me considérer. Cela me frappa. Je l'envisageai à mon tour et après l'avoir observé quelque temps, il me sembla reconnaître les traits du malheureux don Alvar. Cette apparition excita dans tous mes sens un trouble inconcevable. Je poussai un grand cri. J'étais alors par bonheur seule avec Inès, celle de toutes mes femmes qui avait le plus de part à ma confiance. Je lui dis le soupçon qui agitait mes esprits. Elle ne fit qu'en rire, et elle s'imagina qu'une légère ressemblance avait trompé mes yeux. Rassurez-vous, madame, me dit-elle, et ne pensez pas que vous ayez vu votre premier époux. Quelle apparence y a-t-il qu'il soit ici sous une forme de paysan ? Est-il même croyable qu'il vive encore ? Je vais, ajouta-t-elle, descendre au jardin et parler à ce villageois. Je saurai quel homme c'est, et je reviendrai dans un moment vous en instruire. Inès alla donc au jardin; et peu de temps après je la vis rentrer dans mon appartement fort émue : Madame, dit-elle, votre soupçon n'est que trop bien éclairci. C'est don Alvar lui-même que vous venez de voir. Il s'est découvert d'abord et il vous demande un entretien secret.

Comme je pouvais à l'heure même recevoir don Alvar, parce que le marquis était à Burgos, je chargeai ma suivante de me l'amener dans mon cabinet par un escalier dérobé. Vous jugez bien que j'étais dans une terrible agitation. Je ne pus soutenir la vue d'un homme qui était en droit de m'accabler de reproches. Je m'évanouis dès qu'il se présenta devant moi. Ils me secoururent promptement, Inès et lui, et quand ils m'eurent fait revenir de mon évanouissement, don Alvar me dit : Madame, remettez-vous, de grâce. Que ma présence ne soit pas un supplice pour vous. Je n'ai pas dessein de vous faire la moindre peine. Je ne viens point en époux furieux vous demander compte de la foi jurée et vous faire un crime du second engagement que vous avez contracté. Je n'ignore pas que c'est l'ouvrage de votre famille. Toutes les persécutions que vous avez souffertes à ce sujet me sont connues. D'ailleurs, on a répandu dans Valladolid le bruit de ma mort et vous l'avez cru avec d'autant plus de fondement, qu'aucune lettre de ma part ne vous assurait du contraire. Enfin, je sais de quelle manière vous avez vécu depuis notre cruelle séparation et que la nécessité plutôt que l'amour vous a jetée dans ses bras... Ah! seigneur, interrompis-je en pleurant, pourquoi voulez-vous excuser votre épouse ? elle est coupable puisque vous vivez. Que ne suis-je encore dans la misérable situation où j'étais avant que d'épouser don Ambrosio! Funeste hyménée! hélas! j'aurais du moins dans ma misère la consolation de vous revoir sans rougir.

Ma chère Mencia, reprit don Alvar d'un air qui marquait jusqu'à quel point il était pénétré de mes larmes, je ne me plains pas de vous; et, bien loin de vous reprocher l'état brillant où je vous retrouve, je jure que j'en rends grâce au ciel. Depuis le triste jour de mon départ de Valladolid, j'ai toujours eu la fortune contraire : ma vie n'a été qu'un enchaînement d'infortunes et, pour comble de malheurs, je n'ai pu vous donner de mes nouvelles. Trop sûr de votre amour, je me représentais sans cesse la situation où ma fatale tendresse vous avait réduite. Je me peignais doña Mencia dans les pleurs. Vous faisiez le plus grand de mes maux. Quelquefois, je l'avouerai, je me suis reproché comme un crime le bonheur de vous avoir plu. J'ai souhaité que vous eussiez penché vers quelqu'un de mes rivaux, puisque la préférence que vous m'aviez donnée sur eux vous coûtait si cher. Cependant, après sept années de souffrances, plus épris de vous que jamais, j'ai voulu vous revoir. Je n'ai pu résister à cette envie, et la fin d'un long esclavage m'ayant permis de la satisfaire, j'ai été sous ce déguisement à Valladolid, au hasard d'être découvert. Là j'ai tout appris. Je suis venu ensuite à ce château et j'ai trouvé moyen de m'introduire chez le jardinier, qui m'a retenu pour travailler dans les jardins. Voilà de quelle manière je me suis conduit pour parvenir à vous parler secrètement. Mais ne vous imaginez pas que j'aie dessein de troubler par mon séjour ici la félicité dont vous jouissez. Je vous aime plus que moi-même. Je respecte votre repos et je vais après cet entretien achever loin de vous de tristes jours que je vous sacrifie.

Non, don Alvar, non, m'écriai-je à ces paroles! Je ne souffrirai pas que vous me quittiez une seconde fois. Je veux partir avec vous. Il n'y a que la mort qui puisse désormais nous séparer. Croyez-moi, reprit-il, vivez avec don Ambrosio. Ne vous associez point à mes malheurs. Laissez-m'en soutenir tout le poids. Il me dit encore d'autres choses semblables; mais plus il paraissait vouloir s'immoler à mon bonheur, moins je me sentais disposée à y consentir. Lorsqu'il me vit ferme dans la résolution de le suivre, il changea tout à coup de ton; et prenant un air plus content : Madame, me dit-il, puisque vous aimez encore assez don Alvar pour préférer sa misère à la prospérité où vous êtes, allons donc demeurer à Bétancos dans le fond du royaume de Galice. J'ai là une retraite assurée. Si mes disgrâces m'ont ôté tous mes biens, elles ne m'ont point fait perdre tous mes amis. Il m'en reste encore de fidèles, qui m'ont mis en état de vous enlever. J'ai fait faire un carrosse à Zamora par leur secours. J'ai acheté des mules et des chevaux, et suis accompagné de trois Galiciens des plus résolus. Ils sont armés de carabines et de pistolets, et ils attendent mes ordres dans le village de Rodillas. Profitons, ajouta-t-il, de l'absence de don Ambrosio. Je vais faire venir le carrosse jusqu'à la porte de ce château et nous partirons dans le moment. J'y consentis. Don Alvar vola vers Rodillas, et revint en peu de temps avec ses trois cavaliers m'enlever au milieu de mes femmes, qui, ne sachant que penser de cet enlèvement, se sauvèrent fort effrayées. Inès seule était au fait, mais elle refusa de lier son sort au mien, parce qu'elle aimait un valet de chambre de don Ambrosio.

Je montai donc en carrosse avec don Alvar, n'emportant que mes hardes et quelques pierreries que j'avais avant mon second mariage, car je ne voulus rien prendre de tout ce que le marquis m'avait donné en m'épousant. Nous prîmes la route du royaume de Galice, sans savoir si nous serions assez heureux pour y arriver. Nous avions sujet de craindre que don Ambrosio à son retour ne se mît sur nos traces avec un grand nombre de personnes et ne nous joignît. Cependant nous marchâmes pendant deux jours sans voir paraître à nos trousses aucun cavalier. Nous espérions que la troisième journée se passerait de même et déjà nous nous entretenions fort tranquillement. Don Alvar me contait la triste aventure qui avait donné lieu au bruit de sa mort et comment après cinq années d'esclavage il avait recouvré la liberté, quand nous rencontrâmes hier sur le chemin de Léon les voleurs avec qui vous étiez. C'est lui qu'ils ont tué avec tous ses gens, et c'est lui qui fait couler les pleurs que vous me voyez répandre en ce moment.

CHAPITRE XII

De quelle manière désagréable
Gil Blas et la dame furent interrompus.

Doña Mencia fondit en larmes après avoir achevé ce récit. Je la laissai donner un libre cours à ses soupirs. Je pleurai même aussi, tant il est naturel de s'intéresser pour les malheureux et particulièrement pour une belle personne affligée. J'allais lui demander quel parti elle voulait prendre dans la conjoncture où elle se trouvait, et peut-être allait-elle me consulter là-dessus, si notre conversation n'eût pas été interrompue; mais nous entendîmes dans l'hôtellerie un grand bruit, qui malgré nous attira notre attention. Ce bruit était causé par l'arrivée du corrégidor suivi de deux alguazils [a] et de plusieurs archers. Ils vinrent dans la chambre où nous étions. Un jeune cavalier qui les accompagnait s'approcha de moi le premier, et se mit à regarder de près mon habit. Il n'eut pas besoin de l'examiner longtemps. Par saint Jacques, s'écria-t-il, voilà mon pourpoint! C'est lui-même. Il n'est pas plus difficile à reconnaître que mon cheval [13]. Vous pouvez arrêter ce galant sur ma parole. C'est un de ces voleurs qui ont une retraite inconnue en ce pays-ci.

A ce discours, qui m'apprenait que ce cavalier était le gentilhomme volé dont j'avais par malheur toute la dépouille, je demeurai surpris, confus, déconcerté. Le corrégidor, que sa charge obligeait plutôt à tirer une mauvaise

a) *Alguazil. C'est un huissier exécuteur des ordres du corrégidor, une manière d'exempt.*

conséquence de mon embarras qu'à l'expliquer favorablement, jugea que l'accusation n'était pas mal fondée, et présumant que la dame pouvait être complice, il nous fit emprisonner tous deux séparément. Ce juge n'était pas de ceux qui ont le regard terrible, il avait l'air doux et riant. Dieu sait s'il en valait mieux pour cela! Sitôt que je fus en prison, il y vint avec ses deux furets, c'est-à-dire ses deux alguazils. Ils n'oublièrent pas leur bonne coutume : ils commencèrent par me fouiller. Quelle aubaine pour ces messieurs! Ils n'avaient jamais peut-être fait un si beau coup. A chaque poignée de pistoles qu'ils tiraient je voyais leurs yeux étinceler de joie. Le corrégidor surtout paraissait hors de lui-même. Mon enfant, me disait-il, d'un ton de voix plein de douceur, nous faisons notre charge; mais ne crains rien. Si tu n'es pas coupable, on ne te fera point de mal. Cependant ils vidèrent tout doucement mes poches et me prirent ce que les voleurs même avaient respecté, je veux dire les quarante ducats de mon oncle. Ils n'en demeurèrent pas là : leurs mains avides et infatigables me parcoururent depuis la tête jusqu'aux pieds. Ils me tournèrent de tous côtés et me dépouillèrent pour voir si je n'avais pas d'argent entre la peau et la chemise. Après qu'ils eurent si bien fait leur charge, le corrégidor m'interrogea. Je lui contai ingénument tout ce qui m'était arrivé. Il fit écrire ma déposition; puis il sortit avec ses gens et mes espèces, et me laissa tout nu sur la paille.

O vie humaine! m'écriai-je quand je me vis seul et dans cet état, que tu es remplie d'aventures bizarres et de contretemps! Depuis que je suis sorti d'Oviedo, je n'éprouve que des disgrâces. A peine suis–je hors d'un péril, que je retombe dans un autre. En arrivant dans cette ville, j'étais bien éloigné de penser que j'y ferais bientôt connaissance avec le corrégidor. En faisant ces réflexions inutiles, je remis le maudit pourpoint et le reste de l'habillement qui m'avait porté malheur; puis, m'exhortant moi-même à prendre courage : Allons, dis-je, Gil Blas, aie de la fermeté. Te sied-il bien de te désespérer dans une prison ordinaire, après avoir fait un si pénible essai de patience dans le souterrain ? Mais, hélas! ajoutai-je tristement, je m'abuse. Comment pourrai-je sortir d'ici ? on vient de m'en ôter les moyens. En effet, j'avais raison de parler ainsi; un prisonnier sans argent est un oiseau à qui l'on a coupé les ailes.

Au lieu de la perdrix et du lapereau que j'avais fait mettre à la broche, on m'apporta un petit bain bis avec une cruche d'eau, et on me laissa ronger mon frein dans mon cachot. J'y demeurai quinze jours entiers sans voir personne que le concierge, qui avait soin de venir tous les matins renouveler ma provision. Dès que je le voyais, j'affectais de lui parler, je tâchais de lier conversation avec lui pour me désennuyer un peu; mais ce personnage ne répondait rien à tout ce que je lui disais. Il ne me fut pas possible d'en tirer une parole. Il entrait même et sortait le plus souvent sans me regarder. Le seizième jour, le corrégidor parut et me dit : Tu peux t'abandonner à la joie. Je viens t'annoncer une agréable nouvelle. J'ai fait conduire à Burgos la dame qui était avec toi. Je l'ai interrogée avant son départ et ses réponses vont à ta décharge. Tu seras élargi dès aujourd'hui, pourvu que le muletier avec qui tu es venu de Peñaflor à Cacabelos, comme tu me l'as dit, confirme ta déposition. Il est dans Astorga. Je l'ai envoyé chercher. Je l'attends. S'il convient de l'aventure de la question, je te mettrai sur-le-champ en liberté.

Ces paroles me réjouirent. Dès ce moment je me crus hors d'affaire. Je remerciai le juge de la bonne et briève justice [14] qu'il voulait me rendre; et je n'avais pas encore achevé mon compliment, que le muletier conduit par deux archers arriva. Je le reconnus aussitôt : mais le muletier, qui sans doute avait vendu ma valise avec tout ce qui était dedans, craignant d'être obligé de restituer l'argent qu'il avait touché, s'il avouait qu'il me reconnaissait, dit effrontément qu'il ne savait qui j'étais et qu'il ne m'avait jamais vu. Ah! traître, m'écriai-je, confesse plutôt que tu as vendu mes hardes et rends témoignage à la vérité. Regarde-moi bien. Je suis un de ces jeunes gens que tu menaças de la question dans le bourg de Cacabelos et à qui tu fis si grand-peur. Le muletier répondit d'un air froid que je lui parlais d'une chose dont il n'avait aucune connaissance, et comme il soutint jusqu'au bout que je lui étais inconnu, mon élargissement fut remis à une autre fois. Il fallut m'armer d'une nouvelle patience, me résoudre à jeûner encore au pain et à l'eau et à voir le silencieux concierge. Quand je songeais que je ne pouvais me tirer des griffes de la justice, bien que je n'eusse pas commis le moindre crime, cette pensée me mettait au désespoir. Je regrettais le souterrain. Dans le fond, disais-je, j'y avais moins de désagrément que dans ce cachot. Je faisais bonne chère avec les voleurs. Je m'entretenais avec eux, et je vivais dans la douce espérance de m'échapper; au lieu que, malgré mon innocence, je serai peut-être trop heureux de sortir d'ici pour aller aux galères.

CHAPITRE XIII

Par quel hasard Gil Blas sortit enfin de prison et où il alla.

Tandis que je passais les jours à m'égayer dans mes réflexions, mes aventures, telles que je les avais dictées dans ma déposition, se répandirent dans la ville. Plusieurs personnes me voulurent voir par curiosité. Ils venaient l'un après l'autre se présenter à une petite fenêtre par où le jour entrait dans ma prison, et lorsqu'ils m'avaient considéré quelque temps, ils s'en allaient. Je fus surpris de cette nouveauté. Depuis que j'étais prisonnier, je n'avais pas vu un seul homme se montrer à cette fenêtre, qui donnait sur une cour où régnaient le silence et l'horreur. Je compris par là que je faisais du bruit dans la ville et je ne savais si j'en devais concevoir un bon ou un mauvais présage.

Un de ceux qui s'offrirent des premiers à ma vue fut le petit chantre de Mondoñedo, qui avait aussi bien que moi craint la question et pris la fuite. Je le reconnus et il ne feignit point de me méconnaître. Nous nous saluâmes de part et d'autre; puis nous nous engageâmes dans un long entretien. Je fus obligé de faire un nouveau détail de mes aventures. De son côté, le chantre me conta ce qui s'était passé dans l'hôtellerie de Cacabelos, entre le muletier et la jeune femme, après qu'une terreur panique nous en eut écartés. En un mot, il m'apprit tout ce que j'en ai dit ci-devant. Ensuite, prenant congé de moi, il me promit que, sans perdre de temps, il allait travailler à ma délivrance. Alors, toutes les personnes qui étaient venues là comme lui par curiosité me témoignèrent que mon malheur excitait leur compassion. Ils m'assurèrent même qu'ils se joindraient au petit chantre et feraient tout leur possible pour me procurer la liberté.

Ils tinrent effectivement leur promesse. Ils parlèrent en ma faveur au corrégidor, qui, ne doutant plus de mon innocence, surtout lorsque le chantre lui eut conté ce qu'il savait, vint trois semaines après dans ma prison : Gil Blas, me dit-il, je ne veux pas traîner les choses en longueur. Va, tu es libre. Tu peux sortir quand il te plaira. Mais, dis-moi, poursuivit-il, si l'on te menait dans la forêt où est le souterrain, ne pourrais-tu pas le découvrir ? Non, Seigneur, lui répondis-je; comme je n'y suis entré que la nuit et que j'en suis sorti avant le jour, il me serait impossible de reconnaître l'endroit où il est. Là-dessus, le juge se retira en disant qu'il allait ordonner au concierge de m'ouvrir les portes. En effet, un moment après le geôlier vint dans mon cachot avec un de ses guichetiers qui portait un paquet de toile. Ils m'ôtèrent tous deux d'un air grave et sans me dire un seul mot mon pourpoint et mon haut-de-chausses, qui étaient d'un drap fin et presque neuf, puis, m'ayant revêtu d'une vieille souquenille, ils me mirent dehors par les épaules.

La confusion que j'avais de me voir si mal équipé modérait la joie qu'ont ordinairement les prisonniers de recouvrer leur liberté. J'étais tenté de sortir de la ville à l'heure même pour me soustraire aux yeux du peuple, dont je ne soutenais les regards qu'avec peine. Ma reconnaissance pourtant l'emporta sur ma honte. J'allai remercier le petit chantre à qui j'avais tant d'obligation. Il ne put s'empêcher de rire lorsqu'il m'aperçut. Comme vous voilà! me dit-il : la justice, à ce que je vois, vous en a donné de toutes les façons. Je ne me plains pas de la justice, lui répondis-je. Elle est très équitable. Je voudrais seulement que tous ses officiers fussent d'honnêtes gens. Ils devaient du moins me laisser mon habit. Il me semble que je ne l'avais pas mal payé. J'en conviens, reprit-il; mais on vous dira que ce sont des formalités qui s'observent. Eh! vous imaginez-vous, par exemple, que votre cheval ait été rendu à son premier maître ? non pas, s'il vous plaît. Il est actuellement dans les écuries du greffier où il a été déposé comme une preuve de vol. Je ne crois pas que le pauvre gentilhomme en retire seulement la croupière. Mais changeons de discours, continua-t-il. Quel est votre dessein ? que prétendez-vous faire présentement ? J'ai envie, lui dis-je, de prendre le chemin de Burgos. J'irai trouver la dame dont je suis le libérateur. Elle me donnera quelques pistoles. J'achèterai une soutanelle neuve et me rendrai à Salamanque, où je tâcherai de mettre mon latin à profit. Tout ce qui m'embarrasse, c'est que je ne suis point encore à Burgos. Il faut vivre sur la route. Je vous entends, répliqua-t-il, et je vous offre ma bourse. Elle est un peu plate, à la vérité; mais vous savez qu'un chantre n'est pas un évêque. En même temps, il la tira et me la mit entre les mains de si bonne grâce que je ne pus me défendre de la retenir telle qu'elle était. Je le remerciai comme s'il m'eût donné tout l'or du monde, et lui fis mille protestations de service qui n'ont jamais eu d'effet. Après cela, je le quittai et sortis de la ville sans aller voir les autres personnes qui avaient contribué à mon élargissement. Je me contentai de leur donner en moi-même mille bénédictions.

Le petit chantre avait eu raison de ne me pas vanter sa bourse; j'y trouvai fort peu d'argent. Par bonheur, j'étais accoutumé depuis deux mois à une vie très frugale et il me restait encore quelques réaux lorsque j'arrivai au bourg de Ponte de Mula, qui n'est pas éloigné de Burgos. Je m'y arrêtai pour demander des nouvelles de doña Mencia. J'entrai dans une hôtellerie dont l'hôtesse était une petite femme fort sèche, vive et hagarde. Je m'aperçus d'abord, à la mauvaise mine qu'elle me fit, que ma souquenille n'était guère de son goût. Ce que je lui pardonnai volontiers. Je m'assis à une table. Je mangeai du pain et du fromage, et bus quelques coups d'un vin détestable qu'on m'apporta. Pendant ce repas qui s'accordait assez avec mon habillement, je voulus entrer en conversation avec l'hôtesse. Je la priai de me dire si elle connaissait le marquis de la Guardia, si son château était éloigné du bourg, et surtout si elle savait ce que la marquise sa femme pouvait être devenue. Vous demandez bien des choses, me répondit-elle d'un air dédaigneux. Elle m'apprit pourtant, quoique de fort mauvaise grâce, que le château de don Ambrosio n'était qu'à une petite lieue de Ponte de Mula.

Après que j'eus achevé de boire et de manger, comme il était nuit, je témoignai que je souhaitais de me reposer, et je demandai une chambre. A vous une chambre ? me dit l'hôtesse en me lançant un regard plein de mépris et de fierté. Je n'ai point de chambre pour les gens qui font leur souper d'un morceau de fromage. Tous mes lits sont retenus. J'attends des cavaliers d'importance qui doivent venir loger ici ce soir. Tout ce que je puis faire pour votre service, c'est de vous mettre dans ma grange. Ce ne sera pas, je pense, la première fois que vous aurez couché sur la paille. Elle ne croyait pas si bien dire qu'elle disait. Je ne répliquai point à son discours, et je pris sagement le parti de gagner le pailler, où je m'endormis bientôt, comme un homme qui depuis longtemps était fait à la fatigue.

CHAPITRE XIV

De la réception que doña Mencia lui fit à Burgos.

Je ne fus pas paresseux à me lever le lendemain matin. J'allai compter avec l'hôtesse qui était déjà sur pied et qui me parut un peu moins fière et de meilleure humeur que le soir précédent. Ce que j'attribuai à la présence de trois honnêtes archers de la Sainte Hermandad qui s'entretenaient avec elle d'une façon très familière. Ils avaient couché dans l'hôtellerie et c'était sans doute pour ces cavaliers d'importance que tous les lits avaient été retenus.

Je demandai dans le bourg le chemin du château où je voulais me rendre. Je m'adressai par hasard à un homme du caractère de mon hôte de Peñaflor. Il ne se contenta pas de répondre à la question que je lui faisais; il m'apprit que don Ambrosio était mort depuis trois semaines et que la marquise, sa femme, avait pris le parti de se retirer dans un couvent de Burgos qu'il me nomma. Je marchai aussitôt vers cette ville au lieu de suivre la route du château, comme j'en avais dessein auparavant, et je volai d'abord au monastère où demeurait doña Mencia. Je priai la tourière de dire à cette dame qu'un jeune homme nouvellement sorti des prisons d'Astorga souhaitait de lui parler. La tourière alla sur-le-champ faire ce que je désirais. Elle revint et me fit entrer dans un parloir où je ne fus pas longtemps sans voir paraître en grand deuil à la grille la veuve de don Ambrosio.

Soyez le bienvenu, me dit cette dame. Il y a quatre jours que j'ai écrit à une personne d'Astorga. Je lui mandais de vous aller trouver de ma part et de vous dire que je vous priais instamment de me venir chercher au sortir de votre prison. Je ne doutais pas qu'on ne vous élargît bientôt. Les choses que j'avais dites au corrégidor à votre décharge suffisaient pour cela. Aussi m'a-t-on fait réponse que vous aviez recouvré la liberté, mais qu'on ne savait ce que vous étiez devenu. Je craignais de ne plus vous revoir et d'être privée du plaisir de vous témoigner ma reconnaissance. Consolez-vous, ajouta-t-elle en remarquant la honte que j'avais de me présenter à ses yeux sous un misérable habillement. Que l'état où je vous vois ne vous fasse pas de peine. Après le service important que vous m'avez rendu, je serais la plus ingrate de toutes les femmes, si je ne faisais rien pour vous. Je prétends vous tirer de la mauvaise situation où vous êtes. Je le dois et je le puis. J'ai des biens assez considérables pour pouvoir m'acquitter envers vous sans m'incommoder.

Vous savez, continua-t-elle, mes aventures, jusqu'au jour où nous fûmes emprisonnés tous deux. Je vais vous conter ce qui m'est arrivé depuis. Lorsque le corrégidor d'Astorga m'eut fait conduire à Burgos, après avoir entendu de ma bouche un fidèle récit de mon histoire, je me rendis au château d'Ambrosio. Mon retour y causa une extrême surprise; mais on me dit que je revenais trop tard; que le marquis frappé de ma fuite, comme d'un coup de foudre, était tombé malade, et que les médecins désespéraient de sa vie. Ce fut pour moi un nouveau sujet de me plaindre de la rigueur de ma destinée. Cependant je le fis avertir que je venais d'arriver. Puis j'entrai dans sa chambre et courus me jeter à genoux au chevet de son lit, le visage couvert de larmes et le cœur pressé de la plus vive douleur. Qui vous ramène ici ? me dit-il dès qu'il m'aperçut : venez-vous contempler votre ouvrage ? ne vous suffit-il pas de m'ôter la vie ? faut-il, pour vous contenter, que vos yeux soient témoins de ma mort ? Seigneur, lui répondis-je, Inès a dû vous dire que je fuyais avec mon premier époux; et, sans le triste accident qui me l'a fait perdre, vous ne m'auriez jamais revue. En même temps, je lui appris que don Alvar avait été tué par des voleurs; qu'ensuite on m'avait menée dans un souterrain. Je racontai tout le reste, et lorsque j'eus achevé de parler, don Ambrosio me tendit la main. C'est assez, me dit-il tendrement; je cesse de me plaindre de vous. Eh! dois-je en effet vous faire des reproches ? vous retrouvez un époux chéri; vous m'abandonnez pour le suivre, puis-je blâmer cette conduite ? non, madame, j'aurais tort d'en murmurer. Aussi je n'ai point voulu qu'on vous poursuivît, quoique ma mort fût attachée au malheur de vous perdre. Je respectais dans votre ravisseur ses droits sacrés et le penchant même que vous aviez pour lui. Enfin je vous fais justice et par votre retour ici vous regagnez toute ma tendresse. Oui, ma chère Mencia, votre présence me comble de joie; mais, hélas! je n'en jouirai pas longtemps. Je sens approcher ma dernière heure. A peine m'êtes-vous rendue, qu'il faut vous dire un éternel adieu. A ces paroles touchantes, mes pleurs redoublèrent. Je ressentis et fis éclater une affliction immodérée. Je doute que la mort de don Alvar, que j'adorais, m'ait fait verser plus de larmes. Don Ambrosio n'avait pas un faux pressentiment de sa mort; il mourut dès le lendemain, et je demeurai maîtresse du bien considérable dont il m'avait avantagée en m'épousant. Je n'en prétends pas faire un mauvais usage. On ne me verra point, quoique je sois jeune encore, passer dans les bras d'un troisième époux. Outre que cela ne convient, ce me semble, qu'à des femmes sans pudeur et sans délicatesse, je vous dirai que je n'ai plus de goût pour le monde. Je veux finir mes jours dans ce couvent et en devenir une bienfaitrice.

Tel fut le discours que me tint doña Mencia. Puis elle tira de dessous sa robe une bourse qu'elle me mit entre les mains, en me disant : Voilà cent ducats que je vous donne seulement pour vous faire habiller. Revenez me voir après cela. Je n'ai pas dessein de borner ma reconnaissance à si peu de chose. Je rendis mille grâces à la dame et lui jurai que je ne sortirais point de Burgos sans prendre congé d'elle. Ensuite de ce serment, que je n'avais pas envie de violer, j'allai chercher une hôtellerie. J'entrai dans la première que je rencontrai. Je demandai une chambre, et, pour prévenir la mauvaise opinion que ma souquenille pouvait encore donner de moi, je dis à l'hôte que, tel qu'il me voyait, j'étais en état de bien payer mon gîte. A ces mots, l'hôte, appelé Majuelo, grand railleur de son naturel, me parcourant des yeux depuis le haut jusqu'en bas, me répondit, d'un air froid et malin, qu'il n'avait pas besoin de cette assurance pour être persuadé que je ferais beaucoup de dépense chez lui : qu'au travers de mon habillement il démêlait en moi quelque chose de noble, et qu'enfin il ne doutait pas que je ne fusse un gentilhomme fort aisé. Je vis bien que le traître me raillait, et, pour mettre fin tout à coup à ses plaisanteries, je lui montrai ma bourse. Je comptai même devant lui mes ducats sur une table, et je m'aperçus que mes espèces le disposaient à juger de moi plus favorablement. Je le priai de me faire venir un tailleur. Il vaut mieux, me dit-il, envoyer chercher un fripier. Il vous apportera toutes sortes d'habits et vous serez habillé sur-le-champ. J'approuvai ce conseil et résolus de le suivre; mais comme le jour était prêt à se fermer, je remis l'emplette au lendemain et je ne songeai qu'à bien souper, pour me dédommager des mauvais repas que j'avais faits depuis ma sortie du souterrain.

CHAPITRE XV

De quelle façon s'habilla Gil Blas, du nouveau présent qu'il reçut de la dame, et dans quel équipage il partit de Burgos.

On me servit une copieuse fricassée de pieds de mouton que je mangeai presque tout entière. Je bus à proportion. Puis je me couchai. J'avais un assez bon lit et j'espérais qu'un profond sommeil ne tarderait guère à s'emparer de mes sens. Je ne pus toutefois fermer l'œil. Je ne fis que rêver à l'habit que je devais prendre. Que faut-il que je fasse ? disais-je : suivrai-je mon premier dessein ? achèterai-je une soutanelle pour aller à Salamanque chercher une place de précepteur ? pourquoi m'habiller en licencié ? ai-je envie de me consacrer à l'état ecclésiastique ? y suis-je entraîné par mon penchant ? non. Je me sens même des inclinations très opposées à ce parti-là. Je veux porter l'épée et tâcher de faire fortune dans le monde.

Je me résolus à prendre un habit de cavalier. J'attendis le jour avec la dernière impatience, et ses premiers rayons ne frappèrent pas plus tôt mes yeux que je me levai. Je fis tant de bruit dans l'hôtellerie que je réveillai tous ceux qui dormaient. J'appelai les valets qui étaient encore au lit et qui ne répondirent à ma voix qu'en me chargeant de malédictions. Ils furent pourtant obligés de se lever, et je ne leur donnai point de repos qu'ils ne m'eussent fait venir un fripier. J'en vis bientôt paraître un qu'on m'amena. Il était suivi de deux garçons qui portaient chacun un gros paquet de toile verte. Il me salua fort civilement et me dit : Seigneur cavalier, vous êtes bien heureux qu'on se soit adressé à moi plutôt qu'à un autre. Je ne veux point ici décrier mes confrères. A Dieu ne plaise que je fasse le moindre tort à leur réputation ! mais, entre nous, il n'y en a pas un qui ait de la conscience. Ils sont tous plus durs que des Juifs. Je suis le seul fripier qui ait de la morale. Je me borne à un profit raisonnable. Je me contente de la livre pour sol; je veux dire, du sol pour livre. Grâce au ciel, j'exerce rondement ma profession.

Le fripier, après ce préambule, que je pris sottement au pied de la lettre, dit à ses garçons de défaire leurs paquets. On me montra des habits de toutes sortes de couleurs. On m'en fit voir plusieurs de drap tout uni. Je les rejetai avec mépris, parce que je les trouvai trop modestes; mais ils m'en firent essayer un qui semblait avoir été fait exprès pour ma taille, et qui m'éblouit, quoiqu'il fût un peu passé. C'était un pourpoint à manches tailladées, avec un haut-de-chausses et un manteau; le tout de velours bleu brodé d'or. Je m'attachai à celui-là et je le marchandai. Le fripier, qui s'aperçut qu'il me plaisait, me dit que j'avais le goût délicat. Vive Dieu! s'écria-t-il, on voit bien que vous vous y connaissez. Apprenez que cet habit a été fait pour un des plus grands seigneurs du royaume, qui ne l'a pas porté trois fois. Examinez-en le velours. Il n'y en a point de plus beau; et pour la broderie, avouez que rien n'est mieux travaillé. Combien, lui dis-je, voulez-vous le vendre? Soixante ducats, répondit-il. Je les ai refusés, ou je ne suis pas honnête homme. L'alternative était convaincante. J'en offris quarante-cinq. Il en valait peut-être la moitié. Seigneur gentilhomme, reprit froidement le fripier, je ne surfais point. Je n'ai qu'un mot. Tenez, continua-t-il en me présentant les habits que j'avais rebutés, prenez ceux-ci. Je vous en ferai meilleur marché. Il ne faisait qu'irriter par là l'envie que j'avais d'acheter celui que je marchandais; et comme je m'imaginai qu'il ne voulait rien rabattre, je lui comptai soixante ducats. Quand il vit que je les donnais si facilement, je crois que, malgré sa morale, il fut bien fâché de n'en avoir pas demandé davantage. Assez satisfait pourtant d'avoir gagné la livre pour sol, il sortit avec ses garçons que je n'avais pas oubliés.

J'avais donc un manteau, un pourpoint et un haut-de-chausses fort propres. Il fallut songer au reste de l'habillement. Ce qui m'occupa toute la matinée. J'achetai du linge, un chapeau, des bas de soie, des souliers et une épée. Après quoi je m'habillai. Quel plaisir j'avais de me voir si bien équipé! Mes yeux ne pouvaient, pour ainsi dire, se rassasier de mon ajustement. Jamais paon n'a regardé son plumage avec plus de complaisance. Dès ce jour-là, je fis une seconde visite à doña Mencia, qui me reçut encore d'un air très gracieux. Elle me remercia de nouveau du service que je lui avais rendu. Là-dessus, grands compliments de part et d'autre. Puis, me souhaitant toutes sortes de prospérités, elle me dit adieu et se retira sans me donner rien autre chose qu'une bague de trente pistoles, qu'elle me pria de garder pour me souvenir d'elle.

Je demeurai bien sot avec ma bague. J'avais compté sur un présent plus considérable. Ainsi, peu content de la générosité de la dame, je regagnai mon hôtellerie en rêvant; mais, comme j'y entrais, il arriva un homme qui marchait sur mes pas, et qui tout à coup, se débarrassant de son manteau qu'il avait sur le nez, laissa voir un gros sac qu'il portait sous l'aisselle. A l'apparition du sac, qui avait tout l'air d'être plein d'espèces, j'ouvris de grands yeux, aussi bien que quelques personnes qui étaient présentes, et je crus entendre la voix d'un séraphin, lorsque cet homme me dit en posant le sac sur une table : Seigneur Gil Blas, voilà ce que madame la marquise vous envoie. Je fis de profondes révérences au porteur. Je l'accablai de civilités et, dès qu'il fut hors de l'hôtellerie, je me jetai sur le sac comme un faucon sur sa proie et l'emportai dans ma chambre. Je le déliai sans perdre de temps et j'y trouvai mille ducats. J'achevais de les compter, quand l'hôte, qui avait entendu les paroles du porteur, entra pour savoir ce qu'il y avait dans le sac. La vue de mes espèces étalées sur une table le frappa vivement. Comment diable! s'écria-t-il, voilà bien de l'argent! Il faut, poursuivit-il en souriant d'un air malicieux, que vous sachiez tirer bon parti des femmes. Il n'y a pas vingt-quatre heures que vous êtes à Burgos et vous avez déjà des marquises sous contribution!

Ce discours ne me déplut point. Je fus tenté de laisser Majuelo dans son erreur. Je sentais qu'elle me faisait plaisir. Je ne m'étonne pas si les jeunes gens aiment à passer pour hommes à bonnes fortunes. Cependant l'innocence de mes mœurs l'emporta sur ma vanité. Je désabusai mon hôte. Je lui contai l'histoire de doña Mencia, qu'il écouta fort attentivement. Je lui dis ensuite l'état de mes affaires; et, comme il paraissait entrer dans mes intérêts, je le priai de m'aider de ses conseils. Il rêva quelque temps; puis il me dit d'un air sérieux : Seigneur Gil Blas, j'ai de l'inclination pour vous; et puisque vous avez assez de confiance en moi pour me parler à cœur ouvert, je vais vous dire sans flatterie à quoi je vous crois propre. Vous me semblez né pour la cour. Je vous conseille d'y aller et de vous attacher à quelque grand seigneur. Mais tâchez de vous mêler de ses affaires ou d'entrer dans ses plaisirs. Autrement, vous perdrez votre temps chez lui. Je connais les grands : ils comptent pour rien le zèle et l'attachement d'un honnête homme. Ils ne se soucient que des personnes qui leur sont nécessaires. Vous avez encore une ressource, continua-t-il; vous êtes jeune, bien fait, et quand vous n'auriez pas d'esprit, c'est plus qu'il n'en faut pour entêter une riche veuve ou quelque jolie femme mal mariée. Si l'amour ruine des hommes qui ont du bien, il en fait souvent subsister d'autres qui n'en ont pas. Je suis donc d'avis que vous alliez à Madrid; mais il ne faut pas que vous y paraissiez sans suite. On juge là comme ailleurs sur les apparences et vous n'y serez considéré qu'à proportion de la figure qu'on vous verra faire. Je veux vous donner un valet; un domestique fidèle; un garçon sage; en un mot, un homme de ma main. Achetez deux mules, l'une pour vous, l'autre pour lui, et partez le plus tôt qu'il vous sera possible.

Ce conseil était trop de mon goût pour ne le pas suivre. Dès le lendemain, j'achetai deux belles mules et j'arrêtai le valet dont on m'avait parlé. C'était un garçon de trente ans qui avait l'air simple et dévot. Il me dit qu'il était du royaume de Galice et qu'il se nommait Ambroise de Lamela. Au lieu que les autres domestiques sont fort intéressés, celui-ci ne se souciait point de gagner de bons gages. Il me témoigna même qu'il était homme à se contenter de ce que je voudrais bien avoir la bonté de lui donner. J'achetai aussi des bottines, avec une valise pour serrer mon linge et mes ducats. Ensuite je satisfis mon hôte, et le jour suivant je partis de Burgos avant l'aurore pour aller à Madrid.

CHAPITRE XVI

Qui fait voir qu'on ne doit pas trop compter sur la prospérité.

Nous couchâmes à Dueñas la première journée, et nous arrivâmes la seconde à Valladolid, sur les quatre heures après midi. Nous descendîmes à une hôtellerie qui me parut devoir être une des meilleures de la ville. Je laissai le soin des mules à mon valet et montai dans une chambre où je fis porter ma valise par un garçon du logis. Comme je me sentais un peu fatigué, je me jetai sur mon lit sans ôter mes bottines et je m'endormis insensiblement. Il était presque nuit lorsque je me réveillai. J'appelai Ambroise. Il ne se trouva point dans l'hôtellerie, mais il arriva bientôt. Je lui demandai d'où il venait : il me répondit, d'un air pieux, qu'il sortait d'une église où il était allé remercier le ciel de nous avoir préservés de tout mauvais accident depuis Burgos jusqu'à Valladolid. J'approuvai son action. Ensuite, je lui ordonnai de faire mettre à la broche un poulet pour mon souper.

Dans le temps que je lui donnais cet ordre, mon hôte entra dans ma chambre un flambeau à la main. Il éclairait une dame [15] qui me parut plus belle que jeune et très richement vêtue. Elle s'appuyait sur un vieil écuyer et un petit Maure lui portait la queue. Je ne fus pas peu surpris, quand cette dame, après m'avoir fait une profonde révérence, me demanda si par hasard je n'étais point le seigneur Gil Blas de Santillane. Je n'eus pas sitôt répondu qu'oui, qu'elle quitta la main de son écuyer pour venir m'embrasser avec un transport de joie qui redoubla mon étonnement. Le Ciel, s'écria-t-elle, soit à jamais béni de cette aventure! C'est vous, seigneur cavalier, c'est vous que je cherche. A ce début, je me ressouvins du parasite de Peñaflor, et j'allais soupçonner la dame d'être une franche aventurière; mais ce qu'elle ajouta m'en fit juger plus avantageusement. Je suis, poursuivit-elle, cousine germaine de doña Mencia de Mosquera, qui vous a tant d'obligation. J'ai reçu ce matin une lettre de sa part. Elle me mande qu'ayant appris que vous alliez à Madrid, elle me prie de vous bien régaler, si vous passez par ici. Il y a deux heures que je parcours toute la ville. Je vais d'hôtellerie en hôtellerie m'informer des étrangers qui y sont, et j'ai jugé sur le portrait que votre hôte m'a fait de vous que vous pouviez être le libérateur de ma cousine. Ah! puisque je vous ai rencontré, continua-t-elle, je veux vous faire voir combien je suis sensible aux services qu'on rend à ma famille et particulièrement à ma chère cousine. Vous viendrez, s'il vous plaît, dès ce moment loger chez moi. Vous y serez plus commodément qu'ici. Je voulus m'en défendre et représenter à la dame que je pourrais l'incommoder chez elle; mais il n'y eut pas moyen de résister à ses instances. Il y avait à la porte de l'hôtellerie un carrosse qui nous attendait. Elle prit soin elle-même de faire mettre ma valise dedans, parce qu'il y avait, disait-elle, bien des fripons à Valladolid. Ce qui n'était que trop véritable. Enfin, je montai en carrosse avec elle et son vieil écuyer et je me laissai de cette manière enlever de l'hôtellerie, au grand déplaisir de l'hôte qui se voyait par là sevrer de la dépense qu'il avait compté que je ferais chez lui.

Notre carrosse, après avoir quelque temps roulé, s'arrêta. Nous en descendîmes pour entrer dans une assez grande maison, et nous montâmes dans un appartement qui n'était pas malpropre, et que vingt ou trente bougies éclairaient. Il y avait là plusieurs domestiques à qui la dame demanda d'abord si don Raphaël était arrivé. Ils répondirent que non. Alors m'adressant la parole : Seigneur Gil Blas, me dit-elle, j'attends mon frère qui doit revenir ce soir d'un château que nous avons à deux lieues d'ici. Quelle agréable surprise pour lui de trouver dans sa maison un homme à qui toute notre famille est si redevable! Dans le moment qu'elle achevait de parler ainsi, nous entendîmes du bruit et nous apprîmes en même temps qu'il était causé par l'arrivée de don Raphaël. Ce cavalier parut bientôt. Je vis un jeune homme de belle taille et de fort bon air. Je suis ravie de votre retour, mon frère, lui dit la dame. Vous m'aiderez à bien recevoir le seigneur Gil Blas de Santillane. Nous ne saurions assez reconnaître ce qu'il a fait pour doña Mencia, notre parente. Tenez, ajouta-t-elle en lui présentant une lettre, lisez ce qu'elle m'écrit. Don Raphaël ouvrit le billet et lut tout haut ces mots : Ma chère Camille, le seigneur Gil Blas de Santillane, qui m'a sauvé l'honneur et la vie, vient de partir pour la cour. Il passera sans doute par Valladolid. Je vous conjure par le sang, et plus encore par l'amitié qui nous unit, de le régaler et de le retenir quelque temps chez vous. Je me flatte que vous me donnerez cette satisfaction, et que mon libérateur recevra de vous et de don Raphaël, mon cousin, toutes sortes de bons traitements. A Burgos, votre affectionnée cousine, *Doña MENCIA*.

Comment! s'écria don Raphaël, après avoir lu la lettre, c'est à ce cavalier que ma parente doit l'honneur et la vie? Ah! je rends grâce au ciel de cette heureuse rencontre. En parlant de cette sorte, il s'approcha de moi et me serrant étroitement entre ses bras : Quelle joie, poursuivit-il, j'ai de voir ici le seigneur Gil Blas de Santillane! Il n'était pas besoin que ma cousine la marquise nous recommandât de vous régaler. Elle n'avait seulement qu'à nous mander que vous deviez passer par Valladolid. Cela suffisait. Nous savons bien, ma sœur Camille et moi, comme il en faut user avec un homme qui a rendu le plus grand service du monde à la personne de notre famille que nous aimons le plus tendrement. Je répondis le mieux qu'il me fut possible à ces discours, qui furent suivis de beaucoup d'autres semblables et entremêlés de mille caresses. Après quoi, s'apercevant que j'avais encore mes bottines, il me les fit ôter par ses valets.

Nous passâmes ensuite dans une chambre où l'on avait servi. Nous nous mîmes à table, le cavalier, la dame et moi. Ils me dirent cent choses obligeantes pendant le souper. Il ne m'échappait pas un mot qu'ils ne relevassent comme un trait admirable, et il fallait voir l'attention qu'ils avaient tous deux à me présenter de tous les mets. Don Raphaël buvait souvent à la santé de doña Mencia. Je suivais son exemple, et il me semblait quelquefois que Camille, qui trinquait avec nous, me lançait des regards qui signifiaient quelque chose. Je crus même remarquer qu'elle prenait son temps pour cela, comme si elle eût craint que son frère ne s'en aperçût. Il n'en fallut pas davantage pour me persuader que la dame en tenait, et je me flattai de profiter de cette découverte, pour peu que je demeurasse à Valladolid. Cette espérance fut cause que je me rendis sans peine à la prière qu'ils me firent de vouloir bien passer quelques jours chez eux. Ils me remercièrent de ma complaisance; et la joie qu'en témoigna Camille confirma l'opinion que j'avais qu'elle me trouvait fort à son gré.

Don Raphaël, me voyant déterminé à faire quelque séjour chez lui, me proposa de me mener à son château. Il m'en fit une description magnifique et me parla des plaisirs qu'il prétendait m'y donner. Tantôt, disait-il, nous prendrons le divertissement de la chasse, tantôt celui de la pêche; et si vous aimez la promenade, nous avons des bois et des jardins délicieux. D'ailleurs, nous aurons bonne compagnie. J'espère que vous ne vous ennuierez point. J'acceptai la proposition, et il fut résolu que nous irions à ce beau château dès le jour suivant. Nous nous levâmes de table en formant un si agréable dessein. Don Raphaël en parut transporté de joie : Seigneur Gil Blas, dit-il en m'embrassant, je vous laisse avec ma sœur. Je vais de ce pas donner les ordres nécessaires et faire avertir toutes les personnes que je veux mettre de la partie. A ces paroles, il sortit de la chambre où nous étions, et je continuai de m'entretenir avec la dame, qui ne démentit point par ses discours les douces œillades qu'elle m'avait jetées. Elle me prit par la main, et regardant ma bague : Vous avez là, dit-elle, un diamant assez joli. Mais il est bien petit. Vous connaissez-vous en pierreries ? Je répondis que non. J'en suis fâchée, reprit-elle; car vous me diriez ce que vaut celle-ci. En achevant ces mots, elle me montra un gros rubis qu'elle avait au doigt; et, pendant que je le considérais, elle me dit : Un de mes oncles, qui a été gouverneur dans les habitations que les Espagnols ont aux îles Philippines, m'a donné ce rubis. Les joailliers de Valladolid l'estiment trois cents pistoles. Je le croirais bien, lui dis-je; je le trouve parfaitement beau. Puisqu'il vous plaît, répliqua-t-elle, je veux faire un troc avec vous. Aussitôt elle prit ma bague et me mit la sienne au petit doigt. Après ce troc, qui me parut une manière galante de faire un présent, Camille me serra la main et me regarda d'un air tendre; puis tout à coup, rompant l'entretien, elle me donna le bonsoir et se retira toute confuse, comme si elle eût honte de me faire trop connaître ses sentiments.

Quoique galant des plus novices, je sentis tout ce que cette retraite précipitée avait d'obligeant pour moi; et je jugeai que je ne passerais point mal le temps à la campagne. Plein de cette idée flatteuse et de l'état brillant de mes affaires, je m'enfermai dans la chambre où je devais coucher, après avoir dit à mon valet de me venir réveiller de bonne heure le lendemain. Au lieu de songer à me reposer, je m'abandonnai aux réflexions agréables que ma valise qui était sur une table et mon rubis m'inspirèrent. Grâce au ciel, disais-je, si j'ai été malheureux, je ne le suis plus. Mille ducats d'un côté, une bague de trois cents pistoles de l'autre : me voilà pour longtemps en fonds. Majuelo ne m'a point flatté. Je le vois bien. J'enflammerai mille femmes à Madrid, puisque j'ai plu si facilement à Camille. Les bontés de cette généreuse dame se présentaient à mon esprit avec tous leurs charmes, et je goûtais aussi par avance les divertissements que don Raphaël me préparait dans son château. Cependant, parmi tant d'images de plaisir, le sommeil ne laissa pas de venir répandre sur moi ses pavots. Dès que je me sentis assoupir, je me déshabillai et me couchai.

Le lendemain matin, lorsque je me réveillai, je m'aperçus qu'il était déjà tard. Je fus assez surpris de ne pas voir paraître mon valet, après l'ordre qu'il avait reçu de moi. Ambroise, dis-je en moi-même, mon fidèle Ambroise est à l'église, ou bien il est aujourd'hui fort paresseux. Mais je perdis bientôt cette opinion de lui pour en prendre une plus mauvaise; car m'étant levé, et ne voyant plus ma valise, je le soupçonnai de l'avoir volée pendant la nuit. Pour éclairer mes soupçons, j'ouvris la porte de ma chambre et j'appelai l'hypocrite à plusieurs reprises. Il vint à ma voix un vieillard, qui me dit : Que souhaitez-vous, seigneur ? tous vos gens sont sortis de ma maison avant le jour. Comment de votre maison ? m'écriai-je : est-ce que je ne suis pas ici chez don Raphaël ? Je ne sais ce que c'est que ce cavalier, dit-il. Vous êtes dans un hôtel garni, et j'en suis l'hôte. Hier au soir, une heure avant votre arrivée, la dame qui a soupé avec vous vint ici et arrêta cet appartement pour un grand seigneur, disait-elle, qui voyage *incognito*. Elle m'a même payé d'avance.

Je fus alors au fait. Je sus ce que je devais penser de Camille et de don Raphaël; et je compris que mon valet, ayant une entière connaissance de mes affaires, m'avait vendu à ces fourbes. Au lieu de n'imputer qu'à moi ce triste incident, et de songer qu'il ne me serait point arrivé si je n'eusse pas eu l'indiscrétion de m'ouvrir à Majuelo sans nécessité, je m'en pris à la fortune innocente et maudis cent fois mon étoile. Le maître de l'hôtel garni, à qui je contai l'aventure qu'il savait peut-être aussi bien que moi, se montra sensible à ma douleur. Il me plaignit et me témoigna qu'il était très mortifié de ce que cette scène se fût passée chez lui; mais je crois, malgré ses démonstrations, qu'il n'avait pas moins de part à cette fourberie que mon hôte de Burgos, à qui j'ai toujours attribué l'honneur de l'invention.

CHAPITRE XVII

Quel parti prit Gil Blas après l'aventure de l'hôtel garni.

Lorsque j'eus bien déploré mon malheur, je fis réflexion qu'au lieu de céder à mon chagrin, je devais plutôt me roidir contre mon mauvais sort. Je rappelai mon courage et, pour me consoler, je disais en m'habillant : Je suis encore trop heureux que les fripons n'aient pas emporté mes habits et quelques ducats que j'ai dans mes poches. Je leur tenais compte de cette discrétion. Ils avaient même été assez généreux pour me laisser mes bottines, que je donnai à l'hôte [16] pour un tiers de ce qu'elles m'avaient coûté. Enfin, je sortis de l'hôtel garni, sans avoir, Dieu merci, besoin de personne pour porter mes hardes. La première chose que je fis fut d'aller voir si mes mules ne seraient pas dans l'hôtellerie où j'étais descendu le jour précédent. Je jugeais bien qu'Ambroise ne les y avait pas laissées, et plût au ciel que j'eusse toujours jugé aussi sainement de lui! J'appris que, dès le soir même, il avait eu soin de les en retirer. Ainsi, comptant de ne les plus revoir, non plus que ma valise, je marchais tristement dans les rues en rêvant au parti que je devais prendre. Je fus tenté de retourner à Burgos pour avoir encore une fois recours à doña Mencia; mais, considérant que ce serait abuser des bontés de cette dame et que d'ailleurs je passerais pour une bête, j'abandonnai cette pensée. Je jurai bien aussi que dans la suite je serais en garde contre les femmes. Je me serais alors défié de la chaste Suzanne. Je jetais de temps en temps les yeux sur ma bague, et quand je venais à songer que c'étiat un présent de Camille, j'en soupirais de douleur. Hélas! disais-je en moi-même, je ne me connais point en rubis; mais je connais les gens qui les troquent. Je ne crois pas qu'il soit nécessaire que j'aille chez un joaillier pour être persuadé que je suis un sot.

Je ne laissai pas toutefois de vouloir m'éclaircir de ce que valait ma bague et je l'allai montrer à un lapidaire qui l'estima trois ducats. A cette estimation, quoiqu'elle ne m'étonnât point, je donnai au diable la nièce du gouverneur des îles Philippines, ou plutôt je ne fis que lui en renouveler le don. Comme je sortais de chez le lapidaire, il passa près de moi un jeune homme qui s'arrêta pour me considérer. Je ne me le remis pas d'abord, bien que je le connusse parfaitement. Comment donc, Gil Blas, me dit-il, feignez-vous d'ignorer qui je suis ? ou deux années ont-elles si fort changé le fils du barbier Nuñez, que vous le méconnaissiez ? Ressouvenez-vous de Fabrice, votre compatriote et votre compagnon d'école. Nous avons si souvent disputé chez le docteur Godinez sur les universaux et les degrés métaphysiques.

Je le reconnus avant qu'il eût achevé ces paroles, et nous nous embrassâmes tous deux avec transport. Eh! mon ami, reprit-il ensuite, que je suis ravi de te rencontrer! je ne puis t'exprimer la joie que j'en ressens... Mais, poursuivit-il d'un air surpris, dans quel état t'offres-tu à ma vue ? Vive Dieu! te voilà vêtu comme un prince! Une belle épée, des bas de soie, un pourpoint et un manteau de velours relevés d'une broderie d'argent! Malepeste! cela sent diablement les bonnes fortunes. Je vais parier que quelque vieille femme libérale te fait part de ses largesses. Tu te trompes, lui dis-je, mes affaires ne sont pas si florissantes que tu te l'imagines. A d'autres, répliqua-t-il, à d'autres! Tu veux faire le discret. Et ce beau rubis que je vous vois au doigt, monsieur Gil Blas, d'où vous vient-il, s'il vous plaît ? Il me vient, lui repartis-je, d'une franche friponne. Fabrice, mon cher Fabrice, bien loin d'être la coqueluche des femmes de Valladolid, apprends, mon ami, que j'en suis la dupe.

Je prononçai ces dernières paroles si tristement, que Fabrice vit bien qu'on m'avait joué quelque tour. Il me pressa de lui dire pourquoi je me plaignais ainsi du beau sexe. Je me résolus sans peine à contenter sa curiosité; mais, comme j'avais un assez long récit à faire, et que d'ailleurs nous ne voulions pas nous séparer sitôt, nous entrâmes dans un cabaret pour nous entretenir plus commodément. Là, je lui contai en déjeunant tout ce qui m'était arrivé depuis ma sortie d'Oviedo. Il trouva mes aventures assez bizarres, et, après m'avoir témoigné qu'il prenait beaucoup de part à la fâcheuse situation où j'étais, il me dit : Il faut se consoler, mon enfant, de tous les malheurs de la vie. Un homme d'esprit est-il dans la misère ? il attend avec patience un temps plus heureux. Jamais, comme dit Cicéron, il ne doit se laisser abattre jusqu'à ne se plus souvenir qu'il est homme. Pour moi, je suis de ce caractère-là. Mes disgrâces ne m'accablent point. Je suis toujours au-dessus de la mauvaise fortune. Par exemple, j'aimais une fille de famille d'Oviedo. J'en étais aimé. Je la demandai en mariage à son père; il me la refusa. Un autre en serait mort de douleur; moi, admire la force de mon esprit, j'enlevai la petite personne. Elle était vive, étourdie, coquette; le plaisir par conséquent la déterminait toujours au préjudice du devoir. Je la promenai pendant six mois dans le royaume de Galice; de là, comme je l'avais mise dans le goût de voyager, elle eut envie d'aller en Portugal; mais elle prit un autre compagnon de voyage. Autre sujet de désespoir. Je ne succombai point encore sous le poids de ce nouveau malheur; et, plus sage que Ménélas, au lieu de m'armer contre le Pâris qui m'avait soufflé mon Hélène, je lui sus bon gré de m'en avoir défait. Après cela, ne voulant plus retourner dans les Asturies, pour éviter toute discussion avec la justice, je m'avançai dans le royaume de Léon, dépensant de ville en ville l'argent qui me restait de l'enlèvement de mon infante; car nous avions tous deux fait notre main en partant d'Oviedo. J'arrivai à Palencia avec un seul ducat, sur quoi je fus obligé d'acheter une paire de souliers. Le reste ne me mena pas bien loin. Ma situation devint embarrassante. Je commençais déjà même à faire diète. Il fallut promptement prendre un parti. Je résolus de me mettre dans le service. Je me plaçai d'abord chez un gros marchand de drap [17], qui avait un fils libertin. J'y trouvai un asile contre l'abstinence, et en même temps un grand embarras. Le père m'ordonna d'épier son fils; le fils me pria de l'aider à tromper son père. Il fallait opter. Je préférai la prière au commandement et cette préférence me fit donner mon congé. Je passai ensuite au service d'un vieux peintre, qui voulut par amitié m'enseigner les principes de son art; mais, en me les montrant, il me laissait mourir de faim. Cela me dégoûta de la peinture et du séjour de Palencia. Je vins à Valladolid, où, par le plus grand bonheur du monde, j'entrai dans la maison d'un administrateur de l'hôpital. J'y demeure encore et je suis charmé de ma condition. Le seigneur Manuel Ordoñez, mon maître, est un homme d'une piété profonde. Il marche toujours les yeux baissés, avec un gros rosaire à la main. On dit que dès sa jeunesse, n'ayant en vue que le bien des pauvres, il s'y est attaché avec un zèle infatigable. Aussi ses soins ne sont-ils pas demeurés sans récompense. Tout lui a prospéré. Quelle bénédiction! en faisant les affaires des pauvres, il s'est enrichi.

Quand Fabrice m'eut tenu ce discours, je lui dis : Je suis bien aise que tu sois satisfait de ton sort; mais entre nous, tu pourrais, ce me semble, faire un plus beau rôle dans le monde. Tu n'y penses pas, Gil Blas, me répondit-il. Sache que, pour un homme de mon humeur, il n'y a point de situation plus agréable que la mienne. Le métier de laquais est pénible, je l'avoue, pour un imbécile; mais il n'a que des charmes pour un garçon d'esprit. Un génie supérieur qui se met en condition ne fait pas son service matériellement comme un nigaud. Il entre dans une maison pour commander plutôt que pour servir. Il commence par étudier son maître. Il se prête à ses défauts, gagne sa confiance et le mène ensuite par le nez. C'est ainsi que je me suis conduit chez mon administrateur. Je connus d'abord le pèlerin. Je m'aperçus qu'il voulait passer pour un saint personnage. Je feignis d'en être la dupe. Cela ne coûte rien. Je fis plus. Je le copiai, et, jouant devant lui le même rôle qu'il fait devant les autres, je trompai le trompeur et je suis devenu peu à peu son *factoton*. J'espère que quelque jour je pourrai, sous ses auspices, me mêler des affaires des pauvres. Je ferai peut-être fortune aussi, car je me sens autant d'amour que lui pour leur bien.

Voilà de belles espérances, repris-je, mon cher Fabrice; et je t'en félicite. Pour moi, je reviens à mon premier dessein. Je vais convertir mon habit brodé en soutanelle, me rendre à Salamanque, et là, me rangeant sous les drapeaux de l'Université, remplir l'emploi de précepteur. Beau projet! s'écria Fabrice; l'agréable imagination! Quelle folie de vouloir à ton âge te faire pédant! Sais-tu bien malheureux, à quoi tu t'engages en prenant ce parti ? Sitôt que tu seras placé, toute la maison t'observera. Tes moindres actions seront scrupuleusement examinées. Il faudra que tu te contraignes sans cesse. Que tu te pares d'un extérieur hypocrite et paraisses posséder toutes les vertus. Tu n'auras presque pas un moment à donner à tes plaisirs. Censeur éternel de ton écolier, tu passeras les journées à lui enseigner le latin et à le reprendre quand il dira ou fera des choses contre la bienséance. Après tant de peine et de contrainte, quel sera le fruit de tes soins ? Si le petit gentilhomme est un mauvais sujet, on dira que tu l'auras mal élevé; et ses parents te renverront sans récompense. Peut-être même sans te payer tes appointements. Ne me parle donc point d'un poste de précepteur. C'est un bénéfice à charge d'âmes. Mais parle-moi de l'emploi d'un laquais. C'est un bénéfice simple, qui n'engage à rien. Un maître a-t-il des vices ? le génie supérieur qui le sert les flatte et souvent même les fait tourner à son profit. Un valet vit sans inquiétude dans une bonne maison. Après avoir bu et mangé tout son soûl, il s'endort tranquillement comme un enfant de famille, sans s'embarrasser du boucher ni du boulanger.

Je ne finirais point, mon enfant, poursuivit-il, si je voulais dire tous les avantages des valets. Crois-moi, Gil Blas, perds pour jamais l'envie d'être précepteur, et suis mon exemple. Oui mais, Fabrice, lui repartis-je, on ne trouve pas tous les jours des administrateurs; et si je me résolvais à servir, je voudrais du moins n'être pas mal placé. Oh! tu as raison, me dit-il, et j'en fais mon affaire. Je te réponds d'une bonne condition, quand ce ne serait que pour arracher un galant homme à l'Université.

La prochaine misère dont j'étais menacé, et l'air satisfait qu'avait Fabrice, me persuadant plus que ses raisons, je me déterminai à me mettre dans le service. Là-dessus, nous sortîmes du cabaret, et mon compatriote me dit : Je vais de ce pas te conduire chez un homme à qui s'adressent la plupart des laquais qui sont sur le pavé. Il a des grisons qui l'informent de tout ce qui se passe dans les familles. Il sait où l'on a besoin de valets et il tient un registre exact non seulement des places vacantes, mais même des bonnes et des mauvaises qualités des maîtres. C'est un homme qui a été frère dans je ne sais quel couvent de religieux. Enfin, c'est lui qui m'a placé.

En nous entretenant d'un bureau d'adresse [18] si singulier, le fils du barbier Nuñez me mena dans un cul-de-sac. Nous entrâmes dans une petite maison, où nous trouvâmes un homme de cinquante ans, qui écrivait sur une table. Nous le saluâmes, assez respectueusement même; mais, soit qu'il fût fier de son naturel, soit que, n'ayant coutume de voir que des laquais et des cochers, il eût pris l'habitude de recevoir son monde cavalièrement, il ne se leva point. Il se contenta de nous faire une légère inclination de tête. Il me regarda pourtant avec attention. Je vis bien qu'il était surpris qu'un jeune homme en habit de velours brodé voulût devenir laquais. Il avait plutôt lieu de penser que je venais lui en demander un. Il ne put toutefois douter longtemps de mon intention, puisque Fabrice lui dit d'abord : Seigneur Arias de Londoña, vous voulez bien que je vous présente le meilleur de mes amis ? C'est un garçon de famille, que ses malheurs réduisent à la nécessité de servir. Enseignez-lui, de grâce, une bonne condition et comptez sur sa reconnaissance. Messieurs, répondit froidement Arias, voilà comme vous êtes tous. Avant qu'on vous place, vous faites les plus belles promesses du monde. Etes-vous bien placés ? vous ne vous en souvenez plus. Comment donc ? reprit Fabrice, vous plaignez-vous de moi ? N'ai-je pas bien fait les choses ? Vous auriez pu les faire encore mieux, repartit Arias. Votre condition vaut un emploi de commis et vous m'avez payé comme si je vous eusse mis chez un auteur. Je pris alors la parole et dis au seigneur Arias que, pour lui faire connaître que je n'étais pas un ingrat, je voulais que la reconnaissance précédât le service. En même temps je tirai de mes poches deux ducats que je lui donnai, avec promesse de n'en pas demeurer là, si je me voyais dans une bonne maison.

Il parut content de mes manières. J'aime, dit-il, qu'on en

use de la sorte avec moi. Il y a, continua-t-il, d'excellents postes vacants. Je vais vous les nommer et vous choisirez celui qui vous plaira. En achevant ces paroles, il mit ses lunettes, ouvrit un registre qui était sur la table, tourna quelques feuillets et commença de lire dans ces termes : Il faut un laquais au capitaine Torbellino, homme emporté, brutal et fantasque. Il gronde sans cesse, jure, frappe, et le plus souvent estropie ses domestiques. Passons à un autre, m'écriai-je à ce portrait. Ce capitaine-là n'est pas de mon goût. Ma vivacité fit sourire Arias, qui poursuivit ainsi sa lecture : Doña Manuela de Sandoval, douairière surannée, hargneuse et bizarre, est actuellement sans laquais. Elle n'en a qu'un d'ordinaire; encore ne le peut-elle garder un jour entier. Il y a dans la maison, depuis dix ans, un habit qui sert à tous les valets qui entrent de quelque taille qu'ils soient. On peut dire qu'ils ne font que l'essayer, et qu'il est encore tout neuf, quoique deux mille laquais l'aient porté. Il manque un valet au docteur Alvar Fañez. C'est un médecin chimiste. Il nourrit bien ses domestiques, les entretient proprement, leur donne même de gros gages; mais il fait sur eux l'épreuve de ses remèdes. Il y a souvent des places de laquais à remplir chez cet homme-là.

Oh! je le crois bien, interrompit Fabrice en riant. Vive Dieu ! vous nous enseignez là de bonnes conditions. Patience, dit Arias de Londoña. Nous ne sommes pas au bout. Il y a de quoi vous contenter. Là-dessus il continua de lire de cette sorte : Doña Alfonsa de Solis, vieille dévote qui passe les deux tiers de la journée dans l'église et veut que son valet y soit toujours auprès d'elle, n'a point de laquais depuis trois semaines. Le licencié Sedillo, vieux chanoine du chapitre de cette ville, chassa hier au soir son valet... Halte-là, seigneur Arias de Londoña, s'écria Fabrice en cet endroit. Nous nous en tenons à ce dernier poste. Le licencié Sedillo est des amis de mon maître et je le connais parfaitement. Je sais qu'il a pour gouvernante une vieille béate, qu'on nomme la dame Jacinte et qui dispose de tout chez lui. C'est une des meilleures maisons de Valladolid. On y vit doucement et l'on y fait très bonne chère. D'ailleurs, le chanoine est un homme infirme, un vieux goutteux qui fera bientôt son testament. Il y a un legs à espérer. La charmante perspective pour un valet! Gil Blas, ajouta-t-il, en se tournant de mon côté, ne perdons point de temps, mon ami. Allons tout à l'heure chez le licencié. Je veux te présenter moi-même et te servir de répondant. A ces mots, de crainte de manquer une si belle occasion, nous prîmes brusquement congé du seigneur Arias, qui m'assura, pour mon argent, que, si cette condition m'échappait, je pouvais compter qu'il m'en ferait trouver une aussi bonne.

Fin du premier livre.

LIVRE SECOND

CHAPITRE PREMIER

Fabrice mène et fait recevoir Gil Blas chez le licencié Sedillo. Dans quel état était ce chanoine. Portrait de sa gouvernante.

Nous avions si grand-peur d'arriver trop tard chez le vieux licencié, que nous ne fîmes qu'un saut du cul-de-sac à sa maison. Nous en trouvâmes la porte fermée. Nous frappâmes. Une fille de dix ans, que la gouvernante faisait passer pour sa nièce en dépit de la médisance, vint ouvrir, et comme nous lui demandions si l'on pouvait parler au chanoine, la dame Jacinte parut. C'était une personne déjà parvenue à l'âge de discrétion, mais belle encore; et j'admirai particulièrement la fraîcheur de son teint. Elle portait une longue robe d'une étoffe de laine la plus commune, avec une large ceinture de cuir, d'où pendaient d'un côté un trousseau de clefs, et de l'autre un chapelet à gros grains. D'abord que nous l'aperçûmes, nous la saluâmes avec beaucoup de respect. Elle nous rendit le salut fort civilement, mais d'un air modeste et les yeux baissés.

J'ai appris, lui dit mon camarade, qu'il faut un honnête garçon au seigneur licencié Sedillo et je viens lui en présenter un dont j'espère qu'il sera content. La gouvernante leva les yeux à ces paroles, me regarda fixement, et ne pouvant accorder ma broderie avec le discours de Fabrice, elle demanda si c'était moi qui recherchais la place vacante. Oui, lui dit le fils de Nuñez, c'est ce jeune homme. Tel que vous le voyez, il lui est arrivé des disgrâces qui l'obligent à se mettre en condition. Il se consolera de ses malheurs, ajouta-t-il d'un ton doucereux, s'il a le bonheur d'entrer dans cette maison et de vivre avec la vertueuse Jacinte, qui mériterait d'être la gouvernante du patriarche des Indes. A ces mots, la vieille béate cessa de me regarder, pour considérer le gracieux personnage qui lui parlait; et frappée de ses traits, qu'elle crut ne lui être pas inconnus : J'ai une idée confuse de vous avoir vu, lui dit-elle; aidez-moi à la débrouiller. Chaste Jacinte, lui répondit Fabrice, il m'est bien glorieux de m'être attiré vos regards. Je suis venu deux fois dans cette maison avec mon maître le seigneur Manuel Ordoñez, administrateur de l'hôpital. Eh! justement, répliqua la gouvernante, je m'en souviens et je vous remets. Ah! puisque vous appartenez au seigneur Ordoñez, il faut que vous soyez un garçon de bien et d'honneur. Votre condition fait votre éloge et ce jeune homme ne saurait avoir un meilleur répondant que vous. Venez, poursuivit-elle, je vais vous faire parler au seigneur Sedillo. Je crois qu'il sera bien aise d'avoir un garçon de votre main.

Nous suivîmes la dame Jacinte. Le chanoine était logé par bas et son appartement consistait en quatre pièces de plain-pied, bien boisées. Elle nous pria d'attendre un moment dans la première et nous y laissa pour passer dans la seconde où était le licencié. Après y avoir demeuré quelque temps en particulier avec lui pour le mettre au fait, elle vint nous dire que nous pouvions entrer. Nous aperçûmes le vieux podagre enfoncé dans un fauteuil, un oreiller sous la tête, des coussins sous les bras, et les jambes appuyées sur un gros carreau plein de duvet. Nous nous approchâmes de lui sans ménager les révérences, et Fabrice, portant encore la parole, ne se contenta pas de redire ce qu'il avait dit à la gouvernante, il se mit à vanter mon mérite et s'étendit principalement sur l'honneur que je m'étais acquis chez le docteur Godinez dans les disputes de philosophie; comme s'il eût fallu que je fusse un grand philosophe pour être valet d'un chanoine! Cependant, par le bel éloge qu'il fit de moi, il ne laissa pas de jeter de la poudre aux yeux du licencié, qui, remarquant d'ailleurs que je ne déplaisais pas à la dame Jacinte, dit à mon répondant : L'ami, je reçois à mon service le garçon que tu m'amènes. Il me revient assez et je juge favorablement de ses mœurs, puisqu'il m'est présenté par un domestique du seigneur Ordoñez.

D'abord que Fabrice vit que j'étais arrêté, il fit une grande révérence au chanoine, une autre encore plus profonde à la gouvernante, et se retira fort satisfait, après m'avoir dit tout bas que nous nous reverrions et que je n'avais qu'à rester là. Dès qu'il fut sorti, le licencié me demanda comment je m'appelais, pourquoi j'avais quitté ma patrie, et par ses questions il m'engagea devant la dame Jacinte à raconter mon histoire. Je les divertis tous deux, surtout par le récit de ma dernière aventure. Camille et don Raphaël leur donnèrent une si forte envie de rire, qu'il en pensa coûter la vie au vieux goutteux; car, comme il riait de toute sa force, il lui prit une toux si violente, que je crus qu'il allait passer. Il n'avait pas encore fait son testament, jugez si la gouvernante fut alarmée. Je la vis tremblante, éperdue, courir au secours du bonhomme, et, faisant ce qu'on fait pour soulager les enfants qui toussent, lui frotter le front et lui taper le dos. Ce ne fut pourtant qu'une fausse alarme. Le vieillard cessa de tousser, et sa gouvernante de le tourmenter. Alors je voulus achever mon récit; mais la dame Jacinte, craignant une seconde toux, s'y opposa. Elle m'emmena même de la chambre du chanoine dans une garde-robe, où parmi plusieurs habits était celui de mon prédécesseur. Elle me le fit prendre et mit à sa place le mien, que je n'étais pas fâché de conserver, dans l'espérance qu'il me servirait encore. Nous allâmes ensuite tous deux préparer le dîner.

Je ne parus pas neuf dans l'art de faire la cuisine. Il est vrai que j'en avais fait l'heureux apprentissage sous la dame Léonarde, qui pouvait passer pour une bonne cuisinière. Elle n'était pas toutefois comparable à la dame Jacinte. Celle-ci l'emportait peut-être sur le cuisinier même de l'archevêque de Tolède. Elle excellait en tout. On trouvait ses bisques exquises, tant elle savait bien choisir et mêler les sucs des viandes qu'elle y faisait entrer, et ses hachis étaient assaisonnés d'une manière qui les rendait très agréables au goût. Quand le dîner fut prêt, nous retournâmes à la chambre du chanoine, où, pendant que je dressais une table auprès de son fauteuil, la gouvernante passa sous le menton du vieillard une serviette et la lui attacha aux épaules. Un moment après, je servis un potage qu'on aurait pu présenter au plus fameux directeur de Madrid et deux entrées qui auraient de quoi piquer la sensualité d'un vice-roi, si la dame Jacinte n'y eût pas épargné les épices, de peur d'irriter la goutte du licencié. A la vue de ces bons plats, mon vieux maître que je croyais perclus de tous ses membres me montra qu'il n'avait pas entièrement encore perdu l'usage de ses bras. Il s'en aida pour se débarrasser de son oreiller et de ses coussins, et se disposa gaiement à manger. Quoique la main lui tremblât, elle ne refusa pas le service. Il la faisait aller et venir assez librement, de façon pourtant qu'il répandait sur la nappe et sur sa serviette la moitié de ce qu'il portait à sa bouche. J'ôtai la bisque, lorsqu'il n'en voulut plus, et j'apportai une perdrix flanquée de deux cailles rôties que la dame Jacinte lui dépeça. Elle avait aussi soin de lui faire boire de temps en temps de grands coups de vin un peu trempé, dans une coupe d'argent large et profonde qu'elle lui tenait comme à un enfant de quinze mois. Il s'acharna sur les entrées et ne fit pas moins d'honneur aux petits-pieds. Quand il se fut bien empiffré, la béate lui détacha sa serviette, lui remit son oreiller et ses coussins, puis, le laissant dans son fauteuil goûter tranquillement le repos qu'on prend d'ordinaire après le dîner, nous desservîmes et nous allâmes manger à notre tour.

Voilà de quelle manière dînait tous les jours notre chanoine, qui était peut-être le plus grand mangeur du chapitre. Mais il soupait plus légèrement. Il se contentait d'un poulet avec quelques compotes de fruits. Je faisais bonne chère dans cette maison. J'y menais une vie très douce. Je n'y avais qu'un désagrément : c'est qu'il me fallait veiller mon maître et passer la nuit comme un garde-malade. Outre une rétention d'urine qui l'obligeait à demander dix fois par heure son pot de chambre, il était sujet à suer, et, quand cela arrivait, je lui changeais de chemise. Gil Blas, me dit-il dès la seconde nuit, tu as de l'adresse et de l'activité. Je prévois que je m'accommoderai bien de ton service. Je te recommande seulement d'avoir de la complaisance pour la dame Jacinte. C'est une fille qui me sert depuis quinze années avec un zèle tout particulier. Elle a un soin de ma personne, que je ne puis assez reconnaître. Aussi, je te l'avoue, elle m'est plus chère que toute ma famille. J'ai chassé de chez moi, pour l'amour d'elle, mon neveu, le fils de ma propre sœur. Il n'avait aucune considération pour cette pauvre fille; et, bien loin de rendre justice à l'attachement sincère qu'elle a pour moi, l'insolent la traitait de fausse dévote; car aujourd'hui la vertu ne paraît qu'hypocrisie aux jeunes gens. Grâce au ciel, je me suis défait de ce maraud-là. Je préfère aux droits du sang l'affection qu'on me témoigne, et je ne me laisse prendre seulement que par le bien qu'on me fait. Vous avez raison, monsieur, dis-je alors au licencié. La reconnaissance doit avoir plus de force sur nous que les lois de la nature. Sans doute, reprit-il; et mon testament fera bien voir que je ne me soucie guère de mes parents. Ma gouvernante y aura bonne part, et tu n'y seras point oublié, si tu continues comme tu commences à me servir. Le valet que j'ai mis dehors hier a perdu par sa faute un bon legs. Si ce misérable ne m'eût pas obligé par ses manières à lui donner son congé, je l'aurais enrichi; mais c'était un orgueilleux qui manquait de respect à la dame Jacinte : un paresseux qui craignait la peine. Il n'aimait point à me veiller, et c'était pour lui une chose bien fatigante que de passer les nuits à me soulager. Ah! le malheureux! m'écriai-je, comme si le génie de Fabrice m'eût inspiré, il ne méritait pas d'être auprès d'un aussi honnête homme que vous. Un garçon qui a le bonheur de vous appartenir doit avoir un zèle infatigable. Il doit se faire un plaisir de son devoir et ne se pas croire occupé, lors même qu'il sue sang et eau pour vous.

Je m'aperçus que ces paroles plurent fort au licencié. Il ne fut pas moins content de l'assurance que je lui donnai d'être toujours parfaitement soumis aux volontés de la dame Jacinte. Voulant donc passer pour un valet que la fatigue ne pouvait rebuter, je faisais mon service de la meilleure grâce qu'il m'était possible. Je ne me plaignais point d'être toutes les nuits sur pied. Je ne laissais pas pourtant de trouver cela très désagréable, et, sans le legs dont je repaissais mon espérance, je me serais bientôt dégoûté de ma condition. Je me reposais, à la vérité, quelques heures pendant le jour. La gouvernante, je lui dois cette justice, avait beaucoup d'égard pour moi. Ce qu'il fallait attribuer au soin que je prenais de gagner ses bonnes grâces par des manières complaisantes et respectueuses. Etais-je à table avec elle et sa nièce, qu'on appelait Inésille ? je leur changeais d'assiettes; je leur versais à boire; j'avais une attention toute particulière à les servir. Je m'insinuai par là dans leur amitié. Un jour que la dame Jacinte était sortie pour aller à la provision, me voyant seul avec Inésille, je commençai à l'entretenir. Je lui demandai si son père et sa mère vivaient encore. Oh! que non, me répondit-elle. Il y a bien longtemps, bien longtemps qu'ils sont morts; car ma bonne tante me l'a dit, et je ne les ai jamais vus. Je crus pieusement la petite fille, quoique sa réponse ne fût pas catégorique; et je la mis si bien en train de parler, qu'elle m'en dit plus que je n'en voulais savoir. Elle m'apprit ou plutôt je compris, par les naïvetés qui lui échappèrent, que sa bonne tante avait un bon ami qui demeurait aussi auprès d'un vieux chanoine dont il administrait le temporel, et que ces heureux domestiques comptaient d'assembler les dépouilles de leurs maîtres par un hyménée dont ils goûtaient les douceurs par avance. J'ai déjà dit que la dame Jacinte, bien qu'un peu surannée, avait encore de la fraîcheur. Il est vrai qu'elle n'épargnait rien pour se conserver. Outre qu'elle prenait tous les matins un clystère, elle avalait pendant le jour et en se couchant d'excellents coulis. De plus, elle dormait tranquillement la nuit, tandis que je veillais mon maître. Mais ce qui peut-être contribuait encore plus que toutes ces choses à lui rendre le teint frais, c'était, à ce que me dit Inésille, une fontaine [19] qu'elle avait à chaque jambe.

CHAPITRE II

De quelle manière le chanoine, étant tombé malade, fut traité; ce qu'il en arriva; et ce qu'il laissa, par testament, à Gil Blas.

Je servis pendant trois mois le licencié Sedillo, sans me plaindre des mauvaises nuits qu'il me faisait passer. Au bout de ce temps-là, il tomba malade. La fièvre le prit, et, avec le mal qu'elle lui causait, il sentit irriter sa goutte. Pour la première fois de sa vie, qui avait été longue, il eut recours aux médecins. Il demanda le docteur Sangrado [20], que tout Valladolid regardait comme un Hippocrate. La dame Jacinte aurait mieux aimé que le chanoine eût commencé par faire son testament. Elle lui en toucha même quelques mots; mais, outre qu'il ne se croyait pas encore proche de la fin, il avait de l'opiniâtreté dans certaines choses. J'allai donc chercher le docteur Sangrado. Je l'amenai au logis. C'était un grand homme sec et pâle, et qui depuis quarante ans pour le moins occupait le ciseau des Parques. Ce savant médecin avait l'extérieur grave. Il pesait ses discours et donnait de la noblesse à ses expressions. Ses raisonnements paraissaient géométriques, et ses opinions fort singulières.

Après avoir observé mon maître, il lui dit d'un air doctoral : Il s'agit ici de suppléer au défaut de la transpiration arrêtée. D'autres, à ma place, ordonneraient sans doute des remèdes salins, urineux, volatils, et qui pour la plupart participent du soufre et du mercure. Mais les purgatifs et les sudorifiques sont des drogues pernicieuses. Toutes les préparations chimiques ne semblent faites que pour nuire. J'emploie des moyens plus simples et plus sûrs. A quelle nourriture, continua-t-il, êtes-vous accoutumé ? Je mange ordinairement, répondit le chanoine, des bisques et des viandes succulentes. Des bisques et des viandes succulentes! s'écria le docteur avec surprise. Ah! vraiment, je ne m'étonne point si vous êtes malade! Les mets délicieux sont des plaisirs empoisonnés : ce sont des pièges que la volupté tend aux hommes pour les faire périr plus sûrement. Il faut que vous renonciez aux aliments de bon goût. Les plus fades sont les meilleurs pour la santé. Comme le sang est insipide, il veut des mets qui tiennent de sa nature. Et buvez-vous du vin ? ajouta-t-il. Oui, dit le licencié, du vin trempé. Oh! trempé tant qu'il vous plaira, reprit le médecin. Quel dérèglement! voilà un régime épouvantable. Il y a longtemps que vous devriez être mort. Quel âge avez-vous ? J'entre dans ma soixante-neuvième année, répondit le chanoine. Justement, répliqua le médecin; une vieillesse anticipée est toujours le fruit de l'intempérance. Si vous n'eussiez bu que de l'eau claire toute votre vie, et que vous vous fussiez contenté d'une nourriture simple, de pommes cuites par exemple, vous ne seriez pas présentement tourmenté de la goutte, et tous vos membres feraient encore facilement leurs fonctions. Je ne désespère pas toutefois de vous remettre sur pied, pourvu que vous vous abandonniez à mes ordonnances. Le licencié prômit de lui obéir en toutes choses.

Alors Sangrado m'envoya chercher un chirurgien qu'il me nomma, et fit tirer à mon maître six bonnes palettes de sang pour commencer à suppléer au défaut de la transpiration. Puis il dit au chirurgien : Maître Martin Oñez, revenez dans trois heures en faire autant et demain vous recommencerez. C'est une erreur de penser que le sang soit nécessaire à la conservation de la vie. On ne peut trop saigner un malade. Comme il n'est obligé à aucun mouvement ou exercice considérable, et qu'il n'a rien à faire que de ne point mourir, il ne lui faut pas plus de sang pour vivre qu'à un homme endormi. La vie dans tous les deux ne consiste que dans le pouls et dans la respiration. Lorsque le docteur eut ordonné de fréquentes et copieuses saignées, il dit qu'il fallait aussi donner au chanoine de l'eau chaude à tout moment; assurant que l'eau bue en abondance pouvait passer pour le véritable spécifique contre toutes sortes de maladies. Il sortit ensuite, en disant d'un air de confiance à la dame Jacinte et à moi qu'il répondait de la vie du malade, si on le traitait de la manière qu'il venait de prescrire. La gouvernante, qui jugeait peut-être autrement que lui de sa méthode, protesta qu'on la suivrait avec exactitude. En effet, nous mîmes promptement de l'eau à chauffer; et, comme le médecin nous avait recommandé sur toutes choses de ne la point épargner, nous en fîmes d'abord boire à mon maître deux ou trois pintes à longs traits. Une heure après nous réitérâmes; puis, retournant encore de temps en temps à la charge, nous versâmes dans son estomac un déluge d'eau. D'un autre côté, le chirurgien nous secondant par la quantité de sang qu'il tirait, nous réduisîmes en moins de deux jours le vieux chanoine à l'extrémité.

Ce bon ecclésiastique n'en pouvant plus, comme je voulais lui faire avaler encore un grand verre du spécifique, me dit d'une voix faible : Arrête, Gil Blas; ne m'en donne pas davantage, mon ami. Je vois bien qu'il faut mourir, malgré la vertu de l'eau, et, quoiqu'il me reste à peine une goutte de sang, je ne m'en porte pas mieux pour cela. Ce qui prouve bien que le plus habile médecin du monde ne saurait prolonger nos jours, quand leur terme fatal est arrivé. Va me chercher un notaire; je veux faire mon testament. A ces derniers mots, que je n'étais pas fâché d'entendre, j'affectai de paraître fort triste, et cachant l'envie que j'avais de m'acquitter de la commission qu'il me donnait : Eh! mais, monsieur, lui dis-je, vous n'êtes pas si bas, Dieu merci, que vous ne puissiez vous relever. Non, non, repartit-il, mon enfant, c'en est fait. Je sens que la goutte remonte et que la mort s'approche. Hâte-toi d'aller où je t'ai dit. Je m'aperçus, effectivement, qu'il changeait à vue d'œil, et la chose me parut si pressante, que je sortis vite pour faire ce qu'il m'ordonnait, laissant auprès de lui la dame Jacinte, qui craignait encore plus que moi qu'il ne mourût sans tester. J'entrai dans la maison du premier notaire dont on m'enseigna la demeure, et le trouvant chez lui : Monsieur, lui dis-je, le licencié Sedillo, mon maître, tire à sa fin, il veut faire écrire ses dernières volontés. Il n'y a pas un moment à perdre. Le notaire était un petit vieillard gai qui se plaisait à railler. Il me demanda quel médecin voyait le chanoine. Je lui répondis que c'était le docteur Sangrado.

A ce nom, prenant brusquement son manteau et son chapeau : Vive Dieu! s'écria-t-il, partons donc en diligence; car ce docteur est si expéditif, qu'il ne donne pas le temps à ses malades d'appeler des notaires. Cet homme-là m'a bien soufflé des testaments.

En parlant de cette sorte, il s'empressa de sortir avec moi, et, pendant que nous marchions tous deux à grands pas pour prévenir l'agonie, je lui dis : Monsieur, vous savez qu'un testateur mourant manque souvent de mémoire. Si par hasard mon maître vient à m'oublier, je vous prie de le faire souvenir de mon zèle. Je le veux bien, mon enfant, me répondit le petit notaire. Tu peux compter là-dessus. Je l'exhorterai même à te donner quelque chose de considérable, pour peu qu'il soit disposé à reconnaître tes services. Le licencié, quand nous arrivâmes dans sa chambre, avait encore tout son bon sens. La dame Jacinte, le visage baigné de pleurs de commande, était auprès de lui. Elle venait de jouer son rôle et de préparer le bonhomme à lui faire beaucoup de bien. Nous laissâmes le notaire seul avec mon maître et passâmes, elle et moi, dans l'antichambre, où nous rencontrâmes le chirurgien, que le médecin envoyait pour faire une nouvelle et dernière saignée. Nous l'arrêtâmes. Attendez, maître Martin, lui dit la gouvernante; vous ne sauriez entrer présentement dans la chambre du seigneur Sedillo. Il va dicter ses dernières volontés à un notaire qui est avec lui. Vous le saignerez quand il aura fait son testament.

Nous avions grand'peur, la béate et moi, que le licencié ne mourût en testant; mais, par bonheur, l'acte qui causait notre inquiétude se fit. Nous vîmes sortir le notaire, qui, me trouvant sur son passage, me frappa sur l'épaule et me dit en souriant : On n'a point oublié Gil Blas. A ces mots, je ressentis une joie toute des plus vives, et je sus si bon gré à mon maître de s'être souvenu de moi, que je me promis de bien prier Dieu pour lui après sa mort qui ne manqua pas d'arriver bientôt; car, le chirurgien l'ayant encore saigné, le pauvre vieillard, qui n'était déjà que trop affaibli, expira presque dans le moment. Comme il rendait les derniers soupirs, le médecin parut et demeura un peu sot, malgré l'habitude qu'il avait de dépêcher ses malades. Cependant, loin d'imputer la mort du chanoine à la boisson et aux saignées, il sortit en disant d'un air froid qu'on ne lui avait pas tiré assez de sang ni fait boire assez d'eau chaude. L'exécuteur de la haute médecine, je veux dire le chirurgien, voyant aussi qu'on n'avait plus besoin de son ministère, suivit le docteur Sangrado.

Sitôt que nous vîmes le patron sans vie, nous fîmes, la dame Jacinte, Inésille et moi, un concert de cris funèbres, qui fut entendu de tout le voisinage! La béate surtout, qui avait le plus grand sujet de se réjouir, poussait des accents si plaintifs, qu'elle semblait être la personne du monde la plus touchée. La chambre en un instant se remplit de gens, moins attirés par la compassion que par la curiosité. Les parents du défunt n'eurent pas plus tôt vent de sa mort, qu'ils vinrent fondre au logis et faire mettre le scellé partout. Ils trouvèrent la gouvernante si affligée, qu'ils crurent d'abord que le chanoine n'avait point fait de testament. Mais ils apprirent bientôt qu'il y en avait un, revêtu de toutes les formalités nécessaires, et lorsqu'on vint à l'ouvrir, et qu'ils virent que le testateur avait disposé de ses meilleurs effets en faveur de la dame Jacinte et de la petite fille, ils firent son oraison funèbre dans des termes peu honorables à sa mémoire. Ils apostrophèrent en même temps la béate, et me donnèrent aussi quelques louanges. Il faut avouer que je les méritais bien. Le licencié, devant Dieu soit son âme! pour m'engager à me souvenir de lui toute ma vie, s'expliquait ainsi pour mon compte par un article de son testament : *Item, puisque Gil Blas est un garçon qui a déjà de la littérature, pour achever de le rendre savant, je lui laisse ma bibliothèque, tous mes livres et mes manuscrits sans aucune exception.*

J'ignorais où pouvait être cette prétendue bibliothèque. Je ne m'étais point aperçu qu'il y en eût dans la maison. Je savais seulement qu'il y avait quelques papiers avec cinq ou six volumes sur deux petits ais de sapin dans le cabinet de mon maître. C'était là mon legs. Encore les livres ne me pouvaient-ils être d'une grande utilité. L'un avait pour titre : le Cuisinier parfait; l'autre traitait de l'indigestion et de la manière de la guérir, et les autres étaient les quatre parties du bréviaire, que les vers avaient à demi rongées. A l'égard des manuscrits, le plus curieux contenait toutes les pièces d'un procès que le chanoine avait eu autrefois pour sa prébende. Après avoir examiné mon legs avec plus d'attention qu'il n'en méritait, je l'abandonnai aux parents qui me l'avaient tant envié. Je leur remis même l'habit dont j'étais revêtu et je repris le mien, bornant à mes gages le fruit de mes services. J'allai chercher ensuite une autre maison. Pour la dame Jacinte, outre les sommes qui lui avaient été léguées, elle eut encore de bonnes nippes, qu'à l'aide de son bon ami, elle avait détournées pendant la maladie du licencié.

CHAPITRE III

Gil Blas s'engage au service du docteur Sangrado, et devient un célèbre médecin.

Je résolus d'aller trouver le seigneur Arias de Londoña et de choisir dans son registre une nouvelle condition; mais, comme j'étais près d'entrer dans le cul-de-sac où il demeurait, je rencontrai le docteur Sangrado, que je n'avais point vu depuis le jour de la mort de mon maître, et je pris la liberté de le saluer. Il me remit dans le moment, quoique j'eusse changé d'habit, et témoignant quelque joie de me voir : Eh! te voilà, mon enfant, me dit-il, je pensais à toi tout à l'heure. J'ai besoin d'un bon garçon pour me servir, et je songeais que tu serais bien mon fait, si tu savais lire et écrire. Monsieur, lui répondis-je, sur ce pied-là je suis donc votre affaire. Cela étant, reprit-il, tu es l'homme qu'il me faut. Viens chez moi. Tu n'y auras que de l'agrément. Je te traiterai avec distinction. Je ne te donnerai point de gages; mais rien ne te manquera. J'aurai soin de t'entretenir proprement, et je t'enseignerai le grand art de guérir toutes les maladies. En un mot, tu seras plutôt mon élève que mon valet.

J'acceptai donc la proposition du docteur, dans l'espérance que je pourrais sous un si savant maître me rendre illustre dans la médecine. Il me mena chez lui sur-le-champ pour m'installer dans l'emploi qu'il me destinait, et cet emploi consistait à écrire le nom et la demeure des malades qui l'envoyaient chercher pendant qu'il était en ville. Il y avait pour cet effet au logis un registre, dans lequel une vieille servante, qu'il avait pour tout domestique, marquait les adresses; mais, outre qu'elle ne savait point l'orthographe, elle écrivait si mal qu'on ne pouvait le plus souvent déchiffrer son écriture. Il me chargea du soin de tenir ce livre, qu'on pouvait justement appeler un registre mortuaire, puisque les gens dont je prenais les noms mouraient presque tous. J'inscrivais, pour ainsi parler, les personnes qui voulaient partir pour l'autre monde, comme un commis dans un bureau de voiture publique écrit le nom de ceux qui retiennent des places. J'avais souvent la plume à la main, parce qu'il n'y avait point en ce temps-là de médecin à Valladolid plus accrédité que le docteur Sangrado. Il s'était mis en réputation dans le public par un verbiage spécieux soutenu d'un air imposant, et par quelques cures heureuses qui lui avaient fait plus d'honneur qu'il n'en méritait.

Il ne manquait pas de pratique, ni par conséquent de bien. Il n'en faisait pas toutefois meilleure chère. On vivait chez lui très frugalement. Nous ne mangions d'ordinaire que des pois, des fèves, des pommes cuites ou du fromage. Il disait que ces aliments étaient les plus convenables à l'estomac, comme étant les plus propres à la trituration, c'est-à-dire à être broyés plus aisément. Néanmoins, bien qu'il les crût de facile digestion, il ne voulait point qu'on s'en rassasiât. En quoi, certes, il se montrait fort raisonnable. Mais s'il nous défendait, à la servante et à moi, de manger beaucoup, en récompense, il nous permettait de boire de l'eau à discrétion [21]. Bien loin de nous prescrire des bornes là-dessus, il nous disait quelquefois :

Buvez, mes enfants. La santé consiste dans la souplesse et l'humectation des parties. Buvez de l'eau abondamment. C'est un dissolvant universel. L'eau fond tous les sels. Le cours du sang est-il ralenti ? elle le précipite. Est-il trop rapide ? elle en arrête l'impétuosité. Notre docteur était de si bonne foi sur cela, qu'il ne buvait jamais lui-même que de l'eau, bien qu'il fût dans un âge avancé. Il définissait la vieillesse une phtisie naturelle qui nous dessèche et nous consume; et, sur cette définition, il déplorait l'ignorance de ceux qui nomment le vin le lait des vieillards. Il soutenait que le vin les use et les détruit, et disait fort éloquemment que cette liqueur funeste est pour eux comme pour tout le monde un ami qui trahit et un plaisir qui trompe.

Malgré ces beaux raisonnements, après avoir été huit jours dans cette maison, il me prit un cours de ventre, et je commençai à sentir de grands maux d'estomac, que j'eus la témérité d'attribuer au dissolvant universel et à la mauvaise nourriture que je prenais. Je m'en plaignis à mon maître, dans la pensée qu'il pourrait se relâcher et me donner un peu de vin à mes repas; mais il était trop ennemi de cette liqueur pour me l'accorder. Si tu te sens, me dit-il, quelque dégoût pour l'eau pure, il y a des secours innocents pour soutenir l'estomac contre la fadeur des boissons aqueuses. La sauge, par exemple, et la véronique leur donnent un goût délectable; et, si tu veux les rendre encore plus délicieuses, tu n'as qu'à y mêler de la fleur d'œillet, de romarin ou de coquelicot.

Il avait beau vanter l'eau et m'enseigner le secret d'en composer des breuvages exquis, j'en buvais avec tant de modération, que, s'en étant aperçu, il me dit : Eh! vraiment, Gil Blas, je ne m'étonne point si tu ne jouis pas d'une parfaite santé. Tu ne bois pas assez, mon ami. L'eau prise en petite quantité ne sert qu'à développer les parties de la bile et qu'à leur donner plus d'activité; au lieu qu'il les faut noyer par un délayant copieux. Ne crains pas, mon enfant, que l'abondance de l'eau affaiblisse ou refroidisse ton estomac. Loin de toi cette terreur panique que tu te fais peut-être de la boisson fréquente! Je te garantis de l'événement; et, si tu ne me trouves pas bon pour t'en répondre, Celse même t'en sera garant. Cet oracle latin fait un éloge admirable de l'eau. Ensuite il dit en termes exprès que ceux qui pour boire du vin s'excusent sur la faiblesse de leur estomac font une injustice manifeste à ce viscère et cherchent à couvrir leur sensualité.

Comme j'aurais eu mauvaise grâce de me montrer indocile en entrant dans la carrière de la médecine, je parus persuadé qu'il avait raison. J'avouerai même que je le crus effectivement. Je continuai donc à boire de l'eau sur la garantie de Celse. Ou plutôt je commençai à noyer la bile en buvant copieusement de cette liqueur, et quoique de jour en jour je m'en sentisse plus incommodé, le préjugé l'emportait sur l'expérience. J'avais, comme on voit, une heureuse disposition à devenir médecin. Je ne pus pourtant résister toujours à la violence de mes maux, qui s'accrurent à un point que je pris enfin la résolution de sortir de chez le docteur Sangrado. Mais il me chargea d'un nouvel emploi qui me fit changer de sentiment. Ecoute, mon enfant, me dit-il un jour, je ne suis point de ces maîtres durs et ingrats qui laissent vieillir leurs domestiques dans la servitude avant que de les récompenser. Je suis content de toi. Je t'aime, et, sans attendre que tu m'aies servi plus longtemps, je vais faire ton bonheur. Je veux tout à l'heure te découvrir le fin de l'art salutaire que je professe depuis tant d'années. Les autres médecins en font consister la connaissance dans mille sciences pénibles, et moi, je prétends t'abréger un chemin si long, et t'épargner la peine d'étudier la physique, la pharmacie, la botanique et l'anatomie. Sache, mon ami, qu'il ne faut que saigner et faire boire de l'eau chaude. Voilà le secret de guérir toutes les maladies du monde. Oui, ce merveilleux secret que je te révèle et que la nature, impénétrable à mes confrères, n'a pu dérober à mes observations, est renfermé dans ces deux points : dans la saignée et dans la boisson fréquente. Je n'ai plus rien à t'apprendre. Tu sais la médecine à fond, et, profitant du fruit de ma longue expérience, tu deviens tout d'un coup aussi habile que moi. Tu peux, continua-t-il, me soulager présentement. Tu tiendras le matin notre registre et l'après-midi tu sortiras pour aller voir une partie de mes malades. Tandis que j'aurai soin de la noblesse et du clergé, tu iras pour moi dans les maisons du tiers-état où l'on m'appellera, et, lorsque tu auras travaillé quelque temps, je te ferai agréger à notre corps. Tu es savant, Gil Blas, avant que d'être médecin; au lieu que les autres sont longtemps médecins et la plupart toute leur vie, avant que d'être savants.

Je remerciai le docteur de m'avoir si promptement rendu capable de lui servir de substitut; et, pour reconnaître les bontés qu'il avait pour moi, je l'assurai que je suivrais toute ma vie ses opinions, quand même elles seraient contraires à celles d'Hippocrate. Cette assurance pourtant n'était pas tout à fait sincère. Je désapprouvais son sentiment sur l'eau : et je me proposais de boire du vin tous les jours en allant voir mes malades. Je pendis au croc une seconde fois mon habit pour en prendre un de mon maître et me donner l'air d'un médecin. Après quoi, je me disposai à exercer la médecine aux dépens de qui il appartiendrait. Je débutai par un alguazil qui avait une pleurésie. J'ordonnai qu'on le saignât sans miséricorde, et qu'on ne lui plaignît point l'eau. J'entrai ensuite chez un pâtissier à qui la goutte faisait pousser de grands cris. Je ne ménageai pas plus son sang que celui de l'alguazil, et je ne lui défendis point la boisson. Je reçus douze réaux pour mes ordonnances : ce qui me fit prendre tant de goût à la profession que je ne demandai plus que plaie et bosse. En sortant de la maison du pâtissier, je rencontrai Fabrice, que je n'avais point vu depuis la mort du licencié Sedillo. Il me regarda pendant quelques moments avec surprise; puis il se mit à rire de toute sa force, en se tenant les côtés. Ce n'était pas sans raison. J'avais un manteau qui traînait à terre avec un pourpoint et un haut-de-chausses quatre fois plus longs et plus larges qu'il ne fallait. Je pouvais passer pour une figure originale. Je le laissai s'épanouir la rate, non sans être tenté de suivre son exemple; mais je me contraignis pour garder le *decorum* dans la rue, et mieux contrefaire le médecin qui n'est pas un animal risible. Si mon air ridicule avait excité les ris de Fabrice, mon sérieux les redoubla; et lorsqu'il s'en fut bien donné : Vive Dieu! Gil Blas, me dit-il, te voilà plaisamment équipé. Qui diable t'a déguisé de la sorte ? Tout beau, mon ami, lui répondis-je, tout beau; respecte un nouvel Hippocrate! Apprends que je suis le substitut du docteur Sangrado, qui est le plus fameux médecin de Valladolid. Je demeure chez lui depuis trois semaines. Il m'a montré la médecine à fond; et, comme il ne peut fournir à tous les malades qui le demandent, j'en vois une partie pour le soulager. Il va dans les grandes maisons, et moi dans les petites. Fort bien, reprit Fabrice; c'est-à-dire qu'il t'abandonne le sang du peuple et se réserve celui des personnes de qualité. Je te félicite de ton partage. Il vaut mieux avoir affaire à la populace qu'au grand monde. Vive un médecin de faubourg! ses fautes sont moins en vue, et ses assassinats ne font point de bruit. Oui, mon enfant, ajouta-t-il, ton sort me paraît digne d'envie; et, pour parler comme Alexandre, si je n'étais pas Fabrice, je voudrais être Gil Blas.

Pour faire voir au fils du barbier Nuñez qu'il n'avait pas tort de vanter le bonheur de ma condition présente, je lui montrai les réaux de l'alguazil et du pâtissier. Puis nous entrâmes dans un cabaret pour en boire une partie. On nous apporta d'assez bon vin, que l'envie d'en goûter me fit trouver encore meilleur qu'il n'était. J'en bus à longs traits, et, n'en déplaise à l'oracle latin, à mesure que j'en versais dans mon estomac, je sentais que ce viscère ne me savait pas mauvais gré des injustices que je lui faisais. Nous demeurâmes longtemps dans ce cabaret, Fabrice et moi. Nous y rîmes bien aux dépens de nos maîtres, comme cela se pratique entre valets. Ensuite, voyant que la nuit approchait, nous nous séparâmes, après nous être mutuellement promis que le jour suivant, l'après-dînée, nous nous retrouverions au même lieu.

CHAPITRE IV

Gil Blas continue d'exercer la médecine avec autant de succès que de capacité. Aventure de la bague retrouvée.

Je ne fus pas sitôt au logis, que le docteur Sangrado y arriva. Je lui parlais des malades que j'avais vus, et lui remis entre les mains huit réaux qui me restaient des douze que j'avais reçus pour mes ordonnances. Huit réaux, me dit-il après les avoir comptés, c'est peu de chose pour deux visites; mais il faut tout prendre. Aussi les prit-il presque tous. Il en garda six et me donnant les deux autres : Tiens, Gil Blas, poursuivit-il, voilà pour commencer à te faire un fonds, je t'abandonne le quart de ce que tu m'apporteras. Tu seras bientôt riche, mon ami; car il y aura, s'il plaît à Dieu, bien des maladies cette année.

J'avais bien lieu d'être content de mon partage puisqu'ayant dessein de retenir toujours le quart [22] de ce que je recevrais en ville, et touchant encore le quart du reste, c'était, si l'arithmétique est une science certaine, près de la moitié du tout qui me revenait. Cela m'inspira une nouvelle ardeur pour la médecine. Le lendemain, dès que j'eus dîné, je repris mon habit de substitut et me remis en campagne. Je visitai plusieurs malades que j'avais inscrits, et je les traitai tous de la même manière, bien qu'ils eussent des maux différents. Jusque-là les choses s'étaient passées sans bruit, et personne, grâce au Ciel, ne s'était encore révolté contre mes ordonnances; mais, quelque excellente que soit la pratique d'un médecin, elle ne saurait manquer de censeurs. J'entrai chez un marchand épicier qui avait un fils hydropique. J'y trouvai un petit médecin brun, qu'on nommait le docteur Cuchillo [23], et qu'un parent du maître de la maison venait d'amener. Je fis de profondes révérences à tout le monde, et particulièrement au personnage que je jugeai qu'on avait appelé pour le consulter sur la maladie dont il s'agissait. Il me salua d'un air grave; puis m'ayant envisagé quelques moments avec beaucoup d'attention : Seigneur docteur, me dit-il, je vous prie d'excuser ma curiosité : je croyais connaître tous les médecins de Valladolid, mes confrères, et je vous avoue que vos traits me sont inconnus. Il faut que depuis très peu de temps vous soyez venu vous établir dans cette ville. Je répondis que j'étais un jeune praticien et que je ne travaillais encore que sous les auspices du docteur Sangrado. Je vous félicite, reprit-il poliment, d'avoir embrassé la méthode d'un si grand homme. Je ne doute point que vous ne soyez déjà très habile, quoique vous paraissiez fort jeune. Il dit cela d'un air si naturel, que je ne savais s'il avait parlé sérieusement ou s'il s'était moqué de moi; et je rêvais à ce que je devais lui répliquer, lorsque l'épicier, prenant ce moment pour parler, nous dit : Messieurs, je suis persuadé que vous savez parfaitement l'un et l'autre l'art de la médecine. Examinez, s'il vous plaît, mon fils et ordonnez ce que vous jugerez à propos qu'on fasse pour le guérir.

Là-dessus le petit médecin se mit à observer le malade et, après m'avoir fait remarquer tous les symptômes qui découvraient la nature de la maladie, il me demanda de quelle manière je pensais qu'on dût le traiter. Je suis d'avis, répondis-je, qu'on le saigne tous les jours, et qu'on lui fasse boire de l'eau chaude abondamment. A ces paroles, le petit médecin me dit en souriant d'un air plein de malice : Et vous croyez que ces remèdes lui sauveront la vie ? N'en doutez pas, m'écriai-je d'un ton ferme. Ils doivent produire cet effet, puisque ce sont des spécifiques contre toutes sortes de maladies. Demandez au seigneur Sangrado! Sur ce pied-là, reprit-il, Celse a grand tort d'assurer que, pour guérir plus facilement un hydropique, il est à propos de lui faire souffrir la soif et la faim. Oh! Celse, lui repartis-je, n'est pas mon oracle. Il se trompait comme un autre, et quelquefois je me sais bon gré d'aller contre ses opinions. Je reconnais à vos discours, me dit Cuchillo, la pratique sûre et satisfaisante dont le docteur Sangrado veut insinuer la méthode aux jeunes praticiens. La saignée et la boisson sont sa médecine universelle. Je ne suis pas surpris si tant d'honnêtes gens périssent entre ses mains... N'en venons point aux invectives, interrompis-je assez brusquement. Un homme de votre profession a bonne grâce de faire de pareils reproches! Allez, allez, monsieur le docteur, sans saigner et sans faire boire de l'eau chaude, on envoie bien des malades en l'autre monde; et vous en avez peut-être vous-même expédié plus qu'un autre. Si vous en voulez au seigneur Sangrado, écrivez contre lui. Il vous répondra, et nous verrons de quel côté seront les rieurs. Par saint Jacques, et par saint Denis! interrompit-il à son tour avec emportement, vous ne connaissez guère le docteur Cuchillo. Sachez, mon ami, que j'ai bec et ongles et que je ne crains nullement Sangrado, qui, malgré sa présomption et sa vanité, n'est qu'un original. La figure du petit médecin me fit mépriser sa colère. Je lui répliquai avec aigreur. Il me repartit de la même sorte et bientôt nous en vînmes aux gourmades. Nous eûmes le temps de nous donner quelques coups de poing et de nous arracher l'un à l'autre une poignée de cheveux, avant que l'épicier et son parent pussent nous séparer. Lorsqu'ils en furent venus à bout, ils me payèrent ma visite et retinrent mon antagoniste qui leur parut apparemment plus habile que moi.

Après cette aventure, peu s'en fallut qu'il ne m'en arrivât une autre. J'allai voir un gros chantre qui avait la fièvre. Sitôt qu'il m'entendit parler d'eau chaude, il se montra si récalcitrant contre ce spécifique, qu'il se mit à jurer. Il me dit un million d'injures et me menaça même de me jeter par les fenêtres. Je sortis de chez lui plus vite que je n'y étais entré. Je ne voulus plus voir de malades ce jour-là et je gagnai l'hôtellerie où j'avais donné rendez-vous à Fabrice. Il y était déjà. Comme nous nous retrouvâmes en humeur de boire, nous fîmes la débauche et nous en retournâmes chez nos maîtres en bon état, c'est-à-dire entre deux vins. Le seigneur Sangrado ne s'aperçut point de mon ivresse, parce que je lui racontai avec tant d'action le démêlé que j'avais eu avec le petit docteur, qu'il prit ma vivacité pour un effet de l'émotion qui me restait encore de mon combat. D'ailleurs, il entrait pour son compte dans le rapport que je lui faisais, et se sentant piqué contre Cuchillo : Tu as bien fait, Gil Blas, me dit-il, de défendre l'honneur de nos remèdes contre ce petit avorton de la Faculté. Il prétend donc qu'on ne doit pas permettre les boissons aqueuses aux hydropiques : l'ignorant! Je soutiens, moi, qu'il faut leur en accorder l'usage. Oui, l'eau, poursuivit-il, peut guérir toutes sortes d'hydropisies, comme elle est bonne pour les rhumatismes et pour les pâles couleurs. Elle est encore excellente dans ces fièvres où l'on brûle et glace tout à la fois, et merveilleuse même dans ces maladies qu'on impute à des humeurs froides, séreuses, flegmatiques et pituiteuses. Cette opinion paraît étrange aux jeunes médecins tels que Cuchillo, mais elle est très soutenable en bonne médecine, et si ces gens-là étaient capables de raisonner en logiciens, au lieu qu'ils me décrient, ils deviendraient mes plus zélés partisans.

Il ne me soupçonna donc point d'avoir bu, tant il était en colère; car, pour l'aigrir encore davantage contre le petit docteur, j'avais mis dans mon rapport quelques circonstances de mon cru. Cependant, tout occupé qu'il était de ce que je venais de lui dire, il ne laissa pas de s'apercevoir que je buvais ce soir-là plus d'eau qu'à l'ordinaire. Effectivement, le vin m'avait fort altéré. Tout autre que Sangrado se serait défié de la soif qui me pressait et des grands coups que j'avalais. Mais lui, il s'imagina bonnement que je commençais à prendre goût aux boissons aqueuses : A ce que je vois, Gil Blas, me dit-il en souriant, tu n'as plus tant d'aversion pour l'eau. Vive Dieu! tu la bois comme du nectar. Cela ne m'étonne point, mon ami. Je savais bien que tu t'accoutumerais à cette liqueur. Monsieur, lui répondis-je, chaque chose a son temps. Je donnerais à l'heure qu'il est un muid de vin pour une pinte d'eau. Cette réponse charma le docteur, qui ne perdit pas une si belle occasion de relever l'excellence de l'eau. Il entreprit d'en faire un nouvel éloge, non en orateur froid, mais en enthousiaste : Mille fois, s'écria-t-il, mille et mille fois plus estimables et plus innocents que les cabarets de nos jours, ces thermopoles des siècles passés, où l'on n'allait pas honteusement prostituer son bien et sa vie en se gorgeant de vin; mais où l'on s'assemblait pour s'amuser, honnêtement et sans risque, à boire de l'eau chaude! On ne peut trop admirer la sage prévoyance de ces anciens maîtres de la vie civile, qui avaient établi des lieux publics où l'on donnait de l'eau à boire à tout venant, et qui renfermaient le vin dans les boutiques des apothicaires, pour n'en permettre l'usage que par ordonnance des médecins. Quel trait de sagesse! C'est sans doute, ajouta-t-il, par un heureux reste de cette ancienne frugalité digne du siècle d'or, qu'il se trouve encore aujourd'hui des personnes qui, comme toi et moi, ne boivent que de l'eau, et qui croient se préserver ou se guérir de tous maux, en buvant de l'eau chaude qui n'a pas bouilli; car j'ai observé que l'eau, quand elle a bouilli, est plus pesante et moins commode à l'estomac.

Tandis qu'il tenait ce discours éloquent, je pensai plus d'une fois éclater de rire. Je gardai pourtant mon sérieux. Je fis plus. J'entrai dans les sentiments du docteur. Je blâmai l'usage du vin et plaignis les hommes d'avoir malheureusement pris goût à une boisson si pernicieuse. Ensuite, comme je ne me sentais pas encore bien désaltéré, je remplis d'eau un grand gobelet et après avoir bu à longs traits : Allons, monsieur, dis-je à mon maître, abreuvons-nous de cette liqueur bienfaisante! Faisons revivre dans votre maison ces anciens thermopoles que vous regrettez si fort! Il applaudit à ces paroles et m'exhorta pendant une heure entière à ne boire jamais que de l'eau. Pour m'accoutumer à cette boisson, je lui promis d'en boire une grande quantité tous les soirs; et, pour tenir plus facilement ma promesse, je me couchai dans la résolution d'aller tous les jours au cabaret.

Le désagrément que j'avais eu chez l'épicier ne m'empêcha pas d'ordonner dès le lendemain des saignées et de l'eau chaude. Au sortir d'une maison où je venais de voir un poète qui avait la frénésie, je rencontrai dans la rue une vieille femme qui m'aborda pour me demander si j'étais médecin. Je lui répondis qu'oui. Cela étant, reprit-elle, je vous supplie très humblement de venir avec moi. Ma nièce est malade depuis hier, et j'ignore quelle est sa maladie. Je suivis la vieille, qui me conduisit à sa maison, et me fit entrer dans une chambre assez propre, où je vis une personne alitée. Je m'approchai d'elle pour l'observer. D'abord ses traits me frappèrent, et, après l'avoir envisagée quelques moments, je reconnus, à n'en pouvoir douter, que c'était l'aventurière qui avait si bien fait le rôle de Camille. Pour elle, il ne me parut point qu'elle me remît, soit qu'elle fût accablée de son mal, soit que mon habit de médecin me rendît méconnaissable à ses yeux. Je lui pris le bras pour lui tâter le pouls, et j'aperçus ma bague à son doigt. Je fus terriblement ému à la vue d'un bien dont j'étais en droit de me saisir, et j'eus grande envie de faire un effort pour le reprendre; mais considérant que ces femmes se mettraient à crier, et que don Raphaël ou quelque autre défenseur du beau sexe pourrait accourir à leurs cris, je me gardai de céder à la tentation. Je songeai qu'il valait mieux dissimuler, et consulter là-dessus Fabrice. Je m'arrêtai à ce dernier parti. Cependant la vieille me pressait de lui apprendre de quel mal sa nièce était atteinte. Je ne fus pas assez sot pour avouer que je n'en savais rien. Au contraire, je fis le capable, et, copiant mon maître, je dis gravement que le mal provenait de ce que la malade ne transpirait point : qu'il fallait par conséquent se hâter de la saigner, parce que la saignée était le substitut naturel de la transpiration : et j'ordonnai aussi de l'eau chaude pour faire les choses suivant nos règles.

J'abrégeai ma visite le plus qu'il me fut possible, et je courus chez le fils de Nuñez, que je rencontrai comme il sortait pour aller faire une commission dont son maître venait de le charger. Je lui contai ma nouvelle aventure, et lui demandai s'il jugeait à propos que je fisse arrêter Camille par des gens de justice. Eh! non, me répondit-il; ce ne serait pas le moyen de ravoir ta bague. Ces gens-là n'aiment pas à faire des restitutions. Souviens-toi de la prison d'Astorga; ton cheval, ton argent, jusqu'à ton habit : tout n'est-il pas demeuré entre leurs mains ? Il faut plutôt nous servir de notre industrie pour rattraper ton diamant. Je me charge du soin de trouver quelque ruse pour cet effet. Je vais y rêver en allant à l'hôpital où j'ai deux mots à dire au pourvoyeur de la part de mon maître. Toi, va m'attendre à notre cabaret, et ne t'impatiente point. Je t'y joindrai dans peu de temps.

Il y avait pourtant déjà plus de trois heures que j'étais au rendez-vous, quand il y arriva. Je ne le reconnus pas d'abord. Outre qu'il avait changé d'habit et natté ses cheveux, une moustache postiche lui couvrait la moitié du visage. Il portait une grande épée dont la garde avait pour le moins trois pieds de circonférence, et il marchait à la tête de cinq hommes qui avaient comme lui l'air déterminé, des moustaches épaisses, avec de longues rapières. Serviteur au seigneur Gil Blas, dit-il en m'abordant. Il voit en moi un alguazil de nouvelle fabrique et dans ces braves gens qui m'accompagnent des archers de la même trempe. Il n'a qu'à nous mener chez la femme qui lui a volé un diamant et nous le lui ferons rendre, sur ma parole. J'embrassai Fabrice, à ce discours, qui me faisait connaître le stratagème qu'il prétendait employer pour moi, et je lui témoignai que j'approuvais fort l'expédient qu'il avait imaginé. Je saluai aussi les faux archers. C'étaient trois domestiques et deux garçons barbiers de ses amis qu'il avait engagés à faire ce personnage. J'ordonnai qu'on apportât du vin pour abreuver la brigade, et nous allâmes tous ensemble chez Camille à l'entrée de la nuit. Nous frappâmes à la porte que nous trouvâmes fermée. La vieille vint ouvrir, et, prenant les personnes qui étaient avec moi pour des lévriers de justice, qui n'entraient pas dans cette maison sans sujet, elle demeura fort effrayée. Rassurez-vous, ma bonne mère, lui dit Fabrice; nous ne venons ici que pour une petite affaire qui sera bientôt terminée. A ces mots nous nous avançâmes et gagnâmes la chambre de la malade, conduits par la vieille, qui marchait devant nous et à la faveur d'une bougie qu'elle tenait dans un flambeau d'argent. Je pris ce flambeau. Je m'approchai du lit, et faisant remarquer mes traits à Camille : Perfide, lui dis-je, reconnaissez ce trop crédule Gil Blas que vous avez trompé! Ah! scélérate, je vous rencontre enfin! Le corrégidor a reçu ma plainte, et il a chargé cet alguazil de vous arrêter. Allons, Monsieur l'officier, dis-je à Fabrice, faites votre charge. Il n'est pas besoin, répondit-il en grossissant sa voix, de m'exhorter à remplir mon devoir. Je me remets cette bonne vivante. Il y a longtemps qu'elle est marquée en lettres rouges sur mes tablettes. Levez-vous, ma princesse, ajouta-t-il. Habillez-vous promptement. Je vais vous servir d'écuyer et vous conduire aux prisons de cette ville, si vous l'avez pour agréable.

A ces paroles, Camille, toute malade qu'elle était, s'apercevant que deux archers à grandes moustaches se préparaient à la tirer de son lit par force, se mit d'elle-même sur son séant, joignit les mains d'une manière suppliante, et me regardant avec des yeux où la frayeur était peinte : Seigneur Gil Blas, me dit-elle, ayez pitié de moi. Je vous en conjure par la chaste mère à qui vous devez le jour. Quoique je sois très coupable, je suis encore plus malheureuse. Je vais vous rendre votre diamant et ne me perdez point. En parlant de cette sorte, elle tira de son doigt ma bague et me la donna. Mais je lui répondis que mon diamant ne suffisait point, et que je voulais qu'on me restituât encore les mille ducats qui m'avaient été volés dans l'hôtel garni. Oh! pour vos ducats, seigneur, répliqua-t-elle, ne me les demandez point. Le traître don Raphaël, que je n'ai pas vu depuis ce temps-là, les emporta dès la nuit même. Eh! petite mignonne, dit alors Fabrice, n'y a-t-il qu'à dire, pour vous tirer d'intrigue, que vous n'avez pas eu de part au gâteau ? Vous n'en serez pas quitte à si bon marché. C'est assez que vous soyez des complices de don Raphaël, pour mériter qu'on vous demande compte de votre vie passée. Vous devez bien avoir des choses sur la conscience. Vous viendrez, s'il vous plaît, en prison faire une confession générale. J'y veux mener aussi, continua-t-il, cette bonne vieille; je juge qu'elle sait une infinité d'histoires curieuses que monsieur le corrégidor ne sera pas fâché d'entendre.

Les deux femmes, à ces mots, mirent tout en usage pour nous attendrir. Elles remplirent la chambre de cris, de plaintes et de lamentations. Tandis que la vieille à genoux, tantôt devant l'alguazil, et tantôt devant les archers, tâchait d'exciter leur compassion, Camille me priait de la manière du monde la plus touchante de la sauver des mains de la justice. Je feignis de me laisser fléchir. Monsieur l'officier, dis-je au fils de Nuñez, puisque j'ai mon diamant, je me console du reste. Je ne souhaite pas qu'on fasse de la peine à cette pauvre femme. Je ne veux point la mort du pécheur. Fi donc! répondit-il, vous avez de l'humanité! Vous ne seriez pas bon à être exempt. Il faut, poursuivit-il, que je m'acquitte de ma commission. Il m'est expressément ordonné d'arrêter ces infantes. Monsieur le corrégidor en veut faire un exemple. Eh! de grâce, repris-je, ayez quelque égard à ma prière, et relâchez-vous un peu de votre devoir en faveur du présent que ces dames vont vous offrir. Oh! c'est une autre affaire, repartit-il; voilà ce qui s'appelle une figure de rhétorique bien placée. Çà, voyons. Qu'ont-elles à me donner? J'ai un collier de perles, lui dit Camille, et des pendants d'oreilles d'un prix considérable. Oui, mais, interrompit-il brusquement, si cela vient des îles Philippines, je n'en veux point. Vous pouvez les prendre en assurance, reprit-elle; je vous les garantis fins. En même temps, elle se fit apporter par la vieille une petite boîte d'où elle tira le collier et les pendants, qu'elle mit entre les mains de Monsieur l'alguazil. Bien qu'il ne se connût guère mieux que moi en pierreries, il ne douta pas que celles qui composaient les pendants ne fussent fines, aussi bien que les perles. Ces bijoux, dit-il, après les avoir considérés attentivement, me paraissent de bon aloi, et si l'on ajoute à cela le flambeau d'argent que tient le seigneur Gil Blas, je ne réponds plus de ma fidélité. Je ne crois pas, dis-je alors à Camille, que vous vouliez, pour une bagatelle, rompre un accommodement si avantageux pour vous. En prononçant ces dernières paroles, j'ôtai la bougie que je remis à la vieille, et livrai le flambeau à Fabrice, qui, s'en tenant là, peut-être parce qu'il n'apercevait plus rien dans la chambre qui se pût aisément emporter, dit aux deux femmes : Adieu, Mesdames, demeurez tranquilles. Je vais parler à Monsieur le corrégidor et vous rendre plus blanches que la neige. Nous savons lui tourner les choses comme il nous plaît, et nous ne lui faisons des rapports fidèles que quand rien ne nous oblige à lui en faire de faux.

CHAPITRE V

Suite de l'aventure de la bague retrouvée.
Gil Blas abandonne la médecine
et le séjour de Valladolid.

Après avoir exécuté de cette manière le projet de Fabrice, nous sortîmes de chez Camille, en nous applaudissant d'un succès qui surpassait notre attente, car nous n'avions compté que sur la bague. Nous emportions sans façon tout le reste. Bien loin de nous faire un scrupule d'avoir volé des courtisanes, nous nous imaginions avoir fait une action méritoire. Messieurs, nous dit Fabrice, lorsque nous fûmes dans la rue, je suis d'avis que nous regagnions notre cabaret, où nous passerons la nuit à nous réjouir. Demain nous vendrons le flambeau, le collier, les pendants d'oreilles, et nous en partagerons l'argent en frères. Après quoi, chacun reprendra le chemin de sa maison, et s'excusera du mieux qu'il lui sera possible auprès de son maître. La pensée de Monsieur l'alguazil nous parut très judicieuse. Nous retournâmes tous au cabaret, les uns jugeant qu'ils trouveraient facilement une excuse pour avoir découché, et les autres ne se souciant guère d'être chassés de chez eux.

Nous fîmes apprêter un bon souper, et nous nous mîmes à table avec autant d'appétit que de gaieté. Le repas fut assaisonné de mille discours agréables. Fabrice surtout, qui savait donner de l'enjouement à la conversation, divertit fort la compagnie. Il lui échappa je ne sais combien de traits pleins de sel castillan, qui vaut bien le sel attique. Dans le temps que nous étions le plus en train de rire, notre joie fut tout à coup troublée par un événement imprévu. Il entra dans la chambre où nous soupions un homme assez bien fait, suivi de deux autres de très mauvaise mine. Après ceux-là trois autres parurent, et nous en comptâmes jusqu'à douze qui survinrent ainsi trois à trois. Ils portaient des carabines avec des épées et des baïonnettes. Nous vîmes bien que c'étaient des archers de la patrouille, et il ne nous fut pas difficile de juger de leur intention. Nous eûmes d'abord quelque envie de résister, mais ils nous enveloppèrent en un instant, et nous tinrent en respect, tant par leur nombre que par leurs armes à feu. Messieurs, nous dit le commandant d'un air railleur, je sais par quel ingénieux artifice vous venez de retirer une bague des mains de certaine aventurière. Certes, le trait est excellent, et mérite bien une récompense publique. Aussi ne peut-elle vous échapper. La justice, qui vous destine chez elle un logement, ne manquera pas de reconnaître un si bel effort de génie. Toutes les personnes à qui ce discours s'adressait en furent déconcertées. Nous changeâmes de contenance et sentîmes à notre tour la même frayeur que nous avions inspirée chez Camille. Fabrice, pourtant, quoique pâle et défait, voulut nous justifier. Seigneur, dit-il, nous n'avons pas eu une mauvaise intention, et par conséquent on doit nous pardonner cette petite supercherie. Comment diable! répliqua le commandant avec colère, vous appelez cela une petite supercherie ? Savez-vous bien qu'il y va de la corde ? Outre qu'il n'est pas permis de se rendre justice soi-même, vous avez emporté un flambeau, un collier et des pendants d'oreilles; et, ce qui pis est, pour faire ce vol, vous vous êtes travestis en archers. Des misérables se déguiser en honnêtes gens pour mal faire! Je vous trouverai trop heureux si l'on ne vous condamne qu'à faucher le grand pré. Lorsqu'il nous eut fait comprendre que la chose était encore plus sérieuse que nous ne l'avions pensé d'abord, nous nous jetâmes tous à ses pieds, et le priâmes d'avoir pitié de notre jeunesse; mais nos prières furent inutiles. Il rejeta de plus la proposition que nous fîmes de lui abandonner le collier, les pendants et le flambeau. Il refusa même ma bague, parce que je la lui offrais, peut-être, en trop bonne compagnie. Enfin, il se montra inexorable. Il fit désarmer mes compagnons et nous emmena tous ensemble aux prisons de la ville. Comme on nous y conduisait, un des archers m'apprit que la vieille, qui demeurait avec Camille, nous ayant soupçonnés de n'être pas de véritables valets de pied de la justice, elle nous avait suivis jusqu'au cabaret : et que, là, ses soupçons s'étant tournés en certitude, elle en avait averti la patrouille pour se venger de nous.

On nous fouilla d'abord partout. On nous ôta le collier, les pendants et le flambeau. On m'arracha pareillement ma bague, avec le rubis des îles Philippines, que j'avais par malheur dans mes poches. On ne me laissa pas seulement les réaux que j'avais reçus ce jour-là pour mes ordonnances. Ce qui me prouva que les gens de justice de Valladolid savaient aussi bien faire leur charge que ceux d'Astorga, et que tous ces messieurs avaient des manières uniformes. Tandis qu'on me spoliait de mes bijoux et de mes espèces, l'officier de la patrouille, qui était présent, contait notre aventure aux ministres de la spoliation. Le fait leur parut si grave que la plupart d'entre eux nous trouvaient dignes du dernier supplice. Les autres, moins sévères, disaient que nous pourrions en être quittes pour chacun deux cents coups de fouet avec quelques années de service sur mer. En attendant la décision de Monsieur le corrégidor, on nous enferma dans un cachot où nous nous couchâmes sur la paille dont il était presque aussi jonché qu'une écurie où l'on a fait la litière aux chevaux. Nous aurions pu y demeurer longtemps et n'en sortir que pour aller aux galères, si, dès le lendemain, le seigneur Manuel Ordoñez n'eût entendu parler de notre affaire, et résolu de tirer Fabrice de prison. Ce qu'il ne pouvait faire sans nous délivrer tous avec lui. C'était un homme fort estimé dans la ville. Il n'épargna point les sollicitations; et, tant par son crédit que par celui de ses amis, il obtint au bout de trois jours notre élargissement. Mais nous ne sortîmes point de ce lieu-là comme nous y étions entrés : le flambeau, le collier, les pendants, ma bague et le rubis, tout y resta. Cela me fit souvenir de ces vers de Virgile qui commencent par *Sic vos non vobis* [24].

D'abord que nous fûmes en liberté, nous retournâmes chez nos maîtres. Le docteur Sangrado me reçut bien : Mon pauvre Gil Blas, me dit-il, je n'ai su que ce matin ta disgrâce. Je me préparais à solliciter fortement pour toi. Il faut te consoler de cet accident, mon ami, et t'attacher plus que jamais à la médecine. Je répondis que j'étais dans ce dessein; et véritablement je m'y donnai tout entier. Bien loin de manquer d'occupation, il arriva, comme mon maître l'avait si heureusement prédit, qu'il y eut bien des maladies. La petite vérole et des fièvres malignes commencèrent à régner dans la ville et dans les faubourgs. Tous les médecins de Valladolid eurent de la pratique et nous particulièrement. Il ne se passait point de jour que nous ne vissions chacun huit ou dix malades. Ce qui suppose bien de l'eau bue et du sang répandu. Mais je ne sais comment cela se faisait : ils mouraient tous, soit que nous les traitassions fort mal, soit que leurs maladies fussent incurables. Nous faisions rarement trois visites à un même malade. Dès la seconde, ou nous apprenions qu'il venait d'être enterré, ou nous le trouvions à l'agonie. Comme je n'étais qu'un jeune médecin qui n'avait pas encore eu le temps de s'endurcir au meurtre, je m'affligeais des événements funestes qu'on pouvait m'imputer. Monsieur, dis-je un soir au docteur Sangrado, j'atteste ici le Ciel que je suis exactement votre méthode. Cependant tous mes malades vont en l'autre monde. On dirait qu'ils prennent plaisir à mourir pour décréditer notre médecine. J'en ai rencontré aujourd'hui deux qu'on portait en terre. Mon enfant, me répondit-il, je pourrais te dire à peu près la même chose. Je n'ai pas souvent la satisfaction de guérir les personnes qui tombent entre mes mains; et, si je n'étais pas aussi sûr de mes principes que je le suis, je croirais mes remèdes contraires à presque toutes les maladies que je traite. Si vous m'en voulez croire, monsieur, repris-je, nous changerons de pratique. Donnons par curiosité des préparations chimiques à nos malades; le pis qu'il en puisse arriver, c'est qu'elles produisent le même effet que notre eau chaude et nos saignées. Je ferais volontiers cet essai, répliqua-t-il, si cela ne tirait pas à conséquence; mais j'ai publié un livre où je vante la fréquente saignée et l'usage de la boisson : veux-tu que j'aille décrier mon ouvrage ? Oh! vous avez raison, lui repartis-je : il ne faut point accorder ce triomphe à vos ennemis. Ils diraient que vous vous laissez désabuser. Ils vous perdraient de réputation. Périssent plutôt le peuple, la noblesse et le clergé! Allons donc toujours notre train. Après tout, nos confrères, malgré l'aversion qu'ils ont pour la saignée, ne savent pas faire de plus grands miracles que nous; et je crois que leurs drogues valent bien nos spécifiques.

Nous continuâmes à travailler sur nouveaux frais, et nous y procédâmes de manière qu'en moins de six semaines nous fîmes autant de veuves et d'orphelins que le siège de Troie. Il semblait que la peste fût dans Valladolid, tant on y faisait de funérailles! Il venait tous les jours au logis quelque père nous demander compte d'un fils que nous lui avions enlevé, ou bien quelque oncle qui nous reprochait la mort de son neveu. Pour les neveux et les fils dont les oncles et les pères s'étaient mal trouvés de nos remèdes, ils ne paraissaient point chez nous. Les maris étaient aussi fort discrets, ils ne nous chicanaient point sur la perte de leurs femmes. Les personnes affligées dont il nous fallait essuyer les reproches avaient quelquefois une douleur brutale. Ils nous appelaient ignorants, assassins. Ils ne ménageaient point les termes. J'étais ému de leurs épithètes; mais mon maître, qui était fait à cela, les écoutait de sang-froid. J'aurais pu comme lui m'accoutumer aux injures, si le Ciel, pour ôter sans doute aux malades de Valladolid un de leurs fléaux, n'eût fait naître une occasion de me dégoûter de la médecine, que je pratiquais avec si peu de succès.

Il y avait dans notre voisinage un jeu de paume où les fainéants de la ville s'assemblaient chaque jour. On y voyait un de ces braves de profession qui s'érigent en maîtres et décident les différends dans les tripots. Il était de Biscaye, et se faisait appeler don Rodrigue de Mondragon. Il paraissait avoir trente ans. C'était un homme de taille ordinaire, mais sec et nerveux. Outre deux petits yeux étincelants qui lui roulaient dans la tête, et semblaient menacer tous ceux qu'il regardait, un nez fort épaté lui tombait sur une moustache rousse, qui s'élevait en croc jusqu'à la tempe. Il avait la parole si rude et si brusque qu'il n'avait qu'à parler pour inspirer de l'effroi. Ce casseur de raquettes s'était rendu le tyran du jeu de paume. Il jugeait impérieusement les contestations qui survenaient entre les joueurs, et il ne fallait pas qu'on appelât de ses jugements, à moins que l'appelant ne voulût se résoudre à recevoir de lui le lendemain un cartel de défi. Tel que je viens de représenter le seigneur don Rodrigue, que le *don* qu'il mettait à la tête de son nom n'empêchait pas d'être roturier, il fit une tendre impression sur la maîtresse du tripot. C'était une femme de quarante ans, riche, assez agréable, et veuve depuis quinze mois. J'ignore comment il put lui plaire. Ce ne fut pas sans doute par sa beauté; ce fut apparemment par ce je ne sais quoi qu'on ne saurait dire. Quoi qu'il en soit, elle eut du goût pour lui, et forma le dessein de l'épouser; mais dans le temps qu'elle se préparait à consommer cette affaire, elle tomba malade; et, malheureusement pour elle, je devins son médecin. Quand sa maladie n'aurait pas été une fièvre maligne, mes remèdes suffisaient pour la rendre dangereuse. Au bout de quatre jours, je remplis de deuil le tripot. La paumière alla où j'envoyais tous mes malades, et ses parents s'emparèrent de son bien. Don Rodrigue, au désespoir d'avoir perdu sa maîtresse, ou plutôt l'espérance d'un mariage très avantageux pour lui, ne se contenta pas de jeter feu et flamme contre moi; il jura qu'il me passerait son épée au travers du corps et m'exterminerait à la première vue. Un voisin charitable m'avertit de ce serment, et me conseilla de ne point sortir du logis, de peur de rencontrer ce diable d'homme. Cet avis, quoique je n'eusse pas envie de le négliger, me remplit de trouble et de frayeur. Je m'imaginais sans cesse que je voyais entrer dans notre maison le Biscayen furieux. Je ne pouvais goûter un moment de repos. Cela me détacha de la médecine, et je ne songeai plus qu'à m'affranchir de mon inquiétude. Je repris mon habit brodé, et, après avoir dit adieu à mon maître qui ne put me retenir, je sortis de la ville à la pointe du jour, non sans craindre de trouver don Rodrigue en mon chemin.

CHAPITRE VI

Quelle route il prit en sortant de Valladolid, et quel homme le joignit en chemin.

Je marchais fort vite et regardais de temps en temps derrière moi pour voir si ce redoutable Biscayen ne suivait point mes pas. J'avais l'imagination si remplie de cet homme-là que je prenais pour lui tous les arbres et les buissons. Je sentais à tout moment mon cœur tressaillir d'effroi. Je me rassurai pourtant après avoir fait une bonne lieue et je continuai plus doucement mon chemin vers Madrid, où je me proposais d'aller. Je quittais sans peine le séjour de Valladolid; tout mon regret était de me séparer de Fabrice, mon cher Pylade, à qui je n'avais pu même faire mes adieux. Je n'étais nullement fâché d'avoir renoncé à la médecine; au contraire, je demandais pardon à Dieu de l'avoir exercée. Je ne laissai pas de compter avec plaisir l'argent que j'avais dans mes poches, bien que ce fût le salaire de mes assassinats. Je ressemblais aux femmes qui cessent d'être libertines, mais qui gardent toujours à bon compte le profit de leur libertinage. J'avais en réaux, à peu près, la valeur de cinq ducats. C'était là tout mon bien. Je me promettais avec cela de me rendre à Madrid, où je ne doutais point que je ne trouvasse quelque bonne condition. D'ailleurs, je souhaitais passionnément d'être dans cette superbe ville, qu'on m'avait vantée comme l'abrégé de toutes les merveilles du monde.

Tandis que je rappelais tout ce que j'en avais ouï dire, et que je jouissais par avance des plaisirs qu'on y prend, j'entendis la voix d'un homme qui marchait sur mes pas, et qui chantait à plein gosier. Il avait sur le dos un sac de cuir, une guitare pendue au cou, et il portait une assez longue épée. Il allait si bon train, qu'il me joignit en peu de temps. C'était un des deux garçons barbiers avec qui j'avais été en prison pour l'aventure de la bague. Nous nous reconnûmes d'abord l'un l'autre, quoique nous eussions changé d'habit, et nous demeurâmes fort étonnés de nous rencontrer inopinément sur un grand chemin. Si je lui témoignai que j'étais ravi de l'avoir pour compagnon de voyage, il me parut de son côté sentir une extrême joie de me revoir. Je lui contai pourquoi j'abandonnais Valladolid, et lui, pour me faire la même confidence, m'apprit qu'il avait eu du bruit avec son maître, et qu'ils s'étaient dit tous deux réciproquement un éternel adieu. Si j'eusse voulu, ajouta-t-il, demeurer plus longtemps à Valladolid, j'y aurais trouvé dix boutiques pour une; car, sans vanité, j'ose dire qu'il n'est point de barbier en Espagne qui sache mieux que moi raser à poil et à contre-poil, et mettre une moustache en papillotes. Mais je n'ai pu résister davantage au violent désir que j'ai de retourner dans ma patrie, d'où il y a dix années entières que je suis sorti. Je veux respirer un peu l'air du pays, et savoir dans quelle situation sont mes parents. Je serai chez eux après-demain, puisque l'endroit qu'ils habitent et qu'on appelle Olmedo, est un gros village en deçà de Ségovie.

Je résolus d'accompagner ce barbier jusque chez lui, et d'aller à Ségovie chercher quelque commodité pour Madrid. Nous commençâmes à nous entretenir de choses indifférentes en poursuivant notre route. Ce jeune homme était de bonne humeur et avait l'esprit agréable. Au bout d'une heure de conversation, il me demanda si je me sentais de l'appétit. Je lui répondis qu'il le verrait à la première hôtellerie. En attendant que nous y arrivions, me dit-il, nous pouvons faire une pause. J'ai dans mon sac de quoi déjeuner. Quand je voyage, j'ai toujours soin de porter des provisions. Je ne me charge point d'habit, de linge ni d'autres hardes inutiles. Je ne veux rien de superflu. Je ne mets dans mon sac que des munitions de bouche avec mes rasoirs et une savonnette. Je louai sa prudence et consentis de bon cœur à la pause qu'il proposait. J'avais faim, et je me préparais à faire un bon repas. Après ce qu'il venait de dire, je m'y attendais. Nous nous détournâmes un peu du grand chemin pour nous asseoir sur l'herbe.

Là, mon garçon barbier étala ses vivres, qui consistaient dans cinq ou six oignons avec quelques morceaux de pain et de fromage, mais ce qu'il produisit comme la meilleure pièce du sac fut une petite outre remplie, disait-il, d'un vin délicat et friand. Quoique les mets ne fussent pas bien savoureux, la faim qui nous pressait l'un et l'autre ne nous permit pas de les trouver mauvais; et nous vidâmes aussi l'outre, où il y avait environ deux pintes d'un vin qu'il se serait fort bien passé de me vanter. Nous nous levâmes après cela, et nous nous remîmes en marche avec beaucoup de gaieté. Le barbier, à qui Fabrice avait dit qu'il m'était arrivé des aventures très particulières, me pria de les lui apprendre moi-même. Je crus ne pouvoir rien refuser à un homme qui m'avait si bien régalé. Je lui donnai la satisfaction qu'il demandait. Ensuite, je lui dis que, pour reconnaître ma complaisance, il fallait qu'il me contât aussi l'histoire de sa vie. Oh! pour mon histoire, s'écria-t-il, elle ne mérite guère d'être entendue. Elle ne contient que des faits fort simples. Néanmoins, ajouta-t-il, puisque nous n'avons rien de meilleur à faire, je vais vous la raconter telle qu'elle est. En même temps, il en fit le récit à peu près de cette sorte.

CHAPITRE VII

Histoire du garçon barbier.

Fernand Perés de la Fuente, mon grand-père, je prends la chose de loin, après avoir été pendant cinquante ans barbier du village d'Olmedo, mourut et laissa quatre fils. L'aîné, nommé Nicolas, s'empara de sa boutique et lui succéda dans sa profession. Bertrand, le puîné, se mettant le commerce en tête, devint marchand mercier; et Thomas, qui était le troisième, se fit maître d'école. Pour le quatrième, qu'on appelait Pedro, comme il se sentait né pour les belles-lettres, il vendit une petite pièce de terre qu'il avait eue pour son partage, et alla demeurer à Madrid, où il espérait qu'un jour il se ferait distinguer par son savoir et par son esprit. Ses trois autres frères ne se séparèrent point. Ils s'établirent à Olmedo, en se mariant avec des filles de laboureurs, qui leur apportèrent en mariage peu de bien, mais en récompense une grande fécondité. Elles firent des enfants comme à l'envi l'une de l'autre. Ma mère, femme du barbier, en mit au monde six pour sa part dans les cinq premières années de son mariage. Je fus du nombre de ceux-là. Mon père m'apprit de très bonne heure à raser; et, lorsqu'il me vit parvenu à l'âge de quinze ans, il me chargea les épaules de ce sac que vous voyez, me ceignit d'une longue épée, et me dit : Va, Diego, tu es en état présentement de gagner ta vie; va courir le pays. Tu as besoin de voyager pour te dégourdir et te perfectionner dans ton art. Pars, et ne reviens à Olmedo qu'après avoir fait le tour de l'Espagne. Que je n'entende point parler de toi avant ce temps-là! En achevant ces paroles, il m'embrassa de bonne amitié, et me poussa hors du logis.

Tels furent les adieux de mon père. Pour ma mère, qui avait moins de rudesse dans ses mœurs, elle parut plus sensible à mon départ. Elle laissa couler quelques larmes et me glissa même dans la main un ducat à la dérobée. Je sortis donc ainsi d'Olmedo et pris le chemin de Ségovie. Je n'eus pas fait deux cents pas, que je m'arrêtai pour visiter mon sac. J'eus envie de voir ce qu'il y avait dedans, et de connaître précisément ce que je possédais. J'y trouvai une trousse où étaient deux rasoirs qui semblaient avoir rasé dix générations, tant ils étaient usés, avec une bandelette de cuir pour les repasser et un morceau de savon. Outre cela, une chemise de chanvre toute neuve, une vieille paire de souliers de mon père, et, ce qui me réjouit plus que tout le reste, une vingtaine de réaux enveloppés dans un chiffon de linge. Voilà quelles étaient mes facultés. Vous jugez bien par là que maître Nicolas le barbier comptait beaucoup sur mon savoir-faire, puisqu'il me laissait partir avec si peu de chose. Cependant la possession d'un ducat et de vingt réaux ne manqua pas d'éblouir un jeune homme qui n'avait jamais eu d'argent. Je crus mes finances inépuisables, et, transporté de joie, je continuai mon chemin, en regardant de moment en moment la garde de ma rapière, dont la lame me battait, à chaque pas, le mollet ou s'embarrassait dans mes jambes.

J'arrivai sur le soir au village d'Ataquinés avec un très rude appétit. J'allai loger à l'hôtellerie, et, comme si j'eusse été en état de faire de la dépense, je demandai d'un ton haut à souper. L'hôte me considéra quelque temps et, voyant à qui il avait affaire, il me dit d'un air doux : Çà, mon gentilhomme, vous serez satisfait. On va vous traiter comme un prince. En parlant de cette sorte, il me mena dans une petite chambre, où il m'apporta, un quart d'heure après, un civet de matou, que je mangeai avec la même avidité que s'il eût été de lièvre ou de lapin. Il accompagna cet excellent ragoût d'un vin qui était si bon, disait-il, que le roi n'en buvait pas de meilleur. Je m'aperçus pourtant que c'était du vin gâté. Mais cela ne m'empêcha pas de lui faire autant d'honneur qu'au matou. Il fallut ensuite, pour achever d'être traité comme un prince, que je me couchasse dans un lit plus propre à causer l'insomnie qu'à l'ôter. Peignez-vous un grabat fort étroit et si court que je ne pouvais étendre les jambes, tout petit que j'étais. D'ailleurs, il n'avait, pour matelas et lit de plume, qu'une simple paillasse piquée et couverte d'un drap mis en double, qui, depuis le dernier blanchissage, avait servi peut-être à cent voyageurs. Néanmoins, dans ce lit que je viens de représenter, l'estomac plein du civet et de ce vin délicieux que l'hôte m'avait donné, grâce à ma jeunesse et à mon tempérament, je dormis d'un profond sommeil et passai la nuit sans indigestion.

Le jour suivant, lorsque j'eus déjeuné et bien payé la bonne chère qu'on m'avait faite, je me rendis tout d'une traite à Ségovie. Je n'y fus pas sitôt que j'eus le bonheur de trouver une boutique, où l'on me reçut pour ma nourriture et mon entretien; mais je n'y demeurai que six mois : un garçon barbier avec qui j'avais fait connaissance, et qui voulait aller à Madrid, me débaucha, et je partis pour cette ville avec lui. Je me plaçai là sans peine sur le même pied qu'à Ségovie. J'entrai dans une boutique des plus achalandées. Il est vrai qu'elle était auprès de l'église de Sainte-Croix, et que la proximité du *Théâtre du Prince* y attirait bien de la pratique. Mon maître, deux grands garçons et moi, nous ne pouvions presque suffire à servir les hommes qui venaient s'y faire raser. J'en voyais de toutes sortes de conditions; mais entre autres des comédiens et des auteurs. Un jour deux personnages de cette dernière espèce s'y trouvèrent ensemble. Ils commencèrent à s'entretenir des poètes et des poésies du temps, et je leur entendis prononcer le nom de mon oncle. Cela me rendit plus attentif à leur discours que je ne l'avais été : Don Juan de Zavaleta, disait l'un, est un auteur sur lequel il me paraît que le public ne doit pas compter. C'est un esprit froid, un homme sans imagination. Sa dernière pièce l'a furieusement décrié. Et Luis Vélez de Guevara, disait l'autre, ne vient-il pas de donner un bel ouvrage au public ? a-t-on jamais rien vu de plus misérable ? Ils nommèrent encore je ne sais combien d'autres poètes dont j'ai oublié les noms; je me souviens seulement qu'ils en dirent beaucoup de mal. Pour mon oncle, ils en firent une mention plus honorable. Ils convinrent tous deux que c'était un garçon de mérite. Oui, dit l'un, don Pedro de la Fuente [25] est un auteur excellent. Il y a dans ses livres une fine plaisanterie, mêlée d'érudition, qui les rend piquants et pleins de sel. Je ne suis pas surpris s'il est estimé de la Cour et de la Ville, et si plusieurs Grands lui font des pensions. Il y a déjà bien des années, dit l'autre, qu'il jouit d'un assez gros revenu. Il a sa nourriture et son logement chez le duc de Medina Celi. Il ne fait point de dépense. Il doit être fort bien dans ses affaires.

Je ne perdis pas un mot de tout ce que ces poètes dirent de mon oncle. Nous avions appris dans la famille qu'il faisait du bruit à Madrid par ses ouvrages. Quelques personnes, en passant par Olmedo, nous l'avaient dit; mais comme il négligeait de nous donner de ses nouvelles et qu'il paraissait fort détaché de nous, de notre côté, nous vivions dans une très grande indifférence pour lui. Bon sang toutefois ne peut mentir. Dès que j'entendis dire qu'il était dans une belle passe et que je sus où il demeurait, je fus tenté de l'aller trouver. Une chose m'embarrassait : les auteurs l'avaient appelé don Pedro. Ce *don* me fit quelque peine et je craignis que ce ne fût un autre poète que mon oncle. Cette crainte pourtant ne m'arrêta point. Je crus qu'il pouvait être devenu noble ainsi que bel esprit, et je résolus de le voir. Pour cet effet, avec la permission de mon maître, je m'ajustai un matin le mieux que je pus, et je sortis de notre boutique, un peu fier d'être neveu d'un homme qui s'était acquis tant de réputation par son génie. Les barbiers ne sont pas les gens du monde les moins susceptibles de vanité. Je commençai à concevoir une grande opinion de moi, et, marchant d'un air présomptueux, je me fis enseigner l'hôtel du duc de Medina Celi. Je me présentai à la porte et dis que je souhaitais de parler au seigneur don Pedro de la Fuente. Le portier me montra du doigt au fond d'une cour un petit escalier et me répondit : Montez par là, puis frappez à la première porte que vous rencontrerez à main droite. Je fis ce qu'il me disait : je frappai à une porte. Un jeune homme vint ouvrir, et je lui demandai si c'était là que logeait le seigneur don Pedro de la Fuente. Oui, me répondit-il; mais vous ne sauriez lui parler présentement. Je serais bien aise, lui dis-je, de l'entretenir. Je viens lui apprendre des nouvelles de sa famille. Quand vous auriez, repartit-il, des nouvelles du pape à lui dire, je ne vous introduirais pas dans sa chambre en ce moment. Il compose, et, lorsqu'il travaille, il faut bien se garder de le distraire de son ouvrage. Il ne sera visible que sur le midi. Allez faire un tour et revenez dans ce temps-là.

Je sortis et me promenai toute la matinée dans la ville, en songeant sans cesse à la réception que mon oncle me ferait. Je crois, disais-je, qu'il sera ravi de me voir. Je jugeais de ses sentiments par les miens et je me préparais à une reconnaissance fort touchante. Je retournai chez lui en diligence à l'heure qu'on m'avait marquée. Vous arrivez à propos, me dit son valet. Mon maître va bientôt sortir. Attendez ici un instant. Je vais vous annoncer. A ces mots, il me laissa dans l'antichambre. Il y revint un moment après, et me fit entrer dans la chambre de son maître, dont le visage me frappa d'abord par un air de famille. Il me sembla que c'était mon oncle Thomas, tant ils se ressemblaient tous deux. Je le saluai avec un profond respect et lui dis que j'étais fils de maître Nicolas de la Fuente, barbier d'Olmedo : je lui appris aussi que j'exerçais à Madrid depuis trois semaines le métier de mon père en qualité de garçon, et que j'avais dessein de faire le tour de l'Espagne pour me perfectionner. Tandis que je parlais, je m'aperçus que mon oncle rêvait. Il doutait apparemment s'il me désavouerait pour son neveu, ou s'il se déferait adroitement de moi. Il choisit ce dernier parti. Il affecta de prendre un air riant et me dit : Eh bien! mon ami, comment se portent ton père et tes oncles ? Dans quel état sont leurs affaires ? Je commençai là-dessus à lui représenter la propagation copieuse de notre famille. Je lui en nommai tous les enfants, mâles et femelles, et je compris dans cette liste jusqu'à leurs parrains et leurs marraines. Il ne parut pas s'intéresser infiniment à ce détail, et venant à ses fins : Diego, reprit-il, j'approuve fort que tu coures le pays pour te rendre parfait dans ton art; et je te conseille de ne point t'arrêter plus longtemps à Madrid. C'est un séjour pernicieux pour la jeunesse. Tu t'y perdrais, mon enfant. Tu feras mieux d'aller dans les autres villes du royaume. Les mœurs n'y sont pas si corrompues. Va-t'en, poursuivit-il; et, quand tu seras prêt à partir, viens me revoir; je te donnerai une pistole pour t'aider à faire le tour de l'Espagne. En disant ces paroles, il me mit doucement hors de sa chambre, et me renvoya.

Je n'eus pas l'esprit de m'apercevoir qu'il ne cherchait qu'à m'éloigner de lui. Je regagnai notre boutique et rendis compte à mon maître de la visite que je venais de faire. Il ne pénétra pas mieux que moi l'intention du seigneur don Pedro et il me dit : Je ne suis pas du sentiment de votre oncle. Au lieu de vous exhorter à courir le pays, il devait plutôt, ce me semble, vous engager à demeurer dans cette ville. Il voit tant de personnes de qualité! Il peut aisément vous placer dans une grande maison, et vous mettre en état de faire peu à peu une grosse fortune. Frappé de ce discours qui me présentait de flatteuses images, j'allai, deux jours après, retrouver mon oncle, et je lui proposai d'employer son crédit pour me faire entrer chez quelque seigneur de la Cour. Mais la proposition ne fut pas de son goût. Un homme vain qui entrait librement chez les Grands et mangeait tous les jours avec eux, n'était pas bien aise, pendant qu'il serait à la table des maîtres, qu'on vît son neveu à la table des valets. Le petit Diego aurait fait rougir le seigneur don Pedro. Il ne manqua donc pas de m'éconduire, et même très rudement. Comment, petit libertin, me dit-il d'un air furieux, tu veux quitter ta profession! Va, je t'abandonne aux gens qui te donnent de si pernicieux conseils. Sors de mon appartement et n'y remets jamais le pied. Autrement, je te ferai châtier comme tu le mérites. Je fus bien étourdi de ces paroles et plus encore du ton sur lequel mon oncle le prenait. Je me retirai les larmes aux yeux et fort touché de la dureté qu'il avait pour moi. Cependant, comme j'ai toujours été vif et fier de mon naturel, j'essuyai bientôt mes pleurs. Je passai même de la douleur à l'indignation et je résolus de laisser là ce mauvais parent, dont je m'étais bien passé jusqu'à ce jour.

Je ne pensai plus qu'à cultiver mon talent. Je m'attachai au travail. Je rasais toute la journée, et le soir, pour donner quelque récréation à mon esprit, j'apprenais à jouer de la guitare. J'avais pour maître de cet instrument un vieux *señor escudero*[26] à qui je faisais la barbe. Il me montrait aussi la musique, qu'il savait parfaitement. Il est vrai qu'il avait été chantre autrefois dans une cathédrale. Il se nommait Marcos de Obregon[27]. C'était un homme sage, qui avait autant d'esprit que d'expérience, et qui m'aimait comme si j'eusse été son fils. Il servait d'écuyer à la femme d'un médecin qui demeurait à trente pas de notre maison. Je l'allais voir sur la fin du jour, aussitôt que j'avais quitté l'ouvrage, et nous faisions tous deux, assis sur le seuil de la porte, un petit concert qui ne déplaisait pas au voisinage. Ce n'est pas que nous eussions des voix fort agréables; mais en raclant le boyau nous chantions l'un et l'autre méthodiquement notre partie, et cela suffisait pour donner du plaisir aux personnes qui nous écoutaient. Nous divertissions particulièrement doña Mergelina, femme du médecin. Elle venait dans l'allée nous entendre et nous obligeait quelquefois à recommencer les airs qui se trouvaient le plus de son goût. Son mari ne l'empêchait pas de prendre ce divertissement. C'était un homme qui, bien qu'Espagnol et déjà vieux, n'était nullement jaloux. D'ailleurs sa profession l'occupait tout entier; et comme il revenait le soir fatigué d'avoir été chez ses malades, il se couchait de très bonne heure, sans s'inquiéter de l'attention que sa femme donnait à nos concerts. Peut-être aussi qu'il ne les croyait pas fort capables de faire de dangereuses impressions. Il faut ajouter à cela qu'il ne pensait pas avoir le moindre sujet de crainte, Mergeline étant une dame jeune et belle, à la vérité, mais d'une vertu si sauvage qu'elle ne pouvait souffrir les regards des hommes. Il ne lui faisait donc point un crime d'un passe-temps qui lui paraissait innocent et honnête, et il nous laissait chanter tant qu'il nous plaisait.

Un soir comme j'arrivais à la porte du médecin, dans l'intention de me réjouir à mon ordinaire, j'y trouvai le vieil écuyer qui m'attendait. Il me prit par la main et me dit qu'il voulait faire un tour de promenade avec moi, avant que de commencer notre concert. En même temps il m'entraîna dans une rue détournée, où voyant qu'il pouvait m'entretenir en liberté : Diego, mon fils, me dit-il d'un air triste, j'ai quelque chose de particulier à vous apprendre. Je crains fort, mon enfant, que nous ne nous repentions l'un et l'autre de nous amuser tous les soirs à faire des concerts à la porte de mon maître. J'ai sans doute beaucoup d'amitié pour vous. Je suis bien aise de vous avoir montré à jouer de la guitare et à chanter; mais si j'avais prévu le malheur qui nous menace, vive Dieu! j'aurais choisi un autre endroit pour vous donner des leçons. Ce discours m'effraya. Je priai l'écuyer de s'expliquer plus clairement et de me dire ce que nous avions à craindre; car je n'étais pas homme à braver le péril et je n'avais pas encore fait mon tour d'Espagne. Je vais, reprit-il, vous conter ce qu'il est nécessaire que vous sachiez pour bien comprendre tout le danger où nous sommes.

Lorsque j'entrai, poursuivit-il, au service du médecin, et il y a de cela une année, il me dit un matin, après m'avoir conduit devant sa femme : Voyez, Marcos, voyez votre maîtresse. C'est cette dame que vous devez accompagner partout. J'admirai doña Mergelina. Je la trouvai merveilleusement belle, faite à peindre, et je fus particulièrement charmé de l'air agréable qu'elle a dans son port. Seigneur, répondis-je au médecin, je suis trop heureux d'avoir à servir une dame si charmante. Ma réponse déplut à Mergeline, qui me dit d'un ton brusque : *Voyez donc celui-là ; il s'émancipe vraiment. Oh! je n'aime point qu'on me dise des douceurs, moi!* Ces paroles sorties d'une si belle bouche me surprirent étrangement. Je ne pouvais concilier ces façons de parler rustiques et grossières avec l'agrément que je voyais répandu dans toute la personne de ma maîtresse. Pour son mari, il y était accoutumé, et s'applaudissant même d'avoir une épouse d'un si rare caractère : Marcos, me dit-il, ma femme est un prodige de vertu. Ensuite, comme il s'aperçut qu'elle se couvrait de sa mante et se disposait à sortir pour aller entendre la messe, il me dit de la mener à l'église. Nous ne fûmes pas plus tôt dans la rue que nous rencontrâmes, ce qui n'est pas extraordinaire, des hommes qui frappés du bon air de doña Mergelina, lui dirent en passant des choses flatteuses. Elle leur répondait; mais vous ne sauriez vous imaginer jusqu'à quel point ses réponses étaient sottes et ridicules. Ils en demeuraient tout étonnés et ne pouvaient concevoir qu'il y eût au monde une femme qui trouvât mauvais qu'on la louât. Eh! madame, lui dis-je d'abord, ne faites point d'attention aux discours qui vous sont adressés. Il vaut mieux garder le silence que de parler avec aigreur. Non, non, me repartit-elle, je veux apprendre à ces insolents, que je ne suis point femme à souffrir qu'on me manque de respect. Enfin, il lui échappa tant d'impertinences, que je ne pus m'empêcher de lui dire tout ce que je pensais, au hasard de lui déplaire. Je lui représentai, avec le plus de ménagement toutefois qu'il me fut possible, qu'elle faisait tort à la nature et gâtait mille bonnes qualités par son humeur sauvage : qu'une femme douce et polie pouvait se faire aimer sans le secours de la beauté; au lieu qu'une belle personne sans la douceur et la politesse devenait un objet de mépris. J'ajoutai à ces raisonnements je ne sais combien d'autres semblables, qui avaient tous pour but la correction de ses mœurs. Après avoir bien moralisé, je craignais que ma franchise n'excitât la colère de ma maîtresse et ne m'attirât quelque désagréable repartie ; néanmoins elle ne se révolta point contre ma remontrance, elle se contenta de la rendre inutile, de même que celles qu'il me prit sottement envie de lui faire les jours suivants.

Je me lassai de l'avertir en vain de ses défauts et je l'abandonnai à la férocité de son naturel. Cependant, le croirez-vous ? cet esprit farouche, cette orgueilleuse femme est depuis deux mois entièrement changée d'humeur. Elle a de l'honnêteté pour tout le monde et des manières très agréables. Ce n'est plus cette même Mergeline qui ne répondait que des sottises aux hommes qui lui tenaient des discours obligeants. Elle est devenue sensible aux louanges qu'on lui donne. Elle aime qu'on lui dise qu'elle est belle, qu'un homme ne peut la voir impunément. Les flatteries lui plaisent. Elle est présentement comme une autre femme. Ce changement est à peine concevable; et ce qui doit encore vous étonner davantage, c'est d'apprendre que vous êtes l'auteur d'un si grand miracle. Oui, mon cher Diego, continua l'écuyer, c'est vous qui avez ainsi métamorphosé doña Mergelina. Vous avez fait une brebis de cette tigresse. En un mot, vous vous êtes attiré son attention. Je m'en suis aperçu plus d'une fois, et je me connais mal en femmes, ou bien elle a conçu pour vous un amour très violent. Voilà, mon fils, la triste nouvelle que j'avais à vous annoncer et la fâcheuse conjoncture où nous nous trouvons.

Je ne vois pas, dis-je alors au vieillard, qu'il y ait là-dedans un si grand sujet d'affliction pour nous; ni que ce soit un malheur pour moi d'être aimé d'une jolie dame. Ah! Diego, répliqua-t-il, vous raisonnez en jeune homme. Vous ne voyez que l'appât : vous ne prenez point garde à l'hameçon. Vous ne regardez que le plaisir, et moi j'envisage tous les désagréments qui le suivent. Tout éclate à la fin. Si vous continuez de venir chanter à notre porte, vous irriterez la passion de Mergeline, qui, perdant peut-être toute retenue, laissera voir sa faiblesse au docteur Oloroso, son mari; et ce mari, qui se montre aujourd'hui si complaisant, parce qu'il ne croit pas avoir sujet d'être jaloux, deviendra furieux, se vengera d'elle et pourra nous faire à vous et à moi un fort mauvais parti. Eh bien! repris-je, seigneur Marcos, je me rends à vos raisons et m'abandonne à vos conseils. Prescrivez-moi la conduite que je dois tenir, pour prévenir tout sinistre accident. Nous n'avons qu'à ne plus faire de concerts, repartit-il. Cessez de paraître devant ma maîtresse. Quand elle ne vous verra plus, elle reprendra sa tranquillité. Demeurez chez votre maître; j'irai vous y trouver, et nous jouerons là de la guitare sans péril. J'y consens, lui dis-je, et je vous promets de ne plus remettre le pied chez vous. Effectivement, je résolus de ne plus aller chanter à la porte du médecin et de me tenir désormais renfermé dans ma boutique, puisque j'étais un homme si dangereux à voir.

Cependant le bon écuyer Marcos, avec toute sa prudence, éprouva, peu de jours après, que le moyen qu'il avait imaginé pour éteindre les feux de doña Mergelina produisait un effet tout contraire. La dame, dès la seconde nuit, ne m'entendant point chanter, lui demanda pourquoi nous avions discontinué nos concerts, et pour quelle raison elle ne me voyait plus. Il répondit que j'étais si occupé, que je n'avais pas un moment à donner à mes plaisirs. Elle parut se contenter de cette excuse, et pendant trois autres jours encore elle soutint mon absence avec assez de fermeté; mais au bout de ce temps-là, elle perdit patience et dit à son écuyer : Vous me trompez, Marcos. Diego n'a pas cessé sans sujet de venir ici. Il y a là-dessous un mystère que je veux éclaircir. Parlez, je vous l'ordonne. Ne me cachez rien. Madame, lui répondit-il en la payant d'une autre défaite, puisque vous souhaitez de savoir les choses, je vous dirai qu'il lui est souvent arrivé, après nos concerts, de trouver chez lui la table desservie. Il n'ose plus s'exposer à se coucher sans souper. Comment, sans souper! s'écria-t-elle avec chagrin; que ne m'avez-vous dit cela plus tôt ? se coucher sans souper! ah! le pauvre enfant! allez le voir tout à l'heure, et qu'il revienne dès ce soir. Il ne s'en retournera plus sans manger. Il y aura toujours ici un plat pour lui.

Qu'entends-je ? lui dit l'écuyer en feignant d'être surpris de ce discours; quel changement, ô ciel! Est-ce vous, madame, qui me tenez ce langage ? Eh! depuis quand êtes-vous si pitoyable et si sensible ? Depuis, répondit-elle brusquement, depuis que vous demeurez dans cette maison, ou plutôt depuis que vous avez condamné mes manières dédaigneuses, et que vous vous êtes efforcé d'adoucir la rudesse de mes mœurs. Mais, hélas! ajouta-t-elle en s'attendrissant, j'ai passé de l'une à l'autre extrémité. D'altière et d'insensible que j'étais, je suis devenue trop douce et trop tendre. J'aime votre jeune ami Diego, sans que je puisse m'en empêcher; et son absence, bien loin d'affaiblir mon amour, semble lui donner de nouvelles forces. Est-il possible, reprit le vieillard, qu'un jeune homme qui n'est ni beau ni bien fait, soit l'objet d'une passion si forte ? Je vous pardonnerais vos sentiments, s'ils vous avaient été inspirés par quelque cavalier d'un mérite brillant... Ah! Marcos, interrompit Mergelina, je ne ressemble donc point aux autres personnes de mon sexe, ou bien, malgré votre longue expérience, vous ne les connaissez guère, si vous croyez que le mérite les détermine à faire un choix. Si j'en juge par moi-même, elles s'engagent sans délibération. L'amour est un dérèglement d'esprit qui nous entraîne vers un objet et nous y attache malgré nous. C'est une maladie qui nous vient comme la rage aux animaux. Cessez donc de me représenter que Diego n'est pas digne de ma tendresse. Il suffit que je l'aime, pour trouver en lui mille belles qualités qui ne frappent point votre vue et qu'il ne possède peut-être pas. Vous avez beau me dire que ses traits et sa taille ne méritent pas la moindre attention, il me paraît fait à ravir et plus beau que le jour. De plus, il a dans la voix une douceur qui me touche et il joue, ce me semble, de la guitare avec une grâce toute particulière. Mais, madame, répliqua Marcos, songez-vous à ce qu'est Diego ? La bassesse de sa condition... Je ne suis guère plus que lui, interrompit-elle encore, et quand même je serais une femme de qualité, je ne prendrais pas garde à cela.

Le résultat de cet entretien fut que l'écuyer, jugeant qu'il ne gagnerait rien alors sur l'esprit de sa maîtresse, cessa de combattre son entêtement, comme un adroit pilote cède à la tempête qui l'écarte du port où il s'est proposé d'aller. Il fit plus, pour satisfaire la patronne, il vint me chercher, me prit à part, et après m'avoir conté ce qui s'était passé entre elle et lui : Vous voyez, Diego, me dit-il, que nous ne saurions nous dispenser de continuer nos concerts à la porte de Mergeline. Il faut absolument, mon ami, que cette dame vous revoie, autrement elle pourrait faire quelque folie qui nuirait plus que toute autre chose à sa réputation. Je ne fis point le cruel. Je répondis à Marcos que je me rendrais chez lui sur la fin du jour avec ma guitare : qu'il pouvait aller porter cette agréable nouvelle à sa maîtresse. Il n'y manqua pas et ce fut pour cette amante passionnée un grand sujet de ravissement, d'apprendre qu'elle aurait ce soir-là le plaisir de me voir et de m'entendre.

Peu s'en fallut pourtant qu'un incident assez désagréable ne la frustrât de cette espérance. Je ne pus sortir de chez mon maître avant la nuit, qui, pour mes péchés, se trouva très obscure. Je marchais à tâtons dans la rue, et j'avais fait peut-être la moitié de mon chemin, lorsque d'une fenêtre on me coiffa d'une cassolette qui ne chatouillait point l'odorat. Je puis dire même que je n'en perdis rien, tant je fus bien ajusté ! Dans cette situation, je ne savais à quoi me résoudre : de retourner sur mes pas, quelle scène pour mes camarades ! C'était me livrer à toutes les mauvaises plaisanteries du monde. D'aller aussi chez Mergeline dans le bel état où j'étais, cela me faisait de la peine. Je pris pourtant le parti de gagner la maison du médecin. Je rencontrai à la porte le vieil écuyer qui m'attendait. Il me dit que le docteur Oloroso venait de se coucher, et que nous pouvions librement nous divertir. Je répondis qu'il fallait auparavant nettoyer mes habits. En même temps je lui contai ma disgrâce. Il y parut sensible, et me fit entrer dans une salle où était sa maîtresse. D'abord que cette dame sut mon aventure, et me vit tel que j'étais, elle me plaignit autant que si les plus grands malheurs me fussent arrivés ; puis apostrophant la personne qui m'avait accommodé de cette manière, elle lui donna mille malédictions. Eh ! madame, lui dit Marcos, modérez vos transports. Considérez que cet événement est un pur effet du hasard. Il n'en faut point avoir un ressentiment si vif. Pourquoi, s'écria-t-elle avec emportement, pourquoi ne voulez-vous pas que je ressente vivement l'offense qu'on a faite à ce petit agneau, à cette colombe sans fiel, qui ne se plaint seulement pas de l'outrage qu'il a reçu ? Ah! que ne suis-je homme en ce moment pour le venger!

Elle dit une infinité d'autres choses encore qui marquaient bien l'excès de son amour, qu'elle ne fit pas moins éclater par ses actions; car, tandis que Marcos s'occupait à m'essuyer avec une serviette, elle courut dans sa chambre, et en apporta une boîte remplie de toutes sortes de parfums. Elle brûla des drogues odoriférantes et en parfuma mes habits. Après quoi, elle répandit dessus des essences abondamment. La fumigation et l'aspersion finie, cette charitable femme alla chercher elle-même dans la cuisine du pain, du vin et quelques morceaux de mouton rôti, qu'elle avait mis à part pour moi. Elle m'obligea de manger, et, prenant plaisir à me servir, tantôt elle me coupait ma viande et tantôt elle me versait à boire, malgré tout ce que nous pouvions faire, Marcos et moi, pour l'en empêcher. Quand j'eus soupé, messieurs de la symphonie se préparèrent à bien accorder leurs voix avec leurs guitares. Nous fîmes un concert qui charma Mergeline. Il est vrai que nous affections de chanter des airs dont les paroles flattaient son amour, et il faut remarquer qu'en chantant je la regardais quelquefois du coin de l'œil, d'une manière qui mettait le feu aux étoupes; car le jeu commençait à me plaire. Le concert, quoiqu'il durât depuis longtemps, ne m'ennuyait point. Pour la dame, à qui les heures paraissaient des moments, elle aurait volontiers passé la nuit à nous entendre, si le vieil écuyer, à qui les moments paraissaient des heures, ne l'eût fait souvenir qu'il était déjà tard. Elle lui donna bien dix fois la peine de répéter cela. Mais elle avait affaire à un homme infatigable là-dessus. Il ne la laissa point en repos, que je ne fusse sorti. Comme il était sage et prudent, et qu'il voyait sa maîtresse abandonnée à une folle passion, il craignit qu'il ne nous arrivât quelque traverse. Sa crainte fut bientôt justifiée. Le médecin, soit qu'il se doutât de quelque intrigue secrète, soit que le démon de la jalousie, qui l'avait respecté jusqu'alors, voulût l'agiter, s'avisa de blâmer nos concerts. Il fit plus : il les défendit en maître, et, sans dire les raisons qu'il avait d'en user de cette sorte, il déclara qu'il ne souffrirait pas davantage qu'on reçût chez lui des étrangers.

Marcos me signifia cette déclaration, qui me regardait particulièrement, et dont je fus très mortifié. J'avais conçu des espérances que j'étais fâché de perdre. Néanmoins pour rapporter les choses en fidèle historien, je vous avouerai que je pris mon mal en patience. Il n'en fut pas de même de Mergeline. Ses sentiments en devinrent plus vifs : Mon cher Marcos, dit-elle à son écuyer, c'est de vous seul que j'attends du secours. Faites en sorte, je vous prie, que je puisse voir secrètement Diego. Que me demandez-vous ? répondit le vieillard avec colère. Je n'ai eu que trop de complaisance pour vous. Je ne prétends point, pour satisfaire votre ardeur insensée, contribuer à déshonorer mon maître, à vous perdre de réputation et à me couvrir d'infamie, moi qui ai toujours passé pour un domestique d'une conduite irréprochable. J'aime mieux sortir de votre maison que d'y servir d'une manière si honteuse. Ah! Marcos, interrompit la dame tout effrayée de ces dernières paroles, vous me percez le cœur, quand vous me parlez de vous retirer. Cruel, vous songez à m'abandonner après m'avoir réduite dans l'état où je suis! Rendez-moi donc auparavant mon orgueil et cet esprit sauvage que vous m'avez ôté. Que n'ai-je encore ces heureux défauts! Je serais aujourd'hui tranquille; au lieu que vos remontrances indiscrètes m'ont ravi le repos dont je jouissais. Vous avez corrumpu mes mœurs en voulant les corriger... Mais, poursuivit-elle en pleurant, que dis-je, malheureuse ? pourquoi vous faire d'injustes reproches ? non, mon père, vous n'êtes point l'auteur de mon infortune. C'est mon mauvais sort qui me préparait tant d'ennui. Ne prenez point garde, je vous en conjure, aux discours extravagants qui m'échappent. Hélas! ma passion me trouble l'esprit. Ayez pitié de ma faiblesse. Vous êtes toute ma consolation, et si ma vie vous est chère, ne me refusez point votre assistance.

A ces mots, ses pleurs redoublèrent de sorte qu'elle ne put continuer. Elle tira son mouchoir et, s'en couvrant le visage, elle se laissa tomber sur une chaise, comme une personne qui succombe à son affliction. Le vieux Marcos, qui était peut-être la meilleure pâte d'écuyer qu'on vît jamais, ne résista point à un spectacle si touchant. Il en fut vivement pénétré. Il confondit même ses larmes avec celles de sa maîtresse et lui dit d'un air attendri : Ah! madame, que vous êtes séduisante! je ne puis tenir contre votre douleur. Elle vient de vaincre ma vertu. Je vous promets mon secours. Je ne m'étonne plus si l'amour a la force de vous faire oublier votre devoir; puisque la compassion seule est capable de m'écarter du mien. Ainsi donc l'écuyer, malgré sa conduite irréprochable, se dévoua fort obligeamment à la passion de Mergelina. Il vint un matin m'instruire de tout cela, et il me dit en me quittant qu'il concertait déjà dans son esprit ce qu'il avait à faire pour me procurer une secrète entrevue avec la dame. Il ranima par là mon espérance; mais j'appris, deux heures après, une très mauvaise nouvelle. Un garçon apothicaire du quartier, une de nos pratiques, entra pour se faire faire la barbe. Tandis que je me disposais à le raser, il me dit : Seigneur Diego, comment gouvernez-vous le vieil écuyer Marcos de Obregon votre ami ? Savez-vous qu'il va sortir de chez le docteur Oloroso ? Je répondis que non. C'est une chose certaine, reprit-il. On doit aujourd'hui lui donner son congé. Son maître et le mien viennent devant moi tout à l'heure de s'entretenir à ce sujet, et voici, poursuivit-il, quelle a été leur conversation. Seigneur Apuntador, a dit le médecin, j'ai une prière à vous faire. Je ne suis pas content d'un vieil écuyer que j'ai dans ma maison et je voudrais bien mettre ma femme sous la conduite d'une duègne fidèle, sévère et vigilante. Je vous entends, a interrompu mon maître. Vous auriez besoin de la dame Melancia, qui a servi de gouvernante à mon épouse, et qui, depuis six semaines que je suis veuf, demeure encore chez moi. Quoiqu'elle me soit utile dans mon ménage, je vous la cède à cause de l'intérêt particulier que je prends à votre honneur. Vous pourrez vous reposer sur elle de la sûreté de votre front. C'est la perle des duègnes : un vrai dragon pour garder la pudicité du sexe. Pendant douze années entières qu'elle a été auprès de ma femme, qui, comme vous savez, avait de la jeunesse et de la beauté, je n'ai pas vu l'ombre d'un galant dans ma maison. Oh! vive Dieu! il ne fallait pas s'y jouer! Je vous dirai même que la défunte, dans les commencements, avait une grande propension à la coquetterie; mais la dame Melancia la refondit bientôt, et lui inspira du goût pour la vertu. Enfin, c'est un trésor que cette gouvernante, et vous me remercierez plus d'une fois de vous avoir fait ce présent. Là-dessus le docteur a témoigné que ce discours lui donnait bien de la joie, et ils sont convenus, le seigneur Apuntador et lui, que la duègne irait dès ce jour remplir la place du vieil écuyer.

Cette nouvelle, que je crus véritable, et qui l'était en effet, troubla les idées de plaisir dont je recommençais à me repaître, et Marcos l'après-dînée acheva de les confondre, en me confirmant le rapport du garçon apothicaire. Mon cher Diego, me dit le bon écuyer, je suis ravi que le docteur Oloroso m'ait chassé de sa maison. Il m'épargne par là bien des peines. Outre que je me voyais à regret chargé d'un vilain emploi, il m'aurait fallu imaginer des ruses et des détours pour vous faire parler en secret à Mergeline. Quel embarras! grâce au ciel, je suis délivré de ces soins fâcheux, et du danger qui les accompagnait. De votre côté, mon fils, vous devez vous consoler de la perte de quelques doux moments qui auraient pu être suivis de mille chagrins. Je goûtai la morale de Marcos, parce que je n'espérais plus rien, et je quittai la partie. Je n'étais pas, je l'avoue, de ces amants opiniâtres qui se raidissent contre les obstacles, mais quand je l'aurais été, la dame Melancia m'eût fait lâcher prise. Le caractère qu'on donnait à cette duègne me paraissait capable de désespérer tous les galants. Cependant avec quelques couleurs qu'on me l'eût peinte, je ne laissai pas, deux ou trois jours après, d'apprendre que la femme du médecin avait endormi cet Argus ou corrompu sa fidélité. Comme je sortais pour aller raser un de nos voisins, une bonne vieille m'arrêta dans la rue, et me demanda si je m'appelais Diego de la Fuente. Je répondis qu'oui. Cela étant, reprit-elle, c'est à vous que j'ai affaire. Trouvez-vous cette nuit à la porte de doña Mergelina, et quand vous y serez, faites-le connaître par quelque signal, et l'on vous introduira dans la maison. Eh bien! lui dis-je, il faut convenir du signe que je donnerai. Je sais contrefaire le chat à ravir. Je miaulerai à diverses reprises. C'est assez, répliqua la messagère de galanterie; je vais porter votre réponse. Votre servante, seigneur Diego, que le ciel vous conserve! Ah! que vous êtes gentil! Par sainte Agnès! je voudrais n'avoir que quinze ans! je ne vous chercherais pas pour les autres. A ces paroles, l'officieuse vieille s'éloigna de moi.

Vous vous imaginez bien que ce message m'agita furieusement. Adieu la morale de Marcos. J'attendis la nuit avec impatience, et, quand je jugeai que le docteur Oloroso reposait, je me rendis à sa porte. Là je me mis à faire des miaulements qu'on devait entendre de loin, et qui sans doute faisaient honneur au maître qui m'avait enseigné un si bel art. Un moment après, Mergeline vint elle-même ouvrir doucement la porte, et la referma dès que je fus dans la maison. Nous gagnâmes la salle où notre dernier concert avait été fait, et qu'une petite lampe qui brûlait dans la cheminée éclairait faiblement. Nous nous assîmes à côté l'un de l'autre pour nous entretenir, tous deux fort émus, avec cette différence : que le plaisir seul causait toute son émotion, et qu'il entrait un peu de frayeur dans la mienne. Ma dame m'assurait vainement que nous n'avions rien à craindre de la part de son mari, je sentais un frisson qui troublait ma joie. Madame, lui dis-je, comment avez-vous pu tromper la vigilance de votre gouvernante ? Après ce que j'ai ouï dire de la dame Melancia, je ne croyais pas qu'il vous fût possible de trouver les moyens de me donner de vos nouvelles, encore moins de me voir en particulier. Doña Mergelina sourit à ce discours et me répondit : Vous cesserez d'être surpris de la secrète entrevue que nous avons cette nuit ensemble, lorsque je vous aurai conté ce qui s'est passé entre ma duègne et moi. Lorsqu'elle entra dans cette maison, mon mari lui fit mille caresses, et me dit : Mergeline, je vous abandonne à la conduite de cette discrète dame, qui est un précis de toutes les vertus. C'est un miroir que vous aurez incessamment devant vous pour vous former à la sagesse. Cette admirable personne a gouverné pendant douze années la femme d'un apothicaire de mes amis; mais gouverné!... comme on ne gouverne point. Elle en a fait une espèce de sainte.

Cet éloge, que la mine sévère de la dame Melancia ne démentait point, me coûta bien des pleurs et me mit au désespoir. Je me représentai les leçons qu'il me faudrait écouter depuis le matin jusqu'au soir, et les réprimandes que j'aurais à essuyer tous les jours. Enfin, je m'attendais à devenir la femme du monde la plus malheureuse. Ne ménageant rien dans une si cruelle attente, je dis d'un air brusque à la duègne, d'abord que je me vis seule avec elle : Vous vous préparez sans doute à me faire bien souffrir; mais je ne suis pas fort patiente, je vous en avertis. Je vous donnerai de mon côté toutes les mortifications possibles. Je vous déclare que j'ai dans le cœur une passion que vos remontrances n'en arracheront pas. Vous pouvez prendre vos mesures là-dessus. Redoublez vos soins vigilants. Je vous avoue que je n'épargnerai rien pour les tromper. A ces mots la duègne renfrognée, je crus qu'elle m'allait bien haranguer pour son coup d'essai, se dérida le front et me dit d'un air riant : Vous êtes d'une humeur qui me charme, et votre franchise excite la mienne. Je vois que nous sommes faites l'une pour l'autre. Ah ! belle Mergeline, que vous me connaissez mal, si vous jugez de moi par le bien que le docteur votre époux vous en a dit, ou sur ma vue rébarbative ! Je ne suis rien moins qu'une ennemie des plaisirs, et je ne me rends ministre de la jalousie des maris, que pour servir les jolies femmes. Il y a longtemps que je possède le grand art de me masquer; et je puis dire que je suis doublement heureuse, puisque je jouis tout ensemble de la commodité du vice et de la réputation que donne la vertu. Entre nous, le monde n'est guère vertueux que de cette façon. Il en coûte trop pour acquérir le fond des vertus; on se contente aujourd'hui d'en avoir les apparences.

Laissez-moi vous conduire, poursuivit la gouvernante. Nous allons bien en faire accroire au vieux docteur Oloroso. Il aura, par ma foi, le même destin que le seigneur Apuntador. Le front d'un médecin ne me paraît pas plus respectable que celui d'un apothicaire. Le pauvre Apuntador ! que nous lui avons joué de tours, sa femme et moi ! Que cette dame était aimable ! Le bon petit naturel ! Le ciel lui fasse paix ! Je vous réponds qu'elle a bien passé sa jeunesse. Elle a eu je ne sais combien d'amants que j'ai introduits dans sa maison, sans que son mari s'en soit jamais aperçu. Regardez-moi donc, madame, d'un œil plus favorable, et soyez persuadée, quelque talent qu'eût le vieil écuyer qui vous servait, que vous ne perdez rien au change. Je vous serai peut-être encore plus utile que lui.

Je vous laisse à penser, Diego, continua Mergeline, si je sus bon gré à la duègne de se découvrir à moi si franchement. Je la croyais d'une vertu austère. Voilà comme on juge mal des femmes ! Elle me gagna d'abord par ce caractère de sincérité. Je l'embrassai avec un transport de joie qui lui marqua d'avance que j'étais charmée de l'avoir pour gouvernante. Je lui fis ensuite une confidence entière de mes sentiments, et je la priai de me ménager au plus tôt un entretien secret avec vous. Elle n'y a pas manqué. Dès ce matin, elle a mis en campagne cette vieille qui vous a parlé et qui est une intrigante qu'elle a souvent employée pour la femme de l'apothicaire. Mais ce qu'il y a de plus plaisant dans cette aventure, ajouta-t-elle en riant, c'est que Melancia, sur le rapport que je lui ai fait de l'habitude que mon époux a de passer la nuit fort tranquillement, s'est couchée auprès de lui et tient ma place en ce moment. Tant pis, madame, dis-je alors à Mergeline; je n'applaudis point à l'invention. Votre mari peut fort bien se réveiller et s'apercevoir de la supercherie. Il ne s'en apercevra point, répondit-elle avec précipitation. Soyez sur cela sans inquiétude, et qu'une vaine crainte n'empoisonne pas le plaisir que vous devez avoir d'être avec une jeune dame qui vous veut du bien.

La femme du vieux docteur, remarquant que ce discours ne m'empêchait pas de craindre, n'oublia rien de tout ce qu'elle crut capable de me rassurer; et elle s'y prit de tant de façons, qu'elle en vint à bout. Je ne pensai plus qu'à profiter de l'occasion; mais dans le temps que le dieu Cupidon suivi des Ris et des Jeux se disposait à faire mon bonheur, nous entendîmes frapper rudement à la porte de la rue. Aussitôt l'Amour et sa suite s'envolèrent, ainsi que des oiseaux timides qu'un grand bruit effarouche tout à coup. Mergeline me cacha promptement sous une table qui était dans la salle; elle souffla la lampe, et, comme elle en était convenue avec sa gouvernante, en cas que ce contretemps arrivât, elle se rendit à la porte de la chambre où reposait son mari. Cependant on continuait de frapper à grands coups redoublés, qui faisaient retentir toute la maison. Le médecin s'éveille en sursaut et appelle Melancia. La duègne s'élance hors du lit, bien que le docteur, qui la prenait pour sa femme, lui criât de ne se point lever; elle joignit sa maîtresse, qui, la sentant à ses côtés, appelle aussi Melancia et lui dit d'aller voir qui frappe à la porte : Madame, lui répond la gouvernante, me voici. Recouchez-vous, s'il vous plaît. Je vais savoir ce que c'est. Pendant ce temps-là, Mergeline s'étant déshabillée, se mit au lit auprès du docteur, qui n'eut pas le moindre soupçon qu'on le trompât. Il est vrai que cette scène venait d'être jouée dans l'obscurité par deux actrices dont l'une était incomparable et l'autre avait beaucoup de disposition à le devenir.

La duègne, couverte d'une robe de chambre, parut bientôt après, tenant un flambeau à la main : Seigneur docteur, dit-elle à son maître, prenez la peine de vous lever. Le libraire Fernandez de Buendia, notre voisin, est tombé en apoplexie. On vous demande de sa part. Courez à son secours. Le médecin s'habilla le plus tôt qu'il lui fut possible et sortit. Sa femme en robe de chambre vint avec la duègne dans la salle où j'étais. Elles me retirèrent de dessous la table plus mort que vif : Vous n'avez rien à craindre,

Diego, me dit Mergeline. Remettez-vous. En même temps, elle m'apprit en deux mots comment les choses s'étaient passées. Elle voulut ensuite renouer avec moi l'entretien qui avait été interrompu; mais la gouvernante s'y opposa. Madame, lui dit-elle, votre époux trouvera peut-être le libraire mort et reviendra sur ses pas. D'ailleurs, ajouta-t-elle en me voyant transi de peur, que feriez-vous de ce pauvre garçon-là ? Il n'est pas en état de soutenir la conversation. Il vaut mieux le renvoyer et remettre la partie à demain. Doña Mergelina n'y consentit qu'à regret, tant elle aimait le présent; et je crois qu'elle fut bien mortifiée de n'avoir pu faire prendre à son docteur le nouveau bonnet qu'elle lui destinait.

Pour moi, moins affligé d'avoir manqué les plus précieuses faveurs de l'amour, que bien aise d'être hors de péril, je retournai chez mon maître, où je passai le reste de la nuit à faire des réflexions sur mon aventure. Je doutai quelque temps si j'irais au rendez-vous la nuit suivante. Je n'avais pas meilleure opinion de cette seconde équipée que de l'autre; mais le diable qui nous obsède toujours ou plutôt nous possède dans de pareilles conjonctures, me représenta que je serais un grand sot d'en demeurer en si beau chemin. Il offrit même à mon esprit Mergeline avec de nouveaux charmes, et releva le prix des plaisirs qui m'attendaient. Je résolus de poursuivre ma pointe, et, me promettant bien d'avoir plus de fermeté, je me rendis le lendemain dans cette belle disposition à la porte du docteur entre onze heures et minuit. Le ciel était très obscur. Je n'y voyais pas briller une étoile. Je miaulai deux ou trois fois pour avertir que j'étais dans la rue, et, comme personne ne venait ouvrir, je ne me contentai pas de recommencer, je me mis à contrefaire tous les différents cris de chat qu'un berger d'Olmedo m'avait appris, et je m'en acquittai si bien qu'un voisin qui rentrait chez lui, me prenant pour un de ces animaux dont j'imitais les miaulements, ramassa un caillou qui se trouva sous ses pieds et me le jeta de toute sa force, en disant : Maudit soit le matou! Je reçus le coup à la tête et j'en fus si étourdi dans le moment, que je pensai tomber à la renverse. Je sentis que j'étais bien blessé. Il ne m'en fallut pas davantage pour me dégoûter de la galanterie, et, perdant mon amour avec mon sang, je regagnai notre maison où je réveillai et fis lever tout le monde. Mon maître visita et pansa ma blessure, qu'il jugea dangereuse. Elle n'eut pas pourtant de mauvaises suites et il n'y paraissait plus trois semaines après. Pendant tout ce temps-là, je n'entendis point parler de Mergeline. Il est à croire que la dame Melancia, pour la détacher de moi, lui fit faire quelque bonne connaissance. Mais c'est de quoi je ne m'embarrassais guère, puisque je sortis de Madrid pour continuer mon tour d'Espagne, d'abord que je me vis parfaitement guéri.

CHAPITRE VIII

De la rencontre que Gil Blas et son compagnon firent d'un homme qui trempait des croûtes de pain dans une fontaine, et de l'entretien qu'ils eurent avec lui.

Le seigneur Diego de la Fuente me raconta d'autres aventures encore qui lui étaient arrivées depuis; mais elles me semblent si peu dignes d'être rapportées, que je les passerai sous silence. Je fus pourtant obligé d'en entendre le récit, qui ne laissa pas d'être fort long. Il nous mena jusqu'à Ponte de Duero. Nous nous arrêtâmes dans ce bourg le reste de la journée. Nous fîmes faire dans l'hôtellerie une soupe aux choux et mettre à la broche un lièvre, que nous eûmes grand soin de vérifier. Nous poursuivîmes notre chemin dès la pointe du jour suivant, après avoir rempli notre outre d'un vin assez bon et notre sac de quelques morceaux de pain, avec la moitié du lièvre qui nous restait de notre souper.

Lorsque nous eûmes fait environ deux lieues, nous nous sentîmes de l'appétit; et, comme nous aperçûmes à deux cents pas du grand chemin plusieurs gros arbres qui formaient dans la campagne un ombrage très agréable, nous allâmes faire halte en cet endroit. Nous y rencontrâmes un homme de vingt-sept à vingt-huit ans, qui trempait des croûtes de pain dans une fontaine. Il avait auprès de lui une longue rapière étendue sur l'herbe avec un havre-sac dont il s'était déchargé les épaules. Il nous parut mal vêtu, mais bien fait et de bonne mine. Nous l'abordâmes civilement. Il nous salua de même. Ensuite il nous présenta de ses croûtes, et nous demanda, d'un air riant, si nous voulions être de la partie. Nous lui répondîmes qu'oui, pourvu qu'il trouvât bon que, pour rendre le repas plus solide, nous joignissions notre déjeuner au sien. Il y consentit fort volontiers, et nous exhibâmes aussitôt nos denrées. Ce qui ne déplut point à l'inconnu : Comment donc, messieurs, s'écria-t-il tout transporté de joie, voilà bien des munitions! Vous êtes, à ce que je vois, des gens de prévoyance. Je ne voyage pas avec tant de précaution, moi. Je donne beaucoup au hasard. Cependant, malgré l'état où vous me trouvez, je puis dire, sans vanité, que je fais quelquefois une figure assez brillante. Savez-vous bien qu'on me traite ordinairement de prince et que j'ai des gardes à ma suite ? Je vous entends, dit Diego. Vous voulez nous faire comprendre par là que vous êtes comédien. Vous l'avez deviné, répondit l'autre. Je fais la comédie depuis quinze années pour le moins. Je n'étais encore qu'un enfant, que je jouais déjà de petits rôles. Franchement, répliqua le barbier en branlant la tête, j'ai de la peine à vous croire. Je connais les comédiens. Ces messieurs-là ne font pas, comme vous, des voyages à pied, ni des repas de saint Antoine. Je doute même que vous mouchiez les chandelles. Vous pouvez, repartit l'histrion, penser de moi tout ce qu'il vous plaira; mais je ne laisse pas de jouer les premiers rôles. Je fais les amoureux. Cela étant, dit mon camarade, je vous en félicite, et suis ravi que le seigneur Gil Blas et moi nous ayons l'honneur de déjeuner avec un personnage d'une si grande importance.

Nous commençâmes alors à ronger nos grignons et les restes précieux du lièvre, en donnant à l'outre de si rudes accolades, que nous l'eûmes bientôt vidée. Nous étions si occupés tous trois de ce que nous faisions, que nous ne parlâmes presque point pendant ce temps-là; mais après avoir mangé, nous reprîmes ainsi la conversation : Je suis surpris, dit le barbier au comédien, que vous paraissiez si mal dans vos affaires. Pour un héros de théâtre, vous avez l'air bien indigent! Pardonnez si je vous dis si librement ma pensée. Si librement! s'écria l'acteur. Ah! vraiment vous ne connaissez guère Melchior Zapata. Grâce à Dieu, je n'ai point un esprit à contre-poil. Vous me faites plaisir de me parler avec tant de franchise; car j'aime à dire aussi tout ce que j'ai sur le cœur. J'avoue de bonne foi que je ne suis pas riche. Tenez, poursuivit-il, en nous faisant remarquer que son pourpoint était doublé d'affiches de comédie, voilà l'étoffe ordinaire qui me sert de doublure; et si vous êtes curieux de voir ma garde-robe, je vais satisfaire votre curiosité. En même temps, il tira de son havre-sac un habit couvert de vieux passements d'argent faux, une mauvaise capeline avec quelques vieilles plumes, des bas de soie tout pleins de trous et des souliers de maroquin rouge fort usés. Vous voyez, nous dit-il ensuite, que je suis passablement gueux. Cela m'étonne, répliqua Diego, vous n'avez donc ni femme ni fille ? J'ai une femme belle et jeune, repartit Zapata, et je n'en suis pas plus avancé. Admirez la fatalité de mon étoile! J'épouse une aimable actrice, dans l'espérance qu'elle ne me laissera pas mourir de faim : et, pour mon malheur, elle a une sagesse incorruptible. Qui diable n'y aurait pas été trompé comme moi ? Il faut que parmi les comédiennes de campagne il s'en trouve une vertueuse et qu'elle me tombe entre les mains. C'est assurément jouer de malheur, dit le barbier. Aussi, que ne preniez-vous une actrice de la grande troupe de Madrid ? vous auriez été sûr de votre fait. J'en demeure d'accord, reprit l'histrion, mais, malepeste! il n'est pas permis à un petit comédien de campagne d'élever sa pensée jusqu'à ces fameuses héroïnes. C'est tout ce que pourrait faire un acteur même de la troupe du prince. Encore y en a-t-il qui sont obligés de se pourvoir en ville; heureusement pour eux la ville est bonne et l'on y rencontre souvent des sujets qui valent bien des princesses de coulisses.

Eh! n'avez-vous jamais songé, lui dit mon compagnon, à vous introduire dans cette troupe ? Est-il besoin d'un mérite infini pour y entrer ? Bon! répondit Melchior, vous moquez-vous avec votre mérite infini ? Il y a vingt acteurs. Demandez de leurs nouvelles au public. Vous en entendrez parler dans de jolis termes. Il y en a plus de la moitié qui mériteraient de porter encore le havre-sac. Malgré tout cela néanmoins, il n'est pas aisé d'être reçu parmi eux. Il faut des espèces ou de puissants amis pour suppléer à la médiocrité du talent. Je dois le savoir, puisque je viens de débuter à Madrid, où j'ai été hué et sifflé comme tous les diables, quoique je dusse être fort applaudi; car j'ai crié : j'ai pris des tons extravagants et suis sorti cent fois de la nature : de plus, j'ai mis en déclamant le poing sous le menton de ma princesse : en un mot, j'ai joué dans le goût des grands acteurs de ce pays-là; et cependant le même public, qui trouve en eux ces manières fort agréables, n'a pu les souffrir en moi. Voyez ce que c'est que la prévention! Ainsi donc, ne pouvant plaire par mon jeu, et n'ayant pas de quoi me faire recevoir en dépit de ceux qui m'ont sifflé, je m'en retourne à Zamora. J'y vais rejoindre ma femme et mes camarades, qui n'y font pas trop bien leurs affaires. Puissions-nous n'être pas obligés d'y quêter pour nous mettre en état de nous rendre dans une autre ville, comme cela nous est arrivé plus d'une fois!

A ces mots, le prince dramatique se leva, reprit son havre-sac et son épée, et nous dit d'un air grave en nous quittant : Adieu, messieurs; Puissent les dieux sur vous épuiser leurs faveurs! Et vous, lui répondit Diego du même ton, puissiez-vous retrouver à Zamora votre femme changée et bien établie! Dès que le seigneur Zapata nous eut tourné les talons, il se mit à gesticuler et à déclamer en marchant. Aussitôt le barbier et moi, nous commençâmes à le siffler pour lui rappeler son début. Nos sifflements frappèrent ses oreilles. Il crut entendre encore les sifflets de Madrid. Il regarda derrière lui, et, voyant que nous prenions plaisir à nous égayer à ses dépens, loin de s'offenser de ce trait bouffon, il entra de bonne grâce dans la plaisanterie, et continua son chemin en faisant de grands éclats de rire. De notre côté, nous nous en donnâmes à cœur joie. Puis nous regagnâmes le grand chemin et poursuivîmes notre route.

CHAPITRE IX

Dans quel état Diego retrouva sa famille,
et après quelles réjouissances
Gil Blas et lui se séparent.

Nous allâmes ce jour-là coucher entre Moyados et Valpuesta, dans un petit village dont j'ai oublié le nom; et le lendemain nous arrivâmes, sur les onze heures du matin, dans la plaine d'Olmedo. Seigneur Gil Blas, me dit mon camarade, voici le lieu de ma naissance. Je ne puis le revoir sans transport, tant il est naturel d'aimer sa patrie. Seigneur Diego, lui répondis-je, un homme qui témoigne tant d'amour pour son pays, en devait parler, ce me semble, un peu plus avantageusement que vous n'avez fait. Olmedo me paraît une ville, et vous m'avez dit que c'était un village. Il fallait du moins le traiter de gros bourg. Je lui fais réparation d'honneur, reprit le barbier; mais je vous dirai qu'après avoir vu Madrid, Tolède, Saragosse, et toutes les autres grandes villes où j'ai demeuré en faisant le tour de l'Espagne, je regarde les petites comme des villages. A mesure que nous avancions dans la plaine, il nous paraissait que nous apercevions beaucoup de monde auprès d'Olmedo; et, lorsque nous fûmes plus à portée de discerner les objets, nous trouvâmes de quoi occuper nos regards.

Il y avait trois pavillons tendus à quelque distance l'un de l'autre; et, tout auprès, un grand nombre de cuisiniers et de marmitons qui préparaient un festin. Ceux-ci mettaient des couverts sur de longues tables dressées sous les tentes; ceux-là remplissaient de vin des cruches de terre. Les autres faisaient bouillir des marmites, et les autres, enfin, tournaient des broches où il y avait toutes sortes de viandes. Mais je considérai, plus attentivement que tout le reste, un grand théâtre qu'on avait élevé. Il était orné d'une décoration de carton peint de diverses couleurs et chargé de devises grecques et latines. Le barbier n'eut pas plus tôt vu ces inscriptions, qu'il me dit : Tous ces mots grecs sentent furieusement mon oncle Thomas; je vais parier qu'il y aura mis la main; car, entre nous, c'est un habile homme. Il sait par cœur une infinité de livres de collège. Tout ce qui me fâche, c'est qu'il en rapporte sans cesse des passages dans la conversation. Ce qui ne plaît pas à tout le monde. Outre cela, continua-t-il, mon oncle a traduit des poètes latins et des auteurs grecs. Il possède l'Antiquité comme on le peut voir par les belles remarques qu'il a faites. Sans lui nous ne saurions pas que dans la ville d'Athènes les enfants pleuraient quand on leur donnait le fouet. Nous devons cette découverte à sa profonde érudition.

Après que mon camarade et moi nous eûmes regardé toutes les choses dont je viens de parler, il nous prit envie d'apprendre pourquoi l'on faisait de pareils préparatifs. Nous allions nous en informer, lorsque, dans un homme qui avait l'air de l'ordonnateur de la fête, Diego reconnut le seigneur Thomas de la Fuente, que nous joignîmes avec empressement. Le maître d'école ne remit pas d'abord le jeune barbier, tant il le trouva changé depuis dix années. Ne pouvant toutefois le méconnaître, il l'embrassa cordialement et lui dit d'un air affectueux : Eh! te voilà, Diego, mon cher neveu, te voilà donc de retour dans la ville qui t'a vu naître ? Tu viens revoir tes dieux Pénates, et le Ciel te rend sain et sauf à ta famille. O jour trois et quatre fois heureux! jour digne d'être marqué d'une pierre blanche! Il y a bien des nouvelles, mon ami, poursuivit-il; ton oncle Pedro le bel esprit est devenu la victime de Pluton. Il y a trois mois qu'il est mort. Cet avare, pendant sa vie, craignait de manquer des choses les plus nécessaires : *Argenti pallebat amore* [28]. Outre les grosses pensions que quelques grands lui faisaient, il ne dépensait pas dix pistoles chaque année pour son entretien. Il était même servi par un valet qu'il ne nourrissait point. Ce fou, plus insensé que le Grec Aristippe, qui fit jeter au milieu de la Libye toutes les richesses que portaient ses esclaves, comme un fardeau qui les incommodait dans leur marche, entassait tout l'or et l'argent qu'il pouvait amasser. Eh! pour qui ? pour des héritiers qu'il ne voulait point voir. Il était riche de trente mille ducats, que ton père, ton oncle Bertrand et moi, nous avons partagés. Nous sommes en état de bien établir nos enfants. Mon frère Nicolas a déjà disposé de ta sœur Thérèse! Il vient de la marier avec le fils d'un de nos alcades : *Connubio junxit stabili propriamque dicavit* [29]. C'est cet hymen, formé sous les plus heureux auspices, que nous célébrons depuis deux jours avec tant d'appareil. Nous avons fait dresser dans la plaine ces pavillons. Les trois héritiers de Pedro ont chacun le sien, et font tour à tour la dépense d'une journée. Je voudrais que tu fusses arrivé plus tôt. Tu aurais vu le commencement de nos réjouissances. Avant-hier, jour du mariage, ton père faisait les frais. Il donna un festin superbe qui fut suivi d'une course de bague. Ton oncle le mercier mit hier la nappe, et nous régala d'une fête pastorale. Il habilla en bergers dix garçons des mieux faits et dix jeunes filles. Il employa tous les rubans et toutes les aiguillettes de sa boutique à les parer. Cette brillante jeunesse forma diverses danses et chanta mille chansonnettes tendres et légères. Néanmoins, quoique rien n'ait jamais été plus galant, cela ne fit pas un grand effet. Il faut qu'on n'aime plus la pastorale.

Pour aujourd'hui, continua-t-il, tout roule sur mon compte, et je dois fournir aux bourgeois d'Olmedo un spectacle de mon invention. *Finis coronabit opus* [30]. J'ai fait élever un théâtre, sur lequel, Dieu aidant, je ferai représenter par mes disciples une pièce que j'ai composée. Elle a pour titre : *Les Amusements de Muley Bugentuf, roi de Maroc.* Elle sera parfaitement bien jouée, parce que j'ai des écoliers qui déclament comme les comédiens de Madrid. Ce sont des enfants de famille de Peñafiel et de Ségovie que j'ai en pension chez moi. Les excellents acteurs! Il est vrai que je les ai exercés. Leur déclamation paraîtra frappée au coin du maître, *ut ita dicam* [31]. A l'égard de la pièce, je ne t'en parlerai point. Je veux te laisser le plaisir de la surprise. Je dirai simplement qu'elle doit enlever tous les spectateurs. C'est un de ces sujets tragiques qui remuent l'âme par les images de mort qu'ils offrent à l'esprit. Je suis du sentiment d'Aristote : il faut exciter la terreur. Ah! si je m'étais attaché au théâtre, je n'aurais jamais mis sur la scène que des princes sanguinaires, que des héros assassins! Je me serais baigné dans le sang. On aurait toujours vu périr dans mes tragédies non seulement les principaux personnages, mais les gardes mêmes. J'aurais égorgé jusqu'au souffleur. Enfin je n'aime que l'effroyable [32]. C'est mon goût. Aussi ces sortes de poèmes entraînent la multitude, entretiennent le luxe des comédiens et font rouler tout doucement les auteurs.

Dans le temps qu'il achevait ces paroles, nous vîmes sortir du village et entrer dans la plaine un grand concours de personnes de l'un et de l'autre sexe. C'étaient les deux époux, accompagnés de leurs parents et de leurs amis, et précédés de dix à douze joueurs d'instruments, qui, jouant tous ensemble, formaient un concert très bruyant. Nous allâmes au-devant d'eux, et Diego se fit connaître. Des cris de joie s'élevèrent aussitôt dans l'assemblée, et chacun s'empressa de courir à lui. Il n'eut pas peu d'affaires à recevoir tous les témoignages d'amitié qu'on lui donna. Toute sa famille, et tous ceux mêmes qui étaient présents l'accablèrent d'embrassades. Après quoi son père lui dit : Tu sois le bien venu, Diego! Tu retrouves tes parents un peu engraissés, mon ami. Je ne t'en dis pas davantage présentement. Je t'expliquerai cela tantôt par le menu. Cependant tout le monde s'avança dans la plaine, se rendit sous les tentes, et s'assit autour des tables qu'on y avait dressées. Je ne quittai pas mon compagnon, et nous dînâmes tous deux avec les nouveaux mariés, qui me parurent bien assortis. Le repas fut assez long, parce que le maître d'école eut la vanité de le vouloir donner à trois services pour l'emporter sur ses frères, qui n'avaient pas fait les choses si magnifiquement.

Après le festin, tous les convives témoignèrent une grande impatience de voir représenter la pièce du seigneur Thomas; ne doutant pas, disaient-ils, que la production d'un aussi beau génie que le sien ne méritât d'être entendue. Nous nous approchâmes du théâtre, au-devant duquel tous les joueurs d'instruments s'étaient déjà placés pour jouer dans les entr'actes. Comme chacun dans un grand silence attendait qu'on commençât, les acteurs parurent sur la scène, et l'auteur, le poème à la main, s'assit dans les coulisses à portée de souffler. Il avait eu raison de nous dire que la pièce était tragique, car, dans le premier acte, le roi de Maroc, par manière de récréation, tua cent esclaves maures à coups de flèches; dans le second, il coupa la tête à trente officiers portugais qu'un de ses capitaines avait fait prisonniers de guerre; et dans le troisième, enfin, ce monarque, saoul de ses femmes, mit le feu lui-même à un palais isolé où elles étaient enfermées et le réduisit en cendres avec elles. Les esclaves maures, de même que les officiers portugais, étaient des figures d'osier faites avec beaucoup d'art; et le palais composé de carton parut tout embrasé par un feu d'artifice. Cet embrasement, accompagné de mille cris plaintifs qui semblaient sortir du milieu des flammes, dénoua la pièce et ferma le théâtre d'une façon très divertissante. Toute la plaine retentit du bruit des applaudissements que reçut une si belle tragédie. Ce qui justifia le bon goût du poète et fit connaître qu'il savait bien choisir ses sujets.

Je m'imaginais qu'il n'y avait plus rien à voir après *les Amusements de Muley Bugentuf*, mais je me trompais. Des timbales et des trompettes nous annoncèrent un nouveau spectacle. C'était la distribution des prix [33]; car Thomas de la Fuente, pour rendre la fête plus solennelle, avait fait composer tous ses écoliers, tant externes que pensionnaires, et il devait ce jour-là donner à ceux qui avaient le mieux réussi, des livres achetés de ses propres deniers à Ségovie. On apporta donc tout à coup sur le théâtre deux longs bancs d'école avec une armoire à livres remplie de bouquins proprement reliés. Alors tous les acteurs revinrent sur la scène, et se rangèrent tout autour du seigneur Thomas, qui tenait aussi bien sa morgue qu'un préfet de collège. Il avait à la main une feuille de papier où étaient écrits les noms de ceux qui devaient remporter des prix. Il la donna au roi de Maroc, qui commença de la lire à haute voix. Chaque écolier qu'on nommait allait respectueusement recevoir un livre des mains du pédant; puis il était couronné de lauriers, et on le faisait asseoir sur un des deux bancs pour l'exposer aux regards de l'assistance admirative. Quelque envie toutefois qu'eût le maître d'école de renvoyer les spectateurs contents, il ne put en venir à bout; parce qu'ayant distribué presque tous les prix aux pensionnaires, ainsi que cela se pratique, les mères de quelques externes prirent feu là-dessus, et accusèrent le pédant de partialité. De sorte que cette fête, qui jusqu'à ce moment avait été si glorieuse pour lui, pensa finir aussi mal que le festin des Lapithes.

LIVRE TROISIÈME

CHAPITRE PREMIER

De l'arrivée de Gil Blas à Madrid,
et du premier maître qu'il servit dans cette ville.

Je fis quelque séjour chez le jeune barbier. Je me joignis ensuite à un marchand de Ségovie qui passa par Olmedo. Il revenait avec quatre mules de transporter des marchandises à Valladolid, et s'en retournait à vide. Nous fîmes connaissance sur la route, et il prit tant d'amitié pour moi qu'il voulut absolument me loger, lorsque nous fûmes arrivés à Ségovie. Il me retint deux jours dans sa maison, et, quand il me vit prêt à partir pour Madrid par la voie du muletier, il me chargea d'une lettre en me priant de la rendre en main propre à son adresse sans me dire que ce fût une lettre de recommandation. Je ne manquai pas de la porter au seigneur Mateo Melendez. C'était un marchand de drap qui demeurait à la porte du Soleil, au coin de la rue des Bahutiers. Il n'eut pas sitôt ouvert le paquet et lu ce qui était contenu dedans, qu'il me dit d'un air gracieux : Seigneur Gil Blas, Pedro Palacio, mon correspondant, m'écrit en votre faveur d'une manière si pressante, que je ne puis me dispenser de vous offrir un logement chez moi. De plus, il me prie de vous trouver une bonne condition. C'est une chose dont je me charge avec plaisir. Je suis persuadé qu'il ne me sera pas bien difficile de vous placer avantageusement.

J'acceptai l'offre de Melendez avec d'autant plus de joie que mes finances diminuaient à vue d'œil. Mais je ne lui fus pas longtemps à charge. Au bout de huit jours, il me dit qu'il venait de me proposer à un cavalier de sa connaissance qui avait besoin d'un valet de chambre, et que selon toutes les apparences ce poste ne m'échapperait pas. En effet, ce cavalier étant survenu dans le moment : Seigneur, lui dit Melendez en me montrant, vous voyez le jeune homme dont je vous ai parlé. C'est un garçon qui a de l'honneur et de la morale. Je vous en réponds comme de moi-même. Le cavalier me regarda fixement, dit que ma physionomie lui plaisait, et qu'il me prenait à son service. Il n'a qu'à me suivre, ajouta-t-il; je vais l'instruire de ses devoirs. A ces mots, il donna le bonjour au marchand, et m'emmena dans la grande rue, tout devant l'église de Saint-Philippe. Nous entrâmes dans une assez belle maison dont il occupait une aile : nous montâmes un escalier de cinq ou six marches, puis il m'introduisit dans une chambre fermée de deux bonnes portes, qu'il ouvrit, et dont la première avait au milieu une petite fenêtre grillée. De cette chambre nous passâmes dans une autre où il y avait un lit et d'autres meubles qui étaient plus propres que riches.

Si mon nouveau maître m'avait bien considéré chez Melendez, je l'examinai à mon tour avec beaucoup d'attention. C'était un homme de cinquante et quelques années qui avait l'air froid et sérieux. Il me parut d'un naturel doux, et je ne jugeai point mal de lui. Il me fit plusieurs questions sur ma famille et satisfait de mes réponses : Gil Blas, me dit-il, je te crois un garçon fort raisonnable. Je suis bien aise de t'avoir à mon service. De ton côté, tu seras content de ta condition. Je te donnerai par jour six réaux, tant pour ta nourriture et pour ton entretien que pour tes gages, sans préjudice des petits profits que tu pourras faire chez moi. D'ailleurs, je ne suis pas difficile à servir. Je ne fais point d'ordinaire. Je mange en ville. Tu n'auras le matin qu'à nettoyer mes habits, et tu seras libre tout le reste de la journée. Aie soin seulement de te retirer le soir de bonne heure, et de m'attendre à ma porte. Voilà tout ce que j'exige de toi. Après m'avoir prescrit mon devoir, il tira de sa poche six réaux, qu'il me donna pour commencer à garder les conventions. Nous sortîmes ensuite; il ferma les portes lui-même, et emportant les clefs : Mon ami, me dit-il, ne me suis point; va-t'en où il te plaira, mais, quand je reviendrai ce soir, que je te retrouve sur cet escalier. En achevant ces paroles, il me quitta et me laissa disposer de moi comme je le jugerais à propos.

En bonne foi, Gil Blas, me dis-je alors à moi-même, tu ne pouvais trouver un meilleur maître! Quoi! tu rencontres un homme qui, pour épousseter ses habits et faire sa chambre le matin, te donne six réaux par jour avec la liberté de te promener et de te divertir comme un écolier dans les vacances! Vive Dieu! il n'est point de situation plus heureuse! Je ne m'étonne plus si j'avais tant d'envie d'être à Madrid; je pressentais sans doute le bonheur qui m'y attendait. Je passai le jour à courir les rues en m'amusant à regarder les choses qui étaient nouvelles pour moi. Ce qui ne me donna pas peu d'occupation. Le soir, quand j'eus soupé dans une auberge qui n'était pas éloignée de notre maison, je gagnai promptement le lieu où mon maître m'avait ordonné de me rendre. Il y arriva trois quarts d'heure après moi. Il parut content de mon exactitude : Fort bien, me dit-il, cela me plaît. J'aime les domestiques attentifs à leur devoir. A ces mots, il ouvrit les portes de son appartement et les referma sur nous d'abord que nous fûmes entrés. Comme nous étions sans lumière, il prit une pierre à fusil avec de la mèche, et alluma une bougie. Je l'aidai ensuite à se déshabiller. Lorsqu'il fut au lit, j'allumai par son ordre une lampe qui était dans sa cheminée, et j'emportai la bougie dans l'antichambre où je me couchai dans un petit lit sans rideaux. Il se leva le lendemain matin entre neuf et dix heures. J'époussetai ses habits. Il me compta mes six réaux et me renvoya jusqu'au soir. Il sortit aussi, non sans avoir grand soin de fermer ses portes, et nous voilà partis l'un et l'autre pour toute la journée.

Tel était notre train de vie, que je trouvais très agréable. Ce qu'il y avait de plus plaisant c'est que j'ignorais le nom de mon maître. Melendez ne le savait pas lui-même. Il ne connaissait ce cavalier que pour un homme qui venait quelquefois dans sa boutique, et à qui de temps en temps il vendait du drap. Nos voisins ne purent pas mieux satisfaire ma curiosité. Ils m'assurèrent tous que mon maître leur était inconnu, bien qu'il demeurât depuis deux ans dans le quartier. Ils me dirent qu'il ne fréquentait personne dans le voisinage, et quelques-uns, accoutumés à tirer témérairement des conséquences, concluaient de là que c'était un personnage dont on ne pouvait porter un jugement avantageux. On alla même plus loin dans la suite : on le soupçonna d'être un espion du roi de Portugal, et l'on m'avertit charitablement de prendre mes mesures là-dessus. L'avis me troubla. Je me représentai que, si la chose était véritable, je courais risque de voir les prisons de Madrid. Mon innocence ne pouvait me rassurer. Mes disgrâces passées me faisaient craindre la justice. J'avais éprouvé deux fois que, si elle ne fait pas mourir les innocents, du moins elle observe si mal à leur égard les lois de l'hospitalité, qu'il est toujours fort triste de faire quelque séjour chez elle.

Je consultai Melendez dans une conjoncture si délicate. Il ne savait quel conseil me donner. S'il ne pouvait croire que mon maître fût un espion, il n'avait pas lieu non plus d'être ferme sur la négative. Je résolus d'observer le patron, et de le quitter si je m'apercevais que ce fût effectivement un ennemi de l'Etat; mais il me sembla que la prudence et l'agrément de ma condition demandaient que je fusse bien sûr de mon fait. Je commençai donc à examiner ses actions; et pour le sonder : Monsieur, lui dis-je un soir en le déshabillant, je ne sais comment il faut vivre pour se mettre à couvert des coups de langue. Le monde est bien méchant! Nous avons entre autres des voisins qui ne valent pas le diable. Les mauvais esprits! vous ne devineriez jamais de quelle manière ils parlent de nous. Bon! Gil Blas, me répondit-il. Eh! qu'en peuvent-ils dire, mon ami ? Ah! vraiment, repris-je, la médisance ne manque point de matière. La vertu même lui fournit des traits. Nos voisins disent que nous sommes des gens dangereux, que nous méritons l'attention de la cour; en un mot, vous passez ici pour un espion du roi de Portugal. En prononçant ces paroles, j'envisageai mon maître, comme Alexandre regarda son médecin [34], et j'employai toute ma pénétration à démêler l'effet que mon rapport produisait en lui. Je crus remarquer dans mon patron un frémissement qui s'accordait fort avec les conjectures du voisinage, et je le vis tomber dans une rêverie que je n'expliquai point favorablement. Il se remit pourtant de son trouble, et me dit d'un air assez tranquille : Gil Blas, laissons raisonner nos voisins, sans faire dépendre notre repos de leurs raisonnements. Ne nous mettons point en peine de l'opinion qu'on a de nous, quand nous ne donnons pas sujet d'en avoir une mauvaise.

Il se coucha là-dessus, et je fis la même chose sans savoir à quoi je devais m'en tenir. Le jour suivant, comme nous nous disposions le matin à sortir, nous entendîmes frapper rudement à la première porte sur l'escalier. Mon maître ouvrit l'autre et regarda par la petite fenêtre grillée. Il vit un homme bien vêtu, qui lui dit : Seigneur cavalier, je suis alguazil, et je viens ici pour vous dire que Monsieur le corrégidor souhaite de vous parler. Que me veut-il ? répondit mon patron. C'est ce que j'ignore, seigneur, répliqua l'alguazil; mais vous n'avez qu'à l'aller trouver, et vous en serez bientôt instruit. Je suis son serviteur, repartit mon maître, je n'ai rien à démêler avec lui. En achevant ces mots, il referma brusquement la seconde porte. Puis, s'étant promené quelque temps, comme un homme à qui, ce me semblait, le discours de l'alguazil donnait beaucoup à penser, il me mit en main mes six réaux, et me dit : Gil Blas, tu peux sortir, mon ami. Pour moi, je ne sortirai pas sitôt, et je n'ai pas besoin de toi ce matin. Il me fit juger par ces paroles qu'il avait peur d'être arrêté, et que cette crainte l'obligeait à demeurer dans son appartement. Je l'y laissai, et, pour voir si je me trompais dans mes soupçons, je me cachai dans un endroit d'où je pouvais le remarquer s'il sortait. J'aurais eu la patience de me tenir là toute la matinée, s'il ne m'en eût épargné la peine. Mais une heure après, je le vis marcher dans la rue avec un air d'assurance qui confondit d'abord ma pénétration. Loin de me rendre toutefois à ces apparences, je m'en défiai; car il n'avait point en moi un juge favorable. Je songeai que son allure pouvait fort bien être composée, je m'imaginai même qu'il n'était resté chez lui que pour prendre tout ce qu'il avait d'or ou de pierreries, et que probablement il allait par une prompte fuite pourvoir à sa sûreté. Je n'espérai plus le revoir, et je doutai si j'irais le soir l'attendre à sa porte, tant j'étais persuadé que dès ce jour-là il sortirait de la ville pour se sauver du péril qui le menaçait. Je n'y manquai pas pourtant. Ce qui me surprit, mon maître revint à son ordinaire. Il se coucha sans faire paraître la moindre inquiétude, et il se leva le lendemain avec autant de tranquillité.

Comme il achevait de s'habiller, on frappa tout à coup à la porte. Mon maître regarda par la petite grille. Il reconnaît l'alguazil du jour précédent, et lui demande ce qu'il veut. Ouvrez, lui répond l'alguazil; c'est Monsieur le corrégidor. A ce nom redoutable, mon sang se glaça dans mes veines. Je craignais diablement ces messieurs-là, depuis que j'avais passé par leurs mains, et j'aurais voulu dans ce moment être à cent lieues de Madrid. Pour mon patron, moins effrayé que moi, il ouvrit la porte et reçut le juge avec respect. Vous voyez, lui dit le corrégidor, que je ne viens point chez vous avec une grosse suite. Je veux faire les choses sans éclat. Malgré les bruits fâcheux qui courent de vous dans la ville, je crois que vous méritez quelque ménagement. Apprenez-moi comment vous vous appelez et ce que vous faites à Madrid ? Seigneur, lui répondit mon maître, je suis de la Castille-Nouvelle, et je me nomme don Bernard de Castil Blazo. A l'égard de mes occupations, je me promène, je fréquente les spectacles et me réjouis tous les jours avec un petit nombre de personnes d'un commerce agréable. Vous avez, sans doute, reprit le juge, un gros revenu ? Non, seigneur, interrompit mon patron, je n'ai ni rentes, ni terres, ni maisons. Hé ! de quoi vivez-vous donc ? répliqua le corrégidor. De ce que je vais vous faire voir, repartit don Bernard. En même temps, il leva une tapisserie, ouvrit une porte que je n'avais pas remarquée, puis encore une autre qui était derrière, et fit entrer le juge dans un cabinet où il y avait un grand coffre tout rempli de pièces d'or qu'il lui montra.

Seigneur, lui dit-il ensuite, vous savez que les Espagnols sont ennemis du travail; cependant quelque aversion qu'ils aient pour la peine, je puis dire que je renchéris sur eux là-dessus. J'ai un fonds de paresse qui me rend incapable de tout emploi. Si je voulais ériger mes vices en vertus, j'appellerais ma paresse une indolence philosophique : je dirais que c'est l'ouvrage d'un esprit revenu de tout ce qu'on recherche dans le monde avec ardeur; mais j'avouerai de bonne foi que je suis paresseux par tempérament, et si paresseux, que, s'il me fallait travailler pour vivre, je crois que je me laisserais mourir de faim. Ainsi, pour mener une vie convenable à mon humeur : pour n'avoir pas la peine de ménager mon bien, et plus encore pour me passer d'intendant, j'ai converti en argent comptant tout mon patrimoine [35], qui consistait en plusieurs héritages considérables. Il y a dans ce coffre cinquante mille ducats. C'est plus qu'il ne m'en faut pour le reste de mes jours, quand je vivrais au-delà d'un siècle, puisque je n'en dépense pas mille chaque année, et que j'ai déjà passé mon dixième lustre. Je ne crains donc point l'avenir, parce que je ne suis adonné, grâce au ciel, à aucune des trois choses qui ruinent ordinairement les hommes. J'aime peu la bonne chère; je ne joue que pour m'amuser, et je suis revenu des femmes. Je n'appréhende point que dans ma vieillesse on me compte parmi ces barbons voluptueux, à qui les coquettes vendent leurs bontés au poids de l'or.

Que je vous trouve heureux! lui dit alors le corrégidor. On vous soupçonne bien mal à propos d'être un espion. Ce personnage ne convient point à un homme de votre caractère. Allez, don Bernard, ajouta-t-il, continuez de vivre comme vous vivez. Loin de vouloir troubler vos jours tranquilles, je m'en déclare le défenseur. Je vous demande votre amitié, et vous offre la mienne. Ah! seigneur, s'écria mon maître pénétré de ces paroles obligeantes, j'accepte avec autant de joie que de respect l'offre précieuse que vous me faites. En me donnant votre amitié, vous augmentez mes richesses et mettez le comble à mon bonheur. Après cette conversation, que l'alguazil et moi nous entendîmes de la porte du cabinet, le corrégidor prit congé de don Bernard, qui ne pouvait assez à son gré lui marquer de reconnaissance. De mon côté, pour seconder mon maître, et l'aider à faire les honneurs de chez lui, j'accablai de civilités l'alguazil : je lui fis mille révérences profondes, quoique, dans le fond de mon âme, je sentisse pour lui le mépris et l'aversion que tout honnête homme a naturellement pour un alguazil.

CHAPITRE II

De l'étonnement où fut Gil Blas de rencontrer à Madrid le capitaine Rolando ; et des choses curieuses que ce voleur lui raconta.

Don Bernard de Castil Blazo, après avoir conduit le corrégidor jusque dans la rue, revint vite sur ses pas fermer son coffre-fort et toutes les portes qui en faisaient la sûreté. Puis, nous sortîmes l'un et l'autre très satisfaits, lui, de s'être acquis un ami puissant, et moi, de me voir assuré de mes six réaux par jour. L'envie de conter cette aventure à Melendez, me fit prendre le chemin de sa maison; mais, comme j'étais près d'y arriver, j'aperçus le capitaine Rolando. Ma surprise fut extrême de le retrouver là, et je ne pus m'empêcher de frémir à sa vue. Il me reconnut aussi, m'aborda gravement, et, conservant encore un air de supériorité, il m'ordonna de le suivre. J'obéis en tremblant et dis en moi-même : Hélas! il veut sans doute me faire payer tout ce que je lui dois. Où va-t-il me mener ? il a peut-être dans cette ville quelque souterrain. Malepeste! si je le croyais, je lui ferais voir tout à l'heure que je n'ai pas la goutte aux pieds. Je marchais donc derrière lui en donnant toute mon attention au lieu où il s'arrêterait, résolu de m'en éloigner à toutes jambes, pour peu qu'il me parût suspect.

Rolando dissipa bientôt ma crainte. Il entra dans un fameux cabaret. Je l'y suivis. Il demanda du meilleur vin, et dit à l'hôte de nous préparer à dîner. Pendant ce temps-là, nous passâmes dans une chambre, où le capitaine, se voyant seul avec moi, me tint ce discours : Tu dois être étonné, Gil Blas, de revoir ici ton ancien commandant, et tu le seras bien davantage encore, quand tu sauras ce que j'ai à te raconter. Le jour que je te laissai dans le souterrain, et que je partis avec tous mes cavaliers pour aller vendre à Mansilla les mules et les chevaux que nous avions pris le soir précédent, nous rencontrâmes le fils du corrégidor de Léon, accompagné de quatre hommes à cheval et bien armés qui suivaient son carrosse. Nous fîmes mordre la poussière à deux de ses gens, et les deux autres s'enfuirent. Alors le cocher, craignant pour son maître, nous cria d'une voix suppliante : Eh ! mes chers seigneurs, au nom de Dieu, ne tuez point le fils unique de Monsieur le corrégidor de Léon. Ces mots n'attendrirent pas mes cavaliers. Au contraire, ils leur inspirèrent une espèce de fureur. Messieurs, nous dit l'un d'entre eux, ne laissons point échapper le fils d'un mortel ennemi de nos pareils. Combien son père a-t-il fait mourir de gens de notre profession! Vengeons-les. Immolons cette victime à leurs mânes. Mes autres cavaliers applaudirent à ce sentiment, et mon lieutenant même se préparait à servir de grand prêtre dans ce sacrifice, lorsque je lui retins le bras : Arrêtez, lui dis-je; pourquoi sans nécessité vouloir répandre du sang ? Contentons-nous de la bourse de ce jeune homme. Puisqu'il ne résiste point, il y aurait de la barbarie à l'égorger. D'ailleurs, il n'est point responsable des actions de son père, et son père ne fait que son devoir, lorsqu'il nous condamne à la mort, comme nous faisons le nôtre en détroussant les voyageurs.

J'intercédai donc pour le fils du corrégidor, et mon intercession ne lui fut pas inutile. Nous prîmes seulement tout l'argent qu'il avait et nous emmenâmes les chevaux des deux hommes que nous avions tués. Nous les vendîmes avec ceux que nous conduisions à Mansilla. Nous nous en retournâmes ensuite au souterrain, où nous arrivâmes le lendemain, quelques moments avant le jour. Nous ne fûmes pas peu surpris de trouver la trappe levée, et notre surprise devint encore plus grande, lorsque nous vîmes dans la cuisine Léonarde liée. Elle nous mit au fait en deux mots. Nous admirâmes comment tu avais pu nous tromper. Nous ne t'aurions jamais cru capable de nous jouer un si bon tour, et nous te le pardonnâmes à cause de l'invention. Dès que nous eûmes détaché la cuisinière, je lui donnai ordre de nous apprêter bien à manger. Cependant nous allâmes soigner nos chevaux à l'écurie, où le vieux nègre, qui n'avait reçu aucun secours depuis vingt-quatre heures, était à l'extrémité. Nous souhaitions de le soulager, mais il avait perdu connaissance et il nous parut si bas, que, malgré notre bonne volonté, nous laissâmes ce pauvre diable entre la vie et la mort. Cela ne nous empêcha pas de nous mettre à table; et, après avoir amplement déjeuné, nous nous retirâmes dans nos chambres où nous reposâmes toute la journée. A notre réveil, Léonarde nous apprit que Domingo ne vivait plus. Nous le portâmes dans le caveau où tu dois te souvenir d'avoir couché, et là nous lui fîmes des funérailles, comme s'il eût eu l'honneur d'être un de nos compagnons.

Cinq ou six jours après, il arriva que, voulant faire une course, nous rencontrâmes un matin à la sortie du bois trois brigades d'archers de la sainte Hermandad, qui semblaient nous attendre pour nous charger. Nous n'en aperçûmes d'abord qu'une. Nous la méprisâmes, bien que supérieure en nombre à notre troupe, et nous l'attaquâmes; mais, dans le temps que nous étions aux mains avec elle, les deux autres, qui avaient trouvé moyen de se tenir cachées, vinrent tout à coup fondre sur nous, de sorte que notre valeur ne nous servit de rien. Il fallut céder à tant d'ennemis. Notre lieutenant et deux de nos cavaliers périrent dans cette occasion. Les deux autres et moi nous fûmes enveloppés et serrés de si près que les archers nous prirent; et, tandis que deux brigades nous conduisaient à Léon, la troisième alla détruire notre retraite, qui avait été découverte de la manière que je vais te le dire. Un paysan de Luceno, en traversant la forêt pour s'en retourner chez lui, aperçut par hasard la trappe de notre souterrain, que tu n'avais pas abattue; car c'était justement le jour que tu en sortis avec la dame. Il se douta bien que c'était notre demeure. Il n'eut pas le courage d'y entrer. Il se contenta d'observer les environs; et, pour mieux remarquer l'endroit, il écorça légèrement avec son couteau quelques arbres voisins et d'autres encore de distance en distance, jusqu'à ce qu'il fût hors du bois. Il se rendit ensuite à Léon, pour faire part de cette découverte au corrégidor, qui en eut d'autant plus de joie, que son fils venait d'être volé par notre compagnie. Ce juge fit assembler trois brigades pour nous arrêter et le paysan leur servit de guide.

Mon arrivée dans la ville de Léon y fut un spectacle pour tous les habitants. Quand j'aurais été un général portugais fait prisonnier de guerre, le peuple ne se serait pas plus empressé de me voir. Le voilà, disait-on, le voilà, ce fameux capitaine, la terreur de cette contrée! Il mériterait d'être démembré avec des tenailles de même que ses deux camarades. On nous mena devant le corrégidor qui commença de m'insulter. Eh bien! me dit-il, scélérat, le ciel, las des désordres de ta vie, t'abandonne à ma justice! Seigneur, lui répondis-je, si j'ai commis bien des crimes, du moins, je n'ai pas la mort de votre fils unique à me reprocher. J'ai conservé ses jours. Vous m'en devez quelque reconnaissance. Ah! misérable, s'écria-t-il, c'est bien avec des gens de ton caractère qu'il faut garder un procédé généreux! et quand même je voudrais te sauver, le devoir de ma charge ne me le permettrait pas. Lorsqu'il eut parlé de cette sorte, il nous fit enfermer dans un cachot, où il ne laissa pas languir mes compagnons. Ils en sortirent au bout de trois jours pour aller jouer un rôle tragique dans la grande place. Pour moi, je demeurai dans les prisons trois semaines entières. Je crus qu'on ne différait mon supplice que pour le rendre plus terrible, et je m'attendais enfin à un genre de mort tout nouveau, quand le corrégidor, m'ayant fait ramener en sa présence, me dit : Ecoute ton arrêt! Tu es libre. Sans toi mon fis unique aurait été assassiné sur les grands chemins. Comme père, j'ai voulu reconnaître ce service, et comme juge, ne pouvant t'absoudre, j'ai écrit à la Cour en ta faveur. J'ai demandé ta grâce et je l'ai obtenue. Va donc où il te plaira. Mais, ajouta-t-il, crois-moi; profite de cet heureux événement. Rentre en toi-même et quitte pour jamais le brigandage.

Je fus pénétré de ces paroles, et je pris la route de Madrid, dans la résolution de faire une fin et de vivre doucement dans cette ville. J'y ai trouvé mon père et ma mère morts, et leur succession entre les mains d'un vieux parent qui m'en a rendu un compte fidèle, comme font tous les tuteurs [36]. Je n'en ai pu tirer que trois mille ducats, ce qui peut-être ne fait pas la quatrième partie de mon bien. Mais que faire à cela ? Je ne gagnerais rien à le chicaner. Pour éviter l'oisiveté, j'ai acheté une charge d'alguazil. Mes confrères se seraient, par bienséance, opposés à ma réception, s'ils eussent su mon histoire. Heureusement, ils l'ignorent ou feignent de l'ignorer : ce qui est la même chose. Car dans cet honorable corps, chacun a intérêt de cacher ses faits et gestes. On n'a, Dieu merci, rien à se reprocher les uns aux autres. Au diable soit le meilleur! Cependant, mon ami, continua Rolando, je veux te découvrir ici le fond de mon âme. La profession que j'ai embrassée n'est guère de mon goût. Elle demande une conduite trop délicate et trop mystérieuse. On n'y saurait faire que des tromperies secrètes et subtiles. Oh! je regrette mon premier métier. J'avoue qu'il y a plus de sûreté dans le nouveau; mais il y a plus d'agrément dans l'autre, et j'aime la liberté. J'ai bien la mine de me défaire de ma charge et de partir un beau matin pour aller gagner les montagnes qui sont aux sources du Tage. Je sais qu'il y a dans cet endroit une retraite habitée par une troupe nombreuse et remplie de sujets catalans. C'est faire son éloge en un mot. Si tu veux m'accompagner, nous irons grossir le nombre de ces grands hommes. Je serai dans leur compagnie capitaine en second, et, pour t'y faire recevoir avec agrément, j'assurerai que je t'ai vu dix fois combattre à mes côtés. J'élèverai ta valeur jusqu'aux nues. Je dirai plus de bien de toi qu'un général n'en dit d'un officier qu'il veut avancer. Je me garderai bien de dire la supercherie que tu as faite. Cela te rendrait suspect. Je tairai l'aventure. Eh bien! ajouta-t-il, es-tu prêt à me suivre ? J'attends ta réponse.

Chacun a ses inclinations, dis-je alors à Rolando; vous êtes né pour les entreprises hardies, et moi, pour une vie douce et tranquille. Je vous entends, interrompit-il; la dame que l'amour vous a fait enlever, vous tient encore au cœur, et sans doute vous menez avec elle à Madrid cette vie douce que vous aimez. Avouez, monsieur Gil Blas, que vous l'avez mise dans ses meubles, et que vous mangez ensemble les pistoles que vous avez emportées du souterrain ? Je lui dis qu'il était dans l'erreur, et que, pour le désabuser, je voulais en dînant lui conter l'histoire de la dame. Ce que je fis effectivement, et je lui appris aussi tout ce qui m'était arrivé depuis que j'avais quitté la troupe. Sur la fin du repas, il me remit encore sur les sujets catalans. Il m'avoua même qu'il avait résolu de les aller joindre, et fit une nouvelle tentative pour m'engager à prendre le même parti. Mais, voyant qu'il ne pouvait me persuader, il me regarda d'un air fier, et me dit fort sérieusement : Puisque tu as le cœur assez bas pour préférer ta condition servile à l'honneur d'entrer dans une compagnie de braves gens, je t'abandonne à la bassesse de tes inclinations. Mais écoute bien les paroles que je vais te dire : qu'elles demeurent gravées dans ta mémoire; oublie que tu m'as rencontré aujourd'hui, et ne t'entretiens jamais de moi avec personne; car si j'apprends que tu me mêles dans tes discours... tu me connais. Je ne t'en dis pas davantage. A ces mots, il appela l'hôte, paya l'écot, et nous nous levâmes de table pour nous en aller.

CHAPITRE III

Il sort de chez don Bernard de Castil Blazo, et va servir un petit-maître.

Comme nous sortions du cabaret, et que nous prenions congé l'un de l'autre, mon maître passa dans la rue. Il me vit, et je m'aperçus qu'il regarda plus d'une fois le capitaine.

Je jugeai qu'il était surpris de me rencontrer avec un semblable personnage. Il est certain que la vue de Rolando ne prévenait point en faveur de ses mœurs. C'était un homme fort grand. Il avait le visage long avec un nez de perroquet, et, quoiqu'il n'eût pas mauvaise mine, il ne laissait pas d'avoir l'air d'un franc fripon.

Je ne m'étais point trompé dans mes conjectures. Le soir je trouvai don Bernard occupé de la figure du capitaine et très disposé à croire toutes les belles choses que je lui en aurais pu dire, si j'eusse osé parler. Gil Blas, me dit-il, qui est ce grand escogriffe que j'ai vu tantôt avec toi ? Je répondis que c'était un alguazil, et je m'imaginai que, satisfait de cette réponse, il en demeurerait là, mais il me fit bien d'autres questions; et, comme je lui parus embarrassé, parce que je me souvenais des menaces de Rolando, il rompit tout à coup la conversation et se coucha. Le lendemain matin, lorsque je lui eus rendu mes services ordinaires, il me compta six ducats au lieu de six réaux, et me dit : Tiens, mon ami, voilà ce que je te donne pour m'avoir servi jusqu'à ce jour. Va chercher une autre maison. Je ne puis m'accommoder d'un valet qui a de si belles connaissances. Je m'avisai de lui représenter, pour ma justification, que je connaissais cet alguazil pour lui avoir fourni certains remèdes à Valladolid dans le temps que j'y exerçais la médecine. Fort bien, reprit mon maître, la défaite est ingénieuse. Tu devais me répondre cela hier au soir, et non pas te troubler. Monsieur, lui repartis-je, en vérité, je n'osais vous le dire par discrétion. C'est ce qui a causé mon embarras. Certes, répliqua-t-il en me frappant doucement sur l'épaule, c'est être bien discret! Je ne te croyais pas si rusé. Va, mon enfant, je te donne ton congé.

J'allai sur-le-champ apprendre cette mauvaise nouvelle à Melendez, qui me dit pour me consoler qu'il prétendait me faire entrer dans une meilleure maison. En effet quelques jours après, il me dit : Gil Blas, mon ami, vous ne vous attendez pas au bonheur que j'ai à vous annoncer! Vous aurez le poste du monde le plus agréable. Je vais vous mettre auprès de don Mathias de Silva. C'est un homme de la première qualité : un de ces jeunes seigneurs qu'on appelle petits-maîtres. J'ai l'honneur d'être son marchand. Il prend chez moi des étoffes, à crédit à la vérité; mais il n'y a rien à perdre avec ces seigneurs. Ils épousent souvent de riches héritières qui payent leurs dettes, et, quand cela n'arrive pas, un marchand qui entend son métier leur vend toujours si cher, qu'il se sauve en ne touchant même que le quart de ses parties. L'intendant de don Mathias, poursuivit-il, est mon intime ami. Allons le trouver. Il doit vous présenter lui-même à son maître, et vous pouvez compter qu'à ma considération, il aura beaucoup d'égards pour vous.

Comme nous étions en chemin pour nous rendre à l'hôtel de don Mathias, le marchand me dit : Il est à propos, ce me semble, que je vous apprenne de quel caractère est l'intendant ; il s'appelle Gregorio Rodriguez. Entre nous, c'est un homme de rien, qui, se sentant né pour les affaires, a suivi son génie, et s'est enrichi dans deux maisons ruinées, dont il a été intendant. Je vous avertis qu'il est fort vain. Il aime à voir ramper devant lui les autres domestiques. C'est à lui qu'ils doivent d'abord s'adresser, quand ils ont la moindre grâce à demander à leur maître ; car s'il arrive qu'ils l'aient obtenue sans sa participation, il a toujours des détours tout prêts pour faire révoquer la grâce, ou pour la rendre inutile. Réglez-vous sur cela, Gil Blas. Faites votre cour au seigneur Rodriguez, préférablement à votre maître même, et mettez tout en usage pour lui plaire. Son amitié vous sera d'une grande utilité. Il vous payera vos gages exactement ; et, si vous êtes assez adroit pour gagner sa confiance, il pourra vous donner quelque petit os à ronger. Il en a tant ! Don Mathias est un jeune seigneur qui ne songe qu'à ses plaisirs, et qui ne veut prendre aucune connaissance de ses propres affaires. Quelle maison pour un intendant !

Lorsque nous fûmes arrivés à l'hôtel, nous demandâmes à parler au seigneur Rodriguez. On nous dit que nous le trouverions dans son appartement. Il y était, et nous vîmes avec lui une manière de paysan qui tenait un sac de toile bleue rempli d'espèces. L'intendant, qui me parut plus pâle et plus jaune qu'une fille fatiguée du célibat, vint au-devant de Melendez, en lui tendant les bras ; le marchand de son côté ouvrit les siens, et ils s'embrassèrent tous deux avec des démonstrations d'amitié, où il y avait pour le moins autant d'art que de naturel. Après cela il fut question de moi. Rodriguez m'examina depuis les pieds jusqu'à la tête ; puis il me dit fort poliment que j'étais tel qu'il fallait être pour convenir à don Mathias, et qu'il se chargeait avec plaisir de me présenter à ce seigneur. Là-dessus Melendez fit connaître jusqu'à quel point il s'intéressait pour moi. Il pria l'intendant de m'accorder sa protection, et, me laissant avec lui après force compliments, il se retira. Dès qu'il fut sorti, Rodriguez me dit : Je vous conduirai à mon maître, d'abord que j'aurai expédié ce bon laboureur. Aussitôt il s'approcha du paysan ; et, lui prenant son sac : Talego, lui dit-il, voyons si les cinq cents pistoles sont là-dedans. Il compta lui-même les pièces. Il trouva le compte juste, donna quittance de la somme au laboureur, et le renvoya. Il remit ensuite les espèces dans le sac. Alors il s'adresse à moi : Nous pouvons présentement, me dit-il, aller au lever de mon maître. Il sort du lit ordinairement sur le midi. Il est près d'une heure. Il doit être jour dans son appartement.

Don Mathias venait en effet de se lever. Il était encore en robe de chambre, et, renversé dans un fauteuil, sur un bras duquel il avait une jambe étendue, il se balançait en râpant du tabac. Il s'entretenait avec un laquais, qui, remplissant par *intérim* l'emploi de valet de chambre, se tenait là tout prêt à le servir. Seigneur, lui dit l'intendant, voici un jeune homme que je prends la liberté de vous présenter pour remplacer celui que vous chassâtes avant-hier. Melendez, votre marchand, en répond; il assure que c'est un garçon de mérite, et je crois que vous en serez fort satisfait. C'est assez, répondit le jeune seigneur, puisque c'est vous qui le produisez auprès de moi, je le reçois aveuglément à mon service. Je le fais mon valet de chambre. C'est une affaire finie. Rodriguez, ajouta-t-il, parlons d'autres choses, vous arrivez à propos. J'allais vous envoyer chercher. J'ai une mauvaise nouvelle à vous apprendre, mon cher Rodriguez. J'ai joué de malheur cette nuit. Avec cent pistoles que j'avais, j'en ai encore perdu deux cents sur ma parole. Vous savez de quelle conséquence il est, pour des personnes de condition, de s'acquitter de cette sorte de dette. C'est proprement la seule que le point d'honneur nous oblige à payer avec exactitude. Aussi ne payons-nous pas les autres religieusement. Il faut donc trouver deux cents pistoles tout à l'heure et les envoyer à la comtesse de Pedrosa. Monsieur, dit l'intendant, cela n'est pas si difficile à dire qu'à exécuter. Où voulez-vous, s'il vous plaît, que je prenne cette somme ? Je ne touche pas un maravédis de vos fermiers, quelque menace que je puisse leur faire. Cependant il faut que j'entretienne honnêtement votre domestique, et que je sue sang et eau pour fournir à votre dépense. Il est vrai que jusqu'ici, grâce au Ciel, j'en suis venu à bout; mais je ne sais plus à quel saint me vouer, je suis réduit à l'extrémité. Tous ces discours sont inutiles, interrompit don Mathias, et ces détails ne font que m'ennuyer. Ne prétendez-vous pas, Rodriguez, que je change de conduite, et que je m'amuse à prendre soin de mon bien ? l'agréable amusement pour un homme de plaisir comme moi! Patience, répliqua l'intendant, au train que vont les choses, je prévois que vous serez bientôt débarrassé pour toujours de ce soin-là. Vous me fatiguez, repartit brusquement le jeune seigneur. Vous m'assassinez. Laissez-moi me ruiner sans que je m'en aperçoive. Il me faut, vous dis-je, deux cents pistoles. Il me les faut. Je vais donc, dit Rodriguez, avoir recours au petit vieillard qui vous a déjà prêté de l'argent à grosse usure ? Ayez recours, si vous voulez, au diable, répondit don Mathias; pourvu que j'aie deux cents pistoles, je ne me soucie pas du reste.

Dans le moment qu'il prononçait ces mots d'un air brusque et chagrin, l'intendant sortit; et un jeune homme de qualité, nommé don Antonio Centellés, entra : Qu'as-tu, mon ami ? dit ce dernier à mon maître. Je te trouve l'air nébuleux. Je vois sur ton visage une impression de colère! Qui peut t'avoir mis de mauvaise humeur ? Je vais parier que c'est ce maroufle qui sort. Oui, répondit don Mathias, c'est mon intendant. Toutes les fois qu'il vient me parler, il me fait passer quelque mauvais quart d'heure. Il m'entretient de mes affaires; il dit que je mange le fonds de mes revenus... L'animal! Ne dirait-on pas qu'il y perd, lui ? Mon enfant, reprit don Antonio, je suis dans le même cas. J'ai un homme d'affaires qui n'est pas plus raisonnable que ton intendant. Quand le faquin, pour obéir à mes ordres réitérés, m'apporte de l'argent, il semble qu'il donne du sien. Il me fait de grands raisonnements. Monsieur, me dit-il, vous vous abîmez. Vos revenus sont saisis. Je suis obligé de lui couper la parole pour abréger ses sots discours. Le malheur, dit don Mathias, c'est que nous ne saurions nous passer de ces gens-là. C'est un mal nécessaire. J'en conviens, répliqua Centellés... Mais attends, poursuivit-il en riant de toute sa force, il me vient une idée assez plaisante. Rien n'a jamais été mieux imaginé. Nous pouvons rendre comiques les scènes sérieuses que nous avons avec eux, et nous divertir de ce qui nous chagrine. Ecoute : il faut que ce soit moi qui demande à ton intendant tout l'argent dont tu auras besoin. Tu en useras de même avec mon homme d'affaires. Qu'ils raisonnent alors tous deux tant qu'il leur plaira; nous les écouterons de sang-froid. Ton intendant viendra me rendre ses comptes; mon homme d'affaires te rendra les siens. Je n'entendrai parler que de tes dissipations; tu ne verras que les miennes. Cela nous réjouira.

Mille traits brillants suivirent cette saillie, et mirent en joie les jeunes seigneurs qui continuèrent de s'entretenir avec beaucoup de vivacité. Leur conversation fut interrompue par Gregorio Rodriguez, qui rentra suivi d'un petit vieillard qui n'avait presque point de cheveux, tant il était chauve. Don Antonio voulut s'en aller : Adieu, don Mathias, dit-il; nous nous reverrons tantôt. Je te laisse avec ces messieurs. Vous avez sans doute quelque affaire sérieuse à démêler ensemble. Eh! non, non, lui répondit mon maître, demeure. Tu n'es point de trop. Ce discret vieillard que tu vois est un honnête homme qui me prête de l'argent au denier cinq [37]. Comment! au denier cinq! s'écria Centellés d'un air étonné. Vive Dieu! je te félicite d'être en si bonne main. Je ne suis pas traité si doucement, moi. J'achète l'argent au poids de l'or. J'emprunte d'ordinaire au denier trois [38]. Quelle usure! dit alors le vieil usurier : les fripons! songent-ils qu'il y a un autre monde ? Je ne suis plus surpris si l'on déclame tant contre les personnes qui prêtent à intérêts. C'est le profit exorbitant que quelques-uns tirent de leurs espèces qui nous perd d'honneur et de réputation. Si tous mes confrères me ressemblaient, nous ne serions pas si décriés; car pour moi, je ne prête uniquement que pour faire plaisir au prochain. Ah! si le temps était aussi bon que je l'ai vu autrefois, je vous offrirais ma bourse sans intérêts; et peu s'en faut même, quelle que soit aujourd'hui la misère, que je ne me fasse un scrupule de prêter au denier cinq. Mais on dirait que l'argent est rentré dans le sein de la terre. On n'en trouve plus, et sa rareté oblige enfin ma morale à se relâcher.

De combien avez-vous besoin ? poursuivit-il en s'adressant à mon maître. Il me faut deux cents pistoles, répondit don Mathias. J'en ai quatre cents dans un sac, répliqua l'usurier, il n'y a qu'à vous en donner la moitié. En même temps il tira de dessous son manteau un sac de toile bleue, qui me parut être le même que le paysan Talego venait de laisser avec cinq cents pistoles à Rodriguez. Je sus bientôt ce qu'il en fallait penser, et je vis bien que Melendez ne m'avait pas vanté sans raison le savoir-faire de cet intendant. Le vieillard vida le sac, étala les espèces sur une table et se mit à les compter. Cette vue alluma la cupidité de mon maître. Il fut frappé de la totalité de la somme : Seigneur Descomulgado, dit-il à l'usurier, je fais une réflexion judicieuse. Je suis un grand sot. Je n'emprunte que ce qu'il faut pour dégager ma parole, sans songer que je n'ai pas le sol. Je serai obligé demain de recourir encore à vous. Je suis d'avis de rafler les quatre cents pistoles, pour vous épargner la peine de revenir. Seigneur, répondit le vieillard, je destinais une partie de cet argent à un bon licencié qui a de gros héritages, qu'il emploie charitablement à retirer du monde de petites filles et à meubler leurs retraites; mais puisque vous avez besoin de la somme entière, elle est à votre service, vous n'avez seulement qu'à songer aux assurances... Oh! pour des assurances, interrompit Rodriguez en tirant de sa poche un papier, vous en aurez de bonnes. Voilà un billet que le seigneur don Mathias n'a qu'à signer. Il vous donne cinq cents pistoles à prendre sur un de ses fermiers, sur Talego, riche laboureur de Mondejar. Cela est bon, répliqua l'usurier. Je ne fais point le difficultueux, moi. Alors l'intendant présenta une plume à mon maître, qui, sans lire le billet, écrivit, en sifflant, son nom au bas.

Cette affaire consommée, le vieillard dit adieu à mon patron, qui courut l'embrasser en lui disant : Jusqu'au revoir, seigneur usurier, je suis tout à vous. Je ne sais pas pourquoi vous passez, vous autres, pour des fripons. Je vous trouve très nécessaires à l'Etat; vous êtes la consolation de mille enfants de famille et la ressource de tous les seigneurs dont la dépense excède les revenus. Tu as raison, s'écria Centellés. Les usuriers sont d'honnêtes gens qu'on ne peut assez honorer, et je veux à mon tour embrasser celui-ci à cause du denier cinq. A ces mots, il s'approcha du vieillard pour l'accoler, et ces deux petits-maîtres, pour se divertir, commencèrent à se le renvoyer l'un à l'autre, comme deux joueurs de paume qui pelotent une balle. Après qu'ils l'eurent bien ballotté, ils le laissèrent sortir avec l'intendant, qui méritait mieux que lui ces embrassades et même quelque chose de plus.

Lorsque Rodriguez et son âme damnée furent sortis, don Mathias envoya, par le laquais qui était avec moi dans la chambre, la moitié de ses pistoles à la comtesse de Pedrosa, et serra l'autre dans une longue bourse brochée d'or et de soie qu'il portait ordinairement dans sa poche. Fort satisfait de se revoir en fonds, il dit d'un air gai à don Antonio : Que ferons-nous aujourd'hui ? tenons conseil là-dessus. C'est parler en homme de bon sens, répondit Centellés. Je le veux bien. Délibérons. Dans le temps qu'ils allaient rêver à ce qu'ils deviendraient ce jour-là, deux autres seigneurs arrivèrent. C'était don Alexo Segiar et don Fernand de Gamboa; l'un et l'autre à peu près de l'âge de mon maître, c'est-à-dire de vingt-huit à trente ans. Ces quatre cavaliers débutèrent par de vives accolades qu'ils se firent, on eût dit qu'ils ne s'étaient point vus depuis dix ans. Après cela, don Fernand, qui était un gros réjoui, adressa la parole à don Mathias et à don Antonio : Messieurs, leur dit-il, où dînez-vous aujourd'hui ? Si vous n'êtes point engagés, je vais vous mener dans un cabaret, où vous boirez du vin des dieux. J'y ai soupé, et j'en suis sorti ce matin entre cinq et six heures. Plût au Ciel, s'écria mon maître, que j'eusse fait la même chose, je n'aurais pas perdu mon argent.

Pour moi, dit Centellés, je me suis donné hier au soir un divertissement nouveau; car j'aime à changer de plaisirs. Aussi n'y a-t-il que la variété des amusements qui rende la vie agréable. Un de mes amis m'entraîna chez un de ces seigneurs qui lèvent les impôts et font leurs affaires avec celles de l'État. J'y vis de la magnificence, du bon goût, et le repas me parut assez bien entendu; mais je trouvai dans les maîtres du logis un ridicule qui me réjouit. Le partisan, quoique des plus roturiers de sa compagnie, tranchait du grand; et sa femme, bien qu'horriblement laide, faisait l'adorable, et disait mille sottises assaisonnées d'un accent biscayen qui leur donnait du relief. Ajoutez à cela qu'il y avait à table quatre ou cinq enfants avec un précepteur. Jugez si ce souper de famille me divertit [39] !

Et moi, messieurs, dit don Alexo Segiar, j'ai soupé chez une comédienne. Chez Arsénie. Nous étions six à table. Arsénie, Florimonde avec une coquette de ses amies, le marquis de Zenete, don Juan de Moncade et votre serviteur. Nous avons passé la nuit à boire et à dire des gueulées. Quelle volupté! Il est vrai qu'Arsénie et Florimonde ne sont pas de grands génies; mais elles ont un usage de débauche qui leur tient lieu d'esprit. Ce sont des créatures enjouées, vives, folles. J'aime mieux cela cent fois que des femmes raisonnables!

CHAPITRE IV

De quelle manière Gil Blas fit connaissance avec les valets des petits-maîtres ; du secret admirable qu'ils lui enseignèrent pour avoir à peu de frais la réputation d'homme d'esprit, et du serment singulier qu'ils lui firent faire.

Ces seigneurs continuèrent à s'entretenir de cette sorte, jusqu'à ce que don Mathias, que j'aidais à s'habiller pendant ce temps-là, fût en état de sortir. Alors il me dit de le suivre; et tous ces petits-maîtres prirent ensemble le chemin du cabaret où don Fernand de Gamboa se proposait de les conduire. Je commençai donc à marcher derrière eux avec trois autres valets, car chacun de ces cavaliers avait le sien. Je remarquai avec étonnement que ces trois domestiques copiaient leurs maîtres et se donnaient les mêmes airs. Je les saluai comme leur nouveau camarade. Ils me saluèrent aussi; et l'un d'entre eux, après m'avoir regardé quelques moments, me dit : Frère, je vois à votre allure que vous n'avez jamais encore servi de jeune seigneur. Hélas! non, lui répondis-je et il n'y a pas longtemps que je suis à Madrid. C'est ce qui me semble, répliqua-t-il. Vous sentez la province. Vous paraissez timide et embarrassé. Il y a de la bourre dans votre action. Mais n'importe, nous vous aurons bientôt dégourdi, sur ma parole. Vous me flattez peut-être ? lui dis-je. Non, repartit-il, non. Il n'y a point de sot que nous ne puissions façonner. Comptez là-dessus.

Il n'eut pas besoin de m'en dire davantage pour me faire comprendre que j'avais pour confrères de bons enfants, et que je ne pouvais être en meilleure main pour devenir joli garçon. En arrivant au cabaret, nous y trouvâmes un repas tout préparé, que le seigneur don Fernand avait eu la précaution d'ordonner dès le matin. Nos maîtres se mirent à table, et nous nous disposâmes à les servir. Les voilà qui s'entretiennent avec beaucoup de gaieté. J'avais un extrême plaisir à les entendre. Leur caractère, leurs pensées, leurs expressions me divertissaient. Que de feu! que de saillies d'imagination! Ces gens-là me parurent une espèce nouvelle. Lorsqu'on en fut au fruit, nous leur apportâmes une copieuse quantité de bouteilles des meilleurs vins d'Espagne, et nous les quittâmes pour aller dîner dans une petite salle où l'on nous avait dressé une table.

Je ne tardai guère à m'apercevoir que les chevaliers de ma quadrille avaient encore plus de mérite que je ne me l'étais imaginé d'abord. Ils ne se contentaient pas de prendre les manières de leurs maîtres, ils en affectaient même le langage, et ces marauds les rendaient si bien, qu'à un air de qualité près, c'était la même chose. J'admirais leur air libre et aisé. J'étais encore plus charmé de leur esprit, et je désespérais d'être jamais aussi agréable qu'eux. Le valet de don Fernand, attendu que c'était son maître qui régalait les nôtres, fit les honneurs du festin, et, voulant que rien n'y manquât, il appela l'hôte et lui dit : Monsieur le maître, donnez-nous dix bouteilles de votre plus excellent vin; et, comme vous avez coutume de faire, vous les ajouterez à celles que nos messieurs auront bues. Très volontiers, répondit l'hôte; mais, monsieur Gaspard, vous savez que le seigneur don Fernand me doit déjà bien des repas. Si par votre moyen j'en pouvais tirer quelques espèces... Oh! interrompit le valet, ne vous mettez point en peine de ce qui vous est dû. Je vous en réponds, moi. C'est de l'or en barre que les dettes de mon maître. Il est vrai que quelques discourtois créanciers ont fait saisir nos revenus, mais nous obtiendrons mainlevée au premier jour, et nous vous payerons sans examiner le mémoire que vous nous fournirez. L'hôte nous apporta du vin, malgré les saisies et nous en bûmes en attendant la mainlevée. Il fallait voir comme nous nous portions des santés à tous moments, en nous donnant les uns aux autres les surnoms de nos maîtres. Le valet de don Antonio appelait Gamboa celui de don Fernand, et le valet de don Fernand appelait Centellés celui de don Antonio. Ils me nommaient de même Silva, et nous nous enivrions peu à peu sous ces noms empruntés, tout aussi bien que les seigneurs qui les portaient véritablement.

Quoique je fusse moins brillant que mes convives, ils ne laissèrent pas de me témoigner qu'ils étaient assez contents de moi : Silva, me dit un des plus dessalés, nous ferons quelque chose de toi, mon ami. Je m'aperçois que tu as un fonds de génie; mais tu ne sais pas le faire valoir. La crainte de mal parler t'empêche de rien dire au hasard, et toutefois ce n'est qu'en hasardant des discours que mille gens s'érigent aujourd'hui en beaux esprits. Veux-tu briller ? tu n'as qu'à te livrer à ta vivacité et risquer indifféremment tout ce qui pourra te venir à la bouche. Ton étourderie passera pour une noble hardiesse. Quand tu débiterais cent impertinences, pourvu qu'avec cela il t'échappe seulement un bon mot, on oubliera les sottises, on retiendra le trait, et l'on concevra une haute opinion de ton mérite. C'est ce que pratiquent si heureusement nos maîtres, et c'est ainsi qu'en doit user tout homme qui vise à la réputation d'un esprit distingué.

Outre que je ne souhaitais que trop de passer pour un beau génie, le secret qu'on m'enseignait pour y réussir me paraissait si facile que je ne crus pas devoir le négliger. Je l'éprouvai sur-le-champ, et le vin que j'avais bu rendit l'épreuve heureuse. C'est-à-dire que je parlai à tort et à travers, et que j'eus le bonheur de mêler parmi beaucoup d'extravagances quelques pointes d'esprit qui m'attirèrent des applaudissements. Ce coup d'essai me remplit de confiance. Je redoublai de vivacité pour produire quelque bonne saillie, et le hasard voulut encore que mes efforts ne fussent pas inutiles.

Eh bien! me dit alors celui de mes confrères qui m'avait adressé la parole dans la rue, ne commences-tu pas à te décrasser ? Il n'y a pas deux heures que tu es avec nous, et te voilà déjà tout autre que tu n'étais. Tu changeras tous les jours à vue d'œil. Vois ce que c'est que de servir des personnes de qualité! Cela élève l'esprit. Les conditions bourgeoises ne font pas cet effet. Sans doute, lui répondis-je ; aussi je veux désormais consacrer mes services à la noblesse. C'est fort bien dit, s'écria le valet de don Fernand entre deux vins. Il n'appartient pas aux bourgeois de posséder des génies supérieurs comme nous. Allons, messieurs, ajouta-t-il, faisons serment que nous ne servirons jamais ces gredins-là. Jurons-en par le Styx! Nous rîmes bien de la pensée de Gaspard. Nous lui applaudîmes; et, le verre à la main, nous fîmes tous ce burlesque serment.

Nous demeurâmes à table jusqu'à ce qu'il plût à nos maîtres de se retirer. Ce fut à minuit. Ce qui parut à mes camarades un excès de sobriété. Il est vrai que ces seigneurs ne sortaient de si bonne heure du cabaret, que pour aller chez une fameuse coquette qui logeait dans le quartier de la cour, et dont la maison était nuit et jour ouverte aux gens de plaisir. C'était une femme de trente-cinq à quarante ,ans, parfaitement belle encore, amusante et si consommée dans l'art de plaire, qu'elle vendait, disait-on, plus cher les restes de sa beauté, qu'elle n'en avait vendu les prémices. Il y avait toujours chez elle deux ou trois autres coquettes du premier ordre, qui ne contribuaient pas peu au grand concours de seigneurs qu'on y voyait. Ils y jouaient l'après-dînée. Ils soupaient ensuite et passaient la nuit à boire et à se réjouir. Nos maîtres demeurèrent là jusqu'au jour, et nous aussi, sans nous ennuyer; car, tandis qu'ils étaient avec les maîtresses, nous nous amusions avec les servantes. Enfin, nous nous séparâmes tous au lever de l'aurore, et nous allâmes nous reposer chacun de son côté.

Mon maître, s'étant levé à son ordinaire sur le midi, s'habilla. Il sortit. Je le suivis, et nous entrâmes chez don Antonio Centellés, où nous trouvâmes un certain don Alvaro de Acuña. C'était un vieux gentilhomme, un professeur de débauche. Tous les jeunes gens qui voulaient devenir des hommes agréables se mettaient entre ses mains. Il les formait au plaisir, leur enseignait à briller dans le monde et à dissiper leur patrimoine. Il n'appréhendait plus de manger le sien; l'affaire en était faite. Après que ces trois cavaliers se furent embrassés, Centellés dit à mon maître : Parbleu! don Mathias, tu ne pouvais arriver ici plus à propos! Don Alvar vient me prendre pour me mener chez un bourgeois qui donne à dîner au marquis de Zenete et à don Juan de Moncade. Je veux que tu sois de la partie. Et comment, dit don Mathias, nomme-t-on ce bourgeois ? Il s'appelle Gregorio de Noriega, dit alors don Alvar, et je vais vous apprendre en deux mots ce que c'est que ce jeune homme. Son père, qui est un riche joaillier, est allé négocier des pierreries dans les pays étrangers et lui a laissé en partant la jouissance d'un gros revenu. Gregorio est un sot qui a une disposition prochaine à manger tout son bien, qui tranche du petit-maître et veut passer pour homme d'esprit en dépit de la nature. Il m'a prié de le conduire. Je le gouverne, et je puis vous assurer, messieurs, que je le mène bon train. Le fonds de son revenu est déjà bien entamé. Je n'en doute pas, s'écria Centellés. Je vois le bourgeois à l'hôpital. Allons, don Mathias, continua-t-il, faisons connaissance avec cet homme-là, et contribuons à le ruiner. J'y consens, répondit mon maître. Aussi bien j'aime à voir renverser la fortune de ces petits seigneurs roturiers qui s'imaginent qu'on les confond avec nous. Rien, par exemple, ne me divertit tant que la disgrâce de ce fils de publicain à qui le jeu et la vanité de figurer avec les grands ont fait vendre jusqu'à sa maison. Oh! pour celui-là, reprit don Antonio, il ne mérite pas qu'on le plaigne. Il n'est pas moins fat dans sa misère qu'il l'était dans sa prospérité.

Centellés et mon maître se rendirent avec don Alvar chez Gregorio de Noriega. Nous y allâmes aussi, Mogicon et moi, tous deux ravis de trouver une franche lippée et de contribuer de notre part à la ruine du bourgeois. En entrant nous aperçûmes plusieurs hommes occupés à préparer le dîner, et il sortait des ragoûts qu'ils faisaient une fumée qui prévenait l'odorat en faveur du goût. Le marquis de Zenete et don Juan de Moncade venaient d'arriver. Le maître du logis me parut un grand benêt. Il affectait en vain de prendre l'allure des petits-maîtres. C'était une très mauvaise copie de ces excellents originaux. Ou, pour mieux dire, un imbécile qui voulait se donner un air délibéré. Représentez-vous un homme de ce caractère entre cinq railleurs qui avaient tous pour but de se moquer de lui et de l'engager dans de grandes dépenses. Messieurs, dit don Alvar après les premiers compliments, je vous donne le seigneur Gregorio de Noriega pour un cavalier des plus parfaits. Il possède mille belles qualités. Savez-vous qu'il a l'esprit très cultivé ? Vous n'avez qu'à choisir. Il est également fort sur toutes les matières; depuis la logique la plus fine et la plus serrée, jusqu'à l'orthographe. Oh! cela est trop flatteur, interrompit le bourgeois en riant de fort mauvaise grâce. Je pourrais, seigneur Alvaro, vous rétorquer l'argument. C'est vous qui êtes ce qu'on appelle un puits d'érudition. Je n'avais pas dessein, reprit don Alvar, de m'attirer une louange si spirituelle; mais en vérité, messieurs, poursuivit-il, le seigneur Gregorio ne saurait manquer de s'acquérir du nom dans le monde. Pour moi, dit don Antonio, ce qui me charme en lui, et ce que je mets même au-dessus de l'orthographe, c'est le choix judicieux qu'il fait des personnes qu'il fréquente. Au lieu de se borner au commerce des bourgeois, il ne veut voir que de jeunes seigneurs, sans s'embarrasser de ce qu'il lui en coûtera. Il y a là-dedans une élévation de sentiments qui m'enlève, et voilà ce qu'on appelle dépenser avec goût et avec discernement!

Ces discours ironiques ne firent que précéder mille autres semblables. Le pauvre Gregorio fut accommodé de toutes pièces. Les petits-maîtres lui lançaient tour à tour des traits, dont le sot ne sentait point l'atteinte. Au contraire, il prenait au pied de la lettre tout ce qu'on lui disait, et il paraissait fort content de ses convives. Il lui semblait même qu'en le tournant en ridicule, ils lui faisaient encore grâce. Enfin, il leur servit de jouet pendant qu'ils furent à table, et ils y demeurèrent le reste du jour et la nuit tout entière. Nous bûmes à discrétion, de même que nos maîtres, et nous étions bien conditionnés les uns et les autres, quand nous sortîmes de chez le bourgeois.

CHAPITRE V

Gil Blas devient homme à bonnes fortunes. Il fait connaissance avec une jolie personne.

Après quelques heures de sommeil, je me levai en bonne humeur, et, me souvenant des avis que Melendez m'avait donnés, j'allai, en attendant le réveil de mon maître, faire ma cour à notre intendant, dont la vanité me parut un peu flattée de l'attention que j'avais à lui rendre mes respects. Il me reçut d'un air gracieux, et me demanda si je m'accommodais du genre de vie des jeunes seigneurs. Je répondis qu'il était nouveau pour moi, mais que je ne désespérais pas de m'y accoutumer dans la suite.

Je m'y accoutumai effectivement et bientôt même. Je changeai d'humeur et d'esprit. De sage et posé que j'étais auparavant, je devins vif, étourdi, turlupin. Le valet de don Antonio me fit compliment sur ma métamorphose, et me dit que, pour être un illustre, il ne me manquait plus que d'avoir de bonnes fortunes. Il me représenta que c'était une chose absolument nécessaire pour achever un joli homme : que tous nos camarades étaient aimés de quelque belle personne, et que lui, pour sa part, possédait les bonnes grâces de deux femmes de qualité. Je jugeai que le maraud mentait. Monsieur Mogicon, lui dis-je, vous êtes sans doute un garçon bien fait et fort spirituel; vous avez du mérite; mais je ne comprends pas comment des femmes de qualité, chez qui vous ne demeurez point, ont pu se laisser charmer d'un homme de votre condition. Oh! vraiment, me répondit-il, elles ne savent pas qui je suis. C'est sous les habits de mon maître et même sous son nom que j'ai fait ces conquêtes. Voici comment : Je m'habille en jeune seigneur. J'en prends les manières. Je vais à la promenade. J'agace toutes les femmes que je vois, jusqu'à ce que j'en rencontre une qui réponde à mes mines. Je suis celle-là et fais si bien que je lui parle. Je me dis don Antonio Centellés. Je demande un rendez-vous. La dame fait des façons. Je la presse. Elle me l'accorde, *et cætera*. C'est ainsi, mon enfant, continua-t-il, que je me conduis pour avoir de bonnes fortunes, et je te conseille de suivre mon exemple.

J'avais trop envie d'être un illustre, pour n'écouter pas ce conseil; outre cela je ne me sentais point de répugnance pour une intrigue amoureuse. Je formai donc le dessein de me travestir en jeune seigneur pour aller chercher des aventures galantes. Je n'osai me déguiser dans notre hôtel, de peur que cela ne fût remarqué. Je pris un bel habillement complet dans la garde-robe de mon maître, et j'en fis un paquet, que j'emportai chez un petit barbier de mes amis, où je jugeai que je pourrais m'habiller et me déshabiller commodément. Là je me parai le mieux qu'il me fut possible. Le barbier mit aussi la main à mon ajustement, et, quand nous crûmes qu'on n'y pouvait plus rien ajouter, je marchai vers le pré de Saint-Jérôme, d'où j'étais bien persuadé que je ne reviendrais pas sans avoir trouvé quelque bonne fortune. Mais je ne fus pas obligé de courir si loin pour en ébaucher une des plus brillantes.

Comme je traversais une rue détournée, je vis sortir d'une petite maison et monter dans un carrosse de louage qui était à la porte, une dame richement habillée et parfaitement bien faite. Je m'arrêtai tout court pour la considérer, et je la saluai d'un air à lui faire comprendre qu'elle ne me déplaisait pas. De son côté, pour me faire voir qu'elle méritait encore plus que je ne pensais mon attention, elle leva pour un moment son voile, et offrit à ma vue un visage des plus agréables. Cependant le carrosse partit, et je demeurai dans la rue, un peu étourdi de cette apparition. La jolie figure! disais-je en moi-même : peste! il faudrait cela pour m'achever. Si les deux dames qui aiment Mogicon sont aussi belles que celle-ci, voilà un faquin bien heureux. Je serais charmé de mon sort, si j'avais une pareille maîtresse. En faisant cette réflexion, je jetai les yeux par hasard sur la maison d'où j'avais vu sortir cette aimable personne, et j'aperçus à la fenêtre d'une salle basse une vieille femme qui me fit signe d'entrer.

Je volai aussitôt dans la maison, et je trouvai dans une salle assez propre cette vénérable et discrète vieille, qui me prenant pour un marquis, tout au moins, me salua respectueusement et me dit : Je ne doute pas, seigneur, que vous n'ayez mauvaise opinion d'une femme qui, sans vous connaître, vous fait signe d'entrer chez elle; mais vous jugerez peut-être plus favorablement de moi, quand vous saurez que je n'en use pas de cette sorte avec tout le monde. Vous me paraissez un seigneur de la Cour. Vous ne vous trompez pas, ma mie, interrompis-je en étendant la jambe droite et penchant le corps sur la hanche gauche. Je suis, sans vanité, d'une des plus grandes maisons d'Espagne. Vous en avez bien la mine, reprit-elle, et je vous avouerai que j'aime à faire plaisir aux personnes de qualité. C'est mon faible. Je vous ai observé par ma fenêtre. Vous avez regardé très attentivement, ce me semble, une dame qui vient de me quitter. Vous sentiriez-vous du goût pour elle ? Dites-le-moi confidemment. Foi d'homme de Cour! lui répondis-je, elle m'a frappé. Je n'ai jamais rien vu de plus piquant que cette créature-là. Faufilez-nous ensemble, ma bonne, et comptez sur ma reconnaissance. Il fait bon rendre ces sortes de services à nous autres grands seigneurs; ce ne sont pas ceux que nous payons le plus mal.

Je vous l'ai déjà dit, répliqua la vieille, je suis toute dévouée aux personnes de condition. Je me plais à leur être utile. Je reçois ici, par exemple, certaines femmes que des dehors de vertu empêchent de voir leurs galants chez elles. Je leur prête ma maison pour concilier leur tempérament avec la bienséance. Fort bien, lui dis-je; et vous venez apparemment de faire ce plaisir à la dame dont il s'agit ? Non, répondit-elle, c'est une jeune veuve de qualité qui cherche un amant; mais elle est si délicate là-dessus, que je ne sais si vous serez son fait, malgré tout le mérite que vous pouvez avoir. Je lui ai déjà présenté trois cavaliers bien bâtis, qu'elle a dédaignés. Oh! parbleu, ma chère, m'écriai-je d'un air de confiance, tu n'as qu'à me mettre à ses trousses; je t'en rendrai bon compte, sur ma parole. Je suis curieux d'avoir un tête-à-tête avec une beauté difficile. Je n'en ai point encore rencontré de ce caractère-là. Eh bien! me dit la vieille, vous n'avez qu'à venir ici demain à la même heure. Vous satisferez votre curiosité. Je n'y manquerai pas, lui repartis-je. Nous verrons si un jeune seigneur peut rater une conquête.

Je retournai chez le petit barbier, sans vouloir chercher d'autres aventures, et fort impatient de voir la suite de celle-là. Ainsi, le jour suivant, après m'être encore bien ajusté, je me rendis chez la vieille une heure plus tôt qu'il ne fallait. Seigneur, me dit-elle, vous êtes ponctuel et je vous en sais bon gré. Il est vrai que la chose en vaut bien la peine. J'ai vu notre jeune veuve, et nous nous sommes fort entretenues de vous. On m'a défendu de parler; mais j'ai pris tant d'amitié pour vous, que je ne puis me taire. Vous avez plu, et vous allez devenir un heureux seigneur. Entre nous, la dame est un morceau tout appétissant. Son mari n'a pas vécu longtemps avec elle. Il n'a fait que passer comme une ombre. Elle a tout le mérite d'une fille. La bonne vieille sans doute voulait dire d'une de ces filles d'esprit qui savent vivre sans ennui dans le célibat.

L'héroïne du rendez-vous arriva bientôt, en carrosse de louage comme le jour précédent et vêtue de superbes habits. D'abord qu'elle parut dans la salle, je débutai par cinq ou six révérences de petits-maîtres accompagnées de leurs plus gracieuses contorsions. Après quoi, je m'approchai d'elle d'un air très familier, et lui dis : Ma princesse, vous voyez un seigneur qui en a dans l'aile. Votre image depuis hier s'offre incessamment à mon esprit, et vous avez expulsé de mon cœur une duchesse qui commençait à y prendre pied. Le triomphe est trop glorieux pour moi, répondit-elle en ôtant son voile, mais je n'en ressens pas une joie pure. Un jeune seigneur aime le changement, et son cœur est, dit-on, plus difficile à garder que la pistole volante. Eh! ma reine, repris-je, laissons là, s'il vous plaît, l'avenir. Ne songeons qu'au présent. Vous êtes belle. Je suis amoureux. Si mon amour vous est agréable, engageons-nous sans réflexion. Embarquons-nous comme les matelots [40]; n'envisageons point les périls de la navigation. N'en regardons que les plaisirs.

En achevant ces paroles, je me jetai avec transport aux genoux de ma nymphe, et, pour mieux imiter les petits-maîtres, je la pressai d'une manière pétulante de faire mon bonheur. Elle me parut un peu émue de mes instances; mais elle ne crut pas devoir s'y rendre encore, et me repoussant : Arrêtez-vous, me dit-elle, vous êtes trop vif; vous avez l'air libertin. J'ai bien peur que vous ne soyez un petit débauché. Fi donc! madame, m'écriai-je; pouvez-vous haïr ce qu'aiment les femmes hors du commun ? Il n'y a plus que quelques bourgeoises qui se révoltent contre la débauche. C'en est trop, reprit-elle, je me rends à une raison si forte. Je vois bien qu'avec vous autres seigneurs les grimaces sont inutiles. Il faut qu'une femme fasse la moitié du chemin. Apprenez donc votre victoire, ajouta-t-elle avec une apparence de confusion, comme si sa pudeur eût souffert de cet aveu, vous m'avez inspiré des sentiments que je n'ai jamais eus pour personne, et je n'ai plus besoin que de savoir qui vous êtes pour me déterminer à vous choisir pour mon amant. Je vous crois un jeune seigneur et même un honnête homme.

Cependant je n'en suis point assurée, et, quelque prévenue que je sois en votre faveur, je ne veux pas donner ma tendresse à un inconnu.

Je me souvins alors de quelle façon le valet de don Antonio m'avait dit qu'il sortait d'un pareil embarras, et voulant à son exemple passer pour mon maître : Madame, dis-je à ma veuve, je ne me défendrai point de vous apprendre mon nom. Il est assez beau pour mériter d'être avoué. Avez-vous entendu parler de don Mathias de Silva ? Oui, répondit-elle; je vous dirai même que je l'ai vu chez une personne de ma connaissance. Quoique déjà effronté, je fus un peu troublé de cette réponse. Je me rassurai toutefois dans le moment; et faisant force de génie pour me tirer de là : Eh bien! mon ange, repris-je, vous connaissez un seigneur... que... je connais aussi... Je suis de sa maison, puisqu'il faut vous le dire. Son aïeul épousa la belle-sœur d'un oncle de mon père. Nous sommes, comme vous voyez, assez proches parents. Je m'appelle don César. Je suis fils unique de l'illustre don Fernand de Ribera, qui fut tué il y a quinze ans dans une bataille qui se donna sur les frontières de Portugal. Je vous ferais bien un détail de l'action, elle fut diablement vive; mais ce serait perdre des moments précieux que l'amour veut que j'emploie plus agréablement.

Je devins pressant et passionné après ce discours. Ce qui ne me mena pourtant à rien. Les faveurs que ma déesse me laissa prendre ne servirent qu'à me faire soupirer après celles qu'elle me refusa. La cruelle regagna son carrosse, qui l'attendait à la porte. Je ne laissai pas néanmoins de me retirer très satisfait de ma bonne fortune, bien que je ne fusse pas encore parfaitement heureux. Si, disais-je en moi-même, je n'ai obtenu que des demi-bontés, c'est que ma dame est une personne qualifiée, qui n'a pas cru devoir céder à mes transports dans une première entrevue. La fierté de sa naissance a retardé mon bonheur. Mais il n'est différé que de quelques jours. Il est bien vrai que je me représentai aussi que ce pouvait être une matoise des plus raffinées. Cependant j'aimai mieux regarder la chose du bon côté que du mauvais, et je conservai l'avantageuse opinion que j'avais conçue de ma veuve. Nous étions convenus en nous quittant de nous revoir le surlendemain, et l'espérance de parvenir au comble de mes vœux me donnait un avant-goût des plaisirs dont je me flattais.

L'esprit plein des plus riantes images, je me rendis chez mon barbier. Je changeai d'habit et j'allai joindre mon maître dans un tripot où je savais qu'il était. Je le trouvai engagé au jeu, et je m'aperçus qu'il gagnait; car il ne ressemblait pas à ces joueurs froids qui s'enrichissent ou se ruinent sans changer de visage. Il était railleur et insolent dans la prospérité et fort bourru dans la mauvaise fortune. Il sortit fort gai du tripot, et prit le chemin du

Théâtre du Prince. Je le suivis jusqu'à la porte de la comédie. Là me mettant un ducat dans la main : Tiens, Gil Blas, me dit-il, puisque j'ai gagné aujourd'hui, je veux que tu t'en ressentes. Va te divertir avec tes camarades, et viens me prendre à minuit chez Arsénie, où je dois souper avec don Alexo Segiar. A ces mots, il rentra et je demeurai à rêver avec qui je pourrais dépenser mon ducat selon l'intention du fondateur. Je ne rêvai pas longtemps. Clarin, valet de don Alexo, se présenta tout à coup devant moi. Je le menai au premier cabaret, et nous nous y amusâmes jusqu'à minuit. De là nous nous rendîmes à la maison d'Arsénie où Clarin avait ordre aussi de se trouver. Un petit laquais nous ouvrit la porte, et nous fit entrer dans une salle basse, où la femme de chambre d'Arsénie et celle de Florimonde riaient à gorge déployée en s'entretenant ensemble, tandis que leurs maîtresses étaient en haut avec nos maîtres.

L'arrivée de deux vivants qui venaient de bien souper ne pouvait pas être désagréable à des soubrettes, et à des soubrettes de comédiennes encore; mais quel fut mon étonnement lorsque dans une de ces suivantes je reconnus ma veuve, mon adorable veuve, que je croyais comtesse ou marquise! Elle ne parut pas moins étonnée de voir son cher don César de Ribera changé en valet de petit-maître. Nous nous regardâmes toutefois l'un l'autre sans nous déconcerter. Il nous prit même à tous deux une envie de rire que nous ne pûmes nous empêcher de satisfaire. Après quoi Laure, c'est ainsi qu'elle s'appelait, me tirant à part, tandis que Clarin parlait à sa compagne, me tendit gracieusement la main et me dit tout bas : Touchez là, seigneur don César; au lieu de nous faire des reproches réciproques, faisons-nous des compliments, mon ami! Vous avez fait votre rôle à ravir, et je ne me suis point mal non plus acquittée du mien. Qu'en dites-vous ? Avouez que vous m'avez prise pour une de ces jolies femmes de qualité qui se plaisent à faire des équipées. Il est vrai, lui répondis-je; mais qui que vous soyez, ma reine, je n'ai point changé de sentiment en changeant de forme. Agréez, de grâce, mes services, et permettez que le valet de chambre de don Mathias achève ce que don César a si heureusement commencé. Va, reprit-elle, je t'aime encore mieux dans ton naturel qu'autrement. Tu es en homme ce que je suis en femme. C'est la plus grande louange que je puisse te donner. Je te reçois au nombre de mes adorateurs. Nous n'avons plus besoin du ministère de la vieille. Tu peux venir ici me voir librement. Nous autres, dames de théâtre, nous vivons sans contrainte et pêle-mêle avec les hommes. Je conviens qu'il y paraît quelquefois; mais le public en rit, et nous sommes faites, comme tu sais, pour le divertir.

Nous en demeurâmes là, parce que nous n'étions pas seuls. La conversation devint générale, vive, enjouée et pleine d'équivoques claires. Chacun y mit du sien. La suivante d'Arsénie surtout, mon aimable Laure, brilla fort et fit paraître beaucoup plus d'esprit que de vertu. D'un autre côté nos maîtres et les comédiennes poussaient souvent de longs éclats de rire que nous entendions. Ce qui suppose que leur entretien était aussi raisonnable que le nôtre. Si l'on eût écrit tous les belles choses qui se dirent cette nuit chez Arsénie, on en aurait, je crois, composé un livre très instructif pour la jeunesse. Cependant l'heure de la retraite, c'est-à-dire le jour, arriva. Il fallut se séparer. Clarin suivit don Alexo, et je me retirai avec don Mathias.

CHAPITRE VI

De l'entretien de quelques seigneurs sur les comédiens de la troupe du prince.

Ce jour-là mon maître, à son lever, reçut un billet de don Alexo Segiar, qui lui mandait de se rendre chez lui. Nous y allâmes, et nous trouvâmes avec lui le marquis de Zenete et un autre jeune seigneur de bonne mine que je n'avais jamais vu : Don Mathias, dit Segiar à mon patron, en lui présentant ce cavalier que je ne connaissais point, vous voyez don Pompeyo de Castro, mon parent. Il est presque dès son enfance à la Cour de Portugal. Il arriva hier au soir à Madrid, et il s'en retourne dès demain à Lisbonne. Il n'a que cette journée à me donner. Je veux profiter d'un temps si précieux, et j'ai cru que, pour le lui faire trouver agréable, j'avais besoin de vous et du marquis de Zenete. Là-dessus mon maître et le parent de don Alexo s'embrassèrent et se firent l'un à l'autre force compliments. Je fus très satisfait de ce que dit don Pompeyo. Il me parut avoir l'esprit solide et délié.

On dîna chez Segiar, et ces seigneurs après le repas jouèrent pour s'amuser jusqu'à l'heure de la comédie. Alors ils allèrent tous ensemble au *Théâtre du Prince* voir représenter une tragédie nouvelle qui avait pour titre *La Reine de Carthage*. La pièce finie, ils revinrent souper au même endroit où ils avaient dîné, et leur conversation roula d'abord sur le poème qu'ils venaient d'entendre; ensuite sur les acteurs. Pour l'ouvrage, s'écria don Mathias, je l'estime peu. J'y trouve Enée encore plus fade que dans l'*Enéide;* mais il faut convenir que la pièce a été jouée divinement. Qu'en pense le seigneur don Pompeyo ? Il n'est pas, ce me semble, de mon sentiment. Messieurs, dit ce cavalier en souriant, je vous ai vus tantôt si charmés de vos acteurs et particulièrement de vos actrices, que je n'oserais vous avouer que j'en ai jugé tout autrement que vous. C'est fort bien fait, interrompit don Alexo en plaisantant, vos censures seraient ici fort mal reçues. Respectez nos actrices devant les trompettes de leur réputation. Nous buvons tous les jours avec elles; nous les garantissons parfaites. Nous en donnerons, si l'on veut, des certificats. Je n'en doute point, lui répondit son parent; vous en donneriez même de leurs vies et mœurs, tant vous me paraissez amis!

Vos comédiennes de Lisbonne, dit en riant le marquis de Zenete, sont sans doute beaucoup meilleures ? Oui, certainement, répliqua don Pompeyo, elles valent mieux. Il y en a du moins quelques-unes qui n'ont pas le moindre défaut. Celles-là, reprit le marquis, peuvent compter sur vos certificats ? Je n'ai point de liaisons avec elles, repartit don Pompeyo. Je ne suis point de leurs débauches. Je puis juger de leur mérite sans prévention. En bonne foi, poursuivit-il, croyez-vous avoir une troupe excellente ? Non, parbleu, dit le marquis, je ne le crois pas; et je ne veux défendre qu'un très petit nombre d'acteurs. J'abandonne tout le reste. Ne conviendrez-vous pas que l'actrice qui a joué le rôle de Didon est admirable [41] ? N'a-t-elle pas représenté cette reine avec toute la noblesse et tout l'agrément convenables à l'idée que nous en avons ? Et n'avez-vous pas admiré avec quel art elle attache un spectateur, et lui fait sentir les mouvements de toutes les passions qu'elle exprime ? On peut dire qu'elle est consommée dans les raffinements de la déclamation. Je demeure d'accord, dit don Pompeyo, qu'elle sait émouvoir et toucher : jamais comédienne n'eut plus d'entrailles, et c'est une belle représentation. Mais ce n'est point une actrice sans défaut. Deux ou trois choses m'ont choqué dans son jeu. Veut-elle marquer de la surprise ? elle roule les yeux d'une manière outrée; ce qui sied mal à une princesse. Ajoutez à cela qu'en grossissant le son de sa voix, qui est naturellement doux, elle en corrompt la douceur, et forme un creux assez désagréable. D'ailleurs, il m'a semblé, dans plus d'un endroit de la pièce, qu'on pouvait la soupçonner de ne pas trop bien entendre ce qu'elle disait. J'aime mieux pourtant croire qu'elle était distraite, que de l'accuser de manquer d'intelligence.

A ce que je vois, dit alors don Mathias au censeur, vous ne seriez pas homme à faire des vers à la louange de nos comédiennes. Pardonnez-moi, répondit don Pompeyo. Je découvre beaucoup de talent au travers de leurs défauts. Je vous dirai même que je suis enchanté de l'actrice qui a fait la suivante [42] dans les intermèdes. Le beau naturel! avec quelle grâce elle occupe la scène! A-t-elle quelque bon mot à débiter ? elle l'assaisonne d'un souris malin et plein de charmes qui lui donne un nouveau prix. On pourrait lui reprocher qu'elle se livre quelquefois un peu trop à son feu et passe les bornes d'une honnête hardiesse;

mais il ne faut pas être si sévère. Je voudrais seulement qu'elle se corrigeât d'une mauvaise habitude. Souvent au milieu d'une scène, dans un endroit sérieux, elle interrompt tout à coup l'action pour céder à une folle envie de rire qui lui prend. Vous me direz que le parterre l'applaudit dans ces moments mêmes. Cela est heureux.

Et que pensez-vous des hommes ? interrompit le marquis. Vous devez tirer sur eux à cartouches, puisque vous n'épargnez pas les femmes. Non, dit don Pompeyo; j'ai trouvé quelques jeunes acteurs qui promettent, et je suis surtout assez content de ce gros comédien [43] qui a joué le rôle du premier ministre de Didon. Il récite très naturellement, et c'est ainsi qu'on déclame en Portugal. Si vous êtes satisfait de ceux-là, dit Segiar, vous devez être charmé de celui qui a fait le personnage d'Enée. Ne vous a-t-il pas paru un grand comédien? un acteur original? Fort original, répondit le censeur; il a des tons qui lui sont particuliers, et il en a de bien aigus. Presque toujours hors de la nature, il précipite les paroles qui renferment le sentiment, et appuie sur les autres. Il fait même des éclats sur des conjonctions. Il m'a fort diverti, et particulièrement lorsqu'il exprimait à son confident la violence qu'il se faisait d'abandonner sa princesse. On ne saurait témoigner de la douleur plus comiquement. Tout beau, cousin! répliqua don Alexo, tu nous ferais croire à la fin qu'on n'est pas de trop bon goût à la Cour de Portugal. Sais-tu bien que l'acteur dont nous parlons est un sujet rare ? N'as-tu pas entendu les battements de mains qu'il a excités ? Cela prouve qu'il n'est pas si mauvais. Cela ne prouve rien, repartit don Pompeyo. Messieurs, ajouta-t-il, laissons là, je vous prie, les applaudissements du parterre. Il en donne souvent aux acteurs fort mal à propos. Il applaudit même plus rarement au vrai mérite qu'au faux, comme Phèdre [44] nous l'apprend par une fable ingénieuse. Permettez-moi de vous la rapporter. La voici.

Tout le peuple d'une ville s'était assemblé dans une grande place, pour voir jouer des pantomimes. Parmi ces acteurs, il y en avait un qu'on applaudissait à chaque moment. Ce bouffon sur la fin du jeu voulut fermer le théâtre par un spectacle nouveau. Il parut seul sur la scène, se baissa, se couvrit la tête de son manteau et se mit à contrefaire le cri d'un cochon de lait. Il s'en acquitta de manière qu'on s'imagina qu'il en avait un véritablement sous ses habits. On lui cria de secouer son manteau et sa robe. Ce qu'il fit, et, comme il ne se trouva rien dessous, les applaudissements se renouvelèrent avec plus de fureur dans l'assemblée. Un paysan, qui était du nombre des spectateurs, fut choqué de ces témoignages d'admiration. Messieurs, s'écria-t-il, vous avez tort d'être charmés de ce bouffon. Il n'est pas si bon acteur que vous le croyez. Je sais mieux faire que lui le cochon de lait; et, si vous en doutez, vous n'avez qu'à revenir ici demain à la même heure. Le peuple, prévenu en faveur du pantomime, se rassembla le jour suivant en plus grand nombre, et plutôt pour siffler le paysan, que pour voir ce qu'il savait faire. Les deux rivaux parurent sur le théâtre. Le bouffon commença, et fut encore plus applaudi que le jour précédent. Alors le villageois, s'étant baissé à son tour et enveloppé la tête de son manteau, tira l'oreille à un véritable cochon qu'il tenait sous son bras, et lui fit pousser des cris perçants. Cependant l'assistance ne laissa pas de donner le prix au pantomime, et chargea de huées le paysan, qui montrant tout à coup le cochon de lait aux spectateurs : Messieurs, leur dit-il, ce n'est pas moi que vous sifflez. C'est le cochon lui-même. Voyez quels juges vous êtes!

Cousin, dit don Alexo, ta fable est un peu vive. Néanmoins malgré ton cochon de lait, nous n'en démordrons pas. Changeons de matière, poursuivit-il, celle-ci m'ennuie. Tu pars donc demain, quelque envie que j'aie de te posséder plus longtemps ? Je voudrais, répondit son parent, pouvoir faire ici un plus long séjour; mais je ne le puis. Je vous l'ai déjà dit, je suis venu à la Cour d'Espagne pour une affaire d'Etat. Je parlai hier en arrivant au premier ministre. Je dois le voir encore demain matin, et je partirai un moment après pour m'en retourner à Lisbonne. Te voilà devenu portugais, répliqua Segiar; et, selon toutes les apparences, tu ne reviendras point demeurer à Madrid. Je crois que non, repartit don Pompeyo. J'ai le bonheur d'être aimé du roi de Portugal. J'ai beaucoup d'agrément à sa Cour. Quelque bonté pourtant qu'il ait pour moi, croiriez-vous que j'ai été sur le point de sortir pour jamais de ses Etats ? Eh! par quelle aventure ? dit le marquis. Contez-nous cela, je vous prie. Très volontiers, répondit don Pompeyo; et c'est en même temps mon histoire dont je vais vous faire le récit.

CHAPITRE VII

Histoire de don Pompeyo de Castro.

Don Alexo, poursuivit-il, sait qu'au sortir de mon enfance, je voulus prendre le parti des armes, et que, voyant notre pays tranquille, j'allai en Portugal [45]. De là je passai en Afrique avec le duc de Bragance qui me donna de l'emploi dans son armée. J'étais un cadet des moins riches d'Espagne. Ce qui m'imposait la nécessité de me signaler par des exploits qui m'attirassent l'attention du général. Je fis si bien mon devoir, que le duc m'avança, et me mit en état de continuer le service avec honneur. Après une longue guerre dont vous n'ignorez pas quelle a été la fin, je m'attachai à la Cour; et le roi, sur les bons témoignages que les officiers généraux lui rendirent de moi, me gratifia d'une pension considérable. Sensible à la générosité de ce monarque, je ne perdais pas une occasion de lui en témoigner ma reconnaissance par mon assiduité. J'étais devant lui à toutes les heures où il est permis de se présenter à ses regards. Par cette conduite, je me fis insensiblement aimer de ce prince, et j'en reçus de nouveaux bienfaits.

Un jour que je me distinguai dans une course de bague, et dans un combat de taureaux qui la précéda, toute la Cour loua ma force et mon adresse; et lorsque, comblé d'applaudissements, je fus de retour chez moi, j'y trouvai un billet par lequel on me mandait qu'une dame, dont la conquête devait plus me flatter que tout l'honneur que je m'étais acquis ce jour-là, souhaitait de m'entretenir, et que je n'avais, à l'entrée de la nuit, qu'à me rendre à certain lieu qu'on me marquait. Cette lettre me fit plus de plaisir que toutes les louanges qu'on m'avait données, et je m'imaginai que la personne qui m'écrivait devait être une femme de la première qualité. Vous jugez bien que je volai au rendez-vous. Une vieille, qui m'y attendait pour me servir de guide, m'introduisit par une petite porte du jardin dans une grande maison, et m'enferma dans un riche cabinet, en me disant : Demeurez ici. Je vais avertir ma maîtresse de votre arrivée. J'aperçus bien des choses précieuses dans ce cabinet, qu'éclairait une grande quantité de bougies; mais je n'en considérai la magnificence que pour me confirmer dans l'opinion que j'avais déjà conçue de la noblesse de la dame. Si tout ce que je voyais semblait m'assurer que ce ne pouvait être qu'une personne du premier rang, quand elle parut, elle acheva de me le persuader par son air noble et majestueux. Cependant ce n'était pas ce que je pensais.

Seigneur cavalier, me dit-elle, après la démarche que je fais en votre faveur, il serait inutile de vouloir vous cacher que j'ai de tendres sentiments pour vous. Le mérite que vous avez fait paraître aujourd'hui devant toute la Cour ne me les a point inspirés. Il en précipite seulement le témoignage. Je vous ai vu plus d'une fois. Je me suis informée de vous, et le bien qu'on m'en a dit m'a déterminée à suivre mon penchant. Ne croyez pas, poursuivit-elle, avoir fait la conquête d'une duchesse. Je ne suis que la veuve d'un simple officier des gardes du roi; mais ce qui rend votre victoire glorieuse, c'est la préférence que je vous donne sur un des plus grands seigneurs du royaume. Le duc d'Almeyda m'aime, et n'épargne rien pour me plaire. Il n'y peut toutefois réussir, et je ne souffre ses empressements que par vanité.

Quoique je visse bien, à ce discours, que j'avais affaire à une coquette, je ne laissai pas de savoir bon gré de cette aventure à mon étoile. Doña Hortensia, c'est ainsi que se nommait la dame, était encore dans sa première jeunesse, et sa beauté m'éblouit. De plus, on m'offrait la possession d'un cœur qui se refusait aux soins d'un duc. Quel triomphe pour un cavalier espagnol! Je me prosternai aux pieds d'Hortense pour la remercier de ses bontés. Je lui dis tout ce qu'un homme galant pouvait lui dire, et elle eut lieu d'être satisfaite des transports de reconnaissance que je fis éclater. Aussi nous séparâmes-nous tous deux les meilleurs amis du monde, après être convenus que nous nous verrions tous les soirs que le duc d'Almeyda ne pourrait venir chez elle. Ce qu'on promit de me faire savoir très exactement. On n'y manqua pas, et je devins l'Adonis de cette nouvelle Vénus.

Mais les plaisirs de la vie ne sont pas d'éternelle durée. Quelques mesures que prît la dame pour dérober la connaissance de notre commerce à mon rival, il ne laissa pas d'apprendre tout ce qu'il nous importait fort qu'il ignorât. Une servante mécontente le mit au fait. Ce seigneur, naturellement généreux, mais fier, jaloux et violent, fut indigné de mon audace. La colère et la jalousie lui troublèrent l'esprit; et, ne consultant que sa fureur, il résolut de se venger de moi d'une manière infâme. Une nuit que j'étais chez Hortense, il vint m'attendre à la petite porte du jardin, avec tous ses valets armés de bâtons. Dès que je sortis, il me fit saisir par ces misérables, et leur ordonna de m'assommer. Frappez, leur dit-il, que le téméraire périsse sous vos coups! C'est ainsi que je veux punir son insolence. Il n'eut pas achevé ces paroles que ses gens m'assaillirent tous ensemble et me donnèrent tant de coups de bâtons, qu'ils m'étendirent sans sentiment sur la place. Après quoi ils se retirèrent avec leur maître, pour qui cette cruelle exécution avait été un spectacle bien doux. Je demeurai le reste de la nuit dans l'état où ils m'avaient mis. A la pointe du jour il passa près de moi quelques personnes, qui, s'apercevant que je respirais encore, eurent la charité de me porter chez un chirurgien. Par bonheur mes blessures ne se trouvèrent pas mortelles, et je tombai entre les mains d'un habile homme, qui me guérit en deux mois parfaitement. Au bout de ce temps-là, je reparus à la Cour et repris mes premières brisées, excepté que je ne retournai plus chez Hortense, qui de son côté ne fit aucune démarche pour me revoir, parce que le duc, à ce prix-là, lui avait pardonné son infidélité.

Comme mon aventure n'était ignorée de personne, et que je ne passais pas pour un lâche, tout le monde s'étonnait de me voir aussi tranquille que si je n'eusse pas reçu un affront. Car je ne disais pas ce que je pensais, et je semblais n'avoir aucun ressentiment. On ne savait que s'imaginer de ma fausse insensibilité. Les uns croyaient que, malgré mon courage, le rang de l'offenseur me tenait en respect et m'obligeait à dévorer l'offense; les autres, avec plus de raison, se défiaient de mon silence, et regardaient comme un calme trompeur la situation paisible où je paraissais être. Le roi jugea, comme ces derniers, que je n'étais pas homme à laisser un outrage impuni, et que je ne manquerais pas de me venger, sitôt que j'en trouverais une occasion favorable. Pour savoir s'il devinait ma pensée, il me fit un jour entrer dans son cabinet, où il me dit : Don Pompeyo, je sais l'accident qui vous est arrivé, et je suis surpris, je l'avoue, de votre tranquillité. Vous dissimulez certainement. Sire, lui répondis-je, j'ignore qui peut être l'offenseur. J'ai été attaqué la nuit par des gens inconnus. C'est un malheur dont il faut bien que je me console. Non, non, répliqua le roi; je ne suis point la dupe de ce discours peu sincère. On m'a tout dit. Le duc d'Almeyda vous a mortellement offensé. Vous êtes noble et castillan. Je sais à quoi ces deux qualités vous engagent. Vous avez formé la résolution de vous venger. Faites-moi confidence du parti que vous avez pris. Je le veux. Ne craignez point de vous repentir de m'avoir confié votre secret.

Puisque Votre Majesté me l'ordonne, lui repartis-je, il faut donc que je lui découvre mes sentiments. Oui, Seigneur, je songe à tirer vengeance de l'affront qu'on m'a fait. Tout homme qui porte un nom pareil au mien en est comptable à sa race. Vous savez l'indigne traitement que j'ai reçu, et je me propose d'assassiner le duc d'Almeyda pour me venger d'une manière qui réponde à l'offense. Je lui plongerai un poignard dans le sein, ou lui casserai la tête d'un coup de pistolet, et je me sauverai, si je puis, en Espagne. Voilà quel est mon dessein. Il est violent, dit le roi; néanmoins, je ne saurais le condamner après le cruel outrage que le duc d'Almeyda vous a fait. Il est digne du châtiment que vous lui réservez. Mais n'exécutez pas sitôt votre entreprise. Laissez-moi chercher un tempérament pour vous accommoder tous deux. Ah! Seigneur, m'écriai-je avec chagrin, pourquoi m'avez-vous obligé de vous révéler mon secret? Quel tempérament peut... Si je n'en trouve pas qui vous satisfasse, interrompit-il, vous pourrez faire ce que vous avez résolu. Je ne prétends point abuser de la confidence que vous m'avez faite. Je ne trahirai point votre honneur. Soyez sans inquiétude là-dessus.

J'étais assez en peine de savoir par quel moyen le roi prétendait terminer cette affaire à l'amiable. Voici comme il s'y prit. Il entretint en particulier le duc d'Almeyda : Duc, lui dit-il, vous avez offensé don Pompeyo de Castro. Vous n'ignorez pas que c'est un homme d'une naissance illustre, un cavalier que j'aime, et qui m'a bien servi. Vous lui devez une satisfaction. Je ne suis pas d'humeur à la lui refuser, répondit le duc. S'il se plaint de mon emportement, je suis prêt à lui en faire raison par la voie des armes. Il faut une autre réparation, reprit le roi. Un gentilhomme espagnol entend trop bien le point d'honneur, pour vouloir se battre noblement avec un lâche assassin. Je ne puis vous appeler autrement, et vous ne sauriez expier l'indignité de votre action, qu'en présentant vous-même un bâton à votre ennemi, et qu'en vous offrant à ses coups. O Ciel! s'écria le duc! quoi! Seigneur, vous voulez qu'un homme de mon rang s'abaisse ? qu'il s'humilie devant un simple cavalier, et qu'il en reçoive des coups de bâton ? Non, repartit le monarque, j'obligerai don Pompeyo à me promettre qu'il ne vous frappera point. Demandez-lui seulement pardon de votre violence en lui présentant un bâton. C'est tout ce que j'exige de vous. Et c'est trop attendre de moi, Seigneur, interrompit brusquement le duc d'Almeyda. J'aime mieux demeurer exposé aux traits cachés que son ressentiment me prépare. Vos jours me sont chers, dit le roi, et je voudrais que cette affaire n'eût point de mauvaises suites. Pour la finir avec moins de désagrément pour vous, je serai seul témoin de cette satisfaction que je vous ordonne de faire à l'Espagnol.

Le roi eut besoin de tout le pouvoir qu'il avait sur le duc, pour obtenir de lui qu'il fît une démarche si mortifiante. Ce monarque pourtant en vint à bout. Ensuite il m'envoya chercher. Il me conta l'entretien qu'il venait d'avoir avec mon ennemi, et me demanda si je serais content de la réparation dont ils étaient convenus tous deux. Je répondis qu'oui; et je donnai ma parole que, bien loin de frapper l'offenseur, je ne prendrais pas même le bâton qu'il me présenterait. Cela étant réglé de cette sorte, le duc et moi nous nous trouvâmes un jour à certaine heure chez le roi, qui s'enferma dans son cabinet avec nous. Allons, dit-il au duc, reconnaissez votre faute et méritez qu'on vous la pardonne. Alors mon ennemi me fit des excuses, et me présenta un bâton qu'il avait à la main. Don Pompeyo, me dit le monarque en ce moment, prenez ce bâton, et que ma présence ne vous empêche pas de satisfaire votre honneur outragé! Je vous rends la parole que vous m'avez donnée de ne point frapper le duc. Non, Seigneur, lui répondis-je, il suffit qu'il se mette en état de recevoir des coups de bâton. Un Espagnol offensé n'en demande pas davantage. Eh bien! reprit le roi, puisque vous êtes content de cette satisfaction, vous pouvez présentement tous deux suivre la franchise d'un procédé régulier. Mesurez vos épées pour terminer noblement votre querelle. C'est ce que je désire avec ardeur, s'écria le duc d'Almeyda d'un ton brusque, et cela seul est capable de me consoler de la honteuse démarche que je viens de faire.

A ces mots, il sortit plein de rage et de confusion; et, deux heures après, il m'envoya dire qu'il m'attendait dans un endroit écarté. Je m'y rendis, et je trouvai ce seigneur disposé à se bien battre. Il n'avait pas quarante-cinq ans. Il ne manquait ni de courage ni d'adresse. On peut dire que la partie était égale entre nous. Venez, don Pompeyo, me dit-il, finissons ici notre différend. Nous devons l'un et l'autre être en fureur, vous du traitement que je vous ai fait, et moi de vous en avoir demandé pardon. En achevant ces paroles, il mit si brusquement l'épée à la main, que je n'eus pas le temps de lui répondre. Il me poussa d'abord très vivement; mais j'eus le bonheur de parer tous les coups qu'il me porta. Je le poussai à mon tour. Je sentis que j'avais affaire à un homme qui savait aussi bien se défendre qu'attaquer, et je ne sais ce qu'il en serait arrivé, s'il n'eût pas fait un faux pas en reculant et ne fût tombé à la renverse. Je m'arrêtai aussitôt, et dis au duc : Relevez-vous. Pourquoi m'épargner ? répondit-il ? votre pitié me fait injure. Je ne veux point, lui répliquai-je, profiter de votre malheur. Je ferais tort à ma gloire. Encore une fois, relevez-vous, et continuons notre combat.

Don Pompeyo, dit-il en se relevant, après ce trait de générosité, l'honneur ne me permet pas de me battre contre vous. Que dirait-on de moi, si je vous perçais le cœur ? Je passerais pour un lâche d'avoir arraché la vie à un homme qui me la pouvait ôter. Je ne puis donc plus m'armer contre vos jours, et je sens que ma reconnaissance fait succéder de doux transports aux mouvements furieux qui m'agitaient. Don Pompeyo, continua-t-il, cessons de nous haïr l'un l'autre. Passons même plus avant. Soyons amis. Ah! seigneur, m'écriai-je, j'accepte avec joie une proposition si agréable. Je vous voue une amitié sincère; et, pour commencer à vous en donner des marques, je vous promets de ne plus remettre le pied chez doña Hortensia, quand elle voudrait me revoir. C'est moi, dit-il, qui vous cède cette dame. Il est plus juste que je vous l'abandonne, puisqu'elle a naturellement de l'inclination pour vous. Non non, interrompis-je; vous l'aimez. Les bontés qu'elle aurait pour moi pourraient vous faire de la peine. Je les sacrifie à votre repos. Ah! trop généreux Castillan, reprit le duc en me serrant entre ses bras, vos sentiments me charment. Qu'ils produisent de remords dans mon âme! Avec quelle douleur, avec quelle honte je me rappelle l'outrage que vous avez reçu! La satisfaction que je vous en ai faite dans la chambre du roi me paraît trop légère en ce moment. Je veux mieux réparer cette injure; et, pour en effacer entièrement l'infamie, je vous offre une de mes nièces dont je puis disposer. C'est une riche héritière, qui n'a pas quinze ans, et qui est encore plus belle que jeune.

Je fis là-dessus au duc tous les compliments que l'honneur d'entrer dans son alliance me put inspirer, et j'épousai sa nièce peu de jours après. Toute la cour félicita ce seigneur d'avoir fait la fortune d'un cavalier qu'il avait couvert d'ignominie, et mes amis se réjouirent avec moi de l'heureux dénoûment d'une aventure qui devait avoir 46
une plus triste fin. Depuis ce temps, messieurs, je vis

agréablement à Lisbonne. Je suis aimé de mon épouse et j'en suis encore amoureux. Le duc d'Almeyda me donne tous les jours de nouveaux témoignages d'amitié, et j'ose me vanter d'être assez bien dans l'esprit du roi de Portugal. L'importance du voyage que je fais par son ordre à Madrid m'assure de son estime.

CHAPITRE VIII

Quel accident obligea Gil Blas à chercher une nouvelle condition.

Telle fut l'histoire que don Pompeyo raconta, et que nous entendîmes, le valet de don Alexo et moi, bien qu'on eût pris la précaution de nous renvoyer avant qu'il en commençât le récit. Au lieu de nous retirer, nous nous étions arrêtés à la porte, que nous avions laissée entr'ouverte, et de là nous n'en avions pas perdu un mot. Après cela, ces seigneurs continuèrent de boire; mais ils ne poussèrent pas la débauche jusqu'au jour, attendu que don Pompeyo, qui devait parler le matin au premier ministre, était bien aise auparavant de se reposer un peu. Le marquis de Zenete et mon maître embrassèrent ce cavalier, lui dirent adieu et le laissèrent avec son parent.

Nous nous couchâmes pour le coup avant le lever de l'aurore, et don Mathias à son réveil me chargea d'un nouvel emploi. Gil Blas, me dit-il, prends du papier et de l'encre pour écrire deux ou trois lettres que je veux te dicter. Je te fais mon secrétaire. Bon! dis-je en moi-même, surcroît de fonctions. Comme laquais, je suis mon maître partout; comme valet de chambre, je l'habille, et j'écrirai sous lui comme secrétaire. Le Ciel en soit loué! Je vais, comme la triple Hécate, faire trois personnages différents. Tu ne sais pas, continua-t-il, quel est mon dessein ? Le voici. Mais sois discret. Il y va de ta vie. Comme je trouve quelquefois des gens qui me vantent leurs bonnes fortunes, je veux, pour leur damer le pion, avoir dans mes poches de fausses lettres de femmes que je leur lirai. Cela me divertira pour un moment, et, plus heureux que ceux de mes pareils qui ne font des conquêtes que pour avoir le plaisir de les publier, j'en publierai que je n'aurai pas eu la peine de faire. Mais, ajouta-t-il, déguise ton écriture de manière que les billets ne paraissent pas tous d'une même main.

Je pris donc du papier, une plume et de l'encre, et je me mis en devoir d'obéir à don Mathias, qui me dicta d'abord un poulet dans ces termes : *Vous ne vous êtes point trouvé cette nuit au rendez-vous. Ah! don Mathias, que direz-vous pour vous justifier ? Quelle était mon erreur! et que vous me punissez bien d'avoir eu la vanité de croire que tous les amusements et toutes les affaires du monde devaient céder au plaisir de voir doña Clara de Mendoce!* Après ce billet, il m'en fit écrire un autre comme d'une femme qui lui sacrifiait un prince, et un autre enfin, par lequel une dame lui mandait que, si elle était assurée qu'il fût discret, elle ferait avec lui le voyage de Cythère. Il ne se contentait pas de me dicter de si belles lettres, il m'obligeait à mettre au bas des noms de personnes qualifiées. Je ne pus m'empêcher de lui témoigner que je trouvais cela très délicat; mais il me pria de ne lui donner des avis que lorsqu'il m'en demanderait. Je fus obligé de me taire et d'expédier ses commandements. Cela fait, il se leva, et je l'aidai à s'habiller. Il mit les lettres dans ses poches. Il sortit ensuite. Je le suivis, et nous allâmes dîner chez don Juan de Moncade qui régalait ce jour-là cinq ou six cavaliers de ses amis.

On y fit grand'chère, et la joie, qui est le meilleur assaisonnement des festins, régna dans le repas. Tous les convives contribuèrent à égayer la conversation, les uns par des plaisanteries, et les autres en racontant des histoires dont ils se disaient les héros. Mon maître ne perdit pas une si belle occasion de faire valoir les lettres qu'il m'avait fait écrire. Il les lut à haute voix et d'un air si imposant qu'à l'exception de son secrétaire, tout le monde peut-être en fut la dupe. Parmi les cavaliers devant qui se faisait effrontément cette lecture, il y en avait un qu'on appelait don Lope de Velasco. Celui-ci, homme fort grave, au lieu de se réjouir comme les autres des prétendues bonnes fortunes du lecteur, lui demanda froidement si la conquête de doña Clara lui avait coûté beaucoup. Moins que rien, lui répondit don Mathias. Elle a fait toutes les avances. Elle me voit à la promenade. Je lui plais. On me suit par son ordre. On apprend qui je suis. Elle m'écrit et me donne rendez-vous chez elle à une heure de la nuit où tout reposait dans sa maison. Je m'y trouvai. On m'introduisit dans son appartement... Je suis trop discret pour vous dire le reste.

A ce récit laconique, le seigneur de Velasco fit paraître une grande altération sur son visage. Il ne fut pas difficile de s'apercevoir de l'intérêt qu'il prenait à la dame en question. Tous ces billets, dit-il à mon maître en le regardant d'un air furieux, sont absolument faux, et surtout celui que vous vous vantez d'avoir reçu de doña Clara de Mendoce. Il n'y a point en Espagne de fille plus réservée qu'elle. Depuis deux ans un cavalier qui ne vous cède ni en naissance ni en mérite personnel, met tout en usage pour s'en faire aimer. A peine en a-t-il obtenu les plus innocentes faveurs; mais il peut se flatter que, si elle était capable d'en accorder d'autres, ce ne serait qu'à lui seul. Eh! qui vous dit le contraire ? interrompit don Mathias d'un air railleur. Je conviens avec vous que c'est une fille très honnête. De mon côté, je suis un fort honnête garçon. Par conséquent, vous devez être persuadé qu'il ne s'est rien passé entre nous que de très honnête. Ah! c'en est trop, interrompit don Lope à son tour. Laissons là les railleries. Vous êtes un imposteur. Jamais doña Clara ne vous a donné de rendez-vous la nuit. Je ne puis souffrir que vous osiez noircir sa réputation. Je suis aussi trop discret pour vous dire le reste. En achevant ces mots, il rompit en visière à toute la compagnie, et se retira d'un air qui me fit juger que cette affaire pourrait bien avoir de mauvaises suites. Mon maître, qui était assez brave pour un seigneur de son caractère, méprisa les menaces de don Lope. Le fat! s'écria-t-il en faisant un éclat de rire. Les chevaliers errants soutenaient la beauté de leurs maîtresses, il veut, lui, soutenir la sagesse de la sienne. Cela me paraît encore plus extravagant.

La retraite de Velasco, à laquelle Moncade avait en vain voulu s'opposer, ne troubla point la fête. Les cavaliers, sans y faire beaucoup d'attention, continuèrent de se réjouir, et ne se séparèrent qu'à la pointe du jour suivant. Nous nous couchâmes, mon maître et moi, sur les cinq heures du matin. Le sommeil m'accablait et je comptais de bien dormir; mais je comptais sans mon hôte, ou plutôt sans notre portier, qui vint me réveiller une heure après, pour me dire qu'il y avait à la porte un garçon qui me demandait. Ah! maudit portier, m'écriai-je en bâillant, songez-vous que je viens de me mettre au lit tout à l'heure ? Dites à ce garçon que je repose et qu'il revienne tantôt. Il veut, me répliqua-t-il, vous parler en ce moment. Il assure que la chose presse. A ces mots, je me levai. Je mis seulement mon haut-de-chausses et mon pourpoint, et j'allai en jurant trouver le garçon qui m'attendait. Ami, lui dis-je, apprenez-moi, s'il vous plaît, quelle affaire pressante me procure l'honneur de vous voir de si grand matin ? J'ai, me répondit-il, une lettre à donner en main propre au seigneur don Mathias, et il faut qu'il la lise tout présentement. Cela est de la dernière conséquence pour lui. Je vous prie de m'introduire dans sa chambre. Comme je crus qu'il s'agissait d'une affaire importante, je pris la liberté d'aller réveiller mon maître. Pardon, lui dis-je, si j'interromps votre repos; mais l'importance... Que me veux-tu ? interrompit-il brusquement. Seigneur, lui dit alors le garçon qui m'accompagnait, c'est une lettre que j'ai à vous rendre de la part de don Lope de Velasco. Don Mathias prit le billet, l'ouvrit, et, après l'avoir lu, dit au valet de don Lope : Mon enfant, je ne me lèverais jamais avant midi [47], quelque partie de plaisir qu'on me pût proposer; juge si je me lèverai à six heures du matin pour me battre! Tu peux dire à ton maître que, s'il est encore à midi et demi dans l'endroit où il m'attend, nous nous y verrons. Va lui porter cette réponse. A ces mots il s'enfonça dans son lit et ne tarda guère à se rendormir.

Il se leva et s'habilla fort tranquillement entre onze heures et midi. Puis il sortit en me disant qu'il me dispensait de le suivre; mais j'étais trop tenté de voir ce qu'il deviendrait, pour lui obéir. Je marchai sur ses pas jusqu'au pré de Saint-Jérôme, où j'aperçus don Lope de Velasco qui l'attendait de pied ferme. Je me cachai pour les observer tous deux, et voici ce que je remarquai de loin. Ils se joignirent et commencèrent à se battre un moment après. Leur combat fut long. Ils se poussèrent tour à tour l'un l'autre avec beaucoup d'adresse et de vigueur. Cependant la victoire se déclara pour don Lope. Il perça mon maître, l'étendit par terre, et s'enfuit fort satisfait de s'être si bien vengé. Je courus au malheureux don Mathias. Je le trouvai sans connaissance et presque déjà sans vie. Ce spectacle m'attendrit, et je ne pus m'empêcher de pleurer une mort à laquelle, sans y penser, j'avais servi d'instrument. Néanmoins malgré ma douleur, je ne laissai pas de songer à mes petits intérêts. Je m'en retournai promptement à l'hôtel sans rien dire. Je fis un paquet de mes hardes où je mis par mégarde quelques nippes de mon maître, et, quand j'eus porté cela chez le barbier où mon habit d'hommes à bonnes fortunes était encore, je répandis dans la ville l'accident funeste dont j'avais été témoin. Je le contai à qui voulut l'entendre, et surtout je ne manquai pas d'aller l'annoncer à Rodriguez. Il en parut moins affligé, qu'occupé des mesures qu'il avait à prendre là-dessus. Il assembla ses domestiques, leur ordonna de le suivre, et nous nous rendîmes tous au pré de Saint-Jérôme. Nous enlevâmes don Mathias qui respirait encore, mais qui mourut trois heures après qu'on l'eut transporté chez lui. Ainsi périt le seigneur don Mathias de Silva, pour s'être avisé de lire mal à propos des billets doux supposés.

CHAPITRE IX

Quelle personne il alla servir
après la mort de don Mathias de Silva.

Quelques jours après les funérailles de don Mathias, tous ses domestiques furent payés et congédiés. J'établis mon domicile chez le petit barbier, avec qui je commençais à vivre dans une étroite liaison. Je m'y promettais plus d'agrément que chez Melendez. Comme je ne manquais pas d'argent, je ne me hâtai point de chercher une nouvelle condition. D'ailleurs, j'étais devenu difficile sur cela. Je ne voulais plus servir que des personnes hors du commun. Encore avais-je résolu de bien examiner les postes qu'on m'offrirait. Je ne croyais pas le meilleur trop bon pour moi, tant le valet d'un jeune seigneur me paraissait alors préférable aux autres valets!

En attendant que la fortune me présentât une maison telle que je m'imaginais la mériter, je pensai que je ne pouvais mieux faire que de consacrer mon oisiveté à ma belle Laure, que je n'avais point vue depuis que nous nous étions si plaisamment détrompés. Je n'osai m'habiller en don César de Ribera. Je ne pouvais, sans passer pour un extravagant, mettre cet habit que pour me déguiser. Mais outre que le mien n'avait pas encore l'air trop malpropre, j'étais bien chaussé et bien coiffé. Je me parai donc, à l'aide du barbier, d'une manière qui tenait un milieu entre don César et Gil Blas. Dans cet état, je me rendis à la maison d'Arsénie. Je trouvai Laure seule dans la même salle où je lui avais déjà parlé. Ah! c'est vous, s'écria-t-elle aussitôt qu'elle m'aperçut. Je vous croyais perdu. Il y a sept ou huit jours que je vous ai permis de me venir voir. Vous n'abusez point, à ce que je vois, des libertés que les dames vous donnent.

Je m'excusai sur la mort de mon maître, sur les occupations que j'avais eues, et j'ajoutai fort poliment que, dans mes embarras même, mon aimable Laure avait toujours été présente à ma pensée. Cela étant, me dit-elle, je ne vous ferai plus de reproches, et je vous avouerai que j'ai aussi songé à vous. D'abord que j'ai appris le malheur de don Mathias, j'ai formé un projet qui ne vous déplaira peut-être point. Il y a longtemps que j'entends dire à ma maîtresse qu'elle veut avoir chez elle une espèce d'homme d'affaires, un garçon qui entende bien l'économie, et qui tienne un registre exact des sommes qu'on lui donnera pour faire la dépense de la maison. J'ai jeté les yeux sur votre seigneurie. Il me semble que vous ne remplirez point mal cet emploi. Je sens, lui répondis-je, que je m'en acquitterai à merveille. J'ai lu les *économiques* d'Aristote, et pour tenir des registres, c'est mon fort... Mais, mon enfant, poursuivis-je, une difficulté m'empêche d'entrer au service d'Arsénie. Quelle difficulté ? me dit Laure. J'ai juré, lui répliquai-je, de ne plus servir de bourgeois. J'en ai même juré par le Styx. Si Jupiter n'osait violer ce serment, jugez si un valet doit le respecter! Qu'appelles-tu des bourgeois ? repartit fièrement la soubrette. Pour qui prends-tu les comédiennes ? Les prends-tu pour des avocates ou pour des procureuses ? Oh! sache, mon ami, que les comédiennes sont nobles, archinobles, par les alliances qu'elles contractent avec les grands seigneurs.

Sur ce pied-là, lui dis-je, mon infante, je puis accepter la place que vous me destinez. Je ne dérogerai point. Non, sans doute, répondit-elle, passer de chez un petit-maître au service d'une héroïne de théâtre, c'est être toujours dans le même monde. Nous allons de pair avec les gens de qualité. Nous avons des équipages comme eux, nous faisons aussi bonne chère, et dans le fond on doit nous confondre ensemble dans la vie civile. En effet, ajouta-t-elle, à considérer un marquis et un comédien dans le cours d'une journée, c'est presque la même chose : Si le marquis pendant les trois quarts du jour est par son rang au-dessus du comédien, le comédien, pendant l'autre quart, s'élève encore davantage au-dessus du marquis par un rôle d'empereur ou de roi qu'il représente. Cela fait, ce me semble, une compensation de noblesse et de grandeur qui nous égale aux personnes de la Cour. Oui vraiment, repris-je, vous êtes de niveau, sans contredit, les uns aux autres. Peste! les comédiens ne sont pas des maroufles, comme je le croyais, et vous me donnez une forte envie de servir de si honnêtes gens. Eh bien! repartit-elle, tu n'as qu'à revenir dans deux jours. Je ne te demande que ce temps-là pour disposer ma maîtresse à te prendre. Je lui parlerai en ta faveur. J'ai quelque ascendant sur son esprit. Je suis persuadée que je te ferai entrer ici.

Je remerciai Laure de sa bonne volonté. Je lui témoignai que j'en étais pénétré de reconnaissance, et je l'en assurai avec des transports qui ne lui permirent pas d'en douter. Nous eûmes tous deux un assez long entretien, qui aurait encore duré, si un petit laquais ne fût venu dire à ma princesse qu'Arsénie la demandait. Nous nous séparâmes. Je sortis de chez la comédienne dans la douce espérance d'y avoir bientôt bouche à cour, et je ne manquai pas d'y retourner deux jours après. Je t'attendais, me dit la suivante, pour t'assurer que tu es commensal dans cette maison. Viens, suis-moi. Je vais te présenter à ma maîtresse. A ces paroles, elle me mena dans un appartement composé de cinq à six pièces de plain-pied, toutes plus richement meublées les unes que les autres.

Quel luxe! quelle magnificence! Je me crus chez une vice-reine : ou, pour mieux dire, je m'imaginai voir toutes les richesses du monde amassées dans un même lieu. Il est vrai qu'il y en avait de plusieurs nations, et qu'on pouvait définir cet appartement : le temple d'une déesse où chaque voyageur apportait pour offrande quelques raretés de son pays. J'aperçus la divinité assise sur un gros carreau de satin. Je la trouvai charmante et grasse de la fumée des sacrifices. Elle était dans un déshabillé galant, et ses belles mains s'occupaient à préparer une coiffure nouvelle pour jouer son rôle ce jour-là. Madame, lui dit la soubrette, voici l'économe en question. Je puis vous assurer que vous ne sauriez avoir un meilleur sujet. Arsénie me regarda très attentivement et j'eus le bonheur de ne lui pas déplaire. Comment donc, Laure, s'écria-t-elle, mais voilà un fort joli garçon! Je prévois que je m'accommoderai bien de lui. Ensuite m'adressant la parole : Mon enfant, ajouta-t-elle, vous me convenez, et je n'ai qu'un mot à vous dire : vous serez content de moi si je le suis de vous. Je lui répondis que je ferais tous mes efforts pour la servir à son gré. Comme je vis que nous étions d'accord, je sortis sur-le-champ pour aller chercher mes hardes, et je revins m'installer dans cette maison.

CHAPITRE X

Qui n'est pas plus long que le précédent.

Il était à peu près l'heure de la comédie. Ma maîtresse me dit de la suivre avec Laure au théâtre. Nous entrâmes dans sa loge, où elle ôta son habit de ville et en prit un autre plus magnifique pour paraître sur la scène. Quand le spectacle commença, Laure me conduisit et se plaça près de moi dans un endroit d'où je pouvais voir et entendre parfaitement bien les acteurs. Ils me déplurent pour la plupart, à cause sans doute que don Pompeyo m'avait prévenu contre eux. On ne laissait pas d'en applaudir plusieurs, et quelques-uns de ceux-là me firent souvenir de la fable du cochon.

Laure m'apprenait le nom des comédiens et des comédiennes, à mesure qu'ils s'offraient à nos yeux. Elle ne se contentait pas de les nommer, la médisante en faisait de jolis portraits : Celui-ci, disait-elle, a le cerveau creux, celui-là est un insolent. Cette mignonne que vous voyez et qui a l'air plus libre que gracieux s'appelle Rosarda. Mauvaise acquisition pour la compagnie! On devrait mettre cela dans la troupe qu'on lève par ordre du vice-roi de la Nouvelle-Espagne [48], et qu'on va faire incessamment partir pour l'Amérique. Regardez bien cet astre lumineux qui s'avance, ce beau soleil couchant : c'est Casilda. Si, depuis qu'elle a des amants, elle avait exigé de chacun d'eux une pierre de taille pour en bâtir une pyramide, comme fit autrefois une princesse d'Egypte, elle en pourrait faire élever une qui irait jusqu'au troisième ciel! Enfin, Laure déchira tout le monde par des médisances. Ah! la méchante langue! Elle n'épargna pas même sa maîtresse.

Cependant j'avouerai mon faible, j'étais charmé de ma soubrette, quoique son caractère ne fût pas moralement bon. Elle médisait avec un agrément qui me faisait aimer jusqu'à sa malignité. Elle se levait dans les entr'actes, pour aller voir si Arsénie n'avait pas besoin de ses services; mais au lieu de venir promptement reprendre sa place, elle s'amusait derrière le théâtre à recueillir les fleurettes des hommes qui la cajolaient. Je la suivis une fois pour l'observer, et je remarquai qu'elle avait bien des connaissances. Je comptai jusqu'à trois comédiens qui l'arrêtèrent, l'un après l'autre, pour lui parler, et ils me parurent s'entretenir avec elle très familièrement. Cela ne me plut point, et, pour la première fois de ma vie, je sentis ce que c'est que d'être jaloux. Je retournai à ma place si rêveur et si triste, que Laure s'en aperçut aussitôt qu'elle m'eut rejoint. Qu'as-tu, Gil Blas ? me dit-elle avec étonnement. Quelle humeur noire s'est emparée de toi depuis que je t'ai quitté ? Tu as l'air sombre et chagrin. Ma princesse, lui répondis-je, ce n'est pas sans raison. Vos allures sont un peu vives. Je viens de vous voir avec des comédiens... Ah! le plaisant sujet de tristesse! interrompit-elle en riant ? Quoi! cela te fait de la peine ? Oh! vraiment, tu n'es pas au bout. Tu verras bien d'autres choses parmi nous. Il faut que tu t'accoutumes à nos manières aisées. Point de jalousie, mon enfant! Les jaloux, chez le peuple comique, passent pour des ridicules. Aussi n'y en a-t-il presque point. Les pères, les maris, les frères, les oncles et les cousins sont les gens du monde les plus commodes, et souvent même c'est eux qui établissent leurs familles.

Après m'avoir exhorté à ne prendre ombrage de personne et à regarder tout tranquillement, elle me déclara que j'étais l'heureux mortel qui avait trouvé le chemin de son cœur. Puis elle m'assura qu'elle m'aimerait toujours uniquement. Sur cette assurance, dont je pouvais douter sans passer pour un esprit trop défiant, je lui promis de ne plus m'alarmer, et je lui tins parole. Je la vis, dès le soir même, s'entretenir en particulier et rire avec des hommes. A l'issue de la comédie, nous nous en retournâmes avec notre maîtresse au logis, où Florimonde arriva bientôt avec trois vieux seigneurs et un comédien qui y venaient souper. Outre Laure et moi, il y avait pour domestiques dans cette maison une cuisinière, un cocher et un petit laquais. Nous nous joignîmes tous cinq pour préparer le repas. La cuisinière, qui n'était pas moins habile que la dame Jacinte, apprêta les viandes avec le cocher. La femme de chambre et le petit laquais mirent le couvert, et je dressai le buffet composé de la plus belle vaisselle d'argent et de plusieurs vases d'or. Autres offrandes que la déesse du temple avait reçues. Je le parai de bouteilles de différents vins, et je servis d'échanson, pour montrer à ma maîtresse que j'étais un homme à tout. J'admirais la contenance des comédiennes pendant le repas. Elles faisaient les dames d'importance. Elles s'imaginaient être des femmes du premier rang. Bien loin de traiter d'*Excellence* les seigneurs, elles ne leur donnaient pas même de la *Seigneurie :* elles les appelaient simplement par leur nom. Il est vrai que c'était eux qui les gâtaient et qui les rendaient si vaines en se familiarisant un peu trop avec elles. Le comédien, de son côté, comme un acteur accoutumé à faire le héros, vivait avec eux sans façon : il buvait à leur santé, et tenait, pour ainsi dire, le haut bout. Parbleu, dis-je en moi-même, quand Laure m'a démontré que le marquis et le comédien sont égaux pendant le jour, elle pouvait ajouter qu'ils le sont encore davantage pendant la nuit, puisqu'ils la passent tout entière à boire ensemble.

Arsénie et Florimonde étaient naturellement enjouées. Il leur échappa mille discours hardis entremêlés de menues faveurs et de minauderies qui furent bien savourées par ces vieux pécheurs. Tandis que ma maîtresse en amusait un par un badinage innocent, son amie, qui se trouvait entre les deux autres, ne faisait point avec eux la Suzanne. Dans le temps que je considérais ce tableau, qui n'avait que trop de charmes pour un vieil adolescent, on apporta le fruit. Alors je mis sur la table des bouteilles de liqueurs et des verres, et je disparus pour aller souper avec Laure qui m'attendait. Eh bien! Gil Blas, me dit-elle, que penses-tu de ces seigneurs que tu viens de voir ? Ce sont sans doute, lui répondis-je, des adorateurs d'Arsénie et de Florimonde. Non, reprit-elle, ce sont de vieux voluptueux qui vont chez les coquettes sans s'y attacher. Ils n'exigent d'elles qu'un peu de complaisance, et il sont assez généreux pour bien payer les petites bagatelles qu'on leur accorde. Grâce au ciel, Florimonde et ma maîtresse sont à présent sans amants. Je veux dire qu'elles n'ont pas de ces amants qui s'érigent en maris, et veulent faire tous les plaisirs d'une maison, parce qu'ils en font toute la dépense. Pour moi, j'en suis bien aise, et je soutiens qu'une coquette sensée doit fuir ces sortes d'engagements. Pourquoi se donner un maître ? Il vaut mieux gagner sou à sou un équipage, que de l'avoir tout d'un coup à ce prix-là.

Lorsque Laure était en train de parler, et elle y était presque toujours, les paroles ne lui coûtaient rien. Quelle volubilité de langue! Elle me conta mille aventures arrivées aux actrices de la troupe du Prince, et je conclus de tous ses discours, que je ne pouvais être mieux placé pour connaître parfaitement les vices. Malheureusement j'étais dans un âge où ils ne font guère d'horreur, et il faut ajouter que la soubrette savait si bien peindre les dérèglements que je n'y envisageais que des délices. Elle n'eut pas le temps de m'apprendre seulement la dixième partie des exploits des comédiennes, car il n'y avait pas plus de trois heures qu'elle en parlait. Les seigneurs et le comédien se retirèrent avec Florimonde, qu'ils conduisirent chez elle.

Après qu'ils furent sortis, ma maîtresse me dit en me mettant de l'argent entre les mains : Tenez, Gil Blas, voilà dix pistoles pour aller demain matin à la provision. Cinq ou six de nos messieurs et de nos dames doivent dîner ici. Ayez soin de nous faire faire bonne chère. Madame, lui répondis-je, avec cette somme je promets d'apporter de quoi régaler toute la troupe même. Mon ami, reprit Arsénie, corrigez, s'il vous plaît, vos expressions. Sachez qu'il ne faut point dire la troupe : il faut dire la compagnie [49]. On dit bien une troupe de bandits, une troupe de gueux, une troupe d'auteurs; mais apprenez qu'on doit dire une compagnie de comédiens. Les acteurs de Madrid surtout méritent bien qu'on appelle leur corps une compagnie.

Je demandai pardon à ma maîtresse de m'être servi d'un terme si peu respectueux. Je la suppliai très humblement d'excuser mon ignorance. Je lui protestai que dans la suite, quand je parlerais de messieurs les comédiens de Madrid d'une manière collective, je dirais toujours la compagnie.

CHAPITRE XI

Comment les comédiens vivaient ensemble et de quelle manière ils traitaient les auteurs.

Je me mis donc en campagne le lendemain matin pour commencer l'exercice de mon emploi d'économe. C'était un jour maigre : j'achetai, par ordre de ma maîtresse, de bons poulets gras, des lapins, des perdreaux et d'autres petits-pieds. Comme messieurs les comédiens ne sont pas contents des manières de l'Eglise à leur égard, ils n'en observent pas avec exactitude les commandements. J'apportai au logis plus de viandes qu'il n'en faudrait à douze honnêtes gens pour bien passer les trois jours du carnaval. La cuisinière eut de quoi s'occuper toute la matinée. Pendant qu'elle préparait le dîner, Arsénie se leva, et demeura jusqu'à midi à sa toilette. Alors les seigneurs Rosimiro et Ricardo, comédiens, arrivèrent. Il survint ensuite deux comédiennes, Constance et Celinaura, et, un moment après, parut Florimonde, accompagnée d'un homme qui avait tout l'air d'un *Señor cavallero* des plus lestes. Il avait les cheveux galamment noués, un chapeau relevé d'un bouquet de plumes de feuille-morte, un haut-de-chausses bien étroit, et l'on voyait aux ouvertures de son pourpoint une chemise fine avec une fort belle dentelle. Ses gants et son mouchoir étaient dans la concavité de la garde de son épée, et il portait son manteau avec une grâce toute particulière.

Néanmoins, quoiqu'il eût bonne mine et fût très bien fait, je trouvai d'abord en lui quelque chose de singulier. Il faut, dis-je en moi-même, que ce gentilhomme-là soit un original. Je ne me trompais point. C'était un caractère marqué. Dès qu'il entra dans l'appartement d'Arsénie, il courut, les bras ouverts, embrasser les actrices et les acteurs, l'un après l'autre, avec des démonstrations plus outrées que celles des petits-maîtres. Je ne changeai point de sentiment lorsque je l'entendis parler. Il appuyait sur toutes les syllabes, et prononçait ses paroles d'un ton emphatique avec des gestes et des yeux accommodés au sujet. J'eus la curiosité de demander à Laure ce que c'était que ce cavalier : Je te pardonne, me dit-elle, ce mouvement curieux : il est impossible de voir et d'entendre pour la première fois le seigneur Carlos Alonso de la Ventoleria [50] sans avoir l'envie qui te presse. Je vais te le peindre au naturel. Premièrement, c'est un homme qui a été comédien. Il a quitté le théâtre par fantaisie et s'en est depuis repenti par raison. As-tu remarqué ses cheveux noirs ? Ils sont teints aussi bien que ses sourcils et sa moustache. Il est plus vieux que Saturne. Cependant, comme au temps de sa naissance ses parents ont négligé de faire écrire son nom sur les registres de sa paroisse, il profite de leur négligence, et se dit plus jeune qu'il n'est de vingt bonnes années pour le moins. D'ailleurs, c'est le personnage d'Espagne le plus rempli de lui-même. Il a passé les douze premiers lustres de sa vie dans une ignorance crasse; mais, pour devenir savant, il a pris un précepteur qui lui a montré à épeler en grec et en latin. De plus, il sait par cœur une infinité de bons contes, qu'il a récités tant de fois comme de son cru qu'il est parvenu à se figurer qu'ils en sont effectivement. Il les fait venir dans la conversation, et on peut dire que son esprit brille aux dépens de sa mémoire. Au reste, on dit que c'est un grand acteur. Je veux le croire pieusement. Je t'avouerai toutefois qu'il ne me plaît point. Je l'entends quelquefois déclamer ici, et je lui trouve, entre autres défauts, une prononciation trop affectée avec une voix tremblante qui donne un air antique et ridicule à sa déclamation.

Tel fut le portrait que ma soubrette me fit de cet histrion honoraire; et, véritablement, je n'ai jamais vu de mortel d'un maintien plus orgueilleux. Il faisait aussi le beau parleur; il ne manqua pas de tirer de son sac deux ou trois contes qu'il débita d'un air imposant et bien étudié. D'une autre part, les comédiennes et les comédiens qui n'étaient point venus là pour se taire ne furent pas muets. Ils commencèrent à s'entretenir de leurs camarades absents d'une manière peu charitable, à la vérité; mais c'est une chose qu'il faut pardonner aux comédiens comme aux auteurs. La conversation s'échauffa donc contre le prochain : Vous ne savez pas, mesdames, dit Rosimiro, un nouveau trait de Cesarino, notre cher confrère. Il a ce matin acheté des bas de soie, des rubans et des dentelles, qu'il s'est fait apporter à l'assemblée par un petit page, comme de la part d'une comtesse. Quelle friponnerie! dit le seigneur de la Ventoleria, en souriant d'un air fat et vain. De mon temps on était de meilleure foi. Nous ne songions point à composer de pareilles fables. Il est vrai que les femmes de qualité nous en épargnaient l'invention. Elles faisaient elles-mêmes les emplettes. Elles avaient cette fantaisie-là. Parbleu, dit Ricardo du même ton, cette fantaisie les tient bien encore, et s'il était permis de s'expliquer là-dessus... mais il faut taire ces sortes d'aventures, surtout quand les personnes d'un certain rang y sont intéressées.

Messieurs, interrompit Florimonde, laissez là, de grâce, vos bonnes fortunes; elles sont connues de toute la terre. Parlons d'Isménie. On dit que ce seigneur qui a fait tant de dépense pour elle vient de lui échapper. Oui vraiment, s'écria Constance, et je vous dirai de plus qu'elle perd un petit homme d'affaires qu'elle aurait indubitablement ruiné. Je sais la chose d'original. Son Mercure a fait un *quiproquo :* il a porté au seigneur un billet qu'elle écrivait à l'homme d'affaires, et a remis à l'homme d'affaires une lettre qui s'adressait au seigneur. Voilà de grandes pertes, ma mignonne, reprit Florimonde. Oh! pour celle du seigneur, repartit Constance, elle est peu considérable. Le cavalier a mangé presque tout son bien; mais le petit homme d'affaires ne faisait que d'entrer sur les rangs. Il n'a point encore passé par les mains des coquettes. C'est un sujet à regretter.

Ils s'entretinrent à peu près de cette sorte avant le dîner, et leur entretien roula sur la même matière lorsqu'ils furent à table. Comme je ne finirais point, si j'entreprenais de rapporter tous les autres discours pleins de médisance ou de fatuité que j'entendis, le lecteur trouvera bon que je les supprime, pour lui conter de quelle façon fut reçu un pauvre diable d'auteur qui arriva chez Arsénie sur la fin du repas.

Notre petit laquais vint dire tout haut à ma maîtresse : Madame, un homme en linge sale, crotté jusqu'à l'échine, et qui sauf votre respect a tout l'air d'un poète, demande à vous parler. Qu'on le fasse monter, répondit Arsénie. Ne bougeons, messieurs, c'est un auteur. Effectivement, c'en était un dont on avait accepté une tragédie, et qui apportait un rôle à ma maîtresse. Il s'appelait Pedro de Moya. Il fit en entrant cinq ou six profondes révérences à la compagnie, qui ne se leva ni même ne le salua point. Arsénie répondit seulement par une simple inclination de tête aux civilités dont il l'accablait. Il s'avança dans la chambre d'un air tremblant et embarrassé. Il laissa tomber ses gants et son chapeau. Il les ramassa, s'approcha de ma maîtresse, et lui présentant un papier plus respectueusement qu'un plaideur ne présente un placet à son juge : Madame, lui dit-il, agréez de grâce le rôle que je prends la liberté de vous offrir. Elle le reçut d'une manière froide et méprisante [51], et ne daigna pas même répondre au compliment.

Cela ne rebuta point notre auteur, qui, se servant de l'occasion pour distribuer d'autres personnages, en donna un à Rosimiro et un autre à Florimonde, qui n'en usèrent pas plus honnêtement avec lui qu'Arsénie. Au contraire, le comédien, fort obligeant de son naturel, comme ces messieurs le sont pour la plupart, l'insulta par de piquantes railleries. Pedro de Moya les sentit. Il n'osa toutefois les relever, de peur que sa pièce n'en pâtît. Il se retira sans rien dire, mais vivement touché, à ce qu'il me parut, de la réception que l'on venait de lui faire. Je crois que, dans son dépit, il ne manqua pas d'apostropher en lui-même les comédiens comme ils le méritaient; et les comédiens de leur côté, quand il fut sorti, commencèrent à parler des auteurs avec beaucoup de courtoisie. Il me semble, dit Florimonde, que le seigneur Pedro de Moya ne s'en va pas fort satisfait.

Eh! madame, s'écria Rosimiro, de quoi vous inquiétez-vous? Les auteurs sont-ils dignes de notre attention ? Si nous allions de pair avec eux, ce serait le moyen de les gâter. Je connais ces petits messieurs, je les connais; ils s'oublieraient bientôt. Traitons-les toujours en esclaves, et ne craignons point de lasser leur patience. Si leurs chagrins les éloignent de nous quelquefois, la fureur d'écrire nous les ramène, et ils sont encore trop heureux que nous voulions bien jouer leurs pièces. Vous avez raison, dit Arsénie; nous ne perdons que les auteurs dont nous faisons la fortune. Pour ceux-là, sitôt que nous les avons bien placés, l'aise les gagne, et ils ne travaillent plus. Heureusement la compagnie s'en console, et le public n'en souffre point.

On applaudit à ces beaux discours, et il se trouva que les auteurs, malgré les mauvais traitements qu'ils recevaient des comédiens, leur en devaient encore de reste. Ces histrions les mettaient au-dessous d'eux, et certes ils ne pouvaient les mépriser davantage.

CHAPITRE XII

Gil Blas se met dans le goût du théâtre; il s'abandonne aux délices de la vie comique, et s'en dégoûte peu de temps après.

Les conviés demeurèrent à table jusqu'à ce qu'il fallut aller au théâtre. Alors il s'y rendirent tous. Je les suivis, et je vis encore la comédie ce jour-là. J'y pris tant de plaisir que je résolus de la voir tous les jours. Je n'y manquai pas, et insensiblement je m'accoutumai aux acteurs. Admirez la force de l'habitude! J'étais particulièrement charmé de ceux qui brillaient et gesticulaient le plus sur la scène, et je n'étais pas seul dans ce goût-là.

La beauté des pièces ne me touchait pas moins que la manière dont on les représentait. Il y en avait quelques-unes qui m'enlevaient, et j'aimais entre autres celles où l'on faisait paraître tous les cardinaux ou les douze pairs de France. Je retenais des morceaux de ces poèmes incomparables. Je me souviens que j'appris par cœur en deux jours une comédie entière qui avait pour titre : *La Reine des fleurs*. La Rose, qui était la reine, avait pour confidente la Violette, et pour écuyer le Jasmin. Je ne trouvais rien de plus ingénieux que ces ouvrages, qui me semblaient faire beaucoup d'honneur à l'esprit de notre nation.

Je ne me contentais pas d'orner ma mémoire des plus beaux traits de ces chefs-d'œuvre dramatiques; je m'attachai à me perfectionner le goût, et, pour y parvenir sûrement, j'écoutais avec une avide attention tout ce que disaient les comédiens. S'ils louaient une pièce, je l'estimais; leur paraissait-elle mauvaise ? je la méprisais. Je m'imaginais qu'ils se connaissaient en pièces de théâtre, comme les joailliers en diamants. Néanmoins la tragédie de Pedro de Moya eut un très grand succès, quoiqu'ils eussent jugé qu'elle ne réussirait point. Cela ne fut pas capable de me rendre leurs jugements suspects, et j'aimai mieux penser que le public n'avait pas le sens commun, que de douter de l'infaillibilité de la compagnie [52]. Mais on m'assura de toutes parts qu'on applaudissait ordinairement les pièces nouvelles dont les comédiens n'avaient pas bonne opinion, et qu'au contraire celles qu'ils recevaient avec applaudissement étaient presque toujours sifflées. On me dit que c'était une de leurs règles, de juger si mal des ouvrages, et là-dessus on me cita mille succès de pièces qui avaient démenti leurs décisions. J'eus besoin de toutes ces preuves pour me désabuser.

Je n'oublierai jamais ce qui arriva un jour qu'on représentait pour la première fois une comédie nouvelle. Les comédiens l'avaient trouvée froide et ennuyeuse. Ils avaient même jugé qu'on ne l'achèverait pas. Dans cette pensée, ils en jouèrent le premier acte, qui fut fort applaudi. Cela les étonna. Ils jouent le second acte; le public le reçoit encore mieux que le premier. Voilà mes acteurs déconcertés! Comment diable, dit Rosimiro, cette comédie prend! Enfin ils jouent le troisième acte, qui plut encore davantage. Je n'y comprends rien, dit Ricardo; nous avons cru que cette pièce ne serait pas goûtée; voyez le plaisir qu'elle fait à tout le monde! Messieurs, dit alors un comédien fort naïvement, c'est qu'il y a dedans mille traits d'esprit que nous n'avons pas remarqués.

Je cessais donc de regarder les comédiens comme d'excellents juges, et je devins un juste appréciateur de leur mérite. Ils justifiaient parfaitement tous les ridicules qu'on leur donnait dans le monde. Je voyais des actrices et des acteurs que les applaudissements avaient gâtés, et qui, se considérant comme des objets d'admiration, s'imaginaient faire grâce au public lorsqu'ils jouaient. J'étais choqué de leurs défauts, mais par malheur je trouvai un peu trop à mon gré leur façon de vivre, et je me plongeai dans la débauche. Comment aurais-je pu m'en défendre ? Tous les discours que j'entendais parmi eux étaient pernicieux pour la jeunesse, et je ne voyais rien qui ne contribuât à me corrompre. Quand je n'aurais pas su ce qui se passait chez Casilda, chez Constance et chez les autres comédiennes, la maison d'Arsénie toute seule n'était que trop capable de me perdre. Outre les vieux seigneurs dont j'ai parlé, il y venait des petits-maîtres, des enfants de famille que les usuriers mettaient en état de faire de la dépense, et quelquefois on y recevait aussi des traitants, qui, bien loin d'être payés comme dans leurs assemblées pour leur droit de présence, payaient là pour avoir droit d'être présents.

Florimonde, qui demeurait dans une maison voisine, dînait et soupait tous les jours avec Arsénie. Elles paraissaient toutes deux dans une union qui surprenait bien des gens. On était étonné que des coquettes fussent en si bonne intelligence, et l'on s'imaginait qu'elles se brouilleraient tôt ou tard pour quelque cavalier; mais on connaissait mal ces amies parfaites. Une solide amitié les unissait. Au lieu d'être jalouses comme les autres femmes, elles vivaient en commun. Elles aimaient mieux partager les dépouilles des hommes que de s'en disputer sottement les soupirs.

Laure à l'exemple de ces deux illustres associées profitait aussi de ses beaux jours. Elle m'avait bien dit que je verrais de belles choses. Cependant je ne fis point le jaloux; j'avais promis de prendre là-dessus l'esprit de la compagnie. Je dissimulai pendant quelques jours. Je me contentais de lui demander le nom des hommes avec qui je la voyais en conversation particulière. Elle me répondait toujours que c'était un oncle ou un cousin. Qu'elle avait de parents! Il fallait que sa famille fût plus nombreuse que celle du roi Priam. La soubrette ne s'en tenait pas même à ses oncles et à ses cousins, elle allait encore quelquefois amorcer des étrangers et faire la veuve de qualité chez la bonne vieille dont j'ai parlé. Enfin Laure, pour en donner au lecteur une idée juste et précise, était aussi jeune, aussi jolie et aussi coquette que sa maîtresse, qui n'avait point d'autre avantage sur elle que celui de divertir publiquement le public.

Je cédai au torrent pendant trois semaines. Je me livrai à toute sorte de voluptés. Mais je dirai en même temps qu'au milieu des plaisirs, je sentais souvent naître en moi des remords qui venaient de mon éducation, et qui mêlaient une amertume à mes délices. La débauche ne triompha point de ces remords; au contraire, ils augmentaient à mesure que je devenais plus débauché, et, par un effet de mon heureux naturel, les désordres de la vie comique commencèrent à me faire horreur. Ah! misérable, me dis-je à moi-même, est-ce ainsi que tu remplis l'attente de ta famille ? N'est-ce pas assez de l'avoir trompée en prenant un autre parti que celui de précepteur ? Ta condition servile te doit-elle empêcher de vivre en honnête homme ? Te convient-il d'être avec des gens si vicieux ? L'envie, la colère et l'avarice règnent chez les uns, la pudeur est bannie de chez les autres; ceux-ci s'abandonnent à l'intempérance et à la paresse, et l'orgueil de ceux-là va jusqu'à l'insolence. C'en est fait, je ne veux pas demeurer plus longtemps avec les sept péchés mortels.

Fin du premier tome.

TOME SECOND

LIVRE QUATRIÈME

CHAPITRE PREMIER

Gil Blas, ne pouvant s'accoutumer aux mœurs des comédiennes, quitte le service d'Arsénie, et trouve une plus honnête maison.

Un reste d'honneur et de religion, que je ne laissais pas de conserver parmi des mœurs si corrompues, me fit résoudre non seulement à quitter Arsénie, mais à rompre même tout commerce avec Laure, que je ne pouvais pourtant cesser d'aimer, quoique je susse bien qu'elle me faisait mille infidélités. Heureux qui peut ainsi profiter des moments de raison qui viennent troubler les plaisirs dont il est trop occupé! Un beau matin je fis mon paquet; et, sans compter avec Arsénie, qui ne me devait à la vérité presque rien, sans prendre congé de ma chère Laure, je sortis de cette maison où l'on ne respirait qu'un air de débauche. Je n'eus pas plus tôt fait une si bonne action que le Ciel m'en récompensa. Je rencontrai l'intendant de feu don Mathias, mon maître. Je le saluai. Il me reconnut, et s'arrêta pour me demander qui je servais. Je lui répondis que depuis un instant j'étais hors de condition : qu'après avoir demeuré près d'un mois chez Arsénie, dont les mœurs ne me convenaient point, je venais d'en sortir de mon propre mouvement pour sauver mon innocence. L'intendant, comme s'il eût été scrupuleux de son naturel, approuva ma délicatesse, et me dit qu'il voulait me placer lui-même avantageusement, puisque j'étais un garçon si plein d'honneur. Il accomplit sa promesse, et me mit dès ce jour-là chez don Vincent de Guzman, dont il connaissait l'homme d'affaires.

Je ne pouvais entrer dans une meilleure maison. Aussi ne me suis-je point repenti dans la suite d'y avoir demeuré. Don Vincent était un vieux seigneur fort riche, qui vivait depuis plusieurs années sans procès, et sans femme; les médecins lui ayant ôté la sienne, en voulant la défaire d'une toux qu'elle aurait encore pu conserver longtemps, si elle n'eût pas pris leurs remèdes. Au lieu de songer à se remarier, il s'était donné tout entier à l'éducation d'Aurore, sa fille unique, qui entrait alors dans sa vingt-sixième année, et pouvait passer pour une personne accomplie. Avec une beauté peu commune, elle avait un esprit excellent et très cultivé. Son père était un petit génie; mais il possédait l'heureux talent de bien gouverner ses affaires. Il avait un défaut qu'on doit pardonner aux vieillards : il aimait à parler, et sur toutes choses, de guerre et de combats. Si par malheur on venait à toucher cette corde en sa présence, il embouchait dans le moment la trompette héroïque, et ses auditeurs se trouvaient trop heureux, quand ils en étaient quittes pour la relation de deux sièges et de trois batailles. Comme il avait consumé les deux tiers de sa vie dans le service, sa mémoire était une source inépuisable de faits divers, qu'on n'entendait pas toujours avec autant de plaisir qu'il les racontait. Ajouter à cela qu'il était bègue et diffus; ce qui rendait sa manière de conter fort agréable. Au reste, je n'ai point vu de seigneur d'un si bon caractère. Il avait l'humeur égale. Il n'était ni entêté, ni capricieux : j'admirais cela dans un homme de qualité. Quoiqu'il fût bon ménager de son bien, il vivait honorablement. Son domestique était composé de plusieurs valets et de trois femmes qui servaient Aurore. Je reconnus bientôt que l'intendant de don Mathias m'avait procuré un bon poste, et je ne songeai qu'à m'y maintenir. Je m'attachai à connaître le terrain; j'étudiai les inclinations des uns et des autres; puis, réglant ma conduite là-dessus, je ne tardai guère à prévenir en ma faveur mon maître et tous les domestiques.

Il y avait déjà plus d'un mois que j'étais chez don Vincent, lorsque je crus m'apercevoir que sa fille me distinguait de tous les valets du logis. Toutes les fois que ses yeux venaient s'arrêter sur moi, il me semblait y remarquer une sorte de complaisance que je ne voyais point dans les regards qu'elle laissait tomber sur les autres. Si je n'eusse pas fréquenté des petits-maîtres et des comédiens, je ne me serais jamais avisé de m'imaginer qu'Aurore pensât à moi; mais je m'étais un peu gâté parmi ces messieurs, chez qui les dames même les plus qualifiées ne sont pas toujours dans un trop bon prédicament. Si, disais-je, on en croit quelques-uns de ces histrions, il prend quelquefois à des femmes de qualité certaines fantaisies dont ils profitent. Que sais-je si ma maîtresse n'est point sujette à ces fantaisies-là ? Mais non, ajoutais-je un moment après, je ne puis me le persuader. Ce n'est point une de ces Messalines qui, démentant la fierté de leur naissance, abaissent indignement leurs regards jusque dans la poussière et se déshonorent sans rougir. C'est plutôt une de ces filles vertueuses, mais tendres, qui, satisfaites des bornes que leur vertu prescrit à leur tendresse, ne se font pas un scrupule d'inspirer et de sentir une passion délicate qui les amuse sans péril.

Voilà comme je jugeais de ma maîtresse, sans savoir précisément à quoi je devais m'arrêter. Cependant lorsqu'elle me voyait, elle ne manquait pas de me sourire et de témoigner de la joie. On pouvait, sans passer pour fat, donner dans de si belles apparences. Aussi n'y eut-il pas moyen de m'en défendre. Je crus Aurore fortement éprise de mon mérite, et je ne me regardai plus que comme un de ces heureux domestiques à qui l'amour rend la servitude si douce. Pour paraître en quelque façon moins indigne du bien que ma bonne fortune me voulait procurer, je commençai d'avoir plus de soin de ma personne, que je n'en avais eu jusqu'alors. Je dépensai en linges, en pommades et en essences tout ce que j'avais d'argent. La première chose que je faisais le matin, c'était de me parer et de me parfumer, pour n'être point en négligé s'il fallait me présenter devant ma maîtresse. Avec cette attention que j'apportais à m'ajuster, et les autres mouvements que je me donnais pour plaire, je me flattais que mon bonheur n'était pas fort éloigné.

Parmi les femmes d'Aurore, il y en avait une qu'on appelait Ortiz. C'était une vieille personne qui demeurait depuis plus de vingt années chez don Vincent. Elle avait élevé sa fille et conservait encore la qualité de duègne; mais elle n'en remplissait plus l'emploi pénible. Au contraire, au lieu d'éclairer comme autrefois les actions d'Aurore, elle ne s'occupait alors qu'à les cacher. Enfin, elle possédait toute la confiance de sa maîtresse. Un soir la dame Ortiz ayant trouvé l'occasion de me parler, sans qu'on pût nous entendre, me dit tout bas que, si j'étais sage et discret, je n'avais qu'à me rendre à minuit dans le jardin; qu'on m'apprendrait là des choses que je ne serais pas fâché de savoir. Je répondis à la duègne en lui serrant la main que je ne manquerais pas d'y aller; et nous nous séparâmes vite, de peur d'être surpris. Que le temps me dura depuis ce moment jusqu'au souper, quoiqu'on soupât de fort bonne heure, et depuis le souper jusqu'au coucher de mon maître! Il me semblait que tout se faisait dans la maison avec une lenteur extraordinaire. Pour surcroît d'ennui, lorsque don Vincent fut retiré dans son appartement, au lieu de songer à se reposer, il se mit à rebattre ses campagnes de Portugal, dont il m'avait déjà souvent étourdi. Mais ce qu'il n'avait point encore fait et ce qu'il me gardait pour ce soir-là, il me nomma tous les officiers qui s'étaient distingués de son temps. Il me raconta même leurs exploits. Que je souffris à l'écouter jusqu'au bout! Il acheva pourtant de parler et se coucha. Je passai aussitôt dans une petite chambre où était mon lit et d'où l'on descendait dans le jardin par un escalier dérobé. Je me frottai tout le corps de pommade. Je pris une chemise blanche après l'avoir bien parfumée, et, quand je n'eus rien oublié de tout ce qui me parut pouvoir contribuer à flatter l'entêtement de ma maîtresse, j'allai au rendez-vous.

Je n'y trouvai point Ortiz. Je jugeai qu'ennuyée de m'attendre, elle avait regagné son appartement et que l'heure du berger était passée. Je m'en pris à don Vincent; mais comme je maudissais ses campagnes, j'entendis sonner dix heures. Je crus que l'horloge allait mal et qu'il était impossible qu'il ne fût pas du moins une heure après minuit. Cependant je me trompais si bien, qu'un gros quart d'heure après je comptai encore dix heures à une autre horloge. Fort bien, dis-je alors en moi-même; je n'ai plus que deux heures entières à garder le mulet. On ne se plaindra pas du moins de mon peu d'exactitude. Que vais-je devenir jusqu'à minuit ? Promenons-nous dans ce jardin et songeons au rôle que je dois jouer. Il est assez nouveau pour moi. Je ne suis point encore fait aux fantaisies des femmes de qualité. Je sais de quelle manière on en use avec les grisettes et les comédiennes. Vous les abordez d'un air familier et vous brusquez sans façon l'aventure; mais il faut une autre manœuvre avec une personne de condition. Il faut, ce me semble, que le galant soit poli, complaisant, tendre et respectueux sans pourtant être timide. Au lieu de vouloir hâter son bonheur par ses emportements, il doit l'attendre d'un moment de faiblesse.

C'est ainsi que je raisonnais, et je me promettais bien de tenir cette conduite avec Aurore. Je me représentais qu'en peu de temps j'aurais le plaisir de me voir aux pieds de cet aimable objet, et de lui dire mille choses passionnées. Je rappelai même dans ma mémoire tous les endroits de nos pièces de théâtre dont je pouvais me servir dans notre tête-à-tête, et me faire honneur. Je comptais de les bien appliquer, et j'espérais qu'à l'exemple de quelques comédiens de ma connaissance, je passerais pour avoir de l'esprit, quoique je n'eusse que de la mémoire. En m'occupant de toutes ces pensées, qui amusaient plus agréablement mon impatience que les récits militaires de mon maître, j'entendis sonner onze heures. Je pris courage, et me replongeai dans ma rêverie, tantôt en continuant de me promener et tantôt assis dans un cabinet de verdure qui était au bout du jardin. L'heure enfin que j'attendais depuis si longtemps, minuit, sonna. Quelques instants après, Ortiz, aussi ponctuelle, mais moins impatiente que moi, parut : Seigneur Gil Blas, me dit-elle en m'abordant, combien y a-t-il que vous êtes ici ? Deux heures, lui répondis-je. Ah! vraiment, reprit-elle en riant, vous êtes bien exact. C'est un plaisir de vous donner des rendez-vous la nuit. Il est vrai, continua-t-elle d'un air sérieux, que vous ne sauriez trop payer le bonheur que j'ai à vous annoncer. Ma maîtresse veut avoir un entretien particulier avec vous. Je ne vous en dirai pas davantage. Le reste est un secret que vous ne devez apprendre que de sa propre bouche. Suivez-moi. Je vais vous conduire à son appartement. A ces mots, la duègne me prit la main et, par une petite porte dont elle avait la clef, elle me mena mystérieusement dans la chambre de sa maîtresse.

CHAPITRE II

Comment Aurore reçut Gil Blas et quel entretien ils eurent ensemble.

Je trouvai Aurore en déshabillé. Je la saluai fort respectueusement, et de la meilleure grâce qu'il me fut possible. Elle me reçut d'un air riant, me fit asseoir auprès d'elle malgré moi, et elle dit à son ambassadrice de passer dans une autre chambre. Après ce prélude, qui ne me déplut point, elle m'adressa la parole : Gil Blas, me dit-elle, vous avez dû vous apercevoir que je vous regarde favorablement et vous distingue de tous les autres domestiques de mon père; et, quand mes regards ne vous auraient point fait juger que j'ai quelque bonne volonté pour vous, la démarche que je fais cette nuit ne vous permettrait pas d'en douter.

Je ne lui donnai pas le temps de m'en dire davantage. Je crus qu'en homme poli je devais épargner à sa pudeur la peine de s'expliquer plus formellement. Je me levai avec transport et, me jetant aux pieds d'Aurore, comme un héros de théâtre qui se met à genoux devant sa princesse, je m'écriai d'un ton de déclamateur : Ah! madame, serait-il bien possible que Gil Blas, jusqu'ici le jouet de la fortune et le rebut de la nature entière, eût le bonheur de vous avoir inspiré des sentiments... Ne parlez pas si haut, interrompit en riant ma maîtresse; vous allez réveiller mes femmes qui dorment dans la chambre prochaine. Levez-vous. Reprenez votre place et m'écoutez jusqu'au bout sans me couper la parole. Oui, Gil Blas, poursuivit-elle en reprenant son sérieux, je vous veux du bien; et, pour vous prouver que je vous estime, je vais vous faire confidence d'un secret d'où dépend le repos de ma vie. J'aime un jeune cavalier, beau, bien fait et d'une naissance illustre. Il se nomme don Luis Pacheco. Je le vois quelquefois à la promenade et aux spectacles; mais je ne lui ai jamais parlé. J'ignore même de quel caractère il est et s'il n'a point de mauvaises qualités. C'est de quoi pourtant je voudrais bien être instruite. J'aurais besoin d'un homme qui s'enquît soigneusement de ses mœurs et m'en rendît un compte fidèle. Je fais choix de vous. Je crois que je ne risque rien à vous charger de cette commission. J'espère que vous vous en acquitterez avec tant d'adresse et de discrétion, que je ne me repentirai point de vous avoir mis dans ma confidence.

Ma maîtresse cessa de parler en cet endroit pour entendre ce que je lui répondrais là-dessus. J'avais d'abord été déconcerté d'avoir pris si désagréablement le change; mais je me remis promptement l'esprit et, surmontant la honte que cause toujours la témérité, quand elle est malheureuse, je témoignai à la dame tant de zèle pour ses intérêts, je me dévouai avec tant d'ardeur à son service, que, si je ne lui ôtai pas la pensée que je m'étais follement flatté de lui avoir plu, du moins je lui fis connaître que je savais bien réparer une sottise. Je ne demandai que deux jours pour lui rendre bon compte de don Luis. Après quoi la dame Ortiz, que sa maîtresse rappela, me remena dans le jardin, et me dit en me quittant : Bonsoir, Gil Blas, je ne vous recommande point de vous trouver de bonne heure au premier rendez-vous. Je connais trop votre ponctualité là-dessus.

Je retournai dans ma chambre, non sans quelque dépit de voir mon attente trompée. Je fus néanmoins assez raisonnable pour faire réflexion qu'il me convenait mieux d'être le confident de ma maîtresse que son amant. Je songeai même que cela pourrait me mener à quelque chose : que les courtiers d'amour étaient ordinairement bien payés de leurs peines; et je me couchai dans la résolution de faire ce qu'Aurore exigeait de moi. Je sortis pour cet effet le lendemain. La demeure d'un cavalier tel que don Luis ne fut pas difficile à découvrir. Je m'informai de lui dans le voisinage; mais les personnes à qui je m'adressai ne purent pleinement satisfaire ma curiosité. Ce qui m'obligea le jour suivant à recommencer mes perquisitions. Je fus plus heureux. Je rencontrai par hasard dans la rue un garçon de ma connaissance. Nous nous arrêtâmes pour nous parler. Il passa dans ce moment un de ses amis qui nous aborda, et nous dit qu'il venait d'être chassé de chez don Joseph Pacheco, père de don Luis, pour un quarteau de vin qu'on l'accusait d'avoir bu. Je ne perdis pas une si belle occasion de m'informer de tout ce que je souhaitais d'apprendre; et je fis tant par mes questions que je m'en retournai au logis fort content d'être en état de tenir parole à ma maîtresse. C'était la nuit prochaine que je devais la revoir à la même heure et de la même manière que la première fois. Je n'avais pas ce soir-là tant d'inquiétude, et, bien loin de souffrir impatiemment les discours de mon vieux patron, je le remis sur ses campagnes. J'attendis minuit avec la plus grande tranquillité du monde, et ce ne fut qu'après l'avoir entendu sonner à plusieurs horloges, que je descendis dans le jardin sans me pommader et me parfumer : je me corrigeai encore de cela.

Je trouvai au rendez-vous la très fidèle duègne, qui me reprocha malicieusement que j'avais bien rabattu de ma diligence. Je ne lui répondis point et je me laissai conduire à l'appartement d'Aurore, qui me demanda, dès que je parus, si je m'étais bien informé de don Luis. Oui, madame, lui dis-je, et je vais vous apprendre en deux mots ce que j'en sais. Je vous dirai premièrement qu'il partira bientôt pour s'en retourner à Salamanque achever ses études. C'est un jeune cavalier rempli d'honneur et de probité. Pour du courage, il n'en saurait manquer, puisqu'il est gentilhomme et Castillan. De plus, il a beaucoup d'esprit et les manières fort agréables; mais ce qui peut-être ne sera guère de votre goût, c'est qu'il tient un peu trop de la nature des jeunes seigneurs; il est diablement libertin. Savez-vous qu'à son âge il a déjà eu à bail deux comédiennes ? Que m'apprenez-vous ? reprit Aurore. Quelles mœurs! Mais êtes-vous bien assuré, Gil Blas, qu'il mène une vie si licencieuse ? Oh! je n'en doute pas, madame, lui repartis-je. Un valet qu'on a chassé de chez lui ce matin me l'a dit, et les valets sont fort sincères quand ils s'entretiennent des défauts de leurs maîtres. D'ailleurs, il fréquente don Alexo Segiar, don Antonio Centellés et don Fernand de Gamboa. Cela seul prouve démonstrativement son libertinage. C'est assez, Gil Blas, dit alors ma maîtresse en soupirant : je vais sur votre rapport combattre mon indigne amour. Quoiqu'il ait déjà de profondes racines dans mon cœur, je ne désespère pas de l'en arracher. Allez, poursuivit-elle en me mettant entre les mains une petite bourse qui n'était pas vide, voilà ce que je vous donne pour vos peines. Gardez-vous bien de révéler mon secret. Songez que je l'ai confié à votre silence.

J'assurai ma maîtresse qu'elle pouvait demeurer tranquille et que j'étais l'Harpocrate [a] des valets confidents. Après cette assurance, je me retirai fort impatient de savoir ce qu'il y avait dans la bourse. J'y trouvai vingt pistoles. Aussitôt je pensai qu'Aurore m'en aurait sans doute donné davantage, si je lui eusse annoncé une nouvelle agréable, puisqu'elle en payait si bien une chagrinante. Je me repentis de n'avoir pas imité les gens de justice qui fardent quelquefois la vérité dans leurs procès-verbaux. J'étais fâché d'avoir détruit dans sa naissance une galanterie qui m'eût été très utile dans la suite. J'avais pourtant la consolation de me voir dédommagé de la dépense que j'avais faite, si mal à propos, en pommades et en parfums.

CHAPITRE III

Du grand changement qui arriva chez don Vincent, et de l'étrange résolution que l'amour fit prendre à la belle Aurore.

Il arriva, peu de temps après cette aventure, que le seigneur don Vincent tomba malade. Quand il n'aurait pas été dans un âge fort avancé, les symptômes de sa maladie

a) *C'était chez les Anciens le dieu du Silence.*

parurent si violents, qu'on eût craint un événement funeste. Dès le commencement du mal, on fit venir les deux plus fameux médecins de Madrid. L'un s'appelait le docteur Andros, et l'autre le docteur Oquetos [53]. Ils examinèrent attentivement le malade, et convinrent tous deux, après une exacte observation, que les humeurs étaient en fougue; mais ils ne s'accordèrent qu'en cela l'un et l'autre. Il faut, dit Andros, se hâter de purger les humeurs, quoique crues, pendant qu'elles sont dans une agitation violente de flux et de reflux, de peur qu'elles ne se fixent sur quelque partie noble. Oquetos soutint au contraire qu'il fallait attendre que les humeurs fussent cuites, avant que d'employer le purgatif. Mais votre méthode, reprit le premier, est directement opposée à celle du prince de la médecine. Hippocrate avertit de purger dans la plus ardente fièvre, dès les premiers jours, et dit en termes formels qu'il faut être prompt à purger quand les humeurs sont en *orgasme*, c'est-à-dire en fougue. Oh! c'est ce qui vous trompe, repartit Oquetos, Hippocrate, par le mot d'*orgasme*, n'entend pas la fougue; il entend plutôt la coction des humeurs.

Là-dessus nos docteurs s'échauffent. L'un rapporte le texte grec et cite tous les auteurs qui l'ont expliqué comme lui; l'autre, s'en fiant à une traduction latine, le prend sur un ton encore plus haut. Qui des deux croire? Don Vincent n'était pas homme à décider la question. Cependant se voyant obligé d'opter, il donna sa confiance à celui des deux qui avait le plus expédié de malades, je veux dire au plus vieux. Aussitôt Andros, qui était le plus jeune, se retira, non sans lancer à son ancien quelques traits railleurs sur l'*orgasme*. Voilà donc Oquetos triomphant. Comme il était dans les principes du docteur Sangrado, il commença par faire saigner abondamment le malade, attendant, pour le purger, que les humeurs fussent cuites; mais la mort, qui craignait sans doute qu'une purgation si sagement différée ne lui enlevât sa proie, prévint la coction et emporta mon maître. Telle fut la fin du seigneur don Vincent, qui perdit la vie parce que son médecin ne savait pas le grec.

Aurore, après avoir fait à son père des funérailles dignes d'un homme de sa naissance, entra dans l'administration de son bien. Devenue maîtresse de ses volontés, elle congédia quelques domestiques en leur donnant des récompenses proportionnées à leurs services, et se retira bientôt à un château qu'elle avait sur les bords du Tage entre Sacedon et Buendia. Je fus du nombre de ceux qu'elle retint et qui la suivirent à la campagne. J'eus même le bonheur de lui devenir nécessaire. Malgré le rapport fidèle que je lui avais fait de don Luis, elle aimait encore ce cavalier; ou plutôt n'ayant pu vaincre son amour, elle s'y était entièrement abandonnée. Elle n'avait plus besoin de prendre des précautions pour me parler en particulier. Gil Blas, me dit-elle en soupirant, je ne puis oublier don Luis; quelque effort que je fasse pour le bannir de ma pensée, il s'y présente sans cesse, non tel que tu me l'as peint, plongé dans toutes sortes de désordres, mais tel que je voudrais qu'il fût, tendre, amoureux, constant. Elle s'attendrit en disant ces paroles, et ne put s'empêcher de répandre quelques larmes. Peu s'en fallut que je ne pleurasse aussi, tant je fus touché de ses pleurs. Je ne pouvais mieux lui faire ma cour que de paraître si sensible à ses peines. Mon ami, continua-t-elle après avoir essuyé ses beaux yeux, je vois que tu es d'un très bon naturel, et je suis si satisfaite de ton zèle que je promets de le bien récompenser. Ton secours, mon cher Gil Blas, m'est plus nécessaire que jamais. Il faut que je te découvre un dessein qui m'occupe. Tu vas le trouver fort bizarre. Apprends que je veux partir au plus tôt pour Salamanque. Là je prétends me déguiser en cavalier et sous le nom de don Félix je ferai connaissance avec Pacheco. Je tâcherai de gagner sa confiance et son amitié. Je lui parlerai souvent d'Aurore de Guzman, dont je passerai pour cousin. Il souhaitera peut-être de la voir, et c'est où je l'attends. Nous aurons deux logements à Salamanque. Dans l'un, je serai don Félix; dans l'autre, Aurore; et m'offrant aux yeux de don Luis tantôt travestie en homme, tantôt sous mes habits naturels, je me flatte que je pourrai peu à peu l'amener à la fin que je me propose. Je demeure d'accord, ajouta-t-elle, que mon projet est extravagant; mais ma passion m'entraîne, et l'innocence de mes intentions achève de m'étourdir sur la démarche que je veux hasarder.

J'étais fort du sentiment d'Aurore sur la nature de son dessein. Cependant quelque déraisonnable que je le trouvasse, je me gardai bien de faire le pédagogue. Au contraire, je commençai à dorer la pilule, et j'entrepris de prouver que ce projet fou n'était qu'un jeu d'esprit agréable et sans conséquence. Cela fit plaisir à ma maîtresse. Les amants veulent qu'on flatte leurs plus folles imaginations. Nous ne regardâmes plus cette entreprise téméraire que comme une comédie dont il ne fallait songer qu'à bien concerter la représentation. Nous choisîmes nos acteurs dans le domestique, puis nous distribuâmes les rôles. Ce qui se passa sans clameurs et sans querelles, parce que nous n'étions pas des comédiens de profession. Il fut résolu que la dame Ortiz ferait la tante d'Aurore, sous le nom de doña Kimena de Guzman; qu'on lui donnerait un valet et une suivante; et qu'Aurore travestie en cavalier m'aurait pour valet de chambre avec une de ses femmes déguisée en page pour la servir en particulier. Les personnages ainsi réglés, nous retournâmes à Madrid, où nous apprîmes que don Luis était encore, mais qu'il ne tarderait guère à partir pour Salamanque. Nous fîmes faire en diligence les habits dont nous avions besoin. Lorsqu'ils furent achevés, ma maîtresse les fit emballer proprement, attendu que nous ne devions les mettre qu'en temps et lieu. Puis, laissant le soin de sa maison à son homme d'affaires, elle partit dans un carrosse à quatre mules et prit le chemin du royaume de Léon avec tous ceux de ses domestiques qui avaient quelque rôle à jouer dans cette pièce.

Nous avions déjà traversé la Castille Vieille, quand l'essieu du carrosse se rompit. C'était entre Avila et Villaflor, à trois ou quatre cents pas d'un château qu'on apercevait au pied d'une montagne. La nuit approchait et nous étions assez embarrassés. Mais il passa par hasard auprès de nous un paysan, qui nous tira d'embarras. Il nous apprit que le château qui s'offrait à notre vue appartenait à doña Elvira, veuve de don Pedro de Pinarés, et il nous dit tant de bien de cette dame, que ma maîtresse m'envoya au château demander de sa part un logement pour cette nuit. Elvira ne démentit point le rapport du paysan. Elle me reçut d'un air gracieux et fit à mon compliment la réponse que je désirais. Nous nous rendîmes tous au château où les mules traînèrent doucement le carrosse. Nous rencontrâmes à la porte la veuve de don Pèdre, qui venait au-devant de ma maîtresse. Je passerai sous silence les discours que la civilité obligea de tenir de part et d'autre en cette occasion. Je dirai seulement qu'Elvire était une dame déjà dans un âge avancé, mais très polie, et qu'elle savait mieux que femme du monde remplir les devoirs de l'hospitalité. Elle conduisit Aurore dans un appartement superbe, où, la laissant reposer quelques moments, elle vint donner son attention jusqu'aux moindres choses qui nous regardaient. Ensuite, quand le souper fut prêt, elle ordonna qu'on servît dans la chambre d'Aurore, où toutes deux elles se mirent à table. La veuve de don Pèdre n'était pas de ces personnes qui font mal les honneurs d'un repas en prenant un air rêveur ou chagrin. Elle avait l'humeur gaie et soutenait agréablement la conversation. Elle s'exprimait noblement et en beaux termes. J'admirais son esprit et le tour fin qu'elle donnait à ses pensées. Aurore en paraissait aussi charmée que moi. Elles lièrent amitié l'une avec l'autre et se promirent réciproquement d'avoir ensemble un commerce de lettres. Comme notre carrosse ne pouvait être raccommodé que le jour suivant et que nous courions risque de partir fort tard, il fut arrêté que nous demeurerions au château le lendemain. On nous servit à notre tour des viandes avec profusion, et nous ne fûmes pas plus mal couchés que nous avions été régalés.

Le jour d'après, ma maîtresse trouva de nouveaux charmes dans l'entretien d'Elvire. Elles dînèrent dans une grande salle où il y avait plusieurs tableaux. On en remarquait un, entre autres, dont les figures étaient merveilleusement bien représentées, mais il offrait aux yeux un spectacle bien tragique. Un cavalier mort, couché à la renverse et noyé dans son sang, y était peint, et, tout mort qu'il paraissait, il avait un air menaçant. On voyait auprès de lui une jeune dame dans une autre attitude, quoiqu'elle fût aussi étendue par terre. Elle avait une épée plongée dans son sein et rendait les derniers soupirs, en attachant ses regards mourants sur un jeune homme qui semblait avoir une douleur mortelle de la perdre. Le peintre avait encore chargé son tableau d'une figure qui n'échappa point à mon attention. C'était un vieillard de bonne mine qui, vivement touché des objets qui frappaient sa vue, ne s'y montrait pas moins sensible que le jeune homme. On eût dit que ces images sanglantes leur faisaient sentir à tous deux les mêmes atteintes, mais qu'ils en recevaient différemment les impressions. Le vieillard, plongé dans une profonde tristesse, en paraissait comme accablé, au lieu qu'il y avait de la fureur mêlée avec l'affliction du jeune homme. Toutes ces choses étaient peintes avec des expressions si fortes, que nous ne pouvions nous lasser de les regarder. Ma maîtresse demanda quelle triste histoire ce tableau représentait. Madame, lui dit Elvire, c'est une peinture fidèle des malheurs de ma famille. Cette réponse piqua la curiosité d'Aurore, qui témoigna un si grand désir d'en savoir davantage, que la veuve de don Pèdre ne put se dispenser de lui promettre la satisfaction qu'elle souhaitait. Cette promesse qui se fit devant Ortiz, ses deux compagnes et moi, nous arrêta tous quatre dans la salle après le repas. Ma maîtresse voulut nous renvoyer; mais Elvire, qui s'aperçut bien que nous mourions d'envie d'entendre l'explication du tableau, eut la bonté de nous retenir, en disant que l'histoire qu'elle allait raconter n'était pas de celles qui demandent du secret. Un moment après, elle commença son récit dans ces termes.

CHAPITRE IV

LE MARIAGE DE VENGEANCE[51]. NOUVELLE.

Roger, roi de Sicile, avait un frère et une sœur. Ce frère, appelé Mainfroy, se révolta contre lui et alluma dans le royaume une guerre qui fut dangereuse et sanglante : mais il eut le malheur de perdre deux batailles et de tomber entre les mains du roi, qui se contenta de lui ôter la liberté pour le punir de sa révolte. Cette clémence ne servit qu'à faire passer Roger pour un barbare dans l'esprit d'une partie de ses sujets. Ils disaient qu'il n'avait sauvé la vie à son frère que pour exercer sur lui une vengeance lente et inhumaine. Tous les autres, avec plus de fondement, n'imputaient les traitements durs que Mainfroy souffrait dans sa prison, qu'à sa sœur Mathilde. Cette princesse avait en effet toujours haï ce prince, et ne cessa point de le persécuter tant qu'il vécut. Elle mourut peu de temps après lui, et l'on regarda sa mort comme une juste punition de ses sentiments dénaturés.

Mainfroy laissa deux fils. Ils étaient encore dans l'enfance. Roger eut quelque envie de s'en défaire, de crainte que, parvenus à un âge plus avancé, le désir de venger leur père ne les portât à relever un parti qui n'était pas si bien abattu, qu'il ne pût causer de nouveaux troubles dans l'Etat. Il communiqua son dessein au sénateur Léontio Siffredi, son ministre, qui, pour l'en détourner, se chargea de l'éducation du prince Enrique qui était l'aîné, et lui conseilla de confier au connétable de Sicile la conduite du plus jeune, qu'on appelait don Pèdre. Roger, persuadé que ses neveux seraient élevés par ces deux hommes dans la soumission qu'ils lui devaient, les leur abandonna et prit soin lui-même de Constance, sa nièce. Elle était de l'âge d'Enrique et fille unique de la princesse Mathilde. Il lui donna des femmes et des maîtres, et n'épargna rien pour son éducation.

Léontio Siffredi avait un château à deux petites lieues de Palerme dans un lieu nommé Belmonte. C'était là que ce ministre s'attachait à rendre Enrique digne de monter un jour sur le trône de Sicile. Il remarqua d'abord dans ce prince des qualités si aimables qu'il s'y attacha comme s'il n'avait point eu d'enfant. Il avait pourtant deux filles. L'aînée, qu'on nommait Blanche, plus jeune d'une année que le prince, était pourvue d'une beauté parfaite; et la cadette, appelée Porcie, après avoir en naissant causé la mort de sa mère, était encore au berceau. Blanche et le prince Enrique sentirent de l'amour l'un pour l'autre, dès qu'ils furent capables d'aimer; mais ils n'avaient pas la liberté de s'entretenir en particulier. Le prince néanmoins ne laissa pas quelquefois d'en trouver l'occasion. Il sut même si bien profiter de ces moments précieux, qu'il engagea la fille de Siffredi à lui permettre d'exécuter un projet qu'il méditait. Il arriva justement dans ce temps-là que Léontio fut obligé par ordre du roi de faire un voyage dans une province des plus reculées de l'île. Pendant son absence, Enrique fit faire une ouverture au mur de son appartement qui répondait à la chambre de Blanche. Cette ouverture était couverte d'une coulisse de bois qui se fermait et s'ouvrait sans qu'elle parût, parce qu'elle était si étroitement jointe au lambris que les yeux ne pouvaient apercevoir l'artifice. Un habile architecte que le prince avait mis dans ses intérêts fit cet ouvrage avec autant de diligence que de secret.

L'amoureux Enrique s'introduisait par là quelquefois dans la chambre de sa maîtresse; mais il n'abusait point de ses bontés. Si elle avait eu l'imprudence de lui permettre une entrée secrète dans son appartement, du moins ce n'avait été que sur les assurances qu'il lui avait données qu'il n'exigerait d'elle que les faveurs les plus innocentes. Une nuit, il la trouva fort inquiète. Elle avait appris que Roger était très malade, et qu'il venait de mander Siffredi comme grand chancelier du royaume, pour le rendre dépositaire de ses dernières volontés. Elle se représentait déjà sur le trône son cher Enrique, et, craignant de le perdre dans ce haut rang, cette crainte lui causait une étrange agitation. Elle avait même les larmes aux yeux, lorsqu'il parut devant elle. Vous pleurez, madame, lui dit-il, que dois-je penser de la tristesse où je vous vois plongée ? Seigneur, lui répondit Blanche, je ne puis vous cacher mes alarmes. Le roi votre oncle cessera bientôt de vivre et vous allez remplir sa place. Quand j'envisage combien votre nouvelle grandeur va vous éloigner de moi, je vous avoue que j'ai de l'inquiétude. Un monarque voit les choses d'un autre œil qu'un amant; et ce qui faisait tous ses désirs, quand il reconnaissait un pouvoir au-dessus du sien, ne le touche plus que faiblement sur le trône. Soit pressentiment, soit raison, je sens s'élever dans mon cœur des mouvements qui m'agitent et que ne peut calmer toute la confiance que je dois à vos bontés. Je ne me défie point de la fermeté de vos sentiments; je ne me défie que de mon bonheur. Adorable Blanche, répliqua le prince, vos craintes sont obligeantes et justifient mon attachement à vos charmes; mais l'excès où vous portez vos défiances offense mon amour et, si je l'ose dire, l'estime que vous me devez. Non non, ne pensez pas que ma destinée puisse être séparée de la vôtre. Croyez plutôt que vous seule ferez toujours ma joie et mon bonheur. Perdez donc une crainte vaine. Faut-il qu'elle trouble des moments si doux ? Ah! seigneur, reprit la fille de Léontio, dès que vous serez couronné, vos sujets pourront vous demander pour reine une princesse descendue d'une longue suite de rois et dont l'hymen éclatant joigne de nouveaux Etats aux vôtres; et peut-être, hélas! répondrez-vous à leur attente, même aux dépens de vos plus doux vœux. Eh! pourquoi, reprit Enrique avec emportement, pourquoi, trop prompte à vous tourmenter, vous faire une image affligeante de l'avenir? Si le ciel dispose du roi, mon oncle, et me rend maître de la Sicile, je jure de me donner à vous dans Palerme, en présence de toute ma cour. J'en atteste tout ce qu'on reconnaît de plus sacré parmi nous.

Les protestations d'Enrique rassurèrent la fille de Siffredi. Le reste de leur entretien roula sur la maladie du roi. Enrique fit voir la bonté de son naturel. Il plaignit le sort de son oncle, quoiqu'il n'eût pas sujet d'en être fort touché, et la force du sang lui fit regretter un prince dont la mort lui promettait une couronne. Blanche ne savait pas encore tous les malheurs qui la menaçaient. Le connétable de Sicile qui l'avait rencontrée comme elle sortait de l'appartement de son père, un jour qu'il était venu au château de Belmonte pour quelques affaires importantes, en avait été frappé. Il en fit dès le lendemain la demande à Siffredi, qui agréa sa recherche; mais la maladie de Roger étant survenue dans ce temps-là, ce mariage demeura suspendu et Blanche n'en avait point entendu parler.

Un matin, comme Enrique achevait de s'habiller, il fut surpris de voir entrer dans son appartement Léontio suivi de Blanche. Seigneur, lui dit ce ministre, la nouvelle que je vous apporte aura de quoi vous affliger; mais la consolation qui l'accompagne doit modérer votre douleur. Le roi, votre oncle, vient de mourir. Il vous laisse par sa mort héritier de son sceptre. La Sicile vous est soumise. Les grands du royaume attendent vos ordres à Palerme. Ils m'ont chargé de les recevoir de votre bouche; et je viens, seigneur, avec ma fille, vous rendre les premiers et les plus sincères hommages que vous doivent vos nouveaux sujets. Le prince qui savait bien que Roger depuis deux mois était atteint d'une maladie qui le détruisait peu à peu ne fut pas étonné de cette nouvelle. Cependant frappé du changement subit de sa condition, il sentit naître dans son cœur mille mouvements confus. Il rêva quelque temps; puis, rompant le silence, il adressa ces paroles à Léontio : Sage Siffredi, je vous regarde toujours comme mon père. Je ferai gloire de me régler par vos conseils et vous régnerez plus que moi dans la Sicile. A ces mots, s'approchant d'une table sur laquelle était une écritoire et prenant une feuille blanche, il écrivit son nom au bas de la page. Que voulez-vous faire, seigneur ? lui dit Siffredi. Vous marquer ma reconnaissance et mon estime, répondit Enrique. Ensuite ce prince présenta la feuille à Blanche, et lui dit : Recevez, madame, ce gage de ma foi et de l'empire que je vous donne sur mes volontés. Blanche la prit en rougissant et fit cette réponse au prince : Seigneur, je reçois avec respect les grâces de mon roi : mais je dépends d'un père, et vous trouverez bon, s'il vous plaît, que je remette votre billet entre ses mains pour en faire l'usage que sa prudence lui conseillera.

Elle donna effectivement à son père la signature d'Enrique. Alors Siffredi remarqua ce qui jusqu'à ce moment était échappé à sa pénétration. Il démêla les sentiments du prince, et lui dit : Votre Majesté n'aura point de reproche à me faire. Je n'abuserai point de la confiance... Mon cher Léontio, interrompit Enrique, ne craignez point d'en abuser. Quelque usage que vous fassiez de mon billet, j'en approuverai la disposition. Mais allez, continua-t-il, retournez à Palerme. Ordonnez-y les apprêts de mon couronnement, et dites à mes sujets que je vais sur vos pas recevoir le serment de leur fidélité, et les assurer de mon affection. Ce ministre obéit aux ordres de son nouveau maître, et prit avec sa fille le chemin de Palerme.

Quelques heures après leur départ, le prince partit aussi

de Belmonte, plus occupé de son amour que du haut rang où il allait monter. Lorsqu'on le vit arriver dans la ville, on poussa mille cris de joie, il entra parmi les acclamations du peuple dans le palais où tout était déjà prêt pour la cérémonie. Il y trouva la princesse Constance vêtue de longs habillements de deuil. Elle paraissait fort touchée de la mort de Roger. Comme ils se devaient un compliment réciproque sur la mort de ce monarque, ils s'en acquittèrent l'un et l'autre avec esprit, mais avec un peu plus de froideur de la part d'Enrique que de celle de Constance, qui, malgré les démêlés de leur famille, n'avait pu haïr ce prince. Il se plaça sur le trône, et la princesse s'assit à ses côtés sur un fauteuil un peu moins élevé. Les Grands du royaume prirent leurs places, chacun selon son rang. La cérémonie commença, et Léontio, comme grand chancelier de l'Etat et dépositaire du testament du feu roi, en ayant fait l'ouverture, se mit à lire à haute voix. Cet acte contenait en substance : que Roger, se voyant sans enfant, nommait pour son successeur le fils aîné de Mainfroy, à condition qu'il épouserait la princesse Constance, et que, s'il refusait sa main, la couronne de Sicile, à son exclusion, tomberait sur la tête de l'infant don Pèdre, son frère, à la même condition.

Ces paroles surprirent étrangement Enrique. Il en sentit une peine inconcevable, et cette peine devint encore plus vive, lorsque Léontio, après avoir achevé la lecture du testament, dit à toute l'assemblée : Seigneurs, ayant rapporté les dernières intentions du feu roi à notre nouveau monarque, ce généreux prince consent d'honorer de sa main la princesse Constance sa cousine. A ces mots Enrique interrompit le chancelier : Léontio, lui dit-il, souvenez-vous de l'écrit que Blanche vous... Seigneur, interrompit avec précipitation Siffredi, sans donner le temps au prince de s'expliquer, le voici. Les grands du royaume, poursuivit-il en montrant le billet à l'assemblée, y verront par l'auguste seing de Votre Majesté l'estime que vous faites de la princesse, et la déférence que vous avez pour les dernières volontés du feu roi votre oncle. Ayant achevé ces paroles, il se mit à lire le billet dans les termes dont il l'avait rempli lui-même. Le nouveau roi y faisait à ses peuples dans la forme la plus authentique une promesse d'épouser Constance conformément aux intentions de Roger. La salle retentit de longs cris de joie : Vive notre magnanime roi Enrique! s'écrièrent tous ceux qui étaient présents. Comme on n'ignorait pas l'aversion que ce prince avait toujours marquée pour la princesse, on avait craint avec raison qu'il ne se révoltât contre la condition du testament, et ne causât des mouvements dans le royaume : mais la lecture du billet en rassurant là-dessus les Grands et le peuple excitait ces acclamations générales qui déchiraient en secret le cœur du monarque.

Constance, qui par l'intérêt de sa gloire et par un sentiment de tendresse y prenait plus de part que personne, choisit ce temps pour l'assurer de sa reconnaissance. Le prince eut beau vouloir se contraindre, il reçut le compliment de la princesse avec tant de trouble : il était dans un si grand désordre, qu'il ne put même lui répondre ce que la bienséance exigeait de lui. Enfin, cédant à la violence qu'il se faisait, il s'approcha de Siffredi, que le devoir de sa charge obligeait de se tenir assez près de sa personne, et lui dit tout bas : Que faites-vous, Léontio ? L'écrit que j'ai mis entre les mains de votre fille n'était point destiné pour cet usage. Vous trahissez... Seigneur, interrompit encore Siffredi d'un ton ferme, songez à votre gloire. Si vous refusez de suivre les volontés du roi votre oncle, vous perdez la couronne de Sicile. Il n'eut pas achevé de parler ainsi, qu'il s'éloigna du roi pour l'empêcher de lui répliquer. Enrique demeura dans un embarras extrême. Il se sentait agité de mille mouvements contraires. Il était irrité contre Siffredi. Il ne pouvait se résoudre à quitter Blanche, et, partagé entre elle et l'intérêt de sa gloire, il fut assez longtemps incertain du parti qu'il avait à prendre. Il se détermina pourtant et crut avoir trouvé le moyen de conserver la fille de Siffredi sans renoncer au trône. Il feignit de vouloir se soumettre aux volontés de Roger, se proposant, tandis qu'on solliciterait à Rome la dispense de son mariage avec sa cousine, de gagner par ses bienfaits les Grands du royaume et d'établir si bien sa puissance, qu'on ne pût l'obliger à remplir la condition du testament.

Dès qu'il eut formé ce dessein, il devint plus tranquille, et, se tournant vers Constance, il lui confirma ce que le grand chancelier avait lu devant toute l'assemblée. Mais au moment même qu'il se trahissait jusqu'à lui offrir sa foi, Blanche arriva dans la salle du conseil. Elle y venait par ordre de son père rendre ses devoirs à la princesse, et ses oreilles en entrant furent frappées des paroles d'Enrique. Outre cela, Léontio, ne voulant pas qu'elle pût douter de son malheur, lui dit en la présentant à Constance : Ma fille, rendez vos hommages à votre reine. Souhaitez-lui les douceurs d'un règne florissant et d'un heureux hyménée. Ce coup terrible accabla l'infortunée Blanche. Elle entreprit inutilement de cacher sa douleur. Son visage rougit et pâlit successivement et tout son corps frissonna. Cependant la princesse n'en eut aucun soupçon. Elle attribua le désordre de son compliment à l'embarras d'une jeune personne élevée dans un désert et peu accoutumée à la Cour. Il n'en fut pas ainsi du jeune roi. La vue de Blanche lui fit perdre contenance et le désespoir qu'il remarquait dans ses yeux le mettait hors de lui-même. Il ne doutait pas que jugeant sur les apparences elle ne le crût infidèle. Il aurait eu moins d'inquiétude s'il eût pu lui parler : mais comment en trouver les moyens, lorsque toute la Sicile, pour ainsi dire, avait les yeux sur lui ? D'ailleurs le cruel Siffredi lui en ôta l'espérance. Ce ministre, qui lisait dans le cœur de ces deux amants, et voulait prévenir les malheurs que la violence de leur amour pouvait causer dans l'Etat, fit adroitement sortir sa fille de l'assemblée et reprit avec elle le chemin de Belmonte, résolu, pour plus d'une raison, de la marier au plus tôt.

Lorsqu'ils y furent arrivés, il lui fit connaître toute l'horreur de sa destinée. Il lui déclara qu'il l'avait promise au connétable. Juste Ciel! s'écria-t-elle emportée par un mouvement de douleur que la présence de son père ne put réprimer, à quels affreux supplices réserviez-vous la malheureuse Blanche! Son transport même fut si violent, que toutes les puissances de son âme en furent suspendues. Son corps se glaça et, devenant froide et pâle, elle tomba évanouie entre les bras de son père. Il fut touché de l'état où il la voyait. Néanmoins quoiqu'il ressentît vivement ses peines, sa première résolution n'en fut point ébranlée. Blanche reprit enfin ses esprits plus par le vif ressentiment de sa douleur que par l'eau que Siffredi lui jeta sur le visage; et, lorsqu'en ouvrant ses yeux languissants elle l'aperçut qui s'empressait à la secourir : Seigneur, lui dit-elle d'une voix presque éteinte, j'ai honte de vous laisser voir ma faiblesse; mais la mort, qui ne peut tarder à finir mes tourments, va bientôt vous délivrer d'une malheureuse fille qui a pu disposer de son cœur sans votre aveu. Non, ma chère Blanche, répondit Léontio, vous ne mourrez point, et votre vertu reprendra sur vous son empire. La recherche du connétable vous fait honneur. C'est le parti le plus considérable de l'Etat... J'estime sa personne et son mérite, interrompit Blanche; mais, seigneur, le roi m'avait fait espérer... Ma fille, interrompit à son tour Siffredi, je sais tout ce que vous pouvez dire là-dessus. Je n'ignore pas votre tendresse pour ce prince et ne la désapprouverais pas dans d'autres conjonctures. Vous me verriez même ardent à vous assurer la main d'Enrique, si l'intérêt de sa gloire et celui de l'Etat ne l'obligeaient pas à la donner à Constance. C'est à la condition seule d'épouser cette princesse que le feu roi l'a désigné son successeur. Voulez-vous qu'il vous préfère à la couronne de Sicile ? Croyez que je gémis avec vous du coup mortel qui vous frappe. Cependant puisque nous ne pouvons aller contre les destinées, faites un généreux effort. Il y va de votre gloire de ne pas laisser voir à tout le royaume que vous vous êtes flattée d'une espérance frivole. Votre sensibilité pour le roi donnerait même lieu à des bruits désavantageux pour vous, et le seul moyen de vous en préserver, c'est d'épouser le connétable. Enfin, Blanche, il n'est plus temps de délibérer. Le roi vous cède pour un trône. Il épouse Constance. Le connétable a ma parole. Dégagez-la, je vous en prie;

et s'il est nécessaire pour vous y résoudre que je me serve de mon autorité, je vous l'ordonne.

En achevant ces paroles, il la quitta pour lui laisser faire ses réflexions sur ce qu'il venait de lui dire. Il espérait qu'après avoir pesé les raisons dont il s'était servi pour soutenir sa vertu contre le penchant de son cœur, elle se déterminerait d'elle-même à se donner au connétable. Il ne se trompa point; mais combien en coûta-t-il à la triste Blanche pour prendre cette résolution! Elle était dans l'état du monde le plus digne de pitié. La douleur de voir ses pressentiments sur l'infidélité d'Enrique tournés en certitude et d'être contrainte en le perdant de se livrer à un homme qu'elle ne pouvait aimer, lui causait des transports d'affliction si violents, que tous ses moments devenaient pour elle des supplices nouveaux : Si mon malheur est certain, s'écriait-elle, comment y puis-je résister sans mourir ? Impitoyable destinée, pourquoi me repaissais-tu des plus douces espérances, si tu devais me précipiter dans un abîme de maux ? Et toi, perfide amant, tu te donnes à une autre, quand tu me promets une éternelle fidélité! As-tu donc pu sitôt mettre en oubli la foi que tu m'as jurée ? Pour te punir de m'avoir si cruellement trompée, fasse le Ciel que le lit conjugal, que tu vas souiller par un parjure, soit moins le théâtre de tes plaisirs que de tes remords! que les caresses de Constance versent un poison dans ton cœur infidèle! puisse ton hymen devenir aussi affreux que le mien! Oui, traître, je vais épouser le connétable, que je n'aime point, pour me venger de moi-même; pour me punir d'avoir si mal choisi l'objet de ma folle passion. Puisque ma religion me défend d'attenter à ma vie, je veux que les jours qui me restent à vivre ne soient qu'un tissu malheureux de peines et d'ennuis. Si tu conserves encore pour moi quelque sentiment d'amour, ce sera me venger aussi de toi, que de me jeter à tes yeux entre les bras d'un autre; et si tu m'as entièrement oubliée, la Sicile du moins pourra se vanter d'avoir produit une femme qui s'est punie elle-même d'avoir trop légèrement disposé de son cœur.

Ce fut dans une pareille situation que cette triste victime de l'amour et du devoir passa la nuit qui précéda son mariage avec le connétable. Siffredi, la trouvant le lendemain prête à faire ce qu'il souhaitait, se hâta de profiter de cette disposition favorable. Il fit venir le connétable à Belmonte le jour même et le maria secrètement avec sa fille dans la chapelle du château. Quelle journée pour Blanche! Ce n'était point assez de renoncer à une couronne, de perdre un amant aimé et de se donner à un objet haï : il fallait encore qu'elle contraignît ses sentiments devant un mari prévenu pour elle de la passion la plus ardente et naturellement jaloux. Cet époux, charmé de la posséder, était sans cesse à ses genoux. Il ne lui laissait pas seulement la triste consolation de pleurer en secret ses malheurs. La nuit arrivée, la fille de Léontio sentit redoubler son affliction. Mais que devint-elle, lorsque ses femmes, après l'avoir déshabillée, la laissèrent seule avec le connétable? Il lui demanda respectueusement la cause de l'abattement où elle semblait être. Cette question embarrassa Blanche, qui feignit de se trouver mal. Son époux y fut d'abord trompé; mais il ne demeura pas longtemps dans cette erreur. Comme il était véritablement inquiet de l'état où il la voyait, et qu'il la pressait de se mettre au lit, ses instances, qu'elle expliqua mal, présentèrent à son esprit une image si cruelle, que, ne pouvant plus se contraindre, elle donna un libre cours à ses soupirs et à ses larmes. Quelle vue pour un homme qui s'était cru au comble de ses vœux! Il ne douta plus que l'affliction de sa femme ne renfermât quelque chose de sinistre pour son amour. Néanmoins, quoique cette connaissance le mît dans une situation presque aussi déplorable que celle de Blanche, il eut assez de force sur lui pour cacher ses soupçons. Il redoubla ses empressements et continua de presser son épouse de se coucher, l'assurant qu'il lui laisserait prendre tout le repos dont elle avait besoin. Il s'offrit même d'appeler ses femmes, si elle jugeait que leur secours pût apporter quelque soulagement à son mal. Blanche, s'étant rassurée sur cette promesse, lui dit que le sommeil seul lui était nécessaire dans la faiblesse où elle se sentait. Il feignit de la croire. Ils se mirent tous deux au lit et passèrent une nuit bien différente de celle que l'amour et l'hyménée accordent à deux amants charmés l'un de l'autre.

Pendant que la fille de Siffredi se livrait à sa douleur, le connétable cherchait en lui-même ce qui pouvait lui rendre son mariage si rigoureux. Il jugeait bien qu'il avait un rival, mais quand il voulait le découvrir, il se perdait dans ses idées. Il savait seulement qu'il était le plus malheureux de tous les hommes. Il avait déjà passé les deux tiers de la nuit dans ces agitations, lorsqu'un bruit sourd frappa ses oreilles. Il fut surpris d'entendre quelqu'un traîner lentement ses pas dans la chambre. Il crut se tromper. Car il se souvint qu'il avait fermé la porte lui-même, après que les femmes de Blanche furent sorties. Il ouvrit le rideau pour s'éclaircir par ses propres yeux de la cause du bruit qu'il entendait, mais la lumière qu'on avait laissée dans la cheminée s'était éteinte, et bientôt il ouït une voix faible et languissante qui appela Blanche à plusieurs reprises. Alors ses soupçons jaloux le transportèrent de fureur, et, son honneur alarmé l'obligeant à se lever pour prévenir un affront ou pour en tirer vengeance, il prit son épée, il marcha du côté que la voix lui semblait partir. Il sent une épée nue qui s'oppose à la sienne. Il avance, on se retire. Il poursuit, on se dérobe à sa poursuite. Il cherche celui qui semble le fuir par tous les endroits de la chambre autant que l'obscurité le peut permettre, et ne le trouve plus. Il s'arrête; il écoute, et n'entend plus rien. Quel enchantement! Il s'approche de la porte dans la pensée qu'elle avait favorisé la fuite de ce secret ennemi de son honneur, mais elle était fermée au verrou comme auparavant. Ne pouvant rien comprendre à cette aventure, il appela ceux de ses gens qui étaient le plus à portée d'entendre sa voix et, comme il ouvrit la porte pour cela, il en ferma le passage et se tint sur ses gardes, craignant de laisser échapper ce qu'il cherchait.

A ses cris redoublés, quelques domestiques accoururent avec des flambeaux; il prend une bougie et fait une nouvelle recherche dans la chambre en tenant son épée nue. Il n'y trouva toutefois personne, ni aucune marque apparente qu'on y fût entré. Il n'aperçut point de porte secrète, ni d'ouverture par où l'on eût pu passer. Il ne pouvait pourtant s'aveugler lui-même sur les circonstances de son malheur. Il demeura dans une étrange confusion de pensées. De recourir à Blanche, elle avait trop d'intérêt à déguiser la vérité, pour qu'il en dût attendre le moindre éclaircissement. Il prit le parti d'aller ouvrir son cœur à Léontio, après avoir renvoyé ses gens en leur disant qu'il croyait avoir entendu quelque bruit dans la chambre et qu'il s'était trompé. Il rencontra son beau-père qui sortait de son appartement au bruit qu'il avait ouï, et lui racontant ce qui venait de se passer, il fit ce récit avec toutes les marques d'une extrême agitation et d'une profonde douleur.

Siffredi fut surpris de l'aventure. Quoiqu'elle ne lui parût pas naturelle, il ne laissa pas de la croire véritable; et, jugeant tout possible à l'amour du roi, cette pensée l'affligea vivement. Mais bien loin de flatter les soupçons jaloux de son gendre, il lui représenta d'un air d'assurance que cette voix qu'il s'imaginait avoir entendue, et cette épée qui s'était opposée à la sienne, ne pouvaient être que des fantômes d'une imagination séduite par la jalousie : qu'il était impossible que quelqu'un fût entré dans la chambre de sa fille : qu'à l'égard de la tristesse qu'il avait remarquée dans son épouse, quelque indisposition l'avait peut-être causée; que l'honneur ne devait point être responsable des altérations du tempérament; que le changement d'état d'une fille accoutumée à vivre dans un désert et qui se voit brusquement livrée à un homme qu'elle n'a pas eu le temps de connaître et d'aimer, pouvait bien être la cause de ces pleurs, de ces soupirs et de cette vive affliction dont il se plaignait : que l'amour, dans le cœur des filles d'un sang noble, ne s'allumait que par le temps et par les services : qu'il l'exhortait à calmer ses inquiétudes : à redoubler sa tendresse et ses empressements pour disposer Blanche à devenir plus sensible; et qu'il le priait enfin de retourner vers elle, persuadé que ses défiances et son trouble offensaient sa vertu.

Le connétable ne répondit rien aux raisons de son beau-père, soit qu'en effet il commençât à croire qu'il pouvait s'être trompé dans le désordre où était son esprit, soit qu'il jugeât plus à propos de dissimuler que d'entreprendre inutilement de convaincre le vieillard d'un événement si dénué de vraisemblance. Il retourna dans l'appartement de sa femme, se remit auprès d'elle, et tâcha d'obtenir du sommeil quelque relâche à ses inquiétudes. Blanche de son côté, la triste Blanche n'était pas plus tranquille. Elle n'avait que trop entendu les mêmes choses que son époux, et ne pouvait prendre pour illusion une aventure dont elle savait le secret et les motifs. Elle était surprise qu'Enrique cherchât à s'introduire dans son appartement, après avoir donné si solennellement sa foi à la princesse Constance. Au lieu de s'applaudir de cette démarche et d'en sentir quelque joie, elle la regardait comme un nouvel outrage et son cœur en était tout enflammé de colère.

Tandis que la fille de Siffredi, prévenue contre le jeune roi, le croyait le plus coupable des hommes, ce malheureux prince, plus épris que jamais de Blanche, souhaitait de l'entretenir pour la rassurer contre les apparences qui le condamnaient. Il serait venu plus tôt à Belmonte pour cet effet, si tous les soins dont il avait été obligé de s'occuper le lui eussent permis, mais il n'avait pu avant cette nuit se dérober à sa Cour. Il connaissait trop bien les détours d'un lieu où il avait été élevé pour être en peine de se glisser dans le château de Siffredi, et même il conservait encore la clef d'une porte secrète par où l'on entrait dans les jardins. Ce fut par là qu'il gagna son ancien appartement et qu'ensuite il passa dans la chambre de Blanche. Imaginez-vous quel dut être l'étonnement de ce prince d'y trouver un homme et de sentir une épée opposée à la sienne. Peu s'en fallut qu'il n'éclatât et ne fît punir à l'heure même l'audacieux qui osait lever sa main sacrilège sur son propre roi : mais le ménagement qu'il devait à la fille de Léontio suspendit son ressentiment. Il se retira de la même manière qu'il était venu, et, plus troublé qu'auparavant, il reprit le chemin de Palerme. Il y arriva quelques moments devant le jour et s'enferma dans son appartement. Il était trop agité pour y prendre du repos. Il ne songeait qu'à retourner à Belmonte. Sa sûreté, son honneur et surtout son amour ne lui permettait pas de différer l'éclaircissement de toutes les circonstances d'une si cruelle aventure.

Dès qu'il fut jour, il commanda son équipage de chasse, et, sous prétexte de prendre ce divertissement, il s'enfonça dans la forêt de Belmonte avec ses piqueurs et quelques-uns de ses courtisans. Il suivit quelque temps la chasse pour cacher son dessein, et, lorsqu'il vit que chacun courait avec ardeur à la queue des chiens, il s'écarta de tout le monde et prit seul le chemin du château de Léontio. Il connaissait trop les routes de la forêt pour pouvoir s'y égarer, et, son impatience ne lui permettant pas de ménager son cheval, il eut en peu de temps parcouru tout l'espace qui le séparait de l'objet de son amour. Il cherchait dans son esprit quelque prétexte plausible pour se procurer un entretien secret avec la fille de Siffredi, quand, traversant une petite route qui aboutissait à une des portes du parc, il aperçut auprès de lui deux femmes assises, qui s'entretenaient au pied d'un arbre. Il ne douta point que ces personnes ne fussent du château, et cette vue lui causa de l'émotion; mais il fut bien plus agité, lorsque, ces femmes s'étant tournées de son côté au bruit que son cheval faisait en courant, il reconnut sa chère Blanche. Elle s'était échappée du château avec Nise, celle de ses femmes qui avait le plus de part à sa confiance, pour pleurer du moins son malheur en liberté.

Il vola. Il se précipita pour ainsi dire à ses pieds, et, voyant dans ses yeux tous les signes de la plus profonde affliction, il en fut attendri. Belle Blanche, lui dit-il, suspendez les mouvements de votre douleur. Les apparences, je l'avoue, me peignent coupable à vos yeux; mais quand vous serez instruite du dessein que j'ai formé pour vous, ce que vous regardez comme un crime vous paraîtra une preuve de mon innocence et de l'excès de mon amour. Ces paroles qu'Enrique croyait capables de modérer l'affliction de Blanche ne servirent qu'à la redoubler. Elle voulut répondre; mais les sanglots étouffèrent sa voix. Le prince, étonné de son saisissement, lui dit : Quoi! madame, je ne puis calmer votre trouble ? Par quel malheur ai-je perdu votre confiance, moi qui mets en péril ma couronne et même ma vie pour me conserver à vous ? Alors la fille de Léontio, faisant un effort sur elle pour s'expliquer, lui dit : Seigneur, vos promesses ne sont plus de saison. Rien désormais ne peut lier ma destinée à la vôtre. Ah! Blanche, interrompit brusquement Enrique, quelles paroles cruelles me faites-vous entendre ? qui peut vous enlever à mon amour ? Qui voudra s'opposer à la fureur d'un roi qui mettrait en feu toute la Sicile, plutôt que de vous laisser ravir à ses espérances ? Tout votre pouvoir, seigneur, reprit languissamment la fille de Siffredi, devient inutile contre les obstacles qui nous séparent. Je suis femme du connétable.

Femme du connétable! s'écria le prince en reculant de quelques pas. Il ne put continuer, tant il fut saisi, accablé de ce coup imprévu. Ses forces l'abandonnèrent. Il se laissa tomber au pied d'un arbre qui se trouva derrière lui. Il était pâle, tremblant, défait et n'avait de libre que les yeux, qu'il attacha sur Blanche d'une manière à lui faire comprendre combien il était sensible au malheur qu'elle lui annonçait. Elle le regardait de son côté d'un air qui lui faisait assez connaître que ses mouvements étaient peu différents des siens; et ces deux amants infortunés gardaient entre eux un silence qui avait quelque chose d'affreux. Enfin le prince, revenant un peu de son désordre par un effort de courage, reprit la parole et dit à Blanche en soupirant : Madame, qu'avez-vous fait ? Vous m'avez perdu et vous vous êtes perdue vous-même par votre crédulité.

Blanche fut piquée de ce que le prince semblait lui faire des reproches lorsqu'elle croyait avoir les plus fortes raisons de se plaindre de lui. Quoi! seigneur, répondit-elle, vous ajoutez la dissimulation à l'infidélité ? Vouliez-vous que je démentisse mes yeux et mes oreilles, et que, malgré leur rapport, je vous crusse innocent ? Non, Seigneur, je vous l'avoue, je ne suis point capable de cet effort de raison. Cependant, madame, répliqua le roi, ces témoins qui vous paraissent si fidèles vous ont imposé. Ils ont aidé eux-mêmes à vous trahir; et il n'est pas moins vrai que je suis innocent et fidèle, qu'il est vrai que vous êtes l'épouse du connétable. Eh quoi! seigneur, reprit-elle, je ne vous ai point entendu confirmer à Constance le don de votre main et de votre cœur ? vous n'avez point assuré les grands de l'Etat que vous rempliriez les volontés du feu roi ? et la princesse n'a pas reçu les hommages de vos nouveaux sujets en qualité de reine et d'épouse du prince Enrique ? Mes yeux étaient-ils donc fascinés ? Dites, dites plutôt, infidèle, que vous n'avez pas cru que Blanche dût balancer dans votre cœur l'intérêt d'un trône; et, sans vous abaisser à feindre ce que vous ne sentez plus et ce que vous n'avez peut-être jamais senti, avouez que la couronne de Sicile vous a paru plus assurée avec Constance qu'avec la fille de Léontio. Vous avez raison, seigneur; un trône éclatant ne m'était pas plus dû que le cœur d'un prince tel que vous. J'étais trop vaine d'oser prétendre à l'un et à l'autre; mais vous ne deviez pas m'entretenir dans cette erreur. Vous savez les alarmes que je vous ai témoignées sur votre perte, qui me semblait presque infaillible pour moi. Pourquoi m'avez-vous rassurée ? Fallait-il dissiper mes craintes ? J'aurais accusé le sort plutôt que vous, et du moins vous auriez conservé mon cœur au défaut d'une main qu'un autre n'eût jamais obtenue de moi. Il n'est plus temps présentement de vous justifier. Je suis l'épouse du connétable, et, pour m'épargner la suite d'un entretien qui fait rougir ma gloire, souffrez, seigneur, que, sans manquer au respect que je vous dois, je quitte un prince qu'il ne m'est plus permis d'écouter.

A ces mots, elle s'éloigna d'Enrique avec toute la précipitation dont elle pouvait être capable dans l'état où elle se trouvait. Arrêtez, madame, s'écria-t-il. Ne désespérez point un prince plus disposé à renverser un trône que vous lui reprochez de vous avoir préféré, qu'à répondre à l'attente de ses nouveaux sujets. Ce sacrifice est présentement inutile, repartit Blanche. Il fallait me ravir au connétable, avant que de faire éclater des transports si généreux. Puisque je ne suis plus libre, il m'importe peu que la Sicile soit réduite en cendres et à qui vous donniez votre main. Si j'ai eu la faiblesse de laisser surprendre mon cœur, du moins j'aurai la fermeté d'en étouffer les mouvements, et de faire voir au nouveau roi de Sicile que l'épouse du connétable n'est plus l'amante du prince Enrique. En parlant de cette sorte, comme elle touchait à la porte du parc, elle y rentra brusquement avec Nise, et, fermant après elle cette porte, elle laissa le prince accablé de douleur. Il ne pouvait revenir du coup que Blanche lui avait porté par la nouvelle de son mariage. Injuste Blanche, s'écriait-il, vous avez perdu la mémoire de notre engagement! Malgré mes serments et les vôtres, nous sommes séparés! L'idée que je m'étais faite de posséder vos charmes n'était donc qu'une vaine illusion! Ah! cruelle, que j'achète chèrement l'avantage de vous avoir fait approuver mon amour!

Alors l'image du bonheur de son rival vint s'offrir à son esprit avec toutes les horreurs de la jalousie, et cette passion prit sur lui tant d'empire pendant quelques moments, qu'il fut sur le point d'immoler à son ressentiment le connétable et Siffredi même. La raison toutefois calma peu à peu la violence de ses transports. Cependant l'impossibilité où il se voyait d'ôter à Blanche les impressions qu'elle avait de son infidélité le mettait au désespoir. Il se flattait de les effacer, s'il pouvait l'entretenir en liberté. Pour y parvenir, il jugea qu'il fallait éloigner le connétable, et il se résolut à le faire arrêter comme un homme suspect dans les conjonctures où l'Etat se trouvait. Il en donna l'ordre au capitaine de ses gardes, qui se rendit à Belmonte, s'assura de sa personne à l'entrée de la nuit et le mena au château de Palerme.

Cet incident répandit à Belmonte la consternation. Siffredi partit sur-le-champ pour aller répondre au roi de l'innocence de son gendre et lui représenter les suites fâcheuses d'un pareil emprisonnement. Ce prince, qui s'était bien attendu à cette démarche de son ministre, et qui voulait au moins se ménager une libre entrevue avec Blanche avant que de relâcher le connétable, avait expressément défendu que personne lui parlât jusqu'au lendemain; mais Léontio, malgré cette défense, fit si bien qu'il entra dans la chambre du roi : Seigneur, dit-il en se présentant devant lui, s'il est permis à un sujet respectueux et fidèle de se plaindre de son maître, je viens me plaindre à vous de vous-même. Quel crime a commis mon gendre ? Votre Majesté a-t-elle bien réfléchi sur l'opprobre éternel dont elle couvre ma famille, et sur les suites d'un emprisonnement qui peut aliéner de votre service les personnes qui remplissent les postes de l'Etat les plus importants ? J'ai des avis certains, répondit le roi, que le connétable a des intelligences criminelles avec l'infant don Pèdre. Des intelligences criminelles ? interrompit avec surprise Léontio. Ah! Seigneur, ne le croyez pas. L'on abuse Votre Majesté. La trahison n'eut jamais d'entrée dans la famille de Siffredi; et il suffit au connétable qu'il soit mon gendre pour être à couvert de tout soupçon. Le connétable est innocent; mais des vues secrètes vous ont porté à le faire arrêter.

Puisque vous me parlez si ouvertement, repartit le roi, je vais vous parler de la même manière. Vous vous plaignez de l'emprisonnement du connétable ? Eh! n'ai-je point à me plaindre de votre cruauté ? C'est vous, barbare Siffredi, qui m'avez ravi mon repos et réduit par vos soins officieux à envier le sort des plus vils mortels. Car ne vous flattez pas que j'entre dans vos idées. Mon mariage avec Constance est vainement résolu... Quoi! seigneur, interrompit en frémissant Léontio, vous pourriez ne point épouser la princesse après l'avoir flattée de cette espérance aux yeux de tous vos peuples! Si je trompe leur attente, répliqua le roi, ne vous en prenez qu'à vous. Pourquoi m'avez-vous mis dans la nécessité de leur promettre ce que je ne pouvais leur accorder ? Qui vous obligeait à remplir du nom de Constance un billet que j'avais fait à votre fille ? Vous n'ignoriez pas mon intention. Fallait-il tyranniser le cœur de Blanche en lui faisant épouser un homme qu'elle n'aimait pas ? Et quel droit avez-vous sur le mien pour en disposer en faveur d'une princesse que je hais ? Avez-vous oublié qu'elle est fille de cette cruelle Mathilde qui, foulant aux pieds les droits du sang et de l'humanité, fit expirer mon père dans les rigueurs d'une dure captivité ? Et je l'épouserais! Non, Siffredi, perdez cette espérance. Avant que de voir allumer le flambeau de cet affreux hymen, vous verrez toute la Sicile en flammes et ses sillons inondés de sang.

L'ai-je bien entendu ? s'écria Léontio. Ah! Seigneur, que me faites-vous envisager ? quelles terribles menaces! Mais je m'alarme mal à propos, continua-t-il en changeant de ton. Vous chérissez trop vos sujets, pour leur procurer une si triste destinée. Vous ne vous laisserez point surmonter par l'amour. Vous ne ternirez pas vos vertus en tombant dans les faiblesses des hommes ordinaires. Si j'ai donné ma fille au connétable, je ne l'ai fait, seigneur, que pour acquérir à Votre Majesté un sujet vaillant qui pût appuyer de son bras et de l'armée dont il dispose vos intérêts contre ceux du prince don Pèdre. J'ai cru qu'en le liant à ma famille par des nœuds si étroits... Et ce sont ces nœuds, s'écria le prince Enrique, ce sont ces funestes nœuds qui m'ont perdu. Cruel ami, pourquoi me porter un coup si sensible ? Vous avais-je chargé de ménager mes intérêts aux dépens de mon cœur ? Que ne me laissiez-vous soutenir mes droits moi-même ? Manqué-je de courage pour réduire ceux de mes sujets qui voudront s'y opposer ? J'aurais bien su punir le connétable, s'il m'eût désobéi. Je sais que les rois ne sont pas des tyrans : que le bonheur de leurs peuples est leur premier devoir; mais doivent-ils être les esclaves de leurs sujets ? et du moment que le Ciel les choisit pour gouverner, perdent-ils le droit que la nature accorde à tous les hommes de disposer de leurs affections ? Ah ! s'ils n'en peuvent jouir comme les derniers des mortels, reprenez, Siffredi, cette souveraine puissance que vous m'avez voulu assurer aux dépens de mon repos.

Vous ne pouvez ignorer, seigneur, répliqua le ministre, que c'est au mariage de la princesse que le feu roi votre oncle attache la succession de la couronne. Et quel droit, repartit Enrique, avait-il lui-même d'établir cette disposition ? Avait-il reçu cette indigne loi du roi Charles, son frère, lorsqu'il lui succéda ? Deviez-vous avoir la faiblesse de vous soumettre à une condition si injuste ? Pour un grand chancelier, vous êtes bien mal instruit de nos usages. En un mot, quand j'ai promis ma main à Constance, cet engagement n'a pas été volontaire. Je ne prétends point tenir ma promesse; et si don Pèdre fonde sur mon refus l'espérance de monter au trône, sans engager les peuples dans un démêlé qui coûterait trop de sang, l'épée pourra décider entre nous, qui des deux sera le plus digne de régner. Léontio n'osa le presser davantage et se contenta de lui demander à genoux la liberté de son gendre; ce qu'il obtint. Allez, lui dit le roi, retournez à Belmonte. Le connétable vous y suivra bientôt. Le ministre sortit, et regagna Belmonte, persuadé que son gendre marcherait incessamment sur ses pas. Il se trompait. Enrique voulait voir Blanche cette nuit, et pour cet effet il remit au lendemain matin l'élargissement de son époux.

Pendant ce temps-là, ce connétable faisait de cruelles réflexions. Son emprisonnement lui avait ouvert les yeux sur la véritable cause de son malheur. Il s'abandonna tout entier à sa jalousie, et, démentant la fidélité qui l'avait jusqu'alors rendu si recommandable, il ne respira plus que vengeance. Comme il jugeait bien que le roi ne manquerait pas cette nuit d'aller trouver Blanche, pour les surprendre ensemble, il pria le gouverneur du château de Palerme de le laisser sortir de prison, l'assurant qu'il y rentrerait le lendemain avant le jour. Le gouverneur, qui lui était tout dévoué, y consentit d'autant plus facilement qu'il avait déjà su que Siffredi avait obtenu sa liberté, et même il lui fit donner un cheval pour se rendre à Belmonte. Le connétable, y étant arrivé, attacha son cheval à un arbre, entra dans le parc par une petite porte dont il avait la clef, et fut assez heureux pour se glisser dans le château sans rencontrer personne. Il gagna l'appartement de sa femme, et se cacha dans l'antichambre derrière un paravent qu'il y trouva sous sa main. Il se proposait d'observer de là tout ce qui se passerait et de paraître subitement dans la chambre de Blanche au moindre bruit qu'il y entendrait. Il en vit sortir Nise qui venait de quitter sa maîtresse pour se retirer dans un cabinet où elle couchait.

La fille de Siffredi, qui avait pénétré sans peine le motif de l'emprisonnement de son mari, jugeait bien qu'il ne reviendrait pas cette nuit à Belmonte, quoique son père lui eût dit que le roi l'avait assuré que le connétable partirait bientôt après lui. Elle ne doutait pas qu'Enrique ne voulût profiter de la conjoncture pour la voir et l'entretenir en liberté. Dans cette pensée, elle attendait ce prince, pour lui reprocher une action qui pouvait avoir de terribles suites pour elle. Effectivement, peu de temps après la retraite de Nise, la coulisse s'ouvrit [55], et le roi vint se jeter aux genoux de Blanche : Madame, lui dit-il, ne me condamnez point sans m'entendre. Si j'ai fait emprisonner le connétable, songez que c'était le seul moyen qui me restait pour me justifier. N'imputez donc qu'à vous seule cet artifice. Pourquoi ce matin refusiez-vous de m'entendre ? Hélas ! demain votre époux sera libre et je ne pourrai plus vous parler. Ecoutez-moi donc pour la dernière fois. Si votre perte rend mon sort déplorable, accordez-moi du moins la triste consolation de vous apprendre que je ne me suis point attiré ce malheur par mon infidélité. Si j'ai confirmé à Constance le don de ma main, c'est que je ne pouvais m'en dispenser dans la situation où votre père avait réduit les choses. Il fallait tromper la princesse, pour votre intérêt et pour le mien ; pour vous assurer la couronne et la main de votre amant. Je me promettais d'y réussir. J'avais déjà pris des mesures pour rompre cet engagement ; mais vous avez détruit mon ouvrage, et, disposant de vous trop légèrement, vous avez préparé une éternelle douleur à deux cœurs qu'un parfait amour aurait rendus contents.

Il acheva ce discours avec des signes si visibles d'un véritable désespoir, que Blanche en fut touchée. Elle ne douta plus de son innocence. Elle en eut d'abord de la joie. Ensuite le sentiment de son infortune en devint plus vif. Ah ! seigneur, dit-elle au prince, après la disposition que le destin a faite de nous, vous me causez une peine nouvelle en m'apprenant que vous n'étiez pas coupable. Qu'ai-je fait, malheureuse ? Mon ressentiment m'a séduite. Je me suis crue abandonnée et dans mon dépit j'ai reçu la main du connétable, que mon père m'a présentée. J'ai fait le crime et nos malheurs. Hélas ! dans le temps que je vous accusais de me tromper, c'était donc moi, trop crédule amante, qui rompais des nœuds que j'avais juré de rendre éternels ? Vengez-vous, seigneur, à votre tour. Haïssez l'ingrate Blanche... Oubliez... Eh! le puis-je, madame ? interrompit tristement Enrique : le moyen d'arracher de mon cœur une passion que votre injustice même ne saurait éteindre! Il vous faut pourtant faire cet effort, seigneur, reprit en soupirant la fille de Siffredi... Et serez-vous capable de cet effort, vous-même ? répliqua le roi. Je ne me promets pas d'y réussir, repartit-elle; mais je n'épargnerai rien pour en venir à bout. Ah! cruelle, dit le prince, vous oublierez facilement Enrique, puisque vous pouvez en former le dessein. Quelle est donc votre pensée ? dit Blanche d'un ton plus ferme. Vous flattez-vous que je puisse vous permettre de continuer à me rendre des soins ? Non, seigneur, renoncez à cette espérance. Si je n'étais pas née pour être reine, le Ciel ne m'a pas non plus formée pour écouter un amour illégitime. Mon époux est comme vous, seigneur, de la noble maison d'Anjou; et quand ce que je lui dois n'opposerait pas un obstacle insurmontable à vos galanteries, ma gloire m'empêcherait de les souffrir. Je vous conjure de vous retirer. Il ne faut plus nous voir. Quelle barbarie! s'écria le roi. Ah! Blanche, est-il possible que vous me traitiez avec tant de rigueur ? Ce n'est donc point assez pour m'accabler que vous soyez entre les bras du connétable. Vous voulez encore m'interdire votre vue, la seule consolation qui me reste ? Fuyez plutôt, répondit la fille de Siffredi en versant quelques larmes; la vue de ce qu'on a tendrement aimé n'est plus un bien, lorsqu'on a perdu l'espérance de le posséder. Adieu, seigneur, fuyez-moi. Vous devez cet effort à votre gloire et à ma réputation. Je vous le demande aussi pour mon repos; car enfin, quoique ma vertu ne soit point alarmée des mouvements de mon cœur, le souvenir de votre tendresse me livre des combats si cruels, qu'il m'en coûte trop pour les soutenir.

Elle prononça ces paroles avec tant de vivacité, qu'elle renversa, sans y penser, un flambeau qui était sur une table derrière elle. La bougie s'éteignit en tombant. Blanche la ramasse et, pour la rallumer, elle ouvre la porte de l'antichambre et gagne le cabinet de Nise, qui n'était pas encore couchée; puis elle revient avec de la lumière. Le roi, qui attendait son retour, ne la vit pas plus tôt, qu'il se remit à la presser de souffrir son attachement. A la voix de ce prince, le connétable, l'épée à la main, entra brusquement dans la chambre presque en même temps que son épouse, et s'avançant vers Enrique avec tout le ressentiment que sa rage lui inspirait : C'en est trop, tyran, lui cria-t-il, ne crois pas que je sois assez lâche pour endurer l'affront que tu fais à mon honneur. Ah! traître, lui répondit le roi en se mettant en défense, ne t'imagine pas toi-même pouvoir impunément exécuter ton dessein. A ces mots, ils commencèrent un combat qui fut trop vif pour durer longtemps. Le connétable, craignant que Siffredi et ses domestiques n'accourussent trop vite aux cris que poussait Blanche et ne s'opposassent à sa vengeance, ne se ménagea point. Sa fureur lui ôta le jugement. Il prit si mal ses mesures qu'il s'enferra lui-même dans l'épée de son ennemi. Elle lui entra dans le corps jusqu'à la garde. Il tomba, et le roi s'arrêta dans le moment.

La fille de Léontio, touchée de l'état où elle voyait son époux et surmontant la répugnance naturelle qu'elle avait pour lui, se jeta à terre et s'empressa de le secourir. Mais ce malheureux époux était trop prévenu contre elle, pour se laisser attendrir aux témoignages qu'elle lui donnait de sa douleur et de sa compassion. La mort, dont il sentait les approches, ne put étouffer les transports de sa jalousie. Il n'envisagea, dans ces derniers moments, que le bonheur de son rival; et cette idée lui parut si affreuse que, rappelant tout ce qui lui restait de force il leva son épée, qu'il tenait encore, et la plongea tout entière dans le sein de Blanche : Meurs, lui dit-il en la perçant, meurs, infidèle épouse, puisque les nœuds de l'hyménée n'ont pu me conserver une foi que tu m'avais jurée sur les autels! Et toi, poursuivit-il, Enrique, ne t'applaudis point de ta destinée! Tu ne saurais jouir de mon malheur. Je meurs content. En achevant de parler de cette sorte, il expira, et son visage, tout couvert qu'il était des ombres de la mort, avait encore quelque chose de fier et de terrible. Celui de Blanche offrait un spectacle bien différent. Le coup qui l'avait frappée était mortel. Elle tomba sur le corps mourant de son époux, et le sang de l'innocente victime se confondait avec celui de son meurtrier, qui avait si brusquement exécuté sa cruelle résolution que le roi n'en avait pu prévenir l'effet.

Ce prince infortuné fit un cri en voyant tomber Blanche, et, plus frappé qu'elle du coup qui l'arrachait à la vie, il se mit en devoir de lui rendre les mêmes soins qu'elle avait voulu prendre, et dont elle avait été si mal récompensée. Mais elle lui dit d'une voix mourante : Seigneur, votre peine est inutile. Je suis la victime que le sort impitoyable demandait. Puisse-t-elle apaiser sa colère, et assurer le bonheur de votre règne! Comme elle achevait ces paroles, Léontio, attiré par les cris qu'elle avait poussés, arriva dans la chambre, et, saisi des objets qui se présentaient à ses yeux, il demeura immobile. Blanche, sans l'apercevoir, continua de parler au roi. Adieu, prince, lui dit-elle, conservez chèrement ma mémoire. Ma tendresse et mes malheurs vous y obligent. N'ayez point de ressentiment contre mon père. Ménagez ses jours et sa douleur, et rendez justice à son zèle. Surtout, faites-lui connaître mon innocence. C'est ce que je vous recommande plus que toute autre chose. Adieu, mon cher Enrique... je meurs... recevez mon dernier soupir.

A ces mots, elle mourut. Le roi garda quelque temps un morne silence. Ensuite il dit à Siffredi qui paraissait dans un accablement mortel : Voyez, Léontio, contemplez votre ouvrage. Considérez dans ce tragique événement le fruit de vos soins officieux et de votre zèle pour moi. Le vieillard ne répondit rien, tant il était pénétré de douleur. Mais pourquoi m'arrêter à décrire des choses qu'aucuns termes ne peuvent exprimer ? Il suffit de dire qu'ils firent l'un et l'autre les plaintes du monde les plus touchantes, dès que leur affliction leur permit de faire éclater leurs mouvements.

Le roi conserva toute sa vie un tendre souvenir de son amante. Il ne put se résoudre à épouser Constance. L'infant don Pèdre se joignit à cette princesse, et, tous deux, ils n'épargnèrent rien pour faire valoir la disposition du testament de Roger; mais ils furent enfin obligés de céder au prince Enrique, qui vint à bout de ses ennemis. Pour Siffredi, le chagrin qu'il eut d'avoir causé tant de malheurs le détacha du monde, et lui rendit insupportable le séjour de sa patrie. Il abandonna la Sicile, et passant en Espagne avec Porcie, la fille qui lui restait, il acheta ce château. Il vécut ici près de quinze années après la mort de Blanche, et il eut, avant que de mourir, la consolation de marier Porcie. Elle épousa don Jérôme de Silva, et je suis l'unique fruit de ce mariage. Voilà, poursuivit la veuve de don Pedro de Pinarés, l'histoire de ma famille, et un fidèle récit des malheurs qui sont représentés dans ce tableau, que Léontio, mon aïeul, fit faire pour laisser à sa postérité un monument de cette funeste aventure.

CHAPITRE V

De ce que fit Aurore de Guzman,
lorsqu'elle fut à Salamanque [56].

Ortiz, ses compagnes et moi, après avoir entendu cette histoire, nous sortîmes de la salle, où nous laissâmes Aurore avec Elvire. Elles y passèrent le reste de la journée à s'entretenir. Elles ne s'ennuyaient point l'une avec l'autre, et le lendemain, quand nous partîmes, elles eurent autant de peine à se quitter, que deux amies qui se sont fait une douce habitude de vivre ensemble.

Enfin nous arrivâmes sans accident à Salamanque. Nous y louâmes d'abord une maison toute meublée, et la dame Ortiz, ainsi que nous en étions convenus, prit le nom de doña Kimena de Guzman. Elle avait été trop longtemps duègne, pour n'être pas une bonne actrice. Elle sortit un matin avec Aurore, une femme de chambre et un valet, et se rendit à un hôtel garni, où nous avions appris que

Pacheco logeait ordinairement. Elle demanda s'il y avait quelque appartement à louer. On lui répondit qu'oui, et on lui en montra un assez propre, qu'elle arrêta. Elle donna même de l'argent d'avance à l'hôtesse, en lui disant que c'était pour un de ses neveux qui venait de Tolède étudier à Salamanque, et qui devait arriver ce jour-là.

La duègne et ma maîtresse, après s'être assurées de ce logement, revinrent sur leurs pas, et la belle Aurore, sans perdre de temps, se travestit en cavalier. Elle couvrit ses cheveux noirs d'une fausse chevelure blonde, se teignit les sourcils de la même couleur, et s'ajusta de sorte qu'elle pouvait fort bien passer pour un jeune seigneur. Elle avait l'action libre et aisée, et, à la réserve de son visage qui était un peu trop beau pour un homme, rien ne trahissait son déguisement. La suivante, qui devait lui servir de page, s'habilla aussi, et nous n'appréhendions point qu'elle fît mal son personnage : outre qu'elle n'était pas des plus jolies, elle avait un petit air effronté qui convenait fort à son rôle. L'après-dînée, ces deux actrices se trouvant en état de paraître sur la scène, c'est-à-dire dans l'hôtel garni, j'en pris le chemin avec elles. Nous y allâmes tous trois en carrosse, et nous y portâmes toutes les hardes dont nous avions besoin.

L'hôtesse, appelée Bernarda Ramirez, nous reçut avec beaucoup de civilité et nous conduisit à notre appartement, où nous commençâmes à l'entretenir. Nous convînmes de la nourriture qu'elle aurait soin de nous fournir, et de ce que nous lui donnerions pour cela tous les mois. Nous lui demandâmes ensuite si elle avait bien des pensionnaires. Je n'en ai pas présentement, nous répondit-elle : je n'en manquerais point si j'étais d'humeur à prendre toute sorte de personnes; mais je ne veux que de jeunes seigneurs. J'en attends ce soir un qui vient de Madrid achever ici ses études. C'est don Luis Pacheco. Vous en avez peut-être entendu parler. Non, lui dit Aurore, je ne sais quel homme c'est, et vous me ferez plaisir de me l'apprendre, puisque je dois demeurer avec lui. Seigneur, reprit l'hôtesse en regardant ce faux cavalier, c'est une figure toute brillante; il est fait à peu près comme vous. Ah! que vous serez bien ensemble l'un et l'autre! Par saint Jacques! je pourrai me vanter d'avoir chez moi les deux plus gentils seigneurs d'Espagne. Ce don Luis, répliqua ma maîtresse, a sans doute en ce pays-ci mille bonnes fortunes ? Oh! je vous en assure, repartit la vieille; c'est un vert galant, sur ma parole. Il n'a qu'à se montrer pour faire des conquêtes. Il a charmé, entre autres, une dame qui a de la jeunesse et de la beauté. On la nomme Isabelle. C'est la fille d'un vieux docteur en droit. Elle en est ce qui s'appelle folle. Et dites-moi, ma bonne, interrompit Aurore avec précipitation, en est-il fort amoureux ? Il l'aimait, répondit Bernarda Ramirez, avant son départ pour Madrid. Mais je ne sais s'il l'aime encore; car il est un peu sujet à caution. Il court de femme en femme, comme tous les jeunes cavaliers ont coutume de faire.

La bonne veuve n'avait pas achevé de parler que nous entendîmes du bruit dans la cour. Nous regardâmes aussitôt par la fenêtre, et nous aperçûmes deux hommes qui descendaient de cheval. C'était don Luis Pacheco lui-même qui arrivait de Madrid avec un valet de chambre. La vieille nous quitta pour aller le recevoir; ma maîtresse se disposa non sans émotion à jouer le rôle de don Félix. Nous vîmes bientôt entrer dans notre appartement don Luis encore tout botté : Je viens d'apprendre, dit-il en saluant Aurore, qu'un jeune seigneur tolédan est logé dans cet hôtel. Il veut bien que je lui témoigne la joie que j'ai de l'avoir pour convive. Pendant que ma maîtresse répondait à ce compliment, Pacheco me parut surpris de trouver un cavalier si aimable. Aussi ne put-il s'empêcher de lui dire qu'il n'en avait jamais vu de si beau ni de si bien fait. Après force discours pleins de politesse de part et d'autre, don Luis se retira dans l'appartement qui lui était destiné.

Tandis qu'il y faisait ôter ses bottes, et changeait d'habit et de linge, une espèce de page, qui le cherchait pour lui rendre une lettre, rencontra par hasard Aurore sur l'escalier. Il la prit pour don Luis, et lui remettant le billet dont il était chargé : Tenez, seigneur cavalier, lui dit-il, quoique je ne connaisse pas le seigneur Pacheco, je ne crois pas avoir besoin de vous demander si vous l'êtes, je suis persuadé que je ne me trompe point. Non, mon ami, répondit ma maîtresse avec une présence d'esprit admirable, vous ne vous trompez pas assurément. Vous vous acquittez de vos commissions à merveille. Je suis don Luis Pacheco. Allez, j'aurai soin de faire tenir ma réponse. Le page disparut, et Aurore, s'enfermant avec sa suivante et moi, ouvrit la lettre et nous lut ces paroles : *Je viens d'apprendre que vous êtes à Salamanque. Avec quelle joie j'ai reçu cette nouvelle! J'en ai pensé perdre l'esprit. Mais aimez-vous encore Isabelle? Hâtez-vous de l'assurer que vous n'avez point changé. Je crois qu'elle mourra de plaisir, si elle vous retrouve fidèle.*

Le billet est passionné, dit Aurore; il marque une âme bien éprise. Cette dame est une rivale qui doit m'alarmer. Il faut que je n'épargne rien pour en détacher don Luis, et pour empêcher même qu'il ne la revoie. L'entreprise, je l'avoue, est difficile. Cependant je ne désespère pas d'en venir à bout. Ma maîtresse se mit à rêver là-dessus; et, un moment après, elle ajouta : Je vous les garantis brouillés en moins de vingt-quatre heures. En effet, Pacheco, s'étant un peu reposé dans son appartement, vint nous retrouver dans le nôtre, et renoua l'entretien avec Aurore avant le souper. Seigneur cavalier, lui dit-il en plaisantant, je crois que les maris et les amants ne doivent pas se réjouir de votre arrivée à Salamanque; vous allez leur causer de l'inquiétude. Pour moi, je tremble pour mes conquêtes. Ecoutez, lui répondit ma maîtresse sur le même ton, votre crainte n'est pas mal fondée. Don Félix de Mendoce est un peu redoutable, je vous en avertis. Je suis déjà venu dans ce pays-ci. Je sais que les femmes n'y sont pas insensibles. Il y a un mois que je passai par cette ville. Je m'y arrêtai huit jours, et je vous dirai confidemment que j'enflammai la fille d'un vieux docteur en droit.

Je m'aperçus, à ces paroles, que don Luis se troubla. Peut-on, sans indiscrétion, reprit-il, vous demander le nom de la dame ? Comment, sans indiscrétion ? s'écria le faux don Félix. Pourquoi vous ferais-je un mystère de cela ? Me croyez-vous plus discret que les autres seigneurs de mon âge ? Ne me faites point cette injustice-là. D'ailleurs, l'objet, entre nous, ne mérite pas tant de ménagement; ce n'est qu'une petite bourgeoise. Un homme de qualité ne s'occupe pas sérieusement d'une grisette, et croit même lui faire honneur en la déshonorant. Je vous apprendrai donc sans façon que la fille du docteur se nomme Isabelle. Et le docteur, interrompit impatiemment Pacheco, s'appellerait-il le seigneur Murcia de la Llaña ? Justement, répliqua ma maîtresse. Voici une lettre qu'elle m'a fait tenir tout à l'heure. Lisez-la, et vous verrez si la dame me veut du bien. Don Luis jeta les yeux sur le billet, et, reconnaissant l'écriture, il demeura confus et interdit. Que vois-je ? poursuivit alors Aurore d'un air étonné. Vous changez de couleur ? Je crois, Dieu me pardonne, que vous prenez intérêt à cette personne. Ah! que je me veux de mal de vous avoir parlé avec tant de franchise!

Je vous en sais très bon gré, moi, dit don Luis avec un transport mêlé de dépit et de colère. La perfide! la volage! Don Félix, que ne vous dois-je point! Vous me tirez d'une erreur que j'aurais peut-être conservée encore longtemps. Je m'imaginais être aimé, que dis-je, aimé ? Je croyais être adoré d'Isabelle. J'avais quelque estime pour cette créature-là, et je vois bien que ce n'est qu'une coquette digne de tout mon mépris. J'approuve votre ressentiment, dit Aurore en marquant à son tour de l'indignation. La fille d'un docteur en droit devait bien se contenter d'avoir pour amant un jeune seigneur aussi aimable que vous l'êtes. Je ne puis excuser son inconstance, et, bien loin d'agréer le sacrifice qu'elle me fait de vous, je prétends, pour la punir, dédaigner ses bontés. Pour moi, reprit Pacheco, je ne la reverrai de ma vie. C'est la seule vengeance que j'en dois tirer. Vous avez raison, s'écria le faux Mendoce. Néanmoins pour lui faire connaître jusqu'à quel point nous la méprisons tous deux, je suis d'avis que nous lui écrivions chacun un billet insultant. J'en ferai un paquet que je lui enverrai pour réponse à sa lettre. Mais avant que nous en venions à cette extrémité, consultez votre cœur; peut-être vous repentirez-vous un jour d'avoir rompu avec Isabelle ? Non non, interrompit don Luis, je n'aurai jamais cette faiblesse, et je consens que, pour mortifier l'ingrate, nous fassions ce que vous me proposez.

Aussitôt j'allai chercher du papier et de l'encre, et ils se mirent à composer l'un et l'autre des billets fort obligeants pour la fille du docteur Murcia de la Llaña. Pacheco surtout ne pouvait trouver des termes assez forts à son gré pour exprimer ses sentiments, et il déchira cinq ou six lettres commencées, parce qu'elles ne lui parurent pas assez dures. Il en fit pourtant une dont il fut content, et dont il avait sujet de l'être. Elle contenait ces paroles : *Apprenez à vous connaître, ma reine, et n'ayez plus la vanité de croire que je vous aime. Il faut un autre mérite que le vôtre pour m'attacher. Vous n'êtes pas même assez agréable pour m'amuser quelques moments. Vous n'êtes propre qu'à faire l'amusement des derniers écoliers de l'université.* Il écrivit donc ce billet gracieux, et lorsque Aurore eut achevé le sien, qui n'était pas moins offensant, elle les cacheta tous deux, y mit une enveloppe et me donnant le paquet : Tiens, Gil Blas, me dit-elle, fais en sorte qu'Isabelle reçoive cela ce soir. Tu m'entends bien ? ajouta-t-elle en me faisant des yeux un signe que je compris parfaitement. Oui, seigneur, lui répondis-je, vous serez servi comme vous le souhaitez.

Je sortis en même temps; et quand je fus dans la rue, je me dis : Oh! çà, monsieur Gil Blas, vous faites donc le valet dans cette comédie ? Eh bien, mon ami, montrez que vous avez assez d'esprit pour remplir un si beau rôle. Le seigneur don Félix s'est contenté de vous faire un signe. Il compte, comme vous voyez, sur votre intelligence. A-t-il tort ? Non. Je conçois ce qu'il attend de moi. Il veut que je fasse tenir seulement le billet de don Luis. C'est ce que signifie ce signe-là. Rien n'est plus intelligible. Je ne balançai point à défaire le paquet. Je tirai la lettre de Pacheco, et je la portai chez le docteur Murcia, dont j'eus bientôt appris la demeure. Je trouvai à la porte de sa maison le petit page qui était venu à l'hôtel garni. Frère, lui dis-je, ne seriez-vous point par hasard domestique de la fille de M. le docteur Murcia ? Il me répondit qu'oui. Vous avez, lui répliquai-je, la physionomie si officieuse que j'ose vous prier de rendre un billet doux à votre maîtresse.

Le petit page me demanda de quelle part je l'apportais, et je ne lui eus pas sitôt reparti que c'était de celle de don Luis Pacheco, qu'il me dit : Cela étant, suivez-moi. J'ai ordre de vous faire entrer. Isabelle veut vous entretenir. Je me laissai introduire dans un cabinet, où je ne tardai guère à voir paraître la señora. Je fus frappé de la beauté de son visage. Je n'ai point vu de traits plus délicats. Elle avait un air mignon et enfantin, mais cela n'empêchait pas que depuis trente bonnes années pour le moins elle ne marchât sans lisière. Mon ami, me dit-elle d'un air riant, appartenez-vous à don Luis Pacheco ? Je lui répondis que j'étais son valet de chambre depuis trois semaines. Ensuite, je lui remis le billet fatal dont j'étais chargé. Elle le relut deux ou trois fois. Il semblait qu'elle se défiât du rapport de ses yeux. Effectivement, elle ne s'attendait à rien moins qu'à une pareille réponse. Elle éleva ses regards vers le Ciel, se mordit les lèvres, et pendant quelque temps sa contenance rendit témoignage des peines de son cœur. Puis tout à coup m'adressant la parole : Mon ami, me dit-elle, don Luis est-il devenu fou ? Apprenez-moi, si vous le savez, pourquoi il m'écrit si galamment. Quel démon peut l'agiter ? S'il veut rompre avec moi, ne le saurait-il faire sans m'outrager par des lettres si brutales ?

Madame, lui dis-je, mon maître a tort assurément. Mais il a été en quelque façon forcé de le faire. Si vous me prometiez de garder le secret, je vous découvrirais tout le mystère. Je vous le promets, interrompit-elle avec précipitation. Ne craignez point que je vous commette. Expliquez-vous hardiment. Eh bien! repris-je, voici le fait en deux mots : Un moment après votre lettre reçue, il est entré dans notre hôtel une dame couverte d'une mante des plus épaisses. Elle a demandé le seigneur Pacheco, lui a parlé quelque temps en particulier, et, sur la fin de la conversation, j'ai entendu qu'elle lui a dit : Vous me jurez que vous ne la reverrez jamais. Ce n'est pas tout. Il faut, pour ma satisfaction, que vous lui écriviez tout à l'heure un billet que je vais vous dicter. J'exige cela de vous. Don Luis a fait ce qu'elle désirait; puis me mettant le papier entre les mains : Informe-toi, m'a-t-il dit, où demeure le docteur Murcia de la Llaña, et fais adroitement tenir ce poulet à sa fille Isabelle.

Vous voyez bien, madame, poursuivis-je, que cette lettre désobligeante est l'ouvrage d'une rivale, et que par conséquent mon maître n'est pas si coupable. O Ciel! s'écria-t-elle, il l'est encore plus que je ne pensais. Son infidélité m'offense plus que les mots piquants que sa main a tracés. Ah! l'infidèle! il a pu former d'autres nœuds... Mais, ajouta-t-elle en prenant un air fier, qu'il s'abandonne sans contrainte à son nouvel amour. Je ne prétends point le traverser. Dites-lui qu'il n'avait pas besoin de m'insulter pour m'obliger à laisser le champ libre à ma rivale, et que je méprise trop un amant si volage pour avoir la moindre envie de le rappeler. A ce discours, elle me congédia et se retira fort irritée contre don Luis.

Je sortis fort satisfait de moi, et je compris que, si je

voulais me mettre dans le génie, je deviendrais un habile fourbe. Je m'en retournai à notre hôtel, où je trouvai les seigneurs Mendoce et Pacheco qui soupaient ensemble et s'entretenaient comme s'ils se fussent connus de longue main. Aurore s'aperçut, à mon air content, que je ne m'étais point mal acquitté de ma commission. Te voilà donc de retour, Gil Blas, me dit-elle; rends-nous compte de ton message. Il fallut encore là payer d'esprit. Je dis que j'avais donné le paquet en main propre, et qu'Isabelle, après avoir lu les deux billets doux qu'il contenait, au lieu d'en paraître déconcertée, s'était mise à rire comme une folle, en disant : Par ma foi, les jeunes seigneurs ont un joli style. Il faut avouer que les autres personnes n'écrivent pas si agréablement. C'est fort bien se tirer d'embarras, s'écria ma maîtresse; et voilà certainement une coquette des plus fieffées. Pour moi, dit don Luis, je ne connais point Isabelle à ces traits-là. Il faut qu'elle ait changé de caractère pendant mon absence. J'aurais jugé d'elle aussi tout autrement, reprit Aurore. Convenons qu'il y a des femmes qui savent prendre toutes sortes de formes. J'en ai aimé une de celles-là, et j'en ai été longtemps la dupe. Gil Blas vous le dira, elle avait un air de sagesse à tromper toute la terre. Il est vrai, dis-je en me mêlant à la conversation, que c'étais un minois à piper les plus fins. J'y aurais moi-même été attrapé.

Le faux Mendoce et Pacheco firent de grands éclats de rire en m'entendant parler ainsi; l'un à cause du témoignage que je portais contre une dame imaginaire, et l'autre riait seulement des termes dont je venais de me servir. Nous continuâmes à nous entretenir des femmes qui ont l'art de se masquer, et le résultat de tous nos discours fut qu'Isabelle demeura dûment atteinte et convaincue d'être une franche coquette. Don Luis protesta de nouveau qu'il ne la reverrait jamais, et don Félix, à son exemple, jura qu'il aurait toujours pour elle un parfait mépris. Ensuite de ces protestations, ils se lièrent d'amitié tous deux, et se promirent mutuellement de n'avoir rien de caché l'un pour l'autre. Ils passèrent l'après-souper à se dire des choses gracieuses, et enfin ils se séparèrent pour s'aller reposer chacun dans son appartement. Je suivis Aurore dans le sien, où je lui rendis un compte exact de l'entretien que j'avais eu avec la fille du docteur. Je n'oubliai pas la moindre circonstance. Peu s'en fallut qu'elle ne m'embrassât de joie : Mon cher Gil Blas, me dit-elle, je suis charmée de ton esprit. Quand on a le malheur d'être engagée dans une passion qui nous oblige de recourir à des stratagèmes, quel avantage d'avoir dans ses intérêts un garçon aussi spirituel que toi! Courage, mon ami. Nous venons d'écarter une rivale qui pouvait nous embarrasser. Cela ne va pas mal. Mais, comme les amants sont sujets à d'étranges retours, je suis d'avis de brusquer l'aventure, et de mettre en jeu dès demain Aurore de Guzman. J'approuvai cette pensée, et, laissant le seigneur don Félix avec son page, je me retirai dans un cabinet où était mon lit.

CHAPITRE VI

Quelles ruses Aurore mit en usage pour se faire aimer de don Luis Pacheco.

Les deux nouveaux amis se rassemblèrent le lendemain matin. Ils commencèrent la journée par des embrassades, qu'Aurore fut obligée de donner et de recevoir pour bien jouer le rôle de don Félix. Ils allèrent ensemble se promener dans la ville, et je les accompagnai avec Chilindron, valet de don Luis. Nous nous arrêtâmes auprès de l'Université pour regarder quelques affiches de livres [57] qu'on venait d'attacher à la porte. Plusieurs personnes s'amusaient aussi à les lire, et j'aperçus parmi celles-là un petit homme qui disait son sentiment sur ces ouvrages affichés. Je remarquai qu'on l'écoutait avec une extrême attention, et je jugeai en même temps qu'il croyait la mériter. Il paraissait vain, et il avait l'esprit décisif, comme l'ont la plupart des petits hommes. Cette *nouvelle traduction d'Horace*, disait-il, que vous voyez annoncée au public en si gros caractères, est un ouvrage en prose composé par un vieil auteur du collège. C'est un livre fort estimé des écoliers. Ils en ont consumé quatre éditions. Il n'y a pas un honnête homme qui en ait acheté un exemplaire. Il ne portait pas de jugements plus avantageux des autres livres. Il les frondait tous sans charité. C'était apparemment quelque auteur. Je n'aurais pas été fâché de l'entendre jusqu'au bout : mais il me fallut suivre don Luis et don Félix, qui, ne prenant pas plus de plaisir à ses discours que d'intérêt aux livres qu'il critiquait, s'éloignèrent de lui et de l'université.

Nous revînmes à notre hôtel à l'heure du dîner. Ma maîtresse se mit à table avec Pacheco, et fit adroitement tomber la conversation sur sa famille : Mon père, dit-elle, est un cadet de la maison de Mendoce qui s'est établi à Tolède; et ma mère est propre sœur de doña Kimena de Guzman, qui depuis quelques jours est venue à Salamanque pour une affaire importante avec sa nièce Aurore, fille unique de don Vincent de Guzman, que vous avez peut-être connu. Non, répondit don Luis, mais on m'en a souvent parlé, ainsi que d'Aurore, votre cousine. Dois-je croire ce qu'on dit d'elle ? On assure que rien n'égale son esprit et sa beauté. Pour de l'esprit, reprit don Félix, elle n'en manque pas. Elle l'a même assez cultivé. Mais ce n'est point une si belle personne. On trouve que nous nous ressemblons beaucoup. Si cela est, s'écria Pacheco, elle justifie sa réputation. Vos traits sont réguliers, votre teint est parfaitement beau; votre cousine doit être charmante. Je voudrais bien la voir et l'entretenir. Je m'offre à satisfaire votre curiosité, repartit le faux Mendoce, et même dès ce jour. Je vous mène cette après-dînée chez ma tante.

Ma maîtresse changea tout à coup d'entretien et parla de choses indifférentes. L'après-midi, pendant qu'ils se disposaient tous deux à sortir pour aller chez doña Kimena, je pris les devants, et courus avertir la duègne de se préparer à cette visite. Je revins ensuite sur mes pas pour accompagner don Félix, qui conduisit enfin chez sa tante le seigneur don Luis. Mais à peine furent-ils entrés dans la maison qu'ils rencontrèrent la dame Chimène, qui leur fit signe de ne point faire de bruit : Paix, paix! leur dit-elle d'une voix basse, vous réveillerez ma nièce. Elle a depuis hier une migraine effroyable qui ne fait que de la quitter, et la pauvre enfant repose depuis un quart d'heure. Je suis fâché de ce contretemps, dit Mendoce. J'espérais que nous verrions ma cousine. J'avais fait fête de ce plaisir à mon ami Pacheco. Ce n'est pas une affaire si pressée, répondit en souriant Ortiz, vous pouvez la remettre à demain. Les cavaliers eurent une conversation fort courte avec la vieille, et se retirèrent.

Don Luis nous mena chez un jeune gentilhomme de ses amis qu'on appelait don Gabriel de Pedros. Nous y passâmes le reste de la journée; nous y soupâmes même, et nous n'en sortîmes que sur les deux heures après minuit pour nous en retourner au logis. Nous avions peut-être fait la moitié du chemin, lorsque nous rencontrâmes sous nos pieds dans la rue deux hommes étendus par terre. Nous jugeâmes que c'étaient des malheureux qu'on venait d'assassiner, et nous nous arrêtâmes pour les secourir, s'il en était encore temps. Comme nous cherchions à nous instruire, autant que l'obscurité de la nuit nous le pouvait permettre, de l'état où ils se trouvaient, la patrouille arriva. Le commandant nous prit d'abord pour des assassins, et nous fit environner par ses gens; mais il eut meilleure opinion de nous lorsqu'il nous eut entendus parler, et qu'à la faveur d'une lanterne sourde, il vit les traits de Mendoce et de Pacheco. Ses archers, par son ordre, examinèrent les deux hommes que nous nous imaginions avoir été tués; et il se trouva que c'était un gros licencié avec son valet, tous deux pris de vin, ou plutôt ivres-morts. Messieurs, s'écria un des archers, je reconnais ce gros vivant. Eh! c'est le seigneur licencié Guyomar [58], recteur de notre université. Tel que vous le voyez, c'est un grand personnage, un génie supérieur. Il n'y a point de philosophe qu'il ne terrasse dans une dispute. Il a un flux de bouche sans pareil. C'est dommage qu'il aime un peu trop le vin, le procès et la grisette. Il revient de souper de chez son Isabelle, où, par malheur, son guide s'est enivré comme lui. Ils sont tombés l'un et l'autre dans le ruisseau. Avant que le bon licencié fût recteur, cela lui arrivait assez souvent. Les honneurs, comme vous voyez, ne changent pas toujours les mœurs. Nous laissâmes ces ivrognes entre les mains de la patrouille, qui eut soin de les porter chez eux. Nous regagnâmes notre hôtel, et chacun ne songea qu'à se reposer.

Don Félix et don Luis se levèrent sur le midi, et Aurore de Guzman fut la première chose dont ils s'entretinrent. Gil Blas, me dit ma maîtresse, va chez ma tante doña Kimena, et lui demande si nous pouvons aujourd'hui, le seigneur Pacheco et moi, voir ma cousine. Je sortis pour m'acquitter de cette commission, ou plutôt pour concerter avec la duègne ce que nous avions à faire; et, quand nous eûmes pris ensemble de justes mesures, je vins rejoindre le faux Mendoce : Seigneur, lui dis-je, votre cousine Aurore se porte à merveille. Elle m'a chargé elle-même de vous témoigner de sa part que votre visite ne lui saurait être que très agréable; et doña Kimena m'a dit d'assurer le seigneur Pacheco qu'il sera toujours parfaitement bien reçu chez elle sous vos auspices.

Je m'aperçus que ces dernières paroles firent plaisir à don Luis. Ma maîtresse le remarqua de même, et en conçut un heureux présage. Un moment avant le dîner, le valet de la señora Kimena parut, et dit à don Félix : Seigneur, un homme de Tolède est venu vous demander chez madame votre tante et y a laissé ce billet. Le faux Mendoce l'ouvrit, et y trouva ces mots qu'il lut à haute voix : *Si vous avez envie d'apprendre des nouvelles de votre père et des choses de conséquence pour vous, ne manquez pas aussitôt la présente reçue de vous rendre au* Cheval noir, *auprès de l'université.* Je suis, dit-il, trop curieux de savoir ces choses importantes, pour ne pas satisfaire ma curiosité tout à l'heure. Sans adieu, Pacheco, continua-t-il, si je ne suis point de retour ici dans deux heures, vous pourrez aller seul chez ma tante. J'irai vous y rejoindre dans l'après-dînée. Vous savez ce que Gil Blas vous a dit de la part de doña Kimena; vous êtes en droit de faire cette visite. Il sortit en parlant de cette sorte, et m'ordonna de le suivre.

Vous vous imaginez bien qu'au lieu de prendre la route du *Cheval noir*, nous enfilâmes celle de la maison où était Ortiz. D'abord que nous y fûmes arrivés, Aurore ôta sa chevelure blonde, lava et frotta ses sourcils, mit un habit de femme, et devint une belle brune telle qu'elle l'était naturellement. On peut dire que son déguisement la changeait à un point qu'Aurore et don Félix paraissaient deux personnes différentes. Il semblait même qu'elle fût beaucoup plus grande en femme qu'en homme. Il est vrai que ses chappins, car elle en avait d'une hauteur excessive, n'y contribuaient pas peu. Lorsqu'elle eut ajouté à ses charmes tous les secours que l'art leur pouvait prêter, elle attendit don Luis avec une agitation mêlée de crainte et d'espérance. Tantôt elle se fiait à son esprit et à sa beauté, et tantôt elle appréhendait de n'en faire qu'un essai malheureux. Ortiz de son côté se prépara de son mieux à seconder ma maîtresse. Pour moi, comme il ne fallait pas que Pacheco me vît dans cette maison, et que, semblable aux acteurs qui ne paraissent qu'au dernier acte d'une pièce, je ne devais me montrer que sur la fin de la visite, je sortis aussitôt que j'eus dîné.

Enfin, tout était en état, quand don Luis arriva. Il fut reçu très agréablement de la dame Chimène, et il eut avec Aurore une conversation de deux ou trois heures, après quoi j'entrai dans la chambre où ils étaient, et m'adressant au cavalier : Seigneur, lui dis-je, don Félix mon maître ne viendra point ici d'aujourd'hui. Il vous prie de l'excuser. Il est avec trois hommes de Tolède, dont il ne peut se débarrasser. Ah! le petit libertin! s'écria doña Kimena; il est sans doute en débauche. Non, madame, repris-je, il s'entretient avec eux d'affaires fort sérieuses. Il a un véritable chagrin de ne pouvoir se rendre ici. Il m'a chargé de vous le dire aussi bien qu'à doña Aurora. Oh! je ne reçois point ses excuses, dit ma maîtresse! Il sait que j'ai été indisposée : il devait marquer un peu plus d'empressement pour les personnes à qui le sang le lie. Pour le punir, je ne le veux voir de quinze jours. Eh! madame, dit alors don Luis, ne formez point une si cruelle résolution, don Félix est assez à plaindre de ne vous avoir pas vue.

Ils plaisantèrent quelque temps là-dessus. Ensuite Pacheco se retira. La belle Aurore change aussitôt de forme et reprend son habit de cavalier. Elle retourne à l'hôtel garni le plus promptement qu'il lui est possible. Je vous demande pardon, cher ami, dit-elle à don Luis, de ne vous avoir pas été trouver chez ma tante; mais je n'ai pu me défaire des personnes avec qui j'étais. Ce qui me console, c'est que vous avez eu du moins tout le loisir de satisfaire vos désirs curieux. Eh bien! que pensez-vous de ma cousine ? J'en suis enchanté, répondit Pacheco. Vous aviez raison de dire que vous vous ressemblez. Je n'ai jamais vu de traits plus semblables. C'est le même tour de visage. Vous avez les mêmes yeux, la même bouche, le même son de voix. Il y a pourtant quelque différence entre vous deux : Aurore est plus grande que vous; elle est brune et vous êtes blond; vous êtes enjoué, elle est sérieuse. Voilà tout ce qui vous distingue l'un de l'autre. Pour de l'esprit, continua-t-il, je ne crois pas qu'une substance céleste puisse en avoir plus que votre cousine. En un mot, c'est une personne d'un mérite accompli.

Le seigneur Pacheco prononça ces dernières paroles avec tant de vivacité, que don Félix lui dit en souriant : Ami, n'allez plus chez doña Kimena. Je vous le conseille pour votre repos. Aurore de Guzman pourrait vous faire voir du pays, et vous inspirer une passion... Je n'ai pas besoin de la revoir, interrompit-il, pour en devenir amoureux. L'affaire en est faite. J'en suis fâché pour vous, répliqua le faux Mendoce : car vous n'êtes pas un homme à vous attacher, et ma cousine n'est pas une Isabelle. Je vous en avertis. Elle ne s'accommoderait pas d'un amant qui n'aurait pas des vues légitimes. Des vues légitimes ? repartit don Luis. Peut-on en avoir d'autres sur une fille de son sang ? Hélas! je m'estimerais le plus heureux de tous les hommes, si elle approuvait ma recherche et voulait lier sa destinée à la mienne.

En le prenant sur ce ton-là, reprit don Félix, vous m'intéressez à vous servir. Oui, j'entre dans vos sentiments. Je vous offre mes bons offices auprès d'Aurore, et je veux dès demain gagner ma tante, qui a beaucoup de crédit sur son esprit. Pacheco rendit mille grâces au cavalier qui lui faisait de si belles promesses, et nous nous aperçûmes avec joie que notre stratagème ne pouvait aller mieux. Le jour suivant nous augmentâmes encore l'amour de don Luis par une nouvelle invention. Ma maîtresse, après avoir été trouver doña Kimena comme pour la rendre favorable à ce cavalier, elle vint le rejoindre : J'ai parlé à ma tante, lui dit-elle, et je n'ai pas eu peu de peine à la mettre dans vos intérêts. Elle était furieusement prévenue contre vous. Je ne sais qui vous a fait passer dans son esprit pour un libertin; mais j'ai pris vivement votre parti, et j'ai détruit enfin la mauvaise impression qu'on lui avait donnée de vos mœurs.

Ce n'est pas tout, poursuivit Aurore, je veux que vous ayez en ma présence un entretien avec ma tante; nous achèverons de vous assurer son appui. Pacheco témoigna une extrême impatience d'entretenir doña Kimena, et cette satisfaction lui fut accordée le lendemain matin. Le faux Mendoce le conduisit à la dame Ortiz, et ils eurent tous trois une conversation, où don Luis fit voir qu'en peu de temps il s'était laissé fort enflammer. L'adroite Kimena feignit d'être touchée de toute la tendresse qu'il faisait paraître, et promit au cavalier de faire tous ses efforts pour engager sa nièce à l'épouser. Pacheco se jeta aux pieds d'une si bonne tante et la remercia de ses bontés. Là-dessus don Félix demanda si sa cousine était levée. Non, répondit la duègne, elle repose encore, et vous ne sauriez la voir présentement; mais revenez cette après-dînée, et vous lui parlerez à loisir. Cette réponse de la dame Chimène redoubla, comme vous pouvez croire, la joie de don Luis, qui trouva le reste de la matinée bien long. Il regagna l'hôtel garni avec Mendoce, qui ne prenait pas peu de plaisir à l'observer et à remarquer en lui toutes les apparences d'un véritable amour.

Ils ne s'entretinrent que d'Aurore; et, lorsqu'ils eurent dîné, don Félix dit à Pacheco : Il me vient une idée. Je suis d'avis d'aller chez ma tante quelques moments avant vous.

Je veux parler en particulier à ma cousine, et découvrir, s'il est possible, dans quelle disposition son cœur est à votre égard. Don Luis approuva cette pensée. Il laissa sortir son ami, et ne partit qu'une heure après lui. Ma maîtresse profita si bien de ce temps-là qu'elle était habillée en femme, quand son amant arriva. Je croyais, dit ce cavalier après avoir salué Aurore et la duègne, je croyais trouver ici don Félix. Vous le verrez dans un instant, répondit doña Kimena; il écrit dans mon cabinet. Pacheco parut se payer de cette défaite, et lia conversation avec les dames. Cependant malgré la présence de l'objet aimé, il s'aperçut que les heures s'écoulaient sans que Mendoce se montrât; et, comme il ne put s'empêcher d'en témoigner quelque surprise, Aurore changea tout à coup de contenance, se mit à rire et dit à don Luis : Est-il possible que vous n'ayez pas encore le moindre soupçon de la supercherie qu'on vous fait ? Une fausse chevelure blonde et des sourcils teints me rendent-ils si différente de moi-même, qu'on puisse jusque-là s'y tromper ? Désabusez-vous donc, Pacheco, continua-t-elle en reprenant son sérieux, apprenez que don Félix de Mendoce et Aurore de Guzman ne sont qu'une même personne.

Elle ne se contenta pas de le tirer de cette erreur; elle avoua la faiblesse qu'elle avait pour lui, et toutes les démarches qu'elle avait faites pour l'amener au point où elle le voyait enfin rendu. Don Luis ne fut pas moins charmé que surpris de ce qu'il entendit, il se jeta aux pieds de ma maîtresse, et lui dit avec transport : Ah! belle Aurore; croirai-je en effet que je suis l'heureux mortel pour qui vous avez eu tant de bontés ? Que puis-je faire pour les reconnaître ? Un éternel amour ne saurait assez les payer. Ces paroles furent suivies de mille autres discours tendres et passionnés; après quoi les amants parlèrent des mesures qu'ils avaient à prendre pour parvenir à l'accomplissement de leurs désirs. Il fut résolu que nous partirions tous incessamment pour Madrid, où nous dénouerions notre comédie par un mariage. Ce dessein fut presque aussitôt exécuté que conçu; don Luis quinze jours après épousa ma maîtresse, et leurs noces donnèrent lieu à des fêtes et à des réjouissances infinies.

CHAPITRE VII

Gil Blas change de condition, il passe au service de don Gonzale Pacheco.

Trois semaines après ce mariage, ma maîtresse voulut récompenser les services que je lui avais rendus. Elle me fit présent de cent pistoles, et me dit : Gil Blas, mon ami, je ne vous chasse point de chez moi; je vous laisse la liberté d'y demeurer tant qu'il vous plaira; mais un oncle de mon mari, don Gonzale Pacheco, souhaite de vous avoir pour valet de chambre. Je lui ai parlé si avantageusement de vous, qu'il m'a témoigné que je lui ferais plaisir de vous donner à lui. C'est un vieux seigneur, ajouta-t-elle, un homme d'un très bon caractère; vous serez parfaitement bien auprès de lui.

Je remerciai Aurore de ses bontés, et, comme elle n'avait plus besoin de moi, j'acceptai d'autant plus volontiers le poste qui se présentait, que je ne sortais point de la famille. J'allai donc un matin de la part de la nouvelle mariée chez le seigneur don Gonzale. Il était encore au lit, quoiqu'il fût près de midi. Lorsque j'entrai dans sa chambre, je le trouvai qui prenait un bouillon qu'un page venait de lui apporter. Le vieillard avait la moustache en papillotes, les yeux presque éteints avec un visage pâle et décharné. C'était un de ces vieux garçons qui ont été fort libertins dans leur jeunesse, et qui ne sont guère plus sages dans un âge plus avancé. Il me reçut agréablement, et me dit que, si je voulais le servir avec autant de zèle que j'avais servi sa nièce, je pouvais compter qu'il me ferait un heureux sort. Je promis d'avoir pour lui le même attachement que j'avais eu pour elle, et dès ce moment il me retint à son service.

Me voilà donc à un nouveau maître, et Dieu sait quel homme c'était! Quand il se leva, je crus voir la résurrection du Lazare. Imaginez-vous un grand corps si sec, qu'en le voyant à nu on aurait fort bien pu apprendre l'ostéologie. Il avait les jambes si menues qu'elles me parurent encore très fines, après qu'il eut mis trois ou quatre paires de bas l'une sur l'autre. Outre cela cette momie vivante était asthmatique et toussait à chaque parole qui lui sortait de la bouche. Il prit d'abord du chocolat. Il demanda ensuite du papier et de l'encre, écrivit un billet qu'il cacheta, et le fit porter à son adresse par le page qui lui avait donné un bouillon; puis se tournant de mon côté : Mon ami, me dit-il, c'est toi que je prétends désormais charger de mes commissions, et particulièrement de celles qui regarderont doña Eufrasia. Cette dame est une jeune personne que j'aime et dont je suis tendrement aimé.

Bon Dieu! dis-je aussitôt en moi-même, eh! comment les jeunes gens pourront-ils s'empêcher de croire qu'on les aime, puisque ce vieux penard s'imagine qu'on l'idolâtre ? Gil Blas, poursuivit-il, je te mènerai chez elle dès aujourd'hui; j'y soupe presque tous les soirs. Tu seras charmé de son air sage et retenu. Bien loin de ressembler à ces petites étourdies qui donnent dans la jeunesse, et s'engagent sur les apparences, elle a l'esprit déjà mûr et judicieux; elle veut des sentiments dans un homme, et préfère aux figures les plus brillantes un amant qui sait aimer. Le seigneur don Gonzale ne borna point là l'éloge de sa maîtresse : il entreprit de la faire passer pour l'abrégé de toutes les perfections; mais il avait un auditeur assez difficile à persuader là-dessus. Après toutes les manœuvres que j'avais vu faire aux comédiennes, je ne croyais pas les vieux seigneurs fort heureux en amour. Je feignis pourtant par complaisance d'ajouter foi à tout ce que me dit mon maître. Je fis plus, je vantai le discernement et le bon goût d'Eufrasie. Je fus même assez impudent pour avancer qu'elle ne pouvait avoir de galant plus aimable. Le bonhomme ne sentit point que je lui donnais de l'encensoir par le nez; au contraire, il s'applaudit de mes paroles; tant il est vrai qu'un flatteur peut tout risquer avec les grands. Ils se prêtent jusqu'aux flatteries les plus outrées.

Le vieillard, après avoir écrit, s'arracha quelques poils de la barbe avec une pincette; puis il se lava les yeux, pour ôter une épaisse chassie dont ils étaient pleins. Il lava aussi ses oreilles, ensuite ses mains, et, quand il eut fait ses ablutions, il teignit en noir sa moustache, ses sourcils et ses cheveux. Il fut plus longtemps à sa toilette qu'une vieille douairière qui s'étudie à cacher l'outrage des années. Comme il achevait de s'ajuster, il entra un autre vieillard de ses amis, qu'on nommait le comte de Asumar. Celui-ci laissait voir ses cheveux blancs, s'appuyait sur un bâton, et semblait se faire honneur de sa vieillesse, au lieu de vouloir paraître jeune. Seigneur Pacheco, dit-il en entrant, je viens vous demander à dîner. Soyez le bienvenu, comte, répondit mon maître. En même temps, ils s'embrassèrent l'un l'autre, s'assirent, et commencèrent à s'entretenir en attendant qu'on servît.

Leur conversation roula d'abord sur une course de taureaux qui s'était faite depuis peu de jours. Ils parlèrent des cavaliers qui y avaient montré le plus d'adresse et de vigueur; et là-dessus le vieux comte, tel que Nestor à qui toutes les choses présentes donnaient occasion de louer les choses passées, dit en soupirant : Hélas! je ne vois point aujourd'hui d'hommes comparables à ceux que j'ai vus autrefois, ni les tournois ne se font pas avec autant de magnificence qu'on les faisait dans ma jeunesse. Je riais en moi-même de la prévention du bon seigneur de Asumar, qui ne s'en tint pas aux tournois; je me souviens, quand il fut à table, et qu'on apporta le fruit, qu'il dit en voyant de fort belles pêches qu'on avait servies : De mon temps, les pêches étaient bien plus grosses qu'elles ne le sont à présent. La nature s'affaiblit de jour en jour. Sur ce pied-là, dit en souriant don Gonzale, les pêches du temps d'Adam devaient être d'une grosseur merveilleuse.

Le comte de Asumar demeura presque jusqu'au soir avec mon maître, qui ne se vit pas plus tôt débarrassé de lui qu'il sortit en me disant de le suivre. Nous allâmes chez Eufrasie qui logeait à cent pas de notre maison, et nous la trouvâmes dans un appartement des plus propres. Elle était galamment habillée, et avait un air de jeunesse qui me la fit prendre pour une mineure, bien qu'elle eût trente bonnes années pour le moins. Elle pouvait passer pour jolie, et j'admirai bientôt son esprit. Ce n'était pas une de ces coquettes qui n'ont qu'un babil brillant avec des manières libres; il y avait de la modestie dans son action comme dans ses discours, et elle parlait le plus spirituellement du monde, sans paraître se donner pour spirituelle. O Ciel! dis-je, est-il possible qu'une personne qui se montre si réservée soit capable de vivre dans le libertinage ? Je m'imaginais que toutes les femmes galantes devaient être effrontées. J'étais surpris d'en voir une modeste en apparence, sans faire réflexion que ces créatures savent se composer de toutes les façons et se conformer au caractère des gens riches et des seigneurs qui tombent entre leurs mains. Veulent-ils de l'emportement, elles sont vives et pétulantes. Aiment-ils la retenue, elles se parent d'un extérieur sage et vertueux. Ce sont de vrais caméléons qui changent de couleur suivant l'humeur et le génie des hommes qui les approchent.

Don Gonzale n'était pas du goût des seigneurs qui demandent des beautés hardies; il ne pouvait souffrir celles-là, et il fallait, pour le piquer, qu'une femme eût un air de vestale. Aussi Eufrasie se réglait là-dessus, et faisait voir que les bonnes comédiennes n'étaient pas toutes à la comédie. Je laissai mon maître avec sa nymphe, et je descendis dans une salle où je trouvai une vieille femme de chambre que je reconnus pour une soubrette qui avait été suivante d'une comédienne. De son côté, elle me remit. Eh! vous voilà, seigneur Gil Blas! me dit-elle, vous êtes donc sorti de chez Arsénie, comme moi de chez Constance ? Oh! vraiment, lui répondis-je, il y a longtemps que je l'ai quittée. J'ai même servi depuis une fille de condition. La vie des personnes de théâtre n'est guère de mon goût. Je me suis donné mon congé moi-même, sans daigner avoir le moindre éclaircissement avec Arsénie. Vous avez bien fait, reprit la soubrette nommée Béatrix. J'en ai usé à peu près de la même manière avec Constance. Un beau matin, je lui rendis mes comptes froidement. Elle les reçut sans me dire une syllabe, et nous nous séparâmes assez cavalièrement.

Je suis ravi, lui dis-je, que nous nous retrouvions dans une maison plus honorable. Doña Eufrasia me paraît une façon de femme de qualité, et je la crois d'un très bon caractère. Vous ne vous trompez pas, me répondit la vieille suivante, elle a de la naissance, et pour son humeur, je puis vous assurer qu'il n'y en a point de plus égale ni de plus douce. Elle n'est point de ces maîtresses emportées et difficiles qui trouvent à redire à tout, qui crient sans cesse, tourmentent leurs domestiques, et dont le service, en un mot, est un enfer. Je ne l'ai pas encore entendue gronder une seule fois. Quand il m'arrive de ne pas faire les choses à sa fantaisie, elle me reprend sans colère, et jamais il ne lui échappe de ces épithètes dont les dames violentes sont si libérales. Mon maître, repris-je, est aussi fort doux, c'est le meilleur de tous les humains; et sur ce pied-là, nous sommes vous et moi beaucoup mieux que nous n'étions chez nos comédiennes. Mille fois mieux, repartit Béatrix; je menais une vie tumultueuse, au lieu que je vis présentement dans la retraite. Il ne vient pas d'autre homme ici que le seigneur don Gonzale. Je ne verrai que vous dans ma solitude, et j'en suis bien aise. Il y a longtemps que j'ai de l'affection pour vous; et j'ai plus d'une fois envié le bonheur de Laure de vous avoir pour amant, mais enfin j'espère que je ne serai pas moins heureuse qu'elle. Si je n'ai pas sa jeunesse et sa beauté, en récompense je hais la coquetterie, et je suis une tourterelle pour la fidélité.

Comme la bonne Béatrix était une de ces personnes qui sont obligées d'offrir leurs faveurs, parce qu'on ne les leur demanderait pas, je ne fus nullement tenté de profiter de ses avances. Je ne voulus pas pourtant qu'elle s'aperçût que je la méprisais, et même j'eus la politesse de lui parler de manière qu'elle ne perdît pas toute espérance de m'engager à l'aimer. Je m'imaginai donc que j'avais fait la conquête d'une vieille suivante, et je me trompai encore dans cette occasion. La soubrette n'en usait pas ainsi avec moi seulement pour mes beaux yeux : son dessein était de m'inspirer de l'amour pour me mettre dans les intérêts de sa maîtresse, pour qui elle se sentait si zélée, qu'elle ne s'embarrassait point de ce qu'il lui en coûterait pour la servir. Je reconnus mon erreur dès le lendemain matin que je portai de la part de mon maître un billet doux à Eufrasie. Cette dame me fit un accueil gracieux, me dit mille choses obligeantes, et la femme de chambre aussi s'en mêla. L'une admirait ma physionomie; l'autre me trouvait un air de sagesse et de prudence. A les entendre, le seigneur don Gonzale possédait en moi un trésor. En un mot, elles me louèrent tant que je me défiai des louanges qu'elles me donnèrent. J'en pénétrai le motif; mais je les reçus en apparence avec toute la simplicité d'un sot, et par cette contreruse je trompai les friponnes, qui levèrent enfin le masque.

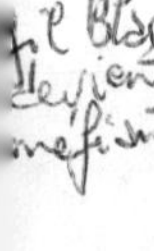

Ecoute, Gil Blas, me dit Eufrasie; il ne tiendra qu'à toi de faire ta fortune. Agissons de concert, mon ami. Don Gonzale est vieux et d'une santé si délicate, que la moindre fièvre aidée d'un bon médecin l'emportera. Ménageons les moments qui lui restent, et faisons en sorte qu'il me laisse la meilleure partie de son bien. Je t'en ferai bonne part. Je te le promets, et tu peux compter sur cette promesse, comme si je te la faisais par-devant tous les notaires de Madrid. Madame, lui répondis-je, disposez de votre serviteur. Vous n'avez qu'à me prescrire la conduite que je dois tenir, et vous serez satisfaite. Eh! bien, reprit-elle, il faut observer ton maître, et me rendre compte de tous ses pas. Quand vous vous entretiendrez tous deux, ne manque pas de faire tomber la conversation sur les femmes, et de là prends, mais avec art, occasion de lui dire du bien de moi. Occupe-le d'Eufrasie autant qu'il te sera possible. Je te recommande encore d'être fort attentif à ce qui se passe dans la famille des Pacheco. Si tu t'aperçois que quelque parent de don Gonzale ait de grandes assiduités auprès de lui et couche en joue sa succession, tu m'en avertiras aussitôt. Je ne t'en demande pas davantage; je le coulerai à fond en peu de temps. Je connais les divers caractères des parents de ton maître : je sais quels portraits ridicules on lui peut faire d'eux, et j'ai déjà mis assez mal dans son esprit tous ses neveux et ses cousins.

Je jugeai par ces instructions et par d'autres qu'y joignit Eufrasie, que cette dame était de celles qui s'attachent aux vieillards généreux. Elle avait depuis peu obligé don Gonzale à vendre une terre dont elle avait touché l'argent. Elle tirait de lui tous les jours de bonnes nippes, et, de plus, elle espérait qu'il ne l'oublierait pas dans son testament. Je feignis de m'engager volontiers à faire tout ce qu'on exigeait de moi, et pour ne rien dissimuler, je doutai en m'en retournant au logis si je contribuerais à tromper mon maître, ou si j'entreprendrais de le détacher de sa maîtresse. L'un de ces deux partis me paraissait plus honnête que l'autre, et je me sentais plus de penchant à remplir mon devoir qu'à le trahir. D'ailleurs, Eufrasie ne m'avait rien promis de positif, et cela peut-être était cause qu'elle n'avait pas corrompu ma fidélité. Je me résolus donc à servir don Gonzale avec zèle, et je me persuadai que, si j'étais assez heureux pour l'arracher à son idole, je serais mieux payé de cette bonne action, que des mauvaises que je pourrais faire.

Pour parvenir à la fin que je me proposais, je me montrai tout dévoué au service de doña Eufrasia. Je lui fis accroire que je parlais d'elle incessamment à mon maître, et là-dessus je lui débitais des fables qu'elle prenait pour argent comptant. Je m'insinuai si bien dans son esprit, qu'elle me crut entièrement dans ses intérêts. Pour mieux imposer encore, j'affectai de paraître amoureux de Béatrix, qui, ravie, à son âge, de voir un jeune homme à ses trousses, ne se souciait guère d'être trompée, pourvu que je la trompasse bien. Lorsque nous étions auprès de nos princesses, mon maître et moi, cela faisait deux tableaux différents dans le même goût. Don Gonzale sec et pâle, comme je l'ai peint, avait l'air d'un agonisant quand il voulait faire les doux yeux; et mon infante, à mesure que je me montrais plus passionné, prenait des manières enfantines, et faisait tout le manège d'une vieille coquette. Aussi avait-elle quarante ans d'école pour le moins. Elle s'était raffinée au service de quelques-unes de ces héroïnes de galanterie qui savent plaire jusque dans leur vieillesse, et qui meurent chargées des dépouilles de deux ou trois générations.

Je ne me contentais pas d'aller tous les soirs avec mon maître chez Eufrasie, j'y allais quelquefois tout seul pendant le jour. Mais à quelque heure que j'entrasse dans cette maison, je n'y rencontrais jamais d'homme, pas même de femme d'un air équivoque. Je n'y découvrais pas la moindre trace d'infidélité. Ce qui ne m'étonnait pas peu; car je ne pouvais penser qu'une si jolie dame fût exactement fidèle à don Gonzale. En quoi certes je ne faisais pas un jugement téméraire, et la belle Eufrasie, comme vous le verrez bientôt, pour attendre plus patiemment la succession de mon maître, s'était pourvue d'un amant plus convenable à une femme de son âge.

Un matin je portais à mon ordinaire un poulet à la princesse. J'aperçus, tandis que j'étais dans sa chambre, les pieds d'un homme caché derrière une tapisserie. Je sortis sans faire semblant de les avoir remarqués; mais quoique cet objet dût peu me surprendre, et que la chose ne roulât pas sur mon compte je ne laissai pas d'en être fort ému : Ah! perfide, disais-je avec indignation, scélérate Eufrasie! Tu n'es pas satisfaite d'imposer à un bon vieillard en lui persuadant que tu l'aimes, il faut que tu te livres à un autre pour mettre le comble à ta trahison! Que j'étais fat, quand j'y pense, de raisonner de la sorte! Il fallait plutôt rire de cette aventure, et la regarder comme une compensation des ennuis et des langueurs qu'il y avait dans le commerce de mon maître. J'aurais du moins mieux fait de n'en dire mot, que de me servir de cette occasion pour faire le bon valet. Mais au lieu de modérer mon zèle, j'entrai avec chaleur dans les intérêts de don Gonzale, et lui fis un fidèle rapport de ce que j'avais vu. J'ajoutai même à cela qu'Eufrasie m'avait voulu séduire. Je ne lui dissimulai rien de tout ce qu'elle m'avait dit, et il ne tint qu'à lui de connaître parfaitement sa maîtresse. Il fut frappé de mes discours, et une petite émotion de colère qui parut sur son visage sembla présager que la dame ne lui serait pas impunément infidèle. C'est assez, Gil Blas, me dit-il, je suis très sensible à l'attachement que je te vois à mon service, et ta fidélité me plaît. Je vais tout à l'heure chez Eufrasie. Je veux l'accabler de reproches, et rompre avec l'ingrate. A ces mots, il sortit effectivement pour se rendre chez elle, et il me dispensa de le suivre, pour m'épargner le mauvais rôle que j'aurais eu à jouer pendant leur éclaircissement.

J'attendis le plus impatiemment du monde que mon maître fût de retour. Je ne doutais point qu'ayant un aussi grand sujet qu'il en avait de se plaindre de sa nymphe, il ne revînt détaché de ses attraits. Dans cette pensée, je m'applaudissais de mon ouvrage. Je me représentais la satisfaction qu'auraient les héritiers naturels de don Gonzale, quand ils apprendraient que leur parent n'était plus le jouet d'une passion si contraire à leurs intérêts. Je me flattais qu'ils m'en tiendraient compte, et qu'enfin j'allais me distinguer des autres valets de chambre qui sont ordinairement plus disposés à maintenir leurs maîtres dans la débauche qu'à les en retirer. J'aimais l'honneur, et je pensais avec plaisir que je passerais pour le coryphée des domestiques; mais une idée si agréable s'évanouit quelques heures après. Mon patron arriva : Mon ami, me dit-il, je viens d'avoir un entretien très vif avec Eufrasie. Elle soutient que tu m'as fait un faux rapport. Tu n'es, si on l'en croit, qu'un imposteur, qu'un valet dévoué à mes neveux, pour l'amour de qui tu n'épargnerais rien pour me brouiller avec elle. J'ai vu couler de ses yeux des pleurs véritables [59]. Elle m'a juré, par ce qu'il y a de plus sacré, qu'elle ne t'a fait aucune proposition, et qu'elle ne voit pas un homme. Béatrix, qui me paraît une bonne fille, m'a protesté la même chose; de sorte que malgré moi ma colère s'est apaisée.

Eh quoi! monsieur, interrompis-je avec douleur, doutez-vous de ma sincérité ? vous défiez-vous... Non, mon enfant, interrompit-il à son tour, je te rends justice. Je ne te crois point d'accord avec mes neveux. Je suis persuadé que mon intérêt seul te touche, et je t'en sais bon gré; mais les apparences sont trompeuses; peut-être n'as-tu pas vu effectivement ce que tu t'imaginais voir; et dans ce cas juge jusqu'à quel point ton accusation doit être désagréable à Eufrasie! Quoi qu'il en soit, c'est une femme que je ne puis m'empêcher d'aimer. Il faut même que je lui fasse le sacrifice qu'elle exige de moi et ce sacrifice est de te donner ton congé. J'en suis fâché, mon pauvre Gil Blas, poursuivit-il, et je t'assure que je n'y ai consenti qu'à regret; mais je ne saurais faire autrement. Ce qui doit te consoler, c'est que je ne te renverrai pas sans récompense. De plus, je prétends te placer chez une dame de mes amies, où tu seras fort agréablement.

Je fus bien mortifié de voir tourner ainsi mon zèle contre moi. Je maudis Eufrasie, et déplorai la faiblesse de don Gonzale de s'en être laissé posséder. Le bon vieillard sentait assez qu'en me congédiant pour plaire seulement à sa maîtresse, il ne faisait pas une action des plus viriles; aussi, pour compenser sa mollesse et me mieux faire avaler la pilule, il me donna cinquante ducats, et me mena le jour suivant chez la marquise de Chaves. Il dit en ma présence à cette dame que j'étais un jeune homme qui n'avait que de bonnes qualités; qu'il m'aimait, et que, des raisons de famille ne lui permettant pas de me retenir à son service, il la priait de me prendre au sien. Elle me reçut dès ce moment au nombre de ses domestiques. Si bien que je me trouvai tout à coup dans une nouvelle maison.

CHAPITRE VIII

De quel caractère était la marquise de Chaves, et quelles personnes allaient ordinairement chez elle.

La marquise de Chaves [60] était une veuve de trente-cinq ans, belle, grande et bien faite. Elle jouissait d'un revenu de dix mille ducats et n'avait point d'enfants. Je n'ai jamais vu de femme plus sérieuse, ni qui parlât moins. Cela ne l'empêchait pas de passer pour la dame de Madrid la plus spirituelle. Le grand concours de personnes de qualité et de gens de lettres qu'on voyait chez elle tous les jours contribuait peut-être plus que ce qu'elle disait à lui donner cette réputation. C'est une chose dont je ne déciderai point. Je me contenterai de dire que son nom emportait une idée de génie supérieur, et que sa maison était appelée par excellence dans la ville le bureau des ouvrages d'esprit.

Effectivement on y lisait chaque jour tantôt des poèmes dramatiques et tantôt d'autres poésies. Mais on n'y faisait guère que des lectures sérieuses. Les pièces comiques y étaient méprisées. On n'y regardait la meilleure comédie ou le roman le plus ingénieux et le plus égayé que comme une faible production qui ne méritait aucune louange; au lieu que le moindre ouvrage sérieux, une ode, une églogue, un sonnet y passait pour le plus grand effort de l'esprit humain. Il arrivait souvent que le public ne confirmait pas les jugements du bureau, et que même il sifflait quelquefois impoliment les pièces qu'on y avait fort applaudies.

J'étais maître de salle dans cette maison, c'est-à-dire que mon emploi consistait à tout préparer dans l'appartement de ma maîtresse pour recevoir la compagnie, à ranger des chaises pour les hommes et des carreaux pour les femmes : après quoi je me tenais à la porte de la chambre pour annoncer et introduire les personnes qui arrivaient. Le premier jour, à mesure que je les faisais entrer, le gouverneur des pages, qui par hasard était alors dans l'antichambre avec moi, me les dépeignait agréablement. Il se nommait André Molina. Il était naturellement froid et railleur, et ne manquait pas d'esprit. D'abord un évêque se présenta. Je l'annonçai, et quand il fut entré, le gouverneur me dit : Ce prélat est d'un caractère assez plaisant. Il a quelque crédit à la cour; mais il voudrait bien persuader qu'il en a beaucoup. Il fait des offres de service à tout le monde et ne sert personne. Un jour il rencontre chez le roi un cavalier qui le salue; il l'arrête, l'accable de civilités, et lui serrant la main : Je suis, lui dit-il, tout acquis à votre seigneurie. Mettez-moi, de grâce, à l'épreuve; je ne mourrai point content, si je ne trouve une occasion de vous obliger. Le cavalier le remercia d'une manière pleine de reconnaissance, et, quand ils furent tous deux séparés, le prélat dit à un de ses officiers qui le suivait : Je crois connaître cet homme-là. J'ai une idée confuse de l'avoir vu quelque part.

Un moment après l'évêque, le fils d'un grand parut, et lorsque je l'eus introduit dans la chambre de ma maîtresse : Ce seigneur, me dit Molina, est encore un original. Imaginez-vous qu'il entre souvent dans une maison pour traiter d'une affaire importante avec le maître du logis, qu'il quitte sans se souvenir de lui en parler. Mais, ajouta le gouverneur, en voyant arriver deux femmes, voici doña Angela de Peñafiel et doña Margarita de Montalvan. Ce sont deux femmes qui ne se ressemblent nullement. Doña Margarita se pique d'être philosophe : elle va tenir tête aux plus profonds docteurs de Salamanque, et jamais ses raisonnements ne céderont à leurs raisons. Pour doña Angela, elle ne fait point la savante, quoiqu'elle ait l'esprit cultivé. Ses discours ont de la justesse, ses pensées sont fines, ses expressions délicates, nobles et naturelles. Ce dernier caractère est aimable, dis-je à Molina; mais l'autre ne convient guère, ce me semble, au beau sexe. Pas trop, répondit-il en souriant, il y a même bien des hommes qu'il rend ridicules. Mme la marquise, notre maîtresse, continua-t-il, est aussi un peu grippée de philosophie. Qu'on va disputer ici aujourd'hui! Dieu veuille que la religion ne soit pas intéressée dans la dispute!

Comme il achevait ces mots, nous vîmes entrer un homme sec, qui avait l'air grave et renfrogné. Mon gouverneur ne l'épargna point. Celui-ci, me dit-il, est un de ces esprits sérieux qui veulent passer pour de grands génies, à la faveur de quelques sentences tirées de Sénèque, et qui ne sont que de sots personnages, à les examiner fort sérieusement. Il vint ensuite un cavalier d'assez belle taille, qui avait la mine grecque, c'est-à-dire le maintien plein de suffisance. Je demandai qui c'était. C'est un poète dramatique, me dit Molina. Il a fait cent mille vers en sa vie qui ne lui ont pas rapporté quatre sols; mais en récompense, il vient avec six lignes de prose de se faire un établissement considérable.

J'allais m'éclaircir de la nature d'une fortune faite à si peu de frais, quand j'entendis un grand bruit sur l'escalier. Bon, s'écria le gouverneur, voici le licencié Campanario [61]. Il s'annonce lui-même avant qu'il paraisse. Il se met à parler dès la porte de la rue, et en voilà jusqu'à ce qu'il soit sorti de la maison. En effet tout retentissait de la voix du bruyant licencié, qui entra enfin dans l'antichambre avec un bachelier de ses amis, et qui ne déparla point tant que dura sa visite. Le seigneur Campanario, dis-je à Molina, est apparemment un beau génie. Oui, répondit mon gouverneur, c'est un homme qui a des saillies brillantes, des expressions détournées. Il est réjouissant. Mais outre que c'est un parleur impitoyable, il ne laisse pas de se répéter, et, pour n'estimer les choses qu'autant qu'elles valent, je crois que l'air agréable et comique dont il assaisonne ce qu'il dit en fait le plus grand mérite. La meilleure partie de ses traits ne feraient pas grand honneur à un recueil de bons mots.

Il vint encore d'autres personnes dont Molina me fit de plaisants portraits. Il n'oublia pas de me peindre aussi la marquise. Je vous donne, me dit-il, notre patronne pour un esprit assez uni, malgré sa philosophie. Elle n'est point d'une humeur difficile et on a peu de caprices à essuyer en la servant. C'est une femme de qualité des plus raisonnables que je connaisse. Elle n'a même aucune passion. Elle est sans goût pour le jeu, comme pour la galanterie, et n'aime que la conversation. Sa vie serait bien ennuyeuse pour la plupart des dames. Le gouverneur par cet éloge me prévint en faveur de ma maîtresse. Cependant quelques jours après, je ne pus m'empêcher de la soupçonner de n'être pas si ennemie de l'amour, et je vais dire sur quel fondement je conçus ce soupçon.

Un matin, pendant qu'elle était à sa toilette, il se présenta devant moi un petit homme de quarante ans, désagréable de sa figure, plus crasseux que l'auteur Pedro de Moya, et fort bossu par-dessus le marché. Il me dit qu'il voulait parler à Mme la marquise. Je lui demandai de quelle part. De la mienne, répondit-il fièrement. Dites-lui que je suis le cavalier dont elle s'est entretenue hier avec doña Anna de Velasco. Je l'introduisis dans l'appartement de ma maîtresse et je l'annonçai. La marquise fit aussitôt une exclamation, et dit avec un transport de joie qu'il pouvait entrer. Elle ne se contenta pas de le recevoir favorablement, elle obligea toutes ses femmes à sortir de la chambre; de sorte que le petit bossu, plus heureux qu'un honnête homme, y demeura seul avec elle. Les soubrettes et moi nous rîmes un peu de ce beau tête-à-tête qui dura près d'une heure; après quoi ma patronne congédia le bossu en lui faisant des civilités qui marquaient qu'elle était très contente de lui.

Elle avait effectivement pris tant de goût à son entretien, qu'elle me dit le soir en particulier : Gil Blas, quand le bossu reviendra, faites-le entrer dans mon appartement le plus secrètement que vous pourrez. J'obéis. Dès que le petit homme revint, et ce fut le lendemain matin, je le conduisis par un escalier dérobé jusque dans la chambre de Madame. Je fis pieusement la même chose deux ou trois fois sans m'imaginer qu'il pût y avoir de la galanterie. Mais la malignité qui est si naturelle à l'homme me donna bientôt d'étranges idées, et je conclus de là que la marquise avait des inclinations bizarres, ou que le bossu faisait le personnage d'un entremetteur.

Ma foi, disais-je, prévenu de cette opinion : si ma maîtresse aime quelque homme bien fait, je le lui pardonne; mais si elle est entêtée de ce magot, franchement je ne puis excuser cette dépravation de goût. Que je jugeais mal de la patronne! Le petit bossu se mêlait de magie, et, comme on avait vanté son savoir à la marquise, qui se prêtait volontiers aux prestiges des charlatans, elle avait des entretiens particuliers avec lui. Il faisait voir dans le verre, montrait à tourner le sas [62], et révélait pour de l'argent tous les mystères de la cabale; ou bien pour parler plus juste, c'était un fripon qui subsistait aux dépens de personnes trop crédules, et l'on disait qu'il avait sous contribution plusieurs femmes de qualité.

CHAPITRE IX

Par quel incident Gil Blas sortit de chez la marquise de Chaves, et ce qu'il devint.

Il y avait déjà six mois que je demeurais chez la marquise de Chaves, et j'avoue que j'étais fort content de ma condition. Mais la destinée que j'avais à remplir ne me permit pas de faire un plus long séjour dans la maison de cette dame ni même à Madrid. Je vais conter quelle aventure m'obligea de m'en éloigner.

Parmi les femmes de ma maîtresse, il y en avait une qu'on appelait Porcie. Outre qu'elle était jeune et belle, je la trouvai d'un si bon caractère, que je m'y attachai sans savoir qu'il me faudrait disputer son cœur. Le secrétaire de la marquise, homme fier et jaloux, était épris de ma belle. Il ne s'aperçut pas plus tôt de mon amour, que, sans chercher à s'éclaircir de quel œil Porcie me voyait, il résolut de se battre avec moi. Pour cet effet, il me donna rendez-vous un matin dans un endroit écarté. Comme c'était un petit homme qui m'arrivait à peine aux épaules, et qui me paraissait très faible, je ne le crus pas un rival fort dangereux. Je me rendis avec confiance au lieu où il m'avait appelé. Je comptais bien de remporter une victoire aisée, et de m'en faire un mérite auprès de Porcie; mais l'événement ne répondit point à mon attente; le petit secrétaire, qui avait deux ou trois ans de salle, me désarma comme un enfant, et me présentant la pointe de son épée : Prépare-toi, me dit-il, à recevoir le coup de la mort, ou bien donne-moi ta parole d'honneur que tu sortiras aujourd'hui de chez la marquise de Chaves, et que tu ne penseras plus à Porcie. Je lui fis cette promesse, et je la tins sans répugnance. Je me faisais une peine de paraître devant les domestiques de notre hôtel après avoir été vaincu, et surtout devant la belle Hélène qui avait fait le sujet de notre combat. Je ne retournai au logis que pour y prendre tout ce que j'avais de nippes et d'argent, et, dès le même jour, je marchai vers Tolède, la bourse assez bien garnie, et le dos chargé d'un paquet composé de toutes mes hardes. Quoique je ne me fusse point engagé à quitter le séjour de Madrid, je jugeai à propos de m'en écarter, du moins pour quelques années. Je formai la résolution de parcourir l'Espagne et de m'arrêter de ville en ville. L'argent que j'ai, disais-je, me mènera loin. Je ne le dépenserai pas indiscrètement. Et quand je n'en aurai plus, je me remettrai à servir. Un garçon fait comme je suis trouvera des conditions de reste, quand il lui plaira d'en chercher.

J'avais particulièrement envie de voir Tolède. J'y arrivai au bout de trois jours. J'allai loger dans une bonne hôtellerie, où je passai pour un cavalier d'importance à la faveur de mon habit d'homme à bonnes fortunes, dont je ne manquai pas de me parer, et par des airs de petit-maître que j'affectai de me donner, il dépendit de moi de lier commerce avec de jolies femmes qui demeuraient dans mon voisinage; mais comme j'appris qu'il fallait débuter chez elles par une grande dépense, cela brida mes désirs, et me sentant toujours du goût pour les voyages, après avoir vu tout ce qu'on voit de curieux à Tolède, j'en partis un jour au lever de l'aurore, et pris le chemin de Cuença, dans le dessein d'aller en Aragon. J'entrai la seconde journée dans une hôtellerie que je trouvai sur la route, et, dans le temps que je commençais à m'y rafraîchir, il survint une troupe d'archers de la sainte Hermandad. Ces messieurs demandèrent du vin, se mirent à boire, et j'entendis qu'en buvant ils faisaient le portrait d'un jeune homme qu'ils avaient ordre d'arrêter. Le cavalier, disait l'un d'entre eux, n'a pas plus de vingt-trois ans. Il a de longs cheveux noirs, une belle taille, le nez aquilin, et il est monté sur un cheval bai-brun.

Je les écoutai sans paraître faire quelque attention à ce qu'ils disaient, et véritablement je ne m'en souciais guère. Je les laissai dans l'hôtellerie et continuai mon chemin. Je n'eus pas fait un demi-quart de lieue, que je rencontrai un jeune cavalier fort bien fait, et monté sur un cheval châtain. Par ma foi, dis-je en moi-même, voici l'homme que les archers cherchent. Il a une longue chevelure noire et le nez aquilin. Il faut que je lui rende un bon office. Seigneur, lui dis-je, permettez-moi de vous demander si vous n'avez point sur les bras quelque affaire d'honneur. Le jeune homme, sans me répondre, jeta les yeux sur moi, et parut surpris de ma question. Je l'assurai que ce n'était point par curiosité que je venais de lui adresser ces paroles. Il en fut bien persuadé, quand je lui eus rapporté tout ce que j'avais entendu dans l'hôtellerie. Généreux inconnu, me dit-il, je ne vous dissimulerai point que j'ai sujet de croire qu'effectivement c'est à moi que ces archers en veulent. Ainsi je vais suivre une autre route pour les éviter. Je suis d'avis, lui répliquai-je, que nous cherchions un endroit où vous soyez sûrement, et où nous puissions nous mettre à couvert d'un orage que je vois dans l'air et qui va bientôt tomber. En même temps, nous découvrîmes et gagnâmes une allée d'arbres assez touffus qui nous conduisit au pied d'une montagne où nous trouvâmes un ermitage.

C'était une grande et profonde grotte que le temps avait percée dans la montagne, et la main des hommes y avait ajouté un avant-corps de logis bâti de rocailles et de coquillages et tout couvert de gazon. Les environs étaient parsemés de mille sortes de fleurs qui parfumaient l'air, et l'on voyait auprès de la grotte une petite ouverture dans la montagne par où sortait avec bruit une source d'eau, qui courait se répandre dans une prairie. Il y avait à l'entrée de cette maison solitaire un bon ermite qui paraissait accablé de vieillesse. Il s'appuyait d'une main sur un bâton, et de l'autre il tenait un rosaire à gros grains de vingt dizaines pour le moins. Il avait la tête enfoncée dans un bonnet de laine brune à longues oreilles, et sa barbe, plus blanche que la neige, lui descendait jusqu'à la ceinture. Nous nous approchâmes de lui : Mon père, lui dis-je, vous voulez bien que nous vous demandions un asile contre l'orage qui nous menace. Venez, mes enfants, répondit l'anachorète après m'avoir regardé avec attention ; cet ermitage vous est ouvert, et vous y pourrez demeurer tant qu'il vous plaira. Pour votre cheval, ajouta-t-il en nous montrant l'avant-corps de logis, il sera fort bien là. Le cavalier qui m'accompagnait y fit entrer son cheval, et nous suivîmes le vieillard dans la grotte.

Nous n'y fûmes pas plus tôt qu'il tomba une grosse pluie entremêlée d'éclairs et de coups de tonnerre épouvantables. L'ermite se mit à genoux devant une image de saint Pacôme qui était collée contre le mur, et nous en fîmes autant à son exemple. Cependant le tonnerre cessa. Nous nous levâmes ; mais, comme la pluie continuait, et que la nuit n'était pas fort éloignée, le vieillard nous dit : Mes enfants, je ne vous conseille pas de vous remettre en chemin par ce temps-là, à moins que vous n'ayez des affaires bien pressantes. Nous répondîmes, le jeune homme et moi, que nous n'en avions point qui nous défendît de nous arrêter, et que, si nous n'appréhendions pas de l'incommoder, nous le prierions de nous laisser passer la nuit dans son ermitage. Vous ne m'incommoderez point, répliqua l'ermite. C'est vous seuls qu'il faut plaindre. Vous serez fort mal couchés, et je n'ai à vous offrir qu'un repas d'anachorète.

Après avoir ainsi parlé, le saint homme nous fit asseoir à une petite table, et nous présentant quelques ciboules avec un morceau de pain et une cruche d'eau : Mes enfants, reprit-il, vous voyez mes repas ordinaires; mais je veux aujourd'hui faire un excès pour l'amour de vous. A ces mots, il alla prendre un peu de fromage et deux poignées de noisettes qu'il étala sur la table. Le jeune homme, qui n'avait pas grand appétit, ne fit guère d'honneur à ces mets. Je m'aperçois, lui dit l'ermite, que vous êtes accoutumé à de meilleures tables que la mienne, ou plutôt que la sensualité a corrompu votre goût naturel. J'ai été comme vous dans le monde. Les viandes les plus délicates, les ragoûts les plus exquis n'étaient pas trop bons pour moi; mais depuis que je vis dans la solitude, j'ai rendu à mon goût toute sa pureté. Je n'aime présentement que les racines, les fruits, le lait, en un mot, que ce qui faisait toute la nourriture de nos premiers pères.

Tandis qu'il parlait de la sorte, le jeune homme tomba dans une profonde rêverie. L'ermite s'en aperçut : Mon fils, lui dit-il, vous avez l'esprit embarrassé. Ne puis-je savoir ce qui vous occupe ? Ouvrez-moi votre cœur. Ce n'est point par curiosité que je vous en presse. C'est la seule charité qui m'anime. Je suis dans un âge à donner des conseils, et vous êtes peut-être dans une situation à en avoir besoin. Oui, mon père, répondit le cavalier en soupirant, j'en ai besoin sans doute, et je veux suivre les vôtres, puisque vous avez la bonté de me les offrir. Je crois que je ne risque rien à me découvrir à un homme tel que vous. Non, mon fils, dit le vieillard, vous n'avez rien à craindre. On me peut faire toute sorte de confidences. Alors le cavalier lui parla dans ces termes.

CHAPITRE X

Histoire de don Alphonse et de la belle Séraphine[63].

Je ne vous déguiserai rien, mon père, non plus qu'à ce cavalier qui m'écoute. Après la générosité qu'il a fait paraître, j'aurais tort de me défier de lui. Je vais vous apprendre mes malheurs. Je suis de Madrid, et voici mon origine : un officier de la garde allemande, nommé le baron de Steinbach, rentrant un soir dans sa maison, aperçut au pied de l'escalier un paquet de linge blanc. Il le prit et l'emporta dans l'appartement de sa femme, où il se trouva que c'était un enfant nouveau-né enveloppé dans une toilette fort propre, avec un billet par lequel on assurait qu'il appartenait à des personnes de qualité qui se feraient connaître un jour, et l'on ajoutait qu'il avait été baptisé et nommé Alphonse. Je suis cet enfant malheureux, et c'est tout ce que je sais. Victime de l'honneur ou de l'infidélité, j'ignore si ma mère ne m'a point exposé seulement pour cacher de honteuses amours, ou si, séduite par un amant parjure, elle s'est trouvée dans la cruelle nécessité de me désavouer.

Quoi qu'il en soit, le baron et sa femme furent touchés de mon sort, et comme ils n'avaient point d'enfants, ils se déterminèrent à m'élever sous le nom de don Alphonse. A mesure que j'avançais en âge, ils se sentaient attachés à moi. Mes manières flatteuses et complaisantes excitaient à tous moments leurs caresses. Enfin j'eus le bonheur de m'en faire aimer. Ils me donnèrent toute sorte de maîtres. Mon éducation devint leur unique étude, et, loin d'attendre impatiemment que mes parents se découvrissent, il semblait au contraire qu'ils souhaitassent que ma naissance demeurât toujours inconnue. Dès que le baron me vit en état de porter les armes, il me mit dans le service. Il obtint pour moi une enseigne, me fit faire un petit équipage, et, pour mieux m'animer à chercher les occasions d'acquérir de la gloire, il me représenta que la carrière de l'honneur était ouverte à tout le monde, et que je pouvais dans la guerre me faire un nom d'autant plus glorieux, que je ne le devrais qu'à moi seul. En même temps il me révéla le secret de ma naissance, qu'il m'avait cachée jusque-là. Comme je passais pour son fils dans Madrid, et que j'avais cru l'être effectivement, je vous avouerai que cette confidence me fit beaucoup de peine. Je ne pouvais et ne puis encore y penser sans honte. Plus mes sentiments semblent m'assurer d'une noble origine, plus j'ai de confusion de me voir abandonné des personnes à qui je dois le jour.

J'allai servir dans les Pays-Bas; mais la paix se fit fort peu de temps après, et, l'Espagne se trouvant sans ennemis, mais non sans envieux, je revins à Madrid, où je reçus du baron et de sa femme de nouvelles marques de tendresse. Il y avait déjà deux mois que j'étais de retour, lorsqu'un petit page entra dans ma chambre un matin, et me présenta un billet à peu près conçu dans ces termes : *Je ne suis ni laide ni mal faite, et cependant vous me voyez souvent à mes fenêtres sans m'agacer. Ce procédé répond mal à votre air galant, et j'en suis si piquée que je voudrais bien pour m'en venger vous donner de l'amour.*

Après avoir lu ce billet, je ne doutai point qu'il ne fût d'une veuve appelée Léonor, qui demeurait vis-à-vis de notre maison et qui avait la réputation d'être fort coquette. Je questionnai là-dessus le petit page, qui voulut d'abord faire le discret; mais pour un ducat que je lui donnai, il satisfit ma curiosité. Il se chargea même d'une réponse par laquelle je mandais à sa maîtresse que je reconnaissais mon crime et que je sentais déjà qu'elle était à demi vengée.

Je ne fus pas insensible à cette façon de conquête. Je ne sortis point le reste de la journée, et j'eus grand soin de me tenir à mes fenêtres pour observer la dame, qui n'oublia pas de se montrer aux siennes. Je lui fis des mines. Elle y répondit, et dès le lendemain elle me manda par son petit page que, si je voulais la nuit prochaine me trouver dans la rue entre onze heures et minuit, je pourrais l'entretenir à la fenêtre d'une salle basse. Quoique je ne me sentisse pas fort amoureux d'une veuve si vive, je ne laissai pas de lui faire une réponse très passionnée et d'attendre la nuit avec autant d'impatience que si j'eusse été bien touché. Lorsqu'elle fut venue, j'allai me promener au Prado jusqu'à l'heure du rendez-vous. Je n'y étais pas encore arrivé, qu'un homme monté sur un beau cheval mit tout à coup pied à terre auprès de moi, et, m'abordant d'un air brusque : Cavalier, me dit-il, n'êtes-vous pas le fils du baron de Steinbach ? Oui, lui répondis-je. C'est donc vous, reprit-il, qui devez cette nuit entretenir Léonor à sa fenêtre ? J'ai vu ses lettres et vos réponses. Son page me les a montrées, et je vous ai suivi ce soir depuis votre maison jusqu'ici, pour vous apprendre que vous avez un rival dont la vanité s'indigne d'avoir un cœur à disputer avec vous. Je crois qu'il n'est pas besoin de vous en dire davantage. Nous sommes dans un endroit écarté. Battons-nous, à moins que, pour éviter le châtiment que je vous apprête, vous ne me promettiez de rompre tout commerce avec Léonor. Sacrifiez-moi les espérances que vous avez conçues, ou bien je vais vous ôter la vie. Il fallait, lui dis-je, demander ce sacrifice, et non pas l'exiger. J'aurais pu l'accorder à vos prières; mais je le refuse à vos menaces.

Eh bien! répliqua-t-il, après avoir attaché son cheval à un arbre, battons-nous donc. Il ne convient point à une personne de ma qualité de s'abaisser à prier un homme de la vôtre. La plupart même de mes pareils, à ma place, se vengeraient de vous d'une manière moins honorable. Je me sentis choqué de ces dernières paroles; et, voyant qu'il avait déjà tiré son épée, je tirai aussi la mienne. Nous nous battîmes avec tant de furie, que le combat ne dura pas longtemps. Soit qu'il s'y prît avec trop d'ardeur, soit que je fusse plus adroit que lui, je le perçai bientôt d'un coup mortel. Je le vis chanceler et tomber. Alors, ne songeant plus qu'à me sauver, je montai sur son propre cheval et pris la route de Tolède. Je n'osai retourner chez le baron de Steinbach, jugeant bien que mon aventure ne ferait que l'affliger; et, quand je me représentais tout le péril où j'étais, je croyais ne pouvoir assez tôt m'éloigner de Madrid.

En faisant là-dessus les plus tristes réflexions, je marchai le reste de la nuit et toute la matinée. Mais, sur le midi, il fallut m'arrêter pour faire reposer mon cheval, et laisser passer la chaleur qui devenait insupportable.

Je demeurai dans un village jusqu'au coucher du soleil. Après quoi voulant aller tout d'une traite à Tolède, je continuai mon chemin. J'avais déjà gagné Illescas et deux lieues par-delà, lorsqu'environ sur le minuit un orage pareil à celui d'aujourd'hui vint me surprendre au milieu de la campagne. Je m'approchai des murs d'un jardin que je découvris à quelques pas de moi, et, ne trouvant pas d'abri plus commode, je me rangeai avec mon cheval, le mieux qu'il me fut possible, auprès de la porte d'un cabinet qui était au bout du mur, et au-dessus de laquelle il y avait un balcon. Comme je m'appuyais contre la porte, je sentis qu'elle était ouverte. Ce que j'attribuai à la négligence des domestiques. Je mis pied à terre, et, moins par curiosité que pour être mieux à couvert de la pluie qui ne laissait pas de m'incommoder sous le balcon, j'entrai dans le bas du cabinet avec mon cheval que je tirais par la bride.

Je m'attachai pendant l'orage à observer les lieux où j'étais; et, quoique je n'en pusse guère juger qu'à la faveur des éclairs, je connus bien que c'était une maison qui ne devait point appartenir à des personnes du commun. J'attendais toujours que la pluie cessât, pour me remettre en chemin; mais une grande lumière que j'aperçus de loin me fit prendre une autre résolution. Je laissai mon cheval dans le cabinet dont j'eus soin de fermer la porte; je m'avançai vers cette lumière, persuadé que l'on était encore sur pied dans cette maison, et résolu d'y demander un logement pour cette nuit. Après avoir traversé quelques allées, j'arrivai près d'un salon dont je trouvai aussi la porte ouverte. J'y entrai, et, quand j'en eus vu toute la magnificence à la faveur d'un beau lustre de cristal où il y avait quelques bougies, je ne doutai point que je ne fusse chez un grand seigneur. Le pavé en était de marbre, le lambris fort propre et artistement doré, la corniche admirablement bien travaillée, et le plafond me parut l'ouvrage des plus habiles peintres. Mais ce que je regardai particulièrement, ce fut une infinité de bustes de héros espagnols, que soutenaient des escabellons de marbre jaspé qui régnaient autour du salon. J'eus le loisir de considérer toutes ces choses; car j'avais beau de temps en temps prêter une oreille attentive, je n'entendais aucun bruit, ni ne voyais paraître personne.

Il y avait à l'un des côtés du salon une porte qui n'était que poussée; je l'entr'ouvris, et j'aperçus une enfilade de chambres dont la dernière seulement était éclairée. Que dois-je faire ? dis-je alors en moi-même. M'en retournerai-je ? ou serai-je assez hardi pour pénétrer jusqu'à cette chambre ? Je pensais bien que le parti le plus judicieux, c'était de retourner sur mes pas; mais je ne pus résister à ma curiosité, ou, pour mieux dire, à la force de mon étoile qui m'entraînait. Je m'avance [64], je traverse les chambres, et j'arrive à celle où il y avait de la lumière, c'est-à-dire une bougie qui brûlait sur une table de marbre dans un flambeau de vermeil. Je remarquai d'abord un ameublement d'été très propre et très galant; mais bientôt, jetant les yeux sur un lit dont les rideaux étaient à demi ouverts à cause de la chaleur, je vis un objet qui attira mon attention tout entière. C'était une jeune dame qui, malgré le bruit du tonnerre qui venait de se faire entendre, dormait d'un profond sommeil. Je m'approchai d'elle tout doucement, et, à la clarté que la bougie me prêtait, je démêlai un teint et des traits qui m'éblouirent. Mes esprits tout à coup se troublèrent à sa vue. Je me sentis saisir, transporter; mais, quelques mouvements qui m'agitassent, l'opinion que j'avais de la noblesse de son sang m'empêcha de former une pensée téméraire, et le respect l'emporta sur le sentiment. Pendant que je m'enivrais du plaisir de la contempler, elle se réveilla.

Imaginez-vous quelle fut sa surprise de voir dans sa chambre et au milieu de la nuit un homme qu'elle ne connaissait point. Elle frémit en m'apercevant et fit un grand cri. Je m'efforçai de la rassurer, et mettant un genou à terre : Madame, lui dis-je, ne craignez rien. Je ne viens point ici pour vous nuire. J'allais continuer; mais elle était si effrayée, qu'elle ne m'écouta point. Elle appelle ses femmes à plusieurs reprises, et, comme personne ne lui répondait, elle prend une robe de chambre légère qui était au pied de son lit, se lève brusquement, et passe dans les chambres que j'avais traversées, en appelant encore les filles qui la servaient, aussi bien qu'une sœur cadette qu'elle avait sous sa conduite. Je m'attendais à voir arriver tous les valets, et j'avais lieu d'appréhender que, sans vouloir m'entendre, ils ne me fissent un mauvais traitement; mais par bonheur pour moi, elle eut beau crier, il ne vint à ses cris qu'un vieux domestique qui ne lui aurait pas été d'un grand secours, si elle eût eu quelque chose à craindre. Néanmoins devenue un peu plus hardie par sa présence, elle me demanda fièrement qui j'étais, par où et pourquoi j'avais eu l'audace d'entrer dans sa maison. Je commençai alors à me justifier; et je ne lui eus pas sitôt dit que j'avais trouvé la porte du cabinet du jardin ouverte, qu'elle s'écria dans le moment : Juste Ciel! quel soupçon me vient dans l'esprit!

En disant ces paroles, elle alla prendre la bougie sur la table; elle parcourut toutes les chambres l'une après l'autre, et elle n'y vit ni ses femmes ni sa sœur. Elle remarqua même qu'elles avaient emporté toutes leurs hardes. Ses soupçons ne lui paraissant alors que trop bien éclaircis, elle vint à moi avec beaucoup d'émotion, et me dit : Perfide, n'ajoute pas la feinte à la trahison. Ce n'est point le hasard qui t'a fait entrer ici. Tu es de la suite de don Fernand de Leyva, et tu as part à son crime. Mais n'espère pas m'échapper. Il me reste encore assez de monde pour t'arrêter. Madame, lui dis-je, ne me confondez point avec vos ennemis. Je ne connais point don Fernand de Leyva. J'ignore même qui vous êtes. Je suis un malheureux qu'une affaire d'honneur oblige à s'éloigner de Madrid; et je jure, par tout ce qu'il y a de plus sacré, que, sans l'orage qui m'a surpris, je ne serais point venu chez vous. Jugez donc de moi plus favorablement. Au lieu de me croire complice du crime qui vous offense, croyez-moi plutôt disposé à vous venger. Ces derniers mots, et le ton dont je les prononçai, apaisèrent la dame qui sembla ne me plus regarder comme son ennemi; mais, si elle perdit sa colère, ce ne fut que pour se livrer à sa douleur. Elle se mit à pleurer amèrement. Ses larmes m'attendrirent; et je n'étais guère moins affligé qu'elle, bien que je ne susse pas encore le sujet de son affliction. Je ne me contentai pas de pleurer avec elle. Impatient de venger son injure, je me sentis saisir d'un mouvement de fureur : Madame, m'écriai-je, quel outrage avez-vous reçu ? Parlez. J'épouse votre ressentiment. Voulez-vous que je coure après don Fernand et que je lui perce le cœur ? Nommez-moi tous ceux qu'il faut vous immoler. Commandez. Quelques périls, quelques malheurs qui soient attachés à votre vengeance, cet inconnu, que vous croyez d'accord avec vos ennemis, va s'y exposer pour vous.

Ce transport surprit la dame, et arrêta le cours de ses pleurs. Ah! seigneur, me dit-elle, pardonnez ce soupçon à l'état cruel où je me vois. Ces sentiments généreux détrompent Séraphine. Ils m'ôtent jusqu'à la honte d'avoir un étranger pour témoin d'un affront fait à ma famille. Oui, noble inconnu, je reconnais mon erreur, et je ne rejette pas votre secours. Mais je ne demande point la mort de don Fernand. Eh bien, madame, repris-je, quels services pouvez-vous attendre de moi ? Seigneur, repartit Séraphine, voici de quoi je me plains. Don Fernand de Leyva est amoureux de ma sœur Julie qu'il a vue par hasard à Tolède, où nous demeurons ordinairement. Il y a trois mois qu'il en fit la demande au comte de Polan mon père qui lui refusa son aveu, à cause d'une vieille inimitié qui règne entre nos maisons. Ma sœur n'a pas encore quinze ans. Elle aura eu la faiblesse de suivre les mauvais conseils de mes femmes, que don Fernand a sans doute gagnées; et ce cavalier, averti que nous étions toutes seules en cette maison de campagne, a pris ce temps pour enlever Julie. Je voudrais du moins savoir quelle retraite il lui a choisie, afin que mon père et mon frère qui sont à Madrid depuis deux mois puissent prendre des mesures là-dessus. Au nom de Dieu, ajouta-t-elle, donnez-vous la peine de parcourir les environs de Tolède. Faites une exacte recherche de cet enlèvement. Que ma famille vous ait cette obligation-là!

La dame ne songeait pas que l'emploi dont elle me chargeait ne convenait guère à un homme qui ne pouvait trop tôt sortir de Castille; mais comment y aurait-elle fait réflexion ? je n'y pensai pas moi-même. Charmé du bonheur de me voir nécessaire à la plus aimable personne du monde, j'acceptai la commission avec transport, et promis de m'en acquitter avec autant de zèle que de diligence. En effet, je n'attendis pas qu'il fût jour pour aller accomplir ma promesse; je quittai sur-le-champ Séraphine, en la conjurant de me pardonner la frayeur que je lui avais causée, et l'assurant qu'elle aurait bientôt de mes nouvelles. Je sortis par où j'étais entré, mais si occupé de la dame, qu'il ne me fut pas difficile de juger que j'en étais déjà fort épris. Je m'en aperçus encore mieux à l'empressement que j'avais de courir pour elle, et aux amoureuses chimères que je formai. Je me représentais que Séraphine, quoique possédée de sa douleur, avait remarqué mon amour naissant, et qu'elle ne l'avait peut-être pas vu sans plaisir. Je m'imaginais même que, si je pouvais lui porter des nouvelles certaines de sa sœur, et que l'affaire tournât au gré de ses souhaits, j'en aurais tout l'honneur.

Don Alphonse interrompit en cet endroit le fil de son histoire, et dit au vieil ermite : Je vous demande pardon, mon père, si trop plein de ma passion je m'étends sur des circonstances qui vous ennuient sans doute. Non, mon fils, répondit l'anachorète, elles ne m'ennuient pas. Je suis même bien aise de savoir jusqu'à quel point vous êtes épris de cette jeune dame dont vous m'entretenez. Je réglerai là-dessus mes conseils.

L'esprit échauffé de ces flatteuses images, reprit le jeune homme, je cherchai pendant deux jours le ravisseur de Julie; mais j'eus beau faire toutes les perquisitions imaginables, il ne me fut pas possible d'en découvrir les traces. Très mortifié de n'avoir recueilli aucun fruit de mes recherches, je retournai chez Séraphine, que je me peignais dans une extrême inquiétude. Cependant elle était plus tranquille que je ne pensais. Elle m'apprit qu'elle avait été plus heureuse que moi : qu'elle savait ce que sa sœur était devenue : qu'elle avait reçu une lettre de don Fernand même, qui lui mandait qu'après avoir secrètement épousé Julie, il l'avait conduite dans un couvent de Tolède. J'ai envoyé sa lettre à mon père, poursuivit Séraphine. J'espère que la chose pourra se terminer à l'amiable, et qu'un mariage solennel éteindra bientôt la haine qui sépare depuis si longtemps nos maisons.

Lorsque la dame m'eut instruit du sort de sa sœur, elle parla de la fatigue qu'elle m'avait causée, et du péril où elle pouvait m'avoir imprudemment jeté en m'engageant à poursuivre un ravisseur, sans se ressouvenir que je lui avais dit qu'une affaire d'honneur me faisait prendre la fuite. Elle m'en fit des excuses dans les termes les plus obligeants. Comme j'avais besoin de repos, elle me mena dans le salon où nous nous assîmes tous deux. Elle avait une robe de chambre de taffetas blanc à raies noires, avec un petit chapeau de la même étoffe et des plumes noires; ce qui me fit juger qu'elle pouvait être veuve. Mais elle me paraissait si jeune que je ne savais ce que j'en devais penser.

Si j'avais envie de m'en éclaircir, elle n'en avait pas moins de savoir qui j'étais. Elle me pria de lui apprendre mon nom, ne doutant pas, disait-elle, à mon air noble, et encore plus à la pitié généreuse qui m'avait fait entrer si vivement dans ses intérêts, que je ne fusse d'une famille considérable. La question m'embarrassa. Je rougis, je me troublai; et j'avouerai que, trouvant moins de honte à mentir qu'à dire la vérité, je répondis que j'étais fils du baron de Steinbach, officier de la garde allemande. Dites-moi encore, reprit la dame, pourquoi vous êtes sorti de Madrid ? Je vous offre par avance tout le crédit de mon père, aussi bien que celui de mon frère don Gaspard. C'est la moindre marque de reconnaissance que je puisse donner à un cavalier qui, pour me servir, a négligé jusqu'au soin de sa propre vie. Je ne fis point difficulté de lui raconter toutes les circonstances de mon combat. Elle donna le tort au cavalier que j'avais tué, et promit d'intéresser pour moi toute sa maison.

Quand j'eus satisfait sa curiosité, je la priai de contenter la mienne. Je lui demandai si sa foi était libre ou engagée. Il y a trois ans, répondit-elle, que mon père me fit épouser don Diègue de Lara, et je suis veuve depuis quinze mois. Madame, lui dis-je, quel malheur vous a sitôt enlevé votre époux ? Je vais vous l'apprendre, seigneur, repartit la dame, pour répondre à la confiance que vous venez de me marquer.

Don Diègue de Lara, poursuivit-elle, était un cavalier fort bien fait; mais quoiqu'il eût pour moi une passion violente, et que chaque jour il mît en usage pour me plaire tout ce que l'amant le plus tendre et le plus vif fait pour se rendre agréable à ce qu'il aime, quoiqu'il eût mille bonnes qualités, il ne put toucher mon cœur. L'amour n'est pas toujours l'effet des empressements ni du mérite connu; hélas! ajouta-t-elle, une personne que nous ne connaissons point nous enchante souvent dès la première vue. Je ne pouvais donc l'aimer. Plus confuse que charmée des témoignages de sa tendresse et, forcée d'y répondre sans penchant, si je m'accusais en secret d'ingratitude, je me trouvais aussi fort à plaindre. Pour son malheur et pour le mien, il avait encore plus de délicatesse que d'amour. Il démêlait dans mes actions et dans mes discours mes mouvements les plus cachés. Il lisait au fond de mon âme. Il se plaignait à tous moments de mon indifférence, et s'estimait d'autant plus malheureux de ne pouvoir me plaire, qu'il savait bien qu'aucun rival ne l'en empêchait; car j'avais à peine seize ans, et, avant que de m'offrir sa foi, il avait gagné toutes mes femmes, qui l'avaient assuré que personne ne s'était encore attiré mon attention. Oui, Séraphine, me disait-il souvent, je voudrais que vous fussiez prévenue pour un autre, et que cela seul fût la cause de votre insensibilité pour moi. Mes soins et votre vertu triompheraient de cet entêtement; mais je désespère de vaincre votre cœur, puisqu'il ne s'est pas rendu à tout l'amour que je vous ai témoigné. Fatiguée de l'entendre répéter les mêmes discours, je lui disais qu'au lieu de troubler son repos et le mien par trop de délicatesse, il ferait mieux de s'en remettre au temps. Effectivement à l'âge que j'avais je n'étais guère propre à goûter les raffinements d'une passion si délicate, et c'était le parti que don Diègue devait prendre; mais voyant qu'une année entière s'était écoulée sans qu'il fût plus avancé qu'au premier jour, il perdit patience, ou plutôt il perdit la raison; et, feignant d'avoir à la Cour une affaire importante, il partit pour aller servir dans les Pays-Bas en qualité de volontaire, et bientôt il trouva dans les périls ce qu'il y cherchait, c'est-à-dire la fin de sa vie et de ses tourments.

Après que la dame eut fait ce récit, le caractère singulier de son mari devint le sujet de notre entretien. Nous fûmes interrompus par l'arrivée d'un courrier qui vint remettre à Séraphine une lettre du comte de Polan. Elle me demanda permission de la lire, et je remarquai qu'en la lisant elle devenait pâle et tremblante. Après l'avoir lue, elle leva les yeux au ciel, poussa un long soupir, et son visage en un moment fut couvert de larmes. Je ne vis point tranquillement sa douleur. Je me troublai; et, comme si j'eusse pressenti le coup qui m'allait frapper, une crainte mortelle vint glacer mes esprits. Madame, lui dis-je d'une voix presque éteinte, puis-je vous demander quels malheurs vous annonce ce billet ? Tenez, seigneur, me répondit tristement Séraphine en me donnant la lettre; lisez vous-même ce que mon père m'écrit. Hélas! vous n'y êtes que trop intéressé.

À ces mots qui me firent frémir, je pris la lettre en tremblant et j'y trouvai ces paroles : *Don Gaspard, votre frère, se battit hier au Prado. Il reçut un coup d'épée dont il est mort aujourd'hui; et il a déclaré en mourant que le cavalier qui l'a tué est fils du baron de Steinbach, officier de la garde allemande. Pour surcroît de malheur, le meurtrier m'est échappé. Il a pris la fuite; mais, en quelques lieux qu'il aille se cacher, je n'épargnerai rien pour le découvrir. Je vais écrire à quelques gouverneurs qui ne manqueront pas de le faire arrêter, s'il passe par les villes de leur juridiction, et je vais par d'autres lettres achever de lui fermer tous les chemins.*

Le comte de Polan.

Figurez-vous dans quel désordre ce billet jeta tous mes sens. Je demeurai quelques moments immobile et sans avoir la force de parler. Dans mon accablement j'envisage ce que la mort de don Gaspard a de cruel pour mon amour. J'entre tout à coup dans un vif désespoir. Je me jette aux pieds de Séraphine, et lui présentant mon épée nue : Madame, lui dis-je, épargnez au comte de Polan le soin de chercher un homme qui pourrait se dérober à ses coups. Vengez vous-même votre frère. Immolez-lui son meurtrier de votre propre main. Frappez. Que ce même fer qui lui a ôté la vie devienne funeste à son malheureux ennemi. Seigneur, me répondit Séraphine un peu émue de mon action, j'aimais don Gaspard. Quoique vous l'ayez tué en brave homme et qu'il se soit attiré lui-même son malheur, vous devez être persuadé que j'entre dans le ressentiment de mon père. Oui, don Alphonse; je suis votre ennemie, et je ferai contre vous tout ce que le sang et l'amitié peuvent exiger de moi. Mais je n'abuserai point de votre mauvaise fortune. Elle a beau vous livrer à ma vengeance. Si l'honneur m'arme contre vous, il me défend aussi de me venger lâchement. Les droits de l'hospitalité doivent être inviolables, et je ne veux point payer d'un assassinat le service que vous m'avez rendu. Fuyez. Echappez, si vous pouvez, à nos poursuites et à la rigueur des lois, et sauvez votre tête du péril qui la menace.

Eh quoi! madame, repris-je, vous pouvez vous-même vous venger, et vous vous en remettez à des lois qui tromperont peut-être votre ressentiment ? Ah! percez plutôt un misérable qui ne mérite pas que vous l'épargniez. Non, madame, ne gardez point avec moi un procédé si noble et si généreux. Savez-vous qui je suis ? Tout Madrid me croit fils du baron de Steinbach, et je ne suis qu'un malheureux qu'il a élevé chez lui par pitié. J'ignore même quels sont les auteurs de ma naissance. N'importe, interrompit Séraphine avec précipitation, comme si mes dernières paroles lui eussent fait une nouvelle peine, quand vous seriez le dernier des hommes, je ferai ce que l'honneur me prescrit. Eh bien! madame, lui dis-je, puisque la mort d'un frère n'est pas capable de vous exciter à répandre mon sang, je veux irriter votre haine par un nouveau crime, dont j'espère que vous n'excuserez point l'audace. Je vous adore. Je n'ai pu voir vos charmes sans en être ébloui, et, malgré l'obscurité de mon sort, j'avais formé l'espérance d'être à vous. J'étais assez amoureux, ou plutôt assez vain pour me flatter que le ciel, qui peut-être me fait grâce en me cachant mon origine, me la découvrirait un jour, et que je pourrais, sans rougir, vous apprendre mon nom. Après cet aveu qui vous outrage, balancerez-vous encore à me punir ?

Ce téméraire aveu, répliqua la dame, m'offenserait sans doute dans un autre temps; mais je le pardonne au trouble qui vous agite. D'ailleurs, dans la situation où je suis moi-même, je fais peu d'attention aux discours qui vous échappent. Encore une fois, don Alphonse, ajouta-t-elle en versant quelques larmes, partez, éloignez-vous d'une maison que vous remplissez de douleur; chaque moment que vous y demeurez augmente mes peines. Je ne résiste plus, madame, repartis-je en me relevant. Il faut m'éloigner de vous. Mais ne pensez pas que, soigneux de conserver une vie qui vous est odieuse, j'aille chercher un asile où je puisse être en sûreté. Non, non, je me dévoue à votre ressentiment. Je vais attendre avec impatience à Tolède le destin que vous me préparez, et, me livrant à vos poursuites, j'avancerai moi-même la fin de mes malheurs.

Je me retirai en achevant ces paroles. On me donna mon cheval et je me rendis à Tolède, où je demeurai huit jours, et où véritablement je pris si peu de soin de me cacher, que je ne sais comment je n'ai point été arrêté; car je ne puis croire que le comte de Polan, qui ne songe qu'à me fermer tous les passages, n'ait pas jugé que je pouvais passer par Tolède. Enfin je sortis hier de cette ville, où il semblait que je m'ennuyasse d'être en liberté, et sans tenir de route assurée, je suis venu jusqu'à cet ermitage, comme un homme qui n'aurait rien eu à craindre. Voilà, mon père, ce qui m'occupe. Je vous prie de m'aider de vos conseils.

CHAPITRE XI

Quel homme c'était que le vieil ermite,
et comment Gil Blas s'aperçut
qu'il était en pays de connaissance.

Quand don Alphonse eut achevé le triste récit de ses malheurs, le vieil ermite lui dit : Mon fils, vous avez eu bien de l'imprudence de demeurer si longtemps à Tolède. Je regarde d'un autre œil que vous tout ce que vous m'avez raconté, et votre amour pour Séraphine me paraît une pure folie. Croyez-moi, il faut oublier cette jeune dame, qui ne saurait être à vous. Cédez de bonne grâce aux obstacles qui vous séparent d'elle, et vous livrez à votre étoile, qui, selon toutes les apparences, vous promet bien d'autres aventures. Vous trouverez sans doute quelque jeune personne qui fera sur vous la même impression et dont vous n'aurez pas tué le frère.

Il allait ajouter à cela beaucoup d'autres choses pour exhorter don Alphonse à prendre patience, lorsque nous vîmes entrer dans l'ermitage un autre ermite chargé d'une besace fort enflée. Il revenait de faire une copieuse quête dans la ville de Cuença. Il paraissait plus jeune que son compagnon et il avait une barbe rousse et fort épaisse. Soyez le bienvenu, frère Antoine, lui dit le vieil anachorète; quelles nouvelles apportez-vous de la ville ? D'assez mauvaises, répondit le frère rousseau, en lui mettant entre les mains un papier plié en forme de lettre, ce billet va vous en instruire. Le vieillard l'ouvrit, et, après l'avoir lu avec toute l'attention qu'il méritait, il s'écria : Dieu soit loué! puisque la mèche est découverte, nous n'avons qu'à prendre notre parti. Changeons de style, poursuivit-il, seigneur don Alphonse, en adressant la parole au jeune cavalier, vous voyez un homme en butte comme vous aux caprices de la fortune. On me mande de Cuença, qui est une ville à une lieue d'ici, qu'on m'a noirci dans l'esprit de la justice, dont tous les suppôts doivent dès demain se mettre en campagne pour venir dans cet ermitage s'assurer de ma personne. Mais ils ne trouveront point le lièvre au gîte. Ce n'est pas la première fois que je me suis vu dans de pareils embarras. Grâce à Dieu, je m'en suis presque toujours tiré en homme d'esprit. Je vais me montrer sous une nouvelle forme; car, tel que vous me voyez, je ne suis rien moins qu'un ermite et qu'un vieillard.

En parlant de cette manière, il se dépouilla de la longue robe qu'il portait, et l'on vit dessous un pourpoint de serge noire avec des manches tailladées. Puis il ôta son bonnet, détacha un cordon qui tenait sa barbe postiche, et prit tout à coup la figure d'un homme de vingt-huit à trente ans. Le frère Antoine à son exemple quitta son habit d'ermite, se défit de la même manière que son compagnon de sa barbe rousse, et tira d'un vieux coffre de bois à demi pourri une méchante soutanelle dont il se revêtit. Mais représentez-vous ma surprise, lorsque je reconnus dans le vieil anachorète le seigneur don Raphaël, et dans le frère Antoine mon très cher et très fidèle valet Ambroise de Lamela. Vive Dieu! m'écriai-je aussitôt, je suis ici, à ce que je vois, en pays de connaissance. Cela est vrai, seigneur Gil Blas, me dit don Raphaël en riant, vous retrouvez deux de vos amis lorsque vous vous y attendiez le moins. Je conviens que vous avez quelque sujet de vous plaindre de nous; mais oublions le passé, et rendons grâces au ciel qui nous rassemble. Ambroise et moi nous vous offrons nos services; ils ne sont point à mépriser. Ne nous croyez pas de méchantes gens. Nous n'attaquons, nous n'assassinons personne. Nous ne cherchons seulement qu'à vivre aux dépens d'autrui, et, si voler est une action injuste, la nécessité en corrige l'injustice. Associez-vous avec nous et vous mènerez une vie errante. C'est un genre de vie fort agréable quand on sait se conduire prudemment. Ce n'est pas que malgré toute notre prudence l'enchaînement des causes secondes ne soit tel quelquefois qu'il nous arrive de mauvaises aventures. N'importe : nous en trouvons les bonnes meilleures. Nous sommes accoutumés à la variété des temps, aux alternatives de la fortune.

Seigneur cavalier, poursuivit le faux ermite en parlant à don Alphonse, nous vous faisons la même proposition, et je ne crois pas que vous deviez la rejeter dans la situation où vous paraissez être, car, sans parler de l'affaire qui vous oblige à vous cacher, vous n'avez pas sans doute beaucoup d'argent ? Non vraiment, dit don Alphonse, et cela, je l'avoue, augmente mes chagrins. Eh bien! reprit don Raphaël, ne nous quittez donc point. Vous ne sauriez mieux faire que de vous joindre à nous. Rien ne vous manquera, et nous rendrons inutiles toutes les recherches de vos ennemis. Nous connaissons presque toute l'Espagne pour l'avoir parcourue. Nous savons où sont les bois, les montagnes, tous les endroits propres à servir d'asile contre les brutalités de la justice. Don Alphonse les remercia de leur bonne volonté, et, se trouvant effectivement sans argent, sans ressource, il se résolut à les accompagner. Je m'y déterminai aussi, parce que je ne voulus point quitter ce jeune homme, pour qui je me sentis naître beaucoup d'inclination.

Nous convînmes tous quatre d'aller ensemble, et de ne nous point séparer. Il fut mis en délibération si nous partirions à l'heure même, ou si nous donnerions auparavant quelque atteinte à un outre plein d'un excellent vin que le frère Antoine avait apporté de la ville de Cuença le jour précédent; mais Raphaël, comme celui qui avait le plus d'expérience, représenta qu'il fallait avant toutes choses penser à notre sûreté; qu'il était d'avis que nous marchassions toute la nuit pour gagner un bois fort épais, qui était entre Villardesa et Almodabar; que nous ferions halte en cet endroit, où, nous voyant sans inquiétude, nous passerions la journée à nous reposer. Cet avis fut approuvé. Alors les faux ermites firent deux paquets de toutes les hardes et provisions qu'ils avaient, et les mirent en équilibre sur le cheval de don Alphonse. Cela se fit avec une extrême diligence. Après quoi nous nous éloignâmes de l'ermitage, laissant en proie à la justice les deux robes d'ermite avec la barbe blanche et la barbe rousse, deux grabats, une table, un mauvais coffre, deux vieilles chaises de paille et l'image de saint Pacôme.

Nous marchâmes toute la nuit, et nous commencions à nous sentir fort fatigués, lorsque à la pointe du jour nous aperçûmes le bois où tendaient nos pas. La vue du port donne une vigueur nouvelle aux matelots lassés d'une longue navigation. Nous prîmes courage, et nous arrivâmes enfin au bout de notre carrière avant le lever du soleil. Nous nous enfonçâmes dans le plus épais du bois, et nous nous arrêtâmes dans un endroit fort agréable, sur un gazon entouré de plusieurs gros chênes, dont les branches entremêlées formaient une voûte que la chaleur du jour ne pouvait percer. Nous débridâmes le cheval pour le laisser paître, après l'avoir déchargé. Nous nous assîmes. Nous tirâmes de la besace du frère Antoine quelques grosses pièces de pain avec plusieurs morceaux de viandes rôties, et nous nous mîmes à nous en escrimer comme à l'envi l'un de l'autre. Néanmoins quelque appétit que nous eussions, nous cessions souvent de manger pour donner des accolades à l'outre, qui ne faisait que passer des bras de l'un entre les bras de l'autre.

Sur la fin du repas, don Raphaël dit à don Alphonse : Seigneur cavalier, après la confidence que vous m'avez faite, il est juste que je vous raconte aussi l'histoire de ma vie avec la même sincérité. Vous me ferez plaisir, répondit le jeune homme. Et à moi particulièrement, m'écriai-je; j'ai une extrême curiosité d'entendre vos aventures. Je ne doute pas qu'elles ne soient dignes d'être écoutées. Je vous en réponds, répliqua Raphaël, et je prétends bien les écrire un jour. Ce sera l'amusement de ma vieillesse; car je suis encore jeune et je veux grossir le volume. Mais nous sommes fatigués. Délassons-nous par quelques heures de sommeil. Pendant que nous dormirons tous trois, Ambroise veillera de peur de surprise, et tantôt à son tour il dormira. Quoique nous soyons, ce me semble, ici fort en sûreté, il est toujours bon de se tenir sur ses gardes. En achevant ces mots, il s'étendit sur l'herbe. Don Alphonse fit la même chose. Je suivis leur exemple et Lamela se mit en sentinelle.

Don Alphonse, au lieu de prendre quelque repos, s'occupa de ses malheurs, et je ne pus fermer l'œil. Pour don Raphaël, il s'endormit bientôt. Mais il se réveilla une heure après, et, nous voyant disposés à l'écouter, il dit à Lamela : Mon ami Ambroise, tu peux présentement goûter la douceur du sommeil. Non, non, répondit Lamela, je n'ai point envie de dormir, et, bien que je sache tous les événements de votre vie, ils sont si instructifs pour les personnes de notre profession, que je serai bien aise de les entendre encore raconter. Aussitôt don Raphaël commença dans ces termes l'histoire de sa vie.

Fin du quatrième livre.

LIVRE CINQUIÈME

CHAPITRE PREMIER

Histoire de don Raphaël.

Je suis fils d'une comédienne de Madrid fameuse par sa déclamation et plus encore par ses galanteries; elle se nommait Lucinde. Pour un père, je ne puis, sans témérité, m'en donner un. Je dirais bien quel homme de qualité était amoureux de ma mère lorsque je suis venu au monde; mais cette époque ne serait pas une preuve convaincante qu'il fût l'auteur de ma naissance; une personne de la profession de ma mère est si sujette à caution, que, dans le temps même qu'elle paraît le plus attachée à un seigneur, elle lui donne presque toujours quelque substitut pour son argent.

Rien n'est tel que de se mettre au-dessus de la médisance. Lucinde, au lieu de me faire élever chez elle dans l'obscurité, me prenait sans façon par la main, et me menait au théâtre fort honnêtement, sans se soucier des discours qu'on tenait sur son compte, ni des ris malins que ma vue ne manquait pas d'exciter. Enfin, je faisais ses délices, et j'étais caressé de tous les hommes qui venaient au logis. On eût dit que le sang parlait en eux en ma faveur.

On me laissa passer les douze premières années de ma vie dans toutes sortes d'amusements frivoles. A peine me montra-t-on à lire et à écrire. On s'attacha moins encore à m'enseigner les principes de ma religion. J'appris seulement à danser, à chanter, et à jouer de la guitare. C'est tout ce que je savais faire, lorsque le marquis de Leganez me demanda pour être auprès de son fils unique, qui avait à peu près mon âge. Lucinde y consentit volontiers, et ce fut alors que je commençai à m'occuper sérieusement. Le jeune Leganez n'était pas plus avancé que moi; ce petit seigneur ne paraissait pas né pour les sciences. Il ne connaissait presque pas une lettre de son alphabet, bien qu'il eût un précepteur depuis quinze mois. Ses autres maîtres n'en tiraient pas meilleur parti. Il mettait leur patience à bout. Il est vrai qu'il ne leur était pas permis d'user de rigueur à son égard : ils avaient un ordre exprès de l'instruire sans le tourmenter, et cet ordre joint à la mauvaise disposition du sujet rendait les leçons assez inutiles.

Mais le précepteur imagina un bel expédient pour intimider le jeune seigneur sans aller contre la défense de son père : il résolut de me fouetter, quand le petit Leganez mériterait d'être puni, et il ne manqua pas d'exécuter sa résolution. Je ne trouvai point l'expédient de mon goût. Je m'échappai et m'allai plaindre à ma mère d'un traitement si injuste. Cependant quelque tendresse qu'elle se sentît pour moi, elle eut la force de résister à mes larmes, et, considérant que c'était un grand avantage pour son fils d'être chez le marquis de Leganez, elle m'y fit remener sur-le-champ. Me voilà donc livré au précepteur. Comme il s'était aperçu que son invention avait produit un bon effet, il continua de me fouetter à la place du petit seigneur, et, pour faire plus d'impression sur lui, il m'étrillait très rudement. J'étais sûr de payer tous les jours pour le jeune Leganez. Je puis dire qu'il n'a pas appris une lettre de son alphabet qui ne m'ait coûté cent coups de fouet; jugez à combien me revient son rudiment!

Le fouet n'était pas le seul désagrément que j'eusse à essuyer dans cette maison : comme tout le monde m'y connaissait, les moindres domestiques, jusqu'aux marmitons, me reprochaient ma naissance. Cela me déplut à un point, que je m'enfuis un jour, après avoir trouvé moyen de me saisir de tout ce que le précepteur avait d'argent comptant. Ce qui pouvait bien aller à cent cinquante ducats. Telle fut la vengeance que je tirai des coups de fouet qu'il m'avait donnés si injustement. Je fis ce tour de main avec beaucoup de subtilité, quoique ce fût mon coup d'essai, et j'eus l'adresse de me dérober aux perquisitions qu'on fit de moi pendant deux jours. Je sortis de Madrid, et me rendis à Tolède, sans voir personne à mes trousses.

J'entrais alors dans ma quinzième année. Quel plaisir, à cet âge, d'être indépendant et maître de ses volontés! J'eus bientôt fait connaissance avec de jeunes gens qui me dégourdirent et m'aidèrent à manger mes ducats. Je m'associai ensuite avec des chevaliers de l'industrie, qui cultivèrent si bien mes heureuses dispositions, que je devins en peu de temps un des plus forts de l'Ordre. Au bout de cinq années, l'envie de voyager me prit : je quittai mes confrères, et, voulant commencer mes voyages par l'Estramadure, je gagnai Alcantara; mais avant que d'y arriver, je trouvai une occasion d'exercer mes talents, et je ne la laissai point échapper. Comme j'étais à pied et, de plus, chargé d'un havre-sac assez pesant, je m'arrêtais de temps en temps pour me reposer sous les arbres qui m'offraient leur ombrage à quelques pas du grand chemin. Je rencontrai deux enfants de famille qui s'entretenaient avec gaieté sur l'herbe en prenant le frais. Je les saluai très civilement, et, ce qui me parut ne leur pas déplaire, j'entrai dans leur conversation. Le plus vieux n'avait pas quinze ans. Ils étaient tous deux bien sincères : Seigneur cavalier, me dit le plus jeune, nous sommes fils de deux riches bourgeois de Plazencia. Nous avons une extrême envie de voir le royaume de Portugal, et, pour satisfaire notre curiosité, nous avons pris chacun cent pistoles à nos parents. Bien que nous voyagions à pied, nous ne laisserons pas d'aller loin avec cet argent. Qu'en pensez-vous ? Si j'en avais autant, lui répondis-je, Dieu sait où j'irais! Je voudrais parcourir les quatre parties du monde. Comment diable! deux cents pistoles! c'est une somme immense. Vous n'en verrez jamais la fin. Si vous l'avez pour agréable, messieurs, ajoutai-je, j'aurai l'honneur de vous accompagner jusqu'à la ville d'Almerin, où je vais recueillir la succession d'un oncle qui depuis vingt années ou environ s'était établi là.

Les jeunes bourgeois me témoignèrent que ma compagnie leur ferait plaisir. Ainsi, lorsque nous nous fûmes tous trois un peu délassés, nous marchâmes vers Alcantara, où nous arrivâmes longtemps avant la nuit. Nous allâmes loger à une bonne hôtellerie. Nous demandâmes une chambre, et l'on nous en donna une où il y avait une armoire qui fermait à clef. Nous ordonnâmes d'abord le souper, et, pendant qu'on nous l'apprêtait, je proposai à mes compagnons de voyage de nous promener dans la ville. Ils acceptèrent la proposition. Nous serrâmes nos havre-sacs dans l'armoire, dont un des bourgeois prit la clef, et nous sortîmes de l'hôtellerie. Nous allâmes visiter les églises, et, dans le temps que nous étions dans la principale, je feignis tout à coup d'avoir une affaire importante. Messieurs, dis-je à mes camarades, je viens de me souvenir qu'une personne de Tolède m'a chargé de dire de sa part deux mots à un marchand qui demeure auprès de cette église. Attendez-moi, de grâce, ici. Je serai de retour dans un moment. A ces mots, je m'éloignai d'eux. Je cours à l'hôtellerie, je vole à l'armoire, j'en force la serrure, et, fouillant dans les havre-sacs de mes jeunes bourgeois, j'y trouve leurs pistoles. Les pauvres enfants! je ne leur en laissai pas seulement une pour payer leur gîte. Je les emportai toutes. Après cela, je sortis promptement de la ville, et pris la route de Merida, sans m'embarrasser de ce qu'ils deviendraient.

Cette aventure me mit en état de voyager avec agrément. Quoique jeune, je me sentais capable de me conduire prudemment. Je puis dire que j'étais bien avancé pour mon âge. Je résolus d'acheter une mule, ce que je fis en effet au premier bourg. Je convertis même mon havre-sac en valise, et je commençai à faire un peu plus l'homme d'importance. La troisième journée, je rencontrai un homme qui chantait vêpres à pleine tête sur le grand chemin. Je jugeai à son air que c'était un chantre, et je lui dis : Courage, seigneur bachelier. Cela va le mieux du monde! Vous avez, à ce que je vois, le cœur au métier. Seigneur, me répondit-il, je suis chantre, pour vous rendre mes très humbles services, et je suis bien aise de tenir ma voix en haleine.

Nous entrâmes de cette manière en conversation. Je m'aperçus que j'étais avec un personnage des plus spirituels et des plus agréables. Il avait vingt-quatre ou vingt-cinq ans. Comme il était à pied, je n'allais que le petit pas pour avoir le plaisir de l'entretenir. Nous parlâmes entre autres choses de Tolède. Je connais parfaitement cette ville, me dit le chantre; j'y ai fait un assez long séjour. J'y ai même quelques amis. Et dans quel endroit, interrompis-je, demeuriez-vous à Tolède? Dans la rue Neuve, répondit-il. J'y demeurais avec don Vincent de Buena Garra, don Mathias de Cordel, et deux ou trois autres honnêtes cavaliers. Nous logions, nous mangions ensemble, nous passions fort bien le temps. Ces paroles me surprirent, car il faut observer que les gentilshommes dont il me citait les noms étaient les aigrefins avec qui j'avais été faufilé à Tolède. Seigneur chantre, m'écriai-je, ces messieurs que vous venez de nommer sont de ma connaissance, et j'ai demeuré aussi avec eux dans la rue Neuve. Je vous entends, reprit-il en souriant, c'est-à-dire que vous êtes entré dans la compagnie depuis trois ans que j'en suis sorti. Je viens, lui repartis-je, de quitter ces seigneurs, parce que je me suis mis dans le goût des voyages. Je veux faire le tour de l'Espagne. J'en vaudrai mieux quand j'aurai plus d'expérience. Sans doute, me dit-il, pour se perfectionner l'esprit, il faut voyager. C'est aussi pour cette raison que j'abandonnai Tolède, quoique j'y vécusse fort agréablement. Je rends grâce au Ciel, poursuivit-il, qui m'a fait rencontrer un chevalier de mon ordre, lorsque j'y pensais le moins. Unissons-nous; voyageons ensemble; attentons sur la bourse du prochain; profitons de toutes les occasions qui se présenteront d'exercer notre savoir-faire.

Il me fit cette proposition si franchement et de si bonne grâce, que je l'acceptai. Il gagna tout à coup ma confiance en me donnant la sienne. Nous nous ouvrîmes l'un à l'autre. Je lui contai mon histoire et il ne me déguisa point ses aventures. Il m'apprit qu'il venait de Portalègre, d'où une fourberie déconcertée par un contre-temps l'avait obligé de se sauver avec précipitation et sous l'habillement que je lui voyais. Après qu'il m'eut fait une entière confidence de ses affaires, nous résolûmes d'aller tous deux à Merida tenter la fortune, d'y faire quelque bon coup si nous pouvions, et d'en décamper aussitôt pour nous rendre ailleurs. Dès ce moment, nos biens devinrent communs entre nous. Il est vrai que Moralés, ainsi se nommait mon compagnon, ne se trouvait pas dans une situation fort aisée. Tout ce qu'il avait consistait en cinq ou six ducats avec quelques hardes qu'il portait dans un bissac; mais si j'étais mieux que lui en argent comptant, il était en récompense plus consommé que moi dans l'art de tromper les hommes. Nous montions ma mule alternativement, et nous arrivâmes de cette manière à Merida.

Nous nous arrêtâmes dans une hôtellerie du faubourg, où mon camarade tira de son bissac un habit dont il ne fut pas sitôt revêtu, que nous allâmes faire un tour dans la ville pour reconnaître le terrain, et voir s'il ne s'offrirait point quelque occasion de travailler. Nous considérions fort attentivement tous les objets qui se présentaient à nos regards. Nous ressemblions, comme aurait dit Homère, à deux milans qui cherchent des yeux dans la campagne des oiseaux dont ils puissent faire leur proie. Nous attendions enfin que le hasard nous fournît quelque sujet d'employer notre industrie, lorsque nous aperçûmes dans la rue un cavalier à cheveux gris, qui avait l'épée à la main et qui se battait contre trois hommes qui le poussaient vigoureusement. L'inégalité de ce combat me choqua, et, comme je suis naturellement ferrailleur, je volai au secours du vieillard. Moralés suivit mon exemple. Nous chargeâmes les trois ennemis du cavalier, et nous les obligeâmes à prendre la fuite.

Le vieillard nous fit de grands remerciements. Nous sommes ravis, lui-dis-je, de nous être trouvés ici si à propos pour vous secourir; mais que nous sachions du moins à qui nous avons eu le bonheur de rendre service; et dites-nous, de grâce, pourquoi ces trois hommes voulaient vous assassiner ? Messieurs, nous répondit-il, je vous ai trop d'obligation pour refuser de satisfaire votre curiosité. Je m'appelle Jérôme de Moyadas et je vis de mon bien dans cette ville. L'un de ces assassins dont vous m'avez délivré est un amant de ma fille. Il me la fit demander en mariage ces jours passés, et, comme il ne put obtenir mon aveu, il vient de me faire mettre l'épée à la main pour s'en venger. Et peut-on, repris-je, vous demander encore pour quelle raison vous n'avez point accordé votre fille à ce cavalier ? Je vais vous l'apprendre, me dit-il; j'avais un frère marchand dans cette ville. Il se nommait Augustin. Il y a deux mois qu'il était à Calatrava, logé chez Juan Velez de la Membrilla, son correspondant. Ils étaient tous deux amis intimes, et mon frère, pour fortifier encore davantage leur amitié, promit Florentine, ma fille unique, au fils de son correspondant, ne doutant point qu'il n'eût assez de crédit sur moi pour m'obliger à dégager sa promesse. Effectivement, mon frère, étant de retour à Merida, ne m'eut pas plus tôt parlé de ce mariage que j'y consentis pour l'amour de lui. Il envoya le portrait de Florentine à Calatrava; mais, hélas! il n'a pas eu la satisfaction d'achever son ouvrage; il est mort depuis trois semaines. En mourant il me conjura de ne disposer de ma fille qu'en faveur du fils de son correspondant. Je le lui promis, et voilà pourquoi j'ai refusé Florentine au cavalier qui vient de m'attaquer, quoique ce soit un parti fort avantageux. Je suis esclave de ma parole, et j'attends à tout moment le fils de Juan Velez de la Membrilla pour en faire mon gendre, bien que je ne l'aie jamais vu, non plus que son père. Je vous demande pardon, continua Jérôme de Moyadas, si je vous fais toute cette narration; mais vous l'avez exigée de moi.

J'écoutai ce récit avec beaucoup d'attention, et m'arrêtant à une supercherie [65] qui me vint tout à coup dans l'esprit, j'affectai un grand étonnement, je levai même les yeux au Ciel. Ensuite, je me tournai vers le vieillard, et lui dis d'un ton pathétique : Ah! seigneur de Moyadas, est-il possible qu'en arrivant à Merida, je sois assez heureux pour sauver la vie à mon beau-père ? Ces paroles causèrent une étrange surprise au vieux bourgeois, et n'étonnèrent pas moins Moralés, qui me fit connaître par sa contenance que je lui paraissais un grand fripon. Que m'apprenez-vous ? me répondit le vieillard. Quoi! vous seriez le fils du correspondant de mon frère ? Oui, Seigneur Jérôme de Moyadas, lui répliquai-je en payant d'audace et en lui jetant les bras au cou, je suis le fortuné mortel à qui l'adorable Florentine est destinée. Mais avant que je vous témoigne la joie que j'ai d'entrer dans votre famille, permettez que je répande dans votre sein les larmes que renouvelle ici le souvenir de votre frère Augustin. Je serais le plus ingrat de tous les hommes, si je n'étais vivement touché de la mort d'une personne à qui je dois le bonheur de ma vie. En achevant ces mots, j'embrassai encore le bon Jérôme, et je passai ensuite la main sur mes yeux, comme pour essuyer mes pleurs. Moralés, qui comprit tout d'un coup l'avantage que nous pouvions tirer d'une pareille tromperie, ne manqua pas de me seconder. Il voulut passer pour mon valet et il se mit à renchérir sur le regret que je marquais de la mort du seigneur Augustin. Monsieur Jérôme, s'écria-t-il, quelle perte vous avez faite en perdant votre frère! C'était un si honnête homme! le phénix du commerce, un marchand désintéressé, un marchand de bonne foi, un marchand comme on n'en voit point.

Nous avions affaire à un homme simple et crédule; bien loin d'avoir quelque soupçon de notre fourberie, il s'y prêta de lui-même. Eh! pourquoi, me dit-il, n'êtes-vous pas venu tout droit chez moi ? Il ne fallait point aller loger dans une hôtellerie. Dans les termes où nous en sommes, on ne doit point faire de façons. Monsieur, lui dit Moralés, en prenant la parole pour moi, mon maître est un peu cérémonieux. Ce n'est pas, ajouta-t-il, qu'il ne soit excusable en quelque manière de n'avoir pas voulu paraître devant vous en l'état où il est. Nous avons été volés sur la route. On nous a pris toutes nos hardes. Ce garçon, interrompis-je, vous dit la vérité, seigneur de Moyadas. Ce malheur ne m'a point permis d'aller chez vous. Je n'osais me présenter sous cet habit aux yeux d'une maîtresse qui ne m'a point encore vu, et j'attendais pour cela le retour d'un valet que j'ai envoyé à Calatrava. Cet accident, reprit le vieillard, ne devait point vous empêcher de venir demeurer dans ma maison, et je prétends que vous y preniez tout à l'heure un logement.

En parlant de cette sorte, il m'emmena chez lui; mais avant que d'y arriver, nous nous entretînmes du prétendu vol qu'on m'avait fait, et je témoignai que mon plus grand chagrin était d'avoir perdu, avec mes hardes, le portrait de Florentine. Le bourgeois là-dessus me dit en riant qu'il fallait me consoler de cette perte, et que l'original valait mieux que la copie. En effet dès que nous fûmes dans sa maison, il appela sa fille, qui n'avait pas plus que seize ans, et qui pouvait passer pour une personne accomplie. Vous voyez, me dit-il, l'objet que feu mon frère vous a promis. Ah! seigneur, m'écriai-je d'un air passionné, il n'est pas besoin de me dire que c'est l'aimable Florentine. Ces traits charmants sont gravés dans ma mémoire, et encore plus dans mon cœur. Si le portrait que j'ai perdu, et qui n'était qu'une faible ébauche de tant d'attraits, a pu m'embraser de mille feux, jugez quels transports doivent m'agiter en ce moment! Ce discours est trop flatteur, me dit Florentine, et je ne suis point assez vaine pour m'imaginer que je le justifie. Continuez vos compliments, interrompit alors le père. En même temps il me laissa seul avec sa fille, et prenant Moralés en particulier : Mon ami, lui dit-il, on vous a donc emporté toutes vos hardes et sans doute votre argent ? Oui, Monsieur, répondit mon camarade; une nombreuse troupe de bandits est venue fondre sur nous auprès de Castil-Blazo, et ne nous a laissé que les habits que nous avons sur le corps; mais nous recevrons incessamment des lettres de change, et nous allons nous remettre sur pied.

En attendant vos lettres de change, répliqua le vieillard en tirant de sa poche une bourse, voici cent pistoles dont vous pouvez disposer. Oh! monsieur, repartit Moralés, mon maître ne voudra point les accepter. Vous ne le connaissez pas. Tudieu! c'est un homme fort délicat sur cette matière. Ce n'est point un de ces enfants de famille qui sont prêts à prendre de toutes mains. Il n'aime pas à s'endetter. Il demanderait plutôt l'aumône que d'emprunter un maravédis. Tant mieux, dit le bourgeois; je l'en estime davantage. Je ne puis souffrir que l'on contracte des dettes. Je pardonne cela aux personnes de qualité, parce que c'est une chose dont ils sont en possession. Je ne veux pas, continua-t-il, contraindre ton maître; et, si c'est lui faire de la peine que de lui offrir de l'argent, il n'en faut plus parler. En disant ces paroles, il voulut remettre la bourse dans sa poche; mais mon compagnon lui retint le bras : Attendez, seigneur de Moyadas, lui dit-il; quelque aversion que mon maître ait pour les emprunts, je ne désespère pas de lui faire agréer vos cent pistoles. Ce n'est que des étrangers qu'il n'aime point à emprunter. Il n'est pas si façonnier avec sa famille. Il demande même fort bien à son père tout l'argent dont il a besoin. Ce garçon, comme vous voyez, sait distinguer les personnes, et il doit vous regarder, monsieur, comme un second père.

Moralés par de semblables discours s'empara de la bourse du vieillard, qui vint nous rejoindre et qui nous trouva sa fille et moi engagés dans les compliments. Il rompit notre entretien. Il apprit à Florentine l'obligation qu'il m'avait, et sur cela il me tint des propos qui me firent connaître combien il en avait de ressentiment. Je profitai d'une si favorable disposition. Je dis au bourgeois que la plus touchante marque de reconnaissance qu'il pût me donner était de hâter mon mariage avec sa fille. Il céda de bonne grâce à mon impatience. Il m'assura que, dans trois jours au plus tard, je serais l'époux de Florentine, et qu'au lieu de six mille ducats qu'il avait promis pour sa dot, il en donnerait dix mille, pour me témoigner jusqu'à quel point il était pénétré du service que je lui avais rendu.

Nous étions donc Moralés et moi chez le bonhomme Jérôme de Moyadas bien traités, et dans l'agréable attente de toucher dix mille ducats, avec quoi nous nous proposions de partir promptement de Merida. Une crainte pourtant troublait notre joie : nous appréhendions qu'avant trois jours le véritable fils de Juan Velez de la Membrilla ne vînt traverser notre bonheur. Cette crainte n'était pas mal fondée. Dès le lendemain, une espèce de paysan, chargé d'une valise, arriva chez le père de Florentine. Je ne m'y trouvai point alors; mais mon camarade y était. Seigneur, dit le paysan au vieillard, j'appartiens au cavalier de Calatrava qui doit être votre gendre, au seigneur Pedro de la Membrilla. Nous venons tous deux d'arriver. Il sera ici dans un instant. J'ai pris les devants pour vous en avertir. A peine eut-il achevé ces mots, que son maître parut. Ce qui surprit fort le vieillard et déconcerta un peu Moralés.

Le jeune Pedro était un garçon des mieux faits. Il adressa la parole au père de Florentine; mais le bonhomme ne lui donna pas le temps de finir son discours, et, se tournant vers mon compagnon, il lui demanda ce que cela signifiait. Alors Moralés, qui ne cédait en effronterie à personne au monde, prit un air d'assurance et dit au vieillard : Monsieur, ces deux hommes que vous voyez sont de la troupe des voleurs qui nous ont détroussés sur le grand chemin. Je les reconnais, et particulièrement celui qui a l'audace de se dire fils du seigneur Juan Velez de la Membrilla. Le vieux bourgeois crut Moralés; et, persuadé que les nouveaux venus étaient des fripons, il leur dit : Messieurs, vous arrivez trop tard. On vous a prévenus. Pedro de la Membrilla est chez moi depuis hier. Prenez garde à ce que vous dites, lui répondit le jeune homme de Calatrava. Vous avez dans votre maison un imposteur. Sachez que Juan Velez de la Membrilla n'a point d'autre fils que moi. A d'autres, répliqua le vieillard; je n'ignore pas qui vous êtes. Ne remettez-vous pas ce garçon, et ne vous ressouvenez-vous plus de son maître que vous avez volé ? Si je n'étais pas chez vous, repartit Pedro, je punirais l'insolence de ce fourbe qui m'ose traiter de voleur. Qu'il rende grâce à votre présence qui retient ma colère! Seigneur, poursuivit-il, on vous trompe. Je suis le jeune homme à qui votre frère Augustin a promis votre fille. Voulez-vous que je vous montre toutes les lettres qu'il a écrites à mon père au sujet de ce mariage ? En croirez-vous le portrait de Florentine qu'il m'envoya quelque temps avant sa mort ?

Non, interrompit le vieux bourgeois, le portrait ne me persuadera pas plus que les lettres. Je sais bien de quelle manière il est tombé entre vos mains, et je vous conseille charitablement de sortir au plus tôt de Merida. C'en est trop, interrompit à son tour le jeune cavalier. Je ne souffrirai point qu'on me vole impunément mon nom, ni qu'on me fasse passer pour un brigand. Je connais quelques personnes dans cette ville. Je vais les chercher, et je reviendrai confondre l'imposture qui vous prévient contre moi. A ces mots, il se retira suivi de son valet, et Moralés demeura triomphant. Cette aventure même fut cause que Jérôme de Moyadas résolut de faire le mariage ce jour-là. Il sortit et alla sur-le-champ donner les ordres nécessaires pour cet effet.

Quoique mon camarade fût bien aise de voir le père de Florentine dans des dispositions si favorables pour nous, il n'était pas sans inquiétude. Il craignait la suite des démarches qu'il jugeait bien que Pedro ne manquerait pas de faire, et il m'attendait avec impatience pour m'informer de ce qui se passait. Je le trouvai plongé dans une profonde rêverie. Qu'y a-t-il, mon ami ? lui dis-je; tu me parais bien occupé. Ce n'est pas sans raison, me répondit-il. En même temps il me mit au fait. Tu vois, ajouta-t-il ensuite, si j'ai tort de rêver. C'est toi, téméraire, qui nous jettes dans cet embarras. L'entreprise, je l'avoue, était brillante, et t'aurait comblé de gloire, si elle eût réussi; mais, selon toutes les apparences, elle finira mal, et je serais d'avis, pour prévenir les éclaircissements, que nous prissions la fuite avec la plume que nous avons tiré de l'aile du bonhomme.

Monsieur Moralés, repris-je à ce discours, vous cédez bien promptement aux difficultés. Vous ne faites guère d'honneur à don Mathias de Cordel ni aux autres cavaliers avec qui vous avez demeuré à Tolède. Quand on a fait son apprentissage sous de si grands maîtres, on ne doit pas si facilement s'alarmer. Pour moi, qui veux marcher sur les traces de ces héros, et prouver que j'en suis un digne élève, je me raidis contre l'obstacle qui vous épouvante et je me fais fort de le lever. Si vous en venez à bout, me dit mon compagnon, je vous mettrai au-dessus de tous les grands hommes de Plutarque.

Comme Moralés achevait de parler, Jérôme de Moyadas entra. Vous serez mon gendre dès ce soir. Votre valet, ajouta-t-il, doit vous avoir conté ce qui vient d'arriver. Que dites-vous de l'effronterie du fripon qui m'a voulu persuader qu'il était fils du correspondant de mon frère! Seigneur, lui répondis-je tristement, et de l'air le plus ingénu qu'il me fût possible d'affecter, je sens que je ne suis pas né pour soutenir une trahison. Il faut vous faire un aveu sincère. Je ne suis point fils de Juan Velez de la Membrilla. Qu'entends-je ? interrompit le vieillard avec autant de précipitation que de surprise. Eh! quoi, vous n'êtes pas le jeune homme à qui mon frère... De grâce, seigneur, interrompis-je aussi, daignez m'écouter jusqu'au bout. Il y a huit jours que j'aime votre fille et que l'amour m'arrête à Merida. Hier, après vous avoir secouru, je me préparais à vous la demander en mariage; mais vous me fermâtes la bouche, en m'apprenant que vous la destiniez à un autre. Vous me dîtes que votre frère en mourant vous conjura de la donner à Pedro de la Membrilla, que vous le lui promîtes et qu'enfin vous étiez esclave de votre parole. Ce discours, je l'avoue, m'accabla, et mon amour réduit au désespoir m'inspira le stratagème dont je me suis servi. Je vous dirai pourtant que je me suis secrètement reproché la supercherie que je vous ai faite; mais j'ai cru que vous me la pardonneriez quand je vous la découvrirais, et quand vous sauriez que je suis un prince italien qui voyage *incognito*. Mon père est souverain de certaines vallées qui sont entre les Suisses, le Milanais et la Savoie. Je m'imaginais que vous seriez agréablement surpris lorsque je vous révélerais ma naissance, et je me faisais un plaisir d'époux délicat et charmé de la déclarer à Florentine après l'avoir épousée. Le Ciel, poursuivis-je en changeant de ton, n'a pas voulu permettre que j'eusse tant de joie. Pedro de la Membrilla paraît. Il faut lui restituer son nom, quelque chose qu'il m'en coûte à le lui rendre. Votre promesse vous engage à le choisir pour votre gendre, vous devez me le préférer sans avoir égard à mon rang, sans avoir pitié de la situation cruelle où vous m'allez réduire. Je ne vous représenterai point que votre frère n'était que l'oncle de votre fille, que vous en êtes le père, et qu'il est plus juste de vous acquitter envers moi de l'obligation que vous m'avez que de vous piquer de l'honneur de tenir une parole qui ne vous lie que faiblement.

Oui sans doute cela est bien plus juste, s'écria Jérôme de Moyadas. Aussi je ne prétends point balancer entre vous et Pedro de la Membrilla. Si mon frère Augustin vivait encore, il ne trouverait pas mauvais que je donnasse la préférence à un homme qui m'a sauvé la vie, et qui plus est à un prince qui ne dédaigne pas de rechercher mon alliance. Il faudrait que je fusse ennemi de mon bonheur, et que j'eusse entièrement perdu l'esprit, si je ne vous donnais ma fille, et si je ne pressais pas même ce mariage. Cependant, seigneur, repris-je, ne faites rien par impétuosité. Ne consultez que vos seuls intérêts; et malgré la noblesse de mon sang... Vous vous moquez de moi, interrompit-il, dois-je hésiter un moment ? Non, mon prince; et je vous supplie de vouloir bien, dès ce soir, honorer de votre main l'heureuse Florentine. Eh bien! lui dis-je, soit. Allez vous-même lui porter cette nouvelle, et l'instruire de son destin glorieux.

Tandis que le bon bourgeois s'empressait d'aller dire à sa fille qu'elle avait fait la conquête d'un prince, Moralés, qui avait entendu toute la conversation, se mit à genoux devant moi, et me dit : Monsieur le prince italien, fils du souverain des vallées qui sont entre les Suisses, le Milanais et la Savoie, souffrez que je me jette aux pieds de Votre Altesse pour lui témoigner le ravissement où je suis. Foi de fripon, je vous regarde comme un prodige. Je me croyais le premier homme du monde; mais franchement je mets pavillon bas devant vous, quoique vous ayez moins d'expérience que moi. Tu n'as donc plus, lui dis-je, d'inquiétude ? Oh! pour cela, non, répondit-il. Je ne crains plus le seigneur Pedro. Qu'il vienne présentement ici tant qu'il lui plaira! Nous voilà, Moralés et moi, fermes sur nos étriers. Nous commençâmes à régler la route que nous prendrions avec la dot, sur laquelle nous comptions si bien, que, si nous l'eussions déjà touchée, nous n'aurions pas cru être plus sûrs de l'avoir. Nous ne la tenions pas toutefois encore, et le dénoûment de l'aventure ne répondit pas à notre confiance.

Nous vîmes bientôt revenir le jeune homme de Calatrava. Il était accompagné de deux bourgeois et d'un alguazil, aussi respectable par sa moustache et sa mine brune que par sa charge. Le père de Florentine était avec nous. Seigneur de Moyadas, lui dit Pedro, voici trois honnêtes gens que je vous amène. Ils me connaissent, et peuvent vous dire qui je suis. Oui, certes, s'écria l'alguazil, je puis le dire. Je le certifie à tous ceux qu'il appartiendra; je vous connais. Vous vous appelez Pedro, et vous êtes fils unique de Juan Velez de la Membrilla. Quiconque ose soutenir le contraire est un imposteur. Je vous crois, monsieur l'alguazil, dit alors le bonhomme Jérôme de Moyadas. Votre témoignage est sacré pour moi aussi bien que celui des seigneurs marchands qui sont avec vous. Je suis pleinement convaincu que le jeune cavalier qui vous a conduit ici est le fils unique du correspondant de mon frère. Mais que m'importe ? Je ne suis plus dans la résolution de lui donner ma fille.

Oh! c'est une autre affaire, dit l'alguazil. Je ne viens dans votre maison que pour vous assurer que ce jeune homme m'est connu. Vous êtes maître de votre fille, et l'on ne saurait vous contraindre à la marier malgré vous. Je ne prétends pas non plus, interrompit Pedro, faire violence aux volontés du seigneur Moyadas, mais il me permettra de lui demander pourquoi il a changé de sentiment. A-t-il quelque sujet de se plaindre de moi ? Ah! du moins qu'en perdant la douce espérance d'être son gendre, j'apprenne que je ne l'ai point perdue par ma faute! Je ne me plains pas de vous, répondit le vieillard; je vous le dirai même, c'est à regret que je me vois dans la nécessité de vous manquer de parole et je vous conjure de me le pardonner. Je suis persuadé que vous êtes trop généreux pour me savoir mauvais gré de vous préférer un rival qui m'a sauvé la vie. Vous le voyez, poursuivit-il en me montrant, c'est ce seigneur qui m'a tiré d'un grand péril; et, pour m'excuser encore mieux auprès de vous, je vous apprends que c'est un prince italien.

A ces dernières paroles, Pedro demeura muet et confus. Les deux marchands ouvrirent de grands yeux, et parurent fort surpris. Mais l'alguazil, accoutumé à regarder les choses du mauvais côté, soupçonna cette merveilleuse aventure d'être une fourberie où il y avait à gagner pour lui. Il m'envisagea fort attentivement; et comme mes traits qui lui étaient inconnus mettaient en défaut sa bonne volonté, il examina mon camarade avec la même attention. Malheureusement pour mon altesse, il reconnut Moralés, et, se ressouvenant de l'avoir vu dans les prisons de Ciudad-Réal : Ah! ah! s'écria-t-il, voici une de mes pratiques. Je remets ce gentilhomme, et je vous le donne pour un des plus parfaits fripons qui soient dans les royaumes et principautés d'Espagne. Allons, bride en main, monsieur l'alguazil, dit Jérôme de Moyadas; ce garçon dont vous nous faites un si mauvais portrait est un domestique du prince. Fort bien, repartit l'alguazil. Je n'en veux pas davantage pour savoir à quoi m'en tenir. Je juge du maître par le valet. Je ne doute point que ces galants ne soient deux fourbes qui s'accordent pour vous tromper. Je me connais en pareil gibier, et, pour vous faire voir que ces drôles sont des aventuriers, je vais les mener en prison tout à l'heure. Je prétends leur ménager un tête-à-tête avec M. le corrégidor; après quoi, ils sentiront que tous les coups de fouet n'ont point encore été donnés. Halte-là, monsieur l'officier, reprit le vieillard. Ne poussons pas l'affaire si loin. Vous ne craignez pas, vous autres, de faire de la peine à un honnête homme. Ce valet ne saurait-il être un fourbe, sans que son maître le soit ? Est-il nouveau de voir des fripons au service des princes ? Vous moquez-vous avec vos princes ? interrompit l'alguazil. Ce jeune homme est un intrigant sur ma parole, et je l'arrête *de par le roi*, de même que son camarade. J'ai vingt archers à la porte qui les traîneront à la prison, s'ils ne s'y laissent pas conduire de bonne grâce. Allons, mon prince, me dit-il ensuite, marchons.

Je fus étourdi de ces paroles, ainsi que Moralés, et notre trouble nous rendit suspects à Jérôme de Moyadas, ou plutôt nous perdit dans son esprit. Il jugea bien que nous l'avions voulu tromper. Il prit pourtant dans cette occasion le parti que devait prendre un galant homme : Monsieur l'officier, dit-il à l'alguazil, vos soupçons peuvent être faux; peut-être aussi ne sont-ils que trop véritables. Quoi qu'il en soit, n'approfondissons point cela. Que ces deux jeunes cavaliers sortent, et se retirent où bon leur semblera. Ne vous opposez point, je vous prie, à leur retraite. C'est une grâce que je vous demande, pour m'acquitter envers eux de l'obligation que je leur ai. Si je faisais ce que je dois, répondit l'alguazil, j'emprisonnerais ces messieurs sans avoir égard à vos prières; mais je veux bien relâcher de mon devoir pour l'amour de vous, à condition que dès ce moment ils sortiront de cette ville, car, si je les rencontre demain, vive Dieu! ils verront ce qui leur arrivera.

Lorsque nous entendîmes dire, Moralés et moi, qu'on nous laissait libres, nous nous remîmes un peu. Nous voulûmes parler avec fermeté, et soutenir que nous étions des personnes d'honneur; mais l'alguazil nous regarda de travers, et nous imposa silence. Je ne sais pourquoi ces gens-là ont un ascendant sur nous. Il fallut donc abandonner Florentine et la dot à Pedro de la Membrilla, qui sans doute devint gendre de Jérôme de Moyadas. Je me retirai avec mon camarade. Nous prîmes le chemin de Truxillo, avec la consolation d'avoir du moins gagné cent pistoles à cette aventure. Une heure avant la nuit, nous passâmes par un petit village, résolus d'aller coucher plus loin. Nous aperçûmes une hôtellerie d'assez belle apparence pour ce lieu-là. L'hôte et l'hôtesse étaient à la porte assis sur de longues pierres. L'hôte, grand homme sec et déjà suranné, raclait une mauvaise guitare pour divertir sa femme qui paraissait l'écouter avec plaisir. Messieurs, nous cria l'hôte, lorsqu'il vit que nous ne nous arrêtions point, je vous conseille de faire halte en cet endroit. Il y a trois mortelles lieues d'ici au premier village que vous trouverez, et vous n'y serez pas aussi bien que dans celui-ci, je vous en avertis. Croyez-moi, entrez dans ma maison. Je vous y ferai bonne chère et à juste prix. Nous nous laissâmes persuader. Nous nous approchâmes de l'hôte et de l'hôtesse ; nous les saluâmes, et, nous étant assis auprès d'eux, nous commençâmes à nous entretenir tous quatre de choses indifférentes. L'hôte se disait officier de la sainte Hermandad, et l'hôtesse était une grosse réjouie qui avait l'air de savoir bien vendre ses denrées.

Notre conversation fut interrompue par l'arrivée de douze à quinze cavaliers montés les uns sur des mules, les autres sur des chevaux, et suivis d'une trentaine de mulets chargés de ballots. Ah ! que de princes ! s'écria l'hôte à la vue de tant de monde ; où pourrai-je les loger tous ? Dans un instant le village se trouva rempli d'hommes et d'animaux. Il y avait par bonheur auprès de l'hôtellerie une vaste grange où l'on mit les mulets et les ballots. Les mules et les chevaux des cavaliers furent placés dans d'autres endroits. Pour les hommes, ils songèrent moins à chercher des lits, qu'à se faire apprêter un bon repas. L'hôte, l'hôtesse, et une jeune servante qu'ils avaient ne s'y épargnèrent point. Ils firent main basse sur toute la volaille de leur basse-cour. Cela joint à quelques civets de lapins et de matous, et à une copieuse soupe aux choux faite avec du mouton, il y en eut pour tout l'équipage.

Nous regardions, Moralés et moi, ces cavaliers, qui de temps en temps nous envisageaient aussi. Enfin, nous liâmes conversation, et nous leur dîmes que, s'ils le voulaient bien, nous souperions avec eux. Ils nous témoignèrent que cela leur ferait plaisir. Nous voilà donc tous à table ensemble. Il y en avait un parmi eux qui ordonnait, et pour qui les autres, quoique d'ailleurs ils en usassent assez familièrement avec lui, ne laissaient pas de marquer des déférences. Il est vrai que celui-là tenait le haut bout. Il parlait d'un ton de voix élevé. Il contredisait même quelquefois d'un air cavalier le sentiment des autres, qui, bien loin de lui rendre la pareille, semblaient respecter ses opinions. L'entretien tomba par hasard sur l'Andalousie, et, comme Moralés s'avisa de louer Séville, l'homme dont je viens de parler lui dit : Seigneur cavalier, vous faites l'éloge de la ville où j'ai pris naissance, ou du moins je suis né aux environs, puisque le bourg de Mayrena m'a vu naître. Je vous dirai la même chose, lui répondit mon compagnon. Je suis aussi de Mayrena, il n'est pas possible que je ne connaisse point vos parents. De qui êtes-vous fils ? D'un honnête notaire, repartit le cavalier, de Martin Moralés. Par ma foi, s'écria mon camarade avec émotion, l'aventure est fort singulière ! vous êtes donc mon frère aîné Manuel Moralés ! Justement, dit l'autre, et vous êtes apparemment, vous, mon petit frère Luis, que je laissai au berceau quand j'abandonnai la maison paternelle ? Vous m'avez nommé, répondit mon camarade. A ces mots, ils se levèrent de table tous deux, et s'embrassèrent à plusieurs reprises. Ensuite le seigneur Manuel dit à la compagnie : Messieurs, cet événement est tout à fait merveilleux! Le hasard veut que je rencontre et reconnaisse un frère que je n'ai point vu depuis plus de vingt années. Permettez que je vous le présente. Alors tous les cavaliers, qui par bienséance se tenaient debout, saluèrent le cadet Moralés, et l'accablèrent d'embrassades. Après cela, on se remit à table et l'on y demeura toute la nuit. On ne se coucha point. Les deux frères s'assirent l'un auprès de l'autre, et s'entretinrent tout bas de leur famille, pendant que les autres convives buvaient et se réjouissaient.

Luis eut une longue conversation avec Manuel, et, me prenant ensuite en particulier, il me dit : Tous ces cavaliers sont des domestiques du comte de Montanos que le roi a nommé depuis peu à la vice-royauté de Mayorque. Ils conduisent l'équipage du vice-roi à Alicante, où ils doivent s'embarquer. Mon frère, qui est devenu intendant de ce seigneur, m'a proposé de m'emmener avec lui, et sur la répugnance que je lui ai témoigné que j'avais à vous quitter, il m'a dit que, si vous voulez être du voyage, il vous fera donner un bon emploi. Cher ami, poursuivit-il, je te conseille de ne pas dédaigner ce parti. Allons ensemble à l'île de Mayorque. Si nous y avons de l'agrément, nous y demeurerons, et si nous ne nous y plaisons point, nous reviendrons en Espagne.

J'acceptai volontiers la proposition. Nous nous joignîmes, le jeune Moralés et moi, aux officiers du comte, et nous partîmes avec eux de l'hôtellerie avant le lever de l'aurore. Nous nous rendîmes à grandes journées à la ville d'Alicante, où j'achetai une guitare et me fis faire un habit fort propre avant l'embarquement. Je ne pensais à rien qu'à l'île de Mayorque; et Luis Moralés était dans la même disposition. Il semblait que nous eussions renoncé aux friponneries. Il faut dire la vérité. Nous voulions passer pour honnêtes gens parmi les cavaliers avec qui nous étions, et cela tenait nos génies en respect. Enfin nous nous embarquâmes gaiement et nous nous flattions d'être bientôt à Mayorque; mais à peine fûmes-nous hors du golfe d'Alicante, qu'il survint une bourrasque effroyable. J'aurais dans cet endroit de mon récit une occasion de vous faire une belle description de tempête, de peindre l'air tout en feu, de faire gronder la foudre, siffler les vents, soulever les flots, *et cœtera.* Mais, laissant à part toutes ces fleurs de rhétorique, je vous dirai que l'orage fut violent et nous obligea de relâcher à la pointe de l'île de la Cabrera [66]. C'est une île déserte, où il y a un petit fort qui était alors gardé par cinq ou six soldats et un officier qui nous reçut fort honnêtement.

Comme il nous fallait passer là plusieurs jours à raccommoder nos voiles et nos cordages, nous cherchâmes diverses sortes d'amusements pour éviter l'ennui. Chacun suivait ses inclinations : les uns jouaient à la prime, les autres s'amusaient autrement, et moi j'allais me promener dans l'île avec ceux de nos cavaliers qui aimaient la promenade. Nous sautions de rocher en rocher, car le terrain est inégal, plein de pierres partout, et l'on y voit fort peu de terre. Un jour, tandis que nous considérions ces lieux secs et arides, et que nous admirions le caprice de la nature qui se montre féconde et stérile quand il lui plaît, notre odorat fut saisi tout à coup d'une senteur agréable. Nous nous tournâmes aussitôt du côté de l'orient, d'où venait cette odeur, et nous aperçûmes avec étonnement, entre des rochers, un grand rond de verdure de chèvrefeuilles plus beaux et plus odorants que ceux mêmes qui croissent dans l'Andalousie. Nous nous approchâmes volontiers de ces arbrisseaux charmants qui parfumaient l'air aux environs, et il se trouva qu'ils bordaient l'entrée d'une caverne très profonde. Cette caverne était large, peu sombre, et nous descendîmes au fond en tournant par des degrés de pierre dont les extrémités étaient parées de fleurs, et qui formaient naturellement un escalier en limaçon. Lorsque nous fûmes en bas, nous vîmes serpenter sur un sable plus jaune que l'or plusieurs petits ruisseaux qui tiraient leurs sources des gouttes d'eau que les rochers distillaient sans cesse en dedans, et qui se perdaient sous la terre. L'eau nous parut si belle, que nous en voulûmes boire, et elle était si fraîche, que nous résolûmes de revenir le jour suivant dans cet endroit, et d'y apporter quelques bouteilles de vin, persuadés qu'on ne les boirait point là sans plaisir.

Nous ne quittâmes qu'à regret un lieu si agréable, et, lorsque nous fûmes de retour au fort, nous ne manquâmes pas de vanter à nos camarades une si belle découverte ; mais le commandant de la forteresse nous dit qu'il nous avertissait en ami de ne plus aller à la caverne dont nous étions si charmés. Eh ! pourquoi cela ? lui dis-je ; y a-t-il quelque chose à craindre ? Sans doute, me répondit-il. Les corsaires d'Alger et de Tripoli descendent quelquefois dans cette île, et viennent faire provision d'eau à cette fontaine. Ils y surprirent un jour deux soldats de ma garnison qu'ils firent esclaves. L'officier eut beau parler d'un air très sérieux, il ne put nous persuader. Nous crûmes qu'il plaisantait, et, dès le lendemain, je retournai à la caverne avec trois cavaliers de l'équipage. Nous y allâmes même sans armes à feu, pour faire voir que nous n'appréhendions rien. Le jeune Moralès ne voulut point être de la partie. Il aima mieux, aussi bien que son frère, demeurer à jouer dans le fort.

Nous descendîmes au fond de l'antre comme le jour précédent, et nous fîmes rafraîchir dans les ruisseaux quelques bouteilles de vin que nous avions apportées.

Pendant que nous le buvions délicieusement, en jouant de la guitare, et en nous entretenant avec gaieté, nous vîmes paraître, au haut de la caverne plusieurs hommes qui avaient des moustaches épaisses, des turbans et des habits à la turque. Nous nous imaginâmes que c'était une partie de l'équipage et le commandant du fort qui s'étaient ainsi déguisés pour nous faire peur. Prévenus de cette pensée, nous nous mîmes à rire, et nous en laissâmes descendre jusqu'à dix sans songer à notre défense. Nous fûmes bientôt tristement désabusés et nous connûmes que c'était un corsaire qui venait avec ses gens nous enlever : *Rendez-vous, chiens*, nous cria-t-il en langue castillane, *ou bien vous allez tous mourir!* En même temps les hommes qui l'accompagnaient nous couchèrent en joue avec des carabines qu'ils portaient, et nous aurions essuyé une belle décharge, si nous eussions fait la moindre résistance. Nous préférâmes l'esclavage à la mort. Nous donnâmes nos épées au pirate. Il nous fit charger de chaînes et conduire à son vaisseau, qui n'était pas loin de là. Puis, mettant à la voile, il cingla vers Alger.

C'est de cette manière que nous fûmes punis d'avoir négligé l'avertissement de l'officier de la garnison. La première chose que fit le corsaire fut de nous fouiller et de prendre ce que nous avions d'argent. La bonne aubaine pour lui! Les deux cents pistoles des bourgeois de Plazencia, les cent que Moralés avait reçues de Jérôme de Moyadas, et dont par malheur j'étais chargé, tout cela me fut raflé sans miséricorde. Mes compagnons avaient aussi la bourse bien garnie. Enfin c'était un excellent coup de filet. Le pirate en paraissait tout réjoui, et le bourreau ne se contentait pas de nous enlever nos espèces, il nous insultait par des railleries que nous sentions beaucoup moins que la nécessité de les souffrir. Après mille plaisanteries, il se fit apporter les bouteilles de vin que nous avions fait rafraîchir à la fontaine, et que ses gens avaient eu soin de prendre. Il se mit à les vider avec eux, et à boire à notre santé par dérision.

Pendant ce temps-là mes camarades avaient une contenance qui rendait témoignage de ce qui se passait en eux. Ils étaient d'autant plus mortifiés de leur esclavage, qu'ils s'étaient fait une idée plus douce d'aller dans l'île de Mayorque où ils avaient compté qu'ils mèneraient une vie délicieuse. Pour moi, j'eus la fermeté de prendre mon parti, et, moins consterné que les autres, je liai conversation avec le railleur. J'entrai même de bonne grâce dans ses plaisanteries. Ce qui lui plut. Jeune homme, me dit-il, j'aime le caractère de ton esprit. Et dans le fond, au lieu de gémir et de soupirer, il vaut mieux s'armer de patience et s'accommoder au temps. Joue-nous un petit air, continua-t-il en voyant que je portais une guitare. Voyons ce que tu sais faire. Je lui obéis dès qu'il m'eut fait délier les bras, et je commençai à racler ma guitare d'une manière qui m'attira ses applaudissements. Il est vrai que j'avais appris du meilleur maître de Madrid et que je jouais de cet instrument assez bien. Je chantai aussi, et l'on ne fut pas moins satisfait de ma voix. Tous les Turcs qui étaient dans le vaisseau témoignèrent par des gestes admiratifs le plaisir qu'ils avaient eu à m'entendre; ce qui me fit juger qu'en matière de musique ils n'avaient pas le goût fort délicat. Le pirate me dit à l'oreille que je ne serais pas un esclave malheureux, et qu'avec mes talents je pouvais compter sur un emploi qui rendrait ma captivité très supportable.

Je sentis quelque joie à ces paroles; mais toutes flatteuses qu'elles étaient, je ne laissais pas d'avoir de l'inquiétude sur l'occupation dont le corsaire me faisait fête. Quand nous arrivâmes au port d'Alger, nous vîmes un grand nombre de personnes assemblées pour nous recevoir, et nous n'avions point encore débarqué qu'ils poussèrent mille cris de joie. Ajoutez à cela que l'air retentissait du son confus des trompettes, des flûtes morisques et d'autres instruments dont on se sert en ce pays-là. Ce qui formait une symphonie plus bruyante qu'agréable. La cause de ces réjouissances venait d'un faux bruit qui s'était répandu dans la ville. On avait ouï dire que le renégat Mehemet, ainsi se nommait notre pirate, avait péri en attaquant un gros vaisseau génois; de sorte que tous ses amis, informés de son retour, s'empressaient de lui témoigner leur joie.

Nous n'eûmes pas mis pied à terre, qu'on me conduisit avec tous mes compagnons au palais du bacha Soliman, où un écrivain chrétien, nous interrogeant chacun en particulier, nous demanda nos noms, nos âges, notre patrie, notre religion et nos talents. Alors Mehemet, me montrant au bacha, lui vanta ma voix et lui dit que je jouais de la guitare à ravir. Il n'en fallut pas davantage pour déterminer Soliman à me choisir pour son service. Je demeurai donc dans son sérail. Les autres captifs furent menés dans une place publique et vendus suivant la coutume. Ce que Mehemet m'avait prédit dans le vaisseau m'arriva. J'éprouvai un heureux sort. Je ne fus point livré aux gardes des prisons, ni employé aux ouvrages pénibles. Soliman bacha me fit mettre dans un lieu particulier avec cinq ou six esclaves de qualité qui devaient incessamment être rachetés, et à qui l'on ne donnait que de légers travaux. On me chargea du soin d'arroser dans les jardins les orangers et les fleurs. Je ne pouvais avoir une plus douce occupation.

Soliman était un homme de quarante ans, bien fait de sa personne, fort poli et fort galant pour un Turc. Il avait pour favorite une Cachemirienne qui, par son esprit et par sa beauté, s'était acquis un empire absolu sur lui. Il l'aimait jusqu'à l'idolâtrie. Il la régalait tous les jours de quelque fête : tantôt d'un concert de voix et d'instruments, et tantôt d'une comédie à la manière des Turcs. Ce qui suppose des poèmes dramatiques où la pudeur et la bienséance n'étaient pas plus respectées que les règles d'Aristote. La favorite, qui s'appelait Farrukhnaz [67], aimait passionnément ces spectacles. Elle faisait même quelquefois représenter par ses femmes des pièces arabes devant le bacha. Elle y jouait des rôles elle-même et charmait tous les spectateurs par la grâce et la vivacité qu'il y avait dans son action. Un jour que j'étais parmi les musiciens à une de ces représentations, Soliman m'ordonna de jouer de la guitare et de chanter tout seul dans un entr'acte. J'eus le bonheur de plaire. On m'applaudit, et la favorite, à ce qu'il me parut, me regarda d'un œil favorable.

Le lendemain de ce jour-là, comme j'arrosais des orangers dans les jardins, il passa près de moi un eunuque qui, sans s'arrêter ni me rien dire, jeta un billet à mes pieds. Je le ramassai avec un trouble mêlé de plaisir et de crainte. Je me couchai par terre de peur d'être aperçu des fenêtres du sérail et, me cachant derrière des caisses d'orangers, j'ouvris le billet. J'y trouvai un diamant d'un assez grand prix, et ces paroles en bon castillan : *Jeune chrétien, rends grâce au Ciel de ta captivité. L'amour et la fortune la rendront heureuse, l'amour, si tu es sensible aux charmes d'une belle personne, et la fortune, si tu as le courage de mépriser toutes sortes de périls.*

Je ne doutai pas un moment que la lettre ne fût de la sultane favorite; le style et le diamant me le persuadèrent. Outre que je ne suis pas naturellement timide, la vanité d'être bien avec la maîtresse d'un grand seigneur, et plus que cela l'espérance de tirer d'elle quatre fois plus d'argent qu'il ne m'en fallait pour ma rançon, me fit former le dessein d'éprouver cette aventure, quelque danger qu'il y eût à courir. Je continuai mon travail en rêvant aux moyens d'entrer dans l'appartement de Farrukhnaz, ou plutôt en attendant qu'elle m'en ouvrît les chemins; car je jugeais bien qu'elle n'en demeurerait point là, et qu'elle ferait plus de la moitié des frais. Je ne me trompais pas. Le même eunuque qui avait passé près de moi repassa une heure après, et me dit : Chrétien, as-tu fait tes réflexions, et auras-tu la hardiesse de me suivre ? Je répondis qu'oui. Eh bien! reprit-il, le Ciel te conserve! Tu me reverras demain dans la matinée. En parlant de cette sorte, il se retira. Le jour suivant, je le vis en effet paraître sur les huit heures du matin. Il me fit signe d'aller à lui. Je le joignis, et il me conduisit dans une salle où il y avait un grand rouleau de toile qu'un autre eunuque et lui venaient d'apporter là, et qu'ils devaient porter chez la sultane, pour servir à la décoration d'une pièce arabe qu'elle préparait pour le bacha.

Les deux eunuques déroulèrent la toile, me firent mettre dedans tout de mon long; puis, au hasard de m'étouffer, ils la roulèrent de nouveau, et m'enveloppèrent dedans. Ensuite la prenant chacun par un bout, ils me portèrent ainsi impunément jusque dans la chambre où couchait la belle Cachemirienne. Elle était seule avec une vieille esclave dévouée à ses volontés. Elles déroulèrent toutes deux la toile, et Farrukhnaz à ma vue fit éclater des transports de joie qui découvraient bien le génie des femmes de son pays. Tout hardi que j'étais naturellement, je ne pus me voir tout à coup transporté dans l'appartement secret des femmes sans sentir un peu de frayeur. La dame s'en aperçut bien, et pour dissiper ma crainte : Jeune homme, me dit-elle, n'appréhende rien. Soliman vient de partir pour sa maison de campagne. Il y sera toute la journée. Nous pouvons nous entretenir ici librement.

Ces paroles me rassurèrent et me firent prendre une contenance qui redoubla la joie de la favorite. Vous m'avez plu, poursuivit-elle, et je prétends adoucir la rigueur de votre esclavage. Je vous crois digne des sentiments que j'ai conçus pour vous. Quoique sous les habits d'un esclave, vous avez un air noble et galant qui fait connaître que vous n'êtes point une personne du commun. Parlez-moi confidemment. Dites-moi qui vous êtes. Je sais bien que les captifs qui ont de la naissance déguisent leur condition pour être rachetés à meilleur marché. Mais vous êtes dispensé d'en user de la sorte avec moi, et même ce serait une précaution qui m'offenserait, puisque je vous promets votre liberté. Soyez donc sincère, et m'avouez que vous êtes un jeune homme de bonne maison. Effectivement, madame, lui répondis-je, il me siérait mal de payer vos bontés de dissimulation. Vous voulez absolument que je vous découvre ma qualité. Il faut vous satisfaire. Je suis fils d'un Grand d'Espagne. Je disais peut-être la vérité. Du moins la sultane le crut, et s'applaudissant d'avoir jeté les yeux sur un cavalier d'importance, elle m'assura qu'il ne tiendrait pas à elle que nous ne nous vissions souvent en particulier. Nous eûmes ensemble un fort long entretien. Je n'ai jamais vu de femme plus amusante. Elle savait plusieurs langues et surtout la castillane qu'elle parlait assez bien. Lorsqu'elle jugea qu'il était temps de nous séparer, je me mis par son ordre dans une grande corbeille d'osier couverte d'un ouvrage de soie fait de sa main. Puis les deux esclaves qui m'avaient apporté furent appelés, et ils me remportèrent comme un présent que la favorite envoyait au bacha. Ce qui est sacré pour tous les hommes commis à la garde des femmes.

Nous trouvâmes, Farrukhnaz et moi, d'autres moyens encore de nous parler; et cette aimable captive m'inspira peu à peu autant d'amour qu'elle en avait pour moi. Notre intelligence fut secrète pendant deux mois, quoiqu'il soit fort difficile que dans un sérail les mystères amoureux échappent longtemps aux argus. Mais un contretemps dérangea nos petites affaires, et ma fortune changea de face entièrement. Un jour que, dans le corps d'un dragon artificiel qu'on avait fait pour un spectacle, j'avais été introduit chez la sultane, et que je m'entretenais avec elle, Soliman, que je croyais occupé hors de la ville, survint. Il entra si brusquement dans l'appartement de sa favorite, que la vieille esclave eut à peine le temps de nous avertir de son arrivée. J'eus encore moins le loisir de me cacher. Ainsi je fus le premier objet qui s'offrit à la vue du bacha.

Il parut fort étonné de me voir, et ses yeux tout à coup s'allumèrent de fureur. Je me regardai comme un homme qui touchait à son dernier moment, et je m'imaginais déjà être dans les supplices. Pour Farrukhnaz, je m'aperçus à la vérité qu'elle était effrayée; mais, au lieu d'avouer son crime et d'en demander pardon, elle dit à Soliman : Seigneur, avant que vous prononciez mon arrêt, daignez m'écouter. Les apparences sans doute me condamnent, et je semble vous faire une trahison digne des plus horribles châtiments. J'ai fait venir ici ce jeune captif, et, pour l'introduire dans mon appartement, j'ai employé les mêmes artifices dont je me serais servie, si j'eusse eu pour lui un amour violent. Cependant, et j'en atteste notre grand prophète, malgré ces démarches, je ne vous suis point infidèle. J'ai voulu entretenir cet esclave chrétien pour le détacher de sa secte et l'engager à suivre celle des croyants. J'ai trouvé en lui une résistance à laquelle je m'étais bien attendue. J'ai toutefois vaincu ses préjugés, et il vient de me promettre qu'il embrassera le mahométisme.

Je conviens que je devais démentir la favorite sans avoir égard à la conjoncture dangereuse où je me trouvais; mais, dans l'accablement où j'avais l'esprit, touché du péril où je voyais une femme que j'aimais, et tremblant pour moi-même, je demeurai interdit et confus. Je ne pus proférer une parole, et le bacha, persuadé par mon silence que sa maîtresse ne disait rien qui ne fût véritable, se laissa désarmer. Madame, répondit-il, je veux croire que vous ne m'avez point offensé, et que l'envie de faire une chose agréable au prophète a pu vous engager à hasarder une action si délicate. J'excuse donc votre imprudence, pourvu que ce captif prenne tout à l'heure le turban. Aussitôt il fit venir un marabout. On me revêtit d'un habit à la turque. Je fis tout ce qu'on voulut, sans que j'eusse la force de m'en défendre. Ou, pour mieux dire, je ne savais ce que je faisais dans le désordre où étaient mes sens. Que de chrétiens auraient été aussi lâches que moi dans cette occasion!

Après la cérémonie, je sortis du sérail pour aller sous le nom de Sidy Hally exercer un petit emploi que Soliman me donna. Je ne revis plus la sultane; mais un de ses eunuques vint un jour me trouver. Il m'apporta de sa part des pierreries pour deux mille sultanins d'or, avec un billet par lequel la dame m'assurait qu'elle n'oublierait jamais la généreuse complaisance que j'avais eue de me faire mahométan pour lui sauver la vie. Véritablement, outre les présents que j'avais reçus de Farrukhnaz, j'obtins par son canal un emploi plus considérable que le premier, et je devins en moins de six à sept années un des plus riches renégats de la ville d'Alger.

Vous vous imaginez bien que, si j'assistais aux prières que les musulmans font dans leurs mosquées, et remplissais les autres devoirs de la religion, ce n'était que par pure grimace. Je conservais une volonté déterminée de rentrer dans le sein de l'Eglise; et pour cet effet je me proposais de me retirer un jour en Espagne ou en Italie avec les richesses que j'aurais amassées. En attendant je vivais fort agréablement. J'étais logé dans une belle maison, j'avais des jardins superbes, un grand nombre d'esclaves et de fort jolies femmes dans mon sérail. Quoique l'usage du vin soit défendu en ce pays-là aux mahométans, ils ne laissent pas, pour la plupart, d'en boire en secret. Pour moi, j'en buvais sans façon, comme font tous les renégats. Je me souviens que j'avais deux compagnons de débauche, avec qui je passais souvent la nuit à table. L'un était Juif et l'autre Arabe. Je les croyais honnêtes gens, et, dans cette opinion, je vivais avec eux sans contrainte. Un soir, je les invitai à souper chez moi. Il m'était mort ce jour-là un chien que j'aimais passionnément; nous lavâmes son corps et l'enterrâmes avec toute la cérémonie qui s'observe aux funérailles des mahométans. Ce que nous en faisions n'était pas pour tourner en ridicule la religion musulmane; c'était seulement pour nous réjouir et satisfaire une folle envie qui nous prit dans la débauche de rendre les derniers devoirs à mon chien.

Cette action pourtant me pensa perdre. Le lendemain, il vint chez moi un homme qui me dit : Seigneur Sidy Hally, une affaire importante m'amène chez vous. Monsieur le cadi veut vous parler. Prenez, s'il vous plaît, la peine de vous rendre chez lui tout à l'heure. Un marchand arabe qui soupa hier avec vous lui a donné avis de certaine impiété par vous commise à l'occasion d'un chien que vous avez enterré. C'est pour cela que je vous somme de comparaître aujourd'hui devant ce juge. Faute de quoi, je vous avertis qu'il sera procédé criminellement contre vous. Il sortit en achevant ces paroles, et me laissa fort étourdi de sa sommation. L'Arabe n'avait aucun sujet de se plaindre de moi, et je ne pouvais comprendre pourquoi le traître m'avait joué ce tour-là. La chose néanmoins méritait quelque attention. Je connaissais le cadi pour un homme sévère en apparence, mais au fond peu scrupuleux. Je mis deux cents sultanins d'or dans ma bourse, et j'allai trouver ce juge. Il me fit entrer dans son cabinet, et me dit d'un air rébarbatif : Vous êtes un impie, un sacrilège, un homme abominable. Vous avez enterré un chien comme un musulman! quelle profanation! Est-ce donc ainsi que vous respectez nos cérémonies les plus saintes ? et ne vous êtes-vous fait mahométan que pour vous moquer de nos pratiques de dévotion ? Monsieur le cadi, lui répondis-je, l'Arabe qui vous a fait un si mauvais rapport, ce faux ami, est complice de mon crime, si c'en est un d'accorder les honneurs de la sépulture à un fidèle domestique, à un animal qui possédait mille bonnes qualités. Il aimait tant les personnes de mérite et de distinction, qu'en mourant même il a voulu leur donner des marques de son amitié. Il leur laisse tous ses biens par un testament [68] qu'il a fait, et dont je suis l'exécuteur. Il lègue à l'un vingt écus, trente à l'autre; et il ne vous a point oublié, monseigneur, poursuivis-je en tirant ma bourse : voilà deux cents sultanins d'or qu'il m'a chargé de vous remettre. Le cadi, à ce discours, perdit sa gravité. Il ne put s'empêcher de rire, et, comme nous étions seuls, il prit sans façon la bourse, et me dit en me renvoyant : Allez, seigneur Sidy Hally, vous avez fort bien fait d'inhumer avec pompe et avec honneur un chien qui avait tant de considération pour les honnêtes gens.

Je me tirai d'affaire par ce moyen; et si cela ne me rendit pas plus sage, j'en devins du moins plus circonspect. Je ne fis plus de débauche avec l'Arabe ni même avec le Juif. Je choisis pour boire avec moi un jeune gentilhomme de Livourne qui était mon esclave. Il s'appelait Azarini. Je ne ressemblais point aux autres renégats qui font plus souffrir de maux aux esclaves chrétiens que les Turcs mêmes. Tous mes captifs attendaient assez patiemment qu'on les rachetât. Je les traitais, à la vérité, si doucement, que quelquefois ils me disaient qu'ils appréhendaient plus de changer de patron qu'ils ne soupiraient après la liberté, quelques charmes qu'elle ait pour les personnes qui sont dans l'esclavage.

Un jour les vaisseaux du bacha revinrent avec des prises considérables. Ils amenaient plus de cent esclaves de l'un et de l'autre sexe qu'ils avaient enlevés sur les côtes d'Espagne. Soliman n'en garda qu'un très petit nombre, et tout le reste fut vendu. J'arrivai dans la place où la vente s'en faisait, et j'achetai une fille espagnole de dix à douze ans. Elle pleurait à chaudes larmes et se désespérait. J'étais surpris de la voir à son âge si sensible à sa captivité. Je lui dis en castillan de modérer son affliction, et je l'assurai qu'elle était tombée entre les mains d'un maître qui ne manquait pas d'humanité, quoiqu'il eût un turban. La petite personne, toujours occupée du sujet de sa douleur, ne m'écoutait pas. Elle ne faisait que gémir, que se plaindre du sort, et de temps en temps elle s'écriait d'un air attendri : O ma mère! pourquoi sommes-nous séparées ? Je prendrais patience, si nous étions toutes deux ensemble. En prononçant ces mots, elle tournait la vue vers une femme de quarante-cinq à cinquante ans, que l'on voyait à quelques pas d'elle, et qui les yeux baissés attendait dans un morne silence que quelqu'un l'achetât. Je demandai à la jeune fille si la personne qu'elle regardait était sa mère. Hélas! oui, seigneur, me répondit-elle; au nom de Dieu, faites que je ne la quitte point! Eh bien! mon enfant, lui dis-je, si, pour vous consoler, il ne faut que vous réunir l'une et l'autre, vous serez bientôt satisfaite. En même temps, je m'approchai de la mère pour la marchander; mais je ne l'eus pas sitôt envisagée, que je reconnus, avec toute l'émotion que vous pouvez penser, les traits, les propres traits de Lucinde. Juste Ciel! dis-je en moi-même, c'est ma mère, je n'en saurais douter. Pour elle, soit qu'un vif ressentiment de ses malheurs ne lui fît voir que des ennemis dans les objets qui l'environnaient, soit que mon habit me déguisât, ou bien que je fusse changé depuis douze années que je ne l'avais vue, elle ne me remit point. Après l'avoir aussi achetée, je la menai avec sa fille à ma maison.

Là je voulus leur donner le plaisir d'apprendre qui j'étais : Madame, dis-je à Lucinde, est-il possible que mon visage ne vous frappe point ? Ma moustache et mon turban vous font-ils méconnaître Raphaël votre fils ? Ma mère tressaillit à ces paroles, me considéra, me reconnut, et nous nous embrassâmes tendrement. J'embrassai ensuite sa fille, qui ne savait peut-être pas plus qu'elle eût un frère, que je savais que j'avais une sœur. Avouez, dis-je à ma mère, que dans toutes vos pièces de théâtre vous n'avez pas une reconnaissance aussi originale que celle-ci. Mon fils, me répondit-elle en soupirant, j'ai d'abord eu de la joie de vous revoir; mais ma joie se convertit en douleur. Dans quel état, hélas! vous retrouvé-je! Mon esclavage me fait mille fois moins de peine que l'habillement odieux... Ah! parbleu, madame, interrompis-je en riant, j'admire votre délicatesse. J'aime cela dans une comédienne. Eh, bon Dieu! ma mère, vous êtes donc bien changée, si ma métamorphose vous blesse si fort la vue. Au lieu de vous révolter contre mon turban, regardez-moi plutôt comme un acteur qui représente sur la scène un rôle turc. Quoique renégat, je ne suis pas plus musulman que je l'étais en Espagne; et dans le fond je me sens toujours attaché à ma religion. Quand vous saurez toutes les aventures qui me sont arrivées en ce pays-ci, vous m'excuserez. L'amour a fait mon crime. Je sacrifie à ce dieu. Je tiens un peu de vous, je vous en avertis. Une autre raison encore, ajoutai-je, doit modérer en vous le déplaisir de me voir dans la situation où je suis. Vous vous attendiez à n'éprouver dans Alger qu'une captivité rigoureuse, et vous trouvez dans votre patron un fils tendre, respectueux, et assez riche pour vous faire vivre ici dans l'abondance, jusqu'à ce que nous saisissions l'occasion de retourner sûrement en Espagne. Demeurez d'accord de la vérité du proverbe qui dit qu'*à quelque chose le malheur est bon.*

Mon fils, me dit Lucinde, puisque vous avez dessein de repasser un jour dans votre pays et d'y abjurer le mahométisme, je suis toute consolée. Grâce au Ciel, continua-t-elle, je pourrai remener saine et sauve en Castille votre sœur Béatrix! Oui, madame, m'écriai-je, vous le pourrez. Nous irons tous trois, le plus tôt qu'il nous sera possible, rejoindre le reste de notre famille, car vous avez apparemment encore en Espagne d'autres marques de votre fécondité! Non, dit ma mère, je n'ai que vous deux d'enfants, et vous saurez que Béatrix est le fruit d'un mariage des plus légitimes. Et pourquoi, repris-je, avez-vous donné à ma petite sœur cet avantage-là sur moi ? Comment avez-vous pu vous résoudre à vous marier ? Je vous ai cent fois entendu dire dans mon enfance que vous ne pardonniez point à une jolie femme de prendre un mari. D'autre temps, d'autres soins, mon fils, repartit-elle; les hommes les plus fermes dans leurs résolutions sont sujets à changer, et vous voulez qu'une femme soit inébranlable dans les siennes ? Je vais, poursuivit-elle, vous conter mon histoire, depuis votre sortie de Madrid. Alors elle me fit le récit suivant, que je n'oublierai jamais. Je ne veux pas vous priver d'une narration si curieuse.

Il y a, dit ma mère, s'il vous en souvient, près de treize ans que vous quittâtes le jeune Leganez. Dans ce temps-là le duc de Medina Celi me dit qu'il voulait un soir souper en particulier avec moi. Il me marqua le jour. J'attendis ce seigneur. Il vint et je lui plus. Il me demanda le sacrifice de tous les rivaux qu'il pouvait avoir. Je le lui accordai dans l'espérance qu'il me le payerait bien. Il n'y manqua pas. Dès le lendemain, je reçus de lui des présents qui furent suivis de plusieurs autres qu'il me fit dans la suite. Je craignais de ne pouvoir retenir longtemps dans mes chaînes un homme d'un si haut rang; et j'appréhendais cela d'autant plus que je n'ignorais pas qu'il était échappé à des beautés fameuses dont il avait aussitôt rompu que porté les fers. Cependant loin de prendre de jour en jour moins de goût à mes complaisances, il semblait plutôt y trouver un plaisir nouveau. Enfin, j'avais l'art de l'amuser et d'empêcher son cœur naturellement volage de se laisser aller à son penchant.

Il y avait déjà trois mois qu'il m'aimait, et j'avais lieu de me flatter que son amour serait de longue durée, lorsqu'une femme de mes amies et moi nous nous rendîmes à une assemblée où il était avec la duchesse son épouse. Nous y allions pour entendre un concert de voix et d'instruments qu'on y faisait. Nous nous plaçâmes par hasard assez près de la duchesse, qui s'avisa de trouver mauvais que j'osasse paraître dans un lieu où elle était. Elle m'envoya dire par une de ses femmes qu'elle me priait de sortir promptement. Je fis une réponse brutale à la messagère. La duchesse irritée s'en plaignit à son époux, qui vint à moi lui-même, et me dit : Sortez, Lucinde. Quand de grands seigneurs s'attachent à de petites créatures comme vous, elles ne doivent point pour cela s'oublier. Si nous vous aimons plus que nos femmes, nous honorons nos femmes plus que vous; et toutes les fois que vous serez assez insolentes pour vouloir vous mettre en comparaison avec elles, vous aurez toujours la honte d'être traitées avec indignité.

Heureusement le duc me tint ce cruel discours d'un ton de voix si bas, qu'il ne fut point entendu des personnes qui étaient autour de nous. Je me retirai toute honteuse, et je pleurai de dépit d'avoir essuyé cet affront. Pour surcroît de chagrin, les comédiens et les comédiennes apprirent cette aventure dès le soir même. On dirait qu'il y a chez ces gens-là un démon qui se plaît à rapporter aux uns tout ce qui arrive aux autres. Un comédien, par exemple, a-t-il fait dans une débauche quelque action extravagante : une comédienne vient-elle de passer bail avec un riche galant [69] ? la troupe en est aussitôt informée. Tous mes camarades surent donc ce qui s'était passé au concert, et Dieu sait s'ils se réjouirent bien à mes dépens. Il règne parmi eux un esprit de charité qui se manifeste dans ces sortes d'occasions. Je me mis pourtant au-dessus de leurs caquets, et je me consolai de la perte du duc de Medina Celi; car je ne le revis plus chez moi, et j'appris même peu de jours après qu'une chanteuse en avait fait la conquête.

Lorsqu'une dame de théâtre a le bonheur d'être en vogue, les amants ne sauraient lui manquer; et l'amour d'un grand seigneur, ne durât-il que trois jours, lui donne un nouveau prix. Je me vis obsédée d'adorateurs, sitôt qu'il fut notoire à Madrid que le duc avait cessé de me voir. Les rivaux que je lui avais sacrifiés, plus épris de mes charmes qu'auparavant, revinrent en foule sur les rangs; je reçus encore l'hommage de mille autres cœurs. Je n'avais jamais été tant à la mode. De tous les hommes qui briguaient mes bonnes grâces, un gros Allemand, gentilhomme du duc d'Ossune, me parut un des plus empressés. Ce n'était pas une figure fort aimable; mais il s'attira mon attention par un millier de pistoles qu'il avait amassées au service de son maître, et qu'il prodigua pour mériter d'être sur la liste de mes amants fortunés. Ce bon sujet se nommait Brutandorf. Tant qu'il fit de la dépense, je le reçus favorablement; dès qu'il fut ruiné, il trouva ma porte fermée. Mon procédé lui déplut. Il vint me chercher à la comédie pendant le spectacle. J'étais derrière le théâtre. Il voulut me faire des reproches. Je lui ris au nez. Il se mit en colère, et me donna un soufflet en franc Allemand. Je poussai un grand cri. J'interrompis l'action. Je parus sur le théâtre; et, m'adressant au duc d'Ossune, qui ce jour-là était à la comédie avec la duchesse sa femme, je lui demandai justice des manières germaniques de son gentilhomme. Le duc ordonna de continuer la comédie, et dit qu'il entendrait les parties quand on aurait achevé la pièce. D'abord qu'elle fut finie, je me présentai fort émue devant le duc et j'exposai vivement mes griefs. Pour l'Allemand, il n'employa que deux mots pour sa défense : il dit qu'au lieu de se repentir de ce qu'il avait fait, il était homme à recommencer. Parties ouïes, le duc d'Ossune dit au Germain : Brutandorf, je vous chasse de chez moi et vous défends de paraître à mes yeux, non pour avoir donné un soufflet à une comédienne, mais pour avoir manqué de respect à votre maître et à votre maîtresse, et avoir osé troubler le spectacle en leur présence [70].

Ce jugement me demeura sur le cœur. Je conçus un dépit mortel de ce qu'on ne chassait pas l'Allemand pour m'avoir insultée. Je m'imaginais qu'une pareille offense faite à une comédienne devait être aussi sévèrement punie qu'un crime de lèse-majesté, et j'avais compté que le gentilhomme subirait une peine afflictive. Ce désagréable événement me détrompa, et me fit connaître que le monde ne confond pas les acteurs avec les rôles qu'ils représentent. Cela me dégoûta du théâtre. Je résolus de l'abandonner, et d'aller vivre loin de Madrid. Je choisis la ville de Valence pour le lieu de ma retraite, et je m'y rendis *incognito* avec la valeur de vingt mille ducats que j'avais tant en argent qu'en pierreries. Ce qui me parut plus que suffisant pour m'entretenir le reste de mes jours, puisque j'avais dessein de mener une vie retirée. Je louai à Valence une petite maison et pris pour tout domestique une femme et un page, à qui je n'étais pas moins inconnue qu'à toute la ville. Je me donnai pour veuve d'un officier de chez le roi, et je dis que je venais m'établir à Valence, sur la réputation que ce séjour avait d'être un des plus agréables d'Espagne. Je ne voyais que très peu de monde, et je tenais une conduite si régulière, qu'on ne me soupçonna point d'avoir été comédienne. Malgré pourtant le soin que je prenais de me cacher, je m'attirai les regards d'un gentilhomme qui avait un château près de Paterna. C'était un cavalier assez bien fait, de trente-cinq à quarante ans, mais un noble fort endetté. Ce qui n'est pas plus rare dans le royaume de Valence que dans beaucoup d'autres pays.

Ce seigneur *Hidalgo*, trouvant ma personne à son gré, voulut savoir si d'ailleurs j'étais son fait. Il découpla des grisons pour courir aux enquêtes, et il eut le plaisir d'apprendre par leur rapport qu'avec un minois peu dégoûtant, j'étais une douairière assez opulente. Il jugea que je lui convenais, et bientôt il vint chez moi une bonne vieille qui me dit de sa part que, charmé de ma vertu autant que de ma beauté, il m'offrait sa foi, et qu'il était prêt à me conduire à l'autel, si je voulais bien devenir sa femme. Je demandai trois jours pour me consulter là-dessus. Je m'informai du gentilhomme, et le bien qu'on me dit de lui, quoiqu'on ne me celât point l'état de ses affaires, me détermina sans peine à l'épouser peu de temps après.

Don Manuel de Xerica, c'est ainsi que mon époux s'appelait, me mena d'abord à son château qui avait un air antique dont il était fort vain. Il prétendait qu'un de ses ancêtres l'avait autrefois fait bâtir, et il concluait de là qu'il n'y avait point de maison plus ancienne en Espagne que celle de Xerica. Mais un si beau titre de noblesse allait être détruit par le temps; le château, étayé en plusieurs endroits, menaçait ruine : quel bonheur pour don Manuel de m'avoir épousée! Plus de la moitié de mon argent fut employé aux réparations, et le reste servit à nous mettre en état de faire grosse figure dans le pays. Me voilà donc, pour ainsi dire, dans un nouveau monde. Changée en nymphe de château, en dame de paroisse. Quelle métamorphose! J'étais trop bonne actrice pour ne pas bien soutenir la splendeur que mon rang répandait sur moi. Je prenais de grands airs, des airs de théâtre, qui faisaient concevoir dans le village une haute opinion de ma naissance. Qu'on se serait égayé à mes dépens, si l'on eût été au fait sur mon compte! La noblesse des environs m'aurait donné mille brocards, et les paysans auraient bien rabattu des respects qu'ils me rendaient.

Il y avait près de six années que je vivais fort heureuse avec don Manuel, lorsqu'il mourut. Il me laissa des affaires à débrouiller et votre sœur Béatrix qui avait quatre ans passés. Le château, qui était notre unique bien, se trouva par malheur engagé à plusieurs créanciers, dont le principal se nommait Bernard Astuto. Qu'il soutenait bien son nom! Il exerçait à Valence une charge de procureur qu'il remplissait en homme consommé dans la procédure, et qui même avait étudié en droit pour apprendre à mieux faire des injustices. Le terrible créancier! Un château sous la griffe d'un semblable procureur est comme une colombe dans les serres d'un milan. Aussi le seigneur Astuto, dès qu'il sut la mort de mon mari, ne manqua pas de former le siège du château. Il l'aurait indubitablement fait sauter par les mines que la chicane commençait à faire, si mon étoile ne s'en fût mêlée; mais mon bonheur voulut que l'assiégeant devînt mon esclave. Je le charmai dans une entrevue que j'eus avec lui au sujet de ses poursuites. Je n'épargnai rien, je l'avoue, pour lui donner de l'amour, et l'envie de sauver ma terre me fit essayer sur lui tous les airs de visage qui m'avaient tant de fois si bien réussi. Avec tout mon savoir-faire je craignais de rater le procureur. Il était si enfoncé dans son métier, qu'il ne paraissait pas susceptible d'une amoureuse impression. Cependant ce sournois, ce grimaud, ce gratte-papier prenait plus de plaisir que je ne pensais à me regarder : Madame, me dit-il, je ne sais point faire l'amour. Je me suis toujours tellement appliqué à ma profession, que cela m'a fait négliger d'apprendre les us et coutumes de la galanterie. Je n'ignore pourtant pas l'essentiel, et, pour venir au fait, je vous dirai que, si vous voulez m'épouser, nous brûlerons toute la procédure; j'écarterai les créanciers qui se sont joints à moi pour faire vendre votre terre. Vous en aurez le revenu, et votre fille la propriété. L'intérêt de Béatrix et le mien ne me permirent pas de balancer. J'acceptai la proposition. Le procureur tint sa promesse. Il tourna ses armes contre les autres créanciers, et m'assura la possession de mon château. C'était peut-être la première fois de sa vie qu'il eût bien servi la veuve et l'orphelin.

Je devins donc procureuse, sans toutefois cesser d'être dame de paroisse. Mais ce nouveau mariage me perdit dans l'esprit de la noblesse de Valence. Les femmes de qualité me regardèrent comme une personne qui avait dérogé, et ne voulurent plus me voir. Il fallut m'en tenir au commerce des bourgeoises. Ce qui ne laissa pas d'abord de me faire un peu de peine, parce que j'étais accoutumée depuis six ans à ne fréquenter que des dames de distinction : je m'en consolai pourtant bientôt. Je fis connaissance avec une greffière et deux procureuses dont les caractères étaient fort plaisants. Il y avait dans leurs manières un ridicule qui me réjouissait. Ces petites demoiselles se croyaient des femmes hors du commun. Hélas! disais-je quelquefois en moi-même, quand je les voyais s'oublier, voilà le monde! Chacun s'imagine être au-dessus de son voisin. Je pensais qu'il n'y avait que les comédiennes qui se méconnussent. Les bourgeoises, à ce que je vois, ne sont pas plus raisonnables. Je voudrais, pour les punir, qu'on les obligeât à garder dans leurs maisons les portraits de leurs aïeux. Mort de ma vie! elles ne les placeraient pas dans l'endroit le plus éclairé.

Après quatre années de mariage, le seigneur Bernard Astuto tomba malade, et mourut sans enfants. Avec le bien dont il m'avait avantagée en m'épousant, et celui que je possédais déjà, je me vis une riche douairière. Aussi j'en avais la réputation; et sur ce bruit un gentilhomme sicilien, nommé Colifichini, résolut de s'attacher à moi pour me ruiner ou pour m'épouser. Il me laissa la préférence. Il était venu de Palerme pour voir l'Espagne; et, après avoir satisfait sa curiosité, il attendait, disait-il, à Valence l'occasion de repasser en Sicile. Le cavalier n'avait pas vingt-cinq ans. Il était bien fait quoique petit, et sa figure enfin me revenait. Il trouva moyen de me parler en particulier, et, je vous l'avouerai franchement, j'en devins folle dès le premier entretien que j'eus avec lui. De son côté, le petit fripon se montra fort épris de mes charmes. Je crois, Dieu me pardonne, que nous nous serions mariés sur-le-champ, si la mort du procureur encore toute récente m'eût permis de contracter sitôt un nouvel engagement. Mais depuis que je m'étais mise dans le goût des hyménées, je gardais des mesures avec le monde.

Nous convînmes donc de différer notre mariage de quelque temps par bienséance. Cependant Colifichini me rendait des soins, et son amour, loin de se ralentir, semblait devenir plus vif de jour en jour. Le pauvre garçon n'était pas trop bien en argent comptant. Je m'en aperçus et il ne manqua plus d'espèces. Outre que j'avais presque deux fois son âge, je me souvenais d'avoir fait contribuer les hommes dans ma jeunesse, et je regardais ce que je donnais comme une façon de restitution qui acquittait ma conscience. Nous attendîmes, le plus patiemment qu'il nous fut possible, le temps que le respect humain prescrit aux veuves pour se remarier. Lorsqu'il fut arrivé, nous allâmes à l'autel où nous nous liâmes l'un à l'autre par des nœuds éternels. Nous nous retirâmes ensuite dans mon château, où je puis dire que nous y vécûmes pendant deux années moins en époux qu'en tendres amants. Mais, hélas! nous n'étions pas unis tous deux pour être longtemps si heureux : une pleurésie emporta mon cher Colifichini.

J'interrompis en cet endroit ma mère. Eh quoi! madame, lui dis-je, votre troisième époux mourut encore ? Il faut que vous soyez une place bien meurtrière. Que voulez-vous, mon fils ? me répondit-elle. Puis-je prolonger des jours que le Ciel a comptés ? Si j'ai perdu trois maris, je n'y saurais que faire. J'en ai fort regretté deux. Celui que j'ai le moins pleuré, c'est le procureur. Comme je ne l'avais épousé que par intérêt, je me consolai facilement de sa perte. Mais, continua-t-elle, pour revenir à Colifichini, je vous dirai que, quelques mois après sa mort, je voulus aller voir par moi-même auprès de Palerme une maison de campagne qu'il m'avait assignée pour douaire dans notre contrat de mariage. Je m'embarquai avec ma fille pour passer en Sicile, mais nous avons été prises sur la route par les vaisseaux du bacha d'Alger. On nous a conduites dans cette ville. Heureusement pour nous, vous vous êtes trouvé dans la place où l'on voulait nous vendre. Sans cela, nous serions tombées entre les mains de quelque patron barbare qui nous aurait maltraitées, et chez qui peut-être nous aurions été toute notre vie en esclavage, sans que vous eussiez entendu parler de nous.

Tel fut le récit que fit ma mère. Après quoi, messieurs, je lui donnai le plus bel appartement de ma maison, avec la liberté de vivre comme il lui plairait. Ce qui se trouva fort de son goût. Elle avait une habitude d'aimer formée par tant d'actes réitérés, qu'il lui fallait absolument un amant ou un mari. Elle jeta d'abord les yeux sur quelques-uns de mes esclaves; mais Hally Pegelin, renégat grec qui venait quelquefois au logis, attira bientôt toute son attention. Elle conçut pour lui plus d'amour qu'elle n'en avait jamais eu pour Colifichini, et elle était si stylée à plaire aux hommes qu'elle trouva le secret de charmer encore celui-là. Je ne fis pas semblant de m'apercevoir de leur intelligence. Je ne songeais alors qu'à m'en retourner en Espagne. Le bacha m'avait déjà permis d'armer un vaisseau pour aller en course et faire le pirate. Cet armement m'occupait, et huit jours devant qu'il fût achevé, je dis à Lucinde : Madame, nous partirons d'Alger incessamment; nous allons perdre de vue ce séjour que vous détestez.

Ma mère pâlit à ces paroles, et garda un silence glacé. J'en fus étrangement surpris. Que vois-je ? lui dis-je ? d'où vient que vous m'offrez un visage épouvanté ? Il semble que je vous afflige au lieu de vous causer de la joie. Je croyais vous annoncer une nouvelle agréable, en vous apprenant que j'ai tout disposé pour notre départ. Est-ce que vous ne souhaiteriez pas de repasser en Espagne ? Non, mon fils, je ne le souhaite plus, répondit ma mère. J'y ai eu tant de chagrin, que j'y renonce pour jamais. Qu'entends-je ? m'écriai-je avec douleur; ah! dites plutôt que c'est l'amour qui vous en détache. Quel changement, ô Ciel! Quand vous arrivâtes dans cette ville, tout ce qui se présentait à vos regards vous était odieux; mais Hally Pegelin vous a mise dans une autre disposition. Je ne m'en défends pas, repartit Lucinde; j'aime ce renégat, et j'en veux faire mon quatrième époux. Quel projet! interrompis-je avec horreur. Vous épouser un musulman! Vous oubliez que vous êtes chrétienne; ou plutôt vous ne l'avez été jusqu'ici que de nom. Ah! ma mère, que me faites-vous envisager ? Vous avez résolu votre perte. Vous allez faire volontairement ce que je n'ai fait que par nécessité.

Je lui tins bien d'autres discours encore pour la détourner de son dessein, mais je la haranguai fort inutilement. Elle avait pris son parti. Elle ne se contenta pas même de suivre son mauvais penchant et dé me quitter pour aller vivre avec ce renégat, elle voulut emmener avec elle Béatrix. Je m'y opposai. Ah! malheureuse Lucinde, lui dis-je, si rien n'est capable de vous retenir, abandonnez-vous du moins toute seule à la fureur qui vous possède. N'entraînez point une jeune innocente dans le précipice où vous courez vous jeter. Lucinde s'en alla sans répliquer. Je crus qu'un reste de raison l'éclairait et l'empêchait de s'obstiner à demander sa fille. Que je connaissais mal ma mère! Un de mes esclaves me dit deux jours après : Seigneur, prenez garde à vous. Un captif de Pegelin vient de me faire une confidence dont vous ne sauriez trop tôt profiter. Votre mère a changé de religion; et, pour vous punir de lui avoir refusé Béatrix, elle a formé la résolution d'avertir le bacha de votre fuite. Je ne doutai pas un moment que Lucinde ne fût femme à faire ce que mon esclave me disait. J'avais eu le temps d'étudier la dame, et je m'étais aperçu qu'à force de jouer des rôles sanguinaires dans les tragédies, elle s'était familiarisée avec le crime. Elle m'aurait fort bien fait brûler tout vif; et je ne crois pas qu'elle eût été plus sensible à ma mort qu'à la catastrophe d'une pièce de théâtre.

Je ne voulus donc pas négliger l'avis que me donnait mon esclave. Je pressai mon embarquement. Je pris des Turcs selon la coutume des corsaires d'Alger qui vont en course; mais je n'en pris seulement que ce qu'il m'en fallait pour ne me pas rendre suspect, et je sortis du port le plus tôt qu'il me fut possible, avec tous mes esclaves et ma sœur Béatrix. Vous jugez bien que je n'oubliai pas d'emporter en même temps ce que j'avais d'argent et de pierreries. Ce qui pouvait monter à la valeur de six mille ducats. Lorsque nous fûmes en pleine mer, nous commençâmes par nous assurer des Turcs. Nous les enchaînâmes facilement, parce que mes esclaves étaient en plus grand nombre. Nous eûmes un vent si favorable, que nous gagnâmes en peu de temps les côtes d'Italie. Nous arrivâmes le plus heureusement du monde au port de Livourne, où je crois que toute la ville accourut pour nous voir débarquer. Le père de mon esclave Azarini se trouva par hasard ou par curiosité parmi les spectateurs. Il considérait attentivement tous mes captifs à mesure qu'ils mettaient pied à terre; mais, quoiqu'il cherchât en eux les traits de son fils, il ne s'attendait pas à le revoir. Que de transports, que d'embrassements suivirent leur reconnaissance, quand ils vinrent tous deux à se reconnaître!

Sitôt qu'Azarini eut appris à son père qui j'étais et ce qui m'amenait à Livourne, le vieillard m'obligea de même que Béatrix à prendre un logement chez lui. Je passerai sous silence le détail de mille choses qu'il me fallut faire pour rentrer dans le sein de l'Eglise; je dirai seulement que j'abjurai le mahométisme de meilleure foi que je ne l'avais embrassé. Après m'être entièrement purgé de ma gale d'Alger, je vendis mon vaisseau, et donnai la liberté à tous mes esclaves. Pour les Turcs on les retint dans les prisons de Livourne pour les échanger contre des chrétiens. Je reçus de l'un et de l'autre Azarini toutes sortes de bons traitements; le fils épousa même ma sœur Béatrix, qui n'était pas, à la vérité, un mauvais parti pour lui, puisqu'elle était fille d'un gentilhomme et qu'elle avait le château de Xerica que ma mère avait pris soin de donner à bail à un riche laboureur de Paterna, lorsqu'elle voulut passer en Sicile.

De Livourne, après y avoir demeuré quelque temps, je partis pour Florence, que j'avais envie de voir. Je n'y allai pas sans lettres de recommandation. Azarini le père avait des amis à la cour du grand-duc, et il me recommandait à eux comme un gentilhomme espagnol qui était son allié. J'ajoutai le *don* à mon nom; imitant en cela bien des Espagnols roturiers qui prennent sans façon ce titre d'honneur hors de leur pays. Je me faisais donc effrontément appeler don Raphaël, et, comme j'avais apporté d'Alger de quoi soutenir dignement ma noblesse, je parus à la Cour avec éclat. Les cavaliers à qui le vieil Azarini avait écrit en ma faveur y publièrent que j'étais une personne de qualité; si bien que leur témoignage et les airs que je me donnais me firent passer sans peine pour un homme d'importance. Je me faufilai bientôt avec les principaux seigneurs, qui me présentèrent au grand-duc. J'eus le bonheur de lui plaire. Je m'attachai à faire ma cour à ce prince et à l'étudier. J'écoutai attentivement ce que les plus vieux courtisans lui disaient, et par leurs discours je démêlai ses inclinations. Je remarquai entre autres choses qu'il aimait les plaisanteries, les bons contes et les bons mots. Je me réglai là-dessus. J'écrivais tous les matins sur mes tablettes les histoires que je voulais lui conter dans la journée. J'en savais une grande quantité; j'en avais, pour ainsi dire, un sac tout plein. J'eus beau toutefois les ménager, mon sac se vida peu à peu, de sorte que j'aurais été obligé de me répéter ou de faire voir que j'étais au bout de mes apophtegmes, si mon génie fertile en fictions ne m'en eût pas abondamment fourni; mais je composai des contes galants et comiques qui divertirent fort le grand-duc, et, ce qui arrive souvent aux beaux esprits de profession, je mettais le matin sur mon agenda de bons mots que je donnais l'après-dînée pour des impromptus.

Je m'érigeai même en poète et je consacrai ma muse aux louanges du prince. Je demeure d'accord de bonne foi que mes vers n'étaient pas bons. Aussi ne furent-ils pas critiqués; mais quand ils auraient été meilleurs, je doute qu'ils eussent été mieux reçus du grand-duc. Il en paraissait très content. La matière peut-être l'empêchait de les trouver mauvais. Quoi qu'il en soit, ce prince prit insensiblement tant de goût pour moi, que cela donna de l'ombrage aux courtisans. Ils voulurent découvrir qui j'étais. Ils n'y réussirent point. Ils apprirent seulement que j'avais été renégat. Ils ne manquèrent pas de le dire au prince dans l'espérance de me nuire. Ils n'en vinrent pourtant pas à bout. Au contraire le grand-duc un jour m'obligea de lui faire une relation fidèle de mon voyage d'Alger. Je lui obéis, et mes aventures, que je ne lui déguisai point, le réjouirent infiniment.

Don Raphaël, me dit-il après que j'en eus achevé le récit, j'ai de l'amitié pour vous, et je veux vous en donner une marque qui ne vous permettra pas d'en douter. Je vous fais dépositaire de mes secrets, et, pour commencer à vous mettre dans ma confidence, je vous dirai que j'aime la femme d'un de mes ministres. C'est la dame de ma cour la plus aimable, mais en même temps la plus vertueuse. Renfermée dans son domestique, uniquement attachée à un époux qui l'idolâtre, elle semble ignorer le bruit que ses charmes font dans Florence. Jugez si cette conquête est difficile! Cependant cette beauté, tout inaccessible qu'elle est aux amants, a quelquefois entendu mes soupirs. J'ai trouvé moyen de lui parler sans témoins. Elle connaît mes sentiments. Je ne me flatte point de lui avoir inspiré de l'amour. Elle ne m'a point donné sujet de former une si agréable pensée. Je ne désespère pas toutefois de lui plaire par ma constance et par la conduite mystérieuse que je prends soin de tenir.

La passion que j'ai pour cette dame, continua-t-il, n'est connue que d'elle seule. Au lieu de suivre mon penchant sans contrainte, et d'agir en souverain, je dérobe à tout le monde la connaissance de mon amour. Je crois devoir ce ménagement à Mascarini, c'est l'époux de la personne que j'aime. Le zèle et l'attachement qu'il a pour moi, ses services et sa probité m'obligent à me conduire avec beaucoup de secret et de circonspection. Je ne veux pas enfoncer un poignard dans le sein de ce mari malheureux en me déclarant amant de sa femme. Je voudrais qu'il ignorât toujours, s'il est possible, l'ardeur dont je me sens brûler : car je suis persuadé qu'il mourrait de douleur, s'il savait la confidence que je vous fais en ce moment. Je cache donc mes démarches, et j'ai résolu de me servir de vous pour exprimer à Lucrèce tous les maux que me fait souffrir la contrainte que je m'impose. Vous serez l'interprète de mes sentiments. Je ne doute point que vous ne vous acquittiez à merveille de cette commission. Liez commerce avec Mascarini. Attachez-vous à gagner son amitié. Introduisez-vous chez lui, et vous ménagez la liberté de parler à sa femme. Voilà ce que j'attends de vous, et ce que je suis assuré que vous ferez avec toute l'adresse et la discrétion que demande un emploi si délicat.

Je promis au grand-duc de faire tout mon possible pour répondre à sa confiance et contribuer au bonheur de ses feux. Je lui tins bientôt parole. Je n'épargnai rien pour plaire à Mascarini, et j'en vins à bout sans peine. Charmé de voir son amitié recherchée par un homme aimé du prince, il fit la moitié du chemin. Sa maison me fut ouverte. J'eus un libre accès auprès de son épouse; et j'ose dire que je me composai si bien, qu'il n'eut pas le moindre soupçon de la négociation dont j'étais chargé. Il est vrai qu'il était peu jaloux pour un Italien; il se reposait sur la vertu de sa Lucrèce, et, s'enfermant dans son cabinet, il me laissait souvent seul avec elle. Je fis d'abord les choses rondement. J'entretins la dame de l'amour du grand-duc, et lui dis que je ne venais chez elle que pour lui parler de ce prince. Elle ne me parut pas éprise de lui, et je m'aperçus néanmoins que la vanité l'empêchait de rejeter ses soupirs. Elle prenait plaisir à les entendre sans vouloir y répondre. Elle avait de la sagesse, mais elle était femme, et je remarquais que sa vertu cédait insensiblement à l'image superbe de voir un souverain dans ses fers. Enfin, le prince pouvait justement se flatter que, sans employer la violence de Tarquin, il verrait Lucrèce rendue à son amour. Un incident toutefois, auquel il se serait le moins attendu, détruisit ses espérances, comme vous l'allez apprendre.

Je suis naturellement hardi avec les femmes. J'ai contracté cette habitude bonne ou mauvaise chez les Turcs. Lucrèce était belle. J'oubliai que je ne devais faire que le personnage d'ambassadeur. Je parlai pour mon compte. J'offris mes services à la dame le plus galamment qu'il me fut possible. Au lieu de paraître choquée de mon audace et de me répondre avec colère, elle me dit en souriant : Avouez, don Raphaël, que le grand-duc a fait choix d'un agent fort fidèle et fort zélé ! Vous le servez avec une intégrité qu'on ne peut assez louer. Madame, dis-je sur le même ton, n'examinons point les choses scrupuleusement. Laissons, je vous prie, les réflexions ; je sais bien qu'elles ne me sont pas favorables ; mais je m'abandonne au sentiment. Je ne crois pas, après tout, être le premier confident de prince qui ait trahi son maître en matière de galanterie. Les grands seigneurs ont souvent dans leurs Mercures des rivaux dangereux. Cela se peut, reprit Lucrèce ; pour moi je suis fière, et tout autre qu'un prince ne saurait me toucher. Réglez-vous là-dessus, poursuivit-elle en prenant son sérieux, et changeons d'entretien. Je veux bien oublier ce que vous venez de me dire, à condition qu'il ne vous arrivera plus de me tenir de pareils propos : autrement, vous pourrez vous en repentir.

Quoique cela fût un avis au lecteur, et que je dusse en profiter, je ne cessai point d'entretenir de ma passion la femme de Mascarini. Je la pressai même avec plus d'ardeur qu'auparavant de répondre à ma tendresse, et je fus assez téméraire pour vouloir prendre des libertés. La dame alors, s'offensant de mes discours et de mes manières musulmanes, me rompit en visière. Elle me menaça de faire savoir au grand-duc mon insolence, en m'assurant qu'elle le prierait de me punir comme je le méritais. Je fus piqué de ces menaces à mon tour. Mon amour se changea en haine. Je résolus de me venger du mépris que Lucrèce m'avait témoigné. J'allai trouver son mari, et, après l'avoir obligé de jurer qu'il ne me commettrait point, je l'informai de l'intelligence que sa femme avait avec le prince, dont je ne manquai pas de la peindre fort amoureuse pour rendre la scène plus intéressante. Le ministre, pour prévenir tout accident, renferma, sans autre forme de procès, son épouse dans un appartement secret, où il la fit étroitement garder par des personnes affidées. Tandis qu'elle était environnée d'Argus qui l'observaient et l'empêchaient de donner de ses nouvelles au grand-duc, j'annonçai d'un air triste à ce prince qu'il ne devait plus penser à Lucrèce : je lui dis que Mascarini avait sans doute découvert tout, puisqu'il s'avisait de veiller sur sa femme : que je ne savais pas ce qui pouvait lui avoir donné lieu de me soupçonner, attendu que je croyais m'être toujours conduit avec beaucoup d'adresse : que la dame peut-être avait elle-même avoué tout à son époux, et que, de concert avec lui, elle s'était laissé renfermer pour se dérober à des poursuites qui alarmaient sa vertu. Le prince parut fort affligé de mon rapport. Je fus touché de sa douleur, et je me repentis plus d'une fois de ce que j'avais fait; mais il n'était plus temps. D'ailleurs, je le confesse, je sentais une maligne joie, quand je me représentais la situation où j'avais réduit l'orgueilleuse qui avait dédaigné mes vœux.

Je goûtais impunément le plaisir de la vengeance qui est si doux à tout le monde et principalement aux Espagnols, lorsqu'un jour le grand-duc, étant avec cinq ou six seigneurs de sa cour et moi, nous dit : De quelle manière jugeriez-vous à propos qu'on punît un homme qui aurait abusé de la confidence de son prince et voulu lui ravir sa maîtresse ? Il faudrait, dit un de ses courtisans, le faire tirer à quatre chevaux. Un autre fut d'avis qu'on l'assommât et le fît mourir sous le bâton. Le moins cruel de ces Italiens et celui qui opina le plus favorablement pour le coupable, dit qu'il se contenterait de le faire précipiter du haut d'une tour en bas. Et don Raphaël, reprit alors le grand-duc, de quelle opinion est-il ? Je suis persuadé que les Espagnols ne sont pas moins sévères que les Italiens dans de semblables conjonctures.

Je compris bien, comme vous pouvez penser, que Mascarini n'avait pas gardé son serment, ou que sa femme avait trouvé moyen d'instruire le prince de ce qui s'était passé entre elle et moi. On remarquait sur mon visage le trouble qui m'agitait. Cependant tout troublé que j'étais, je répondis d'un ton ferme au grand-duc : Seigneur, les Espagnols sont plus généreux. Ils pardonneraient en cette occasion au confident, et feraient naître, par cette bonté dans son âme un regret éternel de les avoir trahis. Eh bien! me dit le prince, je me sens capable de cette générosité. Je pardonne au traître. Aussi bien, je ne dois m'en prendre qu'à moi-même d'avoir donné ma confiance à un homme que je ne connaissais point, et dont j'avais sujet de me défier, après tout ce qu'on m'en avait dit. Don Raphaël, ajouta-t-il, voici de quelle manière je veux me venger de vous. Sortez incessamment de mes États, et ne paraissez plus devant moi. Je me retirai sur-le-champ, moins affligé de ma disgrâce que ravi d'en être quitte à si bon marché. Je m'embarquai dès le lendemain dans un vaisseau de Barcelone qui sortit du port de Livourne pour s'en retourner.

J'interrompis don Raphaël dans cet endroit de son histoire. Pour un homme d'esprit, lui dis-je, vous fîtes, ce me semble, une grande faute de ne pas quitter Florence immédiatement après avoir découvert à Mascarini l'amour du prince pour Lucrèce. Vous deviez bien vous imaginer que le grand-duc ne tarderait pas à savoir votre trahison. J'en demeure d'accord, répondit le fils de Lucinde. Aussi, malgré l'assurance que le ministre me donna de ne me point exposer au ressentiment du prince, je me proposais de disparaître au plus tôt.

J'arrivai à Barcelone, continua-t-il, avec le reste des richesses que j'avais apportées d'Alger, et dont j'avais dissipé la meilleure partie à Florence en faisant le gentilhomme espagnol. Je ne demeurai pas longtemps en Catalogne. Je mourais d'envie de revoir Madrid, le lieu charmant de ma naissance, et je satisfis le plus tôt qu'il me fut possible le désir qui me pressait. En arrivant dans cette ville, j'allai loger par hasard dans un hôtel garni où demeurait une dame qu'on appelait Camille. Quoiqu'elle fût hors de minorité, c'était une créature fort piquante. J'en atteste le seigneur Gil Blas qui l'a vue à Valladolid presque dans le même temps. Elle avait encore plus d'esprit que de beauté, et jamais aventurière n'a eu plus de talent pour amorcer les dupes. Mais elle ne ressemblait point à ces coquettes qui mettent à profit la reconnaissance de leurs amants; venait-elle de dépouiller un homme d'affaires ? elle en partageait les dépouilles avec le premier chevalier de tripot qu'elle trouvait à son gré.

Nous nous aimâmes l'un l'autre dès que nous nous vîmes, et la conformité de nos inclinations nous lia si étroitement, que nous fûmes bientôt en communauté de biens. Nous n'en avions pas, à la vérité, de considérables et nous les mangeâmes en peu de temps. Nous ne songions par malheur tous deux qu'à nous plaire, sans faire le moindre usage des dispositions que nous avions à vivre aux dépens d'autrui. La misère enfin réveilla nos génies, que le plaisir avait engourdis : Mon cher Raphaël, me dit Camille, faisons diversion, mon ami. Cessons de garder une fidélité qui nous ruine. Vous pouvez entêter une riche veuve; je puis charmer quelque vieux seigneur; si nous continuons à nous être fidèles, voilà deux fortunes manquées! Belle Camille, lui répondis-je, vous me prévenez. J'allais vous faire la même proposition. J'y consens, ma reine. Oui, pour mieux entretenir notre mutuelle ardeur, tentons d'utiles conquêtes. Les infidélités que nous nous ferons deviendront des triomphes pour nous.

Cette convention faite, nous nous mîmes en campagne. Nous nous donnâmes d'abord de grands mouvements, sans pouvoir rencontrer ce que nous cherchions. Camille ne trouvait que des petits-maîtres, ce qui suppose des amants qui n'avaient pas le sol, et moi que des femmes qui aimaient mieux lever des contributions que d'en payer. Comme l'amour se refusait à nos besoins, nous eûmes recours aux fourberies. Nous en fîmes tant et tant que le corrégidor en entendit parler, et ce juge, sévère en diable, chargea un de ses alguazils de nous arrêter; mais l'alguazil, aussi bon que le corrégidor était mauvais, nous laissa le loisir de sortir de Madrid pour une petite somme que nous lui donnâmes. Nous prîmes la route de Valladolid, et nous allâmes nous établir dans cette ville. J'y louai une maison où je logeai avec Camille, que je fis passer pour ma sœur de peur de scandale. Nous tînmes d'abord notre industrie en bride et nous commençâmes d'étudier le terrain avant que de former aucune entreprise.

Un jour un homme m'aborda dans la rue, me salua très civilement, et me dit : Seigneur don Raphaël, me reconnaissez-vous ? Je lui répondis que non. Et moi, reprit-il, je vous remets parfaitement. Je vous ai vu à la cour de Toscane, et j'étais alors garde du grand-duc. Il y a quelques mois, ajouta-t-il, que j'ai quitté le service de ce prince. Je suis venu en Espagne avec un Italien des plus subtils. Nous sommes à Valladolid depuis trois semaines. Nous demeurons avec un Castillan et un Galicien qui sont sans contredit deux honnêtes garçons. Nous vivons ensemble du travail de nos mains. Nous faisons bonne chère et nous nous divertissons comme des princes. Si vous voulez vous joindre à nous, vous serez agréablement reçu de mes confrères, car vous m'avez toujours paru un galant homme, peu scrupuleux de votre naturel et profès dans notre ordre.

La franchise de ce fripon excita la mienne. Puisque vous me parlez à cœur ouvert, lui dis-je, vous méritez que je m'explique de même avec vous. Véritablement je ne suis pas novice dans votre profession, et si ma modestie me permettait de conter mes exploits, vous verriez que vous n'avez pas jugé trop avantageusement de moi; mais je laisse là les louanges, et je me contenterai de vous dire, en acceptant la place que vous m'offrez dans votre compagnie, que je ne négligerai rien pour vous prouver que je n'en suis pas indigne. Je n'eus pas sitôt dit à cet ambidextre que je consentais d'augmenter le nombre de ses camarades, qu'il me conduisit où ils étaient, et là je fis connaissance avec eux. C'est dans cet endroit que je vis pour la première fois l'illustre Ambroise de Lamela. Ces messieurs m'interrogèrent sur l'art de s'approprier finement le bien du prochain. Ils voulurent savoir si j'avais des principes; mais je leur montrai bien des tours qu'ils ignoraient et qu'ils admirèrent. Ils furent encore plus étonnés, lorsque, méprisant la subtilité de ma main, comme une chose trop ordinaire, je leur dis que j'excellais dans les fourberies qui demandent de l'esprit. Pour le leur persuader, je leur racontai l'aventure de Jérôme de Moyadas, et, sur le simple récit que j'en fis, ils me trouvèrent un génie si supérieur, qu'ils me choisirent d'une commune voix pour leur chef. Je justifiai bien leur choix par une infinité de friponneries que nous fîmes, et dont je fus, pour ainsi parler, la cheville ouvrière. Quand nous avions besoin d'une actrice pour nous seconder, nous nous servions de Camille qui jouait à ravir tous les rôles qu'on lui donnait.

Dans ce temps-là, notre confrère Ambroise fut tenté de revoir sa patrie. Il partit pour la Galice, en nous assurant que nous pouvions compter sur son retour. Il contenta son envie, et comme il s'en revenait, étant allé à Burgos pour y faire quelque coup, un hôtelier de sa connaissance le mit au service du seigneur Gil Blas de Santillane, dont il n'oublia pas de lui apprendre les affaires. Seigneur Gil Blas, poursuivit don Raphaël en m'adressant la parole, vous savez de quelle manière nous vous dévalisâmes dans un hôtel garni de Valladolid; je ne doute pas que vous n'ayez soupçonné Ambroise d'avoir été le principal instrument de ce vol, et vous avez eu raison. Il vint nous trouver en arrivant; il nous exposa l'état où vous étiez, et messieurs les entrepreneurs se réglèrent là-dessus. Mais vous ignorez les suites de cette aventure. Je vais vous en instruire. Nous enlevâmes, Ambroise et moi, votre valise, et, tous deux montés sur vos mules, nous prîmes le chemin de Madrid, sans nous embarrasser de Camille ni de nos camarades, qui furent sans doute aussi surpris que vous de ne nous pas revoir le lendemain.

Nous changeâmes de dessein la seconde journée. Au lieu d'aller à Madrid, d'où je n'étais pas sorti sans raison, nous passâmes par Zebreros et continuâmes notre route jusqu'à Tolède. Notre premier soin dans cette ville fut de nous habiller fort proprement. Puis nous donnant pour deux frères galiciens qui voyageaient par curiosité, nous connûmes bientôt de fort honnêtes gens. J'étais si accoutumé à faire l'homme de qualité, qu'on s'y méprit aisément; et, comme on éblouit d'ordinaire par la dépense, nous jetâmes de la poudre aux yeux de tout le monde par les fêtes galantes que nous commençâmes à donner aux dames. Parmi les femmes que je voyais il y en eut une qui me toucha. Je la trouvai plus belle que Camille et beaucoup plus jeune. Je voulus savoir qui elle était; j'appris qu'elle se nommait Violante [71] et qu'elle avait épousé un cavalier qui, déjà las de ses caresses, courait après celles d'une courtisane qu'il aimait. Je n'eus pas besoin qu'on m'en dît davantage pour me déterminer à établir Violante dame souveraine de mes pensées.

Elle ne tarda guère à s'apercevoir de sa conquête. Je commençai à suivre partout ses pas, et à faire cent folies pour lui persuader que je ne demandais pas mieux que de la consoler des infidélités de son époux. La belle fit là-dessus ses réflexions, qui furent telles que j'eus enfin le plaisir de connaître que mes intentions étaient approuvées. Je reçus d'elle un billet en réponse de plusieurs que je lui avais fait tenir par une de ces vieilles qui sont d'une si grande commodité en Espagne et en Italie. La dame me mandait que son mari soupait tous les soirs chez sa maîtresse, et ne revenait au logis que fort tard. Je compris bien ce que cela signifiait. Dès la même nuit j'allai sous les fenêtres de Violante et je liai avec elle une conversation des plus tendres. Avant que de nous séparer, nous convînmes que toutes les nuits, à pareille heure, nous pourrions nous entretenir de la même manière, sans préjudice de tous les autres actes de galanterie qu'il nous serait permis d'exercer le jour.

Jusque-là don Baltazar, ainsi se nommait l'époux de Violante, en avait été quitte à bon marché; mais je voulais aimer physiquement, et je me rendis un soir sous les fenêtres de la dame dans le dessein de lui dire que je ne pouvais plus vivre, si je n'avais un tête-à-tête avec elle dans un lieu plus convenable à l'excès de mon amour. Ce que je n'avais pu encore obtenir d'elle. Mais comme j'arrivais, je vis venir dans la rue un homme qui semblait m'observer. En effet, c'était le mari qui revenait de chez sa courtisane de meilleure heure qu'à l'ordinaire, et qui, remarquant un cavalier près de sa maison, au lieu d'y entrer, se promenait dans la rue. Je demeurai quelque temps incertain de ce que je devais faire. Enfin, je pris le parti d'aborder don Baltazar, que je ne connaissais point et dont je n'étais pas connu. Seigneur cavalier, lui dis-je, laissez-moi, je vous prie, la rue libre pour cette nuit. J'aurai une autre fois la même complaisance pour vous. Seigneur, me répondit-il, j'allais vous faire la même prière. Je suis amoureux d'une fille que son frère fait soigneusement garder, et qui demeure à vingt pas d'ici. Je souhaiterais qu'il n'y eût personne dans la rue. Il y a, repris-je, moyen de nous satisfaire tous deux sans nous incommoder. Car, ajoutai-je en lui montrant sa propre maison, la dame que je sers loge là. Il faut même que nous nous secourions, si l'un ou l'autre vient à être attaqué. J'y consens, repartit-il; je vais à mon rendez-vous, et nous nous épaulerons s'il en est besoin. A ces mots, il me quitta, mais c'était pour mieux m'observer; ce que l'obscurité de la nuit lui permettait de faire impunément.

Pour moi, je m'approchai de bonne foi du balcon de Violante. Elle parut bientôt, et nous commençâmes à nous entretenir. Je ne manquai pas de presser ma reine de m'accorder un entretien secret dans quelque endroit particulier. Elle résista un peu à mes instances, pour augmenter le prix de la grâce que je demandais; puis, me jetant un billet qu'elle tira de sa poche : Tenez, me dit-elle, vous trouverez dans cette lettre la promesse d'une chose dont vous m'importunez tant. Ensuite elle se retira, parce que l'heure à laquelle son mari revenait ordinairement approchait. Je serrai le billet et je m'avançai vers le lieu où don Baltazar m'avait dit qu'il avait affaire. Mais cet époux, qui s'était fort bien aperçu que j'en voulais à sa femme, vint au-devant de moi, et me dit : Eh bien!

seigneur cavalier, êtes-vous content de votre bonne fortune ? J'ai sujet de l'être, lui répondis-je. Et vous, qu'avez-vous fait ? L'amour vous a-t-il favorisé ? Hélas ! non, repartit-il : le maudit frère de la beauté que j'aime est de retour d'une maison de campagne d'où nous avions cru qu'il ne reviendrait que demain. Ce contretemps m'a sevré du plaisir dont je m'étais flatté.

Nous nous fîmes don Baltazar et moi des protestations d'amitié, et, pour en serrer les nœuds, nous nous donnâmes rendez-vous le lendemain matin dans la grande place. Ce cavalier, après que nous nous fûmes séparés, entra chez lui, et ne fit nullement connaître à Violante qu'il sût de ses nouvelles. Il se trouva le jour suivant dans la grande place. J'y arrivai un moment après lui. Nous nous saluâmes avec des démonstrations d'amitié aussi perfides d'un côté que sincères de l'autre. Ensuite, l'artificieux don Baltazar me fit une fausse confidence de son intrigue avec la dame dont il m'avait parlé la nuit précédente. Il me raconta là-dessus une longue fable qu'il avait composée, et tout cela pour m'engager à lui dire à mon tour de quelle façon j'avais fait connaissance avec Violante. Je ne manquai pas de donner dans le piège ; j'avouai tout avec la plus grande franchise du monde. Je montrai même le billet que j'avais reçu d'elle, et je lus ces paroles qu'il contenait : *J'irai demain dîner chez doña Inès. Vous savez où elle demeure. C'est dans la maison de cette fidèle amie que je prétends avoir un tête-à-tête avec vous. Je ne puis vous refuser plus longtemps cette faveur que vous me paraissez mériter.*

Voilà, dit don Baltazar, un billet qui vous promet le prix de vos feux. Je vous félicite par avance du bonheur qui vous attend. Il ne laissait pas en parlant de la sorte d'être un peu déconcerté ; mais il déroba facilement à mes yeux son trouble et son embarras. J'étais si plein de mes espérances, que je ne me mettais guère en peine d'observer mon confident, qui fut obligé toutefois de me quitter, de peur que je ne m'aperçusse enfin de son agitation. Il courut avertir son beau-frère de cette aventure. J'ignore ce qui se passa entre eux ; je sais seulement que don Baltazar vint frapper à la porte de doña Inès dans le temps que j'étais chez cette dame avec Violante. Nous sûmes que c'était lui, et je me sauvai par une porte de derrière avant qu'il fût entré. D'abord que j'eus disparu, les femmes, que l'arrivée imprévue de ce mari avait troublées, se rassurèrent, et le reçurent avec tant d'effronterie, qu'il se douta bien qu'on m'avait caché ou fait évader. Je ne vous dirai point ce qu'il dit à doña Inès et à sa femme. C'est une chose qui n'est pas venue à ma connaissance.

Cependant sans soupçonner encore que je fusse la dupe de don Baltazar, je sortis en le maudissant, et je retournai à la grande place où j'avais donné rendez-vous à Lamela.

Je ne l'y trouvai point. Il avait aussi ses petites affaires, et le fripon était plus heureux que moi. Comme je l'attendais, je vis arriver mon perfide confident, qui avait un air gai. Il me joignit et me demanda en riant des nouvelles de mon tête-à-tête avec ma nymphe chez doña Inès. Je ne sais, lui dis-je, quel démon jaloux de mes plaisirs se plaît à les traverser. Mais tandis que, seul avec ma dame, je la pressais de faire mon bonheur, son mari, que le Ciel confonde, est venu frapper à la porte de la maison. Il a fallu promptement songer à me retirer. Je suis sorti par une porte de derrière en donnant à tous les diables le fâcheux qui rompait toutes mes mesures. J'en ai un véritable chagrin, s'écria don Baltazar, qui sentait une secrète joie de voir ma peine. Voilà un impertinent mari. Je vous conseille de ne lui point faire de quartier. Oh! je suivrai vos conseils, lui répliquai-je, et je puis vous assurer que son honneur passera le pas cette nuit. Sa femme, quand je l'ai quittée, m'a dit de ne me pas rebuter pour si peu de chose. Que je ne manque pas de me rendre sous ses fenêtres de meilleure heure qu'à l'ordinaire; qu'elle est résolue à me faire entrer chez elle; mais qu'à tout hasard j'aie la précaution de me faire escorter par deux ou trois amis, de crainte de surprise. Que cette dame est prudente! dit-il. Je m'offre à vous accompagner. Ah! mon cher ami, m'écriai-je tout transporté de joie, et jetant mes bras au cou de don Baltazar, que je vous ai d'obligation! Je ferai plus, reprit-il; je connais un jeune homme qui est un César. Il sera de la partie, et vous pourrez alors vous reposer hardiment sur une pareille escorte.

Je ne savais que dire à ce nouvel ami pour le remercier, tant j'étais charmé de son zèle. Enfin j'acceptai les secours qu'il m'offrait, et, nous donnant rendez-vous sous le balcon de Violante à l'entrée de la nuit, nous nous séparâmes. Il alla trouver son beau-frère qui était le César en question, et moi, je me promenai jusqu'au soir avec Lamela, qui, bien qu'étonné de l'ardeur avec laquelle don Baltazar entrait dans mes intérêts, ne s'en défia pas plus que moi. Nous donnions tête baissée dans le panneau. Je conviens que cela n'était guère pardonnable à des gens comme nous. Quand je jugeai qu'il était temps de me présenter devant les fenêtres de Violante, Ambroise et moi nous y parûmes armés de bonnes rapières. Nous y trouvâmes le mari de ma dame avec un autre homme. Ils nous attendaient de pied ferme. Don Baltazar m'aborda, et, me montrant son beau-frère, il me dit : Seigneur, voici le cavalier dont je vous ai tantôt vanté la bravoure. Introduisez-vous chez votre maîtresse, et qu'aucune inquiétude ne vous empêche de jouir d'une parfaite félicité!

Après quelques compliments de part et d'autre, je frappai à la porte de Violante. Une espèce de duègne vint ouvrir. J'entrai, et, sans prendre garde à ce qui se passait derrière moi, je m'avançai dans une salle où était cette dame. Pendant que je la saluais, les deux traîtres qui m'avaient suivi dans la maison, et qui en avaient fermé la porte si brusquement après eux, qu'Ambroise était resté dans la rue, se découvrirent. Vous vous imaginez bien qu'il en fallut alors découdre. Ils me chargèrent tous deux en même temps; mais je leur fis voir du pays. Je les occupai l'un et l'autre de manière qu'ils se repentirent peut-être de n'avoir pas pris une voie plus sûre pour se venger. Je perçai l'époux. Son beau-frère, le voyant hors de combat, gagna la porte que la duègne et Violante avaient ouverte pour se sauver, tandis que nous nous battions. Je le poursuivis jusque dans la rue, où je rejoignis Lamela, qui, n'ayant pu tirer un seul mot des femmes qu'il avait vu fuir, ne savait précisément ce qu'il devait juger du bruit qu'il venait d'entendre. Nous retournâmes à notre auberge. Nous prîmes ce que nous y avions de meilleur, et, montant sur nos mules, nous sortîmes de la ville sans attendre le jour.

Nous comprîmes bien que cette affaire pourrait avoir des suites, et qu'on ferait dans Tolède des perquisitions que nous n'avions pas tort de prévenir. Nous allâmes coucher à Villarubia. Nous logeâmes dans une hôtellerie, où quelque temps après nous il arriva un marchand de Tolède qui allait à Ségorbe. Nous soupâmes avec lui. Il nous conta l'aventure tragique du mari de Violante, et il était si éloigné de nous soupçonner d'y avoir part, que nous lui fîmes hardiment toutes sortes de questions. Messieurs, nous dit-il, comme je partais ce matin, j'ai appris ce triste événement. On cherchait partout Violante et l'on m'a dit que le corrégidor, qui est parent de don Baltazar, a résolu de ne rien épargner pour découvrir les auteurs de ce meurtre. Voilà tout ce que je sais.

Je ne fus guère alarmé des recherches du corrégidor de Tolède. Cependant je formai la résolution de sortir promptement de la Castille Nouvelle. Je fis réflexion que Violante retrouvée avouerait tout, et que, sur le portrait qu'elle ferait de ma personne à la justice, on mettrait des gens à mes trousses. Cela fut cause que dès le jour suivant nous évitâmes le grand chemin par précaution. Heureusement Lamela connaissait les trois quarts de l'Espagne, et savait par quels détours nous pouvions sûrement nous rendre en Aragon. Au lieu d'aller tout droit à Cuença, nous nous engageâmes dans les montagnes qui sont devant cette ville, et, par des sentiers qui n'étaient pas inconnus à mon guide, nous arrivâmes devant une grotte qui me parut avoir tout l'air d'un ermitage. Effectivement c'était celui où vous êtes venus hier au soir me demander un asile.

Pendant que j'en considérais les environs, qui offraient à ma vue un paysage des plus charmants, mon compagnon me dit : Il y a six ans que je passai par ici. Dans ce temps-là cette grotte servait de retraite à un vieil ermite qui me reçut charitablement. Il me fit part de ses provisions. Je me souviens que c'était un saint homme, et qu'il me tint des discours qui pensèrent me détacher du monde. Il vit peut-être encore. Je vais m'en éclaircir. En achevant ces mots, le curieux Ambroise descendit de dessus sa mule et entra dans l'ermitage. Il y demeura quelques moments. Puis il revint, et, m'appelant : Venez, me dit-il, don Raphaël, venez voir une chose très touchante. Je mis aussitôt pied à terre. Nous attachâmes nos mules à des arbres, et je suivis Lamela dans la grotte, où j'aperçus sur un grabat un vieil anachorète tout étendu, pâle et mourant. Une barbe blanche et fort épaisse lui couvrait l'estomac, et l'on voyait dans ses mains jointes un grand rosaire entrelacé. Au bruit que nous fîmes en nous approchant de lui, il ouvrit des yeux que la mort déjà commençait à fermer, et, après nous avoir envisagés un instant : *Qui que vous soyez, nous dit-il, mes frères, profitez du spectacle qui se présente à vos regards. J'ai passé quarante années dans le monde et soixante dans cette solitude. Ah! qu'en ce moment le temps que j'ai donné à mes plaisirs me paraît long, et qu'au contraire celui que j'ai consacré à la pénitence me semble court! Hélas! je crains que les austérités de frère Juan n'aient pas assez expié les péchés du licencié don Juan de Solis.*

Il n'eut pas achevé ces mots, qu'il expira. Nous fûmes frappés de cette mort. Ces sortes d'objets font toujours quelque impression sur les plus grands libertins même. Mais nous n'en fûmes pas longtemps touchés. Nous oubliâmes bientôt ce qu'il venait de nous dire, et nous commençâmes à faire un inventaire de tout ce qui était dans l'ermitage. Ce qui ne nous occupa pas infiniment, tous les meubles consistant dans ceux que vous avez pu remarquer dans la grotte. Le frère Juan n'était pas seulement mal meublé, il avait encore une très mauvaise cuisine. Nous ne trouvâmes chez lui pour toutes provisions que des noisettes et quelques grignons de pain d'orge fort durs, que les gencives du saint homme n'avaient apparemment pu broyer. Je dis ses gencives car nous remarquâmes que toutes les dents lui étaient tombées. Tout ce que cette demeure solitaire contenait, tout ce que nous considérions nous faisait regarder ce bon anachorète comme un saint. Une chose seule nous choqua : nous ouvrîmes un papier plié en forme de lettre qu'il avait mis sur une table, et par lequel il priait la personne qui lirait ce billet de porter son rosaire et ses sandales à l'évêque de Cuença. Nous ne savions dans quel esprit ce nouveau père du désert pouvait avoir envie de faire un pareil présent à son évêque. Cela nous semblait blesser l'humilité, et nous paraissait d'un homme qui voulait trancher du bienheureux. Peut-être aussi n'y avait-il là-dedans que de la simplicité. C'est ce que je ne déciderai point.

En nous entretenant là-dessus, il vint une idée assez plaisante à Lamela. Demeurons, me dit-il, dans cet ermitage. Déguisons-nous en ermites. Enterrons le frère Juan. Vous passerez pour lui, et moi, sous le nom de frère Antoine, j'irai quêter dans les villes et les bourgs voisins. Outre que nous serons à couvert des perquisitions du corrégidor, car je ne pense pas qu'on s'avise de nous venir chercher ici, j'ai à Cuença de bonnes connaissances que nous pourrons entretenir. J'approuvai cette bizarre imagination, moins pour les raisons qu'Ambroise me disait que par fantaisie et comme pour jouer un rôle dans une pièce de théâtre. Nous fîmes une fosse à trente ou quarante pas de la grotte, et nous y enterrâmes modestement le vieil anachorète, après l'avoir dépouillé de ses habits, c'est-à-dire d'une simple robe que nouait par le milieu une ceinture de cuir. Nous lui coupâmes aussi la barbe pour m'en faire une postiche, et enfin après ses funérailles nous prîmes possession de l'ermitage.

Nous fîmes fort mauvaise chère le premier jour. Il nous fallut vivre des provisions du défunt; mais le lendemain, avant le lever de l'aurore, Lamela se mit en campagne avec les deux mules qu'il alla vendre à Toralva, et le soir il revint chargé de vivres et d'autres choses qu'il avait achetées. Il en apporta tout ce qui était nécessaire pour nous travestir. Il se fit lui-même une robe de bure et une petite barbe rousse de crin de cheval, qu'il s'attacha si artistement aux oreilles qu'on eût juré qu'elle était naturelle. Il n'y a point de garçon au monde plus adroit que lui. Il tressa aussi la barbe du frère Juan; il me l'appliqua, et mon bonnet de laine brune achevait de couvrir l'artifice; on peut dire que rien ne manquait à notre déguisement. Nous nous trouvions l'un et l'autre si plaisamment équipés, que nous ne pouvions sans rire nous regarder sous ces habits, qui véritablement ne nous convenaient guère. Avec la robe du frère Juan, j'avais son rosaire et ses sandales, dont je ne me fis pas un scrupule de priver l'évêque de Cuença.

Il y avait déjà trois jours que nous étions dans l'ermitage, sans y avoir vu paraître personne; mais le quatrième, il entra dans la grotte deux paysans. Ils apportaient du pain, du fromage et des oignons au défunt qu'ils croyaient encore vivant. Je me jetai sur notre grabat dès que je les aperçus, et il ne me fut pas difficile de les tromper. Outre qu'on ne voyait point assez pour pouvoir bien distinguer mes traits, j'imitai le mieux que je pus le son de la voix du frère Juan, dont j'avais entendu les dernières paroles. Ils n'eurent aucun soupçon de cette supercherie. Ils parurent seulement étonnés de rencontrer là un autre ermite; mais Lamela, remarquant leur surprise, leur dit d'un air hypocrite : Mes frères, ne soyez pas surpris de me voir dans cette solitude. J'ai quitté mon ermitage que j'avais en

Aragon pour venir ici tenir compagnie au vénérable et discret frère Juan, qui, dans l'extrême vieillesse où il est, a besoin d'un camarade qui puisse pourvoir à ses besoins. Les paysans donnèrent à la charité d'Ambroise des louanges infinies, et témoignèrent qu'ils étaient bien aises de pouvoir se vanter d'avoir deux saints personnages dans leur contrée.

Lamela, chargé d'une grande besace, qu'il n'avait pas oublié d'acheter, alla pour la première fois quêter dans la ville de Cuença, qui n'est éloignée de l'ermitage que d'une petite lieue. Avec l'extérieur pieux qu'il a reçu de la nature et l'art de le faire valoir qu'il possède au suprême degré, il ne manqua pas d'exciter les personnes charitables à lui faire l'aumône. Il remplit sa besace de leurs libéralités. Monsieur Ambroise, lui dis-je à son retour, je vous félicite de l'heureux talent que vous avez pour attendrir les âmes chrétiennes. Vive Dieu! l'on dirait que vous avez été frère quêteur chez les capucins. J'ai fait bien autre chose que remplir mon bissac, me répondit-il. Vous saurez que j'ai déterré certaine nymphe appelée Barbe, que j'aimais autrefois. Je l'ai trouvée bien changée. Elle s'est mise comme nous dans la dévotion. Elle demeure avec deux ou trois autres béates qui édifient le monde en public et mènent une vie scandaleuse en particulier. Elle ne me reconnaissait pas d'abord. Comment donc! lui ai-je dit, madame Barbe, est-il possible que vous ne remettiez point un de vos anciens amis, votre serviteur Ambroise ? Par ma foi! seigneur de Lamela, s'est-elle écriée, je ne me serais jamais attendue à vous revoir sous les habits que vous portez. Par quelle aventure êtes-vous devenu ermite ? C'est ce que je ne puis vous raconter présentement, lui ai-je reparti. Le détail est un peu long, mais je viendrai demain au soir satisfaire votre curiosité. De plus, je vous amènerai le frère Juan, mon compagnon. Le frère Juan! a-t-elle interrompu, ce bon ermite qui a un ermitage auprès de cette ville ? Vous n'y pensez pas. On dit qu'il a plus de cent ans. Il est vrai, lui ai-je dit, qu'il a eu cet âge-là. Mais il est bien rajeuni depuis quelques jours. Il n'est pas plus vieux que moi. Eh bien! qu'il vienne avec vous, a répliqué Barbe. Je vois bien qu'il y a du mystère là-dessous.

Nous ne manquâmes pas le lendemain, dès qu'il fut nuit, d'aller chez ces bigotes, qui pour nous mieux recevoir avaient préparé un grand repas. Nous ôtâmes d'abord nos barbes et nos habits d'anachorètes, et sans façon nous fîmes connaître à ces princesses qui nous étions. De leur côté, de peur de demeurer en reste de franchise avec nous, elles nous montrèrent de quoi sont capables de fausses dévotes, quand elles bannissent la grimace. Nous passâmes presque toute la nuit à table, et nous ne nous retirâmes à notre grotte qu'un moment avant le jour. Nous y retournâmes bientôt après; ou pour mieux dire, nous fîmes la même chose pendant trois mois, et nous mangeâmes avec ces créatures plus des deux tiers de nos espèces. Mais un jaloux qui a tout découvert en a informé la justice, qui doit aujourd'hui se transporter à l'ermitage pour se saisir de nos personnes. Hier Ambroise en quêtant à Cuença rencontra une de nos béates qui lui donna un billet et lui dit : Une femme de mes amies m'écrit cette lettre que j'allais vous envoyer par un homme exprès. Montrez-la au frère Juan, et prenez vos mesures là-dessus. C'est ce billet, messieurs, que Lamela m'a mis entre les mains devant vous, et qui nous a si brusquement fait quitter notre demeure solitaire.

CHAPITRE II

Du conseil que don Raphaël et ses auditeurs tinrent ensemble, et de l'aventure qui leur arriva lorsqu'ils voulurent sortir du bois.

Quand don Raphaël eut achevé de conter son histoire, dont le récit me parut un peu long, don Alphonse par politesse lui témoigna qu'elle l'avait fort diverti. Après cela, le seigneur Ambroise prit la parole, et l'adressant au compagnon de ses exploits : Don Raphaël, lui dit-il, songez que le soleil se couche. Il serait à propos, ce me semble, de délibérer sur ce que nous avons à faire. Vous avez raison, lui répondit son camarade; il faut déterminer l'endroit où nous voulons aller. Pour moi, reprit Lamela, je suis d'avis que nous nous remettions en chemin sans perdre de temps, que nous gagnions Requena cette nuit, et que demain nous entrions dans le royaume de Valence où nous donnerons l'essor à notre industrie. Je pressens que nous y ferons de bons coups. Son confrère, qui croyait là-dessus ses pressentiments infaillibles, se rangea de son opinion. Pour don Alphonse et moi, comme nous nous laissions conduire par ces deux honnêtes gens, nous attendîmes, sans rien dire, le résultat de la conférence.

Il fut donc résolu que nous prendrions la route de Requena, et nous commençâmes à nous y disposer. Nous fîmes un repas semblable à celui du matin, puis nous chargeâmes le cheval de l'outre et du reste de nos provisions. Ensuite la nuit qui survint nous prêtant l'obscurité dont nous avions besoin pour marcher sûrement, nous voulûmes sortir du bois; mais nous n'eûmes pas fait cent pas, que nous découvrîmes entre les arbres une lumière qui nous donna beaucoup à penser. Que signifie cela ? dit don Raphaël : ne serait-ce point les furets de la justice de Cuença qu'on aurait mis sur nos traces, et qui, nous sentant dans cette forêt, nous y viendraient chercher ? Je ne le crois pas, dit Ambroise. Ce sont plutôt des voyageurs. La nuit les aura surpris et ils seront entrés dans ce bois pour y attendre le jour; mais, ajouta-t-il, je puis me tromper. Je vais reconnaître ce que c'est. Demeurez ici tous trois. Je serai de retour dans un moment. A ces mots, il s'avance vers la lumière qui n'était pas fort éloignée; il s'en approche à pas de loup. Il écarte doucement les feuilles et les branches qui s'opposent à son passage, et regarde avec toute l'attention que la chose lui paraît mériter. Il vit sur l'herbe, autour d'une chandelle qui brûlait dans une motte de terre, quatre hommes assis qui achevaient de manger un pâté et de vider une assez grosse outre qu'ils baisaient à la ronde. Il aperçut encore à quelques pas d'eux une femme et un cavalier attachés à des arbres, et un peu plus loin une chaise roulante, avec deux mules richement caparaçonnées. Il jugea d'abord que les hommes assis devaient être des voleurs, et les discours qu'il leur entendit tenir lui firent connaître qu'il ne se trompait pas dans sa conjecture. Les quatre brigands faisaient voir une égale envie de posséder la dame qui était tombée entre leurs mains, et ils parlaient de la tirer au sort. Lamela, instruit de ce que c'était, vint nous rejoindre, et nous fit un fidèle rapport de tout ce qu'il avait vu et entendu.

Messieurs, dit alors don Alphonse, cette dame et ce cavalier que les voleurs ont attachés à des arbres sont peut-être des personnes de la première qualité. Souffrirons-nous que des brigands les fassent servir de victimes à leur barbarie et à leur brutalité ? Croyez-moi, chargeons ces bandits. Qu'ils tombent sous nos coups! J'y consens, dit don Raphaël. Je ne suis pas moins prêt à faire une bonne action qu'une mauvaise. Ambroise de son côté témoigna qu'il ne demandait pas mieux que de prêter la main à une entreprise si louable, et dont il prévoyait, disait-il, que nous serions bien payés. J'ose dire aussi qu'en cette occasion le péril ne m'épouvanta point, et que jamais aucun chevalier errant ne se montra plus prompt au service des demoiselles. Mais pour dire les choses sans trahir la vérité, le danger n'était pas grand; car Lamela nous ayant rapporté que les armes des voleurs étaient toutes en un monceau à dix ou douze pas d'eux, il ne nous fut pas fort difficile d'exécuter notre dessein. Nous liâmes notre cheval à un arbre, et nous nous approchâmes à petit bruit de l'endroit où étaient les brigands. Ils s'entretenaient avec beaucoup de chaleur et faisaient un bruit qui nous aidait à les surprendre. Nous nous rendîmes maîtres de leurs armes avant qu'il nous découvrissent, puis tirant sur eux à bout portant, nous les étendîmes tous sur la place.

Pendant cette expédition la chandelle s'éteignit, de sorte que nous demeurâmes dans l'obscurité. Nous ne laissâmes pas toutefois de délier l'homme et la femme, que la crainte tenait saisis à un point qu'il n'avaient pas la force de nous remercier de ce que nous venions de faire pour eux. Il est vrai qu'ils ignoraient encore s'ils devaient nous regarder comme leurs libérateurs, ou comme de nouveaux bandits qui ne les enlevaient point aux autres pour les mieux traiter. Mais nous les rassurâmes en leur disant que nous allions les conduire jusqu'à une hôtellerie qu'Ambroise soutenait être à une demi-lieue de là, et qu'ils pourraient en cet endroit prendre toutes les précautions nécessaires pour se rendre sûrement où ils avaient affaire. Après cette assurance, dont ils parurent très satisfaits, nous les remîmes dans leur chaise, et les tirâmes hors du bois en tenant la bride de leurs mules. Nos anachorètes visitèrent ensuite les poches des vaincus. Puis nous allâmes reprendre le cheval de don Alphonse. Nous prîmes aussi ceux des voleurs que nous trouvâmes attachés à des arbres auprès du champ de bataille. Puis emmenant avec nous tous ces chevaux nous suivîmes le frère Antoine, qui monta sur une des mules pour mener la chaise à l'hôtellerie, où nous n'arrivâmes pourtant que deux heures après, quoiqu'il eût assuré qu'elle n'était pas fort éloignée du bois.

Nous frappâmes rudement à la porte. Tout le monde était déjà couché dans la maison. L'hôte et l'hôtesse se levèrent à la hâte, et ne furent nullement fâchés de voir troubler leur repos par l'arrivée d'un équipage qui paraissait devoir faire chez eux beaucoup plus de dépense qu'il n'en fit. Toute l'hôtellerie fut éclairée dans un moment. Don Alphonse et l'illustre fils de Lucinde donnèrent la main au cavalier et à la dame pour les aider à descendre de la chaise; ils leur servirent même d'écuyers jusqu'à la chambre où l'hôte les conduisit. Il se fit là bien des compliments, et nous ne fûmes pas peu étonnés quand nous apprîmes que c'était le comte de Polan lui-même et sa fille Séraphine que nous venions de délivrer. On ne saurait dire quelle fut la surprise de cette dame non plus que celle de don Alphonse, lorsqu'ils se reconnurent tous deux. Le comte n'y prit pas garde, tant il était occupé d'autres choses. Il se mit à nous raconter de quelle manière les voleurs l'avaient attaqué, et comment ils s'étaient saisis de sa fille et de lui, après avoir tué son postillon, un page et un valet de chambre. Il finit en nous disant qu'il sentait vivement l'obligation qu'il nous avait, et que si nous voulions l'aller trouver à Tolède où il serait dans un mois, nous éprouverions s'il était ingrat ou reconnaissant.

La fille de ce seigneur n'oublia pas de nous remercier aussi de son heureuse délivrance, et, comme nous jugeâmes, Raphaël et moi, que nous ferions plaisir à don Alphonse si nous lui donnions le moyen de parler un moment en particulier à cette jeune veuve, nous y réussîmes en amusant le comte de Polan. Belle Séraphine, dit tout bas don Alphonse à la dame, je cesse de me plaindre du sort qui m'oblige à vivre comme un homme banni de la société civile, puisque j'ai eu le bonheur de contribuer au service important qui vous a été rendu. Eh quoi ! lui répondit-elle en soupirant, c'est vous qui m'avez sauvé la vie et l'honneur ! C'est à vous que nous sommes, mon père et moi, si redevables ! Ah ! don Alphonse, pourquoi avez-vous tué mon frère ? Elle ne lui en dit pas davantage ; mais il comprit assez, par ces paroles et par le ton dont elles furent prononcées, que, s'il aimait éperdument Séraphine, il n'en était guère moins aimé.

Fin du cinquième livre.

LIVRE SIXIÈME

CHAPITRE PREMIER

De ce que Gil Blas et ses compagnons firent après avoir quitté le comte de Polan ; du projet important qu'Ambroise forma, et de quelle manière il fut exécuté.

Le comte de Polan, après avoir passé la moitié de la nuit à nous remercier, et à nous assurer que nous pouvions compter sur sa reconnaissance, appela l'hôte pour le consulter sur les moyens de se rendre sûrement à Tunis, où il avait dessein d'aller. Nous laissâmes ce seigneur prendre ses mesures là-dessus. Nous sortîmes de l'hôtellerie, et suivîmes la route qu'il plut à Lamela de choisir.

Après deux heures de chemin, le jour nous surprit auprès de Campillo. Nous gagnâmes promptement les montagnes qui sont entre ce bourg et Requena. Nous y passâmes la journée à nous reposer, et à compter nos finances que l'argent des voleurs avait fort augmentées, car on avait trouvé dans leurs poches plus de trois cents pistoles. Nous nous remîmes en marche au commencement de la nuit, et le lendemain matin nous entrâmes dans le royaume de Valence. Nous nous retirâmes dans le premier bois qui s'offrit à nos yeux. Nous nous y enfonçâmes, et nous arrivâmes à un endroit où coulait un ruisseau d'une onde cristalline qui allait joindre lentement les eaux du Guadalaviar. L'ombre que les arbres nous prêtaient et l'herbe que le lieu fournissait abondamment à nos chevaux nous auraient déterminés à nous y arrêter, quand nous n'aurions pas été dans cette résolution.

Nous mîmes donc là pied à terre, et nous nous disposions à passer la journée fort agréablement; mais lorsque nous voulûmes déjeuner, nous nous aperçûmes qu'il nous restait très peu de vivres. Le pain commençait à nous manquer, et notre outre était devenue un corps sans âme. Messieurs, nous dit Ambroise, les plus charmantes retraites ne me plaisent guère sans Bacchus et sans Cérès. Il faut renouveler nos provisions. Je vais pour cet effet à Xelva. C'est une assez belle ville, qui n'est qu'à deux lieues d'ici. J'aurai bientôt fait ce petit voyage. En parlant de cette sorte, il chargea un cheval de l'outre et de la besace, monta dessus, et sortit du bois avec une vitesse qui promettait un prompt retour.

Il ne revint pourtant pas si tôt qu'il nous l'avait fait espérer. Plus de la moitié du jour s'écoula; la nuit même déjà s'apprêtait à couvrir les arbres de ses ailes noires, quand nous revîmes notre pourvoyeur, dont le retardement commençait à nous donner de l'inquiétude. Il trompa notre attente par la quantité de choses dont il revint chargé. Il apportait non seulement l'outre plein d'un vin excellent et la besace remplie de pain et de toutes sortes de gibier rôti, il y avait encore sur son cheval un gros paquet de hardes que nous regardâmes avec beaucoup d'attention. Il s'en aperçut, et nous dit en souriant : Je le donne à don Raphaël et à toute la terre ensemble à deviner pourquoi j'ai acheté ces hardes-là. En disant ces paroles, il défit le paquet pour nous montrer en détail ce que nous considérions en gros. Il nous fit voir un manteau et une robe noire fort longue : deux pourpoints avec leurs hauts-de-chausses; une de ces écritoires composées de deux pièces liées par un cordon, et dont le cornet est séparé de l'étui où l'on met les plumes; une main de beau papier blanc; un cadenas avec un gros cachet et de la cire verte; et, lorsqu'il nous eut enfin exhibé toutes ses emplettes, don Raphaël lui dit en plaisantant : Vive Dieu! monsieur Ambroise, il faut avouer que vous avez fait là un bon achat. Quel usage, s'il vous plaît, en prétendez-vous faire ? Un admirable, répondit Lamela. Toutes ces choses ne m'ont coûté que dix doublons, et je suis persuadé que nous en retirerons plus de cinq cents. Comptez là-dessus. Je ne suis pas homme à me charger de nippes inutiles, et pour vous prouver que je n'ai point acheté tout cela comme un sot, je vais vous communiquer un projet que j'ai formé.

Après avoir fait ma provision de pain, poursuivit-il, je suis entré chez un rôtisseur où j'ai ordonné qu'on mît à la broche six perdrix, autant de poulets et de lapereaux. Tandis que ces viandes cuisaient, il arrive un homme en colère, et qui, se plaignant hautement des manières d'un marchand de la ville à son égard, dit au rôtisseur : Par saint Jacques! Samuel Simon est le marchand de Xelva le plus ridicule. Il vient de me faire un affront en pleine boutique. Le ladre n'a pas voulu me faire crédit de six aunes de drap. Cependant il sait bien que je suis un artisan solvable et qu'il n'y a rien à perdre avec moi. N'admirez-vous pas cet animal ? il vend volontiers à crédit aux personnes de qualité. Il aime mieux hasarder avec eux que d'obliger un honnête bourgeois sans rien risquer. Quelle manie! Le maudit Juif! puisse-t-il y être attrapé! Mes souhaits seront accomplis quelque jour. Il y a bien des marchands qui m'en répondraient.

En entendant parler ainsi cet artisan, qui a dit beaucoup d'autres choses encore, j'ai eu je ne sais quel pressentiment que je friponnerai ce Samuel Simon [72]. Mon ami, ai-je dit à l'homme qui se plaignait de ce marchand, de quel caractère est ce personnage dont vous parlez? D'un très mauvais caractère, a-t-il répondu brusquement. Je vous le donne pour un usurier tout des plus vifs, quoiqu'il affecte des allures d'un homme de bien. C'est un Juif qui s'est fait catholique; mais, dans le fond de l'âme, il est encore juif comme Pilate; car on dit qu'il a fait abjuration par intérêt.

J'ai prêté une oreille attentive à tous les discours de l'artisan, et je n'ai pas manqué, au sortir de chez le rôtisseur, de m'informer de la demeure de Samuel Simon. Une personne me l'enseigne. On me la montre. Je parcours des yeux sa boutique. J'examine tout, et mon imagination, prompte à m'obéir, enfante une fourberie que je digère et qui me paraît digne du valet du seigneur Gil Blas. Je vais à la friperie où j'achète ces habits que j'apporte; l'un pour jouer le rôle d'inquisiteur, l'autre pour représenter un greffier, et le troisième enfin pour faire le personnage d'un alguazil.

Ah! mon cher Ambroise, interrompit en cet endroit don Raphaël tout transporté de joie, la merveilleuse idée! le beau plan! Je suis jaloux de l'invention. Je donnerais volontiers les plus grands traits de ma vie pour un effort d'esprit si heureux. Oui, Lamela, poursuivit-il, je vois, mon ami, toute la richesse de ton dessein; et l'exécution ne doit pas t'inquiéter. Tu as besoin de deux bons acteurs qui te secondent. Ils sont tout trouvés. Tu as un air de béat, tu feras fort bien l'inquisiteur. Moi, je représenterai le greffier, et le seigneur Gil Blas, s'il lui plaît, jouera le rôle de l'alguazil. Voilà, continua-t-il, les personnages distribués; demain nous jouerons la pièce, et je réponds du succès, à moins qu'il n'arrive quelqu'un de ces contretemps qui confondent les desseins les mieux concertés.

Je ne concevais encore que très confusément le projet que don Raphaël trouvait si beau; mais on me mit au fait en soupant, et le tour me parut ingénieux. Après avoir expédié une partie du gibier et fait à notre outre une copieuse saignée, nous nous étendîmes sur l'herbe, et nous fûmes bientôt endormis. Debout! debout! s'écria le seigneur Ambroise à la pointe du jour. Des gens qui ont une grande entreprise à exécuter ne doivent pas être paresseux. Malepeste! monsieur l'inquisiteur, lui dit don Raphaël en se réveillant, que vous êtes alerte! Cela ne vaut pas le diable pour M. Samuel Simon. J'en demeure d'accord, reprit Lamela. Je vous dirai de plus, ajouta-t-il en riant, que j'ai rêvé cette nuit que je lui arrachais des poils de la barbe.

N'est-ce pas là un vilain songe pour lui, monsieur le greffier ? Ces plaisanteries furent suivies de mille autres qui nous mirent tous de belle humeur. Nous déjeunâmes gaiement, et nous nous disposâmes ensuite à faire nos personnages. Ambroise se revêtit de la longue robe et du manteau, de sorte qu'il avait tout l'air d'un commissaire du Saint-Office. Nous nous habillâmes aussi, don Raphaël et moi, de façon que nous ne ressemblions point mal aux greffiers et aux alguazils. Nous employâmes bien du temps à nous déguiser, et il était plus de deux heures après midi, lorsque nous sortîmes du bois pour nous rendre à Xelva. Il est vrai que rien ne nous pressait, et que nous ne devions commencer la comédie qu'à l'entrée de la nuit. Aussi nous n'allâmes qu'au petit pas, et nous nous arrêtâmes aux portes de la ville pour y attendre la fin du jour.

Dès qu'elle fut arrivée, nous laissâmes nos chevaux dans cet endroit, sous la garde de don Alphonse, qui se sut bon gré de n'avoir point d'autre rôle à faire. Don Raphaël, Ambroise et moi, nous allâmes d'abord, non chez Samuel Simon, mais chez un cabaretier qui demeurait à deux pas de sa maison. Monsieur l'inquisiteur marchait le premier. Il entre, et dit gravement à l'hôte : Maître, je voudrais vous parler en particulier. L'hôte nous mena dans une salle, où Lamela, le voyant seul avec nous, lui dit : Je suis commissaire du Saint-Office, et je viens ici pour une affaire très importante. A ces paroles, le cabaretier pâlit, et répondit d'une voix tremblante qu'il ne croyait pas avoir donné sujet à la sainte Inquisition de se plaindre de lui. Aussi, reprit Ambroise d'un air doux, ne songe-t-elle point à vous faire de la peine. A Dieu ne plaise que, trop prompte à punir, elle confonde le crime avec l'innocence! Elle est sévère, mais toujours juste. En un mot, pour éprouver ses châtiments, il faut les avoir mérités. Ce n'est donc pas vous qui m'amenez à Xelva. C'est un certain marchand qu'on appelle Samuel Simon. Il nous a été fait de lui un très mauvais rapport. Il est, dit-on, toujours juif, et il n'a embrassé le christianisme que par des motifs purement humains. Je vous ordonne de la part du Saint-Office de me dire ce que vous savez de cet homme-là. Gardez-vous, comme son voisin et peut-être son ami, de vouloir l'excuser, car, je vous le déclare, si j'aperçois dans votre témoignage le moindre ménagement, vous êtes perdu vous-même. Allons, greffier, poursuivit-il en se tournant vers Raphaël, faites votre devoir.

Monsieur le greffier, qui tenait déjà à la main son papier et son écritoire, s'assit à une table, et se prépara de l'air du monde le plus sérieux à écrire la déposition de l'hôte, qui de son côté protesta qu'il ne trahirait point la vérité. Cela étant, lui dit le commissaire inquisiteur, nous n'avons qu'à commencer. Répondez seulement à mes questions; je ne vous en demande pas davantage. Voyez-vous Samuel

Simon fréquenter les églises ? C'est à quoi je n'ai pas pris garde, répondit le cabaretier. Je ne me souviens pas de l'avoir vu à l'église. Bon, s'écria l'inquisiteur, écrivez qu'on ne le voit jamais dans les églises. Je ne dis pas cela, monsieur le commissaire, répliqua l'hôte. Je dis seulement que je ne l'ai point vu. Il peut être dans une église où je serai, sans que je l'aperçoive. Mon ami, reprit Lamela, vous oubliez qu'il ne faut point dans votre interrogatoire excuser Samuel Simon. Je vous en ai dit les conséquences. Vous ne devez dire que des choses qui soient contre lui et pas un mot en sa faveur. Sur ce pied-là, seigneur licencié, repartit l'hôte, vous ne tirerez pas grand fruit de ma déposition. Je ne connais point le marchand dont il s'agit ; je n'en puis dire ni bien ni mal ; mais, si vous voulez savoir comment il vit dans son domestique, je vais appeler Gaspard son garçon, que vous interrogerez. Ce garçon vient ici quelquefois boire avec ses amis. Quelle langue ! Il vous dira toute la vie de son maître, et donnera sur ma parole de l'occupation à votre greffier.

J'aime votre franchise, dit alors Ambroise, et c'est témoigner du zèle pour le Saint-Office, que de m'enseigner un homme instruit des mœurs de Simon. J'en rendrai compte à l'Inquisition. Hâtez-vous donc, continua-t-il, d'aller chercher ce Gaspard dont vous parlez ; mais faites les choses discrètement ; que son maître ne se doute point de ce qui se passe ! Le cabaretier s'acquitta de sa commission avec beaucoup de secret et de diligence. Il amena le garçon marchand. C'était un jeune homme des plus babillards, et tel qu'il nous le fallait. Soyez le bienvenu, mon enfant, lui dit Lamela. Vous voyez en moi un inquisiteur nommé par le Saint-Office pour informer contre Samuel Simon, que l'on accuse de judaïser. Vous demeurez chez lui ; par conséquent vous êtes témoin de la plupart de ses actions. Je ne crois pas qu'il soit nécessaire de vous avertir que vous êtes obligé de déclarer ce que vous savez de lui, quand je vous l'ordonnerai de la part de la sainte Inquisition. Seigneur licencié, répondit le garçon marchand, je suis tout prêt à vous contenter là-dessus, sans que vous me l'ordonniez de la part du Saint-Office. Si l'on mettait mon maître sur mon chapitre, je suis persuadé qu'il ne m'épargnerait point. Ainsi, je ne le ménagerai pas non plus, et je vous dirai premièrement que c'est un sournois dont il est impossible de démêler les mouvements, un homme qui affecte tous les dehors d'un saint personnage, et qui dans le fond n'est nullement vertueux. Il va tous les soirs chez une petite grisette... Je suis bien aise d'apprendre cela, interrompit Ambroise ; et je vois par ce que vous me dites que c'est un homme de mauvaises mœurs. Mais répondez précisément aux questions que je vais vous faire. C'est particulièrement sur la religion que je suis chargé de savoir quels sont ses sentiments. Dites-moi, mangez-vous du porc dans votre maison ? Je ne pense pas, répondit Gaspard, que nous en ayons mangé deux fois depuis une année que j'y demeure. Fort bien, reprit Monsieur l'Inquisiteur; écrivez, greffier, qu'on ne mange jamais de porc chez Samuel Simon. En récompense, continua-t-il, on y mange sans doute quelquefois de l'agneau ? Oui quelquefois, repartit le garçon; nous en avons par exemple mangé un aux dernières fêtes de Pâques. L'époque est heureuse, s'écria le commissaire; écrivez, greffier, que Simon fait la Pâque. Cela va le mieux du monde, et il me paraît que nous avons reçu de bons mémoires.

Apprenez-moi encore, mon ami, poursuivit Lamela, si vous n'avez jamais vu votre maître caresser de petits enfants. Mille fois, répondit Gaspard. Lorsqu'il voit passer de petits garçons devant notre boutique, pour peu qu'ils soient jolis, il les arrête et les flatte. Ecrivez, greffier, interrompit l'inquisiteur, que Samuel Simon est violemment soupçonné d'attirer chez lui les enfants des chrétiens pour les égorger. L'aimable prosélyte! Oh! oh! monsieur Simon, vous aurez affaire au Saint-Office sur ma parole! Ne vous imaginez pas qu'il vous laisse faire impunément vos barbares sacrifices. Courage, zélé Gaspard, dit-il au garçon marchand, déclarez tout. Achevez de faire connaître que ce faux catholique est attaché plus que jamais aux coutumes et aux cérémonies des Juifs. N'est-il pas vrai que dans la semaine vous le voyez un jour dans une inaction totale ? Non, répondit Gaspard, je n'ai point remarqué celui-là. Je m'aperçois seulement qu'il y a des jours où il s'enferme dans son cabinet et qu'il y demeure très longtemps. Eh! nous y voilà, s'écria le commissaire, il fait le sabbat, ou je ne suis pas inquisiteur. Marquez, greffier, marquez qu'il observe religieusement le jeûne du sabbat. Ah! l'abominable homme! Il ne me reste plus qu'une chose à demander. Ne parle-t-il pas aussi de Jérusalem ? Fort souvent, repartit le garçon. Il nous conte l'histoire des Juifs et de quelle manière fut détruit le temple de Jérusalem. Justement, reprit Ambroise; ne laissez pas échapper ce trait-là, greffier; écrivez en gros caractères que Samuel Simon ne respire que la restauration du Temple, et qu'il médite jour et nuit le rétablissement de la nation. Je n'en veux pas savoir davantage, et il est inutile de faire d'autres questions. Ce que vient de déposer le véridique Gaspard suffirait pour faire brûler toute une juiverie.

Après que Monsieur le commissaire du Saint-Office eut interrogé de cette sorte le garçon marchand, il lui dit qu'il pouvait se retirer, mais il lui ordonna de la part de la sainte Inquisition de ne point parler à son maître de ce qui venait de se passer. Gaspard promit d'obéir et s'en alla. Nous ne tardâmes guère à le suivre; nous sortîmes de l'hôtellerie aussi gravement que nous y étions entrés, et nous allâmes frapper à la porte de Samuel Simon. Il vint lui-même ouvrir, et, s'il fut étonné de voir chez lui trois figures comme les nôtres, il le fut bien davantage, quand Lamela, qui portait la parole, lui dit d'un ton impératif : Maître Samuel, je vous ordonne, de la part de la sainte Inquisition dont j'ai l'honneur d'être commissaire, de me donner tout à l'heure la clef de votre cabinet. Je veux voir si je ne trouverai point de quoi justifier les mémoires qui nous ont été présentés contre vous.

Le marchand, que ce discours déconcerta, fit deux pas en arrière comme si on lui eût donné une bourrade dans l'estomac. Bien loin de se douter de quelque supercherie de notre part, il s'imagina de bonne foi qu'un ennemi secret l'avait voulu rendre suspect au Saint-Office; peut-être aussi que, ne se sentant pas trop bon catholique, il avait sujet d'appréhender une information. Quoi qu'il en soit, je n'ai jamais vu d'homme plus troublé. Il obéit sans résistance, et avec tout le respect que peut avoir un homme qui craint l'Inquisition. Il nous ouvrit son cabinet : Du moins, lui dit Ambroise en y entrant, du moins recevez-vous sans rébellion les ordres du Saint-Office; mais, ajouta-t-il, retirez-vous dans une autre chambre et me laissez librement remplir mon emploi. Samuel ne se révolta pas plus contre cet ordre que contre le premier. Il se tint dans sa boutique, et nous entrâmes tous trois dans son cabinet, où sans perdre de temps nous nous mîmes à chercher ses espèces. Nous les trouvâmes sans peine; elles étaient dans un coffre ouvert et il y en avait beaucoup plus que nous n'en pouvions emporter. Elles consistaient en un grand nombre de sacs amoncelés, mais le tout en argent. Nous aurions mieux aimé de l'or; cependant les choses ne pouvant être autrement, il fallut s'accommoder à la nécessité. Nous remplîmes nos poches de ducats. Nous en mîmes dans nos chausses, et dans tous les autres endroits que nous jugeâmes propres à les recéler. Enfin, nous en étions pesamment chargés sans qu'il y parût, et cela par l'adresse d'Ambroise et par celle de don Raphaël qui me firent voir par là qu'il n'est rien tel que de savoir son métier.

Nous sortîmes du cabinet, après y avoir si bien fait notre main, et alors, pour une raison que le lecteur devinera fort aisément, Monsieur l'inquisiteur tira son cadenas qu'il voulut attacher lui-même à la porte; ensuite il y mit le scellé. Puis il dit à Simon : Maître Samuel, je vous défends de la part de la sainte Inquisition de toucher à ce cadenas, de même qu'à ce sceau que vous devez respecter puisque c'est le propre sceau du Saint-Office. Je reviendrai ici demain à la même heure pour le lever et vous apporter des ordres. A ces mots, il se fit ouvrir la porte de la rue que nous enfilâmes joyeusement l'un après l'autre. Dès que nous eûmes fait une cinquantaine de pas, nous commençâmes à marcher avec tant de vitesse et de légèreté, qu'à peine touchions-nous la terre malgré le fardeau que nous portions. Nous fûmes bientôt hors de la ville, et, remontant sur nos chevaux, nous les poussâmes vers Ségorbe, en rendant grâce au dieu Mercure d'un si heureux événement.

CHAPITRE II

De la résolution que don Alphonse et Gil Blas prirent après cette aventure.

Nous allâmes toute la nuit, selon notre louable coutume, et nous nous trouvâmes au lever de l'aurore auprès d'un petit village à deux lieues de Ségorbe. Comme nous étions tous fatigués, nous quittâmes volontiers le grand chemin pour gagner des saules que nous aperçûmes au pied d'une colline à dix ou douze cents pas du village, où nous ne jugeâmes point à propos de nous arrêter. Nous trouvâmes que ces saules faisaient un agréable ombrage et qu'un ruisseau lavait le pied de ces arbres. L'endroit nous plut, et nous résolûmes d'y passer la journée. Nous mîmes donc pied à terre. Nous débridâmes nos chevaux pour les laisser paître, et nous nous couchâmes sur l'herbe. Nous nous y reposâmes un peu. Ensuite nous achevâmes de vider notre besace et notre outre. Après un ample déjeuner, nous comptâmes tout l'argent que nous avions pris à Samuel Simon. Ce qui montait à trois mille ducats. De sorte qu'avec cette somme et celle que nous avions déjà, nous pouvions nous vanter de n'être point mal en fonds.

Comme il fallait aller à la provision, Ambroise et don Raphaël, après avoir quitté leurs habits d'inquisiteur et de greffier, dirent qu'ils voulaient se charger de ce soin-là tous deux; que l'aventure de Xelva ne faisait que les mettre en goût, et qu'ils avaient envie de se rendre à Ségorbe pour voir s'il ne se présenterait pas quelque occasion de faire un nouveau coup. Vous n'avez, ajouta le fils de Lucinde, qu'à nous attendre sous ces saules. Nous ne tarderons pas à vous revenir joindre. Seigneur don Raphaël, m'écriai-je en riant; dites-nous plutôt de vous attendre sous l'orme! Si vous nous quittez, nous avons bien la mine de ne vous revoir de longtemps. Ce soupçon nous offense, répliqua le seigneur Ambroise; mais nous méritons que vous nous fassiez cet outrage. Vous êtes excusable de vous défier de nous, après ce que nous avons fait à Valladolid, et de vous imaginer que nous ne ferions pas plus de scrupule de vous abandonner que les camarades que nous avons laissés dans cette ville. Vous vous trompez pourtant. Les confrères à qui nous avons faussé compagnie étaient des personnes d'un fort mauvais caractère, et dont la société commençait à nous devenir insupportable. Il faut rendre cette justice aux gens de notre profession, qu'il n'y a point d'associés dans la vie civile que l'intérêt divise moins; mais quand il n'y a pas entre nous de conformité d'inclinations, notre bonne intelligence peut s'altérer comme celle du reste des hommes. Ainsi, seigneur Gil Blas, poursuivit Lamela, je vous prie, vous et le seigneur don Alphonse, d'avoir un peu plus de confiance en nous, et de vous mettre l'esprit en repos sur l'envie que nous avons, don Raphaël et moi, d'aller à Ségorbe.

Il est bien aisé, dit alors le fils de Lucinde, de leur ôter là-dessus tout sujet d'inquiétude. Ils n'ont qu'à demeurer maîtres de la caisse. Ils auront entre leurs mains une bonne caution de notre retour. Vous voyez, seigneur Gil Blas, ajouta-t-il, que nous allons d'abord au fait. Vous serez tous deux nantis, et je puis vous assurer que nous partirons, Ambroise et moi, sans appréhender que vous ne nous souffliez ce précieux nantissement. Après une marque si certaine de notre bonne foi, ne vous fierez-vous pas entièrement à nous ? Oui, messieurs, leur dis-je, et vous pouvez présentement faire tout ce qu'il vous plaira. Ils partirent sur-le-champ chargés de l'outre et de la besace, et me laissèrent sous les saules avec don Alphonse, qui me dit après leur départ : Il faut, seigneur Gil Blas, il faut que je vous ouvre mon cœur. Je me reproche d'avoir eu la complaisance de venir jusqu'ici avec ces deux fripons. Vous ne sauriez croire combien de fois je m'en suis déjà repenti. Hier au soir, pendant que je gardais les chevaux, j'ai fait mille réflexions mortifiantes. J'ai pensé qu'il ne convient point à un jeune homme qui a des principes d'honneur de vivre avec des gens aussi vicieux que don Raphaël et Lamela : que, si par malheur un jour, et cela peut fort bien arriver, le succès d'une fourberie est tel que nous tombions entre les mains de la justice, j'aurai la honte d'être puni avec eux comme un voleur, et d'éprouver un châtiment infâme. Ces images s'offrent sans cesse à mon esprit, et je vous avouerai que j'ai résolu, pour n'être plus complice des mauvaises actions qu'ils feront, de me séparer d'eux pour jamais. Je ne crois pas, continua-t-il, que vous désapprouviez mon dessein. Non, je vous assure, lui répondis-je; quoique vous m'ayez vu faire le personnage d'alguazil dans la comédie de Samuel Simon, ne vous imaginez pas que ces sortes de pièces soient de mon goût. Je prends le Ciel à témoin qu'en jouant un si beau rôle, je me suis dit à moi-même : Ma foi, monsieur Gil Blas, si la justice venait à vous saisir au collet présentement, vous mériteriez bien le salaire qui vous en reviendrait ! Je ne me sens donc pas plus disposé que vous, seigneur don Alphonse, à demeurer en si bonne compagnie; et, si vous le trouvez bon, je vous accompagnerai. Quand ces messieurs seront de retour, nous leur demanderons à partager nos finances, et demain matin, ou dès cette nuit même, nous prendrons congé d'eux.

L'amant de la belle Séraphine approuva ce que je proposais. Gagnons, me dit-il, Valence, et nous nous embarquerons pour l'Italie, où nous pourrons nous engager au service de la république de Venise. Ne vaut-il pas mieux embrasser le parti des armes, que de mener la vie lâche et coupable que nous menons ? Nous serons même en état de faire assez bonne figure avec l'argent que nous aurons. Ce n'est pas, ajouta-t-il, que je me serve sans remords d'un bien si mal acquis ; mais outre que la nécessité m'y oblige, si jamais je fais la moindre fortune dans la guerre, je jure que je dédommagerai Samuel Simon. J'assurai don Alphonse que j'étais dans les mêmes sentiments, et nous résolûmes enfin de quitter nos camarades dès le lendemain avant le jour. Nous ne fûmes point tentés de profiter de leur absence, c'est-à-dire de déménager sur-le-champ avec la caisse; la confiance qu'ils nous avaient marquée en nous laissant maîtres des espèces ne nous permit pas seulement d'en avoir la pensée.

Ambroise et don Raphaël revinrent de Ségorbe sur la fin du jour. La première chose qu'ils nous dirent fut que leur voyage avait été très heureux; qu'ils venaient de jeter les fondements d'une fourberie, qui selon toutes les apparences nous serait encore plus utile que celle du soir précédent. Et, là-dessus, le fils de Lucinde voulut nous mettre au fait; mais don Alphonse prit alors la parole, et leur déclara qu'il était dans la résolution de se séparer d'eux. Je leur appris de mon côté que j'avais le même dessein. Ils firent vainement tout leur possible pour nous engager à les accompagner dans leurs expéditions; nous prîmes congé d'eux le lendemain matin, après avoir fait un partage égal de nos espèces, et nous tirâmes vers Valence.

CHAPITRE III ET DERNIER

Après quel désagréable incident don Alphonse se trouva au comble de la joie, et par quelle aventure Gil Blas se vit tout à coup dans une heureuse situation.

Nous poussâmes gaiement jusqu'à Bunol, où par malheur il fallut nous arrêter. Don Alphonse tomba malade. Il lui prit une grosse fièvre avec des redoublements qui me firent craindre pour sa vie. Heureusement il n'y avait point là de médecins et j'en fus quitte pour la peur. Il se trouva hors de danger au bout de trois jours, et mes soins achevèrent de le rétablir. Il se montra très sensible à tout ce que j'avais fait pour lui, et, comme nous nous sentions véritablement de l'inclination l'un pour l'autre, nous nous jurâmes une éternelle amitié.

Nous nous remîmes en chemin, toujours résolus, quand nous serions à Valence, de profiter de la première occasion qui s'offrirait de passer en Italie. Mais le Ciel disposa de nous autrement. Nous vîmes à la porte d'un beau château des paysans de l'un et de l'autre sexe qui dansaient en rond et se réjouissaient. Nous nous approchâmes d'eux pour voir leur fête, et don Alphonse ne s'attendait à rien moins qu'à la surprise dont il fut tout à coup saisi. Il aperçut le baron de Steinbach, qui de son côté, l'ayant reconnu, vint à lui les bras ouverts et lui dit avec transport : Ah! don Alphonse, c'est vous! l'agréable rencontre! pendant qu'on vous cherche partout, le hasard vous présente à mes yeux.

Mon compagnon descendit de cheval aussitôt, et courut embrasser le baron, dont la joie me parut immodérée. Venez, mon fils, lui dit ensuite ce bon vieillard, vous allez apprendre qui vous êtes et jouir du plus heureux sort. En achevant ces paroles, il l'emmena dans le château. J'y entrai aussi avec eux, car tandis qu'ils s'étaient embrassés, j'avais mis pied à terre et attaché nos chevaux à un arbre. Le maître du château fut la première personne que nous rencontrâmes. C'était un homme de cinquante ans et de très bonne mine : Seigneur, lui dit le baron de Steinbach en lui présentant don Alphonse, vous voyez votre fils. A ces mots, don César de Leyva, ainsi se nommait le maître du château, jeta ses bras au cou de don Alphonse, et pleurant de joie : Mon cher fils, lui dit-il, reconnaissez l'auteur de vos jours. Si je vous ai laissé ignorer si longtemps votre condition, croyez que je me suis fait en cela une cruelle violence. J'en ai mille fois soupiré de douleur, mais je n'ai pu faire autrement. J'avais épousé votre mère par inclination; elle était d'une naissance fort inférieure à la mienne. Je vivais sous l'autorité d'un père dur, qui me réduisait à la nécessité de tenir secret un mariage contracté sans son aveu. Le baron de Steinbach seul était dans ma confidence, et c'est de concert avec moi qu'il vous a élevé. Enfin mon père n'est plus et je puis déclarer que vous êtes mon unique héritier. Ce n'est pas tout, ajouta-t-il, je vous marie avec une jeune dame dont la noblesse égale la mienne. Seigneur, interrompit don Alphonse, ne me faites point payer trop cher le bonheur que vous m'annoncez. Ne puis-je savoir que j'ai l'honneur d'être votre fils, sans apprendre en même temps que vous voulez me rendre malheureux? Ah! seigneur, ne soyez pas plus cruel que votre père. S'il n'a point approuvé vos amours, du moins il ne vous a point forcé de prendre une femme. Mon fils, répliqua don César, je ne prétends pas non plus tyranniser vos désirs. Mais ayez la complaisance de voir la dame que je vous destine. C'est tout ce que j'exige de votre obéissance. Quoique ce soit une personne charmante et un parti fort avantageux pour vous, je promets de ne vous pas contraindre à l'épouser. Elle est dans ce château. Suivez-moi. Vous allez convenir qu'il n'y a point d'objet plus aimable. En disant cela, il conduisit don Alphonse dans un appartement où je m'introduisis après eux avec le baron de Steinbach.

Là était le comte de Polan avec ses deux filles Séraphine et Julie, et don Fernand de Leyva, son gendre, qui était neveu de don César. Il y avait encore d'autres dames et d'autres cavaliers. Don Fernand, comme on l'a dit, avait enlevé Julie, et c'était à l'occasion du mariage de ces deux amants que les paysans des environs s'étaient assemblés ce jour-là pour se réjouir. Sitôt que don Alphonse parut, et que son père l'eut présenté à la compagnie, le comte de Polan se leva et courut l'embrasser en disant : Que mon libérateur soit le bienvenu! Don Alphonse, poursuivit-il en lui adressant la parole, connaissez le pouvoir que la vertu a sur les âmes généreuses; si vous avez tué mon fils, vous m'avez sauvé la vie. Je vous sacrifie mon ressentiment et vous donne cette même Séraphine à qui vous avez sauvé l'honneur. Par là je m'acquitte envers vous. Le fils de don César ne manqua pas de témoigner au comte de Polan combien il était pénétré de ses bontés; et je ne sais s'il eut plus de joie d'avoir découvert sa naissance, que d'apprendre qu'il allait devenir l'époux de Séraphine. Effectivement ce mariage se fit quelques jours après au grand contentement des parties les plus intéressées.

Comme j'étais aussi un des libérateurs du comte de Polan, ce seigneur, qui me reconnut, me dit qu'il se chargeait du soin de faire ma fortune; mais je le remerciai de sa générosité, et je ne voulus point quitter don Alphonse, qui me fit intendant de sa maison et m'honora de sa confiance. A peine fut-il marié, qu'ayant sur le cœur le tour qui avait été fait à Samuel Simon [73], il m'envoya porter à ce marchand tout l'argent qui lui avait été volé. J'allai donc faire une restitution, c'était commencer le métier d'intendant par où l'on devrait le finir.

Fin du second tome.

TOME TROISIÈME

AVERTISSEMENT

On a marqué dans ce troisième tome une époque qui ne s'accorde pas avec l'Histoire de don Pompeyo de Castro qu'on lit dans le premier volume. Il paraît là que Philippe II n'a pas encore fait la conquête du Portugal, et l'on voit ici tout d'un coup ce royaume sous la domination de Philippe III sans que Gil Blas en soit beaucoup plus vieux. C'est une faute de chronologie dont l'auteur s'est aperçu trop tard, mais qu'il promet de corriger dans la suite, avec quantité d'autres, si l'on fait une nouvelle édition de son ouvrage.

LIVRE SEPTIÈME

CHAPITRE PREMIER

Des amours de Gil Blas et de la dame Lorença Séphora.

J'allai donc à Xelva porter au bon Samuel Simon les trois mille ducats que nous lui avions volés. J'avouerai franchement que je fus tenté sur la route de m'approprier cet argent, pour commencer mon intendance sous d'heureux auspices. Je pouvais faire ce coup impunément, je n'avais qu'à voyager cinq ou six jours, et m'en retourner ensuite comme si je me fusse acquitté de ma commission. Don Alphonse et son père n'auraient pas soupçonné ma fidélité. Je ne succombai pourtant point à la tentation; je puis même dire que je la surmontai en garçon d'honneur. Ce qui n'était pas peu louable dans un jeune homme qui avait fréquenté de grands fripons. Bien des personnes qui ne voient que d'honnêtes gens ne sont pas si scrupuleuses; celles surtout à qui l'on a confié des dépôts qu'elles peuvent retenir sans intéresser leur réputation pourraient en dire des nouvelles.

Après avoir fait la restitution au marchand, qui ne s'y était nullement attendu, je revins au château de Leyva; le comte de Polan n'y était plus, il avait repris le chemin de Tolède avec Julie et don Fernand. Je trouvai mon nouveau maître plus épris que jamais de sa Séraphine, sa Séraphine enchantée de lui, et don César charmé de les posséder tous deux. Je m'attachai à gagner l'amitié de ce tendre père, et j'y réussis. Je devins l'intendant de la maison; c'était moi qui réglais tout; je recevais l'argent des fermiers; je faisais la dépense, et j'avais sur les valets un empire despotique : mais, contre l'ordinaire de mes pareils, je n'abusais point de mon pouvoir. Je ne chassais pas les domestiques qui me déplaisaient; ni n'exigeais pas des autres qu'ils me fussent entièrement dévoués; s'ils s'adressaient directement à don César ou à son fils pour demander des grâces, bien loin de les traverser, je parlais en leur faveur. D'ailleurs, les marques d'affection que mes deux maîtres me donnaient à toute heure m'inspiraient un zèle pur pour leur service. Je n'avais en vue que leur intérêt. Aucun tour de passe-passe dans mon administration. J'étais un intendant comme on n'en voit point.

Pendant que je m'applaudissais du bonheur de ma condition, l'amour, comme s'il eût été jaloux de ce que la fortune faisait pour moi, voulut aussi que j'eusse quelques grâces à lui rendre : il fit naître dans le cœur de la dame Lorença Séphora, première femme de Séraphine, une inclination violente pour M. l'intendant. Ma conquête, pour dire les choses en fidèle historien, frisait la cinquantaine. Cependant un air de fraîcheur, un visage agréable et deux beaux yeux dont elle savait habilement se servir pouvaient la faire encore passer pour une espèce de bonne fortune. Je lui aurais souhaité seulement un teint plus vermeil : car elle était fort pâle. Ce que je ne manquai pas d'attribuer à l'austérité du célibat.

La dame m'agaça longtemps par des regards où son amour était peint; mais, au lieu de répondre à ses œillades, je fis d'abord semblant de ne pas m'apercevoir de son dessein : par là je lui parus un galant tout neuf; ce qui ne lui déplut point. S'imaginant donc ne devoir pas s'en tenir au langage des yeux avec un jeune homme qu'elle croyait moins éclairé qu'il ne l'était, dès le premier entretien que nous eûmes ensemble, elle me déclara ses sentiments en termes formels, afin que je n'en ignorasse. Elle s'y prit en femme qui avait de l'école : elle feignit d'être déconcertée en me parlant et, après m'avoir dit à bon compte tout ce qu'elle voulait me dire, elle se cacha le visage, pour me faire croire qu'elle avait honte de me laisser voir sa faiblesse. Il fallut bien me rendre; et, quoique la vanité me déterminât plus que le sentiment, je me montrai fort sensible à ses bontés. J'affectai même d'être pressant, et je fis si bien le passionné, que je m'attirai des reproches. Lorença me reprit, mais avec tant de douceur qu'en me recommandant d'avoir de la retenue elle ne paraissait pas fâchée que j'en eusse manqué. J'aurais poussé les choses encore plus loin, si l'objet aimé n'eût pas craint de me donner mauvaise opinion de sa vertu, en m'accordant une victoire trop facile. Ainsi nous nous séparâmes jusqu'à une nouvelle entrevue, Séphora, persuadée que sa fausse résistance la faisait passer pour une vestale dans mon esprit, et moi, plein de la douce espérance de mettre bientôt cette aventure à fin.

Mes affaires étaient dans cette disposition, lorsqu'un laquais de don César m'apprit une nouvelle qui modéra ma joie. Ce garçon était un de ces domestiques curieux qui s'appliquent à découvrir ce qui se passe dans une maison. Comme il me faisait assidûment sa cour, et qu'il me régalait de quelque nouveauté tous les jours, il me vint dire un matin qu'il avait fait une plaisante découverte; qu'il voulait m'en faire part, à condition que je garderais le secret, attendu que cela regardait la dame Lorença Séphora, dont il craignait, disait-il, de s'attirer le ressentiment. J'avais trop d'envie d'apprendre ce qu'il avait à me dire, pour ne lui pas promettre d'être discret; mais, sans paraître y prendre le moindre intérêt, je lui demandai, le plus froidement qu'il me fut possible, ce que c'était que la découverte dont il me faisait fête. Lorença, me dit-il, fait secrètement entrer tous les soirs dans son appartement le chirurgien du village, qui est un jeune homme des mieux bâtis, et le drôle y demeure assez longtemps. Je veux croire, ajouta-t-il d'un air malin, que cela peut fort bien être innocent; mais vous conviendrez qu'un garçon qui se glisse mystérieusement dans la chambre d'une fille dispose à mal juger d'elle.

Quoique ce rapport me fît autant de peine que si j'eusse été véritablement amoureux, je me gardai bien de le faire connaître, je me contraignis jusqu'à rire de cette nouvelle qui me perçait l'âme. Mais je me dédommageai de cette contrainte dès que je me vis sans témoins. Je pestai, je jurai, je rêvai au parti que je prendrais. Tantôt méprisant Lorença, je me proposais de l'abandonner, sans daigner seulement m'éclaircir avec la coquette, et tantôt m'imaginant qu'il y allait de mon bonheur de donner la chasse au chirurgien, je formais le dessein de l'appeler en duel. Cette dernière résolution prévalut. Je me mis en embuscade sur le soir, et je vis effectivement mon homme entrer d'un air mystérieux dans l'appartement de ma duègne. Il fallait cela pour entretenir ma fureur. Je sortis du château, et m'allai poster sur le chemin par où le galant devait s'en retourner. Je l'attendais de pied ferme et chaque moment irritait l'envie que j'avais de me battre : enfin, mon ennemi parut, je fis quelques pas en matamore pour l'aller joindre; mais, je ne sais comment diable cela se fit, je me sentis tout à coup saisir, comme un héros d'Homère, d'un mouvement de crainte qui m'arrêta. Je demeurai aussi troublé que Pâris, quand il se présenta pour combattre Ménélas. Je me mis à considérer mon homme, qui me sembla fort et vigoureux; et je trouvai son épée d'une longueur excessive. Tout cela faisait sur moi son effet. Néanmoins, par point d'honneur ou autrement, quoique je visse le péril avec des yeux qui le grossissaient encore, et malgré la nature qui s'opiniâtrait à m'en détourner, j'eus l'assurance de m'avancer vers le chirurgien et de mettre flamberge au vent.

Mon action le surprit. Qu'y a-t-il donc ? seigneur Gil Blas, s'écria-t-il. Pourquoi ces démonstrations ? Vous voulez rire apparemment. Non, monsieur le barbier, lui répondis-je, non. Rien n'est plus sérieux. Je veux savoir si vous êtes aussi brave que galant. N'espérez pas que je vous laisse posséder tranquillement les bonnes grâces de la dame que vous venez de voir au château. Par saint Côme, reprit le chirurgien en faisant un éclat de rire, voici une plaisante aventure! Vive Dieu! les apparences sont bien trompeuses. A ces mots, m'imaginant qu'il n'avait pas plus d'envie que moi de se battre, j'en devins plus insolent. A d'autres, interrompis-je, mon ami, à d'autres! Ne pensez pas que je me paye d'une simple négative. Je vois bien, répliqua-t-il, que je serai obligé de parler pour prévenir le malheur qui arriverait à vous ou à moi. Je vais donc vous révéler un secret, quoique les hommes de notre profession ne puissent pas être trop discrets. Si la dame Lorença me fait entrer à la sourdine dans son appartement, c'est pour cacher aux domestiques la connaissance de son mal. Elle a au dos un cancer invétéré que je vais panser tous les soirs. Voilà le sujet de ces visites qui vous alarment. Ayez désormais l'esprit en repos sur elle. Mais, poursuivit-il, si vous n'êtes pas satisfait de cet éclaircissement, et que vous vouliez que nous en venions absolument aux mains, vous n'avez qu'à parler. Je ne suis pas homme à refuser de vous prêter le collet. En disant ces paroles, il tira sa longue rapière qui me fit frémir et se mit en garde. C'est assez, lui dis-je en rengainant mon épée; je ne suis pas un brutal à n'écouter aucune raison; après ce que vous venez de m'apprendre, vous n'êtes plus mon ennemi. Embrassons-nous. A ce discours, qui lui fit assez connaître que je n'étais pas si méchant que j'avais paru d'abord, il remit en riant sa flamberge, me tendit les bras, et ensuite nous nous séparâmes les meilleurs amis du monde.

Depuis ce moment-là, Séphora ne s'offrit plus que désagréablement à ma pensée. J'éludai toutes les occasions qu'elle me donna de l'entretenir en particulier. Ce que je fis avec tant de soin et d'affectation, qu'elle s'en aperçut. Etonnée d'un si grand changement, elle en voulut savoir la cause; et trouvant enfin le moyen de me parler à l'écart : Monsieur l'Intendant, me dit-elle, apprenez-moi, de grâce, pourquoi vous fuyez jusqu'à mes regards ? Il est vrai que j'ai fait les avances, mais vous y avez répondu. Rappelez-vous, s'il vous plaît, la conversation particulière que nous avons eue ensemble. Vous y étiez tout de feu; vous êtes à présent tout de glace. Qu'est-ce que cela signifie ? La question n'était pas peu délicate pour un homme naturel. Aussi je fus fort embarrassé. Je ne me souviens plus de la réponse que je fis à la dame; je me souviens seulement qu'elle lui déplut on ne peut pas davantage. Séphora, quoique à son air doux et modeste on l'eût prise pour un agneau, était un tigre quand la colère la dominait. Je croyais, me dit-elle en me lançant un regard plein de dépit et de rage, je croyais faire beaucoup d'honneur à un petit homme comme vous, en lui découvrant des sentiments que de nobles cavaliers feraient gloire d'exciter. Je suis bien punie de m'être indignement abaissée jusqu'à un malheureux aventurier.

Elle n'en demeura pas là. J'en aurais été quitte à trop bon marché. Sa langue, cédant à la fureur, me donna cent épithètes qui enchérissaient les unes sur les autres. J'aurais dû les recevoir de sang-froid, et faire réflexion qu'en dédaignant le triomphe d'une vertu que j'avais tentée je commettais un crime que les femmes ne pardonnent point. Mais j'étais trop vif pour souffrir des injures dont un homme sensé n'aurait fait que rire à ma place, et la patience m'échappa. Madame, lui dis-je, ne méprisons personne. Si ces nobles cavaliers dont vous parlez vous avaient vu le dos, je suis sûr qu'ils borneraient là leur curiosité. Je n'eus pas sitôt lancé ce trait, que la furieuse duègne m'appliqua le plus rude soufflet qu'ait jamais donné femme outragée. Je n'en attendis pas un second et j'évitai par une prompte fuite une grêle de coups qui seraient tombés sur moi.

Je rendais grâce au ciel de me voir hors de ce mauvais pas, et je m'imaginais n'avoir plus rien à craindre, puisque la dame s'était vengée. Il me semblait que pour son honneur, elle devait taire l'aventure : effectivement, quinze jours s'écoulèrent sans que j'en entendisse parler. Je commençais moi-même à l'oublier, quand j'appris que Séphora était malade. Je fus assez bon pour m'affliger de cette nouvelle. J'eus pitié de la dame. Je pensai que, ne pouvant vaincre un amour si mal payé, cette malheureuse amante y avait succombé. Je me représentais avec douleur que j'étais cause de sa maladie, et je plaignais du moins la duègne, si je ne pouvais l'aimer. Que je jugeais mal d'elle! Sa tendresse changée en haine ne songeait alors qu'à me nuire.

Un matin que j'étais avec don Alphonse, je trouvai ce jeune cavalier triste et rêveur. Je lui demandai respectueusement ce qu'il avait. Je suis chagrin, me dit-il, de voir Séraphine faible, injuste, ingrate. Cela vous étonne, ajouta-t-il en remarquant que je l'écoutais avec surprise. Cependant, rien n'est plus véritable. J'ignore quel sujet vous avez pu donner à la dame Lorença de vous haïr, mais je puis vous assurer que vous lui êtes devenu odieux à un point que, si vous ne sortez au plus vite de ce château, sa mort, dit-elle, est certaine. Vous ne devez pas douter que Séraphine, à qui vous êtes cher, ne se soit d'abord révoltée contre une haine qu'elle ne peut servir sans injustice et sans ingratitude. Mais, enfin, c'est une femme. Elle aime tendrement Séphora qui l'a élevée. C'est pour elle une mère que cette gouvernante, dont elle croirait avoir le trépas à se reprocher, si elle n'avait la faiblesse de la satisfaire. Pour moi, quelque amour qui m'attache à Séraphine, je n'aurai jamais la lâche complaisance d'adhérer à ses sentiments là-dessus. Périssent toutes les duègnes d'Espagne, avant que je consente à l'éloignement d'un garçon que je regarde plutôt comme un frère que comme un domestique!

Lorsque don Alphonse eut ainsi parlé, je lui dis : Seigneur, je suis né pour être le jouet de la fortune. J'avais compté qu'elle cesserait de me persécuter chez vous, où tout me promettait des jours heureux et tranquilles. Il faut pourtant me résoudre à m'en bannir, quelque agrément que j'y trouve. Non, non, s'écria le généreux fils de don César. Laissez-moi faire entendre raison à Séraphine. Il ne sera pas dit que vous aurez été sacrifié aux caprices d'une duègne, pour qui d'ailleurs on n'a que trop de considération. Vous ne ferez, lui répliquai-je, seigneur, qu'aigrir Séraphine en résistant à ses volontés. J'aime mieux me retirer que de m'exposer par un plus long séjour ici à mettre la division entre deux époux si parfaits. Ce serait un malheur dont je ne me consolerais de ma vie.

Don Alphonse me défendit de prendre ce parti, et je le vis si ferme dans le dessein de me soutenir, qu'indubitablement Lorença en aurait eu le démenti, si j'eusse voulu tenir bon. Il y avait des moments où, piqué contre la duègne, j'étais tenté de ne la point ménager; mais quand je venais à considérer qu'en révélant sa honte, ce serait poignarder une pauvre créature dont je causais tout le malheur, et que deux maux sans remède conduisaient visiblement au tombeau, je ne me sentais plus que de la compassion pour elle. Je jugeai, puisque j'étais un mortel si dangereux, que je devais en conscience rétablir par ma retraite la tranquillité dans le château. Ce que j'exécutai dès le lendemain avant le jour; sans dire adieu à mes deux maîtres, de peur qu'ils ne s'opposassent à mon départ par amitié pour moi. Je me contentai de laisser dans ma chambre un écrit qui contenait un compte exact que je leur rendais de mon administration.

CHAPITRE II

Ce que devint Gil Blas après sa sortie du château de Leyva; et des heureuses suites qu'eut le mauvais succès de ses amours.

J'étais monté sur un bon cheval qui m'appartenait, et je portais dans ma valise deux cents pistoles dont la meilleure partie me venait des bandits tués et des trois mille ducats volés à Samuel Simon; car don Alphonse, sans me faire rendre ce que j'avais touché, avait restitué cette somme entière de ses propres deniers. Ainsi, regardant mes effets comme un bien devenu légitime, j'en jouissais sans scrupule. Je possédais donc un fonds qui ne me permettait pas de m'embarrasser de l'avenir, outre la confiance qu'on a toujours en son mérite, à l'âge que j'avais. D'ailleurs,

Tolède m'offrait un asile agréable. Je ne doutais point que le comte de Polan ne se fît un plaisir de bien recevoir un de ses libérateurs et de lui donner un logement dans sa maison. Mais j'envisageais ce seigneur comme mon pis-aller, et je résolus, avant que d'avoir recours à lui, de dépenser une partie de mon argent à voyager dans les royaumes de Murcie et de Grenade, que j'avais particulièrement envie de voir. Dans ce dessein, je pris le chemin d'Almansa, d'où, poursuivant ma route, j'allai de ville en ville jusqu'à celle de Grenade, sans qu'il m'arrivât aucune mauvaise aventure. Il semblait que la fortune, satisfaite de tant de tours qu'elle m'avait joués, voulût enfin me laisser en repos. Mais elle m'en préparait bien d'autres, comme on le verra dans la suite.

Une des premières personnes que je rencontrai dans les rues de Grenade fut le seigneur don Fernand de Leyva, gendre, ainsi que don Alphonse, du comte de Polan. Nous fûmes également surpris l'un et l'autre de nous trouver là. Comment donc, Gil Blas, s'écria-t-il, vous dans cette ville! qui vous amène ici? Seigneur, lui dis-je, si vous êtes étonné de me voir en ce pays-ci, vous le serez bien davantage quand vous saurez pourquoi j'ai quitté le service du seigneur don César et de son fils. Alors je lui contai tout ce qui s'était passé entre Séphora et moi, sans lui rien déguiser; il en rit de bon cœur; puis reprenant son sérieux : Mon ami, me dit-il, je vous offre ma médiation dans cette affaire. Je vais écrire à ma belle-sœur... Non, non, seigneur, interrompis-je, ne lui écrivez point, je vous prie. Je ne suis pas sorti du château de Leyva pour y retourner. Faites, s'il vous plaît, un autre usage de la bonté que vous avez pour moi. Si quelqu'un de vos amis a besoin d'un secrétaire ou d'un intendant, je vous conjure de lui parler en ma faveur. J'ose vous assurer qu'il ne vous reprochera pas de lui avoir donné un mauvais sujet. Très volontiers, répondit-il, je ferai ce que vous souhaitez. Je suis venu à Grenade pour voir une vieille tante malade; j'y serai encore trois semaines, après quoi je partirai pour me rendre à mon château de Lorqui, où j'ai laissé Julie. Je demeure dans cette maison, poursuivit-il, en me montrant un hôtel qui était à cent pas de nous. Venez me trouver dans quelques jours. Je vous aurai peut-être déjà déterré un poste convenable.

Effectivement dès la première fois que nous nous revîmes, il me dit : M. l'archevêque de Grenade, mon parent et mon ami, voudrait avoir un jeune homme qui eût de la littérature et une bonne main pour mettre au net ses écrits; car c'est un grand auteur. Il a composé je ne sais combien d'homélies, et il en fait encore tous les jours qu'il prononce avec applaudissement. Comme je vous crois son fait, je vous ai proposé, et il m'a promis de vous prendre. Allez vous présenter à lui de ma part. Vous jugerez par la réception qu'il vous fera si je lui ai parlé de vous avantageusement.

La condition me parut telle que je la pouvais désirer. Ainsi m'étant préparé de mon mieux à paraître devant le prélat, je me rendis un matin à l'archevêché. Si j'imitais les faiseurs de romans, je ferais une pompeuse description du palais épiscopal de Grenade. Je m'étendrais sur la structure du bâtiment. Je vanterais la richesse des meubles. Je parlerais des statues et des tableaux qui y étaient. Je ne ferais pas grâce au lecteur de la moindre des histoires qu'ils représentaient; mais je me contenterai de dire qu'il égalait en magnificence le palais de nos rois.

Je trouvai dans les appartements un peuple d'ecclésiastiques, et de gens d'épée, dont la plupart étaient des officiers de monseigneur; ses aumôniers, ses gentilshommes, ses écuyers ou ses valets de chambre. Les laïques avaient presque tous des habits superbes. On les aurait plutôt pris pour des seigneurs que pour des domestiques. Ils étaient fiers et faisaient les hommes de conséquence. Je ne pus m'empêcher de rire en les considérant et de m'en moquer en moi-même. Parbleu, disais-je, ces gens-ci sont bien heureux de porter le joug de la servitude sans le sentir; car enfin, s'ils le sentaient, il me semble qu'ils auraient des manières moins orgueilleuses. Je m'adressai à un grave et gros personnage qui se tenait à la porte du cabinet de l'archevêque, pour l'ouvrir et la fermer quand il le fallait. Je lui demandai civilement s'il n'y avait pas moyen de parler à monseigneur. Attendez, me dit-il d'un air sec, Sa Grandeur va sortir pour aller entendre la messe : elle vous donnera en passant un moment d'audience. Je ne répondis pas un mot. Je m'armai de patience : et je m'avisai de vouloir lier conversation avec quelques-uns des officiers; mais ils commencèrent à m'examiner depuis les pieds jusqu'à la tête, sans daigner me dire une syllabe. Après quoi ils se regardèrent les uns les autres en souriant avec orgueil de la liberté que j'avais prise de me mêler à leur entretien.

Je demeurai, je l'avoue, tout déconcerté de me voir traiter ainsi par des valets. Je n'étais pas encore bien remis de ma confusion, quand la porte du cabinet s'ouvrit. L'archevêque parut. Il se fit aussitôt un profond silence parmi ses officiers, qui quittèrent tout à coup leur maintien insolent pour en prendre un respectueux devant leur maître. Ce prélat était dans sa soixante-neuvième année, fait à peu près comme mon oncle le chanoine Gil Perez, c'est-à-dire gros et court. Il avait par-dessus le marché les jambes fort tournées en dedans, et il était si chauve, qu'il ne lui restait qu'un toupet de cheveux par derrière. Ce qui l'obligeait d'emboîter sa tête dans un bonnet de laine fine à longues oreilles. Malgré tout cela, je lui trouvais l'air d'un homme de qualité, sans doute parce que je savais qu'il en était un. Nous autres personnes du commun, nous regardons les grands seigneurs avec une prévention qui leur prête souvent un air de grandeur que la nature leur a refusé.

L'archevêque s'avança vers moi d'abord, et me demanda, d'un ton de voix plein de douceur, ce que je souhaitais. Je lui dis que j'étais le jeune homme dont le seigneur don Fernand de Leyva lui avait parlé. Il ne me donna pas le temps de lui en dire davantage. Ah! c'est vous, s'écria-t-il, c'est vous dont il m'a fait un si bel éloge : je vous retiens à mon service. Vous êtes une bonne acquisition pour moi. Vous n'avez qu'à demeurer ici. A ces mots, il s'appuya sur deux écuyers et sortit après avoir écouté des ecclésiastiques qui avaient quelque chose à lui communiquer. A peine fut-il hors de la chambre où nous étions, que les mêmes officiers qui avaient dédaigné ma conversation la recherchèrent. Les voilà qui m'environnent, qui me gracieusent et me témoignent de la joie de me voir devenir commensal de l'archevêché. Ils avaient entendu les paroles que leur maître m'avait dites, et ils mouraient d'envie de savoir sur quel pied j'allais être auprès de lui; mais j'eus la malice de ne pas contenter leur curiosité pour me venger de leurs mépris.

Monseigneur ne tarda guère à revenir. Il me fit entrer dans son cabinet pour m'entretenir en particulier. Je jugeai bien qu'il avait dessein de tâter mon esprit. Je me tins sur mes gardes et me préparai à mesurer tous mes mots. Il m'interrogea d'abord sur les humanités. Je ne répondis point mal à ses questions. Il vit que je connaissais assez les auteurs grecs et latins. Il me mit ensuite sur la dialectique. C'est où je l'attendais. Il me trouva là-dessus ferré à glace. Votre éducation, me dit-il, avec quelque sorte de surprise, n'a point été négligée. Voyons présentement votre écriture. J'en tirai de ma poche une feuille que j'avais apportée exprès. Mon prélat n'en fut pas mal satisfait. Je suis content de votre main, s'écria-t-il, et plus encore de votre esprit. Je remercierai mon neveu don Fernand de m'avoir donné un si joli garçon. C'est un vrai présent qu'il m'a fait.

Nous fûmes interrompus par l'arrivée de quelques seigneurs grenadins qui venaient dîner avec l'archevêque. Je les laissai ensemble et me retirai parmi les officiers qui me prodiguèrent alors les honnêtetés. J'allai manger avec eux quand il en fut temps et, s'ils m'observèrent pendant le repas, je les examinai bien aussi. Quelle sagesse il y avait dans l'extérieur des ecclésiastiques! Ils me parurent de saints personnages, tant le lieu où j'étais tenait mon esprit en respect! Il ne me vint pas seulement en pensée que c'était peut-être de la fausse monnaie; comme si l'on n'en pouvait pas voir chez les princes de l'Eglise!

J'étais assis auprès d'un vieux valet de chambre, nommé Melchior de la Ronda. Il prenait soin de me servir de bons morceaux. L'attention qu'il avait pour moi m'en donna pour lui; et ma politesse le charma. Seigneur cavalier, me dit-il tout bas, après le dîner : je voudrais bien avoir une conversation particulière avec vous. En même temps, il me mena dans un endroit du palais où personne ne pouvait nous entendre. Et là, il me tint ce discours : Mon fils, dès le premier instant que je vous ai vu, je me suis senti pour vous de l'inclination. Je veux vous en donner une marque certaine en vous faisant une confidence qui vous sera d'une grande utilité. Vous êtes ici dans une maison où les vrais et les faux dévots vivent pêle-mêle. Il vous faudrait un temps infini pour connaître le terrain. Je vais vous épargner une si longue et si désagréable étude, en vous découvrant les caractères des uns et des autres. Après cela, vous pourrez facilement vous conduire.

Je commencerai, poursuivit-il, par monseigneur. C'est un prélat fort pieux, qui s'occupe sans cesse à édifier le peuple, à le porter à la vertu par des sermons pleins d'une morale excellente, qu'il compose lui-même. Il a depuis vingt années quitté la cour pour s'abandonner entièrement au zèle qu'il a pour son troupeau. C'est un savant personnage, un grand orateur. Il met tout son plaisir à prêcher, et ses auditeurs sont ravis de l'entendre. Peut-être y a-t-il un peu de vanité dans son fait; mais, outre que ce n'est point aux hommes à pénétrer les cœurs, il me siérait mal d'éplucher les défauts d'une personne dont je mange le pain. S'il m'était permis de reprendre quelque chose dans mon maître, je blâmerais sa sévérité. Au lieu d'avoir de l'indulgence pour les faibles ecclésiastiques, il les punit avec trop de rigueur. Il persécute surtout sans miséricorde ceux qui, comptant sur leur innocence, entreprennent de se justifier juridiquement au mépris de son autorité. Je lui trouve encore un autre défaut, qui lui est commun avec bien des personnes de qualité : quoiqu'il aime ses domestiques, il ne fait aucune attention à leurs services; et il les laissera vieillir sans songer à leur procurer quelque établissement. Si quelquefois il leur fait des gratifications, ils ne les doivent qu'à la bonté de quelqu'un qui aura parlé pour eux. Il ne s'aviserait jamais de lui-même de leur faire le moindre bien.

Voilà ce que le vieux valet de chambre me dit de son maître. Il me dit après cela ce qu'il pensait des ecclésiastiques avec qui nous avions dîné. Il m'en fit des portraits qui ne s'accordaient guère avec leur maintien. Il ne me les donna pas, à la vérité, pour de malhonnêtes gens, mais seulement pour d'assez mauvais prêtres. Il en excepta pourtant quelques-uns, dont il vanta fort la vertu. Je ne fus plus embarrassé de ma contenance avec ces messieurs. Dès le soir même en soupant, je me parai comme eux d'un dehors sage. Cela ne coûte rien. Il ne faut pas s'étonner s'il y a tant d'hypocrites.

CHAPITRE III

Gil Blas devient le favori de l'archevêque de Grenade et le canal de ses grâces.

J'avais été dans l'après-dînée chercher mes hardes et mon cheval à l'hôtellerie où j'étais logé; après quoi, j'étais revenu souper à l'archevêché, où l'on m'avait préparé une chambre fort propre et un lit de duvet. Le jour suivant, monseigneur me fit appeler de bon matin. C'était pour me donner une homélie à transcrire. Mais il me recommanda de la copier avec toute l'exactitude possible. Je n'y manquai pas. Je n'oubliai ni accent, ni point, ni virgule. Aussi la joie qu'il en témoigna fut mêlée de surprise. Père éternel! s'écria-t-il avec transport lorsqu'il eut parcouru des yeux tous les feuillets de ma copie, vit-on jamais rien de si correct ? Vous êtes trop bon copiste pour n'être pas grammairien. Parlez-moi confidemment, mon ami. N'avez-vous rien trouvé en écrivant qui vous ait choqué ? Quelque négligence dans le style ou quelque terme impropre ? Oh! Monseigneur, lui répondis-je d'un air modeste, je ne suis point assez éclairé pour faire des observations critiques. Et quand je le serais, je suis persuadé que les ouvrages de Votre Grandeur échapperaient à ma censure. Le prélat sourit de ma réponse. Il ne répliqua point; mais il me laissa voir au travers de toute sa piété qu'il n'était pas auteur impunément.

J'achevai de gagner ses bonnes grâces par cette flatterie. Je lui devins plus cher de jour en jour, et j'appris enfin, de don Fernand, qui le venait voir très souvent, que j'en étais aimé de manière que je pouvais compter ma fortune faite. Cela me fut confirmé peu de temps après par mon maître même; et voici à quelle occasion : un soir il répéta devant moi avec enthousiasme dans son cabinet une homélie qu'il devait prononcer le lendemain dans la cathédrale. Il ne se contenta pas de me demander ce que j'en pensais en général, il m'obligea de lui dire quels endroits m'avaient le plus frappé. J'eus le bonheur de lui citer ceux qu'il estimait davantage; ses morceaux favoris. Par là, je passai dans son esprit pour un homme qui avait une connaissance délicate des vraies beautés d'un ouvrage : Voilà, s'écria-t-il, ce qu'on appelle avoir du goût et du sentiment! Va, mon ami, tu n'as pas, je t'assure, l'oreille béotienne. En un mot, il fut si content de moi, qu'il me dit avec vivacité : Sois, Gil Blas, sois désormais sans inquiétude sur ton sort. Je me charge de t'en faire un des plus agréables. Je t'aime, et, pour te le prouver, je te fais mon confident.

Je n'eus pas sitôt entendu ces paroles, que je tombai aux pieds de Sa Grandeur tout pénétré de reconnaissance. J'embrassai de bon cœur ses jambes cagneuses, et je me regardai comme un homme qui était en train de s'enrichir. Oui, mon enfant, reprit l'archevêque, dont mon action avait interrompu le discours, je veux te rendre dépositaire de mes plus secrètes pensées. Ecoute avec attention ce que je vais te dire. Je me plais à prêcher. Le Seigneur bénit mes homélies. Elles touchent les pécheurs, les font rentrer en eux-mêmes et recourir à la pénitence. J'ai la satisfaction de voir un avare, effrayé des images que je présente à sa cupidité, ouvrir ses trésors et les répandre d'une prodigue main; d'arracher un voluptueux aux plaisirs; de remplir d'ambitieux les ermitages, et d'affermir dans son devoir une épouse ébranlée par un amant séducteur. Ces conversations, qui sont fréquentes, devraient toutes seules m'exciter au travail. Néanmoins, je t'avouerai ma faiblesse : je me propose encore un autre prix, un prix que la délicatesse de ma vertu me reproche inutilement : c'est l'estime que le monde a pour les écrits fins et limés. L'honneur de passer pour un parfait orateur a des charmes pour moi. On trouve mes ouvrages également forts et délicats : mais je voudrais bien éviter le défaut des bons auteurs qui écrivent trop longtemps, et me sauver avec toute ma réputation.

Ainsi, mon cher Gil Blas, continua le prélat, j'exige une chose de ton zèle : quand tu t'apercevras que ma plume sentira la vieillesse, lorsque tu me verras baisser, ne manque pas de m'en avertir. Je ne me fie point à moi là-dessus. Mon amour-propre pourrait me séduire. Cette remarque demande un esprit désintéressé. Je fais choix du tien, que je connais bon. Je m'en rapporterai à ton jugement. Grâce au Ciel, lui dis-je, Monseigneur, vous êtes encore fort éloigné de ce temps-là. De plus, un esprit de la trempe de celui de Votre Grandeur se conservera beaucoup mieux qu'un autre, ou pour parler plus juste vous serez toujours le même. Je vous regarde comme un autre cardinal Ximenès dont le génie supérieur, au lieu de s'affaiblir par les années, semblait en recevoir de nouvelles forces. Point de flatterie, interrompit-il, mon ami! Je sais que je puis tomber tout d'un coup. A mon âge, on commence à sentir les infirmités, et les infirmités du corps altèrent l'esprit. Je te le répète, Gil Blas; dès que tu jugeras que ma tête s'affaiblira, donne-m'en aussitôt avis. Ne crains pas d'être franc et sincère. Je recevrai cet avertissement comme une marque d'affection pour moi. D'ailleurs, il y va de ton intérêt : si par malheur pour toi il me revenait qu'on dît dans la ville que mes discours n'ont plus leur force ordinaire, et que je devrais me reposer, je te le déclare tout net, tu perdrais avec mon amitié la fortune que je t'ai promise. Tel serait le fruit de ta sotte discrétion.

Le patron cessa de parler en cet endroit pour entendre ma réponse, qui fut une promesse de faire ce qu'il souhaitait. Depuis ce temps-là, il n'eut plus rien de caché pour moi. Je devins son favori. Tous les domestiques, excepté Melchior de la Ronda, ne s'en aperçurent pas sans envie. C'était une chose à voir que la manière dont les gentilshommes et les écuyers vivaient alors avec le confident de monseigneur. Ils n'avaient pas honte de faire des bassesses pour capter ma bienveillance. Je ne pouvais croire qu'ils fussent Espagnols. Je ne laissai pas de leur rendre service, sans être la dupe de leurs politesses intéressées. M. l'archevêque à ma prière s'employa pour eux. Il fit donner à l'un une compagnie et le mit en état de faire figure dans les troupes. Il envoya un autre au Mexique remplir un emploi considérable qu'il lui fit avoir, et j'obtins pour mon ami Melchior une bonne gratification. J'éprouvai par là que, si le prélat ne prévenait pas, du moins, il refusait rarement ce qu'on lui demandait.

Mais ce que je fis pour un prêtre me paraît mériter un détail. Un jour, certain licencié, appelé Louis Garcias, homme jeune encore et de très bonne mine, me fut présenté par notre maître d'hôtel, qui me dit : Seigneur Gil Blas, vous voyez un de mes meilleurs amis dans cet honnête ecclésiastique. Il a été aumônier chez les religieuses. La médisance n'a point épargné sa vertu. On l'a noirci dans l'esprit de monseigneur qui l'a interdit, et qui par malheur est si prévenu contre lui, qu'il ne veut écouter aucune sollicitation en sa faveur. Nous avons inutilement employé les premières personnes de Grenade pour le faire réhabiliter. Notre maître est inflexible.

Messieurs, leur dis-je, voilà une affaire bien gâtée. Il vaudrait mieux qu'on n'eût point sollicité pour le seigneur licencié. On lui a rendu un mauvais office en voulant le servir. Je connais monseigneur. Les prières et les recommandations ne font qu'aggraver dans son esprit la faute d'un ecclésiastique. Il n'y a pas longtemps que je le lui ai ouï dire à lui-même : Plus, disait-il, un prêtre qui est tombé dans l'irrégularité engage de personnes à me parler pour lui, plus il augmente le scandale, et plus j'ai de sévérité. Cela est fâcheux, reprit le maître d'hôtel; et mon ami serait bien embarrassé, s'il n'avait pas une bonne main. Heureusement, il écrit à ravir et il se tire d'intrigue par ce talent. Je fus curieux de voir si l'écriture qu'on me vantait valait mieux que la mienne. Le licencié, qui en avait sur lui, m'en montra une page, que j'admirai. Il semblait que ce fût une exemple de maître écrivain. En considérant une si belle écriture, il me vint une idée. Je priai Garcias de me laisser ce papier, en lui disant que j'en pourrais faire quelque chose qui lui serait utile : que je ne m'expliquais pas dans ce moment, mais que, le lendemain, je lui en dirais davantage. Le licencié, à qui le maître d'hôtel avait apparemment fait l'éloge de mon génie, se retira aussi content que s'il eût déjà été remis dans ses fonctions.

J'avais véritablement envie qu'il le fût; et dès le jour même j'y travaillai de la manière que je vais le dire. J'étais seul avec l'archevêque. Je lui fis voir l'écriture de Garcias. Mon patron en parut charmé. Alors profitant de l'occasion : Monseigneur, lui dis-je, puisque vous ne voulez pas faire imprimer vos homélies, je souhaiterais du moins qu'elles fussent écrites comme cela. Je suis satisfait de ton écriture, me répondit le prélat; mais je t'avoue que je ne serais pas fâché d'avoir de cette main-là une copie de mes ouvrages. Votre Grandeur, lui répliquai-je, n'a qu'à parler. L'homme qui peint si bien est un licencié de ma connaissance. Il sera d'autant plus ravi de vous faire ce plaisir, qu'il pourra par ce moyen intéresser votre bonté à le tirer de la triste situation où il a le malheur de se trouver présentement.

Le prélat ne manqua pas de demander comment se nommait ce licencié. Il s'appelle, lui dis-je, Louis Garcias. Il est au désespoir de s'être attiré votre disgrâce. Ce Garcias, interrompit-il, a, si je ne me trompe, été aumônier dans un couvent de filles. Il a encouru les censures ecclésiastiques. Je me souviens encore des mémoires qui m'ont été donnés contre lui. Ses mœurs ne sont pas fort bonnes. Monseigneur, interrompis-je à mon tour, je n'entreprendrai point de le justifier; mais je sais qu'il a des ennemis. Il prétend que les auteurs des mémoires que vous avez vus se sont plus attachés à lui rendre de mauvais offices qu'à dire la vérité. Cela peut être, repartit l'archevêque. Il y a dans le monde des esprits bien dangereux. D'ailleurs, je veux que sa conduite n'ait pas toujours été irréprochable : il peut s'en être repenti, et enfin, à tout péché miséricorde. Amène-moi ce licencié; je lève l'interdiction.

C'est ainsi que les hommes les plus sévères rabattent de leur sévérité, quand leur plus cher intérêt s'y oppose. L'archevêque accorda sans peine au vain plaisir d'avoir ses œuvres bien écrites ce qu'il avait refusé aux plus puissantes sollicitations. Je portai promptement cette nouvelle au maître d'hôtel qui la fit savoir à son ami Garcias. Ce licencié, dès le jour suivant, vint me faire des remercîments proportionnés à la grâce obtenue. Je le présentai à mon maître, qui se contenta de lui faire une légère réprimande, et lui donna des homélies à mettre au net. Garcias s'en acquitta si bien qu'il fut rétabli dans son ministère. Il obtint même la cure de Gabie, gros bourg aux environs de Grenade.

CHAPITRE IV

L'archevêque tombe en apoplexie. De l'embarras où se trouve Gil Blas, et de quelle façon il en sort.

Tandis que je rendais ainsi service aux uns et aux autres, don Fernand de Leyva se disposait à quitter Grenade. J'allai voir ce seigneur avant son départ pour le remercier de nouveau de l'excellent poste qu'il m'avait procuré. Je lui en parus si satisfait, qu'il me dit : Mon cher Gil Blas, je suis ravi que vous soyez content de mon oncle l'archevêque. J'en suis charmé, lui répondis-je. Il a pour moi des bontés que je ne puis assez reconnaître. Il ne m'en fallait pas moins pour me consoler de n'être plus auprès du seigneur don César et de son fils. Je suis persuadé, reprit-il, qu'ils sont aussi tous deux mortifiés de vous avoir perdu. Mais vous n'êtes peut-être pas séparés pour jamais. La fortune pourra quelque jour vous rassembler. Je n'entendis pas ces paroles sans m'attendrir. J'en soupirai, et je sentis dans ce moment-là que j'aimais tant don Alphonse, que j'aurais volontiers abandonné l'archevêque et les belles espérances qu'il m'avait données, pour m'en retourner au château de Leyva, si l'on eût levé l'obstacle qui m'en avait éloigné. Don Fernand s'aperçut des mouvements qui m'agitaient, et m'en sut si bon gré, qu'il m'embrassa en me disant que toute sa famille prendrait toujours part à ma destinée.

Deux mois après que ce cavalier fut parti, dans le temps de ma plus grande faveur, nous eûmes une chaude alarme au palais épiscopal : l'archevêque tomba en apoplexie. On le secourut si promptement, et on lui donna de si bons remèdes, que, quelques jours après, il n'y paraissait plus. Mais son esprit en reçut une rude atteinte. Je le remarquai bien dès le premier discours qu'il composa. Je ne trouvai pas toutefois la différence qu'il y avait de celui-là aux autres assez sensible pour conclure que l'orateur commençait à baisser. J'attendis encore une homélie pour mieux savoir à quoi m'en tenir. Oh! pour celle-là, elle fut décisive. Tantôt le bon prélat se rebattait, tantôt il s'élevait trop haut ou descendait trop bas. C'était un discours diffus, une rhétorique de régent usé, une capucinade.

Je ne fus pas le seul qui y prit garde. La plupart des auditeurs, quand il la prononça, comme s'ils eussent été aussi gagés pour l'examiner, se disaient tout bas les uns aux autres : Voilà un sermon qui sent l'apoplexie. Allons, monsieur l'arbitre des homélies, me dis-je alors à moi-même, préparez-vous à faire votre office. Vous voyez que monseigneur tombe. Vous devez l'en avertir, non seulement comme dépositaire de ses pensées, mais encore de peur que quelqu'un de ses amis ne fût assez franc pour vous prévenir. En ce cas-là, vous savez ce qu'il en arriverait; vous seriez biffé de son testament, où il y a sans doute pour vous un meilleur legs que la bibliothèque du licencié Sedillo.

Après ces réflexions, j'en faisais d'autres toutes contraires : l'avertissement dont il s'agissait me paraissait délicat à donner. Je jugeais qu'un auteur entêté de ses ouvrages pourrait le recevoir mal; mais, rejetant cette pensée, je me représentais qu'il était impossible qu'il le prît en mauvaise part, après l'avoir exigé de moi d'une manière si pressante. Ajoutons à cela que je comptais bien de lui parler avec adresse, et de lui faire avaler la pilule tout doucement. Enfin, trouvant que je risquais davantage à garder le silence qu'à le rompre, je me déterminai à parler.

Je n'étais plus embarrassé que d'une chose; je ne savais de quelle façon entamer la parole. Heureusement l'orateur lui-même me tira de cet embarras, en me demandant ce qu'on disait de lui dans le monde, et si l'on était satisfait de son dernier discours. Je répondis qu'on admirait toujours ses homélies; mais qu'il me semblait que la dernière n'avait pas si bien que les autres affecté l'auditoire. Comment donc, mon ami, répliqua-t-il avec étonnement, aurait-elle trouvé quelque Aristarque [a74] ? Non, Monseigneur, lui repartis-je, non. Ce ne sont pas des ouvrages tels que les vôtres que l'on ose critiquer. Il n'y a personne qui n'en soit charmé. Néanmoins puisque vous m'avez recommandé d'être franc et sincère, je prendrai la liberté de vous dire que votre dernier discours ne me paraît pas tout à fait de la force des précédents. Ne pensez-vous pas cela comme moi ?

Ces paroles firent pâlir mon maître [75], qui me dit avec un souris forcé : Monsieur Gil Blas, cette pièce n'est donc pas de votre goût ? Je ne dis pas cela, Monseigneur, interrompis-je tout déconcerté. Je la trouve excellente, quoiqu'un peu au-dessous de vos autres ouvrages. Je vous entends, répliqua-t-il. Je vous parais baisser, n'est-ce pas ? Tranchez le mot. Vous croyez qu'il est temps que je songe à la retraite ? Je n'aurais pas été assez hardi, lui dis-je, pour vous parler si librement, si Votre Grandeur ne me l'eût ordonné. Je ne fais donc que lui obéir, et je la supplie très humblement de ne me point savoir mauvais gré de ma hardiesse. A Dieu ne plaise, interrompit-il avec précipitation, à Dieu ne plaise que je vous la reproche! Il faudrait que je fusse bien injuste. Je ne trouve point du tout mauvais que vous me disiez votre sentiment. C'est votre sentiment seul que je trouve mauvais. J'ai été furieusement la dupe de votre intelligence bornée.

a) *Grand critique du temps de Ptolomée philadelphe.*

Quoique démonté, je voulus chercher quelque modification pour rajuster les choses; mais le moyen d'apaiser un auteur irrité, et de plus un auteur accoutumé à s'entendre louer! N'en parlons plus, dit-il, mon enfant. Vous êtes encore trop jeune pour démêler le vrai du faux. Apprenez que je n'ai jamais composé de meilleure homélie que celle qui n'a pas votre approbation. Mon esprit, grâce au Ciel, n'a rien encore perdu de sa vigueur. Désormais, je choisirai mieux mes confidents. J'en veux de plus capables que vous de décider. Allez, poursuivit-il en me poussant par les épaules hors de son cabinet, allez dire à mon trésorier qu'il vous compte cent ducats; et que le Ciel vous conduise avec cette somme! Adieu, monsieur Gil Blas; je vous souhaite toutes sortes de prospérités avec un peu plus de goût.

CHAPITRE V

Du parti que prit Gil Blas après que l'archevêque lui eut donné son congé. Par quel hasard il rencontra le licencié qui lui avait tant d'obligation, et quelles marques de reconnaissance il en reçut.

Je sortis du cabinet en maudissant le caprice ou pour mieux dire la faiblesse de l'archevêque, et plus en colère contre lui qu'affligé d'avoir perdu ses bonnes grâces. Je doutai même quelque temps si j'irais toucher mes cent ducats, mais, après y avoir bien réfléchi, je ne fus pas assez sot pour n'en rien faire. Je jugeai que cet argent ne m'ôterait pas le droit de donner un ridicule à mon prélat. A quoi je me promettais bien de ne pas manquer, toutes les fois qu'on mettrait devant moi ses homélies sur le tapis.

J'allai donc demander cent ducats au trésorier, sans lui dire un seul mot de ce qui venait de se passer entre son maître et moi. Je cherchai ensuite Melchior de la Ronda pour lui dire un éternel adieu. Il m'aimait trop pour n'être pas sensible à mon malheur. Pendant que je lui en faisais le récit, je remarquais que la douleur s'imprimait sur son visage. Malgré tout le respect qu'il devait à l'archevêque, il ne put s'empêcher de le blâmer. Mais, comme dans la colère où j'étais je jurai que le prélat me le payerait, et que je réjouirais toute la ville à ses dépens, le sage Melchior me dit : Croyez-moi, mon cher Gil Blas, dévorez plutôt votre chagrin. Les hommes du commun doivent toujours respecter les personnes de qualité [76], quelque sujet qu'ils aient de s'en plaindre. Je conviens qu'il y a de fort plats seigneurs, qui ne méritent guère qu'on ait de la considération pour eux; mais ils peuvent nuire, il faut les craindre.

Je remerciai le vieux valet de chambre du bon conseil qu'il me donnait, et je lui promis d'en profiter. Après cela, il me dit : Si vous allez à Madrid, voyez-y Joseph Navarro mon neveu. Il est chef d'office chez le seigneur don Baltazar de Zuniga, et j'ose vous dire que c'est un garçon digne de votre amitié. Il est franc, vif, officieux, prévenant; je souhaite que vous fassiez connaissance ensemble. Je lui répondis que je ne manquerais pas d'aller voir ce Joseph Navarro, sitôt que je serais à Madrid où je comptais bien de retourner. Ensuite, je sortis du palais épiscopal pour n'y remettre jamais le pied. Si j'eusse encore eu mon cheval, je serais peut-être parti sur-le-champ pour Tolède; mais je l'avais vendu dans le temps de ma faveur, croyant que je n'en aurais plus besoin. Je pris le parti de louer une chrmbre garnie, faisant mon plan de demeurer encore un mois à Grenade et de me rendre après cela auprès du comte de Polan.

Comme l'heure du dîner approchait, je demandai à mon hôtesse s'il n'y avait pas quelque auberge dans le voisinage. Elle me répondit qu'il y en avait une excellente à deux pas de sa maison, que l'on y était bien servi, et qu'il y allait quantité d'honnêtes gens. Je me la fis enseigner et j'y fus bientôt. J'entrai dans une grande salle qui ressemblait assez à un réfectoire. Dix à douze hommes, assis à une longue table couverte d'une nappe malpropre, s'y entretenaient en mangeant chacun sa petite portion. L'on m'apporta la mienne, qui dans un autre temps sans doute m'aurait fait regretter la table que je venais de perdre. Mais j'étais alors si piqué contre l'archevêque, que la frugalité de mon auberge me paraissait préférable à la bonne chère qu'on faisait chez lui. Je blâmais l'abondance des mets dans les repas, et, raisonnant en docteur de Valladolid : Malheur, disais-je, à ceux qui fréquentent ces tables pernicieuses où il faut sans cesse être en garde contre sa sensualité, de peur de trop charger son estomac! Pour peu que l'on mange, ne mange-t-on pas toujours assez ? Je louais dans ma mauvaise humeur des aphorismes que j'avais jusqu'alors fort négligés.

Dans le temps que j'expédiais mon ordinaire, sans craindre de passer les bornes de la tempérance, le licencié Louis Garcias, devenu curé de Gabie de la manière que je l'ai dit ci-devant, arriva dans la salle. Du moment qu'il m'aperçut, il vint me saluer d'un air empressé, ou plutôt en faisant toutes les démonstrations d'un homme qui sent une joie excessive. Il me serra entre ses bras, et je fus obligé d'essuyer un très long compliment sur le service que je lui avais rendu. Il me fatiguait à force de se montrer reconnaissant. Il se plaça près de moi en me disant : Oh! vive Dieu! mon cher patron, puisque ma bonne fortune veut que je vous rencontre, nous ne nous séparerons pas sans boire. Mais, comme il n'y a pas de bon vin dans cette auberge, je vous mènerai, s'il vous plaît, après notre petit dîner, dans un endroit où je vous régalerai d'une bouteille de Lucène des plus secs et d'un muscat de Foncaral exquis. Il faut que nous fassions cette débauche. Que n'ai-je le bonheur de vous posséder quelques jours seulement dans mon presbytère de Gabie! Vous y seriez reçu comme un généreux Mécène à qui je dois la vie aisée et tranquille que j'y mène.

Pendant qu'il me tenait ce discours, on lui apporta sa portion. Il se mit à manger, sans pourtant cesser de me dire par intervalles quelque chose de flatteur. Je saisis ce temps-là pour parler à mon tour. Et comme il n'oublia pas de me demander des nouvelles de son ami le maître d'hôtel, je ne lui fis point un mystère de ma sortie de l'archevêché. Je lui contai même jusqu'aux moindres circonstances de ma disgrâce, qu'il écouta fort attentivement. Après tout ce qu'il venait de me dire, qui ne se serait pas attendu à l'entendre, pénétré d'une douleur reconnaissante, déclamer contre l'archevêque; mais c'est à quoi il ne pensait nullement. Il devint froid et rêveur, acheva de dîner sans me dire une parole, puis, se levant de table brusquement, il me salua d'un air glacé, et disparut. L'ingrat, ne me voyant plus en état de lui être utile, s'épargnait jusqu'à la peine de me cacher ses sentiments. Je ne fis que rire de son ingratitude, et, le regardant avec tout le mépris qu'il méritait, je lui criai d'un ton assez haut pour en être entendu : Holà! ho! sage aumônier de religieuses, allez faire rafraîchir ce délicieux vin de Lucène dont vous m'avez fait fête!

CHAPITRE VI

Gil Blas va voir jouer les comédiens de Grenade. De l'étonnement où le jeta la vue d'une actrice, et de ce qu'il en arriva.

Garcias n'était pas hors de la salle, qu'il entra deux cavaliers fort proprement vêtus, qui vinrent s'asseoir auprès de moi. Ils commencèrent à s'entretenir des comédiens de la troupe de Grenade et d'une comédie nouvelle qu'on jouait alors. Cette pièce, suivant leurs discours, faisait grand bruit dans la ville. Il me prit envie de l'aller voir représenter dès ce jour-là. Je n'avais point été à la comédie, depuis que j'étais à Grenade. Comme j'avais presque toujours demeuré à l'archevêché, où ce spectacle était frappé d'anathème, je n'avais eu garde de me donner ce plaisir-là. Les homélies avaient fait tout mon amusement.

Je me rendis donc dans la salle des comédiens, lorsqu'il en fut temps, et j'y trouvai une nombreuse assemblée.

J'entendis faire autour de moi des dissertations sur la pièce, avant qu'elle commençât, et je remarquai que tout le monde se mêlait d'en juger. L'un se déclarait pour, l'autre, contre. A-t-on jamais vu un ouvrage mieux écrit ? disait-on à ma droite. Le pitoyable style ! s'écriait-on à ma gauche. En vérité, s'il y a bien de mauvais auteurs, il faut convenir qu'il y a encore plus de mauvais critiques. Et quand je pense au dégoût que les poètes dramatiques ont à essuyer, je m'étonne qu'il y en ait d'assez hardis pour braver l'ignorance de la multitude et la censure dangereuse des demi-savants qui corrompent quelquefois le jugement du public.

Enfin le *Gracioso* [77] se présenta pour ouvrir la scène. Dès qu'il parut, il excita un battement de mains général. Ce qui me fit connaître que c'était un de ces acteurs gâtés à qui le parterre pardonne tout. Effectivement ce comédien ne disait pas un mot, ne faisait pas un geste sans s'attirer des applaudissements. On lui marquait trop le plaisir que l'on prenait à le voir. Aussi en abusait-il. Je m'aperçus qu'il s'oubliait quelquefois sur la scène, et mettait à une trop forte épreuve la prévention où l'on était en sa faveur. Si on l'eût sifflé, au lieu de crier miracle, on lui aurait souvent rendu justice.

On battit aussi des mains à la vue de quelques autres acteurs et particulièrement d'une actrice qui faisait un rôle de suivante. Je m'attachai à la considérer; et il n'y a point de termes qui puissent exprimer quelle fut ma surprise, quand je reconnus en elle Laure, ma chère Laure, que je croyais encore à Madrid auprès d'Arsénie. Je ne pouvais douter que ce ne fût elle. Sa taille, ses traits, le son de sa voix, tout m'assurait que je ne me trompais point. Cependant, comme si je me fusse défié du rapport de mes yeux et de mes oreilles, je demandai son nom à un cavalier qui était à côté de moi. Hé! de quel pays venez-vous ? me dit-il. Vous êtes apparemment un nouveau débarqué, puisque vous ne connaissez pas la belle Estelle.

La ressemblance était trop parfaite pour prendre le change. Je compris bien que Laure, en changeant d'état, avait aussi changé de nom. Et, curieux de savoir ses affaires, car le public n'ignore guère celles des personnes de théâtre, je m'informai du même homme si cette Estelle avait quelque amant d'importance. Il me répondit que depuis deux mois il y avait à Grenade un grand seigneur portugais, nommé le marquis de Marialva, qui faisait beaucoup de dépense pour elle. Il m'en aurait dit davantage, si je n'eusse pas craint de le fatiguer de mes questions. J'étais plus occupé de la nouvelle que ce cavalier venait de m'apprendre que de la comédie; et qui m'eût demandé le sujet de la pièce, quand je sortis, m'aurait fort embarrassé. Je ne faisais que rêver à Laure, à Estelle, et je me promettais bien d'aller chez cette actrice le jour suivant. Je n'étais pas sans inquiétude sur la réception qu'elle me ferait. J'avais lieu de penser que ma vue ne lui ferait pas grand plaisir dans la situation brillante où étaient ses affaires. Je jugeais même qu'une si bonne comédienne, pour se venger d'un homme dont certainement elle avait sujet d'être mécontente, pourrait bien ne pas faire semblant de le connaître. Tout cela ne me rebuta point. Après un léger repas, car on n'en faisait pas d'autres dans mon auberge, je me retirai dans ma chambre, très impatient d'être au lendemain.

Je dormis peu cette nuit, et je me levai à la pointe du jour. Mais comme il me sembla que la maîtresse d'un grand seigneur ne devait pas être visible de si bon matin, je passai trois ou quatre heures à me parer, à me faire raser, poudrer et parfumer. Je voulais me présenter devant elle dans un état qui ne lui donnât pas lieu de rougir en me revoyant. Je sortis sur les dix heures, et me rendis chez elle, après avoir été demander sa demeure à l'hôtel des comédiens. Elle logeait dans une grande maison où elle occupait le premier appartement. Je dis à une femme de chambre qui vint m'ouvrir la porte qu'un jeune homme souhaitait de parler à la dame Estelle. La femme de chambre rentra pour m'annoncer, et j'entendis aussitôt sa maîtresse qui lui dit d'un ton de voix fort élevé : Qui est-il ce jeune homme ? Que me veut-il ? Qu'on le fasse entrer.

Je jugeai par là que j'avais mal pris mon temps. Que son amant portugais était à sa toilette; et qu'elle ne parlait si haut que pour lui persuader qu'elle n'était pas fille à recevoir des messages suspects. Ce que je pensais était véritable. Le marquis de Marialva passait avec elle presque toutes les matinées. Je m'attendais à un mauvais compliment, lorsque cette originale actrice, me voyant paraître, accourut à moi les bras ouverts en s'écriant : Ah! mon frère, est-ce vous que je vois ? A ces mots, elle m'embrassa à plusieurs reprises. Puis se tournant vers le Portugais : Seigneur, lui dit-elle, pardonnez si en votre présence je cède à la force du sang. Après trois ans d'absence, je ne puis revoir un frère que j'aime tendrement sans lui donner des marques de mon amitié. Eh bien! mon cher Gil Blas, continua-t-elle en m'apostrophant de nouveau, dites-moi des nouvelles de la famille. Dans quel état l'avez-vous laissée ?

Ce discours m'embarrassa d'abord; mais j'y démêlai bientôt les intentions de Laure, et, secondant son artifice, je lui répondis d'un air accommodé à la scène que nous allions jouer tous deux : Grâce au Ciel, ma sœur, nos parents sont en bonne santé. Je ne doute pas, reprit-elle, que vous ne soyez étonné de me voir comédienne à Grenade. Mais ne me condamnez pas sans m'entendre. Il y a trois années, comme vous savez, que mon père crut m'établir avantageusement en me donnant au capitaine don Antonio Coello, qui m'amena des Asturies à Madrid où il avait pris naissance. Six mois après que nous y fûmes arrivés, il eut une affaire d'honneur, qu'il s'attira par son humeur violente. Il tua un cavalier qui s'était avisé de faire quelque attention à moi. Le cavalier appartenait à des personnes de qualité qui avaient beaucoup de crédit. Mon mari, qui n'en avait guère, se sauva en Catalogne avec tout ce qui se trouva au logis de pierreries et d'argent comptant. Il s'embarque à Barcelone, passe en Italie, se met au service des Vénitiens, et perd enfin la vie dans la Morée en combattant contre les Turcs. Pendant ce temps-là, une terre que nous avions pour tout bien fut confisquée, et je devins une douairière des plus minces. A quoi me résoudre dans une si fâcheuse extrémité ? Il n'y avait pas moyen de m'en retourner dans les Asturies. Qu'y aurais-je fait ? Je n'aurais reçu de ma famille que des condoléances pour toute consolation. D'un autre côté, j'avais été trop bien élevée pour être capable de me laisser tomber dans le libertinage. A quoi donc me déterminer ? Je me suis fait comédienne pour conserver ma réputation.

Il me prit une si forte envie de rire, lorsque j'entendis Laure finir ainsi son roman, que je n'eus pas peu de peine à m'en empêcher. J'en vins pourtant à bout; et même je lui dis d'un air grave : Ma sœur, j'approuve votre conduite et je suis bien aise de vous retrouver à Grenade si honnêtement établie.

Le marquis de Marialva, qui n'avait pas perdu un mot de tous ces discours, prit au pied de la lettre ce qu'il plut à la veuve de don Antonio de débiter. Il se mêla même à l'entretien. Il me demanda si j'avais quelque emploi à Grenade ou ailleurs. Je doutai un moment si je mentirais; mais, ne jugeant pas cela nécessaire, je dis la vérité. Je contai de point en point comment j'étais entré à l'archevêché; et de quelle façon j'en étais sorti. Ce qui divertit infiniment le seigneur portugais. Il est vrai que, malgré la promesse faite à Melchior, je m'égayai un peu aux dépens de l'archevêque. Ce qu'il y a de plaisant, c'est que Laure, qui s'imaginait que je composais une fable à son exemple, faisait des éclats de rire qu'elle n'aurait pas faits, si elle eût su que je ne mentais point.

Après avoir achevé mon récit, que je finis par la chambre que j'avais louée, on vint avertir qu'on avait servi. Je voulus aussitôt me retirer pour aller dîner à mon auberge. Mais Laure m'arrêta. Quel est votre dessein, mon frère ? me dit-elle. Vous dînerez avec moi. Je ne souffrirai pas même que vous soyez plus longtemps dans une chambre garnie. Je prétends que vous mangiez dans ma maison, et que vous y logiez. Faites apporter vos hardes ce soir. Il y a ici un lit pour vous.

Le seigneur portugais, à qui peut-être cette hospitalité

ne faisait pas plaisir, prit alors la parole, et dit à Laure : Non, Estelle; vous n'êtes pas logée assez commodément pour recevoir quelqu'un chez vous. Votre frère, ajouta-t-il, me paraît un joli garçon; et l'avantage qu'il a de vous toucher de si près m'intéresse pour lui. Je veux le prendre à mon service. Ce sera celui de mes secrétaires que je chérirai le plus. J'en ferai mon homme de confiance. Qu'il ne manque pas de venir dès cette nuit coucher chez moi. J'ordonnerai qu'on lui prépare un logement. Je lui donne quatre cents ducats d'appointements; et si, dans la suite j'ai sujet, comme je l'espère, d'être content de lui, je le mettrai en état de se consoler d'avoir été trop sincère avec son archevêque.

Les remercîments que je fis là-dessus au marquis furent suivis de ceux de Laure, qui enchérirent sur les miens. Ne parlons plus de cela, interrompit-il; c'est une affaire finie. En disant cela, il salua sa princesse de théâtre, et sortit. Elle me fit aussitôt passer dans un cabinet où se voyant seule avec moi : J'étoufferais, s'écria-t-elle, si je résistais plus longtemps à l'envie que j'ai de rire. Alors elle se renversa dans un fauteuil, et, se tenant les côtés, elle s'abandonna comme une folle à des ris immodérés. Il me fut impossible de ne pas suivre son exemple ; et, quand nous nous en fûmes bien donné : Avoue, Gil Blas, me dit-elle, que nous venons de jouer une plaisante comédie! Mais je ne m'attendais pas au dénoûment. J'avais dessein seulement de te ménager dans ma maison une table et un logement; et, c'est pour te les offrir avec bienséance que je t'ai fait passer pour mon frère. Je suis ravie que le hasard t'ait présenté un si bon poste. Le marquis de Marialva est un seigneur généreux qui fera plus encore pour toi qu'il n'a promis de faire. Une autre que moi, poursuivit-elle, n'aurait peut-être pas reçu si gracieusement un homme qui quitte ses amis sans leur dire adieu. Mais je suis de ces bonnes pâtes de filles qui revoient toujours avec plaisir un fripon qu'elles ont aimé.

Je demeurai d'accord de bonne foi de mon impolitesse, et je lui en demandai pardon. Après quoi elle me conduisit dans une salle à manger très propre. Nous nous mîmes à table; et, comme nous avions pour témoins une femme de chambre et un laquais, nous nous traitâmes de frère et de sœur. Lorsque nous eûmes dîné, nous repassâmes dans le même cabinet où nous nous étions entretenus. Là, mon incomparable Laure, se livrant à toute sa gaieté naturelle, me demanda compte de tout ce qui m'était arrivé depuis notre séparation. Je lui en fis un fidèle rapport; et, quand j'eus satisfait sa curiosité, elle contenta la mienne en me faisant le récit de son histoire dans ces termes.

CHAPITRE VII

Histoire de Laure.

Je vais te conter, le plus succinctement qu'il me sera possible, par quel hasard j'ai embrassé la profession comique.

Après que tu m'eus si honnêtement quittée, il arriva de grands événements. Arsénie, ma maîtresse, plus fatiguée que dégoûtée du monde, abjura le théâtre, et m'emmena avec elle à une belle terre qu'elle venait d'acheter auprès de Zamora en monnaies étrangères. Nous eûmes bientôt fait des connaissances dans cette ville-là. Nous y allions assez souvent. Nous y passions un jour ou deux. Nous venions ensuite nous renfermer dans notre château.

Dans un de ces petits voyages, don Félix Maldonado, fils unique du corrégidor, me vit par hasard, et je lui plus. Il chercha l'occasion de me parler sans témoins, et, pour ne te rien celer, je contribuai un peu à la lui faire trouver. Le cavalier n'avait pas vingt ans. Il était beau comme l'Amour même, fait à peindre, et plus séduisant encore par ses manières galantes, et généreuses, que par sa figure. Il m'offrit de si bonne grâce et avec tant d'instances un gros brillant qu'il avait au doigt, que je ne pus me défendre de l'accepter. Je ne me sentais pas d'aise d'avoir un galant si aimable. Mais quelle imprudence aux grisettes de s'attacher aux enfants de famille dont les pères ont de l'autorité! Le corrégidor, le plus sévère de ses pareils, averti de notre intelligence, se hâta d'en prévenir les suites. Il me fit enlever par une troupe d'alguazils qui me menèrent, malgré mes cris, à l'hôpital de la Pitié.

Là, sans autre forme de procès, la supérieure me fit ôter ma bague et mes habits, et revêtir d'une longue robe de serge grise, ceinte par le milieu d'une large courroie de cuir noir, d'où pendait un rosaire à gros grains qui me descendait jusqu'aux talons. On me conduisit après cela dans une salle, où je trouvai un vieux moine, de je ne sais quel ordre, qui se mit à me prêcher la pénitence, à peu près comme la dame Léonarde t'exhorta dans le souterrain à la patience. Il me dit que j'avais bien de l'obligation aux personnes qui me faisaient enfermer; qu'elles m'avaient rendu un grand service en me tirant des filets du démon. J'avouerai franchement mon ingratitude; bien loin de me sentir redevable à ceux qui m'avaient fait ce plaisir-là, je les chargeais d'imprécations.

Je passai huit jours à me désoler. Mais le neuvième, car je comptais jusqu'aux minutes, mon sort parut vouloir changer de face. En traversant une petite cour, je rencontrai l'économe de la maison, personnage à qui tout était soumis. La supérieure même lui obéissait. Il ne rendait compte de son économat qu'au corrégidor, de qui seul il dépendait, et qui avait une entière confiance en lui. Il se nommait Pedro Zendono; et le bourg de Salsedon, en Biscaye, l'avait vu naître. Représente-toi un grand homme pâle et décharné; une figure à servir de modèle pour peindre le bon larron. A peine paraissait-il regarder les sœurs. Tu n'as jamais vu de face si hypocrite, quoique tu aies demeuré à l'archevêché.

Je rencontrai donc, poursuivit-elle, le seigneur Zendono, qui m'arrêta en me disant : Consolez-vous, ma fille. Je suis touché de vos malheurs. Il n'en dit pas davantage, et il continua son chemin, me laissant faire les commentaires qu'il me plairait sur un texte si laconique. Comme je le croyais un homme de bien, je m'imaginais bonnement qu'il s'était donné la peine d'examiner pourquoi j'avais été enfermée; et que, ne me trouvant pas assez coupable pour mériter d'être traitée avec tant d'indignité, il voulait me servir auprès du corrégidor. Je ne connaissais pas le Biscayen. Il avait bien d'autres intentions. Il roulait dans son esprit un projet de voyage dont il me fit confidence quelques jours après. Ma chère Laure, me dit-il, je suis si sensible à vos peines, que j'ai résolu de les finir. Je n'ignore pas que c'est vouloir me perdre; mais je ne suis plus à moi. Je prétends dès demain vous tirer de votre prison et vous conduire moi-même à Madrid. Je veux tout sacrifier au plaisir d'être votre libérateur.

Je pensais m'évanouir de joie à ces paroles de Zendono, qui, jugeant par mes remercîments que je ne demandais pas mieux que de me sauver, eut l'audace le jour suivant de m'enlever devant tout le monde ainsi que je vais le rapporter. Il dit à la supérieure qu'il avait ordre de me mener au corrégidor, qui était à une maison de plaisance à deux lieues de la ville, et il me fit effrontément monter avec lui dans une chaise de poste tirée par deux bonnes mules qu'il avait achetées exprès. Nous n'avions pour tout domestique qu'un valet qui conduisait la chaise, et qui était entièrement dévoué à l'économe. Nous commençâmes à rouler, non du côté de Madrid, comme je me l'imaginais, mais vers les frontières de Portugal, où nous arrivâmes en moins de temps qu'il n'en fallait au corrégidor de Zamora pour apprendre notre fuite et mettre ses lévriers sur nos traces.

Avant que d'entrer dans Bragance, le Biscayen me fit prendre un habit de cavalier, dont il avait eu la précaution de se pourvoir, et, me comptant embarquée avec lui, il me dit dans l'hôtellerie où nous allâmes loger : Belle Laure, ne me sachez pas mauvais gré de vous avoir amenée en Portugal. Le corrégidor de Zamora nous fera chercher dans notre patrie, comme deux criminels à qui l'Espagne ne doit point accorder d'asile. Mais, ajouta-t-il, nous pouvons nous mettre à couvert de son ressentiment dans ce royaume étranger, quoiqu'il soit maintenant soumis à la domination espagnole. Nous y serons du moins plus en sûreté que dans notre pays. Suivez un homme qui vous adore. Allons nous établir à Coïmbre. Là, je me ferai espion du Saint-Office, et, à l'ombre de ce tribunal redoutable, nous verrons couler nos jours dans de tranquilles plaisirs.

Une proposition si vive me fit connaître que j'avais affaire à un chevalier qui n'aimait pas à servir de conducteur aux infantes pour la gloire de la chevalerie. Je compris qu'il comptait beaucoup sur ma reconnaissance, et plus encore sur ma misère. Cependant quoique ces deux choses me parlassent en sa faveur, je rejetai fièrement ce qu'il me proposait. Il est vrai que, de mon côté, j'avais deux fortes raisons pour me montrer si réservée : je ne me sentais point de goût pour lui, et je ne le croyais pas riche. Mais lorsque, revenant à la charge, il s'offrit à m'épouser au préalable, et qu'il me fit voir réellement que son économat l'avait mis en fonds pour longtemps, je ne le cèle pas, je commençai à l'écouter. Je fus éblouie de l'or et des pierreries qu'il étala devant moi; et j'éprouvai que l'intérêt sait faire des métamorphoses aussi bien que l'amour. Mon Biscayen devint peu à peu un autre homme à mes yeux. Son grand corps sec prit la forme d'une taille fine; son teint pâle me parut d'un beau blanc; je donnai un nom favorable jusqu'à son air hypocrite. Alors j'acceptai sans répugnance sa main devant le ciel qu'il prit à témoin de notre engagement. Après cela, il n'eut plus de contradiction à essuyer de ma part. Nous nous remîmes à voyager; et Coïmbre vit bientôt dans ses murs un nouveau ménage.

Mon mari m'acheta des habits de femme assez propres, et me fit présent de plusieurs diamants, parmi lesquels je reconnus celui de don Félix Maldonado. Il ne m'en fallut pas davantage pour deviner d'où venaient toutes les pierres précieuses que j'avais vues, et pour être persuadée que je n'avais pas épousé un rigide observateur du septième article du Décalogue. Mais me considérant comme la cause première de ses tours de main, je les lui pardonnais. Une femme excuse jusqu'aux mauvaises actions que sa beauté fait commettre. Sans cela, qu'il m'eût paru un méchant homme!

Je fus assez contente de lui pendant deux ou trois mois. Il avait toujours des manières galantes, et semblait m'aimer tendrement. Néanmoins les marques d'amitié qu'il me donnait n'étaient que de fausses apparences. Le fourbe me trompait. Un matin, à mon retour de la messe, je ne trouvai plus au logis que les murailles. Les meubles, et jusques à mes hardes, tout avait été emporté. Zendono et son fidèle valet avaient si bien pris leurs mesures, qu'en moins d'une heure le dépouillement entier de la maison avait été fait et parfait. De manière qu'avec le seul habit dont j'étais vêtue, et la bague de don Félix qu'heureusement j'avais au doigt, je me vis comme une autre Ariane abandonnée par un ingrat. Mais je t'assure que je ne m'amusai point à faire des élégies sur mon infortune. Je bénis plutôt le ciel de m'avoir délivrée d'un scélérat qui ne pouvait manquer de tomber tôt ou tard entre les mains de la justice. Je regardai le temps que nous avions passé ensemble comme un temps perdu que je ne tarderais guère à réparer. Si j'eusse voulu demeurer en Portugal, et m'attacher à quelque femme de condition, j'en aurais trouvé de reste, mais soit que j'aimasse mon pays, soit que je fusse entraînée par la force de mon étoile qui m'y préparait une meilleure fortune, je ne songeai plus qu'à revoir l'Espagne. Je m'adressai à un joaillier qui me compta la valeur de mon brillant en espèces d'or, et je partis avec une vieille dame espagnole qui allait à Séville dans une chaise roulante.

Cette dame, qui s'appelait Dorothée, revenait de voir une de ses parentes établie à Coïmbre, et s'en retournait à Séville où elle faisait sa résidence. Il se trouva tant de sympathie entre elle et moi, que nous nous attachâmes l'une à l'autre dès la première journée; et notre liaison se fortifia si bien sur la route, que la dame ne voulut point, à notre arrivée, que je logeasse ailleurs que dans sa maison. Je n'eus pas sujet de me repentir d'avoir fait une pareille connaissance. Je n'ai jamais vu de femme d'un meilleur caractère. On jugeait encore à ses traits et à la vivacité de ses yeux, qu'elle devait dans sa jeunesse avoir fair racler bien des guitares. Aussi elle était veuve de plusieurs maris de noble race, et vivait honorablement de ses douaires.

Entre autres excellentes qualités, elle avait celle d'être très compatissante aux malheurs des filles. Quand je lui fis confidence des miens, elle entra si chaudement dans mes intérêts, qu'elle donna mille malédictions à Zendono. Les chiens d'hommes! dit-elle d'un ton à faire juger qu'elle avait rencontré en son chemin quelque économe. Les misérables! Il y a comme cela dans le monde des fripons qui se font un jeu de tromper les femmes. Ce qui me console, ma chère enfant, continua-t-elle, c'est que, suivant votre écrit, vous n'êtes nullement liée au parjure Biscayen. Si votre mariage avec lui est assez bon pour vous servir d'excuse, en récompense, il est assez mauvais pour vous permettre d'en contracter un meilleur, quand vous en trouverez l'occasion.

Je sortais tous les jours avec Dorothée pour aller à l'église, ou bien en visite d'amies; c'était le moyen d'avoir bientôt quelque aventure. Je m'attirai les regards de plusieurs cavaliers. Il y en eut qui voulurent sonder le gué. Ils firent parler à ma vieille hôtesse; mais les uns n'avaient pas de quoi fournir aux frais d'un établissement, et les autres n'avaient pas encore pris la robe virile. Ce qui suffisait pour m'ôter toute envie de les écouter. Un jour il nous vint en fantaisie, à Dorothée et à moi, d'aller voir jouer les comédiens de Séville. Ils avaient affiché qu'ils représenteraient *La famosa Comedia, El Embaxador de si mismo* composée par Lope de Vega Carpio.

Parmi les actrices qui parurent sur la scène, je démêlai une de mes anciennes amies. Je reconnus Phénice, cette grosse réjouie que tu as vue femme de chambre de Florimonde, et avec qui tu as quelquefois soupé chez Arsénie. Je savais bien que Phénice était hors de Madrid depuis plus de deux ans; mais j'ignorais qu'elle fût comédienne. J'avais une impatience de l'embrasser qui me fit trouver la pièce fort longue. C'était peut-être aussi la faute de ceux qui la représentaient, et qui ne jouaient pas assez bien ou assez mal pour m'amuser. Car pour moi qui suis une rieuse, je t'avouerai qu'un acteur parfaitement ridicule ne me divertit pas moins qu'un excellent.

Enfin, le moment que j'attendais étant arrivé, c'est-à-dire la fin de *la famosa Comedia*, nous allâmes, ma veuve et moi, derrière le théâtre, où nous aperçûmes Phénice qui faisait la tout aimable et écoutait en minaudant le doux ramage d'un jeune oiseau qui s'était apparemment laissé prendre à la glu de sa déclamation. Sitôt qu'elle m'eut remarquée, elle le quitta d'un air gracieux, vint à moi les bras ouverts et me fit toutes les amitiés imaginables. Nous nous témoignâmes mutuellement la joie que nous avions de nous revoir; mais le temps et le lieu ne nous permettant pas de nous répandre en de longs discours, nous remîmes au lendemain à nous entretenir chez elle plus amplement.

Le plaisir de parler est une des plus vives passions des femmes. Je ne pus fermer l'œil de toute la nuit, tant j'avais d'envie d'être aux prises avec Phénice, et de lui faire questions sur questions. Dieu sait si je fus paresseuse à me lever pour me rendre où elle m'avait enseigné qu'elle demeurait! Elle était logée avec toute la troupe dans un grand hôtel garni. Une servante que je rencontrai en entrant, et que je priai de me conduire à l'appartement de Phénice, me fit monter à un corridor, le long duquel régnaient dix à douze petites chambres, séparées seulement par des cloisons de sapin, et occupées par la bande joyeuse. Ma conductrice frappa à une porte, que Phénice, à qui la langue démangeait autant qu'à moi, vint ouvrir. A peine nous donnâmes-nous le temps de nous asseoir pour caqueter. Nous voilà en train d'en découdre. Nous avions à nous interroger sur tant de choses, que les demandes et les réponses se succédaient avec une volubilité surprenante.

Après avoir raconté nos aventures de part et d'autre et nous être instruites de l'état présent de nos affaires, Phénice me demanda quel parti je voulais prendre. Je lui répondis que j'avais résolu, en attendant mieux, de me placer auprès de quelque fille de qualité. Fi donc! s'écria mon amie, tu n'y penses pas. Est-il possible, ma mignonne, que tu ne sois pas encore dégoûtée de la servitude ? N'es-tu pas lasse de te voir soumise aux volontés des autres ? De respecter leurs caprices ? De t'entendre gronder ? En un mot d'être esclave ? Que n'embrasses-tu plutôt à mon exemple la vie comique ? Rien n'est plus convenable aux personnes d'esprit qui manquent de bien et de naissance. C'est un état qui tient un milieu entre la noblesse et la bourgeoisie; une condition libre et affranchie des bienséances les plus incommodes de la société. Nos revenus nous sont payés en espèces par le public qui en possède le fonds. Nous vivons toujours dans la joie et dépensons notre argent comme nous le gagnons.

Le théâtre, poursuivit-elle, est favorable surtout aux femmes. Dans le temps que je demeurais chez Florimonde, j'en rougis quand j'y pense, j'étais réduite à écouter les gagistes de la troupe du prince; pas un honnête homme ne faisait attention à ma figure. D'où vient cela ? C'est que je n'étais point en vue. Le plus beau tableau qui n'est pas dans son jour ne frappe point. Mais depuis que je suis sur mon piédestal, c'est-à-dire sur la scène, quel changement! Je vois à mes trousses la plus brillante des villes par où nous passons. Une comédienne a donc beaucoup d'agrément dans son métier. Si elle est sage, je veux dire que si elle ne favorise qu'un amant à la fois, cela lui fait tout l'honneur du monde. On loue sa retenue, et, lorsqu'elle change de galant, on la regarde comme une véritable veuve qui se remarie. Encore voit-on celle-ci avec mépris, quand elle convole en troisièmes noces. On dirait qu'elle blesse la délicatesse des hommes; au lieu que l'autre semble devenir plus précieuse, à mesure qu'elle grossit le nombre de ses favoris. Après cent galanteries, c'est un ragoût de seigneur.

A qui dites-vous cela! interrompis-je en cet endroit. Pensez-vous que j'ignore ces avantages ? Je me les suis souvent représentés, et ils ne flattent que trop une fille de mon caractère. Je me sens même de l'inclination pour la comédie; mais cela ne suffit pas. Il faut du talent, et je n'en ai point. J'ai quelquefois voulu réciter des tirades de pièces devant Arsénie. Elle n'a pas été contente de moi. Cela m'a dégoûtée du métier. Tu n'es pas difficile à rebuter, reprit Phénice. Ne sais-tu pas que ces grandes actrices-là sont ordinairement jalouses ? Elles craignent, malgré toute leur vanité, qu'il ne vienne des sujets qui les effacent. Enfin, je ne m'en rapporterais pas là-dessus à Arsénie. Elle n'a pas été sincère. Je te dirai, moi, sans flatterie, que tu es née pour le théâtre. Tu as du naturel, l'action libre et pleine de grâce, le son de la voix doux, une bonne poitrine; et avec cela un minois! Ah! friponne, que tu charmeras de cavaliers, si tu te fais comédienne!

Elle me tint encore d'autres discours séduisants, et me fit déclamer quelques vers, seulement pour me faire juger moi-même de la belle disposition que j'avais à débiter du comique. Lorsqu'elle m'eut entendue, ce fut bien autre chose. Elle me donna de grands applaudissements et me mit au-dessus de toutes les actrices de Madrid. Après cela, je n'aurais pas été excusable de douter de mon mérite. Arsénie demeura atteinte et convaincue de jalousie et de mauvaise foi. Il me fallut convenir que j'étais un sujet tout admirable. Deux comédiens qui arrivèrent dans le moment, et devant qui Phénice m'obligea de répéter les vers que j'avais déjà récités, tombèrent dans une espèce d'extase, d'où ils ne sortirent que pour me combler de louanges. Sérieusement, quand ils se seraient défiés tous trois à qui me louerait davantage, ils n'auraient pas employé d'expressions plus hyperboliques. Ma modestie ne fut point à l'épreuve de tant d'éloges. Je commençai à croire que je valais quelque chose, et voilà mon esprit tourné du côté de la comédie.

Oh çà, ma chère, dis-je à Phénice, c'en est fait. Je veux suivre ton conseil et entrer dans ta troupe, si elle l'a pour agréable. A ces paroles, mon amie, transportée de joie, m'embrassa, et ses deux camarades ne me parurent pas moins ravis qu'elle de me voir dans ces sentiments. Nous convînmes que le jour suivant je me rendrais au théâtre dans la matinée, et ferais voir à la troupe assemblée le même échantillon que je venais de montrer de mon talent. Si j'avais fait concevoir une avantageuse opinion de moi chez Phénice, tous les comédiens en jugèrent encore plus favorablement, lorsque j'eus dit en leur présence une vingtaine de vers seulement. Ils me reçurent volontiers dans leur compagnie. Après quoi, je ne fus plus occupée que de mon début. Pour le rendre plus brillant, j'employai tout ce qui me restait d'argent de ma bague, et si je n'en eus pas assez pour me mettre superbement, du moins je trouvai l'art de suppléer à la magnificence par un goût tout galant.

Je parus enfin sur la scène pour la première fois. Quels battements de mains! quels éloges! Il y a de la modération, mon ami, à te dire simplement que je ravis les spectateurs. Il faudrait avoir été témoin du bruit que je fis à Séville pour y ajouter foi. Je devins l'entretien de toute la ville, qui pendant trois semaines entières vint en foule à la comédie; de sorte que la troupe rappela par cette nouveauté le public qui commençait à l'abandonner. Je débutai donc d'une manière qui charma tout le monde. Or, débuter ainsi, c'était comme si j'eusse fait afficher que j'étais à donner au plus offrant et dernier enchérisseur. Vingt cavaliers de toute sorte d'âges s'offrirent à l'envi à prendre soin de moi. Si j'eusse suivi mon inclination, j'aurais choisi le plus jeune et le plus joli; mais nous ne devons, nous autres, consulter que l'intérêt et l'ambition lorsqu'il s'agit de nous établir. C'est une règle de théâtre. C'est pourquoi don Ambrosio de Nisana, homme déjà vieux et mal fait, mais riche, généreux et l'un des plus puissants seigneurs d'Andalousie, eut la préférence. Il est vrai que je la lui fis bien acheter. Il me loua une belle maison, la meubla très magnifiquement, me donna un bon cuisinier, deux laquais, une femme de chambre et mille ducats par mois à dépenser. Il faut ajouter à cela de riches habits avec une assez grande quantité de pierreries.

Quel changement dans ma fortune! Mon esprit ne put le soutenir. Je me parus tout à coup à moi-même une autre personne. Je ne m'étonne plus s'il y a des filles qui oublient en peu de temps le néant et la misère d'où un caprice de seigneur les a tirées. Je t'en fais un aveu sincère : les applaudissements du public, les discours flatteurs que j'entendais de toutes parts et la passion de don Ambrosio m'inspirèrent une vanité qui alla jusqu'à l'extravagance. Je regardai mon talent comme un titre de noblesse. Je pris les airs d'une femme de qualité. Et, devenant aussi avare de regards agaçants que j'en avais jusqu'alors été prodigue, je résolus de n'arrêter ma vue que sur des ducs, des comtes ou des marquis.

Le seigneur de Nisana venait souper chez moi tous les soirs avec quelques-uns de ses amis. De mon côté, j'avais soin d'assembler les plus amusantes de nos comédiennes, et nous passions une bonne partie de la nuit à rire et à boire. Je m'accommodais fort d'une vie si agréable; mais elle ne dura que six mois. Les seigneurs sont sujets à changer. Sans cela, ils seraient trop aimables. Don Ambrosio me quitta pour une jeune coquette grenadine qui venait d'arriver à Séville avec des grâces et le talent de les mettre à profit. Je n'en fus pourtant affligée que vingt-quatre heures. Je choisis pour remplir sa place un cavalier de vingt-deux ans, don Louis d'Alcacer, à qui peu d'Espagnols pouvaient être comparés pour la bonne mine.

Tu me demanderas sans doute, et tu auras raison, pourquoi je pris pour amant un si jeune seigneur, moi qui en connaissais les conséquences. Mais outre que don Louis n'avait plus ni père ni mère et qu'il jouissait déjà de son bien, je te dirai que ces conséquences ne sont à craindre que pour les filles d'une condition servile, ou pour de malheureuses aventurières. Les femmes de notre profession sont des personnes titrées. Nous ne sommes point responsables des effets que produisent nos charmes. Tant pis pour les familles dont nous plumons les héritiers!

Nous nous attachâmes si fortement l'un à l'autre, d'Alcacer et moi, que jamais aucun amour n'a, je crois, égalé celui dont nous nous laissâmes enflammer tous deux. Nous nous aimions avec tant de fureur, qu'il semblait qu'on eût jeté un sort sur nous. Ceux qui savaient notre intelligence nous croyaient les plus heureux amants du monde; et nous en étions peut-être les plus malheureux. Si don Louis avait une figure tout aimable, il était en même temps si jaloux, qu'il me désolait à chaque instant par d'injustes soupçons. Il ne me servait de rien, pour m'accommoder à sa faiblesse, de me contraindre jusqu'à n'oser envisager un homme, sa défiance, ingénieuse à me trouver des crimes, rendait ma contrainte inutile. Nos plus tendres entretiens étaient toujours mêlés de querelles. Il n'y eut pas moyen d'y résister. La patience nous échappa de part et d'autre, et nous rompîmes à l'amiable. Croiras-tu bien que le dernier jour de notre commerce en fut le plus charmant pour nous ? Tous deux également fatigués des maux que nous avions soufferts, nous ne fîmes éclater que de la joie dans nos adieux. Nous étions comme deux misérables captifs qui recouvrent leur liberté après un rude esclavage.

Depuis cette aventure, je suis bien en garde contre l'amour. Je ne veux plus d'attachement qui trouble mon repos. Il ne nous sied point, à nous, de soupirer comme les autres. Nous ne devons pas sentir en particulier une passion dont nous faisons voir en public le ridicule.

Je donnais pendant ce temps-là de l'occupation à la Renommée. Elle répandait partout que j'étais une actrice inimitable. Sur la foi de cette déesse, les comédiens de Grenade m'écrivirent pour me proposer d'entrer dans leur troupe. Et, pour me faire connaître que la proposition n'était pas à rejeter, ils m'envoyaient un état de leurs frais journaliers et de leurs abonnements, par lequel il me parut que c'était un parti avantageux pour moi. Aussi, je l'acceptai; quoique, dans le fond, je fusse fâchée de quitter Phénice et Dorothée, que j'aimais autant qu'une femme est capable d'en aimer d'autres. Je laissai la première à Séville occupée à fondre la vaisselle d'un petit marchand orfèvre qui voulait par vanité avoir une comédienne pour maîtresse. J'ai oublié de te dire qu'en m'attachant au théâtre, je changeai par fantaisie le nom de Laure en celui d'Estelle; et c'est sous ce dernier nom que je partis pour venir à Grenade.

Je n'y commençai pas moins heureusement qu'à Séville, et je me vis bientôt environnée de soupirants. Mais, n'en voulant favoriser aucun qu'à bonnes enseignes, je gardai avec eux une retenue qui leur jeta de la poudre aux yeux. Néanmoins de peur d'être la dupe d'une conduite qui ne menait à rien et qui ne m'était pas naturelle, j'allais me déterminer à écouter un jeune oydor [78] de race bourgeoise qui fait le seigneur en vertu de sa charge, d'une bonne table et d'un équipage, quand je vis pour la première fois le marquis de Marialva. Ce seigneur portugais, qui voyage en Espagne par curiosité, passant par Grenade, s'y arrêta. Il vint à la comédie. Je ne jouais point ce jour-là. Il regarda fort attentivement les actrices qui s'offrirent à ses yeux. Il en trouva une à son gré. Il fit connaissance avec elle dès le lendemain, et il était prêt à conclure le marché, lorsque je parus sur le théâtre. Ma vue et mes minauderies firent tout à coup tourner la girouette. Mon Portugais ne s'attacha plus qu'à moi. Il faut dire la vérité, comme je n'ignorais pas que ma camarade eût plu à ce seigneur, je n'épargnai rien pour le lui souffler, et j'eus le bonheur d'en venir à bout. Je sais bien qu'elle m'en veut du mal; mais je n'y saurais que faire. Elle devrait songer que c'est une chose si naturelle aux femmes que les meilleures amies ne s'en font pas le moindre scrupule.

CHAPITRE VIII

De l'accueil que les comédiens de Grenade firent à Gil Blas; et d'une nouvelle reconnaissance qui se fit dans les foyers de la comédie.

Dans le moment que Laure achevait de raconter son histoire, il arriva une vieille comédienne de ses voisines qui venait en passant pour aller à la comédie. Cette vénérable héroïne de théâtre eût été propre à jouer le personnage de la déesse Cotys [79]. Ma sœur ne manqua pas de présenter son frère à cette figure surannée, et là-dessus grands compliments de part et d'autre.

Je les laissai toutes deux en disant à la veuve de l'économe que je la rejoindrais au théâtre, aussitôt que j'aurais fait porter mes hardes chez le marquis de Marialva dont elle m'enseigna la demeure. J'allai d'abord à la chambre que j'avais louée, d'où, après avoir satisfait mon hôtesse, je me rendis avec un homme chargé de ma valise à un grand hôtel garni où mon nouveau maître était logé. Je rencontrai à la porte son intendant qui me demanda si je n'étais point le frère de la dame Estelle. Je répondis qu'oui. Soyez donc le bienvenu, reprit-il, seigneur cavalier. Le marquis de Marialva, dont j'ai l'honneur d'être intendant, m'a ordonné de vous bien recevoir. On vous a préparé une chambre. Je vais, s'il vous plaît, vous y conduire pour vous en apprendre le chemin. Il me fit monter tout au haut de la maison, et entrer dans une chambre si petite, qu'un lit assez étroit, une armoire et deux chaises la remplissaient. C'était là mon appartement. Vous ne serez pas ici fort au large, me dit mon conducteur. Mais en récompense, je vous promets qu'à Lisbonne vous serez superbement logé. J'enfermai ma valise dans l'armoire dont j'emportai la clef, et je demandai à quelle heure on soupait. Il me fut répondu à cela que le seigneur portugais ne faisait pas d'ordinaire chez lui, et qu'il donnait à chaque domestique une certaine somme par mois pour se nourrir. Je fis encore d'autres questions, et j'appris que les gens du marquis étaient d'heureux fainéants. Après un entretien assez court, je quittai l'intendant pour aller retrouver Laure, en m'occupant agréablement du présage que je concevais de ma nouvelle condition.

Sitôt que j'arrivai à la porte de la comédie, et que je me dis frère d'Estelle, tout me fut ouvert. Vous eussiez vu les gardes s'empresser à me faire un passage, comme si j'eusse été un des plus considérables seigneurs de Grenade. Tous les gagistes, receveurs de marques et de contremarques, que je rencontrai sur mon chemin, me firent de profondes révérences. Mais ce que je voudrais pouvoir bien peindre au lecteur, c'est la réception sérieuse que l'on me fit comiquement dans les foyers où je trouvai la troupe tout habillée et prête à commencer. Les comédiens et les comédiennes à qui Laure me présenta vinrent fondre sur moi. Les hommes m'accablèrent d'embrassades, et les femmes à leur tour, appliquant leurs visages enluminés sur le mien, le couvrirent de rouge et de blanc. Aucun ne voulant être le dernier à me faire son compliment, ils se mirent tous ensemble à parler. Je ne pouvais suffire à leur répondre. Mais ma sœur vint à mon secours, et sa langue exercée ne me laissa en reste avec personne.

Je ne fus pas quitte pour les accolades des acteurs et des actrices. Il me fallut essuyer les civilités du décorateur, des violons, du souffleur, du moucheur et sous-moucheur de chandelles : enfin de tous les valets du théâtre qui sur le bruit de mon arrivée accoururent pour me considérer. Il semblait que tous ces gens-là fussent des enfants trouvés qui n'avaient jamais vu de frère.

Cependant, on commença la pièce. Alors quelques gentilshommes qui étaient dans les foyers coururent se placer pour l'entendre; et moi, en enfant de la balle, je continuai de m'entretenir avec ceux des acteurs qui n'étaient pas sur la scène. Il y en avait un parmi ces derniers qu'on appela devant moi Melchior. Ce nom me frappa. Je considérai avec attention le personnage qui le portait, et il me sembla que je l'avais vu quelque part. Je me le remis enfin et le reconnus pour Melchior Zapata, ce pauvre comédien de campagne, qui, comme je l'ai dit dans le premier volume de mon histoire, trempait des croûtes dans une fontaine.

Je le pris aussitôt en particulier, et je lui dis : Je suis bien trompé, si vous n'êtes pas ce seigneur Melchior avec qui j'ai eu l'honneur de déjeuner un jour au bord d'une claire fontaine, entre Valladolid et Ségovie. J'étais avec un garçon barbier. Nous portions quelques provisions que nous joignîmes aux vôtres, et nous fîmes tous trois un petit repas qui fut assaisonné de mille agréables discours. Zapata se mit à rêver quelques moments, ensuite il me répondit : Vous me parlez d'une chose que j'ai peu de peine à me rappeler. Je revenais alors de débuter à Madrid, et je retournais à Zamora. Je me souviens même que j'étais fort mal dans mes affaires. Je m'en souviens bien aussi, lui répliquai-je; à telles enseignes que vous portiez un pourpoint doublé d'affiches de comédie. Je n'ai pas oublié non plus que vous vous plaigniez dans ce temps-là d'avoir une femme trop sage. Oh! je ne m'en plains plus à présent, dit avec précipitation Zapata. Vive Dieu! la commère s'est bien corrigée de cela; aussi en ai-je le pourpoint mieux doublé.

J'allais le féliciter sur ce que sa femme était devenue raisonnable, lorsqu'il fut obligé de me quitter pour paraître sur la scène. Curieux de connaître sa femme, je m'approchai d'un comédien pour le prier de me la montrer. Ce qu'il fit en me disant : Vous la voyez; c'est Narcissa; la plus jolie de nos dames après votre sœur. Je jugeai que cette actrice devait être celle en faveur de qui le marquis de Marialva s'était déclaré avant que d'avoir vu son Estelle; et ma conjecture ne fut que trop vraie. A la fin de la pièce, je conduisis Laure à son domicile, où j'aperçus en arrivant plusieurs cuisiniers qui préparaient un grand repas. Tu peux souper ici, me dit-elle. Je n'en ferai rien, lui répondis-je. Le marquis sera peut-être bien aise d'être seul avec vous. Oh! que non, reprit-elle; il va venir avec deux de ses amis et un de nos messieurs. Il ne tiendra qu'à toi de faire le sixième. Tu sais bien que chez les comédiennes les secrétaires ont le privilège de manger avec leurs maîtres. Il est vrai, lui dis-je; mais ce serait de trop bonne heure me mettre sur le pied de ces secrétaires favoris. Il faut auparavant que je fasse quelque commission de confident pour mériter ce droit honorifique. En parlant ainsi, je sortis de chez Laure et gagnai mon auberge où je comptais d'aller tous les jours, puisque mon maître n'avait point de ménage.

CHAPITRE IX

Avec quel homme extraordinaire, il soupa ce soir-là, et de ce qui se passa entre eux.

Je remarquai dans la salle une espèce de vieux moine, vêtu de bure grise, qui soupait tout seul dans un coin. J'allai par curiosité m'asseoir vis-à-vis de lui; je le saluai fort civilement, et il ne se montra pas moins poli que moi. On m'apporta ma pitance que je commençai à expédier avec beaucoup d'appétit. Pendant que je mangeais sans dire mot, je regardais souvent le personnage, dont je trouvais toujours les yeux attachés sur moi. Fatigué de son attention opiniâtre à me regarder, je lui adressai ainsi la parole : Père, nous serions-nous vus par hasard ailleurs qu'ici ? Vous m'observez comme un homme qui ne vous serait pas entièrement inconnu.

Il me répondit gravement : Si j'arrête sur vous mes

regards, ce n'est que pour admirer la prodigieuse variété d'aventures qui sont marquées dans les traits de votre visage. A ce que je vois, lui dis-je d'un air railleur, votre révérence donne dans la métoposcopie ? Je pourrais me vanter de la posséder, répondit le moine, et d'avoir fait des prédictions que la suite n'a pas démenties. Je ne sais pas moins la chiromance ; et j'ose dire que mes oracles sont infaillibles, quand j'ai confronté l'inspection de la main avec celle du visage.

Quoique ce vieillard eût toute l'apparence d'un homme sage, je le trouvai si fou, que je ne pus m'empêcher de lui rire au nez. Au lieu de s'offenser de mon impolitesse, il en sourit, et continua de parler dans ces termes, après avoir promené sa vue dans la salle et s'être assuré que personne ne nous écoutait : Je ne m'étonne pas de vous voir si prévenu contre deux sciences qui passent aujourd'hui pour frivoles ; l'étude longue et pénible qu'elles demandent décourage tous les savants, qui y renoncent, et qui les décrient de dépit de n'avoir pu les acquérir. Pour moi, je ne me suis point rebuté de l'obscurité qui les enveloppe, non plus que des difficultés qui se succèdent sans cesse dans la recherche des secrets chimiques et dans l'art merveilleux de transmuer les métaux en or.

Mais je ne pense pas, poursuivit-il en se reprenant, que je parle à un jeune cavalier à qui mes discours doivent en effet paraître des rêveries. Un échantillon de mon savoir-faire vous disposera, mieux que tout ce que je pourrais dire, à juger de moi plus favorablement. A ces mots, il tira de sa poche une fiole remplie d'une liqueur vermeille. Ensuite, il me dit : Voici un élixir que j'ai composé ce matin des sucs de certaines plantes distillés à l'alambic ; car j'ai employé presque toute ma vie, comme Démocrite, à trouver les propriétés des simples et des minéraux. Vous allez éprouver sa vertu. Le vin que nous buvons à notre souper est très mauvais. Il va devenir excellent. En même temps, il mit deux gouttes de son élixir dans ma bouteille, qui rendirent mon vin plus délicieux que les meilleurs qui se boivent en Espagne.

Le merveilleux frappe l'imagination, et, quand une fois elle est gagnée, on ne se sert plus de son jugement. Charmé d'un si beau secret, et persuadé qu'il fallait être un peu plus que diable pour l'avoir trouvé, je m'écriai plein d'admiration : O mon Père ! pardonnez-moi, de grâce, si je vous ai pris d'abord pour un vieux fou. Je vous rends justice présentement. Je n'ai pas besoin d'en voir davantage pour être assuré que vous feriez, si vous vouliez, tout à l'heure, un lingot d'or d'une barre de fer [80]. Que je serais heureux si je possédais cette admirable science ! Le Ciel vous préserve de l'avoir jamais ! interrompit le vieillard en poussant un profond soupir. Vous ne savez pas, mon fils, que vous souhaitez une chose funeste. Au lieu de me porter envie, plaignez-moi plutôt de m'être donné tant de peine pour me rendre malheureux. Je suis toujours dans l'inquiétude. Je crains d'être découvert et qu'une prison perpétuelle ne devienne le salaire de tous mes travaux. Dans cette appréhension, je mène une vie errante, déguisé tantôt en prêtre ou en moine, et tantôt en cavalier ou en paysan. Est-ce donc un avantage de savoir faire de l'or à ce prix-là ? Et les richesses ne sont-elles pas un vrai supplice pour les personnes qui n'en jouissent pas tranquillement ?

Ce discours me paraît fort sensé, dis-je alors au philosophe. Rien n'est tel que de vivre en repos. Vous me dégoûtez de la pierre philosophale. Je me contenterai d'apprendre de vous ce qui doit m'arriver. Très volontiers, me répondit-il, mon enfant. J'ai déjà fait des observations sur vos traits. Voyons à présent votre main. Je la lui présentai avec une confiance qui ne me fera guère d'honneur dans l'esprit de quelques lecteurs. Il l'examina fort attentivement et dit ensuite avec enthousiasme : Ah! que de passages de la douleur à la joie, et de la joie à la douleur! Quelle succession bizarre de disgrâces et de prospérités! mais vous avez déjà éprouvé une grande partie de ces alternatives de fortune. Il ne vous reste plus guère de malheurs à essuyer, et un seigneur vous fera une agréable destinée qui ne sera point sujette au changement.

Après m'avoir assuré que je pouvais compter sur cette prédiction, il me dit adieu et sortit de l'auberge, où il me laissa fort occupé des choses que je venais d'entendre. Je ne doutais point que le marquis de Marialva ne fût le seigneur en question; et par conséquent rien ne me paraissait plus possible que l'accomplissement de l'oracle. Mais, quand je n'y aurais pas vu la moindre apparence, cela ne m'eût point empêché de donner au faux moine une entière créance, tant il s'était acquis par son élixir d'autorité sur mon esprit! De mon côté, pour avancer le bonheur qui m'était prédit, je résolus de m'attacher au marquis plus que je n'avais fait à aucun de mes maîtres. Ayant pris cette résolution, je me retirai à notre hôtel avec une gaieté que je ne puis exprimer. Jamais femme n'est sortie si contente de chez une devineresse.

CHAPITRE X

De la commission que le marquis de Marialva donna à Gil Blas; et comment ce fidèle secrétaire s'en acquitta.

Le marquis n'était pas encore revenu de chez sa comédienne, et je trouvai dans son appartement ses valets de chambre qui jouaient à la prime en attendant son retour.

Je fis connaissance avec eux et nous nous amusâmes à rire jusqu'à deux heures après minuit que notre maître arriva. Il fut un peu surpris de me voir, et me dit d'un air de bonté qui me fit juger qu'il revenait très satisfait de sa soirée : Comment donc, Gil Blas, vous n'êtes pas encore couché ? Je répondis que j'avais voulu savoir auparavant s'il n'avait rien à m'ordonner. J'aurai peut-être, reprit-il, une commission à vous donner demain matin; mais il sera temps alors de vous apprendre mes volontés. Allez vous reposer. Et désormais souvenez-vous que je vous dispense de m'attendre le soir! Je n'ai besoin que de mes valets de chambre.

Après cet avertissement, qui dans le fond me faisait plaisir, puisqu'il m'épargnait une sujétion que j'aurais quelquefois désagréablement sentie, je laissai le marquis dans son appartement, et me retirai à mon galetas. Je me mis au lit. Mais ne pouvant dormir, je m'avisai de suivre le conseil que nous donne Pythagore [81] de rappeler le soir ce que nous avons fait dans la journée pour nous applaudir de nos bonnes actions et nous blâmer de nos mauvaises.

Je ne me sentais pas la conscience assez nette pour être content de moi. Je me reprochai d'avoir appuyé l'imposture de Laure. J'avais beau me dire, pour m'excuser, que je n'avais pu [82] honnêtement donner un démenti à une fille qui n'avait eu en vue que de me faire plaisir, et qu'en quelque façon je m'étais trouvé dans la nécessité de me rendre complice de la supercherie. Peu satisfait de cette excuse, je répondais que je ne devais donc pas pousser les choses plus loin; et qu'il fallait que je fusse bien effronté pour vouloir demeurer auprès d'un seigneur dont je payais si mal la confiance. Enfin après un sévère examen, je tombai d'accord avec moi-même que, si je n'étais pas un fripon, il ne s'en fallait guère.

De là passant aux conséquences, je me représentai que je jouais gros jeu, en trompant un homme de condition, qui pour mes péchés peut-être ne tarderait guère à découvrir la fourberie. Une si judicieuse réflexion jeta quelque terreur dans mon esprit : mais des idées de plaisir et d'intérêt l'eurent bientôt dissipée. D'ailleurs la prophétie de l'homme à l'élixir aurait suffi pour me rassurer. Je me livrai donc à des images toutes agréables. Je me mis à faire des règles d'arithmétique, à compter en moi-même la somme que feraient mes gages au bout de dix années de service. J'ajoutais à cela les gratifications que je recevrais de mon maître, et, les mesurant à son humeur libérale ou plutôt à mes désirs, j'avais une intempérance d'imagination, si l'on peut parler ainsi, qui ne donnait point de bornes à ma fortune. Tant de bien peu à peu m'assoupit, et je m'endormis en bâtissant des châteaux en Espagne.

Je me levai le lendemain sur les huit heures pour aller

recevoir les ordres de mon patron; mais comme j'ouvrais ma porte pour sortir, je fus tout étonné de le voir paraître devant moi en robe de chambre et en bonnet de nuit. Il était tout seul. Gil Blas, me dit-il, hier au soir en quittant votre sœur, je lui promis de passer chez elle ce matin; mais une affaire de conséquence ne me permet pas de lui tenir parole. Allez lui témoigner de ma part que je suis bien mortifié de ce contretemps; et assurez-la que je souperai encore aujourd'hui avec elle. Ce n'est pas tout, ajouta-t-il, en me mettant entre les mains une bourse avec une petite boîte de chagrin enrichie de pierreries, portez-lui mon portrait, et gardez cette bourse où il y a cinquante pistoles que je vous donne pour marque de l'amitié que j'ai déjà pour vous. Je pris d'une main le portrait, et de l'autre, la bourse que je méritais si peu. Je courus sur-le-champ chez Laure, en disant dans l'excès de la joie qui me transportait : Bon! la prédiction s'accomplit à vue d'œil. Quel bonheur d'être frère d'une fille belle et galante! C'est dommage qu'il n'y ait pas autant d'honneur à cela que de profit et d'agrément.

Laure, contre l'ordinaire des personnes de sa profession, avait coutume de se lever matin. Je la surpris à sa toilette où en attendant son Portugais elle joignait à sa beauté naturelle tous les charmes auxiliaires que l'art des coquettes pouvait lui prêter. Aimable Estelle, lui dis-je en entrant, l'aimant des étrangers, je puis à l'heure qu'il est manger avec mon maître, puisqu'il m'a honoré d'une commission qui me donne cette prérogative et dont je viens m'acquitter. Il n'aura pas le plaisir de vous entretenir ce matin, comme il se l'était proposé. Mais, pour vous en consoler, il soupera ce soir avec vous; et il vous envoie son portrait qui me paraît avoir quelque chose encore de plus consolant.

Je lui remis aussitôt la boîte, qui, par le vif éclat des brillants dont elle était garnie, lui réjouit infiniment la vue. Elle l'ouvrit, et, l'ayant fermée, après avoir considéré la peinture par manière d'acquit, elle revint aux pierreries. Elle en vanta la beauté et me dit en souriant : Voilà des copies que les femmes de théâtre aiment mieux que les originaux.

Je lui appris ensuite que le généreux Portugais, en me chargeant du portrait, m'avait gratifié d'une bourse de cinquante pistoles. Je t'en fais mon compliment, me dit-elle. Ce seigneur commence par où même il est rare que les autres finissent. C'est à vous, mon adorable, lui répondis-je, que je dois ce présent; le marquis ne me l'a fait qu'à cause de la fraternité. Je voudrais, répliqua-t-elle, qu'il t'en fît de semblables chaque jour. Je ne puis te dire jusqu'à quel point tu m'es cher. Dès le premier instant que je t'ai vu, je me suis attachée à toi par un lien si fort, que le temps n'a pu le rompre. Lorsque je te perdis à Madrid, je ne désespérai pas de te retrouver; et hier en te revoyant je te reçus comme un homme qui revenait à moi nécessairement. En un mot, mon ami, le ciel nous a destinés l'un pour l'autre. Tu seras mon mari; mais il faut nous enrichir auparavant. Je veux avoir encore trois ou quatre galanteries pour te mettre à ton aise [83].

Je la remerciai poliment de la peine qu'elle voulait bien prendre pour moi. Et nous nous engageâmes insensiblement dans un entretien qui dura jusqu'à midi. Alors je me retirai pour aller rendre compte à mon maître de la manière dont on avait reçu son présent. Quoique Laure ne m'eût point donné d'instruction là-dessus, je ne laissai pas de composer en chemin un beau compliment que je me proposais de faire de sa part; mais ce fut autant de bien perdu. Car lorsque j'arrivai à l'hôtel, on me dit que le marquis venait de sortir; et il était décidé que je ne le reverrais plus; ainsi qu'on le peut lire dans le chapitre suivant.

CHAPITRE XI

De la nouvelle que Gil Blas apprit, et qui fut un coup de foudre pour lui.

Je me rendis à mon auberge où, rencontrant deux hommes d'une agréable conversation, je dînai et demeurai à table avec eux jusqu'à l'heure de la comédie. Alors nous nous séparâmes. Ils allèrent à leurs affaires et, moi, je pris le chemin du théâtre. Il faut remarquer en passant que j'avais tout sujet d'être de belle humeur : la joie avait régné dans l'entretien que je venais d'avoir avec ces cavaliers : la face de ma fortune était des plus riantes; et pourtant je me laissais aller à la tristesse, sans savoir pourquoi. Sans pouvoir m'en défendre. Je pressentais sans doute le malheur qui me menaçait.

Comme j'entrais dans les foyers, Melchior Zapata vint à moi, et me dit tout bas de le suivre. Il me mena dans un endroit particulier de l'hôtel, et me tint ce discours : Seigneur cavalier, je me fais un devoir de vous donner un avis très important. Vous savez que le marquis de Marialva s'était d'abord senti du goût pour Narcissa mon épouse. Il avait même déjà pris jour pour venir manger de mon aloyau, lorsque l'artificieuse Estelle trouva moyen de rompre la partie et d'attirer chez elle ce seigneur portugais. Vous jugez bien qu'une comédienne ne perd pas une si bonne proie sans dépit. Ma femme a cela sur le cœur, et il n'y a rien qu'elle ne fût capable de faire pour se venger. Elle en a une belle occasion. Hier, si vous vous en souvenez, tous nos gagistes accoururent pour vous voir. Le sous-moucheur de chandelles dit à quelques personnes de la troupe qu'il vous reconnaissait et que vous n'étiez rien moins que le frère d'Estelle.

Ce bruit, ajouta Melchior, est venu aujourd'hui aux oreilles de Narcissa, qui n'a pas manqué d'en interroger l'auteur; et ce gagiste le lui a confirmé. Il vous a, dit-il, connu valet d'Arsénie dans le temps qu'Estelle sous le nom de Laure la servait à Madrid. Mon épouse, charmée de cette découverte, en fera part au marquis de Marialva, qui doit venir ce soir à la comédie. Réglez-vous là-dessus. Si vous n'êtes pas effectivement frère d'Estelle, je vous conseille en ami, et à cause de notre ancienne connaissance, de pourvoir à votre sûreté. Narcissa, qui ne demande qu'une victime, m'a permis de vous avertir de prévenir par une prompte fuite quelque sinistre accident.

Il y aurait eu du superflu à m'en dire davantage. Je rendis grâce de cet avertissement à l'histrion, qui vit bien à mon air effrayé que je n'étais pas homme à donner un démenti au sous-moucheur de chandelles. Je ne me sentais nullement d'humeur à porter jusque-là l'effronterie. Je ne fus pas même tenté d'aller dire adieu à Laure, de peur qu'elle ne voulût m'engager à payer d'audace. Je concevais bien qu'elle était assez bonne comédienne pour se tirer d'un si mauvais pas; mais je ne voyais qu'un châtiment infaillible pour moi; et je n'étais pas assez amoureux pour le braver. Je ne songeai qu'à me sauver avec mes dieux pénates, je veux dire, avec mes hardes. Je disparus de l'hôtel en un clin d'œil; et je fis en moins de rien enlever et transporter ma valise chez un muletier qui devait le jour suivant partir à trois heures du matin pour Tolède. J'aurais souhaité d'être déjà chez le comte de Polan, dont la maison me paraissait le seul asile qui fût sûr pour moi. Mais je n'y étais pas encore, et je ne pouvais sans inquiétude penser au temps qui me restait à passer dans une ville où j'appréhendais qu'on ne me cherchât dès la nuit même.

Je ne laissai pas d'aller souper à mon auberge, quoique je fusse aussi troublé qu'un débiteur qui sait qu'il y a des alguazils à ses trousses. Ce que je mangeai ce soir-là ne fit pas, je crois, un excellent chyle dans mon estomac. Misérable jouet de la crainte, j'examinais toutes les personnes qui entraient dans la salle; et quand par malheur il y venait des gens de mauvaise mine, ce qui n'est pas rare dans ces endroits-là, je frissonnais de peur. Après avoir soupé dans de continuelles alarmes, je me levai de table, et m'en retournai chez mon muletier, où je me jetai sur de la paille fraîche jusqu'à l'heure du départ.

Ma patience fut bien exercée pendant ce temps-là. Mille désagréables pensées vinrent m'assaillir. Si quelquefois je m'assoupissais, je voyais le marquis furieux qui meurtrissait de coups le beau visage de Laure, et brisait tout chez elle. Ou bien je l'entendais ordonner à ses domestiques de me faire mourir sous le bâton. Je me réveillais là-dessus en sursaut; et le réveil, qui est ordinairement si doux après un songe affreux, me devenait plus cruel encore que mon songe.

Heureusement le muletier me tira d'une si grande peine, en venant m'avertir que ses mules étaient prêtes. Je fus aussitôt sur pied, et, grâces au ciel, je partis radicalement guéri de Laure et de la chiromancie. A mesure que nous nous éloignions de Grenade, mon esprit reprenait sa tranquillité. Je commençai à m'entretenir avec le muletier. Je ris de quelques plaisantes histoires qu'il me raconta, et je perdis insensiblement toute ma frayeur. Je dormis d'un sommeil paisible à Ubeda, où nous allâmes coucher la première journée, et la quatrième nous arrivâmes à Tolède. Mon premier soin fut de m'informer de la demeure du comte de Polan, et je m'y rendis, bien persuadé qu'il ne souffrirait pas que je fusse logé ailleurs que chez lui. Mais je comptais sans mon hôte. Je ne trouvai au logis que le concierge, qui me dit que son maître était parti la veille pour le château de Leyva, d'où on lui avait mandé que Séraphine était dangereusement malade.

Je ne m'étais point attendu à l'absence du comte. Elle diminua la joie que j'avais d'être à Tolède et fut cause que je pris un autre dessein. Me voyant si près de Madrid, je résolus d'y aller. Je fis réflexion que je pourrais me pousser à la cour, où un génie supérieur, à ce que j'avais ouï dire, n'était pas absolument nécessaire pour s'avancer. Dès le lendemain, je me servis de la commodité d'un cheval de retour pour me rendre à cette capitale de l'Espagne. La fortune m'y conduisait pour me faire jouer de plus grands rôles que ceux qu'elle m'y avait déjà fait faire.

CHAPITRE XII

Gil Blas va loger dans un hôtel garni.
Il fait connaissance avec le capitaine Chinchilla.
Quel homme c'était que cet officier,
et quelle affaire l'avait amené à Madrid.

D'abord que je fus à Madrid, j'établis mon domicile dans un hôtel garni, où demeurait entre autres personnes un vieux capitaine, qui, des extrémités de la Castille Nouvelle, était venu solliciter à la Cour une pension qu'il croyait n'avoir que trop méritée. Il s'appelait don Annibal de Chinchilla. Ce ne fut pas sans étonnement que je le vis pour la première fois. C'était un homme de soixante ans, d'une taille gigantesque, et d'une maigreur extraordinaire. Il portait une épaisse moustache qui s'élevait en serpentant des deux côtés jusqu'aux tempes. Outre qu'il lui manquait un bras et une jambe, il avait la place d'un œil couverte d'une large emplâtre de taffetas vert [84], et son visage en plusieurs endroits paraissait balafré. A cela près, il était fait comme un autre [85]. De plus, il ne manquait pas d'esprit et moins encore de gravité. Il poussait la morale jusqu'au scrupule, et se piquait surtout d'être délicat sur le point d'honneur.

Après avoir eu avec lui deux ou trois conversations, il m'honora de sa confiance. Je sus bientôt toutes ses affaires. Il me conta dans quelles occasions il avait laissé un œil à Naples, un bras en Lombardie et une jambe dans les Pays-Bas. Ce que j'admirai dans les relations de batailles et de sièges qu'il me fit, c'est qu'il ne lui échappa aucun trait de fanfaron, pas un mot à sa louange; quoique je lui eusse volontiers pardonné de vanter la moitié qui lui restait de lui-même pour se dédommager de la perte de l'autre. Les officiers qui reviennent de la guerre sains et saufs ne sont pas tous si modestes.

Mais il me dit que ce qui lui tenait le plus au cœur c'était d'avoir dissipé des biens considérables dans ses campagnes. De sorte qu'il n'avait plus que cent ducats de rente; ce qui suffisait à peine pour entretenir sa moustache, payer son logement et faire écrire ses placets. Car enfin, seigneur cavalier, ajouta-t-il en haussant les épaules, j'en présente, Dieu merci, tous les jours, sans qu'on y fasse la moindre attention. Vous diriez qu'il y a une gageure entre le premier ministre et moi, et que c'est à qui de nous deux se lassera, moi d'en donner, ou lui, d'en recevoir. J'ai aussi l'honneur d'en présenter souvent au roi; mais le curé ne chante pas mieux que son vicaire, et, pendant ce temps-là, mon château de Chinchilla tombe en ruine, faute de réparations.

Il ne faut désespérer de rien, dis-je alors au capitaine, vous êtes peut-être à la veille de voir payer avec usure vos peines et vos travaux. Je ne dois pas me flatter de cette espérance, répondit don Annibal. Il n'y a pas trois jours que j'ai parlé à un des secrétaires du ministre, et si j'en crois ses discours je n'ai qu'à me tenir gaillard. Et que vous a-t-il donc dit, repris-je, seigneur officier ? Est-ce que l'état où vous êtes ne lui a pas paru digne d'une récompense ? Vous en allez juger, repartit Chinchilla. Ce secrétaire m'a dit tout net : Seigneur gentilhomme, ne vantez pas tant votre zèle et votre fidélité. Vous n'avez fait que votre devoir en vous exposant aux périls pour votre patrie. La seule gloire qui est attachée aux belles actions les paye assez, et doit suffire principalement à un Espagnol. Il faut donc vous détromper, si vous regardez comme une dette la gratification que vous sollicitez. Si on vous l'accorde, vous devrez uniquement cette grâce à la bonté du roi qui veut bien se croire redevable à ceux de ses sujets qui ont bien servi l'État. Vous voyez par là, poursuivit le capitaine, que j'en dois encore de reste, et que j'ai bien la mine de m'en retourner comme je suis venu.

On s'intéresse pour un brave homme qu'on voit souffrir. Je l'exhortai à tenir bon, je m'offris à lui mettre au net gratuitement ses placets. J'allai même jusqu'à lui ouvrir ma bourse et à le conjurer d'y prendre tout l'argent qu'il voudrait. Mais il n'était pas de ces gens qui ne se le font pas dire deux fois dans une pareille occasion. Tout au contraire, se montrant très délicat là-dessus, il me remercia fièrement de ma bonne volonté. Ensuite, il me dit que, pour n'être à charge à personne, il s'était accoutumé peu à peu à vivre avec tant de sobriété que le moindre aliment suffisait pour sa subsistance. Ce qui n'était que trop véritable. Il ne vivait que de ciboules et d'oignons. Aussi n'avait-il que la peau et les os. Pour n'avoir aucun témoin de ses mauvais repas, il s'enfermait ordinairement dans sa chambre pour les faire. J'obtins pourtant de lui, à force de prières, que nous dînerions et souperions ensemble [86]. Et, trompant sa fierté par une ingénieuse compassion, je me fis apporter beaucoup plus de viande et de vin qu'il n'en fallait pour moi. Je l'excitai à boire et à manger. Il voulut d'abord faire des façons; mais enfin il se rendit à mes instances. Après quoi, devenant insensiblement plus hardi, il m'aida de lui-même à rendre mon plat net et à vider ma bouteille.

Lorsqu'il eut bu quatre ou cinq coups et réconcilié son estomac avec une bonne nourriture : En vérité, me dit-il d'un air gai, vous êtes bien séduisant, seigneur Gil Blas; vous me faites faire tout ce qu'il vous plaît. Vous avez des manières qui m'ôtent jusqu'à la crainte d'abuser de votre humeur bienfaisante. Mon capitaine me parut alors si défait de sa honte, que, si j'eusse voulu saisir ce moment-là pour le presser encore d'accepter ma bourse, je crois qu'il ne l'aurait pas refusée. Je ne le remis point à cette épreuve. Je me contentai de l'avoir fait mon commensal et de prendre la peine non seulement d'écrire ses placets, mais de les composer même avec lui. A force d'avoir mis des homélies au net, j'avais appris à tourner une phrase. J'étais devenu une espèce d'auteur. Le vieil officier de son côté se piquait de savoir bien coucher par écrit. De sorte que, travaillant tous deux par émulation, nous faisions des morceaux d'éloquence dignes des plus célèbres régents de Salamanque. Mais nous avions beau, l'un et l'autre, épuiser notre esprit à semer des fleurs de rhétorique dans ces placets, c'était, comme on dit, semer sur le sable. Quelque tour que nous prissions pour faire valoir les services de don Annibal, la cour n'y avait aucun égard. Ce qui n'engageait pas ce vieil invalide à faire l'éloge des officiers qui se ruinent à la guerre. Dans sa mauvaise humeur il maudissait son étoile et donnait au diable Naples, la Lombardie et les Pays-Bas.

Pour surcroît de mortification, il arriva un jour qu'à sa barbe un poète produit par le duc d'Albe, ayant récité devant le roi un sonnet sur la naissance d'une infante, fut gratifié d'une pension de cinq cents ducats. Je crois que le capitaine mutilé en serait devenu fou, si je n'eusse pris soin de lui remettre l'esprit. Qu'avez-vous ? lui dis-je en le voyant hors de lui-même. Il n'y a rien là-dedans qui doive vous révolter. Depuis un temps immémorial, les poètes ne sont-ils pas en possession de rendre les princes tributaires de leurs muses ? Il n'est point de tête couronnée qui n'ait quelques-uns de ces messieurs-là pour pensionnaires. Et entre nous, ces sortes de pensions, étant rarement ignorées de l'avenir, consacrent la libéralité des rois, au lieu que les autres qu'ils font sont souvent en pure perte pour leur renommée. Combien Auguste a-t-il donné de récompenses, combien a-t-il fait de pensions dont nous n'avons aucune connaissance ! Mais la postérité la plus reculée saura comme nous, que Virgile a reçu de cet empereur près de deux cent mille écus de bienfaits.

Quelque chose que je pusse dire à don Annibal, le fruit du sonnet lui demeura sur l'estomac comme un plomb. Et, ne pouvant le digérer, il se résolut à tout abandonner. Il voulut néanmoins auparavant, pour jouer de son reste, présenter encore un placet au duc de Lerme. Nous allâmes pour cet effet tous deux chez ce premier ministre ; nous y rencontrâmes un jeune homme, qui, après avoir salué le capitaine, lui dit d'un air affectueux : Mon cher et ancien maître, est-ce vous que je vois ? Quelle affaire vous amène chez monseigneur ? Si vous avez besoin d'une personne qui ait du crédit, ne m'épargnez pas. Je vous offre mes services. Comment donc, Pédrille ? lui répondit l'officier, à vous entendre, il semble que vous occupiez quelque poste important dans cette maison. Du moins, répliqua le jeune homme, y ai-je assez de pouvoir pour faire plaisir à un honnête *hidalgo* comme vous. Cela étant, reprit le capitaine avec un souris, j'ai recours à votre protection. Je vous l'accorde, repartit Pédrille. Vous n'avez qu'à m'apprendre de quoi il est question, et je promets de vous faire tirer pied ou aile du premier ministre.

Nous n'eûmes pas sitôt mis au fait ce garçon si plein de bonne volonté, qu'il demanda où demeurait don Annibal. Puis, nous ayant assuré que nous aurions de ses nouvelles le jour suivant, il disparut sans nous instruire de ce qu'il prétendait faire, ni même nous dire s'il était domestique du duc de Lerme. Je fus curieux de savoir ce que c'était que ce Pédrille qui me paraissait si éveillé. C'est un garçon, me dit le capitaine, qui me servait il y a quelques années, et qui, me voyant dans l'indigence, m'y laissa pour aller chercher une meilleure condition. Je ne lui sais point mauvais gré de cela. Il est fort naturel de changer pour être mieux. C'est un drôle qui ne manque pas d'esprit, et qui est intrigant comme tous les diables. Mais malgré tout son savoir-faire, je ne compte pas beaucoup sur le zèle qu'il vient de témoigner pour moi. Peut-être, lui dis-je, ne vous sera-t-il pas inutile. S'il appartenait, par exemple, à quelqu'un des principaux officiers du duc, il pourrait vous rendre service. Vous n'ignorez pas que tout se fait par brigue et par cabale chez les Grands : qu'ils ont des domestiques favoris qui les gouvernent, et que ceux-ci à leur tour sont gouvernés par leurs valets.

Le lendemain dans la matinée, nous vîmes arriver Pédrille à notre hôtel. Messieurs, nous dit-il, si je ne m'expliquai pas hier sur les moyens que j'avais de servir le capitaine Chinchilla, c'est que nous n'étions pas dans un endroit qui me permît de vous faire une pareille confidence. De plus, j'étais bien aise de sonder le gué avant que de m'ouvrir à vous. Sachez donc que je suis le laquais de confiance du seigneur don Rodrigue de Calderone, premier secrétaire du duc de Lerme. Mon maître, qui est fort galant, va presque tous les soirs souper avec un rossignol d'Aragon qu'il tient en cage dans le quartier de la cour. C'est une jeune fille d'Albarazin, des plus jolies. Elle a de l'esprit et chante à ravir. Aussi se nomme-t-elle la señora Sirena. Comme je lui porte tous les matins un billet doux, je viens de la voir. Je lui ai proposé de faire passer le seigneur don Annibal pour son oncle, et d'engager par cette supposition son galant à le protéger. Elle veut bien entreprendre cette affaire. Outre le petit profit qu'elle y envisage, elle sera charmée qu'on la croie nièce d'un brave gentilhomme.

Le seigneur de Chinchilla fit la grimace à ce discours. Il témoigna de la répugnance à se rendre complice d'une espièglerie, et encore plus à souffrir qu'une aventurière le déshonorât en se disant de sa famille. Il n'en était pas seulement blessé par rapport à lui ; il voyait, pour ainsi dire, là-dedans une ignominie rétroactive pour ses aïeux. Cette délicatesse parut hors de saison à Pédrille qui en fut choqué. Vous moquez-vous, s'écria-t-il, de le prendre sur ce ton-là ? Voilà comme vous êtes faits, vous autres nobles à chaumière, vous avez une vanité ridicule. Seigneur cavalier, poursuivit-il en m'adressant la parole, n'admirez-vous pas les scrupules qu'il se fait ? Vive Dieu ! C'est bien à la Cour qu'il y faut regarder de si près ! Sous quelque vilaine forme que la fortune s'y présente, on ne la laisse point échapper.

J'applaudis à ce que dit Pédrille, et nous haranguâmes si bien tous deux le capitaine, que nous le fîmes malgré lui devenir oncle de Sirena. Quand nous eûmes gagné cela sur son orgueil, nous nous mîmes tous trois à faire pour le ministre un nouveau placet, qui fut revu, augmenté et corrigé. Je l'écrivis ensuite proprement, et Pédrille le porta à l'Aragonaise, qui dès le soir même en chargea le seigneur don Rodrigue, à qui elle parla de façon que ce secrétaire, la croyant véritablement nièce du capitaine, promit de s'employer pour lui. Peu de jours après, nous vîmes l'effet de cette manœuvre. Pédrille revint à notre hôtel d'un air triomphant : Bonne nouvelle! dit-il à Chinchilla. Le roi fera une distribution de commanderies, de bénéfices et de pensions, où vous ne serez pas oublié. Mais je suis chargé de vous demander quel présent vous prétendez faire à Sirena. Pour moi, je vous déclare que je ne veux rien. Je préfère à tout l'or du monde le plaisir d'avoir contribué à améliorer la fortune de mon ancien maître. Il n'en est pas de même de notre nymphe d'Albarazin. Elle est un peu juive, lorsqu'il s'agit d'obliger le prochain. Elle prendrait l'argent de son propre père, jugez si elle refusera celui d'un oncle supposé!

Elle n'a qu'à dire ce qu'elle exige de moi, répondit don Annibal. Si elle veut tous les ans le tiers de la pension que j'obtiendrai, je le lui promets, et cela doit lui suffire, quand il s'agirait de tous les revenus de Sa Majesté catholique. Je me fierais bien à votre parole, moi, répliqua le Mercure de don Rodrigue, je sais bien qu'elle vaut le jeu; mais vous avez affaire à une petite personne naturellement fort défiante. D'ailleurs, elle aimera beaucoup mieux que vous lui donniez, une fois pour toutes, les deux tiers d'avance en argent comptant. Eh! où diable veut-elle que je les prenne ? interrompit brusquement l'officier. Me croit-elle un contador-mayor! Il faut que vous ne l'ayez pas instruite de ma situation. Pardonnez-moi, repartit Pédrille. Elle sait bien que vous êtes plus gueux que Job. Après ce que je lui ai dit, elle ne saurait l'ignorer. Mais ne vous mettez pas en peine; je suis un homme fertile en expédients. Je connais un vieux coquin d'oydor qui se plaît à prêter ses espèces à dix pour cent. Vous lui ferez pardevant notaire un transport avec garantie de la première année de votre pension, pour pareille somme que vous reconnaîtrez avoir reçue de lui, et que vous toucherez en effet, à l'intérêt près. A l'égard de la garantie, le prêteur se contentera de votre château de Chinchilla, tel qu'il est. Vous n'aurez point de dispute là-dessus.

Le capitaine protesta qu'il accepterait ces conditions, s'il était assez heureux pour avoir quelque part aux grâces qui seraient distribuées le lendemain. Ce qui ne manqua pas d'arriver. Il fut gratifié d'une pension de trois cents pistoles sur une commanderie. Aussitôt qu'il eut appris cette nouvelle, il donna toutes les sûretés qu'on exigea de lui, fit ses petites affaires et s'en retourna dans la Castille Nouvelle avec quelques pistoles de reste.

CHAPITRE XIII

Gil Blas rencontre à la Cour son cher ami Fabrice. Grande joie de part et d'autre. Où ils allèrent tous deux ; et de la curieuse conversation qu'ils eurent ensemble.

Je m'étais fait une habitude d'aller tous les matins chez le roi, où je passais des deux ou trois heures entières à voir entrer et sortir les grands, qui me paraissaient là sans cet éclat dont ils sont ailleurs environnés.

Un jour que je me promenais et me carrais dans les appartements, y faisant, comme beaucoup d'autres, une assez sotte figure, j'aperçus Fabrice que j'avais laissé à Valladolid au service d'un administrateur d'hôpital. Ce qui m'étonna, c'est qu'il s'entretenait familièrement avec le duc de Medina Sidonia et le marquis de Sainte-Croix. Ces deux seigneurs, à ce qu'il me semblait, prenaient plaisir à l'entendre. Avec cela, il était vêtu aussi proprement qu'un noble cavalier.

Ne me tromperais-je point ? disais-je en moi-même. Est-ce bien là le fils du barbier Nuñez ? C'est peut-être quelque jeune courtisan qui lui ressemble. Je ne demeurai pas longtemps dans le doute. Les seigneurs s'en allèrent. J'abordai Fabrice. Il me reconnut dans le moment, me prit par la main, et, après m'avoir fait percer la foule avec lui pour sortir des appartements : Mon cher Gil Blas, me dit-il en m'embrassant, je suis ravi de te revoir. Que fais-tu à Madrid ? es-tu encore en condition ? as-tu quelque charge à la Cour ? dans quel état sont tes affaires ? Rends-moi compte de tout ce qui t'est arrivé depuis ton départ précipité de Valladolid. Tu me demandes bien des choses à la fois, lui répondis-je; et nous ne sommes pas dans un lieu propre à conter des aventures. Tu as raison, reprit-il. Nous serons mieux chez moi. Viens, je vais t'y mener. Ce n'est pas loin d'ici. Je suis libre, agréablement logé, parfaitement bien dans mes meubles, je vis content et suis heureux, puisque je crois l'être.

J'acceptai le parti, et me laissai entraîner par Fabrice qui me fit arrêter devant une maison de belle apparence, où il me dit qu'il demeurait. Nous traversâmes une cour, où il y avait d'un côté un grand escalier qui conduisait à des appartements superbes, et de l'autre, une petite montée aussi obscure qu'étroite par où nous montâmes au logement qui m'avait été vanté. Il consistait en une seule chambre, de laquelle mon ingénieux ami s'en était fait quatre séparées par des cloisons de sapin. La première servait d'antichambre à la seconde où il couchait; il faisait son cabinet de la troisième, et sa cuisine de la dernière.

La chambre et l'antichambre étaient tapissées de cartes géographiques, de thèses de philosophie, et les meubles répondaient à la tapisserie. C'était un grand lit de brocart tout usé, de vieilles chaises de serge jaune, garnies d'une frange de soie de Grenade de la même couleur, une table à pieds dorés couverte d'un cuir qui paraissait avoir été rouge, et bordée d'une crépine de faux or devenu noir par laps de temps, avec une armoire d'ébène ornée de figures grossièrement sculptées. Il avait pour bureau dans son cabinet une petite table, et sa bibliothèque était composée de quelques livres avec plusieurs liasses de papiers qu'on voyait sur des ais disposés par étages le long du mur. Sa cuisine, qui ne déparait pas le reste, contenait de la poterie et d'autres ustensiles nécessaires.

Fabrice, après m'avoir donné le loisir de considérer son appartement, me dit : Que penses-tu de mon ménage et de mon logement ? n'en es-tu pas enchanté ? Oui, ma foi, lui répondis-je en souriant. Il faut que tu ne fasses pas mal tes affaires à Madrid pour y être si bien nippé. Tu as sans doute quelque commission ? Le Ciel m'en préserve! répliqua-t-il. Le parti que j'ai pris est au-dessus de tous les emplois. Un homme de distinction, à qui cet hôtel appartient, m'y a donné une chambre dont j'ai fait quatre pièces que j'ai meublées comme tu vois. Je ne m'occupe que de choses qui me font plaisir, et je ne sens pas la nécessité. Parle-moi plus clairement, interrompis-je. Tu irrites l'envie que j'ai d'apprendre ce que tu fais. Eh bien! me dit-il, je vais te contenter. Je suis devenu auteur. Je me suis jeté dans le bel esprit. J'écris en vers et en prose. Je suis au poil et à la plume.

Toi, favori d'Apollon! m'écriai-je en riant. Voilà ce que je n'aurais jamais deviné. Je serais moins surpris de te voir tout autre chose. Quels charmes as-tu donc pu trouver dans la condition des poètes ? Il me semble que ces gens-là sont méprisés dans la vie civile, et qu'ils n'ont pas un ordinaire réglé. Hé fi! s'écria-t-il à son tour. Tu me parles de ces misérables auteurs dont les ouvrages sont le rebut des libraires et des comédiens. Faut-il s'étonner si l'on n'estime pas de semblables écrivains ? Mais les bons, mon ami, sont sur un meilleur pied dans le monde. Et je puis dire, sans vanité, que je suis du nombre de ceux-ci. Je n'en doute pas, lui dis-je. Tu es un garçon plein d'esprit. Ce que tu composes ne doit pas être mauvais. Je ne suis en peine que de savoir comment la rage d'écrire a pu te prendre.

Ton étonnement est juste, reprit Nuñez. J'étais si content de mon état chez le seigneur Manuel Ordoñez, que je n'en souhaitais pas d'autre. Mais mon génie s'élevant peu à peu comme celui de Plaute au-dessus de la servitude, je composai une comédie que je fis représenter par des comédiens qui jouaient à Valladolid. Quoiqu'elle ne valût pas le diable, elle eut un fort grand succès. Je jugeai par là que le public était une bonne vache à lait qui se laissait aisément traire. Cette réflexion et la fureur de faire de nouvelles pièces me détachèrent de l'hôpital. L'amour de la poésie m'ôta celui des richesses. Je résolus de me rendre à Madrid comme au centre des beaux esprits pour y former mon goût. Je demandai mon congé à l'administrateur, qui ne me le donna qu'à regret, tant il avait d'affection pour moi. Fabrice, me dit-il, aurais-tu quelque sujet de mécontentement ? Non, lui répondis-je, seigneur. Vous êtes le meilleur de tous les maîtres, et je suis pénétré de vos bontés. Mais vous savez qu'il faut suivre son étoile. Je me sens né pour éterniser mon nom par des ouvrages d'esprit. Quelle folie! me répliqua ce bon bourgeois. Tu as déjà pris racine à l'hôpital; tu es du bois dont on fait les économes et quelquefois même les administrateurs. Tu veux quitter le solide pour t'occuper de fadaises. Tant pis pour toi, mon enfant.

L'administrateur, voyant qu'il combattait inutilement mon dessein, me paya mes gages, et me fit présent d'une cinquantaine de ducats pour reconnaître mes services. De manière qu'avec cela et ce que je pouvais avoir grappillé dans les petites commissions dont on avait chargé mon intégrité, je fus en état en arrivant à Madrid de me mettre proprement. Ce que je ne manquai pas de faire, quoique les écrivains de notre nation ne se piquent guère de propreté. Je connus bientôt *Lope de Vega Carpio* [87], *Miguel Cervantes de Saavedra* et les autres fameux auteurs; mais, préférablement à ces grands hommes, je choisis pour mon précepteur un jeune bachelier cordouan, l'incomparable *don Luis de Gongora*, le plus beau génie que l'Espagne ait jamais produit. Il ne veut pas que ses ouvrages soient imprimés de son vivant; il se contente de les lire à ses amis. Ce qu'il a de particulier, c'est que la nature l'a doué du rare talent de réussir dans toutes sortes de poésies. Il excelle principalement dans les pièces satiriques. Voilà son fort. Ce n'est pas, comme Lucilius [88], un fleuve bourbeux qui entraîne avec lui beaucoup de limon; c'est le Tage qui roule des eaux pures sur un sable d'or.

Tu me fais, dis-je à Fabrice, un beau portrait de ce bachelier; et je ne doute pas qu'un personnage de ce mérite-là n'ait bien des envieux. Tous les auteurs, répondit-il, tant bons que mauvais, se déchaînent contre lui. Il aime l'enflure, dit l'un, les pointes, les métaphores et les transpositions. Ses vers, dit un autre, ont l'obscurité de ceux que les prêtres saliens chantaient dans leurs processions, et que personne n'entendait. Il y en a même qui lui reprochent de faire tantôt des sonnets ou des romances, tantôt des comédies, des dizains et des létrilles, comme s'il avait follement entrepris d'effacer les meilleurs écrivains dans tous les genres. Mais tous ces traits de jalousie ne font que s'émousser contre une muse chérie des grands et de la multitude.

C'est donc sous un si habile maître que j'ai fait mon apprentissage; et j'ose dire qu'il y paraît. J'ai si bien pris son esprit, que je compose déjà des morceaux abstraits qu'il avouerait. Je vais à son exemple débiter ma marchandise dans les grandes maisons où l'on me reçoit à merveille, et où j'ai affaire à des gens qui ne sont pas fort difficiles. Il est vrai que j'ai le débit séduisant. Ce qui ne nuit pas à mes compositions. Enfin, je suis aimé de plusieurs seigneurs; et je vis surtout avec le duc de Medina Sidonia comme Horace vivait avec Mecenas. Voilà, poursuivit Fabrice, de quelle manière j'ai été métamorphosé en auteur. Je n'ai plus rien à te conter. C'est à toi, Gil Blas, à chanter tes exploits.

Alors, je pris la parole, et, supprimant toute circonstance indifférente, je lui fis le détail qu'il demandait. Après cela, il fut question de dîner. Il tira de son armoire d'ébène des serviettes, du pain, un reste d'épaule de mouton rôti, une bouteille d'excellent vin, et nous nous mîmes à table avec toute la gaieté de deux amis qui se rencontrent après une longue séparation. Tu vois, me dit-il, ma vie libre et indépendante. J'irais, si je voulais, tous les jours manger chez les personnes de qualité; mais, outre que l'amour du travail me retient souvent au logis, je suis un petit Aristippe [89]. Je m'accommode également du grand monde et de la retraite, de l'abondance et de la frugalité.

Nous trouvâmes le vin si bon, qu'il fallut tirer de l'armoire une seconde bouteille. Entre la poire et le fromage, je lui témoignai que je serais bien aise de voir quelqu'une de ses productions. Aussitôt il chercha parmi ses papiers un sonnet, qu'il me lut d'un air emphatique. Néanmoins malgré le charme de la lecture, je trouvai l'ouvrage si obscur, que je n'y compris rien du tout. Il s'en aperçut : Ce sonnet, me dit-il, ne te paraît pas fort clair, n'est-ce pas ? Je lui avouai que j'y aurais voulu un peu plus de netteté. Il se mit à rire à mes dépens. Si ce sonnet, reprit-il, n'est guère intelligible : tant mieux! Les sonnets, les odes et les autres ouvrages qui veulent du sublime ne s'accommodent pas du simple et du naturel. C'est l'obscurité qui en fait tout le mérite. Il suffit que le poète croie s'entendre. Tu te moques de moi, interrompis-je, mon ami. Il faut du bon sens et de la clarté dans toutes les poésies, de quelque nature qu'elles soient. Et si ton incomparable Gongora n'écrit pas plus clairement que toi, je t'avoue que j'en rabats bien. C'est un poète qui ne peut tout au plus tromper que son siècle. Voyons présentement de ta prose.

Nuñez me fit voir une préface qu'il prétendait, disait-il, mettre à la tête d'un recueil de comédies qu'il avait sous la presse. Ensuite il me demanda ce que j'en pensais. Je ne suis pas, lui dis-je, plus satisfait de ta prose que de tes vers. Ton sonnet n'est qu'un pompeux galimatias; et il y a dans ta préface des expressions trop recherchées, des mots qui ne sont point marqués au coin du public, des phrases entortillées, pour ainsi dire. En un mot, ton style est singulier. Les livres de nos bons et anciens auteurs ne sont pas écrits comme cela. Pauvre ignorant! s'écria Fabrice. Tu ne sais pas que tout *prosateur* qui aspire aujourd'hui à la réputation d'une plume délicate affecte cette singularité de style, ces expressions détournées qui te choquent. Nous sommes cinq ou six novateurs hardis qui avons entrepris de changer la langue du blanc au noir. Et nous en viendrons à bout, s'il plaît à Dieu, en dépit de Lope de Vega, de Cervantes et de tous les autres beaux esprits qui nous chicanent sur nos nouvelles façons de parler. Nous sommes secondés par un nombre de partisans de distinction; nous avons dans notre cabale jusqu'à des théologiens.

Après tout, continua-t-il, notre dessein est louable, et, le préjugé à part, nous valons mieux que ces écrivains naturels qui parlent comme le commun des hommes. Je ne sais pas pourquoi il y a tant d'honnêtes gens qui les estiment. Cela était fort bon à Athènes et à Rome où tout le monde était confondu; et c'est pourquoi Socrate dit à Alcibiade que le peuple est un excellent maître de langue. Mais à Madrid nous avons un bon et un mauvais usage; et nos courtisans s'expriment autrement que nos bourgeois. Tu peux m'en croire, enfin, notre style nouveau l'emporte sur celui de nos antagonistes. Je veux par un seul trait te faire sentir la différence qu'il y a de la gentillesse de notre diction à la platitude de la leur. Ils diraient par exemple tout uniment : *Les intermèdes* embellissent *une comédie*. Et nous, nous disons plus joliment : *Les intermèdes* font beauté *dans une comédie*. Remarque bien ce *font beauté*. En sens-tu tout le brillant, toute la délicatesse, tout le mignon ?

J'interrompis mon novateur par un éclat de rire! Va, Fabrice, lui dis-je, tu es un original avec ton langage précieux. Et toi, me répondit-il, tu n'es qu'une bête avec ton style naturel. *Allez*, poursuivit-il, en m'appliquant ces paroles de l'archevêque de Grenade, *allez trouver mon trésorier. Qu'il vous compte cent ducats et que le Ciel vous conduise avec cette somme! adieu, monsieur Gil Blas, je vous souhaite un peu plus de goût*. Je renouvelai mes rires à cette saillie. Et Fabrice, me pardonnant d'avoir parlé avec irrévérence de ses écrits, ne perdit rien de sa belle humeur. Nous achevâmes de boire notre seconde bouteille. Après quoi, nous nous levâmes de table tous deux assez bien conditionnés. Nous sortîmes dans le dessein de nous aller promener au Prado; mais, en passant devant la porte d'un marchand de liqueurs, il nous prit fantaisie d'entrer chez lui.

Il y avait ordinairement bonne compagnie dans cet

endroit-là. Je vis dans deux salles séparées des cavaliers qui s'amusaient différemment. Dans l'une on jouait à la prime et aux échecs; et dans l'autre, dix à douze personnes étaient fort attentives à écouter deux beaux esprits de profession qui disputaient. Nous n'eûmes pas besoin de nous approcher d'eux pour entendre qu'une proposition de métaphysique faisait le sujet de leur dispute; car ils parlaient avec tant de chaleur et d'emportement, qu'ils avaient l'air de deux possédés. Je m'imagine que si on leur eût mis sous le nez l'anneau d'Eléazar [90], on aurait vu sortir les démons par leurs narines. Hé! bon Dieu! dis-je à mon compagnon, quelle vivacité! quels poumons! Ces disputeurs étaient nés pour être des crieurs publics. La plupart des hommes sont déplacés. Oui, vraiment, répondit-il, ces gens-ci sont apparemment de la race de Novius [91], ce banquier romain dont la voix s'élevait au-dessus du bruit des charretiers. Mais, ajouta-t-il, ce qui me dégoûterait le plus de leurs discours, c'est qu'on en a les oreilles infructueusement étourdies. Nous nous éloignâmes de ces métaphysiciens bruyants, et, par là, je fis avorter une migraine qui commençait à me prendre. Nous allâmes nous placer dans un coin de l'autre salle, d'où, en buvant des liqueurs rafraîchissantes, nous nous mîmes à examiner les cavaliers qui entraient et ceux qui sortaient. Nuñez les connaissait presque tous. Vive Dieu! s'écria-t-il, la dispute de nos philosophes ne finira pas sitôt. Voici des troupes fraîches qui arrivent. Ces trois hommes qui entrent vont se mettre de la partie. Mais vois-tu ces deux originaux qui sortent ? Ce petit personnage basané, sec et dont les cheveux plats et longs lui descendent par égale portion par devant et par derrière, s'appelle don Julien de Villanuño. C'est un jeune oydor qui tranche du petit-maître. Nous allâmes un de mes amis et moi dîner chez lui l'autre jour. Nous le surprîmes dans une occupation assez singulière : Il se divertissait dans son cabinet à jeter et à se faire apporter par un grand lévrier les sacs d'un procès dont il est rapporteur, et que le chien déchirait à belles dents. Ce licencié qui l'accompagne, cette face rubiconde, se nomme don Chérubin Tonto. C'est un chanoine de l'église de Tolède, le plus imbécile mortel qu'il y ait au monde. Cependant à son air riant et spirituel, vous lui donneriez beaucoup d'esprit. Il a des yeux brillants avec un rire fin et malicieux. On dirait qu'il pense très finement. Lit-on devant lui un ouvrage délicat ? il l'écoute avec une attention que vous croyez pleine d'intelligence, et toutefois il n'y comprend rien. Il était du repas chez l'oydor. On y dit mille jolies choses. Une infinité de bons mots. Don Chérubin ne parla pas; mais il applaudissait avec des grimaces et des démonstrations qui paraissaient supérieures aux saillies mêmes qui nous échappaient.

Connais-tu, dis-je à Nuñez, ces deux mal peignés qui, les coudes appuyés sur une table, s'entretiennent tout bas dans ce coin, en se soufflant au nez leurs haleines ? Non, me répondit-il; ces visages-là me sont inconnus. Mais, selon toutes les apparences, ce sont des politiques de cafés [92] qui censurent le gouvernement. Considère ce gentil cavalier qui siffle en se promenant dans cette salle, et en se soutenant tantôt sur un pied et tantôt sur un autre. C'est don Augustin Moreto, un jeune poète qui n'est pas né sans talent, mais que les flatteurs et les ignorants ont rendu presque fou. L'homme que tu vois qu'il aborde est un de ses confrères qui fait de la prose rimée, et que Diane a aussi frappé.

Encore des auteurs! s'écria-t-il en me montrant deux hommes d'épée qui entraient. Il semble qu'ils se soient tous donné le mot pour venir ici passer en revue devant toi. Tu vois don Bernard Deslenguado et don Sébastien de Villa-Viciosa. Le premier est un esprit plein de fiel, un auteur né sous l'étoile de Saturne, un mortel malfaisant qui se plaît à haïr tout le monde, et qui n'est aimé de personne. Pour don Sébastien, c'est un garçon de bonne foi, un auteur qui ne veut rien avoir sur la conscience. Il a depuis peu mis au théâtre une pièce qui a eu une réussite extraordinaire, et il la fait imprimer pour n'abuser pas plus longtemps de l'estime du public.

Le charitable élève de Gongora se préparait à continuer de m'expliquer les figures du tableau changeant que nous avions devant les yeux, lorsqu'un gentilhomme du duc de Medina Sidonia vint l'interrompre en lui disant : « Seigneur don Fabricio, je vous cherchais pour vous avertir que M. le duc voudrait bien vous parler. Il vous attend chez lui. » Nuñez, qui savait qu'on ne peut satisfaire assez tôt un grand seigneur qui souhaite quelque chose, me quitta dans le moment même pour aller trouver son Mecenas, me laissant fort étonné de l'avoir entendu traiter de don et de le voir ainsi devenu noble en dépit de maître Chrysostome le barbier, son père.

CHAPITRE XIV

Fabrice place Gil Blas auprès du comte Galiano, seigneur sicilien.

J'avais trop d'envie de revoir Fabrice, pour n'être pas chez lui le lendemain de grand matin. Je donne le bonjour, dis-je en entrant, au seigneur don Fabricio, la fleur, ou plutôt le champignon de la noblesse asturienne. A ces paroles, il se mit à rire. Tu as donc remarqué, s'écria-t-il, qu'on m'a traité de don ? Oui, mon gentilhomme, lui répondis-je, et vous me permettrez de vous dire qu'hier, en me contant votre métamorphose, vous oubliâtes le meilleur. D'accord, répliqua-t-il, mais en vérité, si j'ai pris ce titre d'honneur, c'est moins pour contenter ma vanité que pour m'accommoder à celle des autres. Tu connais les Espagnols. Ils ne font aucun cas d'un honnête homme, s'il a le malheur de manquer de bien et de naissance : je te dirai de plus que je vois tant de gens, et Dieu sait quelle sorte de gens, qui se font appeler don François, don Pèdre, ou don comme tu voudras que, s'il n'y a point de tricherie dans leur fait, tu conviendras que la noblesse est une chose bien commune; et qu'un roturier qui a du mérite lui fait honneur quand il veut bien s'y agréger.

Mais changeons de matière, ajouta-t-il. Hier au soir au souper du duc de Medina Sidonia, où entre autres convives était le comte Galiano, grand seigneur sicilien, la conversation tomba sur les effets ridicules de l'amour-propre. Charmé d'avoir de quoi réjouir la compagnie là-dessus, je la régalai de l'histoire des homélies. Tu t'imagines bien qu'on en a ri et qu'on en a donné de toutes les façons à ton archevêque. Ce qui n'a pas produit un mauvais effet pour toi; car on t'a plaint, et le comte Galiano, après m'avoir fait force questions sur ton chapitre, auxquelles tu peux croire que j'ai répondu comme il fallait, m'a chargé de te mener chez lui. J'allais te chercher tout à l'heure pour t'y conduire. Il veut apparemment te proposer d'être un de ses secrétaires. Je ne te conseille pas de rejeter ce parti. Le comte est riche et fait à Madrid une dépense d'ambassadeur. On dit qu'il est venu à la Cour pour conférer avec le duc de Lerme sur des biens royaux que ce ministre a dessein d'aliéner en Sicile. Enfin le comte Galiano, quoique Sicilien, paraît généreux, plein de droiture et de franchise. Tu ne saurais mieux faire que de t'attacher à ce seigneur-là. C'est lui probablement qui doit t'enrichir, suivant ce qu'on t'a prédit à Grenade.

J'avais résolu, dis-je à Nuñez, de battre un peu le pavé et de me donner du bon temps, avant que de me remettre à servir; mais tu me parles du comte sicilien d'une manière qui me fait changer de résolution. Je voudrais déjà être auprès de lui. Tu y seras bientôt, reprit-il, ou je suis fort trompé. Nous sortîmes en même temps tous deux pour aller chez le comte, qui occupait la maison de don Sanche d'Avila son ami, qui était alors à la campagne.

Nous trouvâmes dans la cour je ne sais combien de pages et de laquais qui portaient une livrée aussi riche que galante, et dans l'antichambre plusieurs écuyers, gentilshommes et autres officiers. Ils avaient tous des habits magnifiques, mais avec cela des faces si baroques, que je crus voir une troupe de singes vêtus à l'espagnole. Il y a des mines d'hommes et de femmes pour qui l'art ne peut rien.

On annonça don Fabricio qui fut introduit un moment après dans la chambre, où je le suivis. Le comte en robe de chambre était assis sur un sopha, et prenait son chocolat. Nous le saluâmes avec toutes les démonstrations d'un profond respect, et il nous fit de son côté une inclination de tête, accompagnée de regards si gracieux, que je me sentis d'abord gagner l'âme. Effet admirable et pourtant ordinaire, que fait sur nous l'accueil favorable des grands! Il faut qu'ils nous reçoivent bien mal, quand ils nous déplaisent.

Après avoir pris son chocolat, il s'amusa quelque temps à badiner avec un gros singe qu'il avait auprès de lui, et qu'il appelait Cupidon. Je ne sais pourquoi on avait donné le nom de ce dieu à cet animal, si ce n'est à cause qu'il en avait toute la malice; car il ne lui ressemblait nullement d'ailleurs. Il ne laissait pas, tel qu'il était, de faire les délices de son maître, qui était si charmé de ses gentillesses, qu'il l'avait sans cesse dans ses bras. Nuñez et moi, quoique peu divertis des gambades du singe, nous fîmes semblant d'en être enchantés. Cela plut fort au Sicilien, qui suspendit le plaisir qu'il prenait à ce passe-temps, pour me dire : Mon ami, il ne tiendra qu'à vous d'être un de mes secrétaires. Si le parti vous convient, je vous donnerai deux cents pistoles tous les ans. Il suffit que don Fabricio vous présente et réponde de vous. Oui, seigneur, s'écria Nuñez, je suis plus hardi que Platon [93], qui n'osait répondre d'un de ses amis qu'il envoyait à Denis le Tyran. Je ne crains pas de m'attirer des reproches.

Je remerciai par une révérence le poète des Asturies de sa hardiesse obligeante. Puis m'adressant au patron, je l'assurai de mon zèle et de ma fidélité. Ce seigneur ne vit pas plutôt que sa proposition m'était agréable, qu'il fit appeler son intendant, à qui il parla tout bas. Ensuite il me dit : Gil Blas, je vous apprendrai tantôt à quoi je prétends vous employer. Vous n'avez en attendant qu'à suivre mon homme d'affaires. Il vient de recevoir des ordres qui vous regardent. J'obéis laissant Fabrice avec le comte et Cupidon.

L'intendant, qui était un Messinois des plus fins, me conduisit à son appartement en m'accablant d'honnêtetés. Il envoya chercher le tailleur qui avait habillé toute la maison, et lui ordonna de me faire promptement un habit de la même magnificence que ceux des principaux officiers. Le tailleur prit ma mesure et se retira. Pour votre logement, me dit le Messinois, je sais une chambre qui vous conviendra. Eh! avez-vous déjeuné ? poursuivit-il. Je répondis que non. Ah! pauvre garçon que vous êtes, reprit-il, que ne parlez-vous ? venez, je vais vous mener dans un endroit où, grâces au Ciel, il n'y a qu'à demander tout ce qu'on veut pour l'avoir.

A ces mots, il me fit descendre à l'office, où nous trouvâmes le maître d'hôtel, qui était un Napolitain, qui valait bien un Messinois. On pouvait dire de lui et de l'intendant, que les deux en faisaient la paire. Cet honnête maître d'hôtel était avec cinq ou six de ses amis qui s'empiffraient de jambons [94], de langues de bœuf, et d'autres viandes salées qui les obligeaient à boire coup sur coup. Nous nous joignîmes à ces vivants et les aidâmes à fesser les meilleurs vins de M. le comte. Pendant que ces choses se passaient à l'office, il s'en passait d'autres à la cuisine. Le cuisinier régalait aussi trois ou quatre bourgeois de sa connaissance, qui n'épargnaient pas plus que nous le vin et qui se remplissaient l'estomac de pâtés de lapins et de perdrix. Il n'y avait pas jusqu'aux marmitons qui ne se donnassent au cœur joie de tout ce qu'ils pouvaient escamoter. Je me crus dans une maison abandonnée au pillage. Cependant ce n'était rien que cela. Je ne voyais que des bagatelles en comparaison de ce que je ne voyais pas.

CHAPITRE XV

Des emplois que le comte Galiano donne dans sa maison à Gil Blas.

Je sortis pour aller chercher mes hardes, et les faire apporter à ma nouvelle demeure. Quand je revins, le comte était à table avec plusieurs seigneurs et le poète Nuñez, lequel d'un air aisé se faisait servir, et se mêlait à la conversation. Je remarquai même qu'il ne disait pas un mot qui ne fît plaisir à la compagnie. Vive l'esprit! quand on en a, on fait bien tous les personnages qu'on veut.

Pour moi, je dînai avec les officiers qui furent traités, à peu de chose près, comme le patron. Après le repas, je me retirai dans ma chambre, où je me mis à réfléchir sur ma condition. Hé bien! me dis-je, Gil Blas, te voilà donc auprès d'un comte sicilien dont tu ne connais pas le caractère. A juger sur les apparences, tu seras dans sa maison comme le poisson dans l'eau. Mais il ne faut jurer de rien, et tu dois te défier de ton étoile, dont tu n'as que trop souvent éprouvé la malignité. Outre cela, tu ignores à quoi il te destine. Il a des secrétaires et un intendant : quels services veut-il donc que tu lui rendes ? Apparemment qu'il a dessein de te faire porter le caducée. À la bonne heure. On ne saurait être sur un meilleur pied chez un seigneur, pour faire son chemin en poste. En rendant de plus honnêtes services, on ne marche que pas à pas, et encore n'arrive-t-on pas toujours à son but.

Tandis que je faisais de si belles réflexions, un laquais vint me dire que tous les cavaliers qui avaient dîné à l'hôtel venaient de sortir pour s'en retourner chez eux, et que M. le comte me demandait. Je volai aussitôt à son appartement où je le trouvai couché sur le sopha, et prêt à faire la *sieste* avec son singe, qui était à côté de lui.

Approchez, Gil Blas, me dit-il, prenez un siège et m'écoutez. Je fis ce qu'il m'ordonnait et il me parla dans ces termes : Don Fabricio m'a dit qu'entre autres bonnes qualités, vous aviez celle de vous attacher à vos maîtres, et que vous étiez un garçon plein d'intégrité. Ces deux choses m'ont déterminé à vous proposer d'être à moi. J'ai besoin d'un domestique affectionné qui épouse mes intérêts et mette toute son attention à conserver mon bien. Je suis riche, à la vérité, mais ma dépense va tous les ans fort au-delà de mes revenus. Et pourquoi ? C'est qu'on me vole, c'est qu'on me pille. Je suis dans ma maison comme dans un bois rempli de voleurs. Je soupçonne mon maître d'hôtel et mon intendant de s'entendre ensemble, et, si je ne me trompe point dans mes soupçons, en voilà plus qu'il n'en faut pour me ruiner de fond en comble. Vous me direz que, si je les crois fripons, je n'ai qu'à les chasser. Mais où en prendre d'autres qui soient pétris d'un meilleur limon ? Je me contenterai de les faire observer l'un et l'autre par un homme qui aura droit d'inspection sur leur conduite. Et c'est vous que je choisis pour remplir cette commission. Si vous vous en acquittez bien, soyez sûr que vous ne servirez pas un ingrat. J'aurai soin de vous établir en Sicile très avantageusement.

Après m'avoir tenu ce discours, il me renvoya; et dès le soir même, devant tous les domestiques, je fus proclamé surintendant de la maison. Le Messinois et le Napolitain n'en furent pas d'abord fort mortifiés, parce que je leur paraissais un gaillard de bonne composition, et qu'ils comptaient qu'en partageant avec moi le gâteau, ils iraient toujours leur train. Mais ils se trouvèrent bien sots le jour suivant, lorsque je leur déclarai que j'étais un homme ennemi de toute malversation. Je demandai au maître d'hôtel un état des provisions. Je visitai la cave. Je pris aussi connaissance de tout ce qu'il y avait dans l'office, je veux dire de l'argenterie et du linge. Je les exhortai ensuite tous deux à ménager le bien du patron, à user d'épargne dans la dépense, et je finis mon exhortation en leur protestant que j'avertirais ce seigneur de toutes les mauvaises manœuvres que je verrais faire chez lui.

Je n'en demeurai pas là. Je voulus avoir un espion pour découvrir s'il y avait de l'intelligence entre eux. Je jetai les yeux sur un marmiton qui, s'étant laissé gagner par mes promesses, me dit que je ne pouvais mieux m'adresser qu'à lui pour être instruit de tout ce qui se passait au logis : que le maître d'hôtel et l'intendant étaient d'accord ensemble et brûlaient la chandelle par les deux bouts : qu'ils détournaient tous les jours la moitié des viandes qu'on achetait pour la maison : que le Napolitain avait soin d'une dame qui demeurait vis-à-vis le collège de Saint-Thomas, et que le Messinois en entretenait une autre à la porte du Soleil : que ces deux messieurs faisaient porter tous les matins chez leurs nymphes toutes sortes de provisions : que le cuisinier de son côté envoyait de bons plats à une veuve qu'il connaissait dans le voisinage, et qu'en faveur des services qu'il rendait aux deux autres, à qui il était tout dévoué, il disposait comme eux des vins de la cave : enfin que ces trois domestiques étaient cause qu'il se faisait une dépense horrible chez M. le comte. Si vous doutez de mon rapport, ajouta le marmiton, donnez-vous la peine de vous trouver demain matin sur les sept heures auprès du collège de Saint-Thomas, vous me verrez chargé d'une hotte qui changera votre doute en certitude. Tu es donc, lui dis-je, commissionnaire de ces galants pourvoyeurs ? Je suis, répondit-il, employé par le maître d'hôtel, et un de mes camarades fait les messages de l'intendant.

J'eus la curiosité le lendemain de me rendre à l'heure marquée auprès du collège de Saint-Thomas. Je n'attendis pas longtemps mon espion. Je le vis arriver avec une grande hotte toute pleine de viande de boucherie, de volailles et de gibier. Je fis l'inventaire des pièces et j'en dressai sur mes tablettes un petit procès-verbal que j'allai montrer à mon maître, après avoir dit au fouille-au-pot qu'il pouvait comme à son ordinaire s'acquitter de sa commission.

Le seigneur sicilien, qui était fort vif de son naturel, voulut dans son premier mouvement chasser le Napolitain et le Messinois; mais, après y avoir fait réflexion, il se contenta de se défaire du dernier, dont il me donna la place. Ainsi ma charge de surintendant fut supprimée peu de temps après sa création; et franchement je n'y eus point de regret. Ce n'était à proprement parler qu'un emploi honorable d'espion, qu'un poste qui n'avait rien de solide. Au lieu qu'en devenant M. l'intendant, je me voyais maître du coffre-fort; et c'est là le principal. C'est toujours ce domestique-là qui tient le premier rang dans une grande maison; et il y a tant de petits bénéfices attachés à son administration, qu'il s'enrichirait, quand même il serait honnête homme.

Mon Napolitain, qui n'était pas au bout de ses finesses, remarquant que j'avais un zèle brutal, et que je me mettais sur le pied de voir tous les matins les viandes qu'il achetait et d'en tenir registre, cessa d'en détourner; mais le bourreau continua d'en prendre la même quantité chaque jour. Par cette ruse augmentant le profit qu'il tirait de la desserte de la table qui lui appartenait de droit, il se mit en état d'envoyer du moins de la viande cuite à sa mignonne, s'il ne pouvait plus lui en fournir de crue. Le diable enfin n'y perdait rien; et le comte n'était guère plus avancé d'avoir le phénix des intendants. L'abondance excessive que je vis alors régner dans les repas, me fit deviner ce nouveau tour, et j'y mis bon ordre aussitôt, en retranchant le superflu de chaque service. Ce que je fis toutefois avec tant de prudence, qu'on n'y aperçut point un air d'épargne. On eût dit que c'était toujours la même profusion; et néanmoins, par cette économie, je ne laissai pas de diminuer considérablement la dépense. Voilà ce que le patron demandait : il voulait ménager sans paraître moins magnifique. Son avarice était subordonnée à son ostentation.

Il s'offrit encore un autre abus à réformer. Je trouvais que le vin allait bien vite. S'il y avait, par exemple, douze cavaliers à la table du seigneur, il se buvait cinquante et quelquefois jusqu'à soixante bouteilles. Cela m'étonnait et, ne doutant pas qu'il n'y eût de la friponnerie là-dedans, je consultai là-dessus mon oracle, c'est-à-dire mon marmiton, avec qui j'avais souvent des entretiens secrets, et qui me rapportait fidèlement tout ce qui se disait et se faisait dans la cuisine, où il n'était suspect à personne. Il m'apprit que le dégât dont je me plaignais venait d'une nouvelle ligue faite entre le maître d'hôtel, le cuisinier et les laquais qui versaient à boire : que ceux-ci remportaient les bouteilles à demi pleines, qui se partageaient ensuite entre les confédérés. Je parlai aux laquais. Je les menaçai de les mettre à la porte, s'ils s'avisaient de récidiver, et il n'en fallut pas davantage pour les faire rentrer dans leur devoir. Mon maître, que j'avais grand soin d'informer des moindres choses que je faisais pour son bien, me comblait de louanges et prenait de jour en jour plus d'affection pour moi. De mon côté, pour récompenser le marmiton qui me rendait de si bons offices, je le fis aide de cuisine.

Le Napolitain enrageait de me rencontrer partout; et ce qui le mortifiait cruellement, c'était les contradictions qu'il avait à essuyer de ma part toutes les fois qu'il s'agissait de me rendre ses comptes; car, pour mieux lui rogner les ongles, je me donnais la peine d'aller dans les marchés pour savoir le prix des denrées. De sorte que je le voyais venir après cela; et, comme il ne manquait pas de vouloir ferrer la mule, je le relançais vigoureusement. J'étais bien persuadé qu'il me maudissait cent fois le jour; mais le sujet de ses malédictions m'empêchait de craindre qu'elles ne fussent exaucées. Je ne sais comment il pouvait résister à mes persécutions et ne pas quitter le service du seigneur sicilien. Sans doute que, malgré tout cela, il y trouvait encore son compte.

Fabrice, que je voyais de temps en temps, et à qui je contais toutes mes prouesses d'intendant jusqu'alors inouïes, était plus disposé à blâmer ma conduite qu'à l'approuver. Dieu veuille, me dit-il un jour, qu'après tout ceci, ton désintéressement soit bien récompensé; mais, entre nous, si tu n'étais pas si raide avec le maître d'hôtel, je crois que tu n'en ferais pas plus mal. Hé quoi! lui répondis-je, ce voleur mettra effrontément dans un état de dépense à dix pistoles un poisson qui ne lui en aura coûté que quatre, et tu veux que je lui passe cet article-là ? Pourquoi non ? répliqua-t-il froidement. Il n'a qu'à te donner la moitié du surplus et il fera les choses dans les règles. Sur ma foi, notre ami, continua-t-il en branlant la tête, vous êtes un vrai gâte-maison; et vous avez bien la mine de servir longtemps, puisque vous n'écorchez pas l'anguille pendant que vous la tenez. Apprenez que la fortune ressemble à ces coquettes vives et légères qui échappent aux galants qui ne les brusquent pas.

Je ne fis que rire des discours de Nuñez. Il en rit lui-même à son tour et voulut me persuader qu'il ne me les avait pas tenus sérieusement. Il avait honte de m'avoir donné inutilement un mauvais conseil. Je demeurai ferme dans la résolution d'être toujours fidèle et zélé. Je ne me démentis point, et j'ose dire qu'en quatre mois par mon épargne je fis profit à mon maître de trois mille ducats pour le moins.

CHAPITRE XVI

De l'accident qui arriva au singe du comte Galiano : du chagrin qu'en eut ce seigneur. Comment Gil Blas tomba malade et quelle fut la suite de sa maladie.

Au bout de ce temps-là, le repos qui régnait à l'hôtel fut étrangement troublé par un accident qui ne paraîtra qu'une bagatelle au lecteur, et qui devint pourtant une chose fort sérieuse pour les domestiques et surtout pour moi. Cupidon, ce singe dont j'ai parlé, cet animal si chéri du patron, en voulant un jour sauter d'une fenêtre à une autre, s'en acquitta si mal, qu'il tomba dans la cour et se démit une jambe. Le comte ne sut pas sitôt ce malheur, qu'il poussa des cris qui furent entendus du voisinage; et, dans l'excès de sa douleur, s'en prenant à tous ses gens sans exception, peu s'en fallut qu'il ne fît maison nette. Il borna toutefois sa fureur à maudire notre négligence et à nous apostropher sans ménager les termes. Il envoya chercher sur-le-champ les chirurgiens de Madrid les plus habiles pour les fractures et dislocations des os. Ils visitèrent la jambe du blessé, la lui remirent et la bandèrent. Mais quoiqu'ils assurassent tous que ce n'était rien, cela n'empêcha pas que mon maître ne retînt un d'entre eux pour demeurer auprès de l'animal jusqu'à sa parfaite guérison.

J'aurais tort de passer sous silence les peines et les inquiétudes qu'eut le seigneur sicilien pendant tout ce temps-là. Croira-t-on bien que le jour il ne quittait point son cher Cupidon ? Il était présent quand on le pansait; et, la nuit, il se levait deux ou trois fois pour le voir. Ce qu'il y avait de plus fâcheux, c'est qu'il fallait que tous les domestiques, et moi principalement, nous fussions toujours sur pied pour être prêts à courir où l'on jugerait à propos de nous envoyer pour le service du singe. En un mot, nous n'eûmes aucun repos dans l'hôtel, jusqu'à ce que la maudite bête, ne se ressentant plus de sa chute, se remit à faire ses bonds et ses culbutes ordinaires. Après cela refuserons-nous d'ajouter foi au rapport de Suétone, lorsqu'il dit que Caligula aimait tant son cheval qu'il lui donna une maison richement meublée avec des officiers pour le servir; et qu'il en voulait même faire un consul ? Mon patron n'était pas moins charmé de son singe. Il en aurait volontiers fait un corrégidor.

Ce qu'il y eut de malheureux pour moi, c'est que j'avais enchéri sur tous les valets pour mieux faire ma cour au seigneur, et je m'étais donné de si grands mouvements pour son Cupidon, que j'en tombai malade. La fièvre me prit violemment, et mon mal devint tel, que je perdis toute connaissance. J'ignore ce qu'on fit de moi pendant quinze jours que je fus entre la vie et la mort. Je sais seulement que ma jeunesse lutta si bien contre la fièvre, et peut-être contre les remèdes qu'on me donna, que je repris, enfin, mes sens. Le premier usage que j'en fis fut de m'apercevoir que j'étais dans une autre chambre que la mienne. Je voulus savoir pourquoi. Je le demandai à une vieille dame qui me gardait; mais elle me répondit qu'il ne fallait pas que je parlasse : que le médecin l'avait expressément défendu. Quand on se porte bien, on se moque ordinairement de ces docteurs. Est-on malade ? on se soumet docilement à leurs ordonnances.

Je pris donc le parti de me taire, quelque envie que j'eusse de m'entretenir avec ma garde. Je faisais des réflexions là-dessus, lorsqu'il entra deux manières de petits-maîtres fort lestes. Ils avaient des habits de velours, avec de très beau linge garni de dentelles. Je m'imaginai que c'étaient des seigneurs amis de mon maître, lesquels par considération pour lui me venaient voir. Dans cette pensée, je fis un effort pour me mettre en mon séant, et j'ôtai par respect mon bonnet; mais ma garde me recoucha tout de mon long, en me disant que ces seigneurs étaient mon médecin et mon apothicaire.

Le docteur s'approcha de moi, me tâta le pouls, observa mon visage et, remarquant tous les signes d'une prochaine guérison, il prit un air de triomphe, comme s'il y eût mis beaucoup du sien, et dit qu'il ne fallait plus qu'une médecine pour achever son ouvrage. Qu'après cela, il pourrait se vanter d'avoir fait une belle cure. Quand il eut parlé de cette sorte, il fit écrire par l'apothicaire une ordonnance qu'il lui dicta en se regardant dans un miroir, en rajustant ses cheveux, et en faisant des grimaces dont je ne pouvais m'empêcher de rire malgré l'état où j'étais. Ensuite il me salua de la tête fort cavalièrement et sortit plus occupé de sa figure que des drogues qu'il avait ordonnées.

Après son départ, l'apothicaire, qui n'était pas venu chez moi pour rien, se prépara, on juge bien à quoi faire. Soit qu'il craignît que la vieille ne s'en acquittât pas adroitement, soit pour mieux faire valoir la marchandise, il voulut opérer lui-même; mais, avec toute son adresse, je ne sais comment cela se fit, l'opération fut à peine achevée, que, rendant à l'opérant ce qu'il m'avait donné, je mis son habit de velours dans un bel état. Il regarda cet accident comme un malheur attaché à la pharmacie. Il prit une serviette, s'essuya sans dire un mot, et s'en alla bien résolu de me faire payer le dégraisseur à qui sans doute il fut obligé d'envoyer son habit.

Il revint le lendemain matin, vêtu plus modestement, quoiqu'il n'eût rien à risquer ce jour-là, m'apporter la médecine que le docteur avait ordonnée la veille. Outre que je me sentais mieux de moment en moment, j'avais tant d'aversion depuis le jour précédent pour les médecins et les apothicaires que je maudissais jusqu'aux universités où ces messieurs reçoivent le pouvoir de tuer les hommes impunément. Dans cette disposition, je déclarai en jurant que je ne voulais plus de remèdes et que je donnais au diable Hippocrate et sa séquelle. L'apothicaire, qui ne se souciait nullement de ce que je ferais de sa composition, pourvu qu'elle lui fût payée, la laissa sur la table et se retira sans me dire une syllabe.

Je fis sur-le-champ jeter par les fenêtres cette chienne de médecine, contre laquelle je m'étais si fort prévenu, que j'aurais cru être empoisonné si je l'eusse avalée. A ce trait de désobéissance, j'en ajoutai un autre : je rompis le silence et dis d'un ton ferme à ma garde que je prétendais absolument qu'elle m'apprît des nouvelles de mon maître. La vieille, qui appréhendait d'exciter en moi une émotion dangereuse en me satisfaisant, ou qui peut-être aussi ne m'obstinait que pour irriter mon mal, hésitait à me parler; mais je la pressai si vivement de m'obéir, qu'elle me répondit enfin : Seigneur cavalier, vous n'avez plus d'autre maître que vous-même. Le comte Galiano s'en est retourné en Sicile.

Je ne pouvais croire ce que j'entendais. Il n'y avait pourtant rien de plus véritable. Ce seigneur, dès le second jour de ma maladie, craignant que je ne mourusse chez lui, avait eu la bonté de me faire transporter avec mes petits effets dans une chambre garnie, où il m'avait abandonné sans façon à la Providence et aux soins d'une garde. Sur ces entrefaites, ayant reçu un ordre de la Cour qui l'obligeait à repasser en Sicile, il était parti avec tant de précipitation qu'il n'avait plus songé à moi, soit qu'il me comptât déjà parmi les morts, ou que les personnes de qualité soient sujettes à ces fautes de mémoire.

Ma garde me fit ce détail, et m'apprit que c'était elle qui avait été chercher un médecin et un apothicaire, afin que je ne périsse pas sans leur assistance. Je tombai dans une profonde rêverie à ces belles nouvelles. Adieu mon établissement avantageux en Sicile! Adieu mes plus douces espérances! Quand il vous arrivera quelque grand malheur, dit un pape, examinez-vous bien, et vous verrez qu'il y aura toujours un peu de votre faute. N'en déplaise à ce saint père, je ne vois pas comment, dans cette occasion, je contribuai à mon infortune.

Lorsque je vis les flatteuses chimères dont je m'étais rempli la tête évanouies, la première chose dont je m'embarrassai l'esprit fut ma valise que je fis apporter sur mon lit pour la visiter. Je soupirai en m'apercevant qu'elle était ouverte. Hélas! ma chère valise, m'écriai-je, mon unique consolation! Vous avez été, à ce que je vois, à la merci des mains étrangères. Non, non, seigneur Gil Blas, me dit alors la vieille, rassurez-vous. On ne vous a rien volé. J'ai conservé votre malle comme mon honneur.

J'y trouvai l'habit que j'avais en entrant au service du comte; mais j'y cherchai vainement celui que le Messinois m'avait fait faire. Mon maître n'avait pas jugé à propos de me le laisser ou bien quelqu'un se l'était approprié. Toutes mes autres hardes y étaient, et même une grande bourse de cuir qui renfermait mes espèces, que je comptai deux fois, ne pouvant croire, la première, qu'il n'y eût que cinquante pistoles de reste de deux cent soixante qu'il y avait dedans avant ma maladie. Que signifie ceci, ma bonne mère ? dis-je à ma garde. Voilà mes finances bien diminuées. Personne pourtant n'y a touché que moi, répondit la vieille, et je les ai ménagées autant qu'il m'a été possible. Mais les maladies coûtent beaucoup. Il faut toujours avoir l'argent à la main. Voici, ajouta cette bonne ménagère, en tirant de ses poches un paquet de papiers, voici un état de dépense, qui est juste comme l'or, et qui vous fera voir que je n'ai pas employé un denier mal à propos.

Je parcourus des yeux le mémoire, qui contenait bien quinze ou vingt pages. Miséricorde! Que de volaille achetée pendant que j'étais sans connaissance! Il fallait qu'en bouillons seulement il y eût pour le moins douze pistoles. Les autres articles répondaient à celui-là. On ne saurait dire combien elle avait dépensé en bois, en chandelle, en eau, en balais, *et cœtera*. Cependant quelque enflé que fût son mémoire, toute la somme allait à peine à trente pistoles; et par conséquent il devait y en avoir encore cent quatre-vingts de reste? Je lui représentai cela; mais la vieille, d'un air ingénu, commença d'attester tous les saints qu'il n'y avait dans la bourse que quatre-vingts pistoles, lorsque le maître d'hôtel du comte lui avait confié ma valise. Que dites-vous, ma bonne ? interrompis-je avec précipitation. C'est le maître d'hôtel qui vous a remis mes hardes entre les mains ? Sans doute, répondit-elle, c'est lui. A telles enseignes qu'en me les donnant il me dit : Tenez, bonne mère; quand le seigneur Gil Blas sera frit à l'huile, ne manquez pas de le régaler d'un bel enterrement. Il y a dans cette valise de quoi en faire les frais.

Ah! maudit Napolitain! m'écriai-je alors. Je ne suis plus en peine de savoir ce qu'est devenu l'argent qui me manque : vous l'avez raflé pour compenser une partie des vols que je vous ai empêché de faire. Après cette apostrophe, je rendis grâce au Ciel de ce que le fripon n'avait pas tout emporté. Quelque sujet pourtant que j'eusse d'accuser le maître d'hôtel de m'avoir volé, je ne laissai pas de penser que ma garde pouvait fort bien avoir fait le coup. Mes soupçons tombaient tantôt sur l'un et tantôt sur l'autre. Mais c'était toujours la même chose pour moi. Je n'en témoignai rien à la vieille. Je ne la chicanai pas même sur les articles de son beau mémoire. Je n'aurais rien gagné à cela; et il faut bien que chacun fasse son métier. Je bornai mon ressentiment à la payer et à la renvoyer trois jours après.

Je m'imagine qu'en sortant de chez moi, elle alla donner avis à l'apothicaire qu'elle venait de me quitter et que je me portais assez bien pour prendre la clef des champs sans compter avec lui; car un moment après, je le vis arriver tout essoufflé. Il me présenta son mémoire, dans lequel, sous des noms qui m'étaient inconnus, quoique j'eusse été médecin, il avait écrit tous les prétendus remèdes qu'il m'avait fournis dans le temps que j'étais sans sentiment. On pouvait appeler ce mémoire-là de vraies parties d'apothicaire. Aussi nous eûmes une dispute lorsqu'il fut question du payement. Je prétendais qu'il rabattît la moitié de la somme qu'il demandait. Il jura qu'il n'en rabattrait pas même une obole. Considérant toutefois qu'il avait affaire à un jeune homme qui dès ce jour-là pouvait s'éloigner de Madrid, il aima mieux se contenter de ce que je lui offrais, c'est-à-dire de trois fois au delà de ce que valaient ses drogues, que de s'exposer à perdre tout. Je lui lâchai des espèces à mon grand regret et il se retira bien vengé du petit chagrin que je lui avais causé le jour du lavement.

Le médecin parut presque aussitôt : car ces animaux-là sont toujours à la queue l'un de l'autre. J'escomptai ses visites qui avaient été fréquentes et je le renvoyai content. Mais, avant que de me quitter, pour me prouver qu'il avait bien gagné son argent, il me détailla les inconvénients mortels qu'il avait prévenus dans ma maladie. Ce qu'il fit en fort beaux termes, et d'un air agréable; mais je n'y compris rien du tout. Lorsque je me fus défait de lui, je me crus débarrassé de tous les ministres des

Parques. Je me trompais : il entra un chirurgien que je n'avais vu de ma vie. Il me salua fort civilement, et me témoigna de la joie de me voir échappé du danger que j'avais couru. Ce qu'il attribuait, disait-il, à deux saignées abondantes qu'il m'avait faites, et aux ventouses qu'il avait eu l'honneur de m'appliquer. Autre plume qu'on me tira de l'aile. Il me fallut aussi cracher au bassin du chirurgien. Après tant d'évacuations ma bourse se trouva si débile qu'on pouvait dire que c'était un corps confisqué, tant il y restait peu d'humide radical.

Je commençai à perdre courage en me voyant retombé dans une situation misérable. Je m'étais chez mes derniers maîtres trop affectionné aux commodités de la vie; je ne pouvais plus comme autrefois envisager l'indigence en philosophe cynique. J'avouerai pourtant que j'avais tort de me laisser aller à la tristesse. Après avoir tant de fois éprouvé que la fortune ne m'avait pas plus tôt renversé qu'elle me relevait, je n'aurais dû regarder l'état fâcheux où j'étais que comme une occasion prochaine de prospérité.

Fin du septième livre.

LIVRE HUITIÈME

CHAPITRE PREMIER

Gil Blas fait une bonne connaissance,
et trouve un poste qui le console
de l'ingratitude du comte Galiano.
Histoire de don Valerio de Luna.

J'étais si surpris de n'avoir point entendu parler de Nuñez pendant tout ce temps-là que je jugeai qu'il devait être à la campagne. Je sortis pour aller chez lui dès que je pus marcher, et j'appris en effet qu'il était depuis trois semaines en Andalousie avec le duc de Medina Sidonia.

Un matin, à mon réveil, Melchior de la Ronda me vint dans l'esprit; et, me ressouvenant que je lui avais promis à Grenade d'aller voir son neveu, si jamais je retournais à Madrid, je m'avisai de vouloir tenir ma promesse ce jour-là même. Je m'informai de l'hôtel de don Baltazar de Zuñiga, et je m'y rendis. Je demandai le seigneur Joseph Navarro, qui parut un moment après. Je le saluai; il me reçut et d'un air honnête, mais froid, quoique j'eusse décliné mon nom. Je ne pouvais concilier cet accueil glacé avec le portrait qu'on m'avait fait de ce chef d'office. J'allais me retirer dans la résolution de ne lui pas faire une seconde visite, lorsque, prenant tout à coup un air ouvert et riant, il me dit avec beaucoup de vivacité : Ah! seigneur Gil Blas de Santillane, pardonnez-moi, de grâce, la réception que je viens de vous faire. Ma mémoire a trahi la disposition où je suis à votre égard. J'avais oublié votre nom, et je ne pensais plus à ce cavalier dont il est fait mention dans une lettre que j'ai reçue de Grenade il y a plus de quatre mois.

Que je vous embrasse! ajouta-t-il en se jetant à mon cou avec transport. Mon oncle Melchior, que j'aime et que j'honore comme mon propre père, me mande que, si par hasard j'ai l'honneur de vous voir, il me conjure de vous faire le même traitement que je ferais à son fils, et d'employer, s'il le faut, pour vous le crédit de mes amis avec le mien. Il me fait l'éloge de votre cœur et de votre esprit dans des termes qui m'intéresseraient à vous servir, quand sa recommandation ne m'y engagerait pas. Regardez-moi donc, je vous prie, comme un homme à qui mon oncle a communiqué par sa lettre tous les sentiments qu'il a pour vous. Je vous donne mon amitié. Ne me refusez pas la vôtre.

Je répondis avec la reconnaissance que je devais à la politesse de Joseph; et tous deux en gens vifs et sincères nous formâmes à l'heure même une étroite liaison. Je n'hésitai point à lui découvrir la situation de mes affaires. Ce que je n'eus pas sitôt fait, qu'il me dit : Je me charge du soin de vous placer, et en attendant, ne manquez pas de venir manger ici tous les jours. Vous y aurez un meilleur ordinaire qu'à votre auberge. L'offre flattait trop un convalescent mal en espèces et accoutumé aux bons morceaux pour être rejetée. Je l'acceptai, et je me refis si bien dans cette maison qu'au bout de quinze jours j'avais déjà une face de bernardin. Il me parut que le neveu de Melchior faisait là ses orges à merveille; mais comment ne les aurait-il pas faites ? Il avait trois cordes à son arc : il était à la fois sommelier, chef d'office et maître d'hôtel. De plus, notre amitié à part, je crois que l'intendant du logis et lui s'accordaient fort bien ensemble.

J'étais parfaitement rétabli, lorsque mon ami Joseph, me voyant un jour arriver à l'hôtel de Zuñiga pour y dîner selon ma coutume, vint au-devant de moi, et me dit d'un air gai : Seigneur Gil Blas, j'ai une assez bonne condition à vous proposer : vous saurez que le duc de Lerme, premier ministre de la couronne d'Espagne, pour se donner entièrement à l'administration des affaires de l'Etat, se repose sur deux personnes de l'embarras des siennes. Il a chargé du soin de recueillir ses revenus don Diègue de Monteser, et il fait faire la dépense de sa maison par don Rodrigue de Calderone. Ces deux hommes de confiance exercent leur emploi avec une autorité absolue, et sans dépendre l'un de l'autre. Don Diègue a d'ordinaire sous lui deux intendants qui font la recette, et, comme j'ai appris ce matin qu'il en avait chassé un, j'ai été demander sa place pour vous. Le seigneur de Monteser qui me connaît et dont je puis me vanter d'être aimé me l'a sans peine accordée sur les bons témoignages que je lui ai rendus de vos mœurs et de votre capacité. Nous irons chez lui cette après-dînée.

Nous n'y manquâmes pas. Je fus reçu très gracieusement et installé dans l'emploi de l'intendant qui avait été congédié. Cet emploi consistait à visiter nos fermes, à y faire faire les réparations, à toucher l'argent des fermiers; en un mot, je me mêlais des biens de la campagne, et, tous les mois, je rendais mes comptes à don Diègue qui les épluchait avec beaucoup d'attention. C'était ce que je demandais : quoique ma droiture eût été si mal payée chez mon dernier maître, j'avais résolu de la conserver toujours.

Un jour, nous apprîmes que le feu avait pris au château de Lerme, et que plus de la moitié était réduite en cendres. Je me transportai aussitôt sur les lieux pour examiner le dommage. Là, m'étant informé avec exactitude des circonstances de l'incendie, j'en composai une ample relation que Monteser fit voir au duc de Lerme. Ce ministre, malgré le chagrin qu'il avait d'apprendre une si mauvaise nouvelle, fut frappé de la relation, et ne put s'empêcher de demander qui en était l'auteur. Don Diègue ne se contenta pas de le lui dire; il lui parla de moi si avantageusement, que Son Excellence s'en ressouvint six mois après, à l'occasion d'une histoire que je vais raconter, et sans laquelle peut-être je n'aurais jamais été employé à la cour. La voici.

Il demeurait alors dans la rue des Infantes une vieille dame appelée Inésille de Cantarilla [95]. On ne savait pas certainement de quelle naissance elle était. Les uns la disaient fille d'un faiseur de luths, et les autres d'un commandeur de l'ordre de Saint-Jacques. Quoi qu'il en soit, c'était une personne prodigieuse. La nature lui avait donné le privilège singulier de charmer les hommes pendant le cours de sa vie, qui durait encore après quinze lustres accomplis. Elle avait été l'idole des seigneurs de la vieille Cour, et elle se voyait adorée de ceux de la nouvelle. Le temps, qui n'épargne pas la beauté, s'exerçait en vain sur la sienne; il la flétrissait sans lui ôter le pouvoir de plaire. Un air de noblesse, un esprit enchanteur et des grâces naturelles lui faisaient faire des passions jusque dans sa vieillesse.

Un cavalier de vingt-cinq ans, don Valerio de Luna, un des secrétaires du duc de Lerme, voyait Inésille. Il en devint amoureux. Il se déclara, fit le passionné et poursuivit sa proie avec toute la fureur que l'amour et la jeunesse sont capables d'inspirer. La dame, qui avait ses raisons pour ne vouloir pas se rendre à ses désirs, ne savait que faire pour les modérer. Elle crut pourtant un jour en avoir trouvé le moyen : elle fit passer le jeune homme dans son cabinet, et là, lui montrant une pendule qui était sur une table : Voyez, lui dit-elle, l'heure qu'il est! Il y a aujourd'hui soixante-quinze ans que je vins au monde à pareille heure. En bonne foi, me siérait-il d'avoir des galanteries à mon âge ? Rentrez en vous-même, mon enfant. Etouffez des sentiments qui ne conviennent ni à vous ni à moi. A ce discours sensé, le cavalier, qui ne reconnaissait plus l'autorité de la raison, répondit à la dame avec toute l'impétuosité d'un homme possédé des mouvements qui l'agitaient : Cruelle Inésille, pourquoi avez-vous recours à ces frivoles adresses ? Pensez-vous qu'elles puissent vous changer à mes yeux ? Ne vous flattez pas d'une si fausse espérance. Que vous soyez telle que je vous vois, ou qu'un charme trompe ma vue, je ne cesserai point de vous aimer. Hé bien! reprit-elle, puisque vous êtes assez opiniâtre pour persister dans la résolution de me fatiguer de vos soins, ma maison désormais ne sera plus ouverte pour vous. Je vous l'interdis et vous défends de paraître jamais devant moi.

Vous croyez peut-être, après cela, que don Valerio, déconcerté de ce qu'il venait d'entendre, fit une honnête retraite. Au contraire, il n'en devint que plus importun. L'amour fait dans les amants le même effet que le vin dans les ivrognes. Le cavalier pria, gémit et, passant tout à coup des prières aux emportements, il voulut avoir par la force ce qu'il ne pouvait obtenir autrement; mais la dame, le repoussant avec courage, lui dit d'un air irrité : Arrêtez, téméraire. Je vais mettre un frein à votre folle ardeur : Apprenez que vous êtes mon fils.

Don Valerio fut étourdi de ces paroles. Il suspendit sa violence. Mais, s'imaginant qu'Inésille ne parlait ainsi que pour se soustraire à ses sollicitations, il lui répondit : Vous inventez cette fable pour vous dérober à mes désirs. Non, non, interrompit-elle, je vous révèle un mystère que je vous aurais toujours caché, si vous ne m'eussiez pas réduite à la nécessité de vous le découvrir. Il y a vingt-six ans que j'aimais don Pèdre de Lune, votre père, qui était alors gouverneur de Ségovie; vous devîntes le fruit de nos amours. Il vous reconnut, vous fit élever avec soin, et, outre qu'il n'avait point d'autre enfant, vos bonnes qualités le déterminèrent à vous laisser du bien. De mon côté, je ne vous ai pas abandonné; sitôt que je vous ai vu entrer dans le monde, je vous ai attiré chez moi, pour vous inspirer ces manières polies qui sont si nécessaires à un galant homme, et que les femmes seules peuvent donner aux jeunes cavaliers. J'ai plus fait : j'ai employé tout mon crédit pour vous mettre chez le premier ministre. Enfin, je me suis intéressée pour vous comme je le devais pour un fils. Après cet aveu, prenez votre parti. Si vous pouvez épurer vos sentiments et ne regarder en moi qu'une mère, je ne vous bannis point de ma présence, et j'aurai pour vous toute la tendresse que j'ai eue jusqu'ici. Mais si vous n'êtes pas capable de cet effort, que la nature et la raison exigent de vous, fuyez dès ce moment, et me délivrez de l'horreur de vous voir.

Inésille parla de cette sorte. Pendant ce temps-là, don Valerio gardait un morne silence. On eût dit qu'il rappelait sa vertu, et qu'il allait se vaincre lui-même. Il méditait un autre dessein, et préparait à sa mère un spectacle bien différent. Ne pouvant se consoler de l'obstacle insurmontable qui s'opposait à son bonheur, il céda lâchement à son désespoir. Il tira son épée et se l'enfonça dans le sein. Il se punit comme un autre Œdipe, avec cette différence que le Thébain s'aveugla de regret d'avoir consommé le crime, et qu'au contraire le Castillan se perça de douleur de ne le pouvoir commettre.

Le malheureux don Valerio ne mourut pas sur-le-champ du coup qu'il s'était donné. Il eut le temps de se reconnaître et de demander pardon au Ciel de s'être lui-même ôté la vie. Comme il laissa par sa mort un poste de secrétaire vacant chez le duc de Lerme, ce ministre qui n'avait pas oublié ma relation d'incendie, non plus que l'éloge qu'on lui avait fait de moi, me choisit pour remplacer ce jeune homme.

CHAPITRE II

Gil Blas est présenté au duc de Lerme, qui le reçoit au nombre de ses secrétaires, le fait travailler et est content de son travail.

Ce fut Monteser qui m'annonça cette agréable nouvelle, et me dit : Ami Gil Blas, quoique je ne vous perde pas sans regret, je vous aime trop pour n'être pas ravi que vous succédiez à don Valerio. Vous ne manquerez pas de faire une belle fortune, pourvu que vous suiviez les deux conseils que j'ai à vous donner : le premier, c'est de paraître tellement attaché à Son Excellence, qu'elle ne doute pas que vous ne lui soyez entièrement dévoué : et le second, c'est de bien faire votre cour au seigneur don Rodrigue de Calderone; car cet homme-là manie comme une cire molle l'esprit de son maître. Si vous avez le bonheur de vous acquérir la bienveillance de ce secrétaire favori, vous irez loin en peu de temps.

Seigneur, dis-je à don Diègue, après lui avoir rendu grâces de ses bons avis, apprenez-moi, s'il vous plaît, de quel caractère est don Rodrigue. J'en ai quelquefois entendu parler dans le monde. On me l'a peint comme un assez mauvais sujet; mais je me défie des portraits que le peuple fait des personnes qui sont en place à la cour, quoiqu'il en juge sainement quelquefois. Dites-moi donc, je vous prie, ce que vous pensez du seigneur Calderone. Vous me demandez une chose délicate, répondit le surintendant avec un sourire malin; je dirais à un autre que vous, sans hésiter, que c'est un très honnête gentilhomme, et qu'on n'en saurait dire que du bien. Mais je veux avoir de la franchise avec vous. Outre que je vous crois un garçon fort discret, il me semble que je dois vous parler à cœur ouvert de don Rodrigue, puisque je vous ai conseillé de le bien ménager. Autrement ce ne serait vous obliger qu'à demi.

Vous saurez donc, poursuivit-il, que de simple domestique qu'il était de Son Excellence, lorsqu'elle ne portait encore que le nom de don François de Sandoval, il est parvenu par degré au poste de premier secrétaire. On n'a jamais vu un homme plus fier. Il se regarde comme un collègue du duc de Lerme, et, dans le fond, on dirait qu'il partage avec lui l'autorité de premier ministre, puisqu'il fait donner des charges et des gouvernements à qui bon lui semble. Le public en murmure souvent; mais c'est de quoi il ne se met guère en peine, pourvu qu'il tire des paraguantes d'une affaire; il se soucie fort peu des épilogueurs. Vous concevez bien par ce que je viens de vous dire, ajouta don Diègue, quelle conduite vous avez à tenir avec un mortel si orgueilleux. Oh! qu'oui, lui dis-je; laissez-moi faire. Il y aura bien du malheur si je ne me fais pas aimer de lui. Quand on connaît le défaut d'un homme à qui l'on veut plaire, il faut être bien maladroit pour n'y pas réussir. Cela étant, reprit Monteser, je vais vous présenter tout à l'heure au duc de Lerme.

Nous allâmes dans le moment chez ce ministre, que nous trouvâmes dans une grande salle, occupé à donner audience. Il y avait là plus de monde que chez le roi. Je vis des commandeurs et des chevaliers de Saint-Jacques et de Calatrave, qui sollicitaient des gouvernements et des vice-royautés; des évêques qui, ne se portant pas bien dans leurs diocèses, voulaient, seulement pour changer d'air, devenir archevêques; et de bons pères de Saint-Dominique, et de Saint-François, qui demandaient humblement des évêchés. Je remarquai aussi des officiers réformés qui faisaient là le même rôle qu'y avait fait ci-devant le capitaine Chinchilla; c'est-à-dire qui se morfondaient dans l'attente d'une pension. Si le duc ne satisfaisait pas leurs désirs, il recevait du moins leurs placets d'un air affable; et je m'aperçus qu'il répondait fort poliment aux personnes qui lui parlaient.

Nous eûmes la patience d'attendre qu'il eût expédié tous ces suppliants. Alors don Diègue lui dit : Monseigneur, voici Gil Blas de Santillane, ce jeune homme dont Votre Excellence a fait choix pour remplir la place de don Valerio. A ces mots, le duc jeta les yeux sur moi en disant obligeamment que je l'avais déjà méritée par les services que je lui avais rendus. Il me fit ensuite entrer dans son cabinet pour m'entretenir en particulier, ou plutôt pour juger de mon esprit par ma conversation. Il voulut savoir qui j'étais, et la vie que j'avais menée jusque-là. Il exigea même de moi là-dessus une narration sincère. Quel détail c'était me demander! De mentir devant un premier ministre d'Espagne, il n'y avait pas d'apparence. D'une autre part, j'avais tant de choses à dire aux dépens de ma vanité, que je ne pouvais me résoudre à une confession générale. Comment sortir de cet embarras ? Je pris le parti de farder la vérité dans les endroits où elle aurait fait peur toute nue. Mais il ne laissa pas de la démêler malgré tout mon art : Monsieur de Santillane, me dit-il en souriant à la fin de mon récit, à ce que je vois, vous avez été tant soit peu *picaro*. Monseigneur, lui répondis-je en rougissant, Votre Excellence m'a ordonné d'avoir de la sincérité. Je lui ai obéi. Je t'en sais bon gré, répliqua-t-il; va, mon enfant, tu en es quitte à bon marché. Je m'étonne que le mauvais exemple ne t'ait pas entièrement perdu. Combien y a-t-il d'honnêtes gens qui deviendraient de grands fripons, si la fortune les mettait aux mêmes épreuves ?

Ami Santillane, continua le ministre, ne te souviens plus du passé. Songe que tu es présentement au roi, et que tu seras désormais occupé pour lui. Tu n'as qu'à me suivre; je vais t'apprendre en quoi consisteront tes occupations. Il me mena dans un petit cabinet qui joignait le sien, et où il y avait sur des tablettes une vingtaine de registres in-folio fort épais. C'est ici, me dit-il, que tu travailleras. Tous ces registres que tu vois composent un dictionnaire de toutes les familles nobles qui sont dans les royaumes et principautés de la monarchie d'Espagne. Chaque livre contient par ordre alphabétique l'histoire abrégée de tous les gentilshommes d'un royaume, dans laquelle sont détaillés les services qu'eux et leurs ancêtres ont rendus à l'Etat, aussi bien que les affaires d'honneur qui peuvent leur être arrivées. On y fait encore mention de leurs biens, de leurs mœurs, en un mot de toutes leurs bonnes et leurs mauvaises qualités. En sorte que, lorsqu'ils viennent demander des grâces à la Cour, je vois d'un coup d'œil s'ils les méritent. Pour savoir exactement toutes ces choses, j'ai partout des pensionnaires qui ont soin de s'en informer et de m'en instruire par des mémoires qu'ils m'envoient; mais comme ces mémoires sont diffus et remplis de façons de parler provinciales, il faut les rédiger et en polir la diction, parce que le roi se fait lire quelquefois ces registres. C'est à ce travail, qui demande un style net et concis, que je veux t'employer dès ce moment même.

En parlant ainsi, il tira d'un grand portefeuille plein de papiers un mémoire qu'il me mit entre les mains. Puis, il sortit de mon cabinet pour m'y laisser faire mon coup d'essai en liberté. Je lus le mémoire, qui me parut non seulement farci de termes barbares, mais même trop passionné. C'était pourtant un moine de la ville de Solsone qui l'avait composé. Il y déchirait impitoyablement une bonne famille catalane, et Dieu sait s'il disait la vérité. Je crus lire un libelle diffamatoire et je me fis d'abord un scrupule de travailler sur cela. Je craignais de me rendre complice d'une calomnie : néanmoins, tout neuf que j'étais à la Cour, je passai outre aux périls et fortunes de l'âme de Sa Révérence; et, mettant sur son compte toute l'iniquité, s'il y en avait, je commençai à déshonorer en belles phrases castillanes deux ou trois générations d'honnêtes gens peut-être.

J'avais déjà fait quatre ou cinq pages, quand le duc, impatient de savoir comment je m'y prenais, revint et me dit : Santillane, montre-moi ce que tu as fait. Je suis curieux de le voir. En même temps, jetant la vue sur mon ouvrage, il en lut le commencement avec beaucoup d'attention. Il en parut si content que j'en fus surpris. Tout prévenu que j'étais en ta faveur, reprit-il, je t'avoue que tu as surpassé mon attente. Tu n'écris pas seulement avec toute la netteté et la précision que je désirais; je trouve encore ton style léger et enjoué. Tu justifies bien le choix que j'ai fait de ta plume, et tu me consoles de la perte de ton prédécesseur. Il n'aurait pas borné là mon éloge, si le comte de Lemos, son neveu, ne fût venu l'interrompre en cet endroit. Son Excellence l'embrassa plusieurs fois, et le reçut d'une manière qui me fit connaître qu'elle l'aimait tendrement. Ils s'enfermèrent tous deux pour s'entretenir en secret d'une affaire de famille dont je parlerai dans la suite. Le ministre en était alors plus occupé que de celles du roi.

Pendant qu'ils étaient ensemble, j'entendis sonner midi. Comme je savais que les secrétaires et les commis quittaient à cette heure-là leurs bureaux pour aller dîner où il leur plaisait, je laissai là mon chef-d'œuvre, et sortis pour me rendre, non chez Monteser, parce qu'il m'avait payé mes appointements et que j'avais pris congé de lui; mais chez le plus fameux traiteur du quartier de la Cour. Une auberge ordinaire ne me convenait plus. *Songe que tu es présentement au roi.* Ces paroles que le duc m'avait dites étaient des semences d'ambition qui germaient d'instant en instant dans mon esprit.

CHAPITRE III

Il apprend que son poste n'est pas sans désagrément. De l'inquiétude que lui cause cette nouvelle, et de la conduite qu'elle l'oblige à tenir.

J'eus grand soin, en entrant, d'apprendre au traiteur que j'étais un secrétaire du premier ministre; et, en cette qualité, je ne savais que lui ordonner de m'apprêter pour mon dîner. J'avais peur de demander quelque chose qui sentît l'épargne, et je lui dis de me donner ce qu'il lui plairait. Il me régala bien, et l'on me servit avec des marques de considération qui me faisaient encore plus de plaisir que la bonne chère. Quand il fut question de payer, je jetai sur la table une pistole, dont j'abandonnai aux valets un quart pour le moins qu'il y avait de reste à me rendre. Après quoi, je sortis de chez le traiteur, en faisant des écarts de poitrine comme un jeune homme fort content de sa personne.

Il y avait à vingt pas de là un grand hôtel garni où logeaient d'ordinaire des seigneurs étrangers. J'y louai un appartement de cinq ou six pièces bien meublées. Il semblait que j'eusse déjà deux ou trois mille ducats de rente. Je donnai même le premier mois d'avance. Après cela, je retournai au travail, et je m'occupai toute l'après-dînée à continuer ce que j'avais commencé le matin. Il y avait dans un cabinet voisin du mien deux autres secrétaires. Mais ceux-ci ne faisaient que mettre au net ce que le duc leur portait lui-même à copier. Je fis connaissance avec eux dès ce soir-là même en nous retirant; et, pour mieux gagner leur amitié, je les entraînai chez mon traiteur, où j'ordonnai les meilleures viandes pour la saison, avec les vins les plus délicats.

Nous nous mîmes à table, et nous commençâmes à nous entretenir avec plus de gaieté que d'esprit; car pour rendre justice à mes convives, je m'aperçus bientôt qu'ils ne devaient pas à leur génie les places qu'ils remplissaient dans leur bureau. Ils se connaissaient bien, à la vérité, en belles lettres rondes et bâtardes; mais ils n'avaient pas la moindre teinture de celles qu'on enseigne dans les universités.

En récompense, ils entendaient à merveille leurs petits intérêts. Et ils n'étaient pas si enivrés de l'honneur d'être chez le premier ministre, qu'ils ne se plaignissent de leur condition. Il y a, disait l'un, déjà cinq mois que nous exerçons notre emploi à nos dépens. Nous ne touchons pas une obole; et, qui pis est, nos appointements ne sont point réglés. Nous ne savons sur quel pied nous sommes. Pour moi, disait l'autre, je voudrais avoir reçu vingt coups d'étrivières pour appointements, et qu'on me laissât la liberté de prendre parti ailleurs; car je n'oserais me retirer de moi-même ni demander mon congé, après les choses secrètes que j'ai écrites. Je pourrais bien aller voir la tour de Ségovie ou le château d'Alicante.

Comment faites-vous donc pour vivre ? leur dis-je. Vous avez du bien apparemment ? Ils me répondirent qu'ils en avaient fort peu, mais qu'heureusement pour eux, ils étaient logés chez une honnête veuve qui leur faisait crédit et les nourrissait pour cent pistoles chacun par année. Tous ces discours, dont je ne perdis pas un mot, abaissèrent dans le moment mes orgueilleuses fumées. Je me représentai qu'on n'aurait pas sans doute plus d'attention pour moi que pour les autres : que par conséquent je ne devais pas être si charmé de mon poste : qu'il était moins solide que je ne l'avais cru : et qu'enfin je ne pouvais assez ménager ma bourse. Ces réflexions me guérirent de la rage de dépenser. Je commençai à me repentir d'avoir amené là ces secrétaires, à souhaiter la fin du repas; et, lorsqu'il fallut compter, j'eus avec le traiteur une dispute pour l'écot.

Nous nous séparâmes à minuit, mes confrères et moi, parce que je ne les pressai pas de boire davantage. Ils s'en allèrent chez leur veuve, et je me retirai à mon superbe appartement, que j'enrageais pour lors d'avoir loué, et que je me promettais bien de quitter à la fin du mois. J'eus beau me coucher dans un bon lit, mon inquiétude en écarta le sommeil. Je passai le reste de la nuit à rêver aux moyens de ne pas travailler pour le roi généreusement. Je m'en tins là-dessus aux conseils de Monteser. Je me levai dans la résolution d'aller faire la révérence à don Rodrigue de Calderone. J'étais dans une disposition très propre à paraître devant un homme si fier : je sentais que j'avais besoin de lui. Je me rendis donc chez ce secrétaire.

Son logement communiquait à celui du duc de Lerme, et l'égalait en magnificence. On aurait eu de la peine à distinguer par les ameublements le maître du valet. Je me fis annoncer comme successeur de don Valerio. Ce qui n'empêcha pas qu'on ne me fît attendre plus d'une heure dans l'antichambre. Monsieur le nouveau secrétaire, me disais-je pendant ce temps-là, prenez, s'il vous plaît, patience. Vous croquerez bien le marmot, avant que vous le fassiez croquer aux autres.

On ouvrit pourtant la porte de la chambre. J'entrai et m'avançai vers don Rodrigue, qui, venant d'écrire un billet doux à sa charmante Sirène, le donnait à Pédrille dans ce moment-là. Je n'avais pas paru devant l'archevêque de Grenade, ni devant le comte Galiano, ni même devant le premier ministre, si respectueusement que je me présentai aux yeux du seigneur de Calderone. Je le saluai en baissant la tête jusqu'à terre, et lui demandai sa protection dans des termes dont je ne puis me souvenir sans honte, tant ils étaient pleins de soumission. Ma bassesse aurait tourné contre moi dans l'esprit d'un homme qui eût eu moins de fierté. Pour lui, il s'accommoda fort de mes manières rampantes, et me dit d'un air, même assez honnête, qu'il ne laisserait échapper aucune occasion de me faire plaisir.

Là-dessus, le remerciant, avec de grandes démonstrations de zèle, des sentiments favorables qu'il me marquait, je lui vouai un éternel attachement. Ensuite, de peur de l'incommoder, je sortis, en le priant de m'excuser si je l'avais interrompu dans ses importantes occupations. Sitôt que j'eus fait une si indigne démarche je gagnai mon bureau où j'achevai l'ouvrage qu'on m'avait chargé de faire. Le duc ne manqua pas d'y venir dans la matinée. Il ne fut pas moins content de la fin de mon travail qu'il l'avait été du commencement, et il me dit : Voilà qui est bien. Écris toi-même, le mieux que tu pourras, cette histoire abrégée sur le registre de Catalogne. Après quoi, tu prendras dans le portefeuille un autre mémoire, que tu rédigeras de la même manière. J'eus une assez longue conversation avec Son Excellence dont l'air doux et familier me charmait. Quelle différence il y avait d'elle à Calderone! C'étaient deux figures bien contrastées.

Je dînai ce jour-là dans une auberge où l'on mangeait à juste prix, et je résolus d'y aller tous les jours *incognito*, jusqu'à ce que je visse l'effet que mes complaisances et mes souplesses produiraient. J'avais de l'argent pour trois mois tout au plus. Je me prescrivis ce temps-là pour travailler aux dépens de qui il appartiendrait; me proposant, les plus courtes folies étant les meilleures, d'abandonner après cela la Cour et son clinquant, si je ne recevais aucun salaire. Je fis donc ainsi mon plan. Je n'épargnai rien pendant deux mois pour plaire à Calderone : mais il me tint si peu de compte de tout ce que je faisais pour y réussir, que je désespérai d'en venir à bout. Je changeai de conduite à son égard. Je cessai de lui faire la cour; et je ne m'attachai plus qu'à mettre à profit les moments d'entretien que j'avais avec le duc.

CHAPITRE IV

Gil Blas gagne la faveur du duc de Lerme, qui le rend dépositaire d'un secret important.

Quoique monseigneur ne fît, pour ainsi dire, que paraître et disparaître à mes yeux tous les jours, je ne laissai pas insensiblement de me rendre si agréable à Son Excellence, qu'elle me dit une après-dînée : Écoute, Gil Blas, j'aime le caractère de ton esprit, et j'ai de la bienveillance pour toi. Tu es un garçon zélé, fidèle, plein d'intelligence et de discrétion; je ne crois pas mal placer ma confiance en la donnant à un pareil sujet. Je me jetai à ses genoux, lorsque j'eus entendu ces paroles, et, après avoir baisé respectueusement une de ses mains qu'il me tendit pour me relever, je lui répondis : Est-il bien possible que Votre Excellence daigne m'honorer d'une si grande faveur ? que vos bontés vont me faire d'ennemis secrets! Mais il n'y a qu'un homme dont je redoute la haine : c'est don Rodrigue de Calderone.

Tu ne dois rien appréhender de ce côté-là, reprit le duc. Je connais Calderone. Il est attaché à moi depuis son enfance. Je puis dire que ses sentiments sont si conformes aux miens qu'il chérit tout ce que j'aime, comme il hait tout ce qui me déplaît. Au lieu de craindre qu'il n'ait de l'aversion pour toi, tu dois au contraire compter sur son amitié. Je compris par là que le seigneur don Rodrigue était un fin matois; qu'il s'était emparé de l'esprit de Son Excellence et que je ne pouvais trop garder de mesures avec lui.

Pour commencer, poursuivit le duc, à te mettre en possession de ma confidence, je vais te découvrir un dessein que je médite. Il est nécessaire que tu en sois instruit pour te bien acquitter des commissions dont je prétends te charger par la suite. Il y a déjà longtemps [96] que je vois mon autorité généralement respectée, mes décisions aveuglément suivies, et que je dispose à mon gré des charges, des emplois, des gouvernements, des vice-royautés et des bénéfices. Je règne, si je l'ose dire, en Espagne. Je ne puis pousser ma fortune plus loin. Mais je voudrais la mettre à l'abri des tempêtes qui commencent à la menacer; et pour cet effet, je souhaiterais d'avoir pour successeur au ministère le comte de Lemos, mon neveu.

Le ministre, en cet endroit de son discours, remarquant que j'étais extrêmement surpris de ce que j'entendais, me dit : Je vois bien, Santillane, je vois bien ce qui t'étonne. Il te semble fort étrange que je préfère mon neveu au duc d'Uzède, mon propre fils. Mais apprends que ce dernier a le génie trop borné pour occuper ma place, et que d'ailleurs je suis son ennemi. Il a trouvé le secret de plaire au roi, qui en veut faire son favori; et c'est ce que je ne puis souffrir. La faveur d'un souverain ressemble à la possession d'une femme qu'on adore. C'est un bonheur dont on est si jaloux, qu'on ne peut se résoudre à le partager avec un rival, quelque uni qu'on soit avec lui par le sang ou par l'amitié.

Je te montre ici, continua-t-il, le fond de mon cœur. J'ai déjà tenté de détruire le duc d'Uzède dans l'esprit du roi, et, comme je n'ai pu en venir à bout, j'ai dressé une autre batterie. Je veux que le comte de Lemos de son côté s'insinue dans les bonnes grâces du prince d'Espagne. Etant gentilhomme de sa chambre, il a occasion de lui parler à toute heure; et, outre qu'il a de l'esprit, je sais un moyen sûr de le faire réussir dans cette entreprise. Par ce stratagème j'opposerai mon neveu à mon fils. Je ferai naître entre ces cousins une division qui les obligera tous deux à rechercher mon appui; et le besoin qu'ils auront de moi me les rendra soumis l'un et l'autre. Voilà quel est mon projet, ajouta-t-il. Ton entremise ne m'y sera pas inutile. C'est toi que j'enverrai secrètement au comte de Lemos et qui me rapporteras de sa part tout ce qu'il aura à me faire savoir.

Après cette confidence, que je regardai comme de l'argent comptant, je n'eus plus d'inquiétude. Enfin, disais-je, me voici sous la gouttière [97]. Une pluie d'or va tomber sur moi. Il est impossible que le confident d'un homme appelé par excellence le grand tambour de la monarchie d'Espagne ne soit pas bientôt comblé de richesses. Plein d'une si douce espérance, je voyais d'un œil indifférent ma pauvre bourse tirer à sa fin.

CHAPITRE V

Où l'on verra Gil Blas comblé de joie, d'honneur et de misère.

On s'aperçut en peu de temps de l'affection que le ministre avait pour moi. Il affecta d'en donner des marques publiquement, en me chargeant de son portefeuille, qu'il avait coutume de porter lui-même, lorsqu'il allait au conseil. Cette nouveauté, me faisant regarder comme un petit favori, excita l'envie de plusieurs personnes et fut cause que je reçus bien de l'eau bénite de Cour. Mes deux voisins les secrétaires ne furent pas des derniers à me complimenter sur ma prochaine grandeur, et ils m'invitèrent à souper chez leur veuve, moins par représailles, que dans la vue de m'engager à leur rendre service dans la suite. On me faisait fête de toutes parts. Le fier don Rodrigue même changea de manières avec moi. Il ne m'appela plus que *Seigneur de Santillane*, lui qui jusqu'alors ne m'avait traité que de *vous*, sans jamais se servir du terme de *seigneurie*. Il m'accablait de civilités, surtout lorsqu'il jugeait que notre patron pouvait le remarquer. Mais je vous assure qu'il n'avait pas affaire à un sot. Je répondais à ses honnêtetés d'autant plus poliment que j'avais plus de haine pour lui. Un vieux courtisan ne s'en serait pas mieux acquitté que moi.

J'accompagnais aussi le duc mon seigneur lorsqu'il allait chez le roi, et il y allait ordinairement trois fois le jour. Il entrait le matin dans la chambre de Sa Majesté, lorsqu'elle était éveillée. Il se mettait à genoux au chevet de son lit, l'entretenait des choses qu'elle avait à faire dans la journée, et lui dictait celles qu'elle avait à dire. Ensuite, il se retirait. Il y retournait aussitôt qu'elle avait dîné, non pour lui parler d'affaires. Il ne lui tenait alors que des discours réjouissants. Il la régalait de toutes les aventures plaisantes qui arrivaient dans Madrid et dont il était toujours le premier instruit. Et enfin, le soir, il revoyait le roi pour la troisième fois, lui rendait compte, comme il lui plaisait, de ce qu'il avait fait ce jour-là, et lui demandait, par manière d'acquit, ses ordres pour le lendemain. Tandis qu'il était avec le roi, je me tenais dans l'antichambre, où je voyais des personnes de qualité, dévouées à la faveur, rechercher ma conversation, et s'applaudir de ce que je voulais bien me prêter à la leur. Comment aurais-je pu après cela ne me pas croire un homme de conséquence ? Il y a bien des gens à la cour qui ont, encore pour moins, cette opinion-là d'eux.

Un jour, j'eus un plus grand sujet de vanité : le roi, à qui le duc avait parlé fort avantageusement de mon style, fut curieux d'en voir un échantillon. Son Excellence me fit prendre le registre de Catalogne, me mena devant ce monarque, et me dit de lire le premier mémoire que j'avais rédigé. Si la présence du prince me troubla d'abord, celle du ministre me rassura bientôt, et je fis la lecture de mon ouvrage, que Sa Majesté n'entendit pas sans plaisir. Elle témoigna qu'elle était contente de moi et recommanda même à son ministre d'avoir soin de ma fortune. Cela ne diminua pas l'orgueil que j'avais déjà; et l'entretien que j'eus peu de jours après avec le comte de Lemos acheva de me remplir la tête d'ambitieuses idées.

J'allai trouver ce seigneur de la part de son oncle chez le prince d'Espagne, et je lui présentai une lettre de créance par laquelle le duc lui mandait qu'il pouvait s'ouvrir à moi comme à un homme qui avait une entière connaissance de leur dessein, et qui était choisi pour être leur messager commun. Après avoir lu ce billet, le comte me conduisit dans une chambre où nous nous enfermâmes tous deux; et là il me tint ce discours [98] : Puisque vous avez la confiance du duc de Lerme, je ne doute pas que vous ne la méritiez, et je ne dois faire aucune difficulté de vous donner la mienne. Vous saurez donc que les choses vont le mieux du monde. Le prince d'Espagne me distingue de tous les seigneurs qui sont attachés à sa personne et qui s'étudient à lui plaire. J'ai eu ce matin une conversation particulière avec lui, dans laquelle il m'a paru chagrin de se voir, par l'avarice du roi, hors d'état de suivre les mouvements de son cœur généreux, et même de faire une dépense convenable à un prince. Sur cela, je n'ai pas manqué de le plaindre, et, profitant de ce moment-là, j'ai promis de lui porter demain à son lever mille pistoles, en attendant de plus grosses sommes, que je me suis fait fort de lui fournir incessamment. Il a été charmé de ma promesse et je suis bien sûr de captiver sa bienveillance, si je lui tiens parole. Allez dire toutes ces circonstances à mon oncle, et revenez m'apprendre ce soir ce qu'il pense là-dessus.

Je quittai le comte de Lemos dès qu'il m'eut parlé de cette sorte, et je rejoignis le duc de Lerme, qui sur mon rapport envoya demander à Calderone mille pistoles, dont on me chargea le soir, et que j'allai remettre au comte, en disant en moi-même : Ho, ho! je vois bien à présent quel est l'infaillible moyen qu'a le ministre pour réussir dans son entreprise. Il a parbleu raison, et, selon toutes les apparences, ces prodigalités-là ne le ruineront point. Je devine aisément dans quels coffres il prend ces belles pistoles; mais après tout, n'est-il pas juste que ce soit le père qui entretienne le fils ? Le comte de Lemos, lorsque je me séparai de lui, me dit tout bas : Adieu, notre cher confident! Le prince d'Espagne aime un peu les dames; il faudra que nous ayons, vous et moi, au premier jour, une conférence là-dessus. Je prévois que j'aurai bientôt besoin de votre ministère. Je m'en retournai en rêvant à ces mots qui n'étaient nullement ambigus et qui me remplissaient de joie. Comment diable, disais-je, me voilà prêt à devenir le mercure de l'héritier de la monarchie! Je n'examinais point si cela était bon ou mauvais; la qualité du galant étourdissait ma morale. Quelle gloire pour moi d'être ministre des plaisirs d'un grand prince! Oh! tout beau, Monsieur Gil Blas, me dira-t-on. Il ne s'agissait pour vous que d'être ministre en second. J'en demeure d'accord : mais dans le fond ces deux postes font autant d'honneur l'un que l'autre. Le profit seul en est différent.

En m'acquittant de ces nobles commissions, en me mettant de jour en jour plus avant dans les bonnes grâces du premier ministre, avec les plus belles espérances du monde, que j'eusse été heureux si l'ambition m'eût préservé de la faim! Il y avait plus de deux mois que je m'étais défait de mon magnifique appartement, et que j'occupais une petite chambre garnie des plus modestes. Quoique cela me fît de la peine, comme j'en sortais de bon matin et que je n'y rentrais que la nuit pour y coucher, je prenais patience. J'étais toute la journée sur mon théâtre, c'est-à-dire, chez le duc; j'y jouais un rôle de seigneur. Mais quand j'étais retiré dans mon taudis, le seigneur s'évanouissait, et il ne restait que le pauvre Gil Blas, sans argent, et qui pis est sans avoir de quoi en faire. Outre que j'étais trop fier pour découvrir à quelqu'un mes besoins, je ne connaissais personne qui pût m'aider que Navarro, que j'avais trop négligé depuis que j'étais à la Cour, pour oser m'adresser à lui. J'avais été obligé de vendre mes hardes pièce à pièce. Je n'avais plus que celles dont je ne pouvais absolument me passer. Je n'allais plus à l'auberge, faute d'avoir de quoi payer mon ordinaire. Que faisais-je donc pour subsister ? Tous les matins dans nos bureaux on nous apportait pour déjeuner un petit pain et un doigt de vin. C'était tout ce que le ministre nous faisait donner. Je ne mangeais que cela dans la journée, et le soir, le plus souvent, je me couchais sans souper.

Telle était la situation d'un homme qui brillait à la Cour, et qui devait [99] y faire plus de pitié que d'envie. Je ne pus néanmoins résister à ma misère, et je me déterminai enfin à la découvrir finement au duc de Lerme, si j'en trouvais l'occasion. Par bonheur, elle s'offrit à l'Escurial où le roi et le prince d'Espagne allèrent quelques jours après.

CHAPITRE VI

Comment Gil Blas fit connaître sa misère au duc de Lerme, et de quelle façon en usa ce ministre avec lui.

Lorsque le roi était à l'Escurial, il y défrayait tout le monde; de manière que je ne sentais point là où le bât me blessait. Je couchais dans une garde-robe auprès de la chambre du duc. Ce ministre un matin s'étant levé à son ordinaire au point du jour, me fit prendre quelques papiers avec une écritoire, et me dit de le suivre dans les jardins du palais. Nous allâmes nous asseoir sous des arbres, où je me mis par son ordre dans l'attitude d'un homme qui écrit sur la forme de son chapeau, et lui, il tenait à la main un papier qu'il faisait semblant de lire. Nous paraissions de loin occupés d'affaires fort sérieuses, et toutefois nous ne parlions que de bagatelles.

Il y avait plus d'une heure que je réjouissais Son Excellence par toutes les saillies que mon humeur enjouée me fournissait, quand deux pies vinrent se poser sur les arbres qui nous couvraient de leur ombrage. Elles commencèrent à caqueter d'une façon si bruyante, qu'elles attirèrent notre attention : Voilà des oiseaux, dit le duc, qui semblent se quereller. Je serais assez curieux de savoir le sujet de leur querelle. Monseigneur, lui dis-je, votre curiosité me fait souvenir d'une fable indienne que j'ai lue dans Pilpay [100], ou dans un autre auteur fabuliste. Le ministre me demanda quelle était cette fable, et je la lui racontai dans ces termes.

Il régnait autrefois dans la Perse un bon monarque, qui, n'ayant pas assez d'étendue d'esprit pour gouverner lui-même ses Etats, en laissait le soin à son grand vizir. Ce ministre, nommé Atalmuc, avait un génie supérieur. Il soutenait le poids de cette vaste monarchie, sans en être accablé. Il la maintenait dans une paix profonde. Il avait même l'art de rendre aimable l'autorité royale en la faisant respecter, et les sujets avaient un père affectionné dans un vizir fidèle au prince. Atalmuc avait parmi ses secrétaires un jeune Cachemirien, appelé Zéangir, qu'il aimait plus que les autres. Il prenait plaisir à son entretien, le menait avec lui à la chasse, et lui découvrait jusqu'à ses plus secrètes pensées. Un jour qu'ils chassaient ensemble dans un bois, le vizir, voyant deux corbeaux qui croassaient sur un arbre, dit à son secrétaire : Je voudrais bien savoir ce que ces oiseaux se disent en leur langage. Seigneur, lui répondit le Cachemirien, vos souhaits peuvent s'accomplir. Eh! comment cela ? reprit Atalmuc. C'est, repartit Zéangir, qu'un derviche cabaliste m'a enseigné la langue des oiseaux,

Si vous le souhaitez, j'écouterai ceux-ci et je vous répéterai mot pour mot tout ce que je leur aurai entendu dire.

Le vizir y consentit. Le Cachemirien s'approcha des corbeaux et parut leur prêter une oreille attentive. Après quoi, revenant à son maître : Seigneur, lui dit-il, le croirez-vous ? nous faisons le sujet de leur conversation. Cela n'est pas possible! s'écria le ministre persan. Eh! que disent-ils de nous ? Un des deux, reprit le secrétaire, a dit : Le voilà lui-même, ce grand vizir Atalmuc, cet aigle tutélaire qui couvre de ses ailes la Perse comme son nid, et qui veille sans cesse à sa conservation. Pour se délasser de ses pénibles travaux, il chasse dans ce bois avec son fidèle Zéangir. Que ce secrétaire est heureux de servir un maître qui a mille bontés pour lui! Doucement, a interrompu l'autre corbeau, doucement. Ne vante pas tant le bonheur de ce Cachemirien! Atalmuc, il est vrai, s'entretient avec lui familièrement, l'honore de sa confiance, et je ne doute pas même qu'il n'ait dessein de lui donner un emploi considérable; mais avant ce temps-là Zéangir mourra de faim. Ce pauvre diable est logé dans une petite chambre garnie, où il manque des choses les plus nécessaires. En un mot, il mène une vie misérable, sans que personne s'en aperçoive à la Cour. Le grand vizir ne s'avise pas de s'informer s'il est bien ou mal dans ses affaires, et, content d'avoir pour lui de bons sentiments, il le laisse en proie à la pauvreté.

Je cessai de parler en cet endroit pour voir venir le duc de Lerme, qui me demanda en souriant quelle impression cet apologue avait faite sur l'esprit d'Atalmuc, et si ce grand vizir ne s'était point offensé de la hardiesse de son secrétaire. Non, Monseigneur, lui répondis-je, un peu troublé de sa question; la fable dit au contraire qu'il le combla de bienfaits. Cela est heureux, reprit le duc d'un air sérieux. Il y a des ministres qui ne trouveraient pas bon qu'on leur fît des leçons. Mais, ajouta-t-il en rompant l'entretien et en se levant, je crois que le roi ne tardera guère à se réveiller. Mon devoir m'appelle auprès de lui. A ces mots, il marcha vers le palais à grands pas sans me parler davantage, et très mal affecté, à ce qu'il me semblait, de ma fable indienne.

Je le suivis jusqu'à la porte de la chambre de Sa Majesté; après quoi j'allai remettre les papiers dont j'étais chargé à l'endroit où je les avais pris. J'entrai dans un cabinet où nos deux secrétaires copistes travaillaient, car ils étaient aussi du voyage. Qu'avez-vous, seigneur de Santillane ? dirent-ils en me voyant. Vous êtes bien ému! Vous serait-il arrivé quelque désagréable accident ?

J'étais trop plein du mauvais succès de mon apologue, pour leur cacher ma douleur. Je leur fis le récit des choses que j'avais dites au duc, et ils se montrèrent sensibles à la vive affliction dont je leur parus saisi. Vous avez sujet d'être chagrin, me dit l'un des deux. Puissiez-vous être mieux traité que ne le fut un secrétaire du cardinal Spinosa! Ce secrétaire, las de ne rien recevoir depuis quinze mois qu'il était occupé par Son Eminence, prit un jour la liberté de lui représenter ses besoins et de demander quelque argent pour vivre. Il est juste, lui dit le ministre, que vous soyez payé. Tenez, poursuivit-il, en lui mettant entre les mains une ordonnance de mille ducats, allez toucher cette somme au Trésor royal; mais souvenez-vous en même temps que je vous remercie de vos services. Le secrétaire se serait consolé d'être congédié, s'il eût reçu ses mille ducats, et qu'on l'eût laissé chercher de l'emploi ailleurs; mais en sortant de chez le cardinal, il fut arrêté par un alguazil et conduit à la tour de Ségovie où il a été longtemps prisonnier.

Ce trait historique redoubla ma frayeur. Je me crus perdu; et, ne pouvant m'en consoler, je commençai à me reprocher mon impatience, comme si je n'eusse pas été assez patient. Hélas! disais-je, pourquoi faut-il que j'aie hasardé cette malheureuse fable qui a déplu au ministre? Il était peut-être sur le point de me tirer de mon état misérable. Peut-être même allais-je faire une de ces fortunes subites qui étonnent tout le monde. Que de richesses! que d'honneurs m'échappent par mon étourderie! Je devais bien faire réflexion qu'il y a des grands qui n'aiment pas qu'on les prévienne et qui veulent qu'on reçoive d'eux comme des grâces jusqu'aux moindres choses qu'ils sont obligés de donner. Il eût mieux valu continuer ma diète sans en rien témoigner au duc, et me laisser même mourir de faim pour mettre tout le tort de son côté.

Quand j'aurais encore conservé quelque espérance, mon maître, que je vis l'après-dînée, me l'eût fait perdre entièrement. Il fut fort sérieux avec moi contre son ordinaire, et il ne me parla point du tout. Ce qui me causa le reste du jour une inquiétude mortelle. Je ne passai pas la nuit plus tranquillement. Le regret de voir évanouir mes agréables illusions, et la crainte d'augmenter le nombre des prisonniers d'Etat, ne me permirent que de soupirer et de faire des lamentations.

Le jour suivant fut le jour de crise. Le duc me fit appeler le matin. J'entrai dans sa chambre plus tremblant qu'un criminel qu'on va juger. Santillane, me dit-il en me montrant un papier qu'il avait à la main, prends cette ordonnance... Je frémis à ce mot d'ordonnance, et dis en moi-même : O Ciel! voici le cardinal Spinosa. La voiture est prête pour Ségovie. La frayeur qui me saisit dans ce moment-là fut telle, que j'interrompis le ministre, en me jetant à ses pieds : Monseigneur, lui dis-je, tout en pleurs, je supplie très humblement Votre Excellence de me pardonner ma hardiesse. C'est la nécessité qui m'a forcé de vous apprendre ma misère.

Le duc ne put s'empêcher de rire du désordre où il me

voyait. Console-toi, Gil Blas, me répondit-il et m'écoute. Quoiqu'en me découvrant tes besoins ce soit me reprocher de ne les avoir pas prévenus, je ne t'en sais point mauvais gré, mon ami. Je me veux plutôt du mal à moi-même de ne t'avoir pas demandé comme tu vivais. Mais, pour commencer à réparer cette faute d'attention, je te donne une ordonnance de quinze cents ducats, qui te seront comptés à vue au Trésor royal. Ce n'est pas tout : je t'en promets autant chaque année; et de plus, quand des personnes riches et généreuses te prieront de leur rendre service, je ne te défends pas de me parler en leur faveur.

Dans le ravissement où me jetèrent ces paroles, je baisai les pieds du ministre, qui, m'ayant commandé de me relever, continua de s'entretenir familièrement avec moi. Je voulus de mon côté rappeler ma belle humeur; mais je ne pus passer si tôt de la douleur à la joie. Je demeurai aussi troublé qu'un malheureux qui entend crier grâce au moment qu'il croit aller recevoir le coup de la mort. Mon maître attribua toute mon agitation à la seule crainte de lui avoir déplu, quoique la peur d'une prison perpétuelle n'y eût pas moins de part. Il m'avoua qu'il avait affecté de me paraître refroidi, pour voir si je serais bien sensible à ce changement; qu'il jugeait par là de la vivacité de mon attachement à sa personne, et qu'il m'en aimait davantage.

CHAPITRE VII

Du bon usage qu'il fit de ses quinze cents ducats;
de la première affaire dont il se mêla;
et quel profit il lui en revint.

Le roi, comme s'il eût voulu servir mon impatience, retourna dès le lendemain à Madrid. Je volai d'abord au Trésor royal, où je touchai sur-le-champ la somme contenue dans mon ordonnance. Je n'écoutai plus alors que mon ambition et ma vanité. J'abandonnai ma misérable chambre garnie aux secrétaires qui ne savaient pas encore la langue des oiseaux, et je louai pour la seconde fois mon bel appartement, qui par bonheur ne se trouva point occupé. J'envoyai chercher un fameux tailleur qui habillait presque tous les petits-maîtres. Il prit ma mesure, et me mena chez un marchand, où il leva cinq aunes de drap qu'il fallait, disait-il, pour me faire un habit. Cinq aunes pour un habit à l'espagnole! juste Ciel!... Mais n'épiloguons pas là-dessus. Les tailleurs qui sont en réputation en prennent toujours plus que les autres. J'achetai ensuite du linge dont j'avais grand besoin, des bas de soie, avec un castor bordé d'un point d'Espagne.

Après cela, ne pouvant honnêtement me passer de laquais, je priai Vincent Forero, mon hôte, de m'en donner un de sa main. La plupart des étrangers qui venaient loger chez lui avaient coutume, en arrivant à Madrid, de prendre à leur service des valets espagnols. Ce qui ne manquait pas d'attirer dans cet hôtel tous les laquais qui se trouvaient hors de condition. Le premier qui se présenta était un garçon d'une mine si douce et si dévote, que je n'en voulus point. Je crus voir Ambroise de Lamela. Je n'aime pas, dis-je à Forero, les valets qui ont un air si vertueux. J'y ai été attrapé.

A peine eus-je éconduit ce laquais, que j'en vis arriver un autre. Celui-ci paraissait fort éveillé, plus hardi qu'un page de cour et avec cela un peu fripon. Il me plut. Je lui fis des questions. Il y répondit avec esprit. Je remarquai même qu'il était intrigant. Je le regardai comme un sujet qui me convenait. Je l'arrêtai. Je n'eus pas lieu de m'en repentir. Je m'aperçus même bientôt que j'avais fait une admirable acquisition. Comme le duc m'avait permis de lui parler en faveur des personnes à qui je voudrais rendre service, et que j'étais dans le dessein de ne pas négliger cette permission, il me fallait un chien de chasse pour découvrir le gibier, c'est-à-dire un drôle qui eût de l'industrie, et fût propre à déterrer et à m'amener des gens qui auraient des grâces à demander au premier ministre. C'était justement le fort de Scipion. Ainsi se nommait mon laquais. Il sortait de chez doña Anna de Guevara, nourrice du prince d'Espagne, où il avait bien exercé ce talent-là.

Aussitôt que je lui appris que j'avais du crédit et que je serais bien aise d'en profiter, il se mit en campagne, et, dès le même jour, il me dit : Seigneur, j'ai fait une assez bonne découverte. Il vient d'arriver à Madrid un jeune gentilhomme grenadin, appelé don Roger de Rada. Il a eu une affaire d'honneur qui l'oblige à rechercher la protection du duc de Lerme; et il est disposé à bien payer le plaisir qu'on lui fera. Je lui ai parlé. Il avait envie de s'adresser à don Rodrigue de Calderone, dont on lui a vanté le pouvoir; mais je l'en ai détourné, en lui faisant entendre que ce secrétaire vendait ses bons offices au poids de l'or, au lieu que vous vous contentiez pour les vôtres d'une honnête marque de reconnaissance : que vous feriez même les choses pour rien, si vous étiez dans une situation qui vous permît de suivre votre inclination généreuse et désintéressée. Enfin, je lui ai parlé de manière que vous verrez demain matin ce gentilhomme à votre lever. Comment donc, lui dis-je, monsieur Scipion, vous avez déjà fait bien de la besogne! Je m'aperçois que vous n'êtes pas neuf en matière d'intrigues. Je m'étonne que vous n'en soyez pas plus riche. C'est ce qui ne doit pas vous surprendre, me répondit-il; j'aime à faire circuler les espèces. Je ne thésaurise point.

Don Roger de Rada vint effectivement chez moi. Je le reçus avec une politesse mêlée de fierté. Seigneur cavalier, lui dis-je, avant que je m'engage à vous servir, je veux savoir l'affaire d'honneur qui vous amène à la Cour, car elle pourrait être telle, que je n'oserais parler pour vous au premier ministre. Faites-m'en donc, s'il vous plaît, un rapport fidèle, et soyez persuadé que j'entrerai chaudement dans vos intérêts, si un galant homme peut les épouser. Très volontiers, me répondit le jeune Grenadin, je vais vous conter sincèrement mon histoire. En même temps, il m'en fit le récit de cette sorte.

CHAPITRE VIII

Histoire de don Roger de Rada.

Don Anastasio de Rada, gentilhomme grenadin, vivait heureux dans la ville d'Antequerre, avec doña Estephania, son épouse, qui joignait à une vertu solide un esprit doux et une extrême beauté. Si elle aimait tendrement son mari, elle en était aimée éperdument. Il était de son naturel fort porté à la jalousie, et, quoiqu'il n'eût aucun sujet de douter de la fidélité de sa femme, il ne laissait pas d'avoir de l'inquiétude. Il appréhendait que quelque secret ennemi de son repos n'attentât à son honneur. Il se défiait de tous ses amis, excepté de don Huberto de Hordalès, qui venait librement dans sa maison en qualité de cousin d'Estéphanie, et qui était le seul homme dont il dût se défier.

Effectivement don Huberto devint amoureux de sa cousine, et osa lui déclarer son amour, sans avoir égard au sang qui les unissait ni à l'amitié particulière que don Anastasio avait pour lui. La dame, qui était prudente, au lieu de faire un éclat qui aurait eu de fâcheuses suites, reprit son parent avec douceur, lui représenta jusqu'à quel point il était coupable de vouloir la séduire et déshonorer son mari, et lui dit fort sérieusement qu'il ne devait point se flatter de l'espérance d'y réussir.

Cette modération ne servit qu'à enflammer davantage le cavalier, qui, s'imaginant qu'il fallait pousser à bout une femme de ce caractère-là, commença d'avoir avec elle des manières peu respectueuses, et eut l'audace un jour de la presser de satisfaire ses désirs. Elle le repoussa d'un air sévère et le menaça de faire punir sa témérité par don Anastasio. Le galant, effrayé de la menace, promit de ne plus parler d'amour, et sur la foi de cette promesse Estéphanie lui pardonna le passé.

Don Huberto, qui, naturellement, était un très méchant homme, ne put voir sa passion si mal payée, sans concevoir une lâche envie de s'en venger. Il connaissait don Anastasio pour un jaloux susceptible de toutes les impressions qu'il voudrait lui donner. Il n'eut besoin que de cette connaissance pour former le dessein le plus noir dont un scélérat puisse être capable. Un soir qu'il se promenait seul avec ce faible époux, il lui dit de l'air du monde le plus triste : Mon cher ami, je ne puis vivre plus longtemps sans vous révéler un secret que je n'aurais garde de vous découvrir, si votre honneur ne vous était pas plus cher que votre repos, mais votre délicatesse et la mienne en matière d'offenses ne me permettent pas de vous cacher ce qui se passe chez vous. Préparez-vous à entendre une nouvelle qui vous causera autant de douleur que de surprise. Je vais vous frapper par l'endroit le plus tendre.

Je vous entends, interrompit don Anastasio déjà tout troublé, votre cousine m'est infidèle. Je ne la reconnais plus pour ma cousine, reprit Hordalès d'un air emporté; je la désavoue; et elle est indigne de vous avoir pour mari. C'est trop me faire languir, s'écria don Anastasio. Parlez. Qu'a fait Estéphanie ? Elle vous a trahi, repartit don Huberto. Vous avez un rival qu'elle écoute en secret, mais que je ne puis vous nommer : car l'adultère à la faveur d'une épaisse nuit s'est dérobé aux yeux qui l'observaient. Tout ce que je sais : c'est qu'on vous trompe. C'est un fait dont je suis certain. L'intérêt que je dois prendre à cette affaire ne vous répond que trop de la vérité de mon rapport. Puisque je me déclare contre Estéphanie, il faut que je sois bien convaincu de son infidélité.

Il est inutile, continua-t-il en remarquant que ses discours faisaient l'effet qu'il en attendait, il est inutile de vous en dire davantage. Je m'aperçois que vous êtes indigné de l'ingratitude dont on ose payer votre amour; et que vous méditez une juste vengeance. Je ne m'y opposerai point. N'examinez pas quelle est la victime que vous allez frapper. Montrez à toute la ville qu'il n'est rien que vous ne puissiez immoler à votre honneur.

Le traître animait ainsi un époux trop crédule contre une femme innocente; et il lui peignit avec de si vives couleurs l'infamie dont il demeurerait couvert, s'il laissait l'affront impuni, qu'il le mit enfin en fureur. Voilà don Anastasio qui perd le jugement. Il semble que les furies l'agitent. Il retourne chez lui dans la résolution de poignarder sa malheureuse épouse. Elle était prête à se mettre au lit quand il arriva. Il se contraignit d'abord et attendit que les domestiques fussent retirés. Alors, sans être retenu par la crainte de la colère céleste, ni par le déshonneur qui allait rejaillir sur une honnête famille, ni même par la pitié naturelle qu'il devait avoir d'un enfant de six mois que sa femme portait dans ses flancs, il s'approcha de sa victime, et lui dit d'un ton furieux : Il faut périr, misérable! et tu n'as plus qu'un moment à vivre, que ma bonté te laisse pour prier le Ciel de te pardonner l'outrage que tu m'as fait. Je ne veux pas que tu perdes ton âme, comme tu as perdu ton honneur.

En disant cela, il tira son poignard. Son action et son discours épouvantèrent Estéphanie, qui, se jetant à ses genoux, lui dit les mains jointes et tout éperdue : Qu'avez-vous, Seigneur ? Quel sujet de mécontentement ai-je eu le malheur de vous donner, pour vous porter à cette extrémité ? Pourquoi voulez-vous arracher la vie à votre épouse ? Si vous la soupçonnez de ne vous être pas fidèle, vous êtes dans l'erreur.

Non, non, reprit brusquement le jaloux; je ne suis que trop assuré de votre trahison. Les personnes qui m'en ont averti sont dignes de foi. Don Huberto... Ah! Seigneur, interrompit-elle avec précipitation, vous devez vous défier de don Huberto. Il est moins votre ami que vous ne pensez. S'il vous a dit quelque chose au désavantage de ma vertu, ne le croyez pas. Taisez-vous, infâme que vous êtes! répliqua don Anastasio. En voulant me prévenir contre Hordalès, vous justifiez mes soupçons au lieu de les dissiper. Vous tâchez de me rendre ce parent suspect, parce qu'il est instruit de votre mauvaise conduite. Vous voudriez bien affaiblir son témoignage; mais cet artifice est inutile et redouble l'envie que j'ai de vous punir. Mon cher époux, reprit l'innocente Estéphanie en pleurant amèrement, craignez votre aveugle colère. Si vous en suivez les mouvements, vous commettrez une action dont vous ne pourrez vous consoler, quand vous en aurez reconnu l'injustice. Au nom de Dieu, calmez vos transports! Donnez-vous du moins le temps d'éclaircir vos soupçons. Vous rendrez plus de justice à une femme qui n'a rien à se reprocher.

Tout autre que don Anastasio aurait été touché de ces paroles, et encore plus de l'affliction de la personne qui venait de les prononcer; mais le cruel, loin d'en paraître attendri, dit à la dame, une seconde fois, de se recommander promptement à Dieu, et leva même le bras pour la frapper. Arrête, barbare! lui cria-t-elle. Si l'amour que tu as eu pour moi est entièrement éteint : si les marques de tendresse que je t'ai prodiguées sont effacées de ton souvenir : si mes larmes ne sauraient te détourner de ton exécrable dessein, respecte ton propre sang! N'arme pas ta main furieuse contre un innocent qui n'a point encore vu la lumière. Tu ne peux devenir son bourreau, sans offenser le Ciel et la terre. Pour moi, je te pardonne ma mort; mais, n'en doute pas, la sienne demandera justice d'un si horrible forfait.

Quelque déterminé que fût don Anastasio à ne faire aucune attention à ce que pourrait lui dire Estéphanie, il ne laissa pas d'être ému des images affreuses que ces derniers mots présentèrent à son esprit. Aussi, comme s'il eût craint que son émotion ne trahît son ressentiment, il se hâta de profiter de la fureur qui lui restait et plongea son poignard dans le côté droit de sa femme. Elle tomba dans le moment. Il la crut morte. Il sortit aussitôt de sa maison, et disparut d'Antequerre.

Cependant cette épouse infortunée fut si étourdie du coup qu'elle avait reçu, qu'elle demeura quelques instants à terre, comme une personne sans vie. Ensuite, reprenant ses esprits, elle fit des plaintes et des lamentations qui attirèrent auprès d'elle une vieille femme qui la servait. Dès que cette bonne vieille vit sa maîtresse dans un si pitoyable état, elle poussa des cris qui dissipèrent le sommeil des autres domestiques et même des plus proches voisins. La chambre fut bientôt remplie de monde. On appela des chirurgiens. Ils visitèrent la plaie, et n'en eurent pas mauvaise opinion. Ils ne se trompèrent point dans leur conjecture. Ils guérirent même en assez peu de temps Estéphanie, qui accoucha fort heureusement d'un fils trois mois après cette cruelle aventure. Et c'est ce fils, seigneur Gil Blas, que vous voyez en moi. Je suis le fruit de ce triste enfantement.

Quoique la médisance n'épargne guère la vertu des femmes, elle respecta pourtant celle de ma mère; et cette scène sanglante ne passa dans la ville que pour le transport d'un mari jaloux. Il est vrai que mon père y était connu pour un homme violent et fort sujet à prendre trop facilement ombrage. Hordalès jugea bien que sa parente le soupçonnait d'avoir troublé par des fables l'esprit de don Anastasio, et, satisfait de s'être du moins à demi vengé d'elle, il cessa de la voir. De peur d'ennuyer Votre Seigneurie, je ne m'étendrai point sur l'éducation qu'on m'a donnée. Je dirai seulement que ma mère s'est principalement attachée à me faire apprendre l'escrime, et que j'ai longtemps fait des armes dans les plus célèbres salles de Grenade et de Séville. Elle attendait avec impatience que je fusse en âge de mesurer mon épée à celle de don Huberto, pour m'instruire du sujet qu'elle avait de se plaindre de lui; et, me voyant, enfin, dans ma dix-huitième année, elle m'en fit confidence, non sans répandre des pleurs abondamment, ni paraître saisie d'une vive douleur. Quelle impression ne fait pas une mère en cet état sur un fils qui a du courage et du sentiment! J'allai sur-le-champ trouver Hordalès. Je l'attirai dans un endroit écarté, où, après un assez long combat, je le perçai de trois coups d'épée, et le jetai sur le carreau.

Don Huberto, se sentant mortellement blessé, attacha sur moi ses derniers regards, et me dit qu'il recevait la mort que je lui donnais, comme une juste punition du crime qu'il avait commis contre l'honneur de ma mère. Il confessa que c'était pour se venger de ses rigueurs qu'il s'était résolu à la perdre. Puis il expira en demandant pardon de sa faute au Ciel, à don Anastasio, à Estéphanie et à moi. Je ne jugeai point à propos de retourner au logis pour informer ma mère de cet événement. J'en laissai le soin à la renommée. Je passai les montagnes et me rendis à la ville de Malaga, où je m'embarquai avec un armateur qui sortait du port pour aller en course. Je lui parus ne pas manquer de cœur. Il consentit volontiers que je me joignisse aux enfants de bonne volonté qu'il avait sur son bord.

Nous ne tardâmes guère à trouver une occasion de nous signaler. Nous rencontrâmes aux environs de l'île d'Albouran un corsaire de Melilla qui retournait vers les côtes d'Afrique avec un bâtiment espagnol qu'il avait pris à la hauteur de Carthagène, et qui était richement chargé. Nous attaquâmes vivement l'Africain, et nous nous rendîmes maîtres de ses deux vaisseaux, où il y avait quatre-vingts chrétiens qu'il emmenait esclaves en Barbarie. Alors profitant d'un vent qui s'éleva, et qui nous était favorable pour gagner la côte de Grenade, nous arrivâmes en peu de temps à Punta de Helena.

Comme nous demandions aux esclaves que nous avions délivrés de quel endroit ils étaient, je fis cette question à un homme de très bonne mine, et qui pouvait bien avoir cinquante ans. Il me répondit en soupirant qu'il était d'Antequerre. Je me sentis ému de sa réponse sans savoir pourquoi; et mon émotion, dont il s'aperçut, excita en lui un trouble que je remarquai. Je suis, lui dis-je, votre concitoyen. Peut-on vous demander le nom de votre famille ? Hélas! me répondit-il, vous renouvelez ma douleur en exigeant de moi que je satisfasse votre curiosité. Il y a dix-huit années que j'ai quitté le séjour d'Antequerre, où l'on ne doit se souvenir de moi qu'avec horreur. Vous n'avez peut-être vous-même que trop entendu parler de moi. Je me nomme don Anastasio de Rada. Juste Ciel! m'écriai-je, dois-je croire ce que j'entends ? Quoi! ce serait don Anastasio, ce serait mon père que je verrais ? Que dites-vous, jeune homme ? s'écria-t-il à son tour en me considérant avec surprise. Serait-il bien possible que vous fussiez cet enfant malheureux qui était encore dans les flancs de sa mère, quand je la sacrifiai à ma fureur ? Oui, mon père, lui dis-je, c'est moi que la vertueuse Estéphanie a mis au monde trois mois après la nuit funeste où vous la laissâtes noyée dans son sang.

Don Anastasio n'attendit pas que j'eusse achevé ces paroles pour se jeter à mon cou. Il me serra entre ses bras et nous ne fîmes pendant un quart d'heure que confondre nos soupirs et nos larmes. Après nous être abandonnés aux tendres mouvements qu'une pareille reconnaissance ne pouvait manquer d'exciter en nous, mon père leva les yeux au Ciel pour le remercier d'avoir sauvé Estéphanie, mais un moment après, comme s'il eût craint de lui rendre grâces mal à propos, il m'adressa la parole et me demanda de quelle manière on avait reconnu l'innocence de sa femme. Seigneur, lui répondis-je, personne que vous n'en a jamais douté. La conduite de votre épouse a toujours été sans reproche. Il faut que je vous désabuse. Sachez que c'est don Huberto qui vous a trompé. En même temps, je lui contai toute la perfidie de ce parent : quelle vengeance j'en avais tirée, et ce qu'il m'avait avoué en mourant.

Mon père fut moins sensible au plaisir d'avoir recouvré la liberté qu'à celui d'entendre les nouvelles que je lui annonçais. Il recommença dans l'excès de la joie qui le transportait à m'embrasser tendrement. Il ne pouvait se lasser de me témoigner combien il était content de moi. Allons, mon fils, me dit-il, prenons vite le chemin d'Antequerre. Je brûle d'impatience de me jeter aux pieds d'une épouse que j'ai si indignement traitée. Depuis que vous m'avez fait connaître mon injustice, j'ai des remords qui me déchirent le cœur.

J'avais trop d'envie de rassembler ces deux personnes qui m'étaient si chères, pour en retarder le doux moment. Je quittai l'armateur et, de l'argent que je reçus pour ma part de la prise que nous avions faite, j'achetai à Adra deux mules, mon père ne voulant plus s'exposer aux périls de la mer. Il eut tout le loisir sur la route de me raconter ses aventures, que j'écoutai avec cette avide attention que prêta le prince d'Ithaque au récit de celles du roi son père. Enfin, après plusieurs journées, nous nous rendîmes au bas de la montagne la plus voisine d'Antequerre, et nous fîmes halte en cet endroit. Comme nous voulions arriver secrètement au logis, nous n'entrâmes dans la ville qu'au milieu de la nuit.

Je vous laisse à imaginer la surprise où fut ma mère de revoir un mari qu'elle croyait avoir perdu pour jamais; et la manière, pour ainsi dire, miraculeuse dont il lui était rendu devenait encore pour elle un autre sujet d'étonnement. Il lui demanda pardon de sa barbarie avec des marques si vives de repentir, qu'elle ne put se défendre d'en être touchée. Au lieu de le regarder comme un assassin, elle ne vit plus en lui qu'un homme à qui le Ciel l'avait soumise, tant le nom d'époux est sacré pour une femme qui a de la vertu! Estéphanie avait été si en peine de moi, qu'elle fut charmée de mon retour. Elle n'en ressentit pas toutefois une joie pure. Une sœur de Hordalès procédait criminellement contre le meurtrier de son frère. Elle me faisait chercher partout; de sorte que ma mère, ne me voyant pas en sûreté dans notre maison, n'était pas sans inquiétude. Cela m'obligea dès cette nuit-là même de partir pour la Cour, où je viens, seigneur, solliciter ma grâce, que j'espère obtenir, puisque vous voulez bien parler en ma faveur au premier ministre et m'appuyer de tout votre crédit.

Le vaillant fils de don Anastasio finit là son récit. Après quoi je lui dis d'un air important : C'est assez, seigneur don Roger, le cas me paraît graciable. Je me charge de détailler votre affaire à Son Excellence, dont j'ose vous promettre la protection. Le Grenadin sur cela se répandit en remerciements qui ne m'auraient fait qu'entrer par une oreille et sortir par l'autre, s'il ne m'eût assuré que sa reconnaissance suivrait de près le service que je lui rendrais. Mais d'abord qu'il eut touché cette corde-là, je me mis en mouvement. Dès le jour même je contai cette histoire au duc, qui, m'ayant permis de lui présenter le cavalier, lui dit : Don Roger, je suis instruit de l'affaire d'honneur qui vous a fait venir à la Cour. Santillane m'en a dit toutes les circonstances. Ayez l'esprit tranquille. Vous n'avez rien fait qui ne soit excusable, et c'est particulièrement aux gentilshommes qui vengent leur honneur offensé que Sa Majesté aime à faire grâce. Il faut pour la forme vous mettre en prison; mais soyez assuré que vous n'y demeurerez pas longtemps. Vous avez dans Santillane un bon ami qui se chargera du reste. Il hâtera votre élargissement.

Don Roger fit une profonde révérence au ministre, sur la parole duquel il alla se constituer prisonnier. Ses lettres de grâce furent bientôt expédiées par mes soins. En moins de dix jours j'envoyai ce nouveau Télémaque rejoindre son Ulysse et sa Pénélope; au lieu que, s'il n'eût pas eu de protecteur, il n'en aurait peut-être pas été quitte pour une année de prison. Je ne tirai de cela que cent pistoles. Ce n'était point là un grand coup de filet; mais je n'étais pas encore un Calderone pour mépriser les petits.

CHAPITRE IX

Par quels moyens Gil Blas fit en peu de temps une fortune considérable, et des grands airs qu'il se donna.

Cette affaire me mit en goût, et dix pistoles que je donnai à Scipion pour son droit de courtage l'encouragèrent à faire de nouvelles recherches. J'ai déjà vanté ses talents là-dessus. On aurait pu l'appeler à juste titre le grand Scipion. Il m'amena pour second chaland un imprimeur de livres de chevalerie, qui s'était enrichi en dépit du bon sens. Cet imprimeur avait contrefait un ouvrage d'un de ses confrères, et son édition avait été saisie. Pour trois cents ducats, je lui fis avoir mainlevée de ses exemplaires, et lui sauvai une grosse amende. Quoique cela ne regardât point le premier ministre, Son Excellence voulut bien à ma prière interposer son autorité. Après l'imprimeur, il me passa par les mains un négociant, et voici de quoi il s'agissait : un vaisseau portugais avait été pris par un corsaire de Barbarie et repris ensuite par un armateur de Cadix. Les deux tiers des marchandises dont il était chargé appartenaient à un marchand de Lisbonne, qui, les ayant inutilement revendiquées, venait à la cour d'Espagne chercher un protecteur qui eût assez de crédit pour les lui faire rendre. Je m'intéressai pour lui, et il rattrapa ses effets moyennant la somme de quatre cents pistoles dont il fit présent à la protection.

Il me semble que j'entends un lecteur qui me crie en cet endroit : Courage, Monsieur de Santillane! mettez du foin dans vos bottes. Vous êtes en beau chemin. Poussez votre fortune. Oh! que je n'y manquerai pas. Je vois, si je ne me trompe, arriver mon valet avec un nouveau *quidam* qu'il vient d'accrocher. Justement, c'est Scipion. Ecoutons-le. Seigneur, me dit-il, souffrez que je vous présente ce fameux opérateur. Il demande un privilège pour débiter ses drogues pendant l'espace de dix années dans toutes les villes de la monarchie d'Espagne, à l'exclusion de tous autres; c'est-à-dire qu'il soit défendu aux personnes de sa profession de s'établir dans les lieux où il sera. Par reconnaissance il comptera deux cents pistoles à celui qui lui remettra ledit privilège expédié. Je dis au saltimbanque, en tranchant du protecteur : Allez, mon ami, je ferai votre affaire. Véritablement, peu de jours après, je le renvoyai avec des patentes qui lui permettaient de tromper le peuple exclusivement dans tous les royaumes d'Espagne.

Outre que je me sentais plus avide à mesure que je devenais plus riche, j'avais obtenu de Son Excellence si facilement les quatre grâces dont je viens de parler, que je ne balançai point à lui en demander une cinquième. C'était le gouvernement de la ville de Vera sur la côte de Grenade, pour un chevalier de Calatrave qui m'en offrait mille pistoles. Le ministre se prit à rire en me voyant si âpre à la curée. Vive Dieu! ami Gil Blas, me dit-il, comme vous y allez! Vous aimez furieusement à obliger votre prochain. Ecoutez : lorsqu'il ne sera question que de bagatelles, je n'y regarderai pas de si près; mais quand vous voudrez des gouvernements ou d'autres choses considérables, vous vous contenterez, s'il vous plaît, de la moitié du profit. Vous me tiendrez compte de l'autre. Vous ne sauriez vous imaginer, continua-t-il, la dépense que je suis obligé de faire, ni combien de ressources il me faut pour soutenir la dignité de mon poste; car malgré le désintéressement dont je me pare aux yeux du monde, je vous avoue que je ne suis point assez imprudent pour vouloir déranger mes affaires domestiques. Réglez-vous sur cela.

Mon maître par ce discours m'ôtant la crainte de l'importuner, ou plutôt m'excitant à retourner souvent à la charge, me rendit encore plus affamé de richesses que je ne l'étais auparavant. J'aurais alors volontiers fait afficher que tous ceux qui souhaitaient d'obtenir des grâces de la cour n'avaient qu'à s'adresser à moi. J'allais d'un côté, Scipion de l'autre. Je ne cherchais qu'à faire plaisir pour de l'argent. Mon chevalier de Calatrave eut le gouvernement de Vera pour ses mille pistoles, et j'en fis bientôt accorder un autre pour le même prix à un chevalier de Saint-Jacques. Je ne me contentai pas de faire des gouverneurs, je donnai des ordres de Chevalerie et convertis quelques bons roturiers en mauvais gentilshommes par d'excellentes lettres de noblesse. Je voulus aussi que le clergé se ressentît de mes bienfaits. Je conférai de petits bénéfices, des canonicats et quelques dignités ecclésiastiques. A l'égard des évêchés et des archevêchés, c'était don Rodrigue de Calderone qui en était le collateur. Il nommait encore aux magistratures, aux commanderies et aux vice-royautés. Ce qui suppose que les grandes places n'étaient pas mieux remplies que les petites; car les sujets que nous choisissions pour occuper les postes dont nous faisions un si honnête trafic n'étaient pas toujours les plus habiles gens du monde, ni les plus réglés. Nous savions bien que dans Madrid les railleurs s'égayaient là-dessus à nos dépens; mais nous ressemblions aux avares qui se consolent des huées du peuple en revoyant leur or.

Isocrate [101] a raison d'appeler l'intempérance et la folie les compagnes inséparables des riches. Quand je me vis maître de trente mille ducats, et en état d'en gagner peut-être dix fois autant, je crus devoir faire une figure digne d'un confident de premier ministre. Je louai un hôtel entier que je fis meubler proprement. J'achetai le carrosse d'un *escrivano* [a] qui se l'était donné par ostentation et qui cherchait à s'en défaire par le conseil de son boulanger. Je pris un cocher, trois laquais, et, comme il est juste d'avancer ses anciens domestiques, j'élevai Scipion au triple honneur d'être mon valet de chambre, mon secrétaire et mon intendant. Mais ce qui mit le comble à mon orgueil, c'est que le ministre trouva bon que mes gens portassent sa livrée. J'en perdis ce qui me restait de jugement. Je n'étais guère moins fou que les disciples de Porcius Latro [102], qui, lorsqu'à force d'avoir bu du cumin, ils s'étaient rendus aussi pâles que leur maître, s'imaginaient être aussi savants que lui; peu s'en fallait que je ne me crusse parent du duc de Lerme. Je me mis du moins dans la tête que je passerais pour tel, ou peut-être pour un de ses bâtards, ce qui me flattait infiniment.

Ajoutez à cela qu'à l'exemple de Son Excellence qui

a) *escrivano : greffier* [*Note de 1847*].

tenait table ouverte, je résolus de donner à manger. Pour cet effet, je chargeai Scipion de me déterrer un habile cuisinier, et il m'en trouva un qui était comparable peut-être à celui de Nomentanus [103], de friande mémoire. Je remplis ma cave de vins délicieux; et, après avoir fait mes autres provisions, je commençai à recevoir compagnie. Il venait souper chez moi tous les soirs quelques-uns des principaux commis des bureaux du ministre, qui prenaient fièrement la qualité de secrétaire d'Etat. Je leur faisais très bonne chère, et les renvoyais toujours bien abreuvés. De son côté, Scipion, car tel maître, tel valet, avait aussi sa table dans l'office, où il régalait à mes dépens les personnes de sa connaissance. Mais outre que j'aimais ce garçon-là, comme il contribuait à me faire gagner du bien, il me paraissait en droit de m'aider à le dépenser. D'ailleurs, je regardais ces dissipations en jeune homme, je ne voyais pas le tort qu'elles me faisaient. Une autre raison encore m'empêchait d'y prendre garde : les bénéfices et les emplois ne cessaient pas de faire venir l'eau au moulin. Je voyais mes finances augmenter de jour en jour. Je m'imaginai pour le coup avoir attaché un clou à la roue de la fortune.

Il ne manquait plus à ma vanité que de rendre Fabrice témoin de ma vie fastueuse. Je ne doutais pas qu'il ne fût de retour d'Andalousie, et, pour me donner le plaisir de le surprendre, je lui fis tenir un billet anonyme par lequel je lui mandais qu'un seigneur sicilien de ses amis l'attendait à souper. Je lui marquais le jour, l'heure et le lieu où il fallait qu'il se trouvât. Le rendez-vous était chez moi. Nuñez y vint, et fut extraordinairement étonné d'apprendre que j'étais le seigneur étranger qui l'avait invité à souper. Oui, lui dis-je, mon ami, je suis le maître de cet hôtel. J'ai un équipage, une bonne table, et de plus un coffre-fort. Est-il possible, s'écria-t-il avec vivacité, que je te retrouve dans l'opulence ? Que je me sais bon gré de t'avoir placé auprès du comte Galiano! Je te disais bien que c'était un seigneur généreux, et qu'il ne tarderait guère à te mettre à ton aise. Tu auras sans doute, ajouta-t-il, suivi le sage conseil que je t'avais donné de lâcher un peu la bride au maître d'hôtel. Je t'en félicite. Ce n'est qu'en tenant cette prudente conduite que les intendants deviennent si gras dans les grandes maisons.

Je laissai Fabrice s'applaudir tant qu'il lui plut de m'avoir mis chez le comte Galiano. Après quoi, pour modérer la joie qu'il sentait de m'avoir procuré un si bon poste, je lui détaillai les marques de reconnaissance dont ce seigneur avait payé mes services. Mais, m'apercevant que mon poète, pendant que je lui faisais ce détail, chantait en lui-même la palinodie, je lui dis : Je pardonne au Sicilien son ingratitude. Entre nous, j'ai plutôt sujet de m'en louer que de m'en plaindre. Si le comte n'en eût pas mal usé avec moi, je l'aurais suivi en Sicile, où je le servirais encore dans l'attente d'un établissement incertain. En un mot, je ne serais pas confident du duc de Lerme.

Nuñez fut si vivement frappé de ces derniers mots qu'il demeura quelques instants sans pouvoir proférer une parole. Puis rompant tout à coup le silence : L'ai-je bien entendu ? me dit-il. Quoi ! vous avez la confiance du premier ministre ? Je la partage, lui répondis-je, avec don Rodrigue de Calderone; et, selon toutes les apparences, j'irai loin. En vérité, seigneur de Santillane, répliqua-t-il, je vous admire. Vous êtes capable de remplir toute sorte d'emplois. Que de talents ! vous avez, pour me servir d'une expression de notre tripot, vous avez l'*outil universel*, c'est-à-dire vous êtes propre à tout. Au reste, seigneur, poursuivit-il, je suis ravi de la prospérité de Votre Seigneurie. Oh ! que diable, interrompis-je, monsieur Nuñez, trêve de seigneur et de seigneurie ! Bannissons ces termes-là et vivons toujours ensemble familièrement. Tu as raison, reprit-il; je ne dois pas te regarder d'un autre œil qu'à l'ordinaire, quoique tu sois devenu riche. Je t'avouerai ma faiblesse : en m'annonçant ton heureux sort, tu m'as ébloui; mais mon éblouissement se passe, et je ne vois plus en toi que mon ami Gil Blas.

Notre entretien fut troublé par quatre ou cinq commis qui arrivèrent. Messieurs, leur dis-je en leur montrant Nuñez, vous souperez avec le seigneur don Fabricio, qui fait des vers dignes du roi Numa [a], et qui écrit en prose comme on n'écrit point. Par malheur je parlais à des gens qui faisaient si peu de cas de la poésie, que le poète en pâtit. A peine daignèrent-ils jeter sur lui les yeux. Il eut beau, pour s'attirer leur attention, dire des choses très spirituelles, ils ne les sentirent pas. Il en fut si piqué, qu'il prit une licence poétique. Il s'échappa subtilement de la compagnie et disparut. Nos commis ne s'aperçurent pas de sa retraite, et se mirent à table, sans même s'informer de ce qu'il était devenu.

Comme j'achevais de m'habiller le lendemain matin et me disposais à sortir, le poète des Asturies entra dans ma chambre : Je te demande pardon, mon ami, me dit-il, si j'ai hier au soir rompu en visière à tes commis; mais, franchement, je me suis trouvé parmi eux si déplacé, que je n'ai pu y tenir. Les fastidieux personnages avec leur air suffisant et empesé ! Je ne comprends pas comment toi, qui as l'esprit délié, tu peux t'accommoder de convives si lourds. Je veux dès aujourd'hui, ajouta-t-il, t'en amener de plus légers. Tu me feras plaisir, lui répondis-je, et je m'en fie à ton goût là-dessus. Tu as raison, répliqua-t-il. Je te promets des génies supérieurs et des plus amusants.

a) *Les vers obscurs que chantaient les prêtres saliens* [104] *avaient été composés par Numa.*

Je vais de ce pas chez un marchand de liqueurs où ils vont s'assembler dans un moment. Je les retiendrai, de peur qu'ils ne s'engagent ailleurs; car c'est à qui les aura à dîner ou à souper, tant ils sont réjouissants.

A ces paroles, il me quitta, et le soir, à l'heure du souper, il revint accompagné seulement de six auteurs qu'il me présenta, l'un après l'autre, en me faisant leur éloge. A l'entendre, ces beaux esprits surpassaient ceux de la Grèce et de l'Italie, et leurs ouvrages, disait-il, méritaient d'être imprimés en lettres d'or. Je reçus ces messieurs très poliment. J'affectai même de les combler d'honnêtetés; car la nation des auteurs est un peu vaine et glorieuse. Quoique je n'eusse pas recommandé à Scipion d'avoir soin que l'abondance régnât dans ce repas, comme il savait quelle sorte de gens je devais ce jour-là régaler, il avait fait renforcer les services.

Enfin, nous nous mîmes à table fort gaiement. Mes poètes commencèrent à s'entretenir d'eux-mêmes et à se louer. Celui-ci d'un air fier citait les grands seigneurs et les femmes de qualité dont sa muse faisait les délices. Celui-là, blâmant le choix qu'une académie de gens de lettres venait de faire de deux sujets, disait modestement que c'était lui qu'elle aurait dû choisir. Il n'y avait pas moins de présomption dans les discours des autres. Au milieu du souper, les voilà qui m'assassinent de vers et de prose. Ils se mettent à réciter à la ronde chacun un morceau de ses récits. L'un débite un sonnet, l'autre déclame une scène tragique, et un autre lit la critique d'une comédie. Un quatrième voulant à son tour faire la lecture d'une ode d'Anacréon, traduite en mauvais vers espagnols, est interrompu par un de ses confrères qui lui dit qu'il s'est servi d'un terme impropre. L'auteur de la traduction n'en convient nullement. De là naît une dispute, dans laquelle tous les beaux esprits prennent parti. Les opinions sont partagées, les disputeurs s'échauffent, ils en viennent aux invectives : passe encore pour cela; mais ces furieux se lèvent de table et se battent à coups de poing. Fabrice, Scipion, mon cocher, mes laquais et moi, nous n'eûmes pas peu de peine à leur faire lâcher prise. Lorsqu'ils se virent séparés, ils sortirent de ma maison comme d'un cabaret, sans me faire la moindre excuse de leur impolitesse.

Nuñez, sur la parole de qui je m'étais fait de ce repas une idée agréable, demeura fort étourdi de cette aventure : Hé bien! lui dis-je, notre ami, me vanterez-vous encore vos convives ? Par ma foi, vous m'avez amené là de vilaines gens! Je m'en tiens à mes commis. Ne me parlez plus d'auteurs. Je n'ai garde, me répondit-il, de t'en présenter d'autres; tu viens de voir les plus raisonnables.

CHAPITRE X

Les mœurs de Gil Blas se corrompent entièrement à la Cour. De la commission dont le chargea le comte de Lemos, et de l'intrigue dans laquelle ce seigneur et lui s'engagèrent.

Lorsque je fus connu pour un homme chéri du duc de Lerme, j'eus bientôt une cour. Tous les matins mon antichambre se trouvait pleine de monde, et je donnais mes audiences à mon lever. Il venait chez moi deux sortes de gens. Les uns pour m'engager, en payant, à demander des grâces au ministre, et les autres pour m'exciter par des supplications à leur faire obtenir *gratis* ce qu'ils souhaitaient. Les premiers étaient sûrs d'être écoutés et bien servis; à l'égard des seconds, je m'en débarrassais sur-le-champ par des défaites, ou bien je les amusais si longtemps que je leur faisais perdre patience. Avant que je fusse à la Cour, j'étais compatissant et charitable de mon naturel; mais on n'a plus là de faiblesse humaine, et j'y devins plus dur qu'un caillou. Je me guéris aussi par conséquent de ma sensibilité pour mes amis. Je me dépouillai de toute affection pour eux. La manière dont j'en usai avec Joseph Navarro, dans une conjoncture que je vais rapporter, en peut faire foi.

Ce Navarro, à qui j'avais tant d'obligation, et qui, pour tout dire en un mot, était la cause première de ma fortune, vint un jour chez moi. Après m'avoir témoigné beaucoup d'amitié, ce qu'il avait coutume de faire quand il me voyait, il me pria de demander pour un de ses amis certain emploi au duc de Lerme, en me disant que le cavalier pour lequel il me sollicitait était un garçon fort aimable et d'un grand mérite; mais qu'il avait besoin d'un poste pour subsister. Je ne doute pas, ajouta Joseph, bon et obligeant comme je vous connais, que vous ne soyez ravi de faire plaisir à un honnête homme qui n'est pas riche. Je suis sûr que vous me savez bon gré de vous donner une occasion d'exercer votre humeur bienfaisante. C'était me dire nettement qu'on attendait de moi ce service pour rien. Quoique cela ne fût guère de mon goût, je ne laissai pas de paraître fort disposé à faire ce qu'on désirait. Je suis charmé, répondis-je à Navarro, de pouvoir vous marquer la vive reconnaissance que j'ai de tout ce que vous avez fait pour moi. Il suffit que vous vous intéressiez pour quelqu'un; il n'en faut pas davantage pour me déterminer à le servir. Votre ami aura cet emploi que vous souhaitez qu'il ait, comptez là-dessus, ce n'est plus votre affaire, c'est la mienne.

Sur cette assurance, Joseph s'en alla très satisfait; néanmoins la personne qu'il m'avait tant recommandée n'eut pas le poste en question. Je le fis accorder à un autre homme pour mille ducats que je mis dans mon coffre-fort. Je préférai cette somme aux remerciements que m'aurait faits mon chef d'office, à qui je dis d'un air mortifié quand nous nous revîmes : Ah! mon cher Navarro, vous vous êtes avisé trop tard de me parler. Calderone m'a prévenu; il a fait donner l'emploi que vous savez. Je suis au désespoir de n'avoir pas une meilleure nouvelle à vous apprendre.

Joseph me crut de bonne foi, et nous nous quittâmes plus amis que jamais; mais je crois qu'il découvrit bientôt la vérité, car il ne revint plus chez moi. J'en fus charmé. Outre que les services qu'il m'avait rendus me pesaient, il me semblait que, dans la passe où j'étais alors à la Cour, il ne me convenait plus de fréquenter des maîtres d'hôtel.

Il y a longtemps que je n'ai parlé du comte de Lemos. Venons présentement à ce seigneur. Je le voyais quelquefois. Je lui avais porté mille pistoles, comme je l'ai dit ci-devant, et je lui en portai mille autres encore par ordre du duc son oncle, de l'argent que j'avais à Son Excellence. Le comte de Lemos ce jour-là voulut avoir un long entretien avec moi. Il m'apprit qu'il était, enfin, parvenu à son but, et qu'il possédait entièrement les bonnes grâces du prince d'Espagne, dont il était l'unique confident. Ensuite il me chargea d'une commission fort honorable et à laquelle il m'avait déjà préparé : Ami Santillane, me dit-il, c'est maintenant qu'il faut agir. N'épargnez rien pour découvrir quelque jeune beauté qui soit digne d'amuser ce prince galant. Vous avez de l'esprit. Je ne vous en dis pas davantage. Allez, courez, cherchez; et quand vous aurez fait une heureuse découverte, vous viendrez m'en avertir. Je promis au comte de ne rien négliger pour bien m'acquitter de cet emploi, qui ne doit pas être fort difficile à exercer, puisqu'il y a tant de gens qui s'en mêlent.

Je n'avais pas un grand usage de ces sortes de recherches; mais je ne doutais point que Scipion ne fût encore admirable pour cela. En arrivant au logis, je l'appelai et lui dis en particulier : Mon enfant, j'ai une confidence importante à te faire. Sais-tu bien qu'au milieu des faveurs de la fortune, je sens qu'il me manque quelque chose ? Je devine aisément ce que c'est, interrompit-il, sans me donner le temps d'achever ce que je voulais lui dire, vous avez besoin d'une nymphe agréable pour vous dissiper un peu et vous égayer. Et en effet il est étonnant que vous n'en ayez pas dans le printemps de vos jours, pendant que de graves barbons ne sauraient s'en passer. J'admire ta pénétration, repris-je en souriant. Oui, mon ami, c'est une maîtresse qu'il me faut, et je veux l'avoir de ta main. Mais je t'avertis que je suis très délicat sur la matière.

Je te demande une jolie personne qui n'ait pas de mauvaises mœurs. Ce que vous souhaitez, repartit Scipion, est un peu rare. Cependant nous sommes, Dieu merci, dans une ville où il y a de tout, et j'espère que j'aurai bientôt trouvé votre fait.

Véritablement trois jours après il me dit : J'ai découvert un trésor. Une jeune dame nommée Catalina [105], de bonne famille et d'une beauté ravissante, demeure, sous la conduite de sa tante, dans une petite maison où elles vivent toutes deux fort honnêtement de leur bien qui n'est pas considérable. Elles sont servies par une soubrette que je connais, et qui vient de m'assurer que leur porte, quoique fermée à tout le monde, pourrait s'ouvrir à un galant riche et libéral, pourvu qu'il voulût bien, de peur de scandale, n'entrer chez elles que la nuit et sans faire aucun éclat. Là-dessus je vous ai peint comme un cavalier qui méritait de trouver l'huis ouvert, et j'ai prié la soubrette de vous proposer aux deux dames. Elle m'a promis de le faire, et de me rapporter demain matin la réponse dans un endroit dont nous sommes convenus. Cela est bon, lui répondis-je; mais je crains que la femme de chambre à qui tu viens de parler ne t'en ait fait accroire. Non, non, répliqua-t-il, ce n'est point à moi qu'on en donne à garder : j'ai déjà interrogé les voisins; et je conclus de tout ce qu'ils m'ont dit que la señora Catalina est une Danaé chez qui vous pourrez aller faire le Jupiter, à la faveur d'une grêle de pistoles que vous y laisserez tomber.

Tout prévenu que j'étais contre ces sortes de bonnes fortunes, je me prêtai à celle-là; et comme la femme de chambre vint dire le jour suivant à Scipion qu'il ne tiendrait qu'à moi d'être introduit dès ce soir-là même dans la maison de ses maîtresses, je m'y glissai entre onze heures et minuit. La soubrette me reçut sans lumière, et me prit par la main pour me conduire dans une salle assez propre, où je trouvai les deux dames galamment habillées, et assises sur des carreaux de satin. Aussitôt qu'elles m'aperçurent, elles se levèrent et me saluèrent d'une manière si noble que je crus voir deux personnes de qualité. La tante, qu'on appelait la señora Mencia, quoique belle encore, ne s'attira pas mon attention. Il est vrai qu'on ne pouvait regarder que la nièce, qui me parut une déesse : à l'examiner pourtant à la rigueur, on aurait pu dire que ce n'était pas une beauté parfaite; mais elle avait des grâces avec un air piquant et voluptueux qui ne permettait guère aux yeux des hommes de remarquer ses défauts.

Aussi sa vue troubla mes sens. J'oubliai que je ne venais là que pour faire l'office de procureur, je parlai en mon propre et privé nom, et tins tous les discours d'un homme passionné. La petite fille, à qui je trouvai trois fois plus d'esprit qu'elle n'en avait, tant elle me paraissait gracieuse, acheva de m'enchanter par ses réponses. Je commençais à ne me plus posséder, lorsque la tante, pour modérer mes transports, prit la parole et me dit : Seigneur de Santillane, je vais m'expliquer franchement avec vous. Sur l'éloge qu'on m'a fait de Votre Seigneurie, je vous ai permis d'entrer chez moi, sans affecter par des façons de vous faire valoir cette faveur : mais ne pensez pas pour cela que vous en soyez plus avancé; j'ai jusqu'ici élevé ma nièce dans la retraite, et vous êtes, pour ainsi dire, le premier cavalier aux regards de qui je l'expose. Si vous la jugez digne d'être votre épouse, je serai ravie qu'elle ait cet honneur; voyez si elle vous convient à ce prix-là, vous ne l'aurez point à meilleur marché.

Ce coup tiré à bout portant effaroucha l'Amour qui m'allait décocher une flèche. Pour parler sans métaphore, un mariage proposé si crûment me fit rentrer en moi-même, je redevins tout à coup l'agent fidèle du comte de Lemos, et, changeant de ton, je répondis à la señora Mencia : Madame, votre franchise me plaît, et je veux l'imiter. Quelque figure que je fasse à la Cour, je ne vaux pas l'incomparable Catalina; j'ai pour elle en main un parti plus brillant; je lui destine le prince d'Espagne. Il suffisait de refuser ma nièce, reprit la tante froidement; ce refus, ce me semble, était assez désobligeant; il n'était pas nécessaire de l'accompagner d'un trait railleur. Je ne raille point, madame, m'écriai-je, rien n'est plus sérieux : j'ai ordre de chercher une personne qui mérite d'être honorée des visites secrètes du prince d'Espagne, je la trouve dans votre maison, je vous marque à la craie.

La señora Mencia fut fort étonnée d'entendre ces paroles, et je m'aperçus qu'elles ne lui déplurent point. Néanmoins, croyant devoir faire la réservée, elle me répliqua de cette manière : Quand je prendrais au pied de la lettre ce que vous me dites, apprenez que je ne suis pas d'un caractère à m'applaudir de l'infâme honneur de voir ma nièce maîtresse d'un prince. Ma vertu se révolte contre l'idée... Que vous êtes bonne, interrompis-je, avec votre vertu! Vous pensez comme une sotte bourgeoise. Vous moquez-vous de considérer ces choses-là dans un point de vue moral ? C'est leur ôter tout ce qu'elles ont de beau; il faut les regarder d'un œil charmé; envisagez l'héritier de la monarchie aux pieds de l'heureuse Catalina : représentez-vous qu'il l'adore et la comble de présents, et songez qu'il naîtra d'elle peut-être un héros qui rendra le nom de sa mère immortel avec le sien.

Quoique la tante ne demandât pas mieux que d'accepter ce que je proposais, elle feignit de ne savoir à quoi se résoudre; et Catalina, qui aurait déjà voulu tenir le prince d'Espagne, affecta une grande indifférence; ce qui fut cause que je me mis sur nouveaux frais à presser la place, jusqu'à ce qu'enfin la señora Mencia, me voyant rebuté et prêt à lever le siège, battit la chamade, et nous dressâmes une capitulation qui contenait les deux articles suivants : *Primo*, Que si le prince d'Espagne, sur le rapport qu'on lui ferait des agréments de Catalina, prenait feu et se déterminait à lui faire une visite nocturne, j'aurais soin d'en informer les dames, comme aussi de la nuit qui serait choisie pour cet effet. *Secundo*, Que le prince ne pourrait s'introduire chez les dites dames qu'en galant ordinaire, et accompagné seulement de moi et de son Mercure en chef.

Après cette convention, la tante et la nièce me firent toutes les amitiés du monde, elles prirent avec moi un air de familiarité, à la faveur duquel je hasardai quelques accolades qui ne furent pas trop mal reçues; et, lorsque nous nous séparâmes, elles m'embrassèrent d'elles-mêmes en me faisant toutes les caresses imaginables. C'est une chose merveilleuse que la facilité avec laquelle il se forme une liaison entre les courtiers de galanterie et les femmes qui ont besoin d'eux. On aurait dit, en me voyant sortir de là si favorisé, que j'eusse été plus heureux que je ne l'étais.

Le comte de Lemos sentit une extrême joie, quand je lui annonçai que j'avais fait une découverte telle qu'il la pouvait désirer. Je lui parlai de Catalina dans des termes qui lui donnèrent envie de la voir; je le menai chez elle la nuit suivante, et il m'avoua que j'avais fort bien rencontré. Il dit aux dames qu'il ne doutait nullement que le prince d'Espagne ne fût fort satisfait de la maîtresse que je lui avais choisie, et qu'elle de son côté aurait sujet d'être contente d'un tel amant; que ce jeune prince était généreux, plein de douceur et de bonté; enfin il les assura que dans quelques jours il le leur amènerait de la façon qu'elles le souhaitaient, c'est-à-dire sans suite et sans bruit. Ce seigneur prit là-dessus congé d'elles, et je me retirai avec lui : nous rejoignîmes son équipage dans lequel nous étions venus tous deux, et qui nous attendait au bout de la rue. Ensuite il me conduisit à mon hôtel en me chargeant d'instruire le lendemain son oncle de cette aventure ébauchée, et de le prier de sa part de lui envoyer un millier de pistoles pour la mettre à fin.

Je ne manquai pas le jour suivant d'aller rendre au duc de Lerme un compte exact de tout ce qui s'était passé; je ne lui cachai qu'une chose : je ne lui parlai point de Scipion; je me donnai pour l'auteur de la découverte de Catalina; car on se fait honneur de tout auprès des Grands.

Je m'attirai par là des compliments. Monsieur Gil Blas, me dit le ministre d'un air railleur, je suis ravi qu'avec tous vos autres talents, vous ayez encore celui de déterrer les beautés obligeantes; quand j'en voudrai quelqu'une, vous trouverez bon que je m'adresse à vous. Monseigneur, lui répondis-je sur le même ton, je vous remercie de la préférence : mais vous me permettrez de vous dire que je me ferais un scrupule de procurer ces sortes de plaisirs à Votre Excellence. Il y a si longtemps que le seigneur don Rodrigue est en possession de cet emploi-là, qu'il y aurait de l'injustice à l'en dépouiller. Le duc sourit de ma réponse; puis, changeant de discours, il me demanda si son neveu n'avait pas besoin d'argent pour cette équipée. Pardonnez-moi, lui dis-je, il vous prie de lui envoyer mille pistoles. Eh bien! reprit le ministre, tu n'as qu'à les lui porter; dis-lui qu'il ne les ménage point, et qu'il applaudisse à toutes les dépenses que le prince souhaitera de faire.

CHAPITRE XI

De la visite secrète et des présents que le prince d'Espagne fit à Catalina.

J'allai porter à l'heure même cinq cents doubles pistoles au comte de Lemos. Vous ne pouviez venir plus à propos, me dit ce seigneur. J'ai parlé au prince. Il a mordu à la grappe. Il brûle d'impatience de voir Catalina; dès la nuit prochaine [106] il veut se dérober secrètement de son palais pour se rendre chez elle. C'est une chose résolue. Nos mesures sont déjà prises pour cela. Avertissez-en les dames, et leur donnez l'argent que vous m'apportez; il est bon de leur faire connaître que ce n'est point un amant ordinaire qu'elles ont à recevoir; d'ailleurs les bienfaits des princes doivent devancer leurs galanteries. Comme vous l'accompagnerez avec moi, poursuivit-il, ayez soin de vous trouver ce soir à son coucher. Il faudra de plus que votre carrosse, car je juge à propos de nous en servir, nous attende à minuit aux environs du palais.

Je me rendis aussitôt chez les dames. Je ne vis point Catalina. On me dit qu'elle reposait. Je ne parlai qu'à la señora Mencia : Madame, lui dis-je, excusez-moi de grâce, si je parais dans votre maison pendant le jour; mais je ne puis faire autrement; il faut bien que je vous avertisse que le prince d'Espagne viendra chez vous cette nuit; et voici, ajoutai-je, en lui mettant entre les mains un sac où étaient les espèces, voici une offrande qu'il envoie au temple de Cythère pour s'en rendre les divinités favorables. Je ne vous ai pas, comme vous voyez, engagée dans une mauvaise affaire. Je vous en suis redevable, répondit-elle; mais apprenez-moi, seigneur de Santillane, si le prince aime la musique. Il l'aime, repris-je, à la folie. Rien ne le divertit tant qu'une belle voix accompagnée d'un luth touché délicatement. Tant mieux! s'écria-t-elle toute transportée de joie; vous me charmez en me disant cela; car ma nièce a un gosier de rossignol et joue du luth à ravir. Elle danse même parfaitement. Vive Dieu! m'écriai-je à mon tour, voilà bien des perfections, ma tante! Il n'en faut pas tant à une fille pour faire fortune; un seul de ces talents lui suffit pour cela.

Ayant ainsi préparé les voies, j'attendis l'heure du coucher du prince. Lorsqu'elle fut arrivée, je donnai mes ordres à mon cocher, et je rejoignis le comte de Lemos, qui me dit que le prince, pour se défaire plus tôt de tout le monde, allait feindre une légère indisposition, et même se mettre au lit pour mieux persuader qu'il était malade; mais qu'il se relèverait une heure après, et gagnerait par une porte secrète un escalier dérobé qui conduisait dans les cours.

Lorsqu'il m'eut instruit de ce qu'ils avaient concerté tous deux, il me posta dans un endroit par où il m'assura qu'ils passeraient. J'y gardai si longtemps le mulet, que je commençai à croire que notre galant avait pris un autre chemin ou perdu l'envie de voir Catalina, comme si les princes perdaient ces sortes de fantaisies avant que de les avoir satisfaites! Enfin, je m'imaginais qu'on m'avait oublié quand il parut deux hommes qui m'abordèrent. Les ayant reconnus pour ceux que j'attendais, je les menai à mon carrosse, dans lequel ils montèrent l'un et l'autre; pour moi, je me mis auprès du cocher pour lui servir de guide, et je le fis arrêter à cinquante pas de chez les dames. Je donnai la main au prince d'Espagne et à son compagnon pour les aider à descendre, et nous marchâmes vers la maison où nous voulions nous introduire. La porte s'ouvrit à notre approche, et se referma dès que nous fûmes entrés.

Nous nous trouvâmes d'abord dans les mêmes ténèbres où je m'étais trouvé la première fois, quoiqu'on eût pourtant par distinction attaché une petite lampe à un mur. La lumière qu'elle répandait était si sombre, que nous l'apercevions seulement sans être éclairés. Tout cela ne servait qu'à rendre l'aventure plus agréable à son héros, qui fut vivement frappé de la vue des dames, lorsqu'elles le reçurent dans la salle, où la clarté d'un grand nombre de bougies compensait l'obscurité qui régnait dans la cour. La tante et la nièce étaient dans un déshabillé galant où il y avait une intelligence de coquetterie qui ne les laissait pas regarder impunément. Notre prince se serait fort contenté de la señora Mencia, s'il n'eût pas eu à choisir, mais les charmes de la jeune Catalina, comme de raison, eurent la préférence.

Eh bien! mon prince, lui dit le comte de Lemos, pouvions-nous vous procurer le plaisir de voir deux personnes plus jolies ? Je les trouve toutes deux ravissantes, répondit le prince, et je n'ai garde de remporter d'ici mon cœur, puisqu'il n'échapperait point à la tante, si la nièce le pouvait manquer.

Après un compliment si gracieux pour une tante, il dit mille choses flatteuses à Catalina qui lui répondit très spirituellement. Comme il est permis aux honnêtes gens, qui font le personnage que je faisais dans cette occasion, de se mêler à l'entretien des amants, pourvu que ce soit pour attiser le feu, je dis au galant que sa nymphe chantait et jouait du luth à merveille. Il fut ravi d'apprendre qu'elle eût ces talents. Il la pressa de lui en montrer un échantillon. Elle se rendit de bonne grâce à ses instances, prit un luth tout accordé, joua quelques airs tendres et chanta d'une manière si touchante, que le prince se laissa tomber à ses genoux, tout transporté d'amour et de plaisir. Mais finissons là ce tableau, et disons seulement que, dans la douce ivresse où l'héritier de la monarchie espagnole était plongé, les heures s'écoulèrent comme des moments, et qu'il nous fallut l'arracher de cette dangereuse maison, à cause du jour qui s'approchait. Messieurs les entrepreneurs le remenèrent promptement au palais, et le remirent dans son appartement. Ils se retirèrent ensuite chez eux, aussi contents de l'avoir appareillé avec une aventurière, que s'ils eussent fait son mariage avec une princesse.

Je contai le lendemain matin cette aventure au duc de Lerme, car il voulait tout savoir. Dans le temps que je lui en achevais le récit, le comte de Lemos arriva, et nous dit : Le prince d'Espagne est si occupé de Catalina, il a pris tant de goût pour elle, qu'il se propose de la voir souvent et de s'y attacher. Il voudrait lui envoyer aujourd'hui pour deux mille pistoles de pierreries, mais il n'a pas le sou. Il s'est adressé à moi. Mon cher Lemos, m'a-t-il dit, il faut que vous me trouviez tout à l'heure cette somme-là. Je sais bien que je vous incommode, que je vous épuise; aussi mon cœur vous en tient-il un grand compte; et si jamais je me vois en état de reconnaître, d'une autre manière que par le sentiment, tout ce que vous avez fait pour moi, vous ne vous repentirez point de m'avoir obligé. Mon prince, lui ai-je répondu, en le quittant sur-le-champ, j'ai des amis et du crédit, je vais vous chercher ce que vous souhaitez.

Il n'est pas difficile de le satisfaire, dit alors le duc à son neveu. Santillane va vous porter cet argent, ou bien, si vous voulez, il achètera lui-même les pierreries; car il s'y connaît parfaitement, et surtout en rubis. N'est-il pas vrai, Gil Blas ? ajouta-t-il en me regardant d'un air malin. Que vous êtes malicieux, Monseigneur, lui répondis-je! Je vois bien que vous avez envie de faire rire monsieur le comte à mes dépens. Cela ne manqua pas d'arriver. Le neveu demanda quel mystère il y avait là-dessous. Ce n'est rien, répliqua l'oncle en riant : c'est qu'un jour Santillane s'avisa de troquer un diamant contre un rubis, et que ce troc ne tourna ni à son honneur ni à son profit.

J'aurais été trop heureux si le ministre n'en eût pas dit

davantage; mais il prit la peine de conter le tour que Camille et don Raphaël m'avaient joué dans un hôtel garni, et de s'étendre particulièrement sur les circonstances les plus désagréables pour moi. Son Excellence, après s'être bien égayée, m'ordonna d'accompagner le comte de Lemos, qui me mena chez un joaillier où nous choisîmes des pierreries que nous allâmes montrer au prince d'Espagne. Après quoi, elles me furent confiées pour être remises à Catalina. J'allai ensuite prendre chez moi deux mille pistoles de l'argent du duc, pour payer le marchand.

On ne doit pas demander si la nuit suivante je fus gracieusement reçu des dames, lorsque j'exhibai les présents de mon ambassade, lesquels consistaient en une belle bague destinée pour la tante, et en une paire de boucles d'oreilles avec les pendants pour la nièce. Charmées l'une et l'autre de ces marques de l'amour et de la générosité du prince, elles se mirent à jaser comme deux commères, et à me remercier de leur avoir procuré une si bonne connaissance. Elles s'oublièrent dans l'excès de leur joie. Il leur échappa quelques paroles qui me firent soupçonner que je n'avais produit qu'une friponne au fils de notre grand monarque. Pour savoir précisément si j'avais fait ce beau chef-d'œuvre, je me retirai dans le dessein d'avoir un éclaircissement avec Scipion.

CHAPITRE XII

Qui était Catalina. Embarras de Gil Blas, son inquiétude, et quelle précaution il fut obligé de prendre pour se mettre l'esprit en repos.

En rentrant chez moi, j'entendis un grand bruit. J'en demandai la cause. On me dit que c'était Scipion qui ce soir-là donnait à souper à une demi-douzaine de ses amis. Ils chantaient à gorge déployée et faisaient de longs éclats de rire. Ce repas n'était assurément pas le banquet des sept sages.

Le maître du festin, averti de mon arrivée, dit à sa compagnie : Messieurs, ce n'est rien, c'est le patron qui revient. Que cela ne vous gêne pas. Continuez de vous réjouir. Je vais lui dire deux mots. Je vous rejoindrai dans un moment. A ces mots il vint me trouver : Quel tintamarre! lui dis-je. Quelle sorte de personnes régalez-vous donc là-bas ? Sont-ce des poètes ? Non pas, s'il vous plaît, me répondit-il. Ce serait dommage de donner votre vin à boire à ces gens-là. J'en fais un meilleur usage. Il y a parmi mes convives un jeune homme très riche qui veut obtenir un emploi par votre crédit et pour son argent.

C'est pour lui que la fête se fait. A chaque coup qu'il boit, j'augmente de dix pistoles le bénéfice qui doit vous en revenir. Je veux le faire boire jusqu'au jour. Sur ce pied-là, repris-je, va te remettre à table, et ne ménage point le vin de ma cave.

Je ne jugeai point à propos de l'entretenir alors de Catalina; mais le lendemain, à mon lever, je lui parlai de cette sorte : Ami Scipion, tu sais de quelle manière nous vivons ensemble. Je te traite plutôt en camarade qu'en domestique. Tu aurais tort par conséquent de me tromper comme un maître. N'ayons donc point de secret l'un pour l'autre : je vais t'apprendre une chose qui te surprendra; et toi de ton côté, tu me diras tout ce que tu penses des deux femmes que tu m'as fait connaître. Entre nous, je les soupçonne d'être deux matoises d'autant plus raffinées qu'elles affectent plus de simplicité. Si je leur rends justice, le prince d'Espagne n'a pas grand sujet de se louer de moi, car, je te l'avouerai, c'est pour lui que je t'ai demandé une maîtresse. Je l'ai menée chez Catalina, et il est devenu amoureux. Seigneur, me répondit Scipion, vous en usez trop bien avec moi pour que je manque de sincérité avec vous. J'eus hier un tête-à-tête avec la suivante de ces deux princesses; elle m'a conté leur histoire qui m'a paru divertissante. Je vais vous en faire succinctement le récit.

Catalina, poursuivit-il, est fille d'un petit gentilhomme aragonais. Se trouvant à quinze ans une orpheline aussi pauvre que jolie, elle écouta un vieux commandeur, qui la conduisit à Tolède, où il mourut au bout de six mois, après lui avoir plus servi de père que d'époux. Elle recueillit sa succession, qui consistait en quelques nippes et en trois cents pistoles d'argent comptant; puis elle se joignit à la señora Mencia, qui était encore à la mode, quoiqu'elle fût déjà sur le retour. Ces deux bonnes amies demeurèrent ensemble et commencèrent à tenir une conduite dont la justice voulut prendre connaissance : cela déplut aux dames, qui de dépit abandonnèrent brusquement Tolède, et vinrent s'établir à Madrid, où depuis environ deux ans elles vivent sans fréquenter aucune dame du voisinage. Mais écoutez le meilleur : elles ont loué deux petites maisons séparées seulement par un mur. On peut entrer de l'une dans l'autre par un escalier de communication qu'il y a dans les caves. La señora Mencia demeure avec une jeune soubrette dans l'une de ces maisons, et la douairière du commandeur occupe l'autre avec une vieille duègne qu'elle fait passer pour sa grand-mère. De façon que notre Aragonaise est tantôt une nièce élevée par sa tante, et tantôt une pupille sous l'aile de son aïeule. Quand elle fait la nièce, elle s'appelle Catalina; et, lorsqu'elle fait la petite-fille, elle se nomme Sirena.

Au nom de Sirena, j'interrompis en pâlissant Scipion. Que m'apprends-tu ? lui dis-je. Hélas! j'ai bien peur que cette maudite Aragonaise ne soit la maîtresse de Calderone. Hé! vraiment, répondit-il, c'est elle-même. Je croyais vous réjouir en vous annonçant cette nouvelle. Tu n'y penses pas, lui répliquai-je. Elle est plus propre à me causer du chagrin que de la joie. N'en vois-tu pas bien les conséquences ? Non, ma foi, repartit Scipion. Quel malheur en peut-il arriver ? Il n'est pas sûr que don Rodrigue découvre ce qui se passe; et, si vous craignez qu'il n'en soit instruit, vous n'avez qu'à prévenir le ministre. Contez-lui la chose tout naturellement. Il verra votre bonne foi; et si, après cela, Calderone veut vous rendre de mauvais offices auprès de Son Excellence, elle verra bien qu'il ne cherche à vous nuire que par un esprit de vengeance.

Scipion m'ôta ma crainte par ce discours. Je suivis son conseil. J'avertis le duc de Lerme de cette fâcheuse découverte. J'affectai même de lui en faire le détail d'un air triste, pour lui persuader que j'étais mortifié d'avoir innocemment livré au prince la maîtresse de don Rodrigue; mais le ministre, loin de plaindre son favori, en fit des railleries. Ensuite, il me dit d'aller toujours mon train; et qu'après tout il était glorieux pour Calderone d'aimer la même dame que le prince d'Espagne, et de n'en être pas plus maltraité que lui. Je mis aussi au fait le comte de Lemos, qui m'assura de sa protection, si le premier secrétaire venait à découvrir l'intrigue, et entreprenait de me perdre dans l'esprit du duc.

Croyant avoir par cette manœuvre délivré le bateau de ma fortune du péril de s'ensabler, je ne craignis plus rien. J'accompagnai encore le prince chez Catalina, autrement la belle Sirène, qui avait l'art de trouver des défaites pour écarter de sa maison don Rodrigue, et lui dérober les nuits qu'elle était obligée de donner à son illustre rival.

CHAPITRE XIII

Gil Blas continue de faire le seigneur.
Il apprend des nouvelles de sa famille.
Quelle impression elles font sur lui. Il se brouille avec Fabrice.

J'ai déjà dit que le matin il y avait ordinairement dans mon antichambre une foule de personnes qui venaient me faire des propositions; mais je ne voulais pas qu'on me les fît de vive voix; et suivant l'usage de la Cour, ou plutôt pour faire l'important, je disais à chaque solliciteur : Donnez-moi un mémoire. Je m'étais si bien accoutumé à cela, qu'un jour je répondis ces paroles [107] au propriétaire de mon hôtel, qui vint me faire souvenir que je lui devais une année de loyer. Pour mon boucher et mon boulanger, ils m'épargnaient la peine de leur demander des mémoires, tant ils étaient exacts à m'en apporter tous les mois. Scipion, qui me copiait si bien qu'on pouvait dire que la copie approchait fort de l'original, n'en usait pas autrement avec les personnes qui s'adressaient à lui pour le prier de m'engager à les servir.

J'avais encore un autre ridicule dont je ne prétends point me faire grâce : j'étais assez fat pour parler des plus grands seigneurs comme si j'eusse été un homme de leur étoffe. Si j'avais, par exemple, à citer le duc d'Albe, le duc d'Ossone, ou le duc de Medina Sidonia, je disais sans façon : d'Albe, d'Ossone et Medina Sidonia. En un mot, j'étais devenu si fier et si vain, que je n'étais plus le fils de mon père et de ma mère. Hélas! pauvre duègne et pauvre écuyer, je ne m'informais pas si vous viviez heureux ou misérables dans les Asturies! je ne songeais pas seulement à vous! La Cour a la vertu du fleuve Léthé pour nous faire oublier nos parents et nos amis, quand ils sont dans une mauvaise situation.

Je ne me souvenais donc plus de ma famille, lorsqu'un matin il entra chez moi un jeune homme qui me dit qu'il souhaitait de me parler un moment en particulier. Je le fis passer dans mon cabinet, où, sans lui offrir une chaise, parce qu'il me paraissait un homme du commun, je lui demandai ce qu'il me voulait. Seigneur Gil Blas, me dit-il, quoi, vous ne me remettez point ? J'eus beau le considérer attentivement, je fus obligé de lui répondre que ses traits m'étaient tout à fait inconnus. Je suis, reprit-il, un de vos compatriotes, natif d'Oviedo même, et fils de Bertrand Muscada, l'épicier voisin de votre oncle le chanoine. Je vous reconnais bien, moi. Nous avons joué mille fois tous deux à la *gallina ciega*[a].

Je n'ai, lui répondis-je, qu'une idée très confuse des amusements de mon enfance; les soins dont j'ai depuis été occupé m'en ont fait perdre la mémoire. Je suis venu, dit-il, à Madrid, pour compter avec le correspondant de mon père. J'ai entendu parler de vous. On m'a dit que vous étiez sur un bon pied à la Cour, et déjà riche comme un Juif. Je vous en fais mes compliments; et je vais, à mon retour au pays, combler de joie votre famille en lui annonçant une si agréable nouvelle.

Je ne pouvais honnêtement me dispenser de lui demander dans quelle situation il avait laissé mon père, ma mère et mon oncle; mais je m'acquittai si froidement de ce devoir, que je ne donnai pas sujet à mon épicier d'admirer la force du sang. Il parut choqué de l'indifférence que j'avais pour des personnes qui me devaient être si chères; et comme c'était un garçon franc et grossier : Je vous croyais, me dit-il crûment, plus de tendresse et de sensi-

a) *C'est le jeu de colin-maillard.*

bilité pour vos proches. De quel air glacé m'interrogez-vous sur leur compte ? Apprenez que votre père et votre mère sont toujours dans le service, et que le bon chanoine Gil Pérès accablé de vieillesse et d'infirmités n'est pas éloigné de sa fin. Il faut avoir du naturel; et puisque vous êtes en état de faire du bien à vos parents, je vous conseille en ami de leur envoyer deux cents pistoles tous les ans. Par ce secours vous leur procurerez une vie douce et heureuse, sans vous incommoder.

Au lieu d'être touché de la peinture qu'il me faisait de ma famille, je ne sentis que la liberté qu'il prenait de me conseiller sans que je l'en priasse. Avec plus d'adresse peut-être m'aurait-il persuadé; mais il ne fit que me révolter par sa franchise. Il s'en aperçut bien au silence mécontent que je gardai; et, continuant son exhortation avec moins de charité que de malice, il m'impatienta. Oh! c'en est trop, répondis-je avec emportement. Allez, monsieur de Muscada, ne vous mêlez que de ce qui vous regarde. Il vous convient bien de me dicter mon devoir! je sais mieux que vous ce que j'ai à faire dans cette occasion. En achevant ces mots, je poussai l'épicier hors de mon cabinet, et le renvoyai à Oviedo vendre du poivre et du girofle.

Ce qu'il venait de me dire ne laissa pas de s'offrir à mon esprit; et, me reprochant moi-même que j'étais un fils dénaturé, je m'attendris. Je rappelai les soins qu'on avait eus de mon enfance et de mon éducation. Je me représentai ce que je devais à mes parents; et mes réflexions furent accompagnées de quelques transports de reconnaissance, qui pourtant n'aboutirent à rien. Mon ingratitude les étouffa bientôt et leur fit succéder un profond oubli. Il y a bien des pères qui ont de pareils enfants.

L'avarice et l'ambition qui me possédaient changèrent entièrement mon humeur. Je perdis toute ma gaieté. Je devins distrait et rêveur : en un mot un sot animal. Fabrice, me voyant tout occupé du soin de sacrifier à la fortune et fort détaché de lui, ne venait plus chez moi que rarement. Il ne put même s'empêcher de me dire un jour : En vérité, Gil Blas, je ne te reconnais plus. Avant que tu fusses à la Cour, tu avais toujours l'esprit tranquille. A présent je te vois sans cesse agité. Tu formes projet sur projet pour t'enrichir, et plus tu amasses de bien, plus tu veux en amasser. Outre cela, te le dirai-je ? tu n'as plus avec moi ces épanchements de cœur, ces manières libres qui font le charme des liaisons. Tout au contraire, tu t'enveloppes et me caches le fond de ton âme. Je remarque même de la contrainte dans les honnêtetés que tu me fais. Enfin, Gil Blas n'est plus ce même Gil Blas que j'ai connu.

Tu plaisantes sans doute, lui répondis-je d'un air assez froid. Je n'aperçois en moi aucun changement. Ce n'est point à tes yeux, répliqua-t-il, qu'on doit s'en rapporter. Ils sont fascinés. Crois-moi, ta métamorphose n'est que trop véritable. En bonne foi, mon ami, parle : vivons-nous ensemble comme autrefois ? Quand j'allais le matin frapper à ta porte, tu venais m'ouvrir toi-même, encore tout endormi le plus souvent, et j'entrais dans ta chambre sans façon. Aujourd'hui, quelle différence! Tu as des laquais. On me fait attendre dans ton antichambre, et il faut qu'on m'annonce avant que je puisse te parler. Après cela, comment me reçois-tu ? avec une politesse glacée, et en tranchant du seigneur. On dirait que mes visites commencent à te peser. Penses-tu qu'une pareille réception soit agréable à un homme qui t'a vu son camarade ? Non, Santillane, non. Elle ne me convient nullement. Adieu, séparons-nous à l'amiable. Défaisons-nous tous deux, toi d'un censeur de tes actions, et moi d'un nouveau riche qui se méconnaît.

Je me sentis plus aigri que touché de ses reproches, et je le laissai s'éloigner sans faire le moindre effort pour le retenir. Dans la situation où était mon esprit, l'amitié d'un poète ne me paraissait pas une chose assez précieuse pour devoir m'affliger de sa perte. Je trouvais de quoi m'en consoler dans le commerce de quelques petits officiers du roi, auxquels un rapport d'humeur me liait depuis peu étroitement. Ces nouvelles connaissances étaient des hommes dont la plupart venaient de je ne sais où et qu'une heureuse étoile avait fait parvenir à leurs postes. Ils étaient déjà tous à leur aise, et ces misérables, n'attribuant qu'à leur mérite les bienfaits dont la bonté du roi les avait comblés, s'oubliaient de même que moi. Nous nous imaginions être des personnages bien respectables. O fortune! voilà comme tu dispenses tes faveurs le plus souvent. Le stoïcien Epictète n'a pas tort de te comparer à une fille de condition qui s'abandonne à des valets.

Fin du huitième livre.

LIVRE NEUVIÈME

CHAPITRE PREMIER

Scipion veut marier Gil Blas,
et lui propose la fille d'un riche et fameux orfèvre.
Des démarches qui se firent en conséquence.

Un soir, après avoir renvoyé la compagnie qui était venue souper chez moi, me voyant seul avec Scipion, je lui demandai ce qu'il avait fait ce jour-là. Un coup de maître, me répondit-il. Je vous ménage la fille unique d'un orfèvre de ma connaissance.

La fille d'un orfèvre! m'écriai-je d'un air dédaigneux; as-tu perdu l'esprit ? Peux-tu me proposer une bourgeoise ? Quand on a un certain mérite et qu'on est à la cour sur un certain pied, il me semble qu'on doit avoir des vues plus élevées. Eh! monsieur, me repartit Scipion, ne le prenez point sur ce ton-là. Songez que c'est le mâle qui anoblit, et ne soyez pas plus délicat que mille seigneurs que je pourrais vous citer. Savez-vous bien que l'héritière dont il s'agit est un parti de cent mille ducats ? N'est-ce pas là un morceau d'orfèvrerie ? Lorsque j'entendis parler d'une si grosse somme, je devins plus traitable. Je me rends, dis-je à mon secrétaire; la dot me détermine. Quand veux-tu me la faire toucher ? Doucement, monsieur, me répondit-il; un peu de patience. Il faut auparavant que je communique la chose au père, et que je la lui fasse agréer. Bon! repris-je en éclatant de rire, tu en es encore là ? Voilà un mariage bien avancé! Beaucoup plus que vous ne pensez, répliqua-t-il. Je ne veux qu'une heure de conversation avec l'orfèvre, et je vous réponds de son consentement. Mais, avant que nous allions plus loin, composons, s'il vous plaît. Supposé que je vous fasse donner cent mille ducats, combien m'en reviendra-t-il ? Vingt mille, lui repartis-je. Le Ciel en soit loué! dit-il. Je bornais votre reconnaissance à dix mille. Vous êtes une fois plus généreux que moi. Allons, j'entamerai dès demain cette négociation, et vous pouvez compter qu'elle réussira, ou je ne suis qu'une bête.

Effectivement, deux jours après, il me dit : J'ai parlé au seigneur Gabriel Salero, ainsi se nommait mon orfèvre. Je lui ai tant vanté votre crédit et votre mérite, qu'il a prêté l'oreille à la proposition que je lui ai faite de vous accepter pour gendre. Vous aurez sa fille avec cent mille ducats, pourvu que vous lui fassiez voir clairement que vous possédez les bonnes grâces du ministre. Cela étant, dis-je alors à Scipion, je serai bientôt marié. Mais à propos de la fille, l'as-tu vue ? est-elle belle ? Pas si belle que la dot ! me répondit-il. Entre nous, cette riche héritière n'est pas une fort jolie personne. Par bonheur vous ne vous en souciez guère. Ma foi non, lui répliquai-je, mon enfant. Nous autres gens de Cour, nous n'épousons que pour épouser seulement. Nous ne cherchons la beauté que dans les femmes de nos amis ; et, si par hasard elle se trouve dans les nôtres, nous y faisons si peu d'attention, que c'est fort bien fait quand elles nous en punissent.

Ce n'est pas tout, reprit Scipion : le seigneur Gabriel vous donne à souper ce soir. Nous sommes convenus que vous ne parlerez point de mariage. Il doit inviter plusieurs marchands de ses amis à ce repas, où vous vous trouverez comme un simple convive, et demain il viendra souper chez vous de la même manière. Vous voyez par là que c'est un homme qui veut vous étudier avant que de passer outre. Il sera bon que vous vous observiez un peu devant lui. Oh ! parbleu, interrompis-je d'un air de confiance ; qu'il m'examine tant qu'il lui plaira ! Je ne puis que gagner à cet examen.

Cela s'exécuta de point en point. Je me fis conduire chez l'orfèvre, qui me reçut aussi familièrement que si nous nous fussions déjà vus plusieurs fois. C'était un bon bourgeois qui était, comme nous disons, poli *hasta porfiar* [a]. Il me présenta la señora Eugenia sa femme, et la jeune Gabriela sa fille. Je leur fis force compliments, sans contrevenir au traité. Je leur dis des *rien* en fort beaux termes, des phrases de courtisan.

Gabriela, n'en déplaise à mon secrétaire, ne me parut pas désagréable, soit à cause qu'elle était extrêmement parée, soit que je ne la regardasse qu'au travers de la dot. La bonne maison que celle du seigneur Gabriel ! Il y a, je crois, moins d'argent dans les mines du Pérou qu'il n'y en avait dans cette maison-là. Ce métal s'y offrait à la vue de toutes parts, sous mille formes différentes. Chaque chambre, et particulièrement celle où nous nous mîmes à table, était un trésor. Quel spectacle pour les yeux d'un gendre ! Le beau-père, pour faire plus d'honneur à son repas, avait assemblé chez lui cinq ou six marchands, tous

a) *Jusqu'à être fatigant.*

personnages graves et ennuyeux. Ils ne parlèrent que de commerce; et l'on peut dire que leur conversation fut plutôt une conférence de négociants qu'un entretien d'amis qui soupent ensemble.

Je régalai l'orfèvre à mon tour le lendemain au soir. Ne pouvant l'éblouir par mon argenterie, j'eus recours à une autre illusion. J'invitai à souper ceux de mes amis qui faisaient la plus belle figure à la Cour, et que je connaissais pour des ambitieux qui ne mettaient point de bornes à leurs désirs. Ces gens-ci ne s'entretinrent que de grandeurs, que des postes brillants et lucratifs auxquels ils aspiraient. Ce qui fit son effet. Le bourgeois Gabriel, étourdi de leurs grandes idées, ne se sentait, malgré tout son bien, qu'un petit mortel en comparaison de ces messieurs. Pour moi, faisant l'homme modéré, je dis que je me contenterais d'une fortune médiocre, comme de vingt mille ducats de rente. Sur quoi ces affamés d'honneurs et de richesses s'écrièrent que j'aurais tort, et qu'étant aimé autant que je l'étais du premier ministre, je ne devais pas m'en tenir à si peu de chose. Le beau-père ne perdit pas une de ces paroles, et je crus remarquer, quand il se retira, qu'il était fort satisfait.

Scipion ne manqua pas de l'aller voir le jour suivant dans la matinée, pour lui demander s'il était content de moi. J'en suis charmé, lui répondit le bourgeois. Ce garçon-là m'a gagné le cœur. Mais seigneur Scipion, ajouta-t-il, je vous conjure, par notre ancienne connaissance, de me parler sincèrement. Nous avons tous notre faible, comme vous savez. Apprenez-moi celui du seigneur de Santillane. Est-il joueur ? est-il galant ? Quelle est son inclination vicieuse ? Ne me la cachez pas, je vous en prie. Vous m'offensez, seigneur Gabriel, en me faisant cette question, repartit l'entremetteur. Je suis plus dans vos intérêts que dans ceux de mon maître. S'il avait quelque mauvaise habitude qui fût capable de rendre votre fille malheureuse, est-ce que je vous l'aurais proposé pour gendre ? Non, parbleu ! je suis trop votre serviteur. Mais entre nous, je ne lui trouve point d'autre défaut que celui de n'en avoir aucun. Il est trop sage pour un jeune homme. Tant mieux, reprit l'orfèvre. Cela me fait plaisir. Allez, mon ami, vous pouvez l'assurer qu'il aura ma fille, et que je la lui donnerais, quand il ne serait pas chéri du ministre.

Aussitôt que mon secrétaire m'eut rapporté cet entretien, je courus chez Salero, pour le remercier de la disposition favorable où il était pour moi. Il avait déjà déclaré ses volontés à sa femme et à sa fille, qui me firent connaître, par la manière dont elles me reçurent, qu'elles y étaient soumises sans répugnance. Je menai le beau-père au duc de Lerme, que j'avais prévenu la veille, et je le lui présentai. Son Excellence lui fit un accueil des plus gracieux, et lui témoigna de la joie de ce qu'il avait choisi pour gendre un homme qu'elle affectionnait beaucoup, et prétendait avancer. Elle s'étendit ensuite sur mes bonnes qualités, et dit enfin tant de bien de moi, que le bon Gabriel crut avoir rencontré dans ma seigneurie le meilleur parti d'Espagne pour sa fille. Il en était si aise, qu'il en avait la larme à l'œil. Il me serra fortement entre ses bras lorsque nous nous séparâmes, en me disant : Mon fils, j'ai tant d'impatience de vous voir l'époux de Gabriela que vous le serez dans huit jours tout au plus tard.

CHAPITRE II

Par quel hasard Gil Blas se ressouvint de don Alphonse de Leyva, et du service qu'il lui rendit par vanité.

Laissons là mon mariage pour un moment. L'ordre de mon histoire le demande, et veut que je raconte le service que je rendis à don Alphonse, mon ancien maître. J'avais entièrement oublié ce cavalier, et voici à quelle occasion j'en rappelai le souvenir.

Le gouvernement de la ville de Valence vint à vaquer dans ce temps-là. En apprenant cette nouvelle je pensai à don Alphonse de Leyva. Je fis réflexion que cet emploi lui conviendrait à merveille, et, moins par amitié que par ostentation, je résolus de le demander pour lui. Je me représentai que, si je l'obtenais, cela me ferait un honneur infini. Je m'adressai donc au duc de Lerme. Je lui dis que j'avais été intendant de don César de Leyva et de son fils, et qu'ayant tous les sujets du monde de me louer d'eux, je prenais la liberté de le supplier d'accorder à l'un ou à l'autre le gouvernement de Valence. Le ministre me répondit : Très volontiers, Gil Blas. J'aime à te voir reconnaissant et généreux. D'ailleurs, tu me parles pour une famille que j'estime. Les Leyva sont de bons serviteurs du roi; ils méritent bien cette place. Tu peux en disposer à ton gré. Je te la donne pour présent de noces.

Ravi d'avoir réussi dans mon dessein, j'allai sans perdre de temps chez Calderone faire dresser des lettres patentes pour don Alphonse. Il y avait là un grand nombre de personnes qui attendaient dans un silence respectueux que don Rodrigue vînt leur donner audience. Je traversai la foule et me présentai à la porte du cabinet qu'on m'ouvrit. J'y trouvai je ne sais combien de chevaliers, de commandeurs, et d'autres gens de conséquence que Calderone écoutait tour à tour. C'était une chose remarquable que la manière différente dont il les recevait. Il se contentait de faire à ceux-ci une légère inclination de tête; il honorait ceux-là d'une révérence, et les conduisait jusqu'à la porte de son cabinet. Il mettait, pour ainsi dire, des nuances de considération dans les civilités qu'il faisait. D'un autre côté, j'apercevais des cavaliers qui, choqués du peu d'attention qu'il avait pour eux, maudissaient dans leur âme la nécessité qui les obligeait à ramper devant ce visage. J'en voyais d'autres au contraire qui riaient en eux-mêmes de son air fat et suffisant. J'avais beau faire ces observations, je n'étais pas capable d'en profiter. J'en usais chez moi comme lui, et je ne me souciais guère qu'on approuvât ou qu'on blâmât mes manières orgueilleuses, pourvu qu'elles fussent respectées.

Don Rodrigue, ayant par hasard jeté les yeux sur moi, quitta brusquement un gentilhomme qui lui parlait, et vint m'embrasser avec des démonstrations d'amitié qui me surprirent. Ah! mon cher confrère, s'écria-t-il, quelle affaire me procure le plaisir de vous voir ici ? Qu'y a-t-il pour votre service ? Je lui appris le sujet qui m'amenait, et là-dessus il m'assura dans les termes les plus obligeants que le lendemain à pareille heure ce que je demandais serait expédié. Il ne borna point là sa politesse, il me conduisit jusqu'à la porte de son antichambre, où il ne conduisait jamais que de grands seigneurs, et là il m'embrassa de nouveau.

Que signifient toutes ces honnêtetés ? disais-je en m'en allant. Que me présagent-elles ? Calderone méditerait-il ma perte ? ou bien aurait-il envie de gagner mon amitié ? ou pressentant que sa faveur est sur son déclin, me ménagerait-il dans la vue de me prier d'intercéder pour lui auprès de notre patron ? Je ne savais à laquelle de ces conjectures je devais m'arrêter. Le jour suivant, lorsque je retournai chez lui, il me traita de la même façon, il m'accabla de caresses et de civilités. Il est vrai qu'il les rabattit sur la réception qu'il fit aux autres personnes qui se présentèrent pour lui parler. Il brusqua les uns, battit froid aux autres; il mécontenta presque tout le monde. Mais ils furent tous assez vengés par une aventure qui arriva, et que je ne dois point passer sous silence. Ce sera un avis au lecteur pour les commis et les secrétaires qui la liront.

Un homme vêtu fort simplement, et qui ne paraissait pas ce qu'il était, s'approcha de Calderone, et lui parla d'un certain mémoire qu'il disait avoir présenté au duc de Lerme. Don Rodrigue ne regarda pas seulement le cavalier, et lui dit d'un ton brusque : Comment vous appelle-t-on, mon ami ? On m'appelait Francillo dans mon enfance, lui répondit de sang-froid le cavalier; on m'a depuis nommé don Francisco de Zuñiga et je me nomme aujourd'hui le comte de Pedrosa. Calderone étonné de ces paroles, et voyant qu'il avait affaire à un homme de la première qualité, voulut s'excuser : Seigneur, dit-il au comte, je vous demande pardon, si ne vous connaissant pas... Je ne veux point de tes excuses, interrompit avec hauteur Francillo. Je les méprise autant que tes malhonnêtetés. Apprends qu'un secrétaire de ministre doit recevoir honnêtement toutes sortes de personnes. Sois, si tu veux, assez vain pour te regarder comme le substitut de ton maître; mais n'oublie pas que tu n'es que son valet.

Le superbe don Rodrigue fut fort mortifié de cet incident. Il n'en devint toutefois pas plus raisonnable. Pour moi, je marquai cette chasse-là. Je résolus de prendre garde à qui je parlerais dans mes audiences, et de n'être insolent qu'avec des muets. Comme les patentes de don Alphonse se trouvèrent expédiées, je les emportai, et les envoyai par un courrier extraordinaire à ce jeune seigneur avec une lettre du duc de Lerme, par laquelle Son Excellence lui donnait avis que le roi venait de le nommer au gouvernement de Valence. Je ne lui mandai point la part que j'avais à cette nomination. Je ne voulus pas même lui écrire, me faisant un plaisir de la lui apprendre de bouche, et de lui causer une agréable surprise, lorsqu'il viendrait à la Cour prêter serment pour son emploi.

CHAPITRE III

Des préparatifs qui se firent pour le mariage de Gil Blas, et du grand événement qui les rendit inutiles.

Revenons à ma belle Gabrielle. Je devais donc l'épouser dans huit jours. Nous nous préparâmes de part et d'autre à cette cérémonie. Salero fit faire de riches habits pour la mariée, et j'arrêtai pour elle une femme de chambre, un laquais et un vieil écuyer. Tout cela choisi par Scipion, qui attendait avec encore plus d'impatience que moi le jour qu'on me devait compter la dot.

Le veille de ce jour si désiré, je soupai chez le beau-père avec des oncles et des tantes, des cousins et des cousines. Je jouai parfaitement bien le personnage d'un gendre hypocrite. J'eus mille complaisances pour l'orfèvre et pour sa femme. Je contrefis le passionné auprès de Gabrielle. Je gracieusai toute la famille, dont j'écoutai sans m'impatienter les plats discours et les raisonnements bourgeois. Aussi, pour prix de ma patience, j'eus le bonheur de plaire à tous les parents. Il n'y en eut pas un qui ne parût s'applaudir de mon alliance.

Le repas fini, la compagnie passa dans une grande salle où on la régala d'un concert de voix et d'instruments, qui ne fut pas mal exécuté, quoiqu'on n'eût pas choisi les meilleurs sujets de Madrid. Plusieurs airs gais dont nos oreilles furent agréablement frappées nous mirent de si belle humeur que nous commençâmes à former des danses. Dieu sait de quelle façon nous nous en acquittâmes, puisqu'on me prit pour un élève de Terpsichore, moi, qui n'avais d'autres principes de cet art que deux ou trois leçons que j'avais reçues chez la marquise de Chaves d'un petit maître à danser qui venait montrer aux pages. Après nous être bien divertis, il fallut songer à se retirer chacun chez soi. Je prodiguai les révérences et les accolades. Adieu, mon gendre, me dit Salero en m'embrassant, j'irai chez vous demain matin porter la dot en belles espèces d'or. Vous y serez le bienvenu, lui répondis-je, mon cher beau-père. Ensuite, donnant le bonsoir à la famille, je gagnai mon équipage qui m'attendait à la porte, et je pris le chemin de mon hôtel.

J'étais à peine à deux cents pas de la maison du seigneur Gabriel, que quinze ou vingt hommes, les uns à pied, les autres à cheval, tous armés d'épées et de carabines, entourèrent mon carrosse et l'arrêtèrent, en criant : *De par le roi!* Ils m'en firent descendre brusquement pour me jeter dans une chaise roulante, où le principal de ces cavaliers, étant monté avec moi, dit au cocher de toucher vers Ségovie. Je jugeai bien que c'était un honnête alguazil que j'avais à mon côté; je voulus le questionner pour savoir le sujet de mon emprisonnement. Mais il me répondit sur le ton de ces messieurs-là, je veux dire brutalement, qu'il n'avait point de compte à me rendre. Je lui dis que peut-être il se méprenait. Non, non, repartit-il, je suis sûr de mon fait. Vous êtes le seigneur de Santillane. C'est vous que j'ai ordre de conduire où je vous mène. N'ayant rien à répliquer à ces paroles, je pris le parti de me taire. Nous roulâmes le reste de la nuit le long du Mançanarez dans un profond silence. Nous changeâmes de chevaux à Colmenar, et nous arrivâmes sur le soir à Ségovie où l'on m'enferma dans la Tour.

CHAPITRE IV

Comment Gil Blas fut traité dans la Tour de Ségovie, et de quelle manière il apprit la cause de sa prison.

On commença par me mettre dans un cachot, où l'on me laissa sur la paille comme un criminel digne du dernier supplice. Je passai la nuit, non pas à me désoler, car je ne sentais pas encore tout mon mal, mais à chercher dans mon esprit ce qui pouvait avoir causé mon malheur. Je ne doutais pas que ce ne fût l'ouvrage de Calderone. Cependant, j'avais beau le soupçonner d'avoir tout découvert, je ne concevais pas comment il avait pu porter le duc de Lerme à me traiter si cruellement. Tantôt je m'imaginais que c'était à l'insu de Son Excellence que j'avais été arrêté; et tantôt je pensais que c'était elle-même qui pour quelque raison politique m'avait fait emprisonner, ainsi que les ministres en usent quelquefois avec leurs favoris.

J'étais vivement agité de mes diverses conjectures, quand la clarté du jour perçant au travers d'une petite fenêtre grillée vint offrir à ma vue toute l'horreur du lieu où je me trouvais. Je m'affligeai alors sans modération, et mes yeux devinrent deux sources de larmes que le souvenir de ma prospérité rendait intarissables. Pendant que je m'abandonnais à ma douleur, il vint dans mon cachot un guichetier qui m'apportait un pain et une cruche d'eau pour ma journée. Il me regarda, et remarquant que j'avais le visage baigné de pleurs, tout guichetier qu'il était, il sentit un mouvement de pitié : Seigneur prisonnier, me dit-il, ne vous désespérez point. Il ne faut pas être si sensible aux traverses de la vie. Vous êtes jeune. Après ce temps-ci vous en verrez un autre. En attendant, mangez de bonne grâce le pain du roi.

Mon consolateur sortit en achevant ces paroles, auxquelles je ne répondis que par des plaintes et des gémissements; et j'employai tout le jour à maudire mon étoile, sans songer à faire honneur à mes provisions, qui dans l'état où j'étais me semblaient moins un présent de la bonté du roi qu'un effet de sa colère, puisqu'elles servaient plutôt à prolonger qu'à soulager les peines des malheureux.

La nuit vint pendant ce temps-là; et bientôt un grand bruit de clefs attira mon attention. La porte de mon cachot s'ouvrit, et, un moment après, il entra un homme qui portait une bougie. Il s'approcha de moi, et me dit : Seigneur Gil Blas, vous voyez un de vos anciens amis. Je suis ce don André de Tordesillas, qui demeurait avec vous à Grenade, et qui était gentilhomme de l'archevêque dans le temps que vous possédiez les bonnes grâces de ce prélat. Vous le priâtes, s'il vous en souvient, d'employer son crédit pour moi, et il me fit nommer pour aller remplir un emploi au Mexique; mais, au lieu de m'embarquer pour les Indes, je m'arrêtai dans la ville d'Alicante. J'y épousai la fille du capitaine du château, et par une suite d'aventures dont je vous ferai tantôt le récit, je suis devenu le châtelain de la Tour de Ségovie. Il m'est expressément ordonné de ne vous laisser parler à personne, de vous faire coucher sur la paille, et de ne vous donner pour toute nourriture que du pain et de l'eau. Mais outre que j'ai trop d'humanité pour ne pas compatir à vos maux, vous m'avez rendu service, et ma reconnaissance l'emporte sur les ordres que j'ai reçus. Loin de servir d'instrument à la cruauté qu'on veut exercer sur vous, je prétends adoucir la rigueur de votre prison. Levez-vous et venez avec moi.

Quoique le seigneur châtelain méritât bien quelques

remercîments, mes esprits étaient si troublés, que je ne pus lui répondre un seul mot. Je ne laissai pas de le suivre. Il me fit traverser une cour, et monter par un escalier fort étroit à une petite chambre qui était tout au haut de la tour. Je ne fus pas peu surpris en entrant dans cette chambre de voir sur une table deux chandelles qui brûlaient dans des flambeaux de cuivre, et deux couverts assez propres : Dans un moment, me dit Tordesillas, on va nous apporter à manger. Nous allons souper ici tous deux. C'est ce réduit que je vous ai destiné pour logement. Vous y serez mieux que dans votre cachot. Vous verrez de votre fenêtre les bords fleuris de l'Erêma et la vallée délicieuse qui, du pied des montagnes qui séparent les deux Castilles, s'étend jusqu'à Coca. Je sais bien que vous serez d'abord peu sensible à une si belle vue; mais, quand le temps aura fait succéder une douce mélancolie à la vivacité de votre douleur, vous prendrez plaisir à promener vos regards sur des objets si agréables. Outre cela, comptez que le linge et les autres choses qui sont nécessaires à un homme qui aime la propreté ne vous manqueront pas. De plus, vous serez bien couché, bien nourri, et je vous fournirai des livres tant que vous en voudrez. En un mot, vous aurez tous les agréments qu'un prisonnier peut avoir.

A des offres si obligeantes, je me sentis un peu soulagé. Je pris courage, et rendis mille grâces à mon geôlier. Je lui dis qu'il me rappelait à la vie par son procédé généreux, et que je souhaitais de me retrouver en état de lui en témoigner ma reconnaissance. Hé! pourquoi ne vous y retrouveriez-vous pas ? me répondit-il. Croyez-vous avoir perdu pour jamais la liberté ? Vous êtes dans l'erreur, et j'ose vous assurer que vous en serez quitte pour quelques mois de prison. Que dites-vous, seigneur don André ? m'écriai-je. Il semble que vous sachiez le sujet de mon infortune. Je vous avouerai, me repartit-il, que je ne l'ignore pas. L'alguazil qui vous a conduit ici m'a confié ce secret, que je puis vous révéler. Il m'a dit que le roi, informé que vous aviez la nuit, le comte de Lemos et vous, mené le prince d'Espagne chez une dame suspecte, venait, pour vous en punir, d'exiler le comte, et vous envoyait, vous, à la Tour de Ségovie pour y être traité avec toute la rigueur que vous avez éprouvée depuis que vous y êtes. Et comment, lui dis-je, cela est-il venu à la connaissance du roi ? C'est particulièrement de cette circonstance que je voudrais être instruit. Et c'est, répondit-il, ce que l'alguazil ne m'a point appris, et ce qu'apparemment il ne sait pas lui-même.

Dans cet endroit de notre conversation plusieurs valets, qui apportaient le souper, entrèrent. Ils mirent sur la table du pain, deux tasses, deux bouteilles, et trois grands plats, dans l'un desquels il y avait un civet de lièvre avec beaucoup d'oignons, d'huile et de safran; dans l'autre une *olla podrida*[a]; et dans le troisième un dindonneau sur une marmelade de *berengena*[b]. Lorsque Tordesillas vit que nous avions tout ce qu'il nous fallait, il renvoya ses domestiques, ne voulant pas qu'ils entendissent notre entretien. Il ferma la porte, et nous nous assîmes tous deux à table vis-à-vis l'un de l'autre. Commençons, me dit-il, par le plus pressé. Vous devez avoir bon appétit après deux jours de diète. En parlant de cette sorte, il chargea mon assiette de viande. Il s'imaginait servir un affamé, et il avait effectivement sujet de penser que j'allais m'empiffrer de ses ragoûts. Néanmoins, je trompai son attente. Quelque besoin que j'eusse de manger, les morceaux me restaient dans la bouche, tant j'avais le cœur serré de ma condition présente. Pour écarter de mon esprit les images cruelles qui venaient sans cesse l'affliger, mon châtelain avait beau m'exciter à boire et vanter l'excellence de son vin, m'eût-il donné du nectar, je l'aurais alors bu sans plaisir. Il s'en aperçut, et, s'y prenant d'une autre façon, il se mit à me conter d'un style égayé l'histoire de son mariage. Il y réussit encore moins par là. J'écoutai son récit avec tant de distraction, que je n'aurais pu dire, lorsqu'il l'eut fini, ce qu'il venait de me raconter. Il jugea bien qu'il entreprenait trop de vouloir ce soir-là faire quelque diversion à mes chagrins. Il se leva de table après avoir achevé de souper, et me dit : Seigneur de Santillane, je vais vous laisser reposer ou plutôt rêver en liberté à votre malheur. Mais, je vous le répète, il ne sera pas de longue durée. Le roi est bon naturellement. Quand sa colère sera passée et qu'il se représentera la situation déplorable où il croit que vous êtes, vous lui paraîtrez assez puni. A ces mots, le seigneur châtelain descendit et fit monter ses valets pour desservir. Ils emportèrent jusqu'aux flambeaux, et je me couchai à la sombre clarté d'une lampe qui était attachée au mur.

CHAPITRE V

Des réflexions qu'il fit cette nuit avant que de s'endormir; et du bruit qui le réveilla.

Je passai deux heures pour le moins à réfléchir sur ce que Tordesillas m'avait appris. Je suis donc ici, disais-je, pour avoir contribué aux plaisirs de l'héritier de la couronne. Quelle imprudence aussi d'avoir rendu de pareils services à un prince si jeune! Car c'est sa grande jeunesse

a) *Olla podrida est un composé de toutes sortes de viandes.*
b) *Berengena, petite citrouille appelée pomme d'amour.*

qui fait tout mon crime ; s'il était dans un âge plus avancé, le roi peut-être n'aurait fait que rire de ce qui l'a si fort irrité. Mais qui peut avoir donné un semblable avis à ce monarque, sans appréhender le ressentiment du prince ni celui du duc de Lerme ? Ce ministre voudra venger sans doute le comte de Lemos son neveu. Comment le roi a-t-il découvert cela ? C'est ce que je ne comprends point.

J'en revenais toujours là. L'idée pourtant la plus affligeante pour moi, celle qui me désespérait, et dont mon esprit ne pouvait se détacher, c'était le pillage auquel je m'imaginais bien que tous mes effets avaient été abandonnés. Mon coffre-fort, m'écriais-je, mes chères richesses, qu'êtes-vous devenues ? Dans quelles mains êtes-vous tombées ? Hélas ! je vous ai perdues en moins de temps encore que je ne vous avais gagnées ! Je me peignais le désordre qui devait régner dans ma maison, et je faisais sur cela des réflexions toutes plus tristes les unes que les autres. La confusion de tant de pensées différentes me jeta dans un accablement qui me devint favorable ; le sommeil qui m'avait fui la nuit précédente vint répandre sur moi ses pavots. La bonté du lit, la fatigue que j'avais soufferte, ainsi que les vapeurs des viandes et du vin, y contribuèrent aussi. Je m'endormis profondément, et, selon toutes les apparences, le jour m'aurait surpris dans cet état, si je n'eusse été réveillé tout à coup par un bruit assez extraordinaire dans les prisons. J'entendis le son d'une guitare et la voix d'un homme en même temps. J'écoute avec attention. Je n'entends plus rien. Je crois que c'est un songe. Mais un instant après, mon oreille fut frappée du son du même instrument et de la même voix qui chanta les vers suivants :

¡ Ay de mi! un año felice
Parece un soplo ligero;
Pero sin dicha un instante
Es un siglo de tormento [a].

Ce couplet qui paraissait avoir été fait exprès pour moi, irrita mes ennuis. Je n'éprouve que trop, disais-je, la vérité de ces paroles. Il me semble que le temps de mon bonheur s'est écoulé bien vite, et qu'il y a déjà un siècle que je suis en prison. Je me replongeai dans une affreuse rêverie, et recommençai à me désoler, comme si j'y eusse pris plaisir. Mes lamentations pourtant finirent avec la nuit ; et les premiers rayons du soleil dont ma chambre fut éclairée calmèrent un peu mes inquiétudes. Je me levai pour aller ouvrir ma fenêtre, et donner de l'air à ma chambre. Je regardai dans la campagne, dont je me souvins

a) *Hélas, une année de plaisir passe comme un vent léger ; mais un moment de malheur est un siècle de tourment.*

que le seigneur châtelain m'avait fait une belle description. Je ne trouvai pas de quoi justifier ce qu'il m'en avait dit. L'Erêma, que je croyais du moins égal au Tage, ne me parut qu'un ruisseau. L'ortie seule et le chardon paraient ses *bords fleuris* et la prétendue *vallée délicieuse* n'offrit à ma vue que des terres dont la plupart étaient incultes. Apparemment que je n'en étais pas encore à cette douce mélancolie qui devait me faire voir les choses autrement que je ne les voyais alors.

Je commençai à m'habiller, et déjà j'étais à demi vêtu, quand Tordesillas arriva suivi d'une vieille servante qui m'apportait des chemises et des serviettes. Seigneur Gil Blas, me dit-il, voici du linge. Ne le ménagez pas. J'aurai soin que vous en ayez toujours de reste. Hé bien! ajouta-t-il, comment avez-vous passé la nuit ? Le sommeil a-t-il suspendu vos peines pour quelques moments ? Je dormirais peut-être encore, lui répondis-je, si je n'eusse pas été réveillé par une voix accompagnée d'une guitare. Le cavalier qui a troublé votre repos, reprit-il, est un prisonnier d'Etat qui a sa chambre à côté de la vôtre. Il est chevalier de l'ordre militaire de Calatrave, et il a une figure tout aimable. Il s'appelle don Gaston de Cogollos. Vous pourrez vous voir tous deux, et manger ensemble. Vous trouverez une consolation mutuelle dans vos entretiens. Vous vous serez l'un à l'autre d'un grand agrément.

Je témoignai à don André que j'étais très sensible à la permission qu'il me donnait d'unir ma douleur avec celle de ce cavalier; et, comme je marquai quelque impatience de connaître ce compagnon de malheur, notre obligeant châtelain me procura cette satisfaction dès ce jour-là même. Il me fit dîner avec don Gaston, qui me surprit par sa bonne mine et par sa beauté. Jugez quel il devait être pour faire une impression si forte sur des yeux accoutumés à voir la plus brillante jeunesse de la cour. Imaginez-vous un homme fait à plaisir. Un de ces héros de romans qui n'avaient qu'à se montrer pour causer des insomnies aux princesses. Ajoutons à cela que la nature, qui mêle ordinairement ses dons, avait doué Cogollos de beaucoup d'esprit et de valeur. C'était un cavalier parfait.

Si ce cavalier me charma, j'eus de mon côté le bonheur de ne lui pas déplaire. Il ne chanta plus la nuit, de peur de m'incommoder, quelques prières que je lui fisse de ne se pas contraindre pour moi. Une liaison est bientôt formée entre deux personnes qu'un mauvais sort opprime. Une tendre amitié suivit de près notre connaissance, et devint plus forte de jour en jour. La liberté que nous avions de nous parler quand il nous plaisait nous fut très utile, puisque par nos conversations nous nous aidâmes réciproquement tous deux à prendre notre mal en patience.

Une après-dînée, j'entrai dans sa chambre, comme il se disposait à jouer de la guitare. Pour l'écouter plus commodément, je m'assis sur une sellette qu'il y avait là pour tout siège; et lui, s'étant mis sur le pied de son lit, il joua un air fort touchant, et chanta dessus des paroles qui exprimaient le désespoir où la cruauté d'une dame réduisait un amant. Lorsqu'il les eut chantées, je lui dis en souriant : Seigneur chevalier, voilà des vers que vous ne serez jamais obligé d'employer dans vos galanteries. Vous n'êtes pas fait pour trouver des femmes cruelles. Vous avez trop bonne opinion de moi, me répondit-il. J'ai composé pour mon compte les vers que vous venez d'entendre, pour amollir un cœur que je croyais de diamant, pour attendrir une dame qui me traitait avec une extrême rigueur. Il faut que je vous fasse le récit de cette histoire; vous apprendrez en même temps celle de mes malheurs.

CHAPITRE VI

Histoire de don Gaston de Cogollos, et de doña Helena de Galisteo.

Il y aura bientôt quatre ans que je partis de Madrid pour aller à Coria voir doña Eleonor de Laxarilla, ma tante, qui est une des plus riches douairières de la Castille Vieille, et qui n'a point d'autre héritier que moi. Je fus à peine arrivé chez elle que l'amour y vint troubler mon repos. Elle me donna un appartement dont les fenêtres faisaient face aux jalousies d'une dame qui demeurait vis-à-vis, et que je pouvais facilement remarquer, tant ses grilles étaient peu serrées et la rue étroite. Je ne négligeai pas cette possibilité; et je trouvai ma voisine si belle, que j'en fus d'abord enchanté. Je le lui marquai aussitôt par des œillades si vives, qu'il n'y avait pas à s'y méprendre. Elle s'en aperçut bien; mais elle n'était pas fille à faire trophée d'une pareille observation et encore moins à répondre à mes minauderies.

Je voulus savoir le nom de cette dangereuse personne qui troublait si promptement les cœurs. J'appris qu'on la nommait doña Helena : qu'elle était fille unique de don George de Galisteo, qui possédait à quelques lieues de Coria un fief dominant d'un revenu considérable; qu'il se présentait souvent des partis pour elle, mais que son père les rejetait tous, parce qu'il était dans le dessein de la marier à don Augustin de Olighera, son neveu, qui, en attendant ce mariage, avait la liberté de voir et d'entretenir tous les jours sa cousine. Cela ne me découragea point. Au contraire, j'en devins plus amoureux, et l'orgueilleux plaisir de supplanter un rival aimé m'excita peut-être encore plus que mon amour à pousser ma pointe. Je continuai donc de lancer à mon Hélène des regards enflammés. J'en adressai aussi de suppliants à Felicia, sa suivante, comme pour implorer son secours. Je fis même parler mes doigts. Mais ces galanteries furent inutiles. Je ne tirai pas plus de raison de la soubrette que de la maîtresse. Elles firent toutes deux les cruelles et les inaccessibles.

Puisqu'elles refusaient de répondre au langage de mes yeux, j'eus recours à d'autres interprètes. Je mis des gens en campagne pour déterrer les connaissances que Felicia pouvait avoir dans la ville. Ils découvrirent qu'une vieille dame appelée Theodora était sa meilleure amie, et qu'elles se voyaient fort souvent. Ravi de cette découverte, j'allai moi-même trouver Theodora, que j'engageai par des présents à me servir. Elle prit parti pour moi, promit de me ménager chez elle un entretien secret avec son amie, et tint sa promesse dès le lendemain.

Je cesse d'être malheureux, dis-je à Felicia, puisque mes peines ont excité votre pitié. Que ne dois-je point à votre amie de vous avoir disposée à m'accorder la satisfaction de vous entretenir! Seigneur, me répondit-elle, Theodora peut tout sur moi. Elle m'a mise dans vos intérêts; et, si je pouvais faire votre bonheur, vous seriez bientôt au comble de vos vœux; mais avec toute ma bonne volonté, je ne sais si je vous serai d'un grand secours. Il ne faut point vous flatter : vous n'avez jamais formé d'entreprise plus difficile. Vous aimez une dame prévenue pour un autre cavalier, et quelle dame encore! Une dame si fière et si dissimulée, que si par votre constance et par vos soins vous parvenez à lui arracher des soupirs, ne pensez pas que sa fierté vous donne le plaisir de les entendre. Ah! ma chère Felicia, m'écriai-je avec douleur. Pourquoi me faites-vous connaître tous les obstacles que j'ai à surmonter! Ce détail m'assassine. Trompez-moi plutôt que de me désespérer. A ces mots, je pris une de ses mains, je la pressai entre les miennes et lui mis au doigt un diamant de trois cents pistoles, en lui disant des choses si touchantes que je la fis pleurer.

Elle était trop émue de mes discours et trop contente de mes manières, pour me laisser sans consolation. Elle aplanit un peu les difficultés : Seigneur, me dit-elle, ce que je viens de vous représenter ne doit pas vous ôter toute espérance. Votre rival, il est vrai, n'est pas haï. Il vient au logis voir librement sa cousine. Il lui parle quand il lui plaît; et c'est ce qui vous est favorable. L'habitude où ils sont tous deux d'être ensemble tous les jours rend leur commerce un peu languissant. Ils me paraissent se quitter sans peine et se revoir sans plaisir. On dirait qu'ils sont déjà mariés. En un mot, je ne vois point que ma maîtresse ait une passion violente pour don Augustin. D'ailleurs il y a entre vous et lui, pour les qualités personnelles, une différence qui ne doit pas être inutilement remarquée par une fille aussi délicate que doña Helena. Ne perdez donc pas courage. Continuez vos galanteries. Je vous seconderai. Je ne laisserai pas échapper une occasion de faire valoir à ma maîtresse tout ce que vous ferez pour lui plaire. Elle aura beau se déguiser; à travers sa dissimulation, je démêlerai bien ses sentiments.

Nous nous séparâmes Felicia et moi fort satisfaits l'un de l'autre après cette conversation. Je m'apprêtai sur nouveaux frais à lorgner la fille de don George, je la régalai d'une sérénade dans laquelle je fis chanter par une belle voix les vers que vous venez d'entendre. Après le concert, la suivante, pour sonder sa maîtresse, lui demanda si elle s'était divertie. La voix, dit doña Helena, m'a fait plaisir. Et les paroles qu'elles a chantées, répliqua la soubrette, ne sont-elles pas fort touchantes ? C'est à quoi, repartit la dame, je n'ai fait aucune attention. Je ne me suis attachée qu'au chant. Je n'ai nullement pris garde aux vers, ni ne me soucie guère de savoir qui m'a donné cette sérénade. Sur ce pied-là, s'écria la suivante, le pauvre don Gaston de Cogollos est très éloigné de son compte, et bien fou de passer son temps à regarder nos jalousies. Ce n'est peut-être pas lui, dit la maîtresse d'un air froid; c'est quelque autre cavalier qui vient par ce concert me déclarer sa passion. Pardonnez-moi, répondit Felicia, c'est don Gaston lui-même, à telles enseignes qu'il m'a ce matin abordée dans la rue et priée de vous dire de sa part qu'il vous adore, malgré les rigueurs dont vous payez son amour; et qu'enfin il s'estimerait le plus heureux de tous les hommes, si vous lui permettiez de vous marquer sa tendresse par ses soins et par des fêtes galantes. Ces discours, poursuivit-elle, vous prouvent assez que je ne me trompe pas.

La fille de don George changea tout à coup de visage, et regardant sa suivante d'un air sévère : Vous auriez bien pu, lui dit-elle, vous passer de me rapporter cet impertinent entretien. Qu'il ne vous arrive plus, s'il vous plaît, de me venir faire de pareils rapports. Et si ce jeune téméraire ose encore vous parler, dites-lui qu'il s'adresse à une personne qui fasse plus de cas que moi de ses galanteries, et qu'il choisisse un plus honnête passe-temps que celui d'être toute la journée à ses fenêtres à observer ce que je fais dans mon appartement.

Tout cela me fut fidèlement détaillé dans une seconde entrevue par Felicia, qui, prétendant qu'il ne fallait pas prendre au pied de la lettre les paroles de sa maîtresse, voulait me persuader que mes affaires allaient le mieux du monde. Pour moi qui n'y entendais pas finesse, et qui ne croyais pas qu'on pût expliquer le texte en ma faveur, je me défiais des commentaires qu'elle me faisait. Elle se moqua de ma défiance, demanda du papier et de l'encre à son amie, et me dit : Seigneur chevalier, écrivez tout à l'heure à doña Helena en amant désespéré. Peignez-lui vivement vos souffrances, et surtout plaignez-vous de la défense qu'elle vous fait de paraître à vos fenêtres. Promettez d'obéir; mais assurez qu'il vous en coûtera la vie. Tournez-moi cela comme vous le savez si bien faire, vous autres cavaliers; et je me charge du reste. J'espère que l'événement fera plus d'honneur que vous n'en faites à ma pénétration.

J'aurais été le premier amant qui, trouvant une si belle occasion d'écrire à sa maîtresse, n'en eût pas profité. Je composai une lettre des plus pathétiques. Avant que de la plier, je la montrai à Felicia, qui sourit après l'avoir lue, et me dit que, si les femmes savaient l'art d'entêter les hommes, en récompense les hommes n'ignoraient pas celui d'enjôler les femmes. La soubrette prit mon billet, puis, m'ayant recommandé d'avoir soin que mes fenêtres fussent fermées pendant quelques jours, elle retourna chez don George.

Madame, dit-elle, en arrivant à doña Helena, j'ai rencontré don Gaston. Il n'a pas manqué de venir à moi et de vouloir me tenir des discours flatteurs. Il m'a demandé d'une voix tremblante et comme un coupable qui attend son arrêt si je vous avais parlé de sa part. Alors, prompte et fidèle à exécuter vos ordres, je lui ai coupé brusquement la parole. Je me suis déchaînée contre lui. Je l'ai chargé d'injures, et laissé dans la rue tout étourdi de ma pétulance. Je suis ravie, répondit doña Helena, que vous m'ayez débarrassée de cet importun. Mais il n'était pas nécessaire de lui parler brutalement. Il faut toujours qu'une fille ait de la douceur. Madame, répliqua la suivante, on ne se défait pas d'un amant passionné par des paroles prononcées d'un air doux. On n'en vient pas même à bout par des fureurs et des emportements. Don Gaston, par exemple, ne s'est pas rebuté. Après l'avoir accablé d'injures, comme je vous l'ai dit, j'ai été chez votre parente où vous m'avez envoyée. Cette dame, par malheur, m'a retenue trop longtemps. Je dis trop longtemps, puisqu'en revenant j'ai retrouvé mon homme. Je ne m'attendais plus à le revoir. Sa vue m'a troublée, mais si troublée que ma langue, qui ne me manque jamais dans l'occasion, n'a pu me fournir une syllabe. Pendant ce temps-là, qu'a-t-il fait ? Il m'a glissé dans la main un papier que j'ai gardé sans savoir ce que je faisais, et il a disparu dans le moment.

En parlant ainsi, elle tira de son sein ma lettre, qu'elle remit tout en badinant à sa maîtresse, qui, l'ayant prise comme pour s'en divertir, la lut à bon compte, et fit ensuite la réservée. En vérité, Felicia, dit-elle d'un air sérieux à sa suivante, vous êtes une étourdie, une folle d'avoir reçu ce billet. Que peut penser de cela don Gaston ? et qu'en dois-je croire moi-même ? Vous me donnez lieu par votre conduite de me méfier de votre fidélité, et à lui de me soupçonner d'être sensible à sa passion. Hélas! peut-être s'imagine-t-il en cet instant que je lis et relis avec plaisir les caractères qu'il a tracés. Voyez à quelle honte vous exposez ma fierté. Oh ! que non, Madame, lui répondit la soubrette ; il ne saurait avoir cette pensée : et, supposé qu'il l'eût, il ne l'aura pas longtemps. Je lui dirai, à la première vue, que je vous ai montré sa lettre, que vous l'avez regardée d'un air glacé, et qu'enfin, sans la lire, vous l'avez déchirée avec un mépris froid. Vous pourrez hardiment, reprit doña Helena, lui jurer que je ne l'ai point lue. Je serais bien embarrassée s'il me fallait seulement en dire deux paroles. La fille de don George ne se contenta pas de parler de cette sorte, elle déchira mon billet et défendit à sa suivante de l'entretenir jamais de moi.

Comme j'avais promis de ne plus faire le galant à mes fenêtres, puisque ma vue déplaisait, je les tins fermées pendant plusieurs jours pour rendre mon obéissance plus touchante. Mais au défaut des mines qui m'étaient interdites, je me préparai à donner de nouvelles sérénades à ma cruelle Hélène. Je me rendis une nuit sous son balcon avec des musiciens, et déjà les guitares se faisaient entendre, lorsqu'un cavalier l'épée à la main vint troubler le concert, en frappant à droite et à gauche sur les concertants, qui prirent aussitôt la fuite. La fureur qui animait cet audacieux excita la mienne. Je m'avance pour le punir et nous commençons un rude combat. Doña Helena et sa suivante entendent le bruit des épées. Elles regardent au travers de leurs jalousies et voient deux hommes qui sont aux mains. Elles poussent de grands cris, qui obligent don George et ses valets à se lever. Ils accourent, de même que plusieurs voisins, pour séparer les combattants. Mais ils arrivèrent trop tard. Ils ne trouvèrent sur le champ de bataille qu'un cavalier noyé dans son sang et presque sans vie ; et ils reconnurent que j'étais ce cavalier infortuné. On m'emporta chez ma tante, où les plus habiles chirurgiens de la ville furent appelés.

Tout le monde me plaignit, et particulièrement doña Helena, qui laissa voir alors le fond de son cœur. Sa dissimulation céda au sentiment. Le croirez-vous ? Ce n'était plus cette fille qui se faisait un point d'honneur de paraître insensible à mes galanteries. C'était une tendre amante qui s'abandonnait sans réserve à sa douleur. Elle passa le reste de la nuit à pleurer avec sa suivante, et à maudire son cousin Augustin de Olighera, qu'elles jugeaient devoir être l'auteur de leurs larmes ; comme en effet c'était lui qui avait si désagréablement interrompu la sérénade. Aussi dissimulé que sa cousine, il s'était aperçu de mes intentions, sans en rien témoigner, et, s'imaginant qu'elle y répondait, il avait fait cette action vigoureuse, pour montrer qu'il était moins endurant qu'on ne le croyait. Néanmoins ce triste accident fut peu de temps après suivi d'une joie qui le fit oublier. Tout dangereusement blessé que j'étais, l'habileté des chirurgiens me tira bientôt d'affaire. Je gardais encore la chambre, quand doña Eleonor, ma tante, alla trouver don

George, et lui demanda pour moi doña Helena. Il consentit d'autant plus volontiers à ce mariage, qu'il regardait alors don Augustin comme un homme qu'il ne reverrait peut-être jamais. Le bon vieillard appréhendait que sa fille n'eût de la répugnance à se donner à moi, à cause que le cousin Olighera avait eu la liberté de la voir et tout le loisir de s'en faire aimer, mais elle parut si disposée à obéir en cela à son père, qu'on peut conclure de là qu'en Espagne, ainsi qu'ailleurs, c'est un avantage d'être un nouveau venu auprès des femmes.

Sitôt que je pus avoir une conversation particulière avec Felicia, j'appris jusqu'à quel point sa maîtresse avait été sensible au malheureux succès de mon combat. Si bien que, ne pouvant plus douter que je ne fusse le Pâris de mon Hélène, je bénissais ma blessure, puisqu'elle avait de si heureuses suites pour mon amour. J'obtins du seigneur don George la permission de parler à sa fille en présence de la suivante. Que cet entretien fut doux pour moi ! Je priai, je pressai tellement la dame de me dire si son père, en la livrant à ma tendresse, ne faisait aucune violence à ses sentiments, qu'elle m'avoua que je ne la devais point à sa seule obéissance. Depuis cet aveu plein de charmes, je ne m'occupai que du soin de plaire et d'imaginer des fêtes galantes en attendant le jour de nos noces, qui devait être célébré par une magnifique cavalcade où toute la noblesse de Coria et des environs se préparait à briller.

Je donnai un grand repas à une superbe maison de plaisance que ma tante avait aux portes de la ville, du côté de Manroi. Don George et sa fille avec tous leurs parents et leurs amis en étaient. On y avait préparé par mon ordre un concert de voix et d'instruments, et fait venir une troupe de comédiens de campagne, pour y représenter une comédie. Au milieu du festin, on me vint dire à l'oreille qu'il y avait dans une salle un homme qui demandait à me parler. Je me levai de table pour aller voir qui c'était. Je trouvai un inconnu qui avait l'air d'un valet de chambre. Il me présenta un billet que j'ouvris, et qui contenait ces paroles : *Si l'honneur vous est cher, comme il le doit être à tout chevalier de votre Ordre, vous ne manquerez pas demain matin de vous rendre dans la plaine de Manroi. Vous y trouverez un cavalier qui veut vous faire raison de l'offense que vous avez reçue de lui, et vous mettre, s'il le peut, hors d'état d'épouser doña Helena.*

DON AUGUSTIN DE OLIGHERA.

Si l'amour a beaucoup d'empire sur les Espagnols, la vengeance en a encore bien davantage. Je ne lus pas ce billet d'un cœur tranquille. Au seul nom de don Augustin, il s'alluma dans mes veines un feu qui me fit presque oublier les devoirs indispensables que j'avais à remplir ce jour-là. Je fus tenté de me dérober à la compagnie, pour aller chercher sur-le-champ mon ennemi. Je me contraignis pourtant, de peur de troubler la fête, et dis à l'homme qui m'avait remis la lettre : Mon ami, vous pouvez dire au cavalier qui vous envoie que j'ai trop d'envie de me revoir aux prises avec lui pour n'être pas demain, avant le lever du soleil, dans l'endroit qu'il me marque.

Après avoir renvoyé le messager avec cette réponse, je rejoignis mes convives et repris ma place à table, où je composai si bien mon visage, que personne n'eut aucun soupçon de ce qui se passait en moi. Je parus pendant le reste de la journée occupé comme les autres des plaisirs de la fête, qui finit, enfin, au milieu de la nuit. L'assemblée se sépara, et chacun rentra dans la ville de la même manière qu'il en était sorti. Pour moi, je demeurai dans la maison de plaisance, sous prétexte d'y vouloir prendre l'air le lendemain matin; mais ce n'était que pour me trouver plus tôt au rendez-vous. Au lieu de me coucher, j'attendis avec impatience la pointe du jour. Sitôt que je l'aperçus, je montai sur mon meilleur cheval, et je partis tout seul comme pour me promener dans la campagne. Je m'avance vers Manroi. Je découvre dans la plaine un homme à cheval qui vient de mon côté à bride abattue. Je vole à sa rencontre, pour lui épargner la moitié du chemin. Nous nous joignons bientôt. C'était mon rival : Chevalier, me dit-il insolemment, c'est à regret que j'en viens aux mains une seconde fois avec vous; mais c'est votre faute. Après l'aventure de la sérénade, vous auriez dû renoncer de bonne grâce à la fille de don George, ou bien vous tenir pour dit que vous n'en seriez pas quitte pour cela, si vous persistiez dans le dessein de lui plaire. Vous êtes trop fier, lui répondis-je, d'un avantage que vous devez peut-être moins à votre adresse qu'à l'obscurité de la nuit. Vous ne songez pas que les armes sont journalières. Elles ne le sont pas pour moi, répliqua-t-il d'un air arrogant; et je vais vous faire voir que le jour comme la nuit je sais punir les chevaliers audacieux qui vont sur mes brisées.

Je ne repartis à cet orgueilleux discours qu'en mettant promptement pied à terre. Don Augustin fit la même chose. Nous attachâmes nos chevaux à un arbre, et nous commençâmes à nous battre avec une égale vigueur. J'avouerai de bonne foi que j'avais affaire à un ennemi qui savait mieux faire des armes que moi, bien que j'eusse deux années de salle. Il était consommé dans l'escrime. Je ne pouvais exposer ma vie à un plus grand péril. Néanmoins comme il arrive assez souvent que le plus fort est vaincu par le plus faible, mon rival, malgré toute son habileté, reçut un coup d'épée dans le cœur et tomba raide mort un moment après.

Je retournai aussitôt à la maison de plaisance, où j'appris ce qui venait de se passer à mon valet de chambre, dont la fidélité m'était connue. Ensuite je lui dis : Mon cher Ramire, avant que la justice puisse avoir connaissance de cet événement, prends un bon cheval, et va informer ma tante de cette aventure. Demande-lui de ma part de l'or et des pierreries, et viens me joindre à Plazencia. Tu me trouveras dans la première hôtellerie en entrant dans la ville.

Ramire s'acquitta de sa commission avec tant de diligence, qu'il arriva trois heures après moi à Plazencia. Il me dit que doña Eleonor avait été plus réjouie qu'affligée d'un combat qui réparait l'affront que j'avais reçu au premier, et qu'elle m'envoyait tout son or et toutes ses pierreries pour me faire voyager agréablement dans les pays étrangers, en attendant qu'elle eût accommodé mon affaire.

Pour supprimer les circonstances superflues, je vous dirai que je traversai la Castille Nouvelle pour aller dans le royaume de Valence m'embarquer à Denia. Je passai en Italie, où je me mis en état de parcourir les cours et d'y paraître avec agrément.

Tandis que, loin de mon Hélène, je me disposais à tromper, autant qu'il me serait possible, mon amour et mes ennuis, cette dame à Coria pleurait en secret mon absence. Au lieu d'applaudir aux poursuites que sa famille faisait contre moi au sujet de la mort d'Olighera, elle souhaitait qu'un prompt accommodement les fît cesser et hâtât mon retour. Six mois s'étaient déjà écoulés depuis qu'elle m'avait perdu, et je crois que sa constance aurait toujours triomphé du temps, si elle n'eût eu que le temps à combattre; mais elle eut des ennemis encore plus puissants. Don Blas de Combados, gentilhomme de la côte occidentale de Galice, vint à Coria recueillir une riche succession qui lui avait été vainement disputée par don Miguel de Caprara, son cousin, et il s'établit dans ce pays-là, le trouvant plus agréable que le sien. Combados était bien fait. Il paraissait doux et poli, et il avait l'esprit du monde le plus insinuant. Il eut bientôt fait connaissance avec les honnêtes gens de la ville et su toutes les affaires des uns et des autres.

Il n'ignora pas longtemps que don George avait une fille dont la beauté dangereuse semblait n'enflammer les hommes que pour leur malheur. Cela piqua sa curiosité. Il eut envie de voir une dame si redoutable. Il rechercha pour cet effet l'amitié de son père et la gagna si bien que le vieillard, le regardant déjà comme un gendre, lui donna l'entrée de sa maison et la liberté de parler en sa présence à doña Helena. Le Galicien ne tarda guère à devenir amoureux d'elle. C'était un sort inévitable. Il ouvrit son cœur à don George, qui lui dit qu'il agréait sa recherche; mais que, ne voulant pas contraindre sa fille, il la laissait maîtresse de sa main. Là-dessus don Blas mit en usage toutes les galanteries dont il pût s'aviser pour plaire à cette dame, qui n'y fut aucunement sensible, tant elle était occupée de moi. Felicia était pourtant dans les intérêts du cavalier, qui l'avait engagée par des présents à servir son amour. Elle y employait toute son adresse. D'un autre côté, le père secondait la suivante par des remontrances; et néanmoins ils ne firent tous deux pendant une année entière que tourmenter doña Helena, sans pouvoir me la rendre infidèle.

Combados, voyant que don George et Felicia s'intéressaient en vain pour lui, leur proposa un expédient pour vaincre l'opiniâtreté d'une amante si prévenue. Voici, leur dit-il, ce que j'ai imaginé. Nous supposerons qu'un marchand de Coria vient de recevoir une lettre d'un négociant italien dans laquelle, après un détail de choses qui concerneront le commerce, on lira les paroles suivantes : *Il est arrivé depuis peu à la cour de Parme un cavalier espagnol nommé don Gaston de Cogollos. Il se dit neveu et unique héritier d'une riche veuve qui demeure à Coria, sous le nom de doña Eleonor de Laxarilla. Il recherche la fille d'un puissant seigneur ; mais on ne veut pas la lui accorder qu'on ne soit informé de la vérité. Je suis chargé de m'adresser à vous pour cela. Mandez-moi donc, je vous prie, si vous connaissez ce don Gaston et en quoi consistent les biens de sa tante. Votre réponse décidera de ce mariage. A Parme, ce, etc.*

Cette fourberie ne parut au vieillard qu'un jeu d'esprit, qu'une ruse pardonnable aux amants, et la soubrette encore moins scrupuleuse que le bonhomme l'approuva fort. L'invention leur sembla d'autant meilleure, qu'ils connaissaient Hélène pour une fille fière et capable de prendre son parti sur-le-champ, pourvu qu'elle n'eût aucun soupçon de la supercherie. Don George se chargea de lui annoncer lui-même mon changement, et, pour rendre la chose encore plus naturelle, de lui faire parler au marchand qui aurait reçu de Parme la prétendue lettre. Ils exécutèrent ce projet comme ils l'avaient formé. Le père, avec une émotion où il y avait en apparence de la colère et du dépit, dit à doña Helena : Ma fille, je ne vous dirai plus que nos parents me prient tous les jours de ne permettre jamais que le meurtrier de don Augustin entre dans notre famille; j'ai aujourd'hui une raison plus forte à vous dire pour vous détacher de don Gaston. Mourez de honte de lui être si fidèle! C'est un volage, un perfide. Voici une preuve certaine de son infidélité. Lisez vous-même cette lettre qu'un marchand de Coria vient de recevoir d'Italie. La tremblante Hélène prend ce papier supposé, en fait des yeux la lecture, en pèse tous les termes et demeure accablée de la nouvelle de mon inconstance. Un sentiment de tendresse lui fit ensuite répandre quelques larmes; mais bientôt, rappelant toute sa fierté, elle essuya ses pleurs, et dit d'un ton ferme à son père : Seigneur, vous venez d'être témoin de ma faiblesse; soyez-le aussi de la victoire que je remporte sur moi. C'en est fait, je n'ai plus que du mépris pour don Gaston. Je ne vois en lui que le dernier des hommes. N'en parlons plus. Allons. Je suis prête à suivre don Blas à l'autel. Que mon hymen précède celui du perfide qui a si mal répondu à mon amour! Don George, transporté de joie à ces paroles, embrassa sa fille, loua la vigoureuse résolution qu'elle prenait, et, s'applaudissant de l'heureux succès du stratagème, il se hâta de combler les vœux de mon rival.

Doña Helena me fut ainsi ravie. Elle se livra brusquement à Combados, sans vouloir entendre l'amour qui lui parlait pour moi au fond de son cœur, sans douter même un instant d'une nouvelle qui aurait dû trouver dans une amante moins de crédulité. L'orgueilleuse n'écouta que sa présomption. Le ressentiment de l'injure qu'elle s'imaginait que j'avais faite à sa beauté l'emporta sur l'intérêt de sa tendresse. Elle eut pourtant, peu de jours après son mariage, quelques remords de l'avoir précipité : il lui vint dans l'esprit que la lettre du marchand pouvait avoir été supposée, et ce soupçon lui causa de l'inquiétude. Mais l'amoureux don Blas ne laissait point à sa femme le temps de nourrir des pensées contraires à son repos. Il ne songeait qu'à l'amuser, et il y réussissait par une succession continuelle de plaisirs différents qu'il avait l'art d'inventer.

Elle paraissait très contente d'un époux si galant et ils vivaient tous deux dans une parfaite union, lorsque ma tante accommoda mon affaire avec les parents de don Augustin. Elle m'écrivit aussitôt en Italie pour m'en donner avis. J'étais alors à Reggio dans la Calabre ultérieure. Je passai en Sicile; de là en Espagne et je me rendis enfin à Coria sur les ailes de l'amour. Doña Eleonor, qui ne m'avait pas mandé le mariage de la fille de don George, me l'apprit à mon arrivée, et remarquant qu'il m'affligeait : Vous avez tort, me dit-elle, mon neveu, de vous montrer sensible à la perte d'une dame qui n'a pu vous demeurer fidèle. Croyez-moi : bannissez de votre mémoire une personne qui n'est pas digne de l'occuper.

Comme ma tante ignorait qu'on eût trompé doña Helena, elle avait raison de me parler ainsi; et elle ne pouvait me donner un conseil plus sage. Aussi je me promis bien de le suivre, ou du moins d'affecter un air d'indifférence, si je n'étais pas capable de vaincre ma passion. Je ne pus toutefois résister à la curiosité de savoir de quelle manière ce mariage avait été fait. Pour en être instruit, je résolus de m'adresser à l'amie de Felicia, c'est-à-dire à la dame Theodora dont je vous ai déjà parlé. J'allai chez elle. J'y trouvai par hasard Felicia, qui ne s'attendant à rien moins qu'à ma vue en fut troublée, et voulut sortir pour éviter l'éclaircissement qu'elle jugea bien que je lui demanderais. Je l'arrêtai : Pourquoi me fuyez-vous ? lui dis-je. La parjure Hélène n'est-elle pas contente de m'avoir sacrifié ? Vous a-t-elle défendu d'écouter mes plaintes ? Ou cherchez-vous seulement à m'échapper, pour vous faire un mérite auprès de l'ingrate d'avoir refusé de les entendre ?

Seigneur, me répondit la suivante, je vous avoue ingénument que votre présence me rend confuse. Je ne puis vous revoir sans me sentir déchirée de mille remords. On a séduit ma maîtresse, et j'ai eu le malheur d'être complice de la séduction. O Ciel ! répliquai-je avec surprise, que m'osez-vous dire ? expliquez-vous plus clairement. Alors la soubrette me fit le détail du stratagème dont s'était servi Combados pour m'enlever doña Helena ; et, s'apercevant que son récit me perçait le cœur, elle s'efforça de me consoler. Elle m'offrit ses bons offices auprès de sa maîtresse, me promit de la désabuser, de lui peindre mon désespoir, en un mot, de ne rien épargner pour adoucir la rigueur de ma destinée ; enfin, elle me donna des espérances qui soulagèrent un peu mes peines.

Je passe les contradictions infinies qu'elle eut à essuyer de la part de doña Helena pour la faire consentir à me voir. Elle en vint pourtant à bout. Il fut résolu entre elles qu'on me ferait entrer secrètement chez don Blas, la première fois qu'il irait à une terre où il allait de temps en temps chasser, et où il demeurait ordinairement un jour ou deux. Ce dessein s'exécuta bientôt : le mari partit pour la campagne. On eut soin de m'en avertir et de m'introduire une nuit dans l'appartement de sa femme.

Je voulus commencer la conversation par des reproches. On me ferma la bouche. Il est inutile de rappeler le passé, me dit la dame. Il ne s'agit point ici de nous attendrir l'un l'autre, et vous êtes dans l'erreur, si vous me croyez disposée à flatter vos sentiments. Je vous le déclare, don Gaston : je n'ai prêté mon consentement à cette secrète entrevue, je n'ai cédé aux instances qu'on m'en a faites, que pour vous dire de vive voix que vous ne devez songer désormais qu'à m'oublier. Peut-être serais-je plus satisfaite de mon sort, s'il était lié au vôtre, mais, puisque le Ciel en a ordonné autrement, je veux obéir à ses arrêts.

Eh quoi, madame, lui répondis-je, ce n'est pas assez de vous avoir perdue ? Ce n'est pas assez de voir l'heureux don Blas posséder tranquillement la seule personne que je puisse aimer : il faut encore que je vous bannisse de ma pensée ! Vous voulez m'arracher mon amour, m'enlever l'unique bien qui me reste ! Ah ! cruelle, pensez-vous qu'il soit possible à un homme que vous avez une fois charmé de reprendre son cœur ? Connaissez-vous mieux que vous ne faites, et cessez de m'exhorter vainement à vous ôter de mon souvenir. Eh bien ! répliqua-t-elle avec précipitation, cessez donc aussi d'espérer que je paye votre passion de quelque reconnaissance. Je n'ai qu'un mot à vous dire : l'épouse de don Blas ne sera point l'amante de don Gaston. Prenez sur cela votre parti. Fuyez. Finissons promptement un entretien que je me reproche malgré la pureté de mes intentions, et que je me ferais un crime de prolonger.

A ces paroles, qui m'ôtaient toute espérance, je tombai aux genoux de la dame. Je lui tins des discours touchants. J'employai jusqu'aux larmes pour l'attendrir. Mais tout cela ne servit qu'à exciter peut-être quelques sentiments de pitié qu'on se garda bien de laisser paraître et qui furent sacrifiés au devoir. Après avoir infructueusement épuisé les expressions tendres, les prières et les pleurs, ma tendresse se changea tout à coup en fureur. Je tirai mon épée pour m'en percer aux yeux de l'inexorable Hélène, qui ne s'aperçut pas plutôt de mon action, qu'elle se jeta sur moi pour en prévenir les suites. Arrêtez, Cogollos, me dit-elle. Est-ce ainsi que vous ménagez ma réputation ? En vous ôtant ainsi la vie, vous aller me déshonorer et faire passer mon mari pour un assassin.

Dans le désespoir qui me possédait, bien loin de donner à ces mots l'attention qu'ils méritaient, je ne songeais qu'à tromper les efforts que faisaient la maîtresse et la suivante pour me sauver de ma funeste main. Et je n'y aurais sans doute réussi que trop tôt, si don Blas qui avait été averti de notre entrevue et qui, au lieu d'aller à la campagne, s'était caché derrière une tapisserie pour entendre notre entretien, ne fût vite venu se joindre à elles. Don Gaston, s'écria-t-il en me retenant le bras, rappelez votre raison égarée et ne cédez point lâchement au transport furieux qui vous agite !

J'interrompis Combados. Est-ce à vous, lui dis-je, à me détourner de ma résolution ? Vous devriez plutôt me plonger vous-même un poignard dans le sein. Mon amour, tout malheureux qu'il est, vous offense. N'est-ce pas assez que vous me surpreniez la nuit dans l'appartement de votre femme ? En faut-il davantage pour vous exciter à la vengeance ? Percez-moi pour vous défaire d'un homme qui ne peut cesser d'adorer doña Helena qu'en cessant de vivre. C'est en vain, me répondit don Blas, que vous tâchez d'intéresser mon honneur à vous donner la mort. Vous êtes assez puni de votre témérité, et je sais si bon gré à mon épouse de ses sentiments vertueux, que je lui pardonne l'occasion où elle les a fait éclater. Croyez-moi, Cogollos, ajouta-t-il, ne vous désespérez pas comme un faible amant. Soumettez-vous avec courage à la nécessité.

Le prudent Galicien par de semblables discours calma peu à peu ma fureur, et réveilla ma vertu. Je me retirai dans le dessein de m'éloigner d'Hélène et des lieux qu'elle habitait : et deux jours après je retournai à Madrid. Là, ne voulant plus m'occuper que du soin de ma fortune, je commençai à paraître à la Cour et à m'y faire des amis. Mais j'ai eu le malheur de m'attacher particulièrement au marquis de Villaréal, grand seigneur portugais, qui, pour avoir été soupçonné de songer à délivrer le Portugal de la domination des Espagnols, est présentement au château d'Alicante. Comme le duc de Lerme a su que j'avais été dans une étroite liaison avec ce seigneur, il m'a fait aussi arrêter et conduire ici. Ce ministre croit que je puis être complice d'un pareil projet : Il ne saurait faire un outrage plus sensible à un homme qui est noble et Castillan.

Don Gaston cessa de parler en cet endroit. Après quoi, je lui dis pour le consoler : Seigneur chevalier, votre honneur ne peut recevoir aucune atteinte de cette disgrâce, qui tournera sans doute dans la suite à votre profit. Quand le duc de Lerme sera instruit de votre innocence, il ne manquera pas de vous donner un emploi considérable pour rétablir la réputation d'un gentilhomme injustement accusé de trahison.

CHAPITRE VII

Scipion vient trouver Gil Blas à la Tour de Ségovie, et lui apprend bien des nouvelles.

Notre conversation fut interrompue par Tordesillas qui entra dans la chambre, et m'adressa la parole dans ces termes : Seigneur Gil Blas, je viens de parler à un jeune homme qui s'est présenté à la porte de cette prison. Il m'a demandé si vous n'étiez pas prisonnier, et, sur le refus que j'ai fait de contenter sa curiosité, il m'a paru fort mortifié : Noble châtelain, m'a-t-il dit les larmes aux yeux, ne rejetez pas la très humble prière que je vous fais de m'apprendre si le seigneur de Santillane est ici. Je suis son premier domestique, et vous ferez une action charitable, si vous me permettez de le voir. Vous passez dans Ségovie pour un gentilhomme plein d'humanité ; j'espère que vous ne me refuserez pas la grâce d'entretenir un instant mon cher maître, qui est plus malheureux que coupable. Enfin, continua don André, ce garçon m'a témoigné tant d'envie de vous parler, que j'ai promis de lui donner ce soir cette satisfaction.

J'assurai Tordesillas qu'il ne pouvait me faire un plus grand plaisir que de m'amener ce jeune homme, qui probablement avait à me dire des choses qu'il m'importait fort de savoir. J'attendis avec impatience le moment qui devait offrir à mes yeux mon fidèle Scipion, car je ne doutais pas que ce ne fût lui et je ne me trompais point. On le fit entrer sur le soir dans la Tour, et sa joie, que la mienne seule pouvait égaler, éclata par des transports extraordinaires lorsqu'il m'aperçut. De mon côté, dans le ravissement où je me sentis à sa vue, je lui tendis les bras, et il me serra sans façon entre les siens. Le maître et le secrétaire se confondirent dans cette embrassade, tant ils étaient aises de se revoir.

Quand nous nous fûmes un peu démêlés tous deux, j'interrogeai Scipion sur l'état où il avait laissé mon hôtel :

Vous n'avez plus d'hôtel, me répondit-il; et pour vous épargner la peine de me faire question sur question, je vais vous dire en deux mots ce qui s'est passé chez vous. Vos effets ont été pillés tant par des archers que par vos propres domestiques, qui, vous regardant déjà comme un homme entièrement perdu, ont pris à compte sur leurs gages tout ce qu'ils ont pu emporter. Par bonheur pour vous, j'ai eu l'adresse de sauver de leurs griffes deux grands sacs de doubles pistoles que j'ai tirés de votre coffre-fort et qui sont en sûreté. Salero, que j'en ai fait dépositaire, vous les remettra quand vous serez sorti de cette tour, où je ne vous crois pas pour longtemps pensionnaire de Sa Majesté, puisque vous avez été arrêté sans la participation du duc de Lerme.

Je demandai à Scipion comment il savait que Son Excellence n'avait point de part à ma disgrâce : Oh! vraiment, me répondit-il, c'est une chose dont je suis bien instruit. Un de mes amis, qui a la confiance du duc d'Uzède, m'a conté toutes les circonstances de votre emprisonnement : Calderone, m'a-t-il dit, ayant découvert par le ministère d'un valet que la señora Sirena recevait sous un autre nom le prince d'Espagne pendant la nuit, et que c'était le comte de Lemos qui conduisait cette intrigue par l'entremise du seigneur de Santillane, résolut de se venger d'eux et de sa maîtresse. Pour y réussir, il va trouver secrètement le duc d'Uzède et lui découvre tout. Ce duc, ravi d'avoir en main une si belle occasion de perdre son ennemi, ne manque pas d'en profiter. Il informe le roi de ce qu'on vient de lui apprendre, et lui représente vivement les périls auxquels le prince a été exposé. Cette nouvelle excite la colère de Sa Majesté, qui fait enfermer sur-le-champ Sirena dans la maison des *Repenties*, exile le comte de Lemos et condamne Gil Blas à une prison perpétuelle.

Voilà, poursuivit Scipion, ce que m'a dit mon ami. Vous voyez par là que votre malheur est l'ouvrage du duc d'Uzède, ou pour mieux dire de Calderone.

Je jugeai par ce discours que mes affaires pourraient se rétablir avec le temps : que le duc de Lerme, piqué de l'exil de son neveu, mettrait tout en œuvre pour faire revenir ce seigneur à la cour; et je me flattai que Son Excellence ne m'oublierait point. La belle chose que l'espérance! Elle me consola tout à coup de la perte de mes effets volés, et me rendit aussi gai que si j'eusse eu sujet de l'être. Loin de regarder ma prison comme une demeure malheureuse où je finirais peut-être mes jours, elle me parut plutôt un moyen dont la fortune voulait se servir pour m'élever à quelque grand poste. Car voici de quelle manière je raisonnais en moi-même : Le premier ministre a pour partisans don Fernand Borgia, le père Jérôme de Florence, et surtout le frère Louis d'Aliaga, qui lui est redevable de la place qu'il occupe auprès du roi. Avec le secours de ces amis puissants, Son Excellence coulera tous ses ennemis à fond, ou bien l'Etat pourra bientôt changer de face : Sa Majesté est fort valétudinaire. Dès qu'Elle ne sera plus, le prince son fils commencera par rappeler le comte de Lemos, qui me tirera aussitôt d'ici pour me présenter au nouveau monarque, qui m'accablera de bienfaits. Ainsi, déjà plein des plaisirs de l'avenir, je ne sentais presque plus les maux présents. Je crois bien que les deux sacs de doublons, que mon secrétaire disait avoir mis en dépôt chez l'orfèvre, contribuèrent autant que l'espérance au changement subit qui se fit en moi.

J'étais trop content du zèle et de l'intégrité de Scipion pour ne le lui pas témoigner. Je lui offris la moitié de l'argent qu'il avait préservé du pillage. Ce qu'il refusa. J'attends de vous, me dit-il, une autre marque de reconnaissance. Aussi étonné de son discours que de ses refus, je lui demandai ce que je pouvais faire pour lui. Ne nous séparons point, me répondit-il. Souffrez que j'attache ma fortune à la vôtre. Je me sens pour vous une amitié que je n'ai jamais eue pour aucun maître. Et moi, lui dis-je, mon enfant, je puis t'assurer que tu n'aimes pas un ingrat. Du premier moment que tu vins t'offrir à mon service, tu me plus. Il faut que nous soyons nés l'un et l'autre sous la Balance ou sous les Jumeaux, qui sont, à ce qu'on dit, les deux constellations qui unissent les hommes. J'accepte volontiers la société que tu me proposes, et, pour la commencer, je vais prier le seigneur châtelain de t'enfermer avec moi dans cette tour. Cela me fera plaisir, s'écria-t-il. Vous me prévenez. J'allais vous conjurer de lui demander cette grâce. Votre compagnie m'est plus chère que la liberté. Je sortirai seulement quelquefois pour aller prendre à Madrid l'air du Bureau, et voir s'il ne sera point arrivé à la cour quelque changement qui puisse vous être favorable. De sorte que vous aurez en moi tout ensemble un confident, un courrier et un espion.

Ces avantages étaient trop considérables pour m'en priver. Je retins auprès de moi un homme si utile, avec la permission de l'obligeant châtelain, qui ne voulut pas me refuser une si douce consolation.

CHAPITRE VIII

Du premier voyage que Scipion fit à Madrid : quels en furent le motif et le succès. Gil Blas tombe malade. Suites de sa maladie.

Si nous disons ordinairement que nous n'avons pas de plus grands ennemis que nos domestiques, nous devons dire aussi que ce sont nos meilleurs amis, quand ils sont fidèles et bien affectionnés. Après le zèle que Scipion avait fait paraître, je ne pouvais plus voir en lui qu'un autre moi-même. Ainsi plus de subordination entre Gil Blas et son secrétaire. Plus de façons entre eux. Ils chambrèrent ensemble et n'eurent qu'un lit et qu'une table.

Il y avait dans l'entretien de Scipion beaucoup de gaieté. On aurait pu le surnommer à juste titre le Garçon de bonne humeur [108]. Outre cela, il était homme de tête, et je me trouvais bien de ces conseils : Mon ami, lui dis-je un jour, il me semble que je ne ferais point mal d'écrire au duc de Lerme. Cela ne saurait produire un mauvais effet. Quelle est là-dessus ta pensée ? Eh! mais, répondit-il, les grands sont si différents d'eux-mêmes d'un moment à un autre, que je ne sais pas trop bien comment votre lettre sera reçue. Cependant je suis d'avis que vous écriviez toujours à bon compte. Quoique le ministre vous aime, il ne faut pas vous reposer sur son amitié du soin de le faire souvenir de vous. Ces sortes de protecteurs oublient aisément les personnes dont ils n'entendent plus parler.

Quoique cela ne soit que trop vrai, lui répliquai-je, juge mieux de mon patron. Sa bonté m'est connue. Je suis persuadé qu'il compatit à mes peines, et qu'elles se présentent sans cesse à son esprit. Il attend apparemment pour me faire sortir de prison que la colère du roi soit passée. A la bonne heure, reprit-il : je souhaite que vous jugiez sainement de Son Excellence. Implorez donc son secours par une lettre fort touchante. Je la lui porterai, et je vous promets de la lui remettre en main propre. Je demandai aussitôt du papier et de l'encre. Je composai un morceau d'éloquence que Scipion trouva pathétique, et que Tordesillas mit au-dessus des homélies mêmes de l'archevêque de Grenade.

Je me flattais que le duc de Lerme serait ému de compassion, en lisant le triste détail que je lui faisais d'un état misérable où je n'étais point; et, dans cette confiance, je fis partir mon courrier qui ne fut pas sitôt à Madrid, qu'il alla chez ce ministre où il rencontra un valet de chambre de mes amis, qui lui ménagea l'occasion de parler au duc : Monseigneur, dit Scipion à Son Excellence, en lui présentant le paquet dont il était chargé, un de vos plus fidèles serviteurs, qui est couché sur la paille dans un sombre cachot de la tour de Ségovie, vous supplie très humblement de lire cette lettre, qu'un guichetier par pitié lui a donné le moyen d'écrire. Le ministre ouvrit la lettre, et la parcourut des yeux. Mais quoiqu'il y vît un tableau capable d'attendrir l'âme la plus dure, bien loin d'en paraître touché, il éleva la voix et dit d'un air furieux au courrier devant quelques personnes qui pouvaient l'entendre : Ami, dites à Santillane que je le trouve bien hardi d'oser s'adresser à moi, après l'indigne action qu'il a faite, et pour laquelle il est si justement châtié. C'est un malheureux qui ne doit plus compter sur mon appui, et que j'abandonne au ressentiment du roi.

Scipion, tout effronté qu'il était, fut troublé de ce discours. Il ne laissa pourtant pas, malgré son trouble, de vouloir intercéder pour moi : Monseigneur, répliqua-t-il, ce pauvre prisonnier mourra de douleur quand il apprendra la réponse de Votre Excellence. Le duc ne repartit à mon intercesseur qu'en le regardant de travers et lui tournant le dos. C'est ainsi que ce ministre me traitait, pour mieux cacher la part qu'il avait eue à l'amoureuse intrigue du prince d'Espagne; et c'est à quoi doivent s'attendre tous les petits agents dont les grands seigneurs se servent dans leurs secrètes et périlleuses négociations.

Lorsque mon secrétaire fut de retour à Ségovie, et qu'il m'eut appris le succès de sa commission, me voilà replongé dans l'abîme affreux où je m'étais trouvé le premier jour de ma prison. Je me crus même encore plus malheureux, puisque je n'avais plus la protection du duc de Lerme. Mon courage s'abattit et, quelque chose qu'on me pût dire pour le relever, je redevins la proie des plus vifs chagrins, qui me causèrent insensiblement une maladie aiguë.

Le seigneur châtelain qui s'intéressait à ma conservation, s'imaginant ne pouvoir mieux faire que d'appeler des médecins à mon secours, m'en amena deux qui avaient tout l'air de grands serviteurs de la déesse Libitine [a]. Seigneur Gil Blas, dit-il en me les présentant : voici deux Hippocrates qui viennent vous voir, et qui vous remettront sur pied en peu de temps. J'étais si prévenu contre tous les docteurs en médecine, que j'aurais certainement fort mal reçu ceux-là, pour peu que j'eusse été attaché à la vie, mais je me sentais alors si las de vivre, que je sus bon gré à Tordesillas de me vouloir mettre entre leurs mains.

Seigneur cavalier, me dit un de ces médecins, il faut, avant toute chose, que vous ayez de la confiance en nous. J'en ai une parfaite, lui répondis-je ; avec votre assistance, je suis sûr que je serai dans peu de jours guéri de tous mes maux. Oui, Dieu aidant, reprit-il, vous le serez. Nous ferons du moins ce qu'il faudra pour cela. Effectivement, ces messieurs s'y prirent à merveille, et me menèrent si bon train, que je m'en allais dans l'autre monde à vue d'œil. Déjà don André, désespérant de ma guérison, avait fait venir un religieux de Saint-François pour me disposer à bien mourir : Déjà ce bon père, après s'être acquitté de cet emploi, s'était retiré : et moi-même, croyant que je touchais à ma dernière heure, je fis signe à Scipion de s'approcher de mon lit : Mon cher ami, lui dis-je d'une voix presque éteinte, tant les médecines et les saignées m'avaient affaibli, je te laisse un des sacs qui sont chez Gabriel, et te conjure de porter l'autre dans les Asturies à mon père et à ma mère,

a) *C'était la déesse qui présidait aux funérailles* [109].

qui doivent en avoir besoin, s'ils sont encore vivants. Mais, hélas! je crains bien qu'ils n'aient pu tenir contre mon ingratitude. Le rapport que Muscada leur aura fait sans doute de ma dureté leur a peut-être causé la mort. Si le Ciel les a conservés malgré l'indifférence dont j'ai payé leur tendresse, tu leur donneras le sac de doublons, en les priant de ma part de me pardonner si je n'en ai pas mieux usé avec eux; et, s'ils ne respirent plus, je te charge d'employer cet argent à faire prier le ciel pour le repos de leurs âmes et de la mienne. En disant cela, je lui tendis une main qu'il mouilla de ses larmes, sans pouvoir me répondre un mot, tant le pauvre garçon était affligé de ma perte. Ce qui prouve que les pleurs d'un héritier ne sont pas toujours des ris cachés sous un masque.

Je m'attendais donc à passer le pas; néanmoins mon attente fut trompée. Mes docteurs m'ayant abandonné, et laissé le champ libre à la nature, me sauvèrent par ce moyen. La fièvre, qui selon leur pronostic devait m'emporter, me quitta comme pour leur en donner le démenti. Je me rétablis peu à peu, et, par le plus grand bonheur du monde, une parfaite tranquillité d'esprit devint le fruit de ma maladie. Je n'eus point alors besoin d'être consolé. Je gardai pour les richesses et pour les honneurs tout le mépris que l'opinion d'une mort prochaine m'en avait fait concevoir, et, rendu à moi-même, je bénis mon malheur. J'en remerciai le Ciel comme d'une grâce particulière qu'il m'avait faite, et je pris une ferme résolution de ne plus retourner à la cour, quand le duc de Lerme voudrait m'y rappeler. Je me proposai plutôt, si jamais je sortais de prison, d'acheter une chaumière et d'y aller vivre en philosophe.

Mon confident applaudit à mon dessein, et me dit que, pour en hâter l'exécution, il prétendait retourner à Madrid pour y solliciter mon élargissement. Il me vient une idée, ajouta-t-il. Je connais une personne qui pourra vous servir. C'est la suivante favorite de la nourrice du prince, une fille d'esprit. Je veux la faire agir pour vous auprès de sa maîtresse. Je vais tout tenter pour vous tirer de cette tour, qui n'est toujours qu'une prison, quelque bon traitement qu'on vous y fasse. Tu as raison, lui répondis-je. Va, mon ami, sans perdre de temps, commencer cette négociation. Plût au Ciel que nous fussions déjà dans notre retraite!

CHAPITRE IX

Scipion retourne à Madrid.
Comment et à quelles conditions
il fit mettre Gil Blas en liberté. Où ils allèrent
tous deux en sortant de la tour de Ségovie,
et quelle conversation ils eurent ensemble.

Scipion partit donc encore pour Madrid; et moi, en attendant son retour, je m'attachai à la lecture. Tordesillas me fournissait plus de livres que je n'en voulais. Il les empruntait d'un vieux commandeur qui ne savait pas lire, et qui ne laissait pas d'avoir une belle bibliothèque, pour se donner un air de savant. J'aimais surtout les bons ouvrages de morale, parce que j'y trouvais à tout moment des passages qui flattaient mon aversion pour la Cour, et mon goût pour la solitude.

Je passai trois semaines sans entendre parler de mon négociateur, qui revint enfin, et me dit d'un air gai : Pour le coup, seigneur de Santillane, je vous apporte de bonnes nouvelles! Madame la nourrice [110] s'intéresse pour vous. Sa suivante, à ma prière et pour une centaine de pistoles que j'ai consignées, a eu la bonté de l'engager à prier le prince d'Espagne de vous faire relâcher; et ce prince, qui, comme je vous l'ai dit souvent, ne peut rien lui refuser, a promis de demander au roi son père votre élargissement. Je suis venu au plus vite vous en avertir, et je vais retourner sur mes pas pour mettre la dernière main à mon ouvrage. A ces mots, il me quitta pour reprendre le chemin de la Cour.

Son troisième voyage ne fut pas long. Au bout de huit jours, je vis revenir mon homme, qui m'apprit que le prince avait, non sans peine, obtenu du roi ma liberté. Ce qui me fut confirmé dès le même jour par le seigneur châtelain, qui vint me dire en m'embrassant : Mon cher Gil Blas, grâce au Ciel, vous êtes libre! Les portes de cette prison vous sont ouvertes, mais c'est à deux conditions qui vous feront peut-être beaucoup de peine, et que je me vois à regret obligé de vous faire savoir. Sa Majesté vous défend de vous montrer à la cour, et vous ordonne de sortir des deux Castilles dans un mois. Je suis très mortifié qu'on vous interdise la Cour. Et moi j'en suis ravi, lui répondis-je. Dieu sait ce que j'en pense. Je n'attendais du roi qu'une grâce, il m'en fait deux.

Etant donc assuré que je n'étais plus prisonnier, je fis louer deux mules, sur lesquelles nous montâmes le lendemain, mon confident et moi, après que j'eus dit adieu à Cogollos et remercié mille fois Tordesillas de tous les témoignages d'amitié que j'avais reçus de lui. Nous prîmes gaiement la route de Madrid, pour aller retirer des mains du seigneur Gabriel nos deux sacs, où il y avait dans chacun cinq cents doublons. Chemin faisant, mon associé me dit : Si nous ne sommes pas assez riches pour acheter une terre magnifique, nous pourrons en avoir du moins une raisonnable. Quand nous n'aurions qu'une cabane, lui répondis-je, j'y serais satisfait de mon sort. Quoique je sois à peine au milieu de ma carrière, je me sens revenu du monde, et je ne prétends plus vivre que pour moi. Outre cela, je te dirai que je me suis formé des agréments de la vie champêtre une idée qui m'enchante, et qui m'en fait jouir par avance. Il me semble déjà que je vois l'émail des prairies : que j'entends chanter les rossignols et murmurer les ruisseaux : tantôt je crois prendre le divertissement de la chasse, et tantôt celui de la pêche. Imagine-toi, mon ami, tous les différents plaisirs qui nous attendent dans la solitude et tu en seras charmé comme moi. A l'égard de notre nourriture, la plus simple sera la meilleure. Un morceau de pain pourra nous contenter, quand nous serons pressés de la faim. Nous le mangerons avec un appétit qui nous le fera trouver excellent. La volupté n'est point dans la bonté des aliments exquis, elle est toute en nous; et cela est si vrai, que mes repas les plus délicieux ne sont pas ceux où je vois régner la délicatesse et l'abondance. La frugalité est une source de délices et merveilleuse pour la santé.

Avec votre permission, seigneur Gil Blas, interrompit mon secrétaire, je ne suis pas tout à fait de votre sentiment sur la prétendue frugalité dont vous voulez me faire fête. Pourquoi nous nourrir comme des Diogène ? Quand nous ne ferons pas si mauvaise chère, nous ne nous en porterons pas plus mal. Croyez-moi, puisque nous avons, Dieu merci, de quoi rendre notre retraite agréable, n'en faisons pas le séjour de la famine et de la pauvreté. Sitôt que nous aurons une terre, il faudra la munir de bons vins et de toutes les autres provisions convenables à des gens d'esprit, qui ne quittent pas le commerce des hommes pour renoncer aux commodités de la vie, mais plutôt pour en jouir avec plus de tranquillité. *Ce qu'on a dans sa maison*, dit Hésiode [111], *ne nuit pas; au lieu que ce qu'on n'y a point peut nuire. Il vaut mieux*, ajoute-t-il, *posséder chez soi les choses nécessaires, que de souhaiter de les avoir*.

Comment diable, monsieur Scipion, interrompis-je à mon tour, vous connaissez les poètes grecs! Eh! où avez-vous fait connaissance avec Hésiode ? Chez un savant, me répondit-il. J'ai servi quelque temps à Salamanque un pédant qui était un grand commentateur. Il vous faisait en moins de rien un gros volume. Il le composait de passages hébreux, grecs et latins, qu'il tirait des livres de sa bibliothèque et traduisait en castillan. Comme j'étais son copiste, j'ai retenu je ne sais combien de sentences aussi remarquables que celle que je viens de citer. Cela étant, lui répliquai-je, vous avez la mémoire bien ornée. Mais, pour revenir à notre projet, dans quel royaume d'Espagne jugez-vous à propos que nous allions établir notre résidence philosophique ? J'opine pour l'Aragon, repartit mon confident. Nous y trouverons des endroits charmants, où nous pourrons mener une vie délicieuse. Eh bien! lui dis-je, soit; arrêtons-nous à l'Aragon. J'y consens. Puissions-nous y déterrer un séjour qui me fournisse tous les plaisirs dont se repaît mon imagination!

CHAPITRE X

Ce qu'ils firent en arrivant à Madrid.
Quel homme Gil Blas rencontra dans la rue,
et de quel événement cette rencontre fut suivie.

Lorsque nous fûmes arrivés à Madrid, nous allâmes descendre à un petit hôtel garni, où Scipion avait logé dans ses voyages; et la première chose que nous fîmes fut de nous rendre chez Salero, pour retirer de ses mains nos doublons. Il nous reçut parfaitement bien, et me témoigna beaucoup de joie de me voir en liberté. « Je vous proteste, ajouta-t-il, que j'ai été si sensible à votre disgrâce, qu'elle m'a dégoûté de l'alliance des gens de cour. Leurs fortunes sont trop en l'air. J'ai marié ma fille Gabriela à un riche négociant. Vous avez fort bien fait, lui répondis-je; outre que cela est plus solide, c'est qu'un bourgeois qui devient beau-père d'un homme de qualité n'est pas toujours content de monsieur son gendre.

Puis, changeant de discours, et venant au fait : Seigneur Gabriel, poursuivis-je, ayez, s'il vous plaît, la bonté de nous remettre les deux mille pistoles que... Votre argent est tout prêt, interrompit l'orfèvre, qui, nous ayant fait passer dans son cabinet, nous montra deux sacs, où ces mots étaient écrits sur des étiquettes : *Ces sacs de doublons appartiennent au seigneur Gil Blas de Santillane.* Voilà, me dit-il, le dépôt tel qu'il m'a été confié.

Je rendis grâce à Salero du plaisir qu'il m'avait fait, et, fort consolé d'avoir perdu sa fille, nous emportâmes les sacs à notre hôtel, où nous nous mîmes à visiter nos doubles pistoles. Le compte s'y trouva, à cinquante près, qui avaient été employées aux frais de mon élargissement. Nous ne songeâmes plus qu'à nous mettre en état de partir pour l'Aragon. Mon secrétaire se chargea du soin d'acheter une chaise roulante et deux mules. De mon côté, je fis provision de linge et d'habits. Pendant que j'allais et venais dans les rues en faisant mes emplettes, je rencontrai le baron de Steinbach, cet officier de la garde allemande chez lequel don Alphonse avait été élevé.

Je saluai ce cavalier allemand, qui, m'ayant aussi reconnu, vint à moi et m'embrassa : Ma joie est extrême, lui dis-je, de revoir Votre Seigneurie dans la meilleure santé du monde, et de trouver en même temps l'occasion d'apprendre des nouvelles des seigneurs don César et don Alphonse de Leyva. Je puis vous en dire de certaines, me répondit-il, puisqu'ils sont tous deux actuellement à Madrid, et, de plus, logés dans ma maison. Il y a près de trois mois qu'ils sont venus dans cette ville, pour remercier le roi d'un bienfait que don Alphonse a reçu en reconnaissance des services que ses aïeux ont rendus à l'Etat. Il a été fait gouverneur de la ville de Valence, sans qu'il ait demandé ce poste, ni prié personne de le solliciter pour lui. Rien n'est plus gracieux, et cela fait voir que notre monarque aime à récompenser la valeur.

Quoique je susse mieux que Steinbach ce qu'il en fallait penser, je ne fis pas semblant d'avoir la moindre connaissance de ce qu'il me contait. Je lui témoignai une si vive impatience de saluer mes anciens maîtres, que, pour la satisfaire, il me mena chez lui sur-le-champ. J'étais curieux d'éprouver don Alphonse et de juger, par la réception qu'il me ferait, s'il lui restait encore quelque affection pour moi. Je le trouvai dans une salle où il jouait aux échecs avec la baronne de Steinbach. Il quitta le jeu et se leva dès qu'il m'aperçut. Il s'avança vers moi avec transport, et me pressant la tête entre ses bras : Santillane, me dit-il d'un air qui marquait une véritable joie, vous m'êtes donc enfin rendu! J'en suis charmé. Il n'a pas tenu à moi que nous n'ayons toujours été ensemble. Je vous avais prié, s'il vous en souvient, de ne vous pas retirer du château de Leyva. Vous n'avez point eu d'égard à ma prière. Je ne vous en fais pourtant pas un crime. Je vous sais même bon gré du motif de votre retraite. Mais depuis ce temps-là vous auriez dû me donner de vos nouvelles, et m'épargner la peine de vous faire chercher inutilement à Grenade, où don Fernand, mon beau-frère, m'avait mandé que vous étiez.

Après ce petit reproche, continua-t-il, apprenez-moi ce que vous faites à Madrid. Vous y avez apparemment quelque emploi. Soyez persuadé que je prends plus de part que jamais à ce qui vous regarde. Seigneur, lui répondis-je, il n'y a pas quatre mois que j'occupais à la cour un poste assez considérable. J'avais l'honneur d'être secrétaire et confident du duc de Lerme. Serait-il possible, s'écria don Alphonse avec un extrême étonnement! Quoi! vous auriez été dans la confidence de ce premier ministre ? J'ai gagné sa faveur, repris-je, et je l'ai perdue de la manière que je vais vous le dire. Alors je lui racontai toute cette histoire, et je finis mon récit par la résolution que j'avais prise d'acheter du peu de bien qui me restait de ma prospérité passée une chaumière pour y aller mener une vie retirée.

Le fils de don César, après m'avoir écouté avec beaucoup d'attention, me répliqua : Mon cher Gil Blas, vous savez que je vous ai toujours aimé. Vous ne serez plus le jouet de la fortune. Je veux vous affranchir de son pouvoir en vous rendant maître d'un bien qu'elle ne pourra vous ôter : puisque vous êtes dans le dessein de vivre à la campagne, je vous donne une petite terre que nous avons auprès de Lirias, à quatre lieues de Valence. Vous la connaissez. C'est un présent que nous sommes en état de vous faire sans nous incommoder. J'ose vous répondre que mon père ne me désavouera point, et que cela fera un vrai plaisir à Séraphine.

Je me jetai aux genoux de don Alphonse qui me releva dans le moment. Je lui baisai la main, et plus charmé de son bon cœur que de son bienfait : Seigneur, lui dis-je, vos manières m'enchantent. Le don que vous me faites m'est d'autant plus agréable, qu'il précède la connaissance d'un service que je vous ai rendu; et j'aime mieux le devoir à votre générosité qu'à votre reconnaissance. Mon gouverneur fut un peu surpris de ce discours, et ne manqua pas de me demander ce que c'était que ce prétendu service. Je le lui appris, et lui fis un détail qui redoubla son étonnement. Il était bien éloigné de penser, aussi bien que le baron de Steinbach, que le gouvernement de la ville de Valence lui eût été donné par mon crédit. Néanmoins, n'en pouvant plus douter : Gil Blas, me dit-il, puisque c'est à vous que je dois mon poste, je ne prétends point m'en tenir à la petite terre de Lirias. Je vous offre avec cela deux mille ducats de pension.

Halte-là, seigneur don Alphonse, interrompis-je en cet endroit. Ne réveillez pas mon avarice [112]. Les biens ne sont propres qu'à corrompre mes mœurs. Je ne l'ai que trop éprouvé. J'accepte volontiers votre terre de Lirias. J'y vivrai commodément avec le bien que j'ai d'ailleurs. Mais cela me suffit, et, loin d'en désirer davantage, je consentirai plutôt de perdre ce qu'il y a de superflu dans ce que je possède. Les richesses sont un fardeau dans une retraite où l'on ne cherche que la tranquillité.

Pendant que nous nous entretenions de cette sorte, don César arriva. Il ne fit guère moins paraître de joie que son fils en me voyant, et, lorsqu'il fut informé de l'obligation que sa famille m'avait, il me pressa d'accepter la pension. Ce que je refusai de nouveau. Enfin, le père et le fils me menèrent sur-le-champ chez un notaire, où ils firent dresser la donation, qu'ils signèrent tous deux avec plus de plaisir qu'ils n'auraient signé un acte à leur profit. Quand le contrat fut expédié, ils me le remirent entre les mains, en me disant que la terre de Lirias n'était plus à eux et que j'en pourrais aller prendre possession quand il me plairait. Ils s'en retournèrent ensuite chez le baron de Steinbach, et moi, je volai vers notre hôtel, où je ravis d'admiration mon secrétaire, lorsque je lui annonçai que nous avions une terre dans le royaume de Valence, et que je lui contai de quelle manière je venais de faire cette acquisition. Combien peut valoir ce petit domaine ? me dit-il. Cinq cents ducats de rente, lui répondis-je, et je puis t'assurer que c'est une aimable solitude. Je la connais pour y avoir été plusieurs fois en qualité d'intendant des seigneurs de Leyva. C'est une petite maison [113] sur les bords du Guadalaviar dans un hameau de cinq ou six feux et dans un pays charmant.

Ce qui m'en plaît davantage, s'écria Scipion, c'est que nous aurons là de bon gibier, avec du vin de Benicarlo et d'excellent muscat. Allons, mon patron; hâtons-nous de quitter le monde, et de gagner notre ermitage. Je n'ai pas moins d'envie d'y être que toi, lui repartis-je; mais il faut auparavant que je fasse un tour aux Asturies. Mon père et ma mère n'y sont pas dans une heureuse situation. Je prétends les aller chercher pour les conduire à Lirias, où ils passeront en repos leurs derniers jours. Le ciel ne m'a peut-être fait trouver cet asile que pour les y recevoir, et il me punirait si j'y manquais. Scipion loua fort mon dessein. Il m'excita même à l'exécuter : Ne perdons point de temps, me dit-il; je me suis assuré déjà d'une chaise roulante. Achetons vite des mules, et prenons le chemin d'Oviedo. Oui, mon ami, lui répondis-je, partons le plus tôt qu'il nous sera possible. Je me fais un devoir indispensable de partager les douceurs de ma retraite avec les auteurs de ma naissance. Notre voyage ne sera pas long. Nous nous verrons bientôt dans notre hameau; et je veux en y arrivant écrire sur la porte de ma maison ces deux vers latins en lettres d'or :

Inveni portum [114]. *Spes et Fortuna valete !*
Sat me lusistis; ludite nunc alios !

Fin du neuvième livre.

TOME QUATRIÈME

LIVRE DIXIÈME

CHAPITRE PREMIER

Gil Blas part pour les Asturies : il passe par Valladolid, où il va voir le docteur Sangrado, son ancien maître; il rencontre par hasard le seigneur Manuel Ordoñez, administrateur de l'hôpital.

Dans le temps que je me disposais à partir de Madrid avec Scipion, pour me rendre aux Asturies, Paul V nomma le duc de Lerme au cardinalat [115]. Ce pape, voulant établir l'Inquisition dans le royaume de Naples, revêtit de la pourpre ce ministre pour l'engager à faire agréer au roi Philippe un si louable dessein. Tous ceux qui connaissaient parfaitement ce nouveau membre du Sacré-Collège trouvèrent comme moi que l'Eglise venait de faire une belle acquisition.

Scipion, qui aurait mieux aimé me revoir dans un poste brillant à la Cour qu'enterré dans une solitude, me conseilla de me présenter devant le cardinal : Peut-être, me dit-il, que Son Eminence, vous voyant hors de prison par ordre du roi, ne croira plus devoir affecter de paraître irritée contre vous, et pourra vous reprendre à son service. Monsieur Scipion, lui répondis-je, vous oubliez apparemment que je n'ai obtenu la liberté qu'à condition que je sortirai incessamment des deux Castilles. D'ailleurs, me croyez-vous déjà dégoûté de mon château de Lirias ? Je vous l'ai déjà dit et je vous le répète, quand le duc de Lerme me rendrait ses bonnes grâces, quand il m'offrirait la place même de don Rodrigue de Calderone, je la refuserais. Mon parti est pris; je veux aller à Oviedo chercher mes parents, et me retirer avec eux auprès de la ville de Valence. Pour toi, mon ami, si tu te repens d'avoir lié ton sort au mien, tu n'as qu'à parler; je suis prêt à te donner la moitié de mes espèces, et tu demeureras à Madrid, où tu pousseras ta fortune le plus loin qu'il te sera possible.

Comment donc! reprit mon secrétaire, un peu touché de ces paroles, pouvez-vous me soupçonner d'avoir quelque répugnance à vous suivre dans votre retraite ? Ce soupçon blesse mon zèle et mon attachement. Quoi! Scipion, ce fidèle serviteur, qui, pour partager vos peines, aurait volontiers passé le reste de ses jours avec vous dans la tour de Ségovie, ne vous accompagnerait qu'à regret dans un séjour qui lui promet mille délices! Non, non, je n'ai pas envie de vous détourner de votre résolution. Il faut que je vous avoue ma malice : lorsque je vous ai conseillé de vous montrer au duc de Lerme, c'est que j'ai été bien aise de vous sonder, pour savoir s'il ne restait point encore en vous quelques semences d'ambition. Eh bien! puisque vous êtes si détaché des grandeurs, abandonnons donc promptement la cour, pour aller jouir de ces plaisirs innocents et délicieux dont nous nous formons une si charmante idée.

Nous partîmes en effet bientôt après, tous deux, dans une chaise tirée par deux bonnes mules, conduites par un garçon dont je jugeai à propos d'augmenter ma suite. Nous couchâmes le premier jour à Alcala de Henarès, et le second à Ségovie, d'où, sans m'arrêter à voir le généreux châtelain Tordesillas, je gagnai Peñafiel sur le Duero, et le lendemain Valladolid. A la vue de cette dernière ville, je ne pus m'empêcher de pousser un profond soupir. Mon compagnon, qui l'entendit, m'en demanda la cause : Mon enfant, lui dis-je, c'est que j'ai longtemps exercé ici la médecine. Ma conscience m'en fait de secrets reproches dans ce moment, il me semble que tous les malades que j'ai tués sortent de leurs tombeaux, pour venir me mettre en pièces. Quelle imagination! dit mon secrétaire. En vérité, seigneur de Santillane, vous êtes trop bon. Pourquoi vous repentir d'avoir fait votre métier ? Voyez les plus vieux médecins; ont-ils de pareils remords ? Oh! que non! ils vont toujours leur train le plus tranquillement du monde, rejetant sur la nature les accidents funestes, et se faisant honneur des événements heureux.

Il est vrai, repris-je, que le docteur Sangrado, de qui je suivais fidèlement la méthode, était de ce caractère-là. Il avait beau voir périr tous les jours vingt personnes entre ses mains, il était si persuadé de l'excellence de la saignée du bras et de la fréquente boisson, qu'il appelait ces deux spécifiques pour toute sorte de maladies, qu'au lieu de s'en prendre à ses remèdes, il croyait que les malades ne mouraient que faute d'avoir assez bu et d'avoir été assez saignés. Vive Dieu! s'écria Scipion en faisant un éclat de rire, vous me parlez là d'un personnage incomparable. Si tu es curieux de le voir et de l'entendre, lui dis-je, tu pourras dès demain satisfaire ta curiosité, pourvu que Sangrado vive encore, et qu'il soit à Valladolid; ce que j'ai de la peine à croire; car il était déjà vieux quand je le quittai, et il s'est écoulé bien des années depuis ce temps-là.

Notre premier soin, en arrivant dans l'hôtellerie où nous allâmes descendre, fut de nous informer de ce docteur. Nous apprîmes qu'il n'était pas encore mort; mais que, ne pouvant plus à son âge faire de visites ni se donner de grands mouvements, il avait abandonné le pavé à trois ou quatre autres docteurs qui s'étaient mis en réputation par une nouvelle pratique, qui ne valait guère mieux que la sienne. Nous résolûmes donc de nous arrêter à Valladolid le jour suivant, tant pour laisser reposer nos mules que pour voir le seigneur Sangrado. Nous nous rendîmes chez lui sur les dix heures du matin; nous le trouvâmes assis dans un fauteuil un livre à la main. Il se leva sitôt qu'il nous aperçut, vint au-devant de nous d'un pas assez ferme pour un septuagénaire, et nous demanda ce que nous lui voulions. Monsieur le docteur, lui dis-je, est-ce que vous ne me remettez point ? J'ai pourtant l'honneur d'être un de vos élèves. Ne vous souvient-il plus d'un certain Gil Blas, qui était autrefois votre commensal et votre substitut ? Quoi! c'est vous, Santillane ? me répondit-il en m'embrassant. Je ne vous aurais pas reconnu. Je suis bien aise de vous revoir. Qu'avez-vous fait depuis notre séparation ? Vous avez sans doute toujours pratiqué la médecine ? C'est à quoi, repris-je, j'avais assez de penchant; mais de fortes raisons m'en ont empêché.

Tant pis, reprit Sangrado, avec les principes que vous aviez reçus de moi, vous seriez devenu un habile médecin, pourvu que le Ciel vous eût fait la grâce de vous préserver de l'amour dangereux de la chimie. Ah! mon fils, poursuivit-il d'un air douloureux, quel changement dans la médecine depuis quelques années! On ôte à cet art l'honneur et la dignité. Cet art, qui dans tous les temps a respecté la vie des hommes, est présentement en proie à la témérité, à la présomption et à l'*impéritie;* car les faits parlent, et bientôt les pierres crieront contre le brigandage des nouveaux praticiens : *lapides clamabunt* [116]. On voit dans cette ville des médecins, ou soi-disant tels, qui se sont attelés au char de triomphe de l'antimoine : *currus triumphalis antimonii* [117]. Des échappés de l'école de Paracelse, des adorateurs du *kermès*, des guérisseurs de hasard, qui font consister toute la science de la médecine à savoir préparer des drogues chimiques. Que vous dirai-je ? tout est méconnaissable dans leur méthode. La saignée du pied [118], par exemple, jadis si rare, est aujourd'hui presque la seule qui soit en usage. Les purgatifs autrefois doux et bénins sont changés en émétique et en kermès. Ce n'est plus qu'un chaos où chacun se permet ce qu'il veut, et franchit les bornes de l'ordre et de la sagesse que nos premiers maîtres ont posées.

Quelque envie que j'eusse de rire en entendant une si comique déclamation, j'eus la force d'y résister; je fis plus, je déclamai contre le kermès sans savoir ce que c'était, et donnai au diable, à tout hasard, ceux qui l'ont inventé. Scipion, remarquant que je m'égayais dans cette scène, y voulut mettre aussi du sien. Monsieur le docteur, dit-il à Sangrado, comme je suis petit-neveu d'un médecin de la vieille école, qu'il me soit permis de me révolter avec vous contre les remèdes de la chimie. Feu mon grand-oncle, à qui Dieu fasse miséricorde, était si chaud partisan d'Hippocrate, qu'il s'est souvent battu contre les empiriques qui ne parlaient pas avec assez de respect de ce roi de la médecine. Bon sang ne peut mentir; je servirais volontiers de bourreau à ces novateurs ignorants dont vous vous plaignez avec tant de justice et d'éloquence. Quel désordre ces misérables ne causent-ils pas dans la société civile!

Ce désordre, dit le docteur, va plus loin encore que vous ne pensez. Il ne m'a servi de rien de publier un livre contre le brigandage de la médecine [119]; au contraire, il augmente de jour en jour. Les chirurgiens, dont la rage est de vouloir faire les médecins, se croient capables de l'être, dès qu'il ne faut que donner du kermès et de l'émétique, à quoi ils joignent des saignées du pied à leur fantaisie. Ils vont même jusqu'à mêler le kermès dans les apozèmes et les potions cordiales, et les voilà de pair avec les grands faiseurs en médecine. Cette contagion se répand jusque dans les cloîtres. Il y a parmi les moines des frères qui sont tout ensemble apothicaires et chirurgiens. Ces singes de médecins s'appliquent à la chimie, et font des drogues pernicieuses avec lesquelles ils abrègent la vie de leurs révérends pères. Enfin, il y a dans Valladolid plus de soixante monastères, tant d'hommes que de filles : jugez du ravage qu'y fait le kermès uni avec l'émétique et la saignée du pied! Seigneur Sangrado, lui dis-je alors; vous avez bien raison d'être en colère contre ces empoisonneurs; je gémis avec vous, et partage vos alarmes sur la vie des hommes, manifestement menacée par une méthode si différente de la vôtre. Je crains fort que la chimie n'occasionne un jour la perte de la médecine, comme la fausse monnaie cause la ruine des Etats. Fasse le Ciel que ce jour fatal ne soit pas près d'arriver!

Dans cet endroit de notre conversation, nous vîmes paraître une vieille servante qui apportait au docteur une soucoupe sur laquelle il y avait un petit pain mollet, un verre avec deux carafes, dont l'une était pleine d'eau et l'autre de vin. Après qu'il eut mangé un morceau, il but un coup, où il y avait à la vérité les deux tiers d'eau, mais cela ne le sauva point des reproches qu'il me donnait sujet de lui faire. Ah! Ah! lui dis-je, monsieur le docteur, je vous prends sur le fait. Vous buvez du vin! vous qui vous êtes toujours déclaré contre cette boisson : vous qui pendant les trois quarts de votre vie n'avez bu que de l'eau : Depuis quand êtes-vous devenu si contraire à vous-même ? Vous ne sauriez vous excuser sur votre âge, puisque, dans un endroit de vos écrits, vous définissez la vieillesse une phtisie naturelle qui nous dessèche et nous consume, que, sur cette définition, vous déplorez l'ignorance des personnes qui appellent le vin le lait des vieillards. Que direz-vous donc pour vous justifier ?

Vous me faites la guerre bien injustement, me répondit le vieux médecin. Si je buvais du vin pur, vous auriez raison de me regarder comme un infidèle observateur de ma propre méthode; mais vous voyez que mon vin est bien trempé. Autre contradiction, lui répliquai-je, mon cher maître : souvenez-vous que vous trouviez mauvais que le chanoine Sedillo bût du vin, quoiqu'il y mêlât beaucoup d'eau. Avouez de bonne grâce que vous avez reconnu votre erreur, et que le vin n'est pas une funeste liqueur, comme vous l'avez avancé dans vos ouvrages, pourvu qu'on n'en boive qu'avec modération.

Ces paroles embarrassèrent un peu notre docteur. Il ne pouvait nier qu'il eût défendu dans ses livres l'usage du vin; mais la honte et la vanité l'empêchant de convenir que je lui faisais un juste reproche, il ne savait que me répondre. Pour le tirer d'un si grand embarras, je changeai de matière; et un moment après je pris congé de lui, en l'exhortant à tenir toujours bon contre les nouveaux praticiens : Courage, lui dis-je, seigneur Sangrado; ne vous lassez point de décrier le kermès, et frondez sans cesse la saignée du pied. Si, malgré votre zèle et votre amour pour l'*orthodoxie* médicinale, cette engeance empirique vient à bout de ruiner la discipline, vous aurez du moins la consolation d'avoir fait tous vos efforts pour la maintenir.

Comme nous nous en retournions à l'hôtellerie, mon secrétaire et moi, nous entretenant tous deux du caractère réjouissant et original de ce docteur, il passa près de nous dans la rue un homme de cinquante-cinq à soixante ans, qui marchait les yeux baissés, tenant un gros chapelet à la main. Je le considérai attentivement, et le reconnus sans peine pour le seigneur Manuel Ordoñez, ce bon administrateur d'hôpital dont il est fait une mention si honorable dans le premier tome de mon histoire. Je l'abordai avec de grandes démonstrations de respect, en disant : Serviteur au vénérable et discret seigneur Manuel Ordoñez, l'homme du monde le plus propre à conserver le bien des pauvres. A ces mots, il me regarda fixement, et me répondit que mes traits ne lui étaient pas inconnus, mais qu'il ne pouvait se rappeler où il m'avait vu. J'allais, repris-je, chez vous dans le temps que vous aviez à votre service un de mes amis, nommé Fabrice Nuñez. Ah! je m'en souviens présentement, repartit l'administrateur avec un souris malin, à telles enseignes que vous étiez tous deux de bons enfants; vous avez fait ensemble bien des tours de jeunesse. Eh! qu'est-il devenu, ce pauvre Fabrice ? Toutes les fois que je pense à lui, j'ai de l'inquiétude sur ses petites affaires

C'est pour vous en apprendre des nouvelles, dis-je au seigneur Manuel, que j'ai pris la liberté de vous arrêter dans la rue. Fabrice est à Madrid, où il s'occupe à faire des œuvres mêlées. Qu'appelez-vous des œuvres mêlèes ? me répliqua-t-il. Je veux dire, lui repartis-je, qu'il écrit en vers et en prose. Il fait des comédies et des romans. En un mot, c'est un garçon qui a du génie, et qui est reçu fort agréablement dans les bonnes maisons. Mais dit l'administrateur, comment est-il avec son boulanger ? Pas si bien, lui répondis-je qu'avec les personnes de condition ; entre nous, je le crois aussi pauvre que Job. Oh ! je n'en doute nullement, reprit Ordoñez. Qu'il fasse sa cour aux grands seigneurs tant qu'il lui plaira ; ses complaisances, ses flatteries, ses bassesses lui rapporteront encore moins que ses ouvrages. Je vous le prédis, vous le verrez quelque jour à l'hôpital.

Cela pourra bien être, lui répliquai-je ; la poésie en a mené là bien d'autres. Mon ami Fabrice aurait beaucoup mieux fait de demeurer attaché à Votre Seigneurie ; il roulerait aujourd'hui sur l'or. Il serait du moins fort à son aise, dit Manuel ; je l'aimais, et j'allais en l'élevant de poste en poste lui procurer dans la maison des pauvres un établissement solide, lorsqu'il lui prit fantaisie de donner dans le bel esprit. Il composa une comédie qu'il fit représenter par des comédiens qui étaient dans cette ville ; la pièce réussit, et la tête tourna dès ce moment à l'auteur. Il se crut un nouveau Lope de Vega, et, préférant la fumée des applaudissements du public aux avantages réels que mon amitié lui préparait, il me demanda son congé. Je lui remontrai vainement qu'il laissait l'os pour courir après l'ombre ; je ne pus retenir ce fou que la fureur d'écrire entraînait. Il ne connaissait pas son bonheur, ajouta-t-il, le garçon que j'ai pris après lui pour me servir en peut rendre un bon témoignage : plus raisonnable que Fabrice avec moins d'esprit, il ne s'est uniquement appliqué qu'à bien s'acquitter de ses commissions et qu'à me plaire. Aussi l'ai-je poussé comme il le méritait ; il remplit actuellement à l'hôpital deux emplois dont le moindre est plus que suffisant pour faire subsister un honnête homme chargé d'une grosse famille.

CHAPITRE II

Gil Blas continue son voyage,
et il arrive heureusement à Oviedo.
Dans quel état il retrouve ses parents.
Mort de son père : suites de cette mort.

De Valladolid, nous nous rendîmes en quatre jours à Oviedo sans avoir fait en chemin aucune mauvaise rencontre, malgré le proverbe qui dit que les voleurs sentent de loin l'argent des voyageurs. Il y aurait eu pourtant un assez beau coup à faire, et deux habitants seulement d'un souterrain nous auraient sans peine enlevé nos doublons; car je n'avais pas appris à la Cour à devenir brave, et Bertrand, mon *moço de mulas* [120], ne paraissait pas d'humeur à se faire tuer pour défendre la bourse de son maître. Il n'y avait que Scipion qui fût un peu spadassin.

Il était nuit quand nous arrivâmes dans la ville. Nous allâmes loger dans une hôtellerie, tout auprès de chez mon oncle le chanoine Gil Perez. J'étais bien aise de m'informer dans quel état se trouvaient mes parents, avant que de me présenter devant eux; et, pour le savoir, je ne pouvais mieux m'adresser qu'à l'hôte ou qu'à l'hôtesse de ce cabaret, que je connaissais pour des gens qui ne pouvaient ignorer les affaires de leurs voisins. En effet, l'hôte m'ayant reconnu après m'avoir envisagé avec attention, s'écria : Par saint Antoine de Pade! voici le fils du bon écuyer Blas de Santillane. Oui, vraiment, dit l'hôtesse, c'est lui-même; il n'a presque point changé. C'est ce petit éveillé de Gil Blas qui avait plus d'esprit qu'il n'était gros. Il me semble que je le vois encore, qui vient avec sa bouteille chercher ici du vin pour le souper de son oncle.

Madame, lui dis-je, vous avez une heureuse mémoire; mais, de grâce, apprenez-moi des nouvelles de ma famille. Mon père et ma mère ne sont pas sans doute dans une agréable situation. Cela n'est que trop véritable, répondit l'hôtesse; dans quelque état fâcheux que vous puissiez vous les représenter, vous ne sauriez vous imaginer des personnes qui soient plus à plaindre qu'eux : le bonhomme Gil Perez est devenu paralytique de la moitié du corps, et n'ira pas loin, selon toutes les apparences : votre père, qui demeure depuis peu chez ce chanoine, a une fluxion de poitrine, ou, pour mieux dire, il est dans ce moment entre la vie et la mort; et votre mère, qui ne se porte pas trop bien, est obligée de servir de garde à l'un et à l'autre.

Sur ce rapport, qui me fit sentir que j'étais fils, je laissai Bertrand avec mon équipage à l'hôtellerie; et, suivi de mon secrétaire qui ne voulut point m'abandonner, je me rendis chez mon oncle. D'abord que je parus devant ma mère, une émotion que je lui causai lui annonça ma présence avant que ses yeux eussent démêlé mes traits : Mon fils, me dit-elle tristement après m'avoir embrassé, venez voir mourir votre père; vous venez assez à temps pour être frappé de ce cruel spectacle. En achevant ces paroles, elle me mena dans une chambre où le malheureux Blas de Santillane, couché dans un lit qui marquait bien la pauvreté d'un écuyer, touchait à son dernier moment. Quoique environné des ombres de la mort, il avait encore quelque connaissance : Mon cher ami, lui dit ma mère, voici Gil Blas votre fils, qui vous prie de lui pardonner les chagrins qu'il vous a causés, et qui vous demande votre bénédiction. A ce discours, mon père ouvrit des yeux qui commençaient à se fermer pour jamais ; il les attacha sur moi ; et remarquant malgré l'accablement où il se trouvait que j'étais touché de sa perte, il fut attendri de ma douleur. Il voulut parler, mais il n'en eut pas la force. Je pris une de ses mains ; et, tandis que je la baignais de larmes, sans pouvoir prononcer un mot, il expira, comme s'il n'eût attendu que mon arrivée pour rendre le dernier soupir.

Ma mère était trop préparée à cette mort, pour s'en affliger sans modération ; j'en fus peut-être plus pénétré qu'elle, quoique mon père ne m'eût donné de sa vie la moindre marque d'amitié. Outre qu'il suffisait pour le pleurer que je fusse son fils, je me reprochais de ne l'avoir point secouru ; et, quand je pensais que j'avais eu cette dureté, je me regardais comme un monstre d'ingratitude, ou plutôt comme un parricide. Mon oncle, que je vis ensuite étendu sur un autre grabat et dans un état pitoyable, me fit éprouver de nouveaux remords. Fils dénaturé, me dis-je à moi-même, considère pour ton supplice la misère où sont tes parents. Si tu leur avais fait quelque part du surperflu des biens que tu possédais avant ta prison, tu leur aurais procuré des commodités que le revenu de la prébende ne peut leur fournir, et tu aurais peut-être prolongé la vie de ton père.

L'infortuné Gil Perez était retombé en enfance. Il n'avait plus de mémoire, plus de jugement. Il ne me servit de rien de le presser entre mes bras et de lui donner des témoignages de ma tendresse, il n'y parut pas sensible. Ma mère avait beau lui dire que j'étais son neveu Gil Blas, il m'envisageait d'un air imbécile sans répondre rien. Quand le sang et la reconnaissance ne m'auraient pas obligé à plaindre un oncle à qui je devais tant, je n'aurais pu m'en défendre en le voyant dans une situation si digne de pitié.

Pendant ce temps-là, Scipion gardait un morne silence, partageait mes peines, et confondait par amitié ses soupirs avec les miens. Comme je jugeai que ma mère après une si longue absence voudrait m'entretenir, et que la présence d'un homme qu'elle ne connaissait pas pourrait la gêner, je le tirai à part, et lui dis : Va, mon enfant, va te reposer à l'hôtellerie, et me laisse ici avec ma mère, elle te croirait peut-être de trop dans une conversation qui ne roulera que sur des affaires de famille. Scipion se retira de peur de nous contraindre ; et j'eus effectivement avec ma mère un entretien qui dura toute la nuit. Nous nous rendîmes mutuellement un compte fidèle de ce qui nous était arrivé à l'un et à l'autre depuis ma sortie d'Oviedo. Elle me fit un ample détail des chagrins qu'elle avait essuyés dans les maisons où elle avait été duègne, et me dit là-dessus une infinité de choses que je n'aurais pas été bien aise que mon secrétaire eût entendues, quoique je n'eusse rien de caché pour lui. Avec tout le respect que je dois à la mémoire de ma mère, la bonne dame était un peu prolixe dans ses récits ; elle m'aurait fait grâce de trois quarts de son histoire, si elle en eût supprimé les circonstances inutiles.

Elle finit enfin sa narration, et je commençai la mienne. Je passai légèrement sur toutes mes aventures ; mais lorsque je parlai de la visite que le fils de Bertrand Muscada, épicier d'Oviedo, m'était venu faire à Madrid, je m'étendis fort sur cet article. Je vous l'avouerai, dis-je à ma mère, je reçus très mal ce garçon, qui, pour s'en venger, vous aura fait sans doute un affreux portrait de moi. Il n'y a pas manqué, répondit-elle. Il vous trouva, nous dit-il, si fier de la faveur du premier ministre de la monarchie, qu'à peine daignâtes-vous le reconnaître ; et, quand il vous détailla nos misères, vous l'écoutâtes d'un air glacé. Comme les pères et les mères, ajouta-t-elle, cherchent toujours à excuser leurs enfants, nous ne pûmes croire que vous eussiez un si mauvais cœur. Votre arrivée à Oviedo justifie la bonne opinion que nous avions de vous, et la douleur dont je vous vois saisi achève de faire votre apologie.

Vous jugez de moi trop favorablement, lui répliquai-je ; il y a du vrai dans le rapport du jeune Muscada. Lorsqu'il vint me voir, je n'étais occupé que de ma fortune ; et l'ambition qui me dominait ne me permettait guère de penser à mes parents. Il ne faut donc pas s'étonner si dans cette disposition je fis un accueil peu gracieux à un homme qui, m'abordant d'un air grossier, me dit brutalement qu'ayant appris que j'étais plus riche qu'un Juif, il venait me conseiller de vous envoyer de l'argent, attendu que vous en aviez grand besoin ; il me reprocha même dans des termes peu mesurés mon indifférence pour ma famille. Je fus choqué de sa franchise, et, perdant patience, je le poussai par les épaules hors de mon cabinet. Je conviens que j'eus tort dans cette rencontre ; j'aurais dû faire réflexion que ce n'était pas votre faute si l'épicier manquait de politesse, et que son conseil ne laissait pas d'être bon à suivre, quoiqu'il eût été donné malhonnêtement.

C'est ce que je me représentai un moment après que j'eus chassé Muscada. La voix du sang se fit entendre ; je me rappelai tous mes devoirs envers mes parents ; et, rougissant de honte de les remplir si mal, je sentis des remords dont je ne puis néanmoins me faire honneur auprès de vous, puisqu'ils furent bientôt étouffés par l'avarice et par l'ambition. Mais dans la suite, ayant été enfermé par ordre du roi dans la Tour de Ségovie, j'y tombai dangereusement malade ; et c'est cette heureuse maladie qui vous a rendu votre fils. Oui, c'est ma maladie et ma prison qui ont fait reprendre à la nature tous ses droits, et qui m'ont entièrement détaché de la Cour. Je ne respire plus que la solitude, et je ne suis venu aux Asturies que pour vous prier de vouloir bien partager avec moi les douceurs d'une vie retirée. Si vous ne rejetez pas ma prière, je vous conduirai à une terre que j'ai dans le royaume de Valence, et nous vivrons là très commodément. Vous jugez bien que je me proposais d'y mener mon père; mais puisque le Ciel en a ordonné autrement, que j'aie du moins la satisfaction de posséder chez moi ma mère, et de pouvoir réparer par toutes les attentions imaginables le temps que j'ai passé sans lui être utile.

Je vous sais très bon gré de vos louables intentions, me dit alors ma mère, et je m'en irais avec vous sans balancer, si je n'y trouvais des difficultés; je n'abandonnerai pas votre oncle mon frère dans l'état où il est; et je suis trop accoutumée à ce pays-ci pour m'en éloigner; cependant, comme la chose mérite d'être mûrement examinée, je veux y rêver à loisir. Ne nous occupons présentement que du soin des funérailles de votre père. Chargeons-en, lui dis-je, ce jeune homme que vous avez vu avec moi; c'est mon secrétaire, il a de l'esprit et du zèle; nous pouvons nous en reposer sur lui.

A peine eus-je prononcé ces paroles, que Scipion revint; il était déjà jour. Il nous demanda si nous n'avions pas besoin de son ministère dans l'embarras où nous étions. Je répondis qu'il arrivait fort à propos pour recevoir un ordre important que j'avais à lui donner. Dès qu'il sut de quoi il s'agissait : Cela suffit, me dit-il; j'ai déjà toute cette cérémonie arrangée dans ma tête; vous pouvez vous en fier à moi. Prenez garde, lui dit ma mère, de faire un enterrement qui ait un air pompeux. Il ne saurait être trop modeste pour mon époux, que toute la ville a connu pour un écuyer des plus mal aisés. Madame, repartit Scipion, quand il aurait été encore plus pauvre, je n'en rabattrais pas deux maravédis. Je ne regarde là-dedans que mon maître; il a été favori du duc de Lerme, son père doit être enterré noblement.

J'approuvai le dessein de mon secrétaire; je lui recommandai même de ne point épargner l'argent; un reste de vanité que je conservais encore se réveilla dans cette occasion. Je me flattai qu'en faisant de la dépense pour un père qui ne me laissait aucun héritage, je ferais admirer mes manières généreuses. De son côté, ma mère, quelque contenance de modestie qu'elle affectât, n'était point fâchée que son mari fût inhumé avec éclat. Nous donnâmes donc carte blanche à Scipion, qui, sans perdre de temps, alla prendre toutes les mesures nécessaires pour rendre les funérailles superbes.

Il n'y réussit que trop bien. Il fit des obsèques si magnifiques, qu'il révolta contre moi la ville et les faubourgs; tous les habitants d'Oviedo, depuis le plus grand jusqu'au plus petit, furent choqués de mon ostentation. Ce ministre fait à la hâte, disait l'un, a de l'argent pour enterrer son père, mais il n'en avait point pour le nourrir : il aurait mieux valu, disait l'autre, qu'il eût fait plaisir à son père vivant, que de lui faire tant d'honneur après sa mort. Enfin, les coups de langue ne me furent point épargnés ; chacun lança son trait. Ils n'en demeurèrent pas là : ils nous insultèrent, Scipion, Bertrand et moi, quand nous sortîmes de l'église ; ils nous chargèrent d'injures, nous accablèrent de huées, et conduisirent Bertrand à l'hôtellerie à coups de pierres. Pour dissiper la canaille qui s'était attroupée devant la maison de mon oncle, il fallut que ma mère se montrât, et protestât publiquement qu'elle était fort contente de moi. Il y en eut d'autres qui coururent au cabaret où était ma chaise, dans le dessein de la briser ; ce qu'ils auraient fait indubitablement, si l'hôte et l'hôtesse n'eussent trouvé moyen d'apaiser ces esprits furieux et de les détourner de leur résolution.

Tous ces affronts qu'on me faisait et qui étaient autant d'effets des discours que le jeune épicier avait tenus de moi dans la ville m'inspirèrent tant d'aversion pour mes compatriotes que je me déterminai à quitter bientôt Oviedo, où sans cela j'aurais fait peut-être un assez long séjour. Je le déclarai tout net à ma mère, qui, se sentant elle-même très mortifiée de l'accueil dont le peuple m'avait régalé, ne s'opposa point à un si prompt départ. Il ne fut plus question que de savoir de quelle sorte j'en userais avec elle : Ma mère, lui dis-je, puisque mon oncle a besoin de votre assistance, je ne vous presserai plus de m'accompagner ; mais comme il ne paraît pas éloigné de sa fin, promettez-moi de venir me rejoindre à ma terre aussitôt qu'il ne sera plus.

Je ne vous ferai point cette promesse, répondit ma mère, je veux passer le reste de mes jours dans les Asturies, et dans une parfaite indépendance. Ne serez-vous pas toujours, lui répliquai-je, maîtresse absolue dans mon château ? Je n'en sais rien, repartit-elle ; vous n'avez qu'à devenir amoureux de quelque petite fille ; vous l'épouserez ; elle sera ma bru ; je serai sa belle-mère ; nous ne pourrons vivre ensemble. Vous prévoyez, lui dis-je, les malheurs de trop loin. Je n'ai aucune envie de me marier ; mais quand la fantaisie m'en prendrait, je vous réponds que j'obligerais bien ma femme à se soumettre aveuglément à vos volontés. C'est répondre témérairement, reprit ma mère ; et je demanderais caution de la caution. Je ne voudrais pas même jurer que dans nos brouilleries vous ne prissiez plutôt le parti de votre épouse que le mien, quelque tort qu'elle pût avoir.

Vous parlez à merveille, Madame, s'écria mon secrétaire en se mêlant à la conversation ; je crois, comme vous, que les brus dociles sont bien rares. Cependant, pour vous accorder vous et mon maître, puisque vous voulez absolument demeurer, vous dans les Asturies, et lui dans le royaume de Valence, il faut qu'il vous fasse une pension de cent pistoles, que je vous apporterai ici tous les ans. Par ce moyen, la mère et le fils vivront fort satisfaits à deux cents lieues l'un de l'autre. Les deux parties intéressées approuvèrent la convention proposée ; après quoi je payai la première année d'avance ; et je sortis d'Oviedo le lendemain avant le jour de peur d'être traité par la populace comme un saint Etienne. Telle fut la réception que l'on me fit dans ma patrie. Belle leçon pour les hommes du commun, lesquels, après s'être enrichis hors de leur pays, y veulent retourner pour y faire les gens d'importance!

CHAPITRE III

Gil Blas prend la route du royaume de Valence et arrive enfin à Lirias ; description de son château, comment il y fut reçu et quelles gens il y trouva.

Nous prîmes le chemin de Léon, ensuite celui de Palencia; et, continuant notre voyage à petites journées, nous arrivâmes au bout de la dixième à la ville de Ségorbe, d'où le lendemain dans la matinée nous nous rendîmes à ma terre, qui n'en est éloignée que de trois lieues. A mesure que nous nous en approchions, je remarquais que mon secrétaire observait avec beaucoup d'attention tous les châteaux qui s'offraient à sa vue, à droite et à gauche dans la campagne. Lorsqu'il en apercevait un de grande apparence, il ne manquait pas de me dire en me le montrant du doigt : Je voudrais bien que ce fût là notre retraite.

Je ne sais, lui dis-je, mon ami, quelle idée tu as de notre habitation; mais si tu t'imagines que c'est une maison magnifique, une terre de grand seigneur, je t'avertis que tu te trompes furieusement.

Si tu veux n'être pas la dupe de ton imagination, représente-toi la petite maison qu'Horace avait dans le pays des Sabins près de Tibur, et qui lui fut donnée par Mécénas. Don Alphonse m'a fait à peu près le même présent. Je ne dois donc m'attendre qu'à voir une chaumière, s'écria Scipion. Souviens-toi, lui répliquai-je, que je t'en ai toujours fait une description très modeste; et, dès ce moment, tu peux juger par toi-même si j'en ai fait une fidèle peinture. Jette les yeux du côté du Guadalaviar, et regarde sur ses bords, auprès de ce hameau de neuf à dix feux, cette maison qui a quatre petits pavillons ; c'est mon château.

Comment diable! dit alors mon secrétaire d'un ton de voix admiratif, c'est un bijou que cette maison! Outre l'air de noblesse que lui donnent ses pavillons, on peut dire qu'elle est bien située, bien bâtie et entourée de pays plus charmants que les environs même de Séville, appelés par excellence le paradis terrestre. Quand nous aurions choisi ce séjour, il ne serait pas plus de mon goût ; une rivière l'arrose de ses eaux ; un bois épais prête son ombrage quand on veut se promener au milieu du jour. L'aimable solitude! Ah! mon cher maître, nous avons bien la mine de demeurer ici longtemps! Je suis ravi, lui répondis-je, que tu sois content de notre asile dont tu ne connais pas encore tous les agréments.

En nous entretenant de cette sorte, nous nous avançâmes vers la maison, dont la porte nous fut ouverte, aussitôt que Scipion eut dit que c'était le seigneur Gil Blas de Santillane qui venait prendre possession de son château. A ce nom si respecté des personnes qui l'entendirent prononcer, on laissa entrer ma chaise dans une grande cour où je mis pied à terre ; puis m'appuyant pesamment sur Scipion, et faisant le gros dos, je gagnai une salle où je fus à peine arrivé que sept à huit domestiques parurent. Ils me dirent qu'ils venaient me présenter leurs hommages comme à leur nouveau patron : que don César et don Alphonse de Leyva les avaient choisis pour me servir, l'un en qualité de cuisinier, l'autre d'aide de cuisine, un autre de marmiton, celui-ci de portier et ceux-là de laquais, avec défense de recevoir de moi aucun argent, ces deux seigneurs prétendant faire tous les frais de mon ménage. Le cuisinier, nommé maître Joachim, était le principal de ces domestiques, et portait la parole. Il m'apprit qu'il avait fait une ample provision des vins les plus estimés en Espagne, et que pour la bonne chère, il espérait qu'un garçon comme lui, qui avait été six ans cuisinier de monseigneur l'archevêque de Valence, saurait composer des ragoûts qui piqueraient ma sensualité : Je vais, ajouta-t-il, me préparer à vous donner un échantillon de mon savoir-faire. Promenez-vous, Seigneur, en attendant le dîner ; visitez votre château ; voyez si vous le trouvez en état d'être habité par Votre Seigneurie.

Je laisse à penser si je négligeai cette visite ; et Scipion, encore plus curieux que moi de la faire, m'entraîna de chambre en chambre. Nous parcourûmes toute la maison, depuis le haut jusqu'en bas ; il n'échappa pas, du moins à ce que nous crûmes, le moindre endroit à notre curiosité intéressée ; et j'eus partout occasion d'admirer la bonté que don César et son fils avaient pour moi. Je fus frappé, entre autres choses, de deux appartements qui étaient aussi bien meublés qu'ils pouvaient l'être sans magnificence. Il y avait dans l'un une tapisserie des Pays-Bas, avec un lit et des chaises de velours, le tout propre encore, quoique fait du temps que les Maures occupaient le royaume de Valence. Les meubles de l'autre appartement étaient dans le même goût ; c'était une vieille tenture de damas de Gênes jaune, avec un lit et des fauteuils de la même étoffe, garnis de franges de soie bleue. Tous ces effets, qui dans un inventaire auraient été peu prisés, paraissaient là très considérables.

Après avoir bien examiné toutes choses, nous revînmes, mon secrétaire et moi, dans la salle où était dressée une table sur laquelle il y avait deux couverts; nous nous y assîmes, et dans le moment on nous servit une *olla podrida* si délicieuse que nous plaignîmes l'archevêque de Valence de n'avoir plus le cuisinier qui l'avait faite. Nous avions à la vérité beaucoup d'appétit, ce qui ne nous la faisait pas trouver plus mauvaise. A chaque morceau que nous mangions, mes laquais de nouvelle date nous présentaient de grands verres, qu'ils remplissaient jusqu'aux bords d'un vin de la Manche exquis. Scipion, n'osant devant eux faire éclater la satisfaction intérieure qu'il ressentait, me le témoignait par des regards parlants, et je lui faisais connaître par les miens que j'étais aussi content que lui. Un plat de rôti, composé de deux cailles grasses, qui flanquaient un petit levraut d'un fumet admirable, nous fit quitter le pot-pourri, et acheva de nous rassasier. Lorsque nous eûmes mangé comme deux affamés, et bu à proportion, nous nous levâmes de table pour aller au jardin faire voluptueusement la sieste dans quelque endroit frais et agréable.

Si mon secrétaire avait paru jusque-là fort satisfait de ce qu'il avait vu, il le fut encore davantage quand il vit le jardin. Il le trouva comparable à celui de l'Escurial. Il est vrai que don César, qui venait de temps en temps à Lirias, prenait plaisir à le faire cultiver et embellir. Toutes les allées bien sablées et bordées d'orangers, un grand bassin de marbre blanc, au milieu duquel un lion de bronze vomissait de l'eau à gros bouillons, la beauté des fleurs, la diversité des fruits, tous ces objets ravirent Scipion; mais il fut particulièrement enchanté d'une longue allée qui conduisait en descendant toujours au logement du fermier, et que des arbres touffus couvraient de leur épais feuillage. En faisant l'éloge d'un lieu si propre à servir d'asile contre la chaleur, nous nous y arrêtâmes, et nous nous assîmes au pied d'un ormeau, où le sommeil eut peu de peine à surprendre deux gaillards qui venaient de bien dîner.

Nous nous réveillâmes en sursaut deux heures après, au bruit de plusieurs coups d'escopette, lesquels se firent entendre si près de nous, que nous en fûmes effrayés. Nous nous levâmes brusquement; et, pour nous informer de ce que c'était, nous nous rendîmes à la maison du fermier. Nous y rencontrâmes huit ou dix villageois, tous habitants du hameau, qui, s'étant assemblés là, tiraient et dérouillaient leurs armes à feu pour célébrer mon arrivée, dont ils venaient d'être avertis. Ils me connaissaient pour la plupart, m'ayant vu plus d'une fois dans le château exercer l'emploi d'intendant. Ils ne m'aperçurent pas plus tôt qu'ils crièrent tous ensemble : Vive notre nouveau seigneur, qu'il soit le bienvenu à Lirias! Ensuite, ils rechargèrent leurs escopettes, et me régalèrent d'une décharge générale. Je leur fis l'accueil le plus gracieux qu'il me fut possible, avec gravité pourtant, ne jugeant pas devoir trop me familiariser avec eux. Je les assurai de ma protection ; je leur lâchai même une vingtaine de pistoles, et ce ne fut pas, je crois, celle de mes manières qui leur plut le moins. Après cela, je leur laissai la liberté de jeter encore de la poudre au vent, et je me retirai avec mon secrétaire dans le bois, où nous nous promenâmes jusqu'à la nuit, sans nous lasser de voir des arbres, tant la possession d'un bien nouvellement acquis a d'abord de charmes pour nous.

Le cuisinier, l'aide de cuisine et le marmiton n'étaient pas oisifs pendant ce temps-là; ils travaillaient à nous préparer un repas supérieur à celui que nous avions fait; et nous fûmes dans le dernier étonnement, lorsqu'étant entrés dans la même salle où nous avions dîné, nous vîmes mettre sur la table un plat de quatre perdreaux rôtis, avec un civet de lapin d'un côté, et un chapon en ragoût de l'autre. Ils nous servirent ensuite pour entremets des oreilles de cochon, des poulets marinés et du chocolat à la crème. Nous bûmes copieusement du vin de Lucène, et de plusieurs autres sortes de vins excellents, et, quand nous sentîmes que nous ne pouvions boire davantage sans exposer notre santé, nous songeâmes à nous aller coucher. Alors mes laquais, prenant des flambeaux, me conduisirent au plus bel appartement, où ils s'empressèrent à me déshabiller; mais quand ils m'eurent donné ma robe de chambre et mon bonnet de nuit, je les renvoyai en leur disant d'un air de maître : Retirez-vous, Messieurs, je n'ai pas besoin de vous pour le reste.

Je les fis sortir tous, et, retenant Scipion pour m'entretenir un peu avec lui, je lui demandai ce qu'il pensait du traitement qu'on me faisait par ordre des seigneurs de Leyva. Ma foi, me répondit-il, je pense qu'on ne peut vous en faire un meilleur; je souhaite seulement que cela soit de longue durée. Je ne le souhaite pas, moi, lui répliquai-je; il ne me convient pas de souffrir que mes bienfaiteurs fassent pour moi tant de dépense; ce serait abuser de leur générosité. De plus, je ne m'accommoderais point de valets aux gages d'autrui; je croirais n'être pas dans ma maison. D'ailleurs, je ne suis point venu ici pour vivre avec tant de fracas, avons-nous besoin d'un si grand nombre de domestiques ? Non, il ne nous faut, avec Bertrand, qu'un cuisinier, un marmiton et un laquais. Quoique mon secrétaire n'eût pas été fâché de subsister toujours aux dépens du gouverneur de Valence, il ne combattit point ma délicatesse là-dessus; et, se conformant à mes sentiments, il approuva la réforme que je voulais faire. Cela étant décidé, il sortit de mon appartement, et se retira dans le sien.

CHAPITRE IV

Il part pour Valence,
et va voir les seigneurs de Leyva;
de l'entretien qu'il eut avec eux,
et du bon accueil que lui fit Séraphine.

J'achevai de me déshabiller, et je me mis au lit, où, ne me sentant aucune envie de dormir, je m'abandonnai à mes réflexions. Je me représentai l'amitié dont les seigneurs de Leyva payaient l'attachement que j'avais pour eux; et, pénétré des nouvelles marques qu'ils m'en donnaient, je pris la résolution de les aller trouver dès le lendemain pour satisfaire l'impatience que j'avais de les en remercier. Je me faisais aussi par avance un plaisir de revoir Séraphine; mais ce plaisir n'était pas pur; je ne pouvais penser sans peine que j'aurais en même temps à soutenir les regards de la dame Lorença Sephora, qui, se souvenant peut-être encore de l'aventure du soufflet, ne serait pas fort réjouie de ma vue. L'esprit fatigué de toutes ces idées différentes, je m'assoupis enfin, et ne me réveillai le jour suivant qu'après le lever du soleil.

Je fus bientôt sur pied; et tout occupé du voyage que je méditais, je m'habillai à la hâte. Comme j'achevais de m'ajuster, mon secrétaire entra dans ma chambre. Scipion, lui dis-je, tu vois un homme qui se dispose à partir pour Valence : je ne puis aller trop tôt saluer les seigneurs à qui je dois ma petite fortune; chaque moment que je diffère à m'acquitter de ce devoir semble m'accuser d'ingratitude. Pour toi, mon ami, je te dispense de m'accompagner, demeure ici pendant mon absence; je reviendrai te joindre au bout de huit jours. Allez, monsieur, répondit-il, faites bien votre cour à don Alphonse et à son père; ils me paraissent sensibles au zèle qu'on a pour eux, et très reconnaissants des services qu'on leur a rendus : les personnes de qualité de ce caractère-là sont si rares qu'on ne peut assez les ménager. Je fis avertir Bertrand de se tenir prêt à partir; et, tandis qu'il préparait les mules, je pris mon chocolat. Ensuite je montai dans ma chaise, après avoir recommandé à mes gens de regarder mon secrétaire comme un autre moi-même, et de suivre ses ordres ainsi que les miens.

Je me rendis à Valence en moins de quatre heures; j'allai descendre tout droit aux écuries du gouverneur. J'y laissai mon équipage, et je me fis conduire à l'appartement de ce seigneur, qui y était alors avec don César son père. J'ouvris la porte sans façon, j'entrai; et les abordant tous deux : Les valets, leur dis-je, ne se font point annoncer à leurs maîtres; voici un de vos anciens serviteurs qui vient vous rendre ses respects. A ces mots, je voulus me prosterner devant eux; mais ils m'en empêchèrent et m'embrassèrent l'un et l'autre avec tous les témoignages d'une véritable affection. Eh bien! mon cher Santillane, me dit don Alphonse, avez-vous été à Lirias prendre possession de votre terre ? Oui, Seigneur, lui répondis-je; et je vous prie de trouver bon que je vous la rende. Pourquoi donc cela ? répliqua-t-il; a-t-elle quelque désagrément qui vous en dégoûte ? Non par elle-même, lui repartis-je; au contraire, j'en suis enchanté; tout ce qui m'en déplaît, c'est d'y voir des cuisiniers d'archevêque, avec trois fois plus de domestiques qu'il ne m'en faut, et qui ne servent là qu'à vous faire faire une dépense aussi considérable qu'inutile.

Si vous eussiez, dit don César, accepté la pension de deux mille ducats que nous vous offrîmes à Madrid, nous nous serions contentés de vous donner le château meublé comme il est, mais vous savez que vous la refusâtes; et nous avons cru devoir faire en récompense ce que nous avons fait. C'en est trop, lui répondis-je, votre bonté doit s'en tenir au don de cette terre, qui a de quoi combler mes désirs. Indépendamment de ce qu'il vous en coûte pour entretenir tant de monde à grands frais, je vous proteste que ces gens-là me gênent et m'incommodent. En un mot, ajoutai-je, Messeigneurs, reprenez votre bien, ou daignez m'en laisser jouir à ma fantaisie. Je prononçai d'un air si vif ces dernières paroles que le père et le fils, qui ne prétendaient nullement me contraindre, me permirent enfin d'en user comme il me plairait dans mon château.

Je les remerciais de m'avoir accordé cette liberté, sans laquelle je ne pouvais être heureux, lorsque don Alphonse m'interrompit en me disant : Mon cher Gil Blas, je veux vous présenter à une dame qui sera charmée de vous voir. En parlant de cette sorte, il me prit par la main, et me mena dans l'appartement de Séraphine, qui poussa un cri de joie en m'apercevant : Madame, lui dit le gouverneur, je crois que l'arrivée de notre ami Santillane à Valence ne vous est pas moins agréable qu'à moi. C'est de quoi, répondit-elle, il doit être bien persuadé; le temps ne m'a point fait perdre le souvenir du service qu'il m'a rendu; et j'ajoute à la reconnaissance que j'en ai celle que je dois à un homme à qui vous avez obligation. Je dis à Madame la Gouvernante que je n'étais que trop payé du péril que j'avais partagé avec ses libérateurs en exposant ma vie pour elle; et, après force compliments de part et d'autre, don Alphonse m'emmena hors de l'appartement de Séraphine. Nous rejoignîmes don César, que nous trouvâmes dans une salle avec plusieurs personnes de qualité qui venaient dîner là.

Tous ces messieurs me saluèrent fort poliment; ils me firent d'autant plus de civilités que don César leur dit que j'avais été un des principaux secrétaires du duc de Lerme. Peut-être même que la plupart d'entre eux n'ignoraient pas que c'était par mon crédit que don Alphonse avait obtenu le gouvernement de Valence, car tout se sait. Quoi qu'il en soit, quand nous fûmes à table, on ne parla que du nouveau cardinal. Les uns en faisaient ou affectaient d'en faire de grands éloges; et les autres ne lui donnaient que des louanges pour ainsi dire à mi-sucre. Je jugeai bien qu'ils voulaient par là m'engager à me répandre sur le compte de Son Éminence, et à les égayer à ses dépens. J'aurais dit volontiers ce que j'en pensais; mais je retins ma langue, ce qui me fit passer dans l'esprit de la compagnie pour un garçon fort discret.

Les conviés après le dîner se retirèrent chez eux pour faire la sieste; don César et son fils, pressés de la même envie, s'enfermèrent dans leurs appartements.

Pour moi, plein d'impatience de voir une ville dont j'avais souvent entendu vanter la beauté, je sortis du palais du gouverneur dans le dessein de me promener dans les rues. Je rencontrai à la porte un homme qui vint m'aborder en me disant : Le seigneur de Santillane veut bien me permettre de le saluer ? Je lui demandai qui il était. Je suis, me répondit-il, valet de chambre de don César; j'étais un de ses laquais dans le temps que vous étiez son intendant; je vous faisais tous les matins ma cour, et vous aviez bien des bontés pour moi. Je vous informais de ce qui se passait au logis. Vous souvient-il qu'un jour je vous appris que le chirurgien du village de Leyva s'introduisait secrètement dans la chambre de la dame Lorença Séphora ? C'est ce que je n'ai point oublié, lui répliquai-je; mais à propos de cette duègne, qu'est-elle devenue ? Hélas! repartit-il, la pauvre créature après votre départ tomba en langueur, et mourut plus regrettée de Séraphine que de don Alphonse, qui parut peu touché de sa mort.

Le valet de chambre de don César, m'ayant instruit ainsi de la triste fin de Séphora, me fit des excuses de m'avoir arrêté, et me laissa continuer mon chemin. Je ne pus m'empêcher de soupirer en me rappelant cette duègne infortunée; et, m'attendrissant sur son sort, je m'imputai son malheur, sans songer que c'était plutôt à son cancer qu'à mon mérite qu'il fallait l'attribuer.

J'observais avec plaisir tout ce qui me semblait digne d'être remarqué dans la ville. Le palais de marbre de l'archevêché occupa mes yeux agréablement, aussi bien que les beaux portiques de la Bourse; mais une grande maison que j'aperçus, et dans laquelle il entrait beaucoup de monde, attira toute mon attention. Je m'en approchai pour apprendre pourquoi je voyais là un si grand concours d'hommes et de femmes, et bientôt je fus au fait en lisant ces paroles écrites en lettres d'or sur une table de marbre noir qu'il y avait au-dessus de la porte : *La posada de los representantes*[a]. Et les comédiens marquaient dans leur

a) *L'hôtel des comédiens.*

affiche qu'ils joueraient ce jour-là pour la première fois une tragédie nouvelle de don Gabriel Triaquero [121].

CHAPITRE V

Gil Blas va à la comédie,
où il voit jouer une tragédie nouvelle.
Succès de la pièce. Génie du public de Valence.

Je m'arrêtai quelques moments à la porte pour considérer les personnes qui entraient. J'en remarquai de toutes les façons. Je vis des cavaliers de bonne mine et richement habillés, et des figures aussi plates que mal vêtues. J'aperçus des dames titrées, qui descendaient de leurs carrosses pour aller occuper les loges qu'elles avaient fait retenir, et des aventurières qui allaient amorcer des dupes. Ce concours confus de toute sorte de spectateurs m'inspira l'envie d'en augmenter le nombre. Comme je me disposais à prendre un billet, le gouverneur et son épouse arrivèrent. Ils me démêlèrent dans la foule, et, m'ayant fait appeler, ils m'entraînèrent dans leur loge, où je me plaçai derrière eux, de manière que je pouvais facilement parler à l'un et à l'autre.

Je trouvai la salle remplie de monde depuis le haut jusqu'en bas, un parterre très serré, et un théâtre chargé de chevaliers des trois ordres militaires. Voilà, dis-je à don Alphonse, une nombreuse assemblée. Il ne faut pas vous étonner, me répondit-il, la tragédie qu'on va représenter est de la composition de don Gabriel Triaquero, surnommé le poète à la mode. Dès que l'affiche des comédiens annonce une nouveauté de cet auteur, toute la ville de Valence est en l'air : les hommes ainsi que les femmes ne s'entretiennent que de cette pièce : toutes les loges sont retenues, et, le jour de la première représentation, on se tue à la porte pour entrer, quoique toutes les places soient au double [122], à la réserve du parterre, qu'on respecte trop pour oser le mettre de mauvaise humeur. Quelle rage! dis-je au gouverneur. Cette vive curiosité du public, cette furieuse impatience qu'il a d'entendre tout ce que don Gabriel produit de nouveau, me donne une haute idée du génie de ce poète.

Dans cet endroit de notre conversation, les acteurs parurent. Nous cessâmes aussitôt de parler pour les écouter avec attention. Les applaudissements commencèrent dès la protase; à chaque vers c'était un *brouhaha*, et à la fin de chaque acte un battement de mains à faire croire que la salle s'abîmait. Après la pièce, on me montra l'auteur qui allait de loge en loge présenter modestement sa tête aux lauriers dont les seigneurs et les dames se préparaient à la couronner.

Nous retournâmes au palais du gouverneur, où bientôt arrivèrent trois ou quatre chevaliers. Il y vint aussi deux vieux auteurs estimés dans leur genre, avec un gentilhomme de Madrid, qui avait de l'esprit et du goût. Ils avaient tous été à la comédie. Il ne fut question pendant le souper que de la pièce nouvelle : Messieurs, dit un chevalier de Saint-Jacques, que pensez-vous de cette tragédie ? N'est-ce pas là ce qui s'appelle un ouvrage achevé ? pensées sublimes, tendres sentiments, versification virile, rien n'y manque. En un mot, c'est un poème sur le ton de la bonne compagnie. Je ne crois pas que personne en puisse penser autrement, dit un chevalier d'Alcantara. Cette pièce est pleine de tirades qu'Apollon semble avoir dictées et de situations filées avec un art infini. Je m'en rapporte à Monsieur, ajouta-t-il en adressant la parole au gentilhomme castillan; il me paraît connaisseur; je parie qu'il est de mon sentiment. Ne pariez point, Monsieur le chevalier, lui répondit le gentilhomme avec un souris malin. Je ne suis pas de ce pays-ci : nous ne décidons point à Madrid si promptement. Bien loin de juger d'une pièce que nous entendons pour la première fois, nous nous défions de ses beautés tant qu'elle n'est que dans la bouche des acteurs; quelque bien affectés que nous en soyons, nous suspendons notre jugement jusqu'à ce que nous l'ayons lue; et, véritablement, elle ne nous fait pas toujours sur le papier le même plaisir qu'elle nous a fait sur la scène.

Nous examinons donc scrupuleusement, poursuivit-il, un poème avant que de l'estimer; la réputation de son auteur, quelque grande qu'elle puisse être, ne peut nous éblouir; quand Lope de Vega même et Calderon [123] donnaient des nouveautés, ils trouvaient des juges sévères dans leurs admirateurs, qui ne les ont élevés au comble de la gloire qu'après avoir jugé qu'ils en étaient dignes.

Oh! parbleu, interrompit le chevalier de Saint-Jacques, nous ne sommes pas si timides que vous. Nous n'attendons point pour décider qu'une pièce soit imprimée. Dès la première représentation nous en connaissons tout le prix. Il n'est pas même besoin que nous l'écoutions fort attentivement. Il suffit que nous sachions que c'est une production de don Gabriel pour être persuadés qu'elle est sans défaut. Les ouvrages de ce poète doivent servir d'époque à la naissance du bon goût. Les Lope et les Calderon n'étaient que des apprentis en comparaison de ce grand maître du théâtre. Le gentilhomme, qui regardait Lope et Calderon comme les Sophocle et les Euripide des Espagnols, fut choqué de ce discours téméraire. Quel sacrilège dramatique! s'écria-t-il. Puisque vous m'obligez, Messieurs, à juger comme vous sur une première représentation, je vous dirai que je ne suis pas content de la tragédie nouvelle de votre don Gabriel. C'est un poème farci de traits plus brillants que solides. Les trois quarts des vers sont mauvais ou mal rimés, les caractères mal formés ou mal soutenus, et les pensées souvent très obscures.

Les deux auteurs qui étaient à table, et qui, par une retenue aussi louable que rare, n'avaient rien dit de peur d'être soupçonnés de jalousie, ne purent s'empêcher d'applaudir des yeux au sentiment du gentilhomme ; ce qui me fit juger que leur silence était moins un effet de la perfection de l'ouvrage que de leur politique. Pour Messieurs les chevaliers, ils recommencèrent à louer don Gabriel. Ils le placèrent même parmi les dieux. Cette apothéose extravagante et cette aveugle idolâtrie firent perdre patience au Castillan, qui, levant les mains au Ciel, s'écria tout à coup par enthousiasme : O divin Lope de Vega, rare et sublime génie, qui avez laissé un espace immense entre vous et tous les Gabriel qui voudront vous atteindre ; et vous, moelleux Calderon, dont la douceur élégante et purgée d'épique est inimitable, ne craignez point tous deux que vos autels soient abattus par ce nouveau nourrisson des Muses ! Il sera bien heureux si la postérité, dont vous ferez les délices comme vous faites les nôtres, entend parler de lui.

Cette plaisante apostrophe, à laquelle personne ne s'était attendu, fit rire toute la compagnie, qui se leva de table et s'en alla. On me conduisit par ordre de don Alphonse à l'appartement qui m'avait été préparé. J'y trouvai un bon lit, où ma seigneurie, s'étant couchée, s'endormit en déplorant, aussi bien que le gentilhomme castillan, l'injustice que les ignorants faisaient à Lope et à Calderon.

CHAPITRE VI

Gil Blas, en se promenant dans les rues de Valence, rencontre un religieux qu'il croit reconnaître ; quel homme c'était que ce religieux.

Comme je n'avais pu voir toute la ville le jour précédent, je me levai et je sortis le lendemain dans l'intention de m'y promener encore. J'aperçus dans la rue un chartreux qui sans doute allait vaquer aux affaires de sa communauté. Il marchait les yeux baissés et avait l'air si dévot qu'il s'attirait les regards de tout le monde. Il passa fort près de moi. Je le regardai attentivement et je crus voir en lui don Raphaël, cet aventurier qui tient une place si honorable dans les deux premiers volumes de mon histoire.

Je fus si étonné, si ému de cette rencontre, qu'au lieu d'aborder le moine, je demeurai immobile pendant quelques moments, ce qui lui donna le temps de s'éloigner de moi. Juste Ciel ! dis-je, y eut-il jamais deux visages plus ressemblants ? Que faut-il que je pense ? dois-je croire que c'est Raphaël ? puis-je m'imaginer que ce n'est pas lui ? Je me sentis trop curieux de savoir la vérité pour en rester là. Je me fis enseigner le chemin du monastère des chartreux, où je me rendis sur-le-champ, dans l'espérance d'y revoir mon homme quand il y reviendrait, et bien résolu de l'arrêter pour lui parler. Je n'eus pas besoin de l'attendre pour être au fait : en arrivant à la porte du couvent, un visage de ma connaissance tourna mon doute en certitude; je reconnus dans le frère portier Ambroise de Lamela, mon ancien valet.

Notre surprise fut égale de part et d'autre de nous retrouver dans cet endroit. N'est-ce pas une illusion ? lui dis-je en le saluant. Est-ce en effet un de mes amis qui s'offre à ma vue ? Il ne me reconnut pas d'abord, ou bien il feignit de ne me pas remettre; mais, considérant que la feinte était inutile, il prit l'air d'un homme qui tout à coup se ressouvient d'une chose oubliée : Ah! seigneur Gil Blas, s'écria-t-il, pardon si j'ai pu vous méconnaître. Depuis que je vis dans ce lieu saint, et que je m'attache à remplir tous les devoirs prescrits par nos règles, je perds insensiblement la mémoire de ce que j'ai vu dans le monde.

J'ai, lui dis-je, une véritable joie de vous revoir, après dix ans, sous un habit si respectable. Et moi, me répondit-il, j'ai honte d'en paraître revêtu devant un homme qui a été témoin de la vie coupable que j'ai menée. Cet habit me la reproche sans cesse. Hélas! ajouta-t-il en poussant un soupir, pour être digne de le porter, il faudrait que j'eusse toujours vécu dans l'innocence. A ce discours qui me charme, lui répliquai-je, mon cher Frère, on voit clairement que le doigt du Seigneur vous a touché. Je vous le répète, j'en suis ravi, et je meurs d'envie d'apprendre de quelle manière miraculeuse vous êtes entrés dans la bonne voie, vous et don Raphaël; car je suis persuadé que c'est lui que je viens de rencontrer dans la ville, habillé en chartreux. Je me suis repenti de ne l'avoir pas arrêté dans la rue pour lui parler, et je l'attends ici pour réparer ma faute quand il rentrera.

Vous ne vous êtes point trompé, me dit Lamela, c'est don Raphaël lui-même que vous avez vu; et quant au détail que vous demandez, le voici : Après nous être séparés de vous auprès de Ségorbe, nous prîmes, le fils de Lucinde et moi, la route de Valence dans le dessein d'y faire quelque nouveau tour de notre métier. Le hasard voulut un jour que nous entrassions dans l'église des Chartreux, dans le temps que les religieux psalmodiaient dans le chœur. Nous nous attachâmes à les considérer, et nous éprouvâmes que les méchants ne peuvent se défendre d'honorer la vertu. Nous admirâmes la ferveur avec laquelle ils priaient Dieu, leur air mortifié et détaché des plaisirs du siècle, de même que la sérénité qui régnait sur leurs visages, et qui marquait si bien le repos de leurs consciences.

En faisant ces observations, nous tombâmes dans une rêverie qui nous devint salutaire : nous comparâmes nos mœurs avec celles de ces bons religieux, et la différence que nous y trouvâmes nous remplit de trouble et d'inquiétude. Lamela, me dit don Raphaël, lorsque nous fûmes hors de l'église, comment es-tu affecté de ce que nous venons de voir ? Pour moi, je ne puis te le céler : je n'ai pas l'esprit tranquille. Des mouvements qui me sont inconnus m'agitent; et, pour la première fois de ma vie, je me reproche mes iniquités. Je suis dans la même disposition, lui répondis-je : les mauvaises actions que j'ai faites se soulèvent dans cet instant contre moi; et mon cœur, qui n'avait jamais senti de remords, en est présentement déchiré. Ah! cher Ambroise, reprit mon camarade, nous sommes deux brebis égarées que le Père céleste par pitié veut ramener au bercail! C'est lui, mon enfant, c'est lui qui nous appelle. Ne soyons pas sourds à sa voix; renonçons aux fourberies, quittons le libertinage où nous vivons, et commençons dès aujourd'hui à travailler sérieusement au grand ouvrage de notre salut; il faut passer le reste de nos jours dans ce couvent, et les consacrer à la pénitence.

J'applaudis au sentiment de Raphaël, continua le frère Ambroise; et nous formâmes la généreuse résolution de nous faire chartreux. Pour l'exécuter, nous nous adressâmes au père prieur, qui ne sut pas sitôt notre dessein que, pour éprouver notre vocation, il nous fit donner des cellules et traiter comme les religieux pendant une année entière. Nous suivîmes les règles avec tant d'exactitude et de constance qu'on nous reçut parmi les novices. Nous étions si contents de notre état et si pleins d'ardeur que nous soutînmes courageusement les travaux du noviciat. Nous fîmes ensuite profession; après quoi don Raphaël, ayant paru doué d'un génie propre aux affaires, fut choisi pour soulager un vieux père qui était alors procureur. Le fils de Lucinde aurait mieux aimé employer tout son temps à la prière; mais il fut obligé de sacrifier son goût pour l'oraison au besoin qu'on avait de lui. Il acquit une si parfaite connaissance des intérêts de la maison qu'on le jugea capable de remplacer le vieux procureur qui mourut trois ans après. Don Raphaël exerce donc actuellement cet emploi; et l'on peut dire qu'il s'en acquitte au grand contentement de tous nos pères, qui louent fort sa conduite dans l'administration de notre temporel. Ce qu'il y a de plus surprenant, c'est que, malgré le soin dont il est chargé de recueillir nos revenus, il ne paraît occupé que de l'éternité. Les affaires lui laissent-elles un moment de repos, il se plonge dans de profondes méditations. En un mot, c'est un des meilleurs sujets de ce monastère.

J'interrompis dans cet endroit Lamela par un transport de joie que je fis éclater à la vue de Raphaël qui arriva. Le voici, m'écriai-je, le voici ce saint procureur que j'attendais avec impatience! En même temps je courus au-devant de lui, et je l'embrassai. Il se prêta de bonne grâce à l'accolade; et, sans témoigner le moindre étonnement de me rencontrer, il me dit d'un ton de voix plein de douceur : Dieu soit loué, seigneur de Santillane, Dieu soit loué du plaisir que j'ai de vous revoir! En vérité, repris-je, mon cher Raphaël, je prends toute la part possible à votre bonheur; le frère Ambroise m'a raconté l'histoire de votre conversion, et ce récit m'a charmé. Quel avantage pour vous deux, mes amis, de pouvoir vous flatter d'être de ce petit nombre d'élus qui doivent jouir d'une éternelle félicité!.

Deux misérables tels que nous, repartit le fils de Lucinde, d'un air qui marquait beaucoup d'humilité, ne devraient pas concevoir une pareille espérance; mais le repentir des pécheurs leur fait trouver grâce auprès du Père des miséricordes. Et vous, Seigneur Gil Blas, ajouta-t-il, ne songez-vous pas aussi à mériter qu'il vous pardonne les offenses que vous lui avez faites ? Quelles affaires vous amènent à Valence ? n'y rempliriez-vous point par malheur quelque emploi dangereux ? Non, Dieu merci, lui répondis-je, depuis que j'ai quitté la Cour, je mène une vie d'honnête homme; tantôt dans une terre [124] que j'ai à quelques lieues de cette ville, je prends tous les plaisirs de la campagne, et tantôt je viens me réjouir avec le gouverneur de Valence qui est mon ami, et que vous connaissez tous deux parfaitement.

Alors, je leur contai l'histoire de don Alphonse de Leyva. Ils l'écoutèrent avec attention; et quand je leur dis que j'avais porté de la part de ce seigneur à Samuel Simon les trois mille ducats que nous lui avions volés, Lamela m'interrompit, et, adressant la parole à Raphaël : Père Hilaire, lui dit-il, à ce compte-là, ce bon marchand ne doit plus se plaindre d'un vol qui lui a été restitué avec usure, et nous devons tous deux avoir la conscience bien en repos sur cet article. Effectivement, dit le procureur, le frère Ambroise et moi, avant que d'entrer dans ce couvent, nous fîmes secrètement tenir quinze cents ducats à Samuel Simon par un honnête ecclésiastique qui voulut bien se donner la peine d'aller à Xelva faire cette restitution; tant pis pour Samuel s'il a été capable de toucher cette somme après avoir été remboursé du tout par le seigneur de Santillane! Mais, leur dis-je, vos quinze cents ducats ont-ils été fidèlement remis ? Sans doute, s'écria don Raphaël, je répondrais de l'intégrité de l'ecclésiastique comme de la mienne. J'en serais aussi la caution, dit Lamela; c'est un saint prêtre accoutumé à ces sortes de commissions, et qui a eu, pour des dépôts à lui confiés, deux ou trois procès qu'il a gagnés avec dépens.

Notre conversation dura quelque temps encore; ensuite nous nous séparâmes, eux en m'exhortant à avoir toujours devant les yeux la crainte du Seigneur, et moi en me recommandant à leurs bonnes prières. J'allai sur-le-champ trouver don Alphonse : Vous ne devineriez jamais, lui dis-je, avec qui je viens d'avoir un long entretien; je quitte deux vénérables chartreux de votre connaissance; l'un se nomme le père Hilaire et l'autre le frère Ambroise. Vous vous trompez, me répondit don Alphonse, je ne connais aucun chartreux. Pardonnez-moi, lui répliquai-je; vous avez vu à Xelva le frère Ambroise, commissaire de l'Inquisition, et le père Hilaire, greffier. O Ciel! s'écria le gouverneur avec surprise, serait-il possible que Raphaël et Lamela fussent devenus chartreux! Oui, vraiment, lui répondis-je, il y a déjà quelques années qu'ils ont fait profession. Le premier est procureur de la maison, et l'autre est portier.

Le fils de don César rêva quelques moments, puis branlant la tête : Monsieur le commissaire de l'Inquisition et son greffier, dit-il, m'ont bien la mine de jouer ici une nouvelle comédie. Vous jugez d'eux par prévention, lui répondis-je; pour moi, qui les ai entretenus, j'en pense plus favorablement. Il est vrai qu'on ne voit point le fond des cœurs; mais, selon toutes les apparences, ce sont deux fripons convertis. Cela se peut, reprit don Alphonse; il y a bien des libertins qui, après avoir scandalisé le monde par leurs dérèglements, s'enferment dans les cloîtres pour en faire une rigoureuse pénitence : je souhaite que nos deux moines soient de ces libertins-là.

Eh! pourquoi, lui dis-je, n'en seraient-il pas ? ils ont volontairement embrassé l'état monastique, et il y a déjà longtemps qu'ils vivent en bons religieux. Vous me direz tout ce qu'il vous plaira, me repartit le gouverneur. Je n'aime pas que la caisse du couvent soit entre les mains de ce père Hilaire, dont je ne puis m'empêcher de me défier; quand je me souviens de ce beau récit qu'il nous fit de ses aventures, je tremble pour les chartreux. Je veux croire avec vous qu'il a pris le froc de très bonne foi, mais la vue de l'or peut réveiller sa cupidité. Il ne faut pas mettre dans une cave un ivrogne qui a renoncé au vin.

La défiance de don Alphonse fut pleinement justifiée peu de jours après; le père procureur et le frère portier disparurent avec la caisse. Cette nouvelle, qui se répandit aussitôt dans la ville, ne manqua pas d'égayer les railleurs, qui se réjouissent toujours du mal qui arrive aux moines rentés. Pour le gouverneur et moi, nous plaignîmes les chartreux, sans nous vanter de connaître les deux apostats.

CHAPITRE VII

Gil Blas retourne à son château de Lirias : de la nouvelle agréable que Scipion lui apprit, et de la réforme qu'ils firent dans leur domestique.

Je passai huit jours à Valence dans le grand monde, vivant comme les comtes et les marquis. Spectacles, bals, concerts, festins, conversations avec les dames; tous ces amusements me furent procurés par Monsieur et par Madame la Gouvernante, auxquels je fis si bien ma cour qu'ils me virent à regret partir pour m'en retourner à Lirias. Ils m'obligèrent même auparavant à leur promettre de me partager entre eux et ma solitude. Il fut arrêté que je demeurerais pendant l'hiver à Valence, et pendant l'été dans mon château. Après cette convention, mes bienfaiteurs me laissèrent la liberté de les quitter pour aller jouir de leurs bienfaits.

Scipion, qui attendait impatiemment mon retour, fut ravi de me revoir; et je redoublai sa joie par la fidèle relation que je lui fis de mon voyage. Et toi, mon ami, lui dis-je ensuite, quel usage as-tu fait ici des jours de mon absence ? T'es-tu bien diverti ? Autant, répondit-il, que le peut faire un serviteur qui n'a rien de si cher que la présence de son maître. Je me suis promené en long et en large dans nos petits Etats; tantôt assis sur le bord de la fontaine qui est dans notre bois, j'ai pris plaisir à contempler la beauté de ses eaux qui sont aussi pures que celles de la fontaine sacrée dont le bruit faisait retentir la vaste forêt d'Albunea [125]; et tantôt couché au pied d'un arbre, j'ai entendu chanter les fauvettes et les rossignols. Enfin, j'ai chassé, j'ai pêché, et, ce qui m'a plus satisfait encore que tous ces amusements, j'ai lu plusieurs livres aussi utiles que divertissants.

J'interrompis avec précipitation mon secrétaire pour lui demander où il avait pris ces livres. Je les ai trouvés, me dit-il, dans une belle bibliothèque qu'il y a dans ce château, et que maître Joachim m'a fait voir. Eh! dans quel endroit, repris-je, peut-elle être, cette prétendue bibliothèque ? N'avons-nous pas visité toute la maison le jour de notre arrivée ? Vous vous l'imaginez, me repartit-il; mais apprenez que nous ne parcourûmes que trois pavillons, et que nous oubliâmes le quatrième. C'est là que don César, lorsqu'il venait à Lirias, employait une partie de son temps à la lecture. Il y a dans cette bibliothèque de très bons livres qu'on vous a laissés comme une ressource assurée contre l'ennui, quand nos jardins dépouillés de fleurs et nos bois de feuilles n'auront plus de quoi vous en préserver. Les seigneurs de Leyva n'ont pas fait les choses à demi : ils ont songé à la nourriture de l'esprit aussi bien qu'à celle du corps.

Cette nouvelle me causa une véritable joie. Je me fis conduire au quatrième pavillon, qui m'offrit un spectacle bien agréable. Je vis une chambre dont je résolus à l'heure même de faire mon appartement, comme don César en avait fait le sien. Le lit de ce seigneur y était encore avec tous les ameublements, c'est-à-dire une tapisserie à personnages qui représentaient les Sabines enlevées par les Romains. De la chambre, je passai dans un cabinet où régnaient tout autour des armoires basses remplies de livres, sur lesquelles étaient les portraits de tous nos rois. Il y avait auprès d'une fenêtre, d'où l'on découvrait une campagne toute riante, un bureau d'ébène devant un grand sopha de maroquin noir. Mais je donnai principalement mon attention à la bibliothèque. Elle était composée de philosophes, de poètes, d'historiens et d'un grand nombre de romans de chevalerie. Je jugeai que don César aimait cette dernière sorte d'ouvrages, puisqu'il en avait fait une si bonne provision. J'avouerai à ma honte que je ne haïssais pas non plus ces productions, malgré toutes les extravagances dont elles sont tissues, soit que je ne fusse pas alors un lecteur à y regarder de si près, soit que le merveilleux rende les Espagnols trop indulgents. Je dirai néanmoins, pour ma justification, que je prenais plus de plaisir aux livres de morale enjouée, et que Lucien, Horace, Erasme devinrent mes auteurs favoris.

Mon ami, dis-je à Scipion lorsque j'eus parcouru des yeux ma bibliothèque, voilà de quoi nous amuser; mais il s'agit à présent de réformer notre domestique. C'est une chose dont je veux vous épargner le soin, me répondit-il. Pendant votre absence, j'ai bien étudié vos gens, et j'ose me vanter de les connaître. Commençons par maître Joachim; je le crois un parfait fripon, et je ne doute point qu'il n'ait été chassé de l'archevêché pour des fautes d'arithmétique qu'il aura faites dans ses mémoires de dépenses. Cependant il faut le conserver pour deux raisons; la première, c'est qu'il est bon cuisinier; la seconde, c'est que j'aurai toujours l'œil sur lui; j'épierai ses actions, et il faudra qu'il soit bien fin si j'en suis la dupe. Je lui ai déjà dit que vous aviez dessein de renvoyer les trois quarts de vos domestiques. Cette nouvelle lui a fait de la peine, et il m'a témoigné que, se sentant porté d'inclination à vous servir, il se contenterait de la moitié des gages qu'il a aujourd'hui plutôt que de vous quitter : ce qui me fait soupçonner qu'il y a dans ce hameau quelque petite fille dont il voudrait bien ne pas s'éloigner. Pour l'aide de cuisine, poursuivit-il, c'est un ivrogne, et le portier un brutal dont nous n'avons pas besoin, non plus que du tireur. Je remplirai fort bien la place de ce dernier, comme je vous le ferai voir dès demain, puisque nous avons ici des fusils, de la poudre et du plomb. A l'égard des laquais, il y en a un qui est aragonais, et qui me paraît bon enfant. Nous garderons celui-là; tous les autres sont de si mauvais sujets que je ne vous conseillerais pas de les retenir, quand même il vous faudrait une centaine de valets.

Après avoir amplement délibéré sur cela, nous résolûmes de nous en tenir au cuisinier, au marmiton, à l'aragonais, et de nous défaire honnêtement de tout le reste : ce qui fut exécuté dès le jour même, moyennant quelques pistoles que Scipion tira de notre coffre-fort, et leur donna de ma part. Quand nous eûmes fait cette réforme, nous établîmes un ordre dans le château; nous réglâmes les fonctions de chaque domestique, et nous commençâmes à vivre à nos dépens. Je me serais volontiers contenté d'un ordinaire frugal; mais mon secrétaire, qui aimait les ragoûts et les bons morceaux, n'était pas homme à laisser inutile le savoir-faire de maître Joachim. Il le mit si bien en œuvre que nos dîners et nos soupers devinrent des repas de bernardins.

CHAPITRE VIII

Des amours de Gil Blas et de la belle Antonia.

Deux jours après mon retour de Valence à Lirias, Basile le laboureur, mon fermier, vint à mon lever me demander la permission de me présenter Antonia, sa fille, qui souhaitait, disait-il, d'avoir l'honneur de saluer son nouveau maître. Je lui répondis que cela me ferait plaisir. Il sortit et revint bientôt avec la belle Antonia. Je crois pouvoir donner cette épithète à une fille de seize à dix-huit ans, qui joignait à des traits réguliers le plus beau teint et les plus beaux yeux du monde. Elle n'était vêtue que de serge; mais une riche taille, un port majestueux et des grâces qui n'accompagnent pas toujours la jeunesse relevaient la simplicité de son habillement. Elle n'avait point de coiffure; ses cheveux étaient seulement noués par derrière avec un bouquet de fleurs à la façon des Lacédémoniennes.

Lorsque je la vis entrer dans ma chambre, je fus aussi frappé de sa beauté que les paladins de la Cour de Charlemagne le furent des appas d'Angélique [126]. Au lieu de recevoir Antonia d'un air aisé et de lui dire des choses flatteuses : au lieu de féliciter son père sur le bonheur d'avoir une si charmante fille, je demeurai étonné, troublé, interdit; je ne pus prononcer un seul mot. Scipion, qui s'aperçut de mon désordre, prit pour moi la parole, et fit les frais des louanges que je devais à cette aimable personne. Pour elle, qui ne fut point éblouie de ma figure en robe de chambre et en bonnet de nuit, elle me salua sans être embarrassée de sa contenance, et me fit un compliment qui acheva de m'enchanter, quoiqu'il fût des plus communs. Cependant, tandis que mon secrétaire, Basile et sa fille se faisaient réciproquement des civilités, je revins à moi; et, comme si j'eusse voulu compenser le stupide silence que j'avais gardé jusque-là, je passai d'une extrémité à l'autre. Je me répandis en discours galants, et parlai avec tant de vivacité, que j'alarmai Basile, qui, me considérant déjà comme un homme qui allait tout mettre en usage pour séduire Antonia, se hâta de sortir avec elle de mon appartement dans la résolution peut-être de la soustraire à mes yeux pour jamais.

Scipion, se voyant seul avec moi, me dit en souriant : Autre ressource pour vous contre l'ennui! Je ne savais pas que votre fermier eût une fille si jolie; je ne l'avais point encore vue; j'ai pourtant été deux fois chez lui. Il faut qu'il ait grand soin de la tenir cachée, et je le lui pardonne. Malepeste! voilà un morceau bien friand. Mais, ajouta-t-il, je ne crois pas qu'il soit nécessaire qu'on vous le dise; elle vous a d'abord ébloui. Je ne m'en défends pas, lui répondis-je. Ah! mon enfant, j'ai cru voir une substance céleste : elle m'a tout à coup embrasé d'amour; la foudre est moins prompte que le trait qu'elle a lancé dans mon cœur.

Vous me ravissez, reprit mon secrétaire, en m'apprenant que vous êtes enfin devenu amoureux. Il vous manquait une maîtresse pour jouir d'un parfait bonheur dans votre solitude. Grâce au Ciel, vous y avez présentement toutes vos commodités. Je sais bien, continua-t-il, que nous aurons un peu de peine à tromper la vigilance de Basile, mais c'est mon affaire; et je prétends avant trois jours vous procurer un entretien secret avec Antonia. Monsieur Scipion, lui dis-je, peut-être pourriez-vous bien ne me pas tenir parole, c'est ce que je ne suis pas curieux d'éprouver. Je ne veux point tenter la vertu de cette fille, qui me paraît mériter que j'aie d'autres sentiments pour elle. Ainsi, loin d'exiger de votre zèle que vous m'aidiez à la déshonorer, j'ai dessein de l'épouser par votre entremise, pourvu que son cœur ne soit pas prévenu pour un autre. Je ne m'attendais pas, dit-il, à vous voir prendre si brusquement le parti de vous marier. Tous les seigneurs de village à votre place n'en useraient pas si honnêtement; ils n'auraient sur Antonia des vues légitimes qu'après en avoir eu d'autres inutilement. Au reste, ajouta-t-il, ne vous imaginez point que je condamne votre amour et que je cherche à vous détourner de votre dessein. La fille de votre fermier mérite l'honneur que vous lui voulez faire, si elle peut vous donner un cœur tout neuf et sensible à vos bontés. C'est ce que je saurai dès aujourd'hui par la conversation que j'aurai avec son père, et peut-être avec elle.

Mon confident était un homme exact à tenir ses promesses. Il alla voir secrètement Basile, et le soir il vint me trouver dans mon cabinet où je l'attendais avec une impatience mêlée de crainte. Il avait un air gai dont je tirai un bon augure. Si j'en crois, lui dis-je, ton visage riant, tu viens m'annoncer que je serai bientôt au comble de mes désirs. Oui, mon cher maître, me répondit-il, tout vous rit. J'ai entretenu Basile et sa fille ; je leur ai déclaré vos intentions. Le père est ravi que vous ayez envie d'être son gendre ; et je puis vous assurer que vous êtes du goût d'Antonia. O Ciel ! interrompis-je tout transporté de joie. Quoi ! j'aurais le bonheur de plaire à cette aimable personne ? N'en doutez pas, reprit-il, elle vous aime déjà. Je n'ai pas, à la vérité, tiré cet aveu de sa bouche, mais je m'en fie à la gaieté qu'elle a fait paraître quand elle a su votre dessein. Cependant, poursuivit-il, vous avez un rival. Un rival ! m'écriai-je en pâlissant. Que cela ne vous alarme point, me dit-il, ce rival ne vous enlèvera pas le cœur de votre maîtresse ; c'est maître Joachim, votre cuisinier. Ah ! le pendard, dis-je en faisant un éclat de rire ; voilà donc pourquoi il a marqué tant de répugnance à quitter mon service ! Justement, répondit Scipion ; il a ces jours passés demandé en mariage Antonia, qui lui a été poliment refusée. Sauf ton meilleur avis, lui répliquai-je, il est à propos, ce me semble, de nous défaire de ce drôle-là, avant qu'il apprenne que je veux épouser la fille de Basile ; un cuisinier, comme tu sais, est un rival dangereux [127]. Vous avez raison, repartit mon confident, il faut en purger notre domestique ; je lui donnerai son congé dès demain matin, avant qu'il se mette à l'ouvrage ; et vous n'aurez plus rien à craindre ni de ses sauces ni de son amour. Je suis pourtant, continua-t-il, un peu fâché de perdre un si bon cuisinier, mais je sacrifie ma gourmandise à votre sûreté. Tu ne dois pas, lui dis-je, tant le regretter ; sa perte n'est point irréparable ; je vais faire venir de Valence un cuisinier qui le vaudra bien. En effet, j'écrivis aussitôt à don Alphonse ; je lui mandai que j'avais besoin d'un cuisinier, et dès le jour suivant il m'en envoya un qui consola d'abord Scipion.

Quoique ce zélé secrétaire m'eût dit qu'il s'était aperçu qu'Antonia s'applaudissait au fond de son âme d'avoir fait la conquête de son seigneur, je n'osais me fier à son rapport. J'appréhendais qu'il ne se fût laissé tromper par de fausses apparences. Pour en être plus sûr, je résolus de parler moi-même à la belle Antonia. Je me rendis chez Basile, à qui je confirmai ce que mon ambassadeur lui avait dit. Ce bon laboureur, homme simple et plein de franchise, après m'avoir écouté, me témoigna que c'était avec une extrême satisfaction qu'il m'accordait sa fille ; mais, ajouta-t-il, ne croyez pas au moins que ce soit à cause de votre titre de seigneur de village. Quand vous ne seriez encore qu'intendant de don César et de don Alphonse, je vous préférerais à tous les autres amoureux qui se présenteraient ; j'ai toujours eu de l'inclination pour vous ; et tout ce qui me fâche, c'est qu'Antonia n'ait pas une grosse dot à vous apporter. Je ne lui en demande aucune, lui dis-je; sa personne est le seul bien où j'aspire. Votre serviteur très humble, s'écria-t-il, ce n'est point là mon compte; je ne suis point un gueux pour marier ainsi ma fille. Basile de Buenotrigo est en état, Dieu merci, de la doter; et je veux qu'elle vous donne à souper, si vous lui donnez à dîner. En un mot, le revenu de ce château n'est que de cinq cents ducats; je le ferai monter à mille, en faveur de ce mariage.

J'en passerai par tout ce qu'il vous plaira, mon cher Basile, lui répliquai-je; nous n'aurons point ensemble de dispute d'intérêt. Nous sommes tous deux d'accord; il ne s'agit plus que d'avoir le consentement de votre fille. Vous avez le mien, me dit-il; cela suffit. Pas tout à fait, lui répondis-je; si le vôtre m'est nécessaire, le sien l'est aussi. Le sien dépend du mien, reprit-il; je voudrais bien qu'elle osât souffler devant moi! Antonia, lui repartis-je, soumise à l'autorité paternelle, est prête sans doute à vous obéir aveuglément; mais je ne sais si dans cette occasion elle le fera sans répugnance; et, pour peu qu'elle en eût, je ne me consolerais jamais d'avoir fait son malheur; enfin ce n'est pas assez que j'obtienne de vous sa main, il faut que son cœur n'en gémisse point. Oh dame! dit Basile, je n'entends pas toutes ces philosophies : parlez vous-même à Antonia, et vous verrez, ou je me trompe fort, qu'elle ne demande pas mieux que d'être votre femme. En achevant ces paroles, il appela sa fille, et me laissa un moment avec elle.

Pour profiter d'un temps si précieux, j'entrai d'abord en matière : Belle Antonia, lui dis-je, décidez de mon sort. Quoique j'aie l'aveu de votre père, ne vous imaginez pas que je veuille m'en prévaloir pour faire violence à vos sentiments. Quelque charmante que soit votre possession, j'y renonce si vous me dites que je ne la devrai qu'à votre seule obéissance. C'est ce que je n'ai garde de vous dire, me répondit-elle; votre recherche m'est trop agréable pour qu'elle me puisse faire de la peine, et j'applaudis au choix de mon père au lieu d'en murmurer. Je ne sais, continua-t-elle, si je fais bien ou mal de vous parler ainsi; mais si vous me déplaisiez, je serais assez franche pour vous l'avouer; pourquoi ne pourrais-je pas vous dire le contraire aussi librement ?

A ces mots, que je ne pus entendre sans en être charmé, je mis un genou à terre devant Antonia; et, dans l'excès de mon ravissement, lui prenant une de ses belles mains, je la baisai d'un air tendre et passionné : Ma chère Antonia, lui dis-je, votre franchise m'enchante; continuez, que rien ne vous contraigne; vous parlez à votre époux; que votre âme se découvre tout entière à ses yeux. Je puis donc me flatter que vous ne verrez pas sans plaisir lier votre fortune à la mienne... Basile qui arriva dans cet instant m'empêcha de poursuivre. Impatient de savoir ce que sa fille m'avait répondu, et prêt à la gronder si elle eût marqué la moindre aversion pour moi, il vint me rejoindre : Eh bien! me dit-il, êtes-vous content d'Antonia ? J'en suis si satisfait, lui répondis-je, que je vais dès ce moment m'occuper des apprêts de mon mariage. En disant cela, je quittai le père et la fille pour aller tenir conseil là-dessus avec mon secrétaire.

CHAPITRE IX

Noces de Gil Blas et de la belle Antonia ; de quelle façon elles se firent ; quelles personnes y assistèrent, et de quelles réjouissances elles furent suivies.

Quoique je n'eusse pas besoin de la permission des seigneurs de Leyva pour me marier, nous jugeâmes, Scipion et moi, que je ne pouvais honnêtement me dispenser de leur communiquer le dessein que j'avais d'épouser la fille de Basile, et de leur en demander même leur agrément par politesse.

Je partis aussitôt pour Valence, où l'on fut aussi surpris de me voir que d'apprendre le sujet de mon voyage. Don César et don Alphonse, qui connaissaient Antonia pour l'avoir vue plus d'une fois, me félicitèrent de l'avoir choisie pour femme. Don César surtout m'en fit compliment avec tant de vivacité que, si je ne l'eusse pas cru un seigneur revenu de certains amusements, je l'aurais soupçonné d'avoir été quelquefois à Lirias moins pour y voir son château que sa petite fermière. Séraphine, de son côté, après m'avoir assuré qu'elle prendrait toujours beaucoup de part à ce qui me regarderait, me dit qu'elle avait entendu parler d'Antonia très avantageusement; mais, ajouta-t-elle par malice, et comme pour me reprocher l'indifférence dont j'avais payé l'amour de Séphora, quand on ne m'aurait pas vanté sa beauté, je m'en fierais bien à votre goût, dont je connais la délicatesse.

Don César et son fils ne se contentèrent pas d'approuver mon mariage, ils me déclarèrent qu'ils en voulaient faire tous les frais. Reprenez, me dirent-ils, le chemin de Lirias, et demeurez-y tranquille jusqu'à ce que vous entendiez parler de nous. Ne faites point de préparatifs pour vos noces, c'est un soin dont nous nous chargeons. Pour me conformer à leurs volontés, je retournai à mon château. J'avertis Basile et sa fille des intentions de nos protecteurs, et nous attendîmes de leurs nouvelles le plus patiemment qu'il nous fut possible. Nous n'en reçûmes point pendant huit jours. En récompense, le neuvième, nous vîmes arriver un carrosse à quatre mulets, dans lequel il y avait des couturiers qui apportaient de belles étoffes de soie pour habiller la mariée, et qu'escortaient plusieurs gens de livrée, montés sur des mules. L'un d'entre eux me remit une lettre de la part de don Alphonse. Ce seigneur me mandait qu'il serait le lendemain à Lirias avec son père et son épouse, et que la cérémonie de mon mariage se ferait le jour suivant par le grand vicaire de Valence. Véritablement don César, son fils et Séraphine ne manquèrent pas de se rendre à mon château avec cet ecclésiastique, tous quatre dans un carrosse à six chevaux, précédé d'un autre à quatre où étaient les femmes de Séraphine, et suivi des gardes du gouverneur.

Mme la Gouvernante fut à peine dans le château qu'elle témoigna une extrême impatience de voir Antonia, qui de son côté ne sut pas plus tôt que Séraphine était arrivée qu'elle accourut pour la saluer et lui baiser la main, ce qu'elle fit de si bonne grâce que toute la compagnie l'admira : Eh bien! Madame, dit don César à sa belle-fille, que pensez-vous d'Antonia ? Santillane pouvait-il faire un meilleur choix ? Non, répondit Séraphine; ils sont tous deux dignes l'un de l'autre; je ne doute pas que leur union ne soit très heureuse. Enfin chacun donna des louanges à ma future; et, si on la loua fort sous son habit de serge, on en fut encore plus charmé lorsqu'elle parut sous un plus riche habillement. Il semblait qu'elle n'en eût jamais porté d'autres, tant son air était noble et son action aisée!

Le moment où je devais par un doux hymen voir attacher mon sort au sien étant arrivé, don Alphonse me prit par la main pour me conduire à l'autel, et Séraphine fit le même honneur à la mariée. Nous nous rendîmes tous deux dans cet ordre à la chapelle du hameau, où le grand vicaire nous attendait pour nous marier; et cette cérémonie se fit aux acclamations des habitants de Lirias et de tous les riches laboureurs des environs, que Basile avait invités aux noces d'Antonia. Ils avaient avec eux leurs filles, qui s'étaient parées de rubans et de fleurs, et qui tenaient dans leurs mains des tambours de basque. Nous retournâmes ensuite au château, où, par les soins de Scipion, l'ordonnateur du festin, il se trouva trois tables dressées; l'une pour les seigneurs; l'autre pour les personnes de leur suite; et la troisième, qui était la plus grande, pour tous ceux qui avaient été conviés. Antonia fut de la première, Mme la Gouvernante l'ayant ainsi voulu; je fis les honneurs de la seconde, et Basile se mit à celle des villageois. Pour Scipion, il ne s'assit à aucune table. Il ne faisait qu'aller et venir de l'une à l'autre, donnant son attention à faire bien servir et contenter tout le monde.

C'était par des cuisiniers du gouverneur que le repas avait été préparé; ce qui suppose qu'il n'y manquait rien. Les bons vins dont maître Joachim avait fait provision pour moi furent prodigués; les convives commençaient à s'échauffer, l'allégresse régnait partout, quand elle fut tout à coup troublée par un incident qui m'alarma. Mon secrétaire, étant dans la salle où je mangeais avec les principaux officiers de don Alphonse et les femmes de Séraphine, tomba subitement en faiblesse et perdit toute connaissance; je me levai pour aller à son secours, et, tandis que je m'occupais à lui faire reprendre ses esprits, une de ces femmes s'évanouit aussi. Toute la compagnie jugea que ce double évanouissement renfermait quelque mystère, comme en effet il en cachait un qui ne tarda guère à s'éclaircir; car, bientôt après, Scipion revint à lui, et me dit tout bas : Faut-il que le plus beau de vos jours soit le plus désagréable des miens! On ne peut éviter son malheur, ajouta-t-il; je viens de retrouver ma femme dans une suivante de Séraphine.

Qu'entends-je ? m'écriai-je. Cela n'est pas possible. Quoi! tu serais l'époux de cette dame qui vient de se trouver mal en même temps que toi ? Oui, Monsieur, me répondit-il, je suis son mari; et la fortune, je vous jure, ne pouvait me jouer un plus vilain tour que de la présenter à mes yeux. Je ne sais, repris-je, mon ami, quelles raisons tu as de te plaindre de ton épouse; mais, quelque sujet qu'elle t'en ait donné, de grâce, contrains-toi; si je te suis cher, ne trouble point cette fête en laissant éclater ton ressentiment. Vous serez content de moi, repartit Scipion; vous allez voir si je sais bien dissimuler.

En parlant de cette sorte, il s'avança vers sa femme à qui ses compagnes avaient aussi rendu l'usage de ses sens; et, l'embrassant avec autant de vivacité que s'il eût été ravi de la revoir : Ah! ma chère Béatrix, lui dit-il, le Ciel enfin nous rejoint après dix ans de séparation! O moment plein de douceur pour moi! J'ignore, lui répondit son épouse, si vous avez effectivement quelque joie de me rencontrer; mais du moins suis-je bien persuadée que je ne vous ai donné aucun juste sujet de m'abandonner. Quoi! vous me trouvez une nuit avec le seigneur don Fernand de Leyva, qui était amoureux de Julie ma maîtresse, et dont je servais la passion, vous vous mettez dans l'esprit que je l'écoute aux dépens de votre honneur et du mien; là-dessus, la jalousie vous renverse la cervelle; vous quittez Tolède et me fuyez comme un monstre, sans daigner me demander un éclaircissement! Qui de nous deux, s'il vous plaît, est le plus en droit de se plaindre ? C'est vous, sans contredit, lui répliqua Scipion. Sans doute, reprit-elle, c'est moi : don Fernand, peu de temps après votre départ de Tolède, épousa Julie, auprès de qui j'ai demeuré tant qu'elle a vécu; et, depuis qu'une mort prématurée nous l'a ravie, je suis au service de madame sa sœur, qui peut vous répondre, aussi bien que toutes ses femmes, de la pureté de mes mœurs.

Mon secrétaire, à ce discours dont il ne pouvait prouver la fausseté, prit son parti de bonne grâce. Encore une fois, dit-il à son épouse, je reconnais ma faute, et je vous en demande pardon devant cette honorable assistance. Alors, intercédant pour lui, je priai Béatrix d'oublier le passé, l'assurant que son mari ne songerait désormais qu'à lui donner de la satisfaction. Elle se rendit à ma prière, et toute la compagnie applaudit à la réunion de ces deux époux. Pour mieux la célébrer, on les fit asseoir à table l'un auprès de l'autre; on leur porta des *brindes*; chacun leur fit fête : on eût dit que le festin se faisait plutôt à l'occasion de leur raccommodement que de mes noces.

La troisième table fut la première que l'on abandonna. Les jeunes villageois la quittèrent pour former des danses avec les jeunes paysannes, qui, par le bruit de leurs tambours de basque, attirèrent bientôt les personnes des autres tables, et leur inspirèrent l'envie de suivre leur exemple. Voilà tout le monde en mouvement : les officiers du gouverneur se mirent à danser avec les soubrettes de la gouvernante; les seigneurs même se mêlèrent parmi les danseuses; don Alphonse dansa une sarabande avec Séraphine, et don César une autre avec Antonia, qui vint ensuite me prendre et qui ne s'en acquitta pas mal pour une personne qui n'avait que quelques principes de danse qu'elle avait reçus à Albarazin, chez une bourgeoise de ses parentes. Pour moi, qui, comme je l'ai déjà dit, avais appris à danser chez la marquise de Chaves, je parus à l'assemblée un grand danseur. A l'égard de Béatrix et de Scipion, ils préférèrent à la danse un entretien particulier, pour se rendre compte mutuellement de ce qui leur était arrivé pendant qu'ils avaient été séparés; mais leur conversation fut interrompue par Séraphine, qui, venant d'être informée de leur reconnaissance, les fit appeler pour leur en témoigner sa joie : Mes enfants, leur dit-elle, dans ce jour de réjouissance, c'est un surcroît de satisfaction pour moi de vous voir tous deux rendus l'un à l'autre. Ami Scipion, ajouta-t-elle, je vous remets votre épouse, en vous protestant qu'elle a toujours tenu une conduite irréprochable; vivez ici avec elle en bonne intelligence. Et vous, Béatrix, attachez-vous à Antonia, et ne lui soyez pas moins dévouée que votre mari l'est au seigneur de Santillane. Scipion, ne pouvant plus après cela regarder sa femme que comme une autre Pénélope, promit d'avoir pour elle toutes les considérations imaginables.

Les villageois et les villageoises, après avoir dansé toute la journée, se retirèrent dans leurs maisons; mais on continua la fête dans le château. Il y eut un magnifique souper; et, lorsqu'il fut question de s'aller coucher, le grand vicaire bénit le lit nuptial; Séraphine déshabilla la mariée, et les seigneurs de Leyva me firent le même honneur. Ce qu'il y a de plaisant, c'est que les officiers de don Alphonse et les femmes de la gouvernante s'avisèrent pour se réjouir de faire la même cérémonie; ils déshabillèrent Béatrix et Scipion, qui, pour rendre la scène plus comique, se laissèrent gravement dépouiller et mettre au lit.

CHAPITRE X

Suites du mariage de Gil Blas et de la belle Antonia. Commencement de l'histoire de Scipion.

Dès le lendemain de mes noces, les seigneurs de Leyva retournèrent à Valence, après m'avoir donné mille nouvelles marques d'amitié; si bien que mon secrétaire et moi nous demeurâmes seuls au château avec nos femmes et nos valets.

Le soin que nous prîmes l'un et l'autre de plaire à ces dames ne fut pas inutile; j'inspirai en peu de temps à mon épouse autant d'amour que j'en avais pour elle, et Scipion fit oublier à la sienne les chagrins qu'il lui avait causés. Béatrix, qui avait l'esprit souple et liant, s'insinua sans peine dans les bonnes grâces de sa nouvelle maîtresse et gagna sa confiance. Enfin, nous nous accordâmes tous quatre à merveille, et nous commençâmes à jouir d'un sort fort digne d'envie. Tous nos jours coulaient dans les plus doux amusements. Antonia était fort sérieuse, mais nous étions très gais, Béatrix et moi; et, quand nous ne l'aurions pas été, il suffisait que Scipion fût avec nous pour ne point engendrer de mélancolie. C'était un homme incomparable pour la société, un de ces personnages comiques qui n'ont qu'à se montrer pour égayer une compagnie.

Un jour qu'il nous prit fantaisie après le dîner d'aller faire la sieste dans l'endroit le plus agréable du bois, mon secrétaire se trouva de si belle humeur qu'il nous ôta l'envie de dormir par ses discours réjouissants : Tais-toi, lui dis-je, mon ami; ou puisque tu nous empêches de nous livrer au sommeil, fais-nous donc quelque récit digne de notre attention. Très volontiers, Monsieur, me répondit-il. Voulez-vous que je vous raconte l'histoire du roi Pélage ? J'aimerais mieux entendre la tienne, lui répliquai-je; mais c'est un plaisir que tu n'as pas jugé à propos de me donner depuis que nous vivons ensemble, et que je n'aurai jamais. D'ou vient ? me dit-il. Si je ne vous ai pas conté mon histoire, c'est que vous ne m'avez pas témoigné le moindre désir de la savoir; ce n'est donc pas ma faute si vous ignorez mes aventures; et, pour peu que vous soyez curieux de les apprendre, je suis prêt à contenter votre curiosité. Antonia, Béatrix et moi, nous le prîmes au mot, et nous nous disposâmes à écouter son récit, qui ne pouvait faire sur nous qu'un bon effet, soit en nous divertissant, soit en nous excitant au sommeil.

Je serais, dit Scipion, fils d'un grand de la première classe, ou tout au moins de quelque chevalier de Saint-Jacques ou d'Alcantara, si cela eût dépendu de moi; mais comme on ne se choisit point un père, vous saurez que le mien, nommé Torribio Scipion, était un honnête archer de la sainte Hermandad. En allant et venant sur les grands chemins où sa profession l'obligeait d'être presque toujours, il rencontra par hasard un jour entre Cuença et Tolède une jeune Bohémienne qui lui parut fort jolie. Elle était seule, à pied, et portait avec elle toute sa fortune dans une espèce de havre-sac qu'elle avait sur le dos : Où allez-vous ainsi, ma mignonne ? lui dit-il en adoucissant sa voix, qu'il avait naturellement très rude. Seigneur cavalier, lui répondit-elle, je vais à Tolède, où j'espère gagner ma vie de façon ou d'autre en vivant honnêtement. Vos intentions sont louables, reprit-il, et je ne doute pas que vous n'ayez plus d'une corde à votre arc. Oui, Dieu merci, repartit-elle, j'ai plusieurs talents, je sais composer des pommades et des essences fort utiles aux dames; je dis la bonne aventure, je fais tourner le sas [128] pour retrouver les choses perdues, et montre tout ce qu'on veut dans le miroir ou dans le verre.

Torribio, jugeant qu'une pareille fille était un parti très avantageux pour un homme tel que lui, qui avait de la peine à vivre de son emploi, quoiqu'il sût fort bien le remplir, lui proposa de l'épouser; elle accepta la proposition; ils se rendirent tous deux en diligence à Tolède, où ils se marièrent, et vous voyez en moi le digne fruit de ce noble hyménée. Ils s'établirent dans un faubourg, où ma mère commença par débiter des pommades et des essences; mais, ne trouvant pas ce trafic assez lucratif, elle fit la devineresse. C'est alors qu'on vit pleuvoir chez elle les écus et les pistoles : mille dupes de l'un et de l'autre sexe mirent bientôt en réputation la Coscolina, c'est ainsi que se nommait la Bohémienne. Il venait tous les jours quelqu'un la prier d'employer pour lui son ministère : tantôt c'était un neveu indigent qui voulait savoir quand son oncle, dont il était unique héritier, partirait pour l'autre monde; et tantôt une fille qui souhaitait d'apprendre si un cavalier dont elle reconnaissait les soins, et qui lui promettait de l'épouser, lui tiendrait parole.

Vous observerez, s'il vous plaît, que les prédictions de ma mère étaient toujours favorables aux personnes à qui elle les faisait : si elles s'accomplissaient, à la bonne heure; et si l'on venait lui reprocher que le contraire de ce qu'elle avait prédit était arrivé, elle répondait froidement qu'il fallait s'en prendre au démon, qui, malgré la force des conjurations qu'elle employait pour l'obliger à révéler l'avenir, avait quelquefois la malice de la tromper.

Lorsque, pour l'honneur du métier, ma mère croyait devoir faire paraître le diable dans ses opérations, c'était Torribio Scipion qui faisait ce personnage, et qui s'en acquittait parfaitement bien, la rudesse de sa voix et la laideur de son visage lui donnant un air convenable à ce qu'il représentait. Pour peu qu'on fût crédule, on était épouvanté de la figure de mon père. Mais un jour par malheur il vint un brutal de capitaine qui voulut voir le diable, et qui lui passa son épée au travers du corps [129]. Le Saint-Office, informé de la mort du diable, envoya ses officiers chez la Coscolina dont ils se saisirent aussi bien que de tous ses effets; et moi, qui n'avais alors que sept ans, je fus mis à l'Hôpital de *los Niños* [a]. Il y avait dans cette maison de charitables ecclésiastiques, qui, bien payés pour avoir soin de l'éducation des pauvres orphelins, prenaient la peine de leur montrer à lire et à écrire. Ils crurent remarquer que je promettais beaucoup; ce qui fut cause qu'ils me distinguèrent des autres, et me choisirent pour faire leurs commissions. Ils m'envoyaient en ville porter leurs lettres; j'allais et venais pour eux, et c'était moi qui répondais leurs messes. Par reconnaissance, ils entreprirent de m'enseigner la langue latine; mais ils s'y prirent trop rudement, et me traitèrent avec tant de rigueur, malgré les petits services que je leur rendais, que, ne pouvant y résister, je m'échappai un beau jour en faisant une commission; et, bien loin de retourner à l'Hôpital, je sortis même de Tolède par le faubourg du côté de Séville.

Quoique j'eusse à peine alors neuf ans accomplis, je sentais déjà le plaisir d'être libre et maître de mes actions. J'étais sans argent et sans pain, n'importe; je n'avais point de leçons à étudier ni de thèmes à composer. Après avoir marché pendant deux heures, mes petites jambes commencèrent à refuser le service. Je n'avais point encore fait de si longs voyages. Il fallut m'arrêter pour me reposer. Je m'assis au pied d'un arbre qui bordait le grand chemin; là, pour m'amuser, je tirai mon rudiment que j'avais dans ma poche, et le parcourus en badinant; puis, venant à me souvenir des férules et des coups de fouet qu'il m'avait fait recevoir, j'en déchirai les feuillets en disant avec colère : Ah! chien de livre, tu ne me feras plus répandre de pleurs! Tandis que j'assouvissais ma vengeance en jonchant autour de moi la terre de déclinaisons et de conjugaisons, il passa par là un ermite à barbe blanche, qui portait de larges lunettes, et qui avait un air vénérable. Il s'approcha de moi, et, s'il me considéra fort attentivement, je l'examinai bien aussi. Mon petit homme, me dit-il avec un souris, il me semble que nous venons tous deux de nous regarder bien tendrement, et que nous ne ferions point mal de demeurer ensemble dans mon ermitage, qui n'est qu'à deux cents pas d'ici. Je suis votre serviteur, lui répondis-je assez brusquement, je n'ai aucune envie d'être ermite. A cette réponse, le bon vieillard fit un éclat de rire, et me dit en m'embrassant : Il ne faut pas, mon fils, que mon habit vous fasse peur; s'il n'est pas agréable, il est utile; il me rend seigneur d'une retraite charmante et des villages voisins, dont les habitants m'aiment ou plutôt m'idolâtrent. Venez

a) *Des orphelins.*

avec moi, ajouta-t-il, je vous revêtirai d'une jaquette semblable à la mienne. Si vous vous en trouvez bien, vous partagerez avec moi les douceurs de la vie que je mène ; et, si vous ne vous en accommodez point, non seulement il vous sera permis de me quitter, mais vous pouvez même compter qu'en nous séparant je ne manquerai pas de vous faire du bien.

Je me laissai persuader, et je suivis le vieil ermite, qui me fit plusieurs questions, auxquelles je répondis avec une ingénuité que je n'ai pas toujours eue dans la suite. En arrivant à l'ermitage, il me présenta quelques fruits que je dévorai, n'ayant rien mangé de toute la journée qu'un morceau de pain sec, dont j'avais déjeuné le matin à l'hôpital. Le solitaire, me voyant si bien jouer des mâchoires, me dit : Courage, mon enfant, ne ménage point mes fruits : j'en ai, grâce au Ciel, une ample provision. Je ne t'ai pas amené ici pour te faire mourir de faim. Ce qui était très véritable, car, une heure après notre arrivée, il alluma du feu, embrocha un gigot de mouton ; et, tandis que je tournais la broche, il dressa une petite table, qu'il couvrit d'une serviette assez malpropre, et sur laquelle il mit deux couverts, l'un pour lui et l'autre pour moi.

Quand la viande fut cuite, il la tira de la broche, et en coupa quelques pièces pour notre souper, qui ne fut pas un repas de brebis, puisque nous bûmes d'un excellent vin dont il avait aussi bonne provision : Eh bien ! mon poulet, me dit-il lorsque nous fûmes hors de table, es-tu content de mon ordinaire ? Voilà de quelle façon tu seras traité tous les jours, si tu demeures avec moi. Au reste, tu ne feras dans cet ermitage que ce qu'il te plaira. J'exige de toi seulement que tu m'accompagnes toutes les fois que j'irai quêter dans les villages voisins ; tu me serviras à conduire un bourriquet chargé de deux paniers, que les paysans charitables remplissent ordinairement d'œufs, de pain, de viande et de poisson. Je ne te demande que cela. Je ferai, lui dis-je, tout ce que vous voudrez, pourvu que vous ne m'obligiez point à apprendre le latin. Le frère Chrysostome, c'était le nom du vieil ermite, ne put s'empêcher de rire de ma naïveté, et m'assura de nouveau qu'il ne prétendait pas gêner mes inclinations.

Nous allâmes dès le lendemain à la quête avec l'ânon que je menais par le licou. Nous fîmes une copieuse récolte, chaque paysan se faisant un plaisir de mettre quelque chose dans nos paniers. L'un y jetait un pain entier, l'autre une grosse pièce de lard, celui-ci une oie farcie, celui-là une perdrix. Que vous dirai-je ? Nous apportâmes au logis des vivres pour plus de huit jours, ce qui marquait bien l'estime et l'amitié que les villageois avaient pour le frère. Il est vrai qu'il leur était d'une grande utilité : il leur donnait des conseils quand ils venaient le consulter : il remettait la paix dans les ménages où régnait la discorde, et mariait les filles : il avait des remèdes pour mille sortes de maladies, et apprenait des oraisons aux femmes qui souhaitaient d'avoir des enfants.

Vous voyez, par ce que je viens de dire, que j'étais bien nourri dans mon ermitage. Je n'y étais pas plus mal couché : étendu sur de la bonne paille fraîche, ayant sous ma tête un coussin de bure, et sur le corps une couverture de la même étoffe, je ne faisais qu'un somme qui durait toute la nuit. Le frère Chrysostome, qui m'avait fait fête d'un habillement d'ermite, m'en fit un lui-même d'une de ses vieilles robes, et me nomma le petit frère Scipion. Sitôt que je parus dans les villages sous cet habit d'ordonnance, on me trouva si gentil que le bourriquet en fut plus chargé. C'était à qui en donnerait davantage au petit frère, tant on prenait de plaisir à voir sa figure.

La vie molle et fainéante que je menais avec le vieil ermite ne pouvait déplaire à un garçon de mon âge. Aussi j'y pris tant de goût que je l'aurais toujours continuée, si les Parques ne m'eussent pas filé d'autres jours fort différents ; mais la destinée que j'avais à remplir m'arracha bientôt à la mollesse, et me fit quitter le frère Chrysostome de la manière que je vais le raconter.

Je voyais souvent ce vieillard travailler au coussin qui lui servait d'oreiller ; il ne faisait que le découdre et le recoudre ; et je remarquai un jour qu'il mit de l'argent dedans. Cette observation fut suivie d'un mouvement curieux, que je me promis de satisfaire dès le premier voyage qu'il ferait à Tolède, où il avait coutume d'aller une fois la semaine. J'en attendis le jour impatiemment, sans avoir encore toutefois d'autre dessein que de contenter ma curiosité. Enfin le bonhomme partit, et je défis son oreiller, où je trouvai, parmi la laine qui le remplissait, la valeur peut-être de cinquante écus en toutes sortes d'espèces.

Ce trésor apparemment était la reconnaissance des paysans que l'ermite avait guéris par ses remèdes, et des paysannes qui avaient eu des enfants par la vertu de ses oraisons. Quoi qu'il en soit, je ne vis pas plus tôt que c'était de l'argent que je pouvais impunément m'approprier, que mon naturel bohémien se déclara. Il me prit une envie de le voler qu'on ne pouvait attribuer qu'à la force du sang qui coulait dans mes veines. Je cédai sans résistance à la tentation ; je serrai l'argent dans un sac de bure où nous mettions nos peignes et nos bonnets de nuit ; ensuite après avoir quitté mon habit d'ermite et repris celui d'orphelin, je m'éloignai de l'ermitage, croyant emporter dans mon sac toutes les richesses des Indes.

Vous venez d'entendre mon coup d'essai, continua Scipion, et je ne doute pas que vous ne vous attendiez à une suite de faits de la même nature. Je ne tromperai point votre attente ; j'ai encore d'autres pareils exploits à vous conter, avant que j'en vienne à mes actions louables; mais j'y viendrai, et vous verrez par mon récit qu'un fripon peut fort bien devenir un honnête homme.

Tout enfant que j'étais, je ne fus point assez sot pour reprendre le chemin de Tolède. C'eût été m'exposer au hasard de rencontrer le frère Chrysostome, qui m'aurait fait rendre désagréablement son magot. Je suivis une autre route qui me conduisit au village de Galves, où je m'arrêtai dans une hôtellerie dont l'hôtesse était une veuve de quarante ans, qui avait toutes les qualités requises pour faire valoir le bouchon. Cette femme n'eut pas plus tôt jeté les yeux sur moi que, jugeant à mon habillement que je devais être un échappé de l'hôpital des orphelins, elle me demanda qui j'étais et où j'allais. Je lui répondis qu'ayant perdu mon père et ma mère, je cherchais une condition. Mon enfant, me dit-elle, sais-tu lire ? Je l'assurai que je lisais, et même que j'écrivais à merveille. Véritablement, je formais mes lettres et les assemblais de façon que cela ressemblait un peu à de l'écriture; et c'en était assez pour les expéditions d'une taverne de village. Je te retiens donc à mon service, me répliqua l'hôtesse. Tu ne me seras pas inutile, tu tiendras ici registre de mes dettes actives et passives. Je ne te donnerai point de gages, ajouta-t-elle, attendu qu'il vient dans cette hôtellerie d'honnêtes gens qui n'oublient pas les valets. Tu peux compter sur de bons petits profits.

J'acceptai le parti, me réservant, comme vous pouvez croire, le droit de changer d'air, sitôt que le séjour de Galves cesserait de m'être agréable. Dès que je me vis arrêté pour servir dans cette hôtellerie, je me sentis l'esprit travaillé d'une grande inquiétude. Je ne voulais pas qu'on sût que j'avais de l'argent; et j'étais bien en peine de savoir où je le cacherais, pour qu'il fût à couvert de toute main étrangère. Je ne connaissais pas encore assez la maison pour me fier aux endroits qui me semblaient les plus propres à le recéler. Que les richesses causent d'embarras! Je me déterminai pourtant à mettre mon sac dans un coin de notre grenier où il y avait de la paille; et le croyant là plus en sûreté qu'ailleurs, je me tranquillisai autant qu'il me fut possible.

Nous étions trois domestiques dans cette maison : un gros garçon d'écurie, une jeune servante de Galice et moi. Chacun de nous tirait tout ce qu'il pouvait des voyageurs, tant à pied qu'à cheval, qui s'y arrêtaient. J'attrapais toujours de ces messieurs quelques pièces de menue monnaie, quand j'allais leur porter le mémoire de leur dépense. Ils donnaient aussi quelque chose au valet d'écurie pour avoir eu soin de leurs montures; mais pour la Galicienne, qui était l'idole des muletiers qui passaient par là, elle gagnait plus d'écus que nous de maravédis. Je n'avais pas sitôt reçu un sou que je le portais au grenier pour en grossir mon trésor ; et plus je voyais augmenter mon bien, plus je sentais que mon petit cœur s'y attachait. Je baisais quelquefois mes espèces ; je les contemplais avec un ravissement qui ne peut être compris que par les avares.

L'amour que j'avais pour mon trésor m'obligeait à l'aller visiter trente fois par jour. Je rencontrais souvent sur l'escalier l'hôtesse, laquelle, étant très défiante de son naturel, fut curieuse un jour de savoir ce qui pouvait à tout moment m'attirer au grenier. Elle y monta et se mit à fureter partout, s'imaginant que je cachais peut-être dans ce galetas des choses que je dérobais dans sa maison. Elle n'oublia pas de remuer la paille qui couvrait mon sac, et elle le trouva. Elle l'ouvrit ; et, voyant qu'il y avait dedans des écus et des pistoles, elle crut ou fit semblant de croire que je lui avais volé cet argent. Elle s'en saisit à bon compte. Puis, m'appelant petit misérable, petit coquin, elle ordonna au garçon d'écurie, tout dévoué à ses volontés, de m'appliquer une cinquantaine de bons coups de fouet ; et, après m'avoir si bien fait étriller, elle me mit à la porte, en disant qu'elle ne voulait point souffrir chez elle de fripon. J'eus beau protester que je n'avais point volé l'hôtesse, elle soutint le contraire, et on la crut plutôt que moi. C'est ainsi que les espèces du frère Chrysostome passèrent des mains d'un voleur dans celles d'une voleuse.

Je pleurai la perte de mon argent, comme on pleure la mort d'un fils unique ; et si mes larmes ne me firent pas rendre ce que j'avais perdu, elles furent cause du moins que j'excitai la compassion de quelques personnes qui les virent couler, et entre autres du curé de Galves qui passa près de moi par hasard. Il parut touché du triste état où j'étais, et m'emmena au presbytère avec lui. Là pour gagner ma confiance, ou plutôt pour me tirer les vers du nez, il commença par me plaindre : Que ce pauvre enfant, dit-il, est digne de pitié ! Faut-il s'étonner, si, livré à lui-même dans un âge si tendre, il a commis une mauvaise action ? Les hommes pendant le cours de leur vie ont bien de la peine à s'en défendre. Ensuite, m'adressant la parole : Mon fils, ajouta-t-il, de quel endroit d'Espagne êtes-vous, et qui sont vos parents ? Vous avez l'air d'un garçon de famille. Parlez-moi confidemment, et comptez que je ne vous abandonnerai point.

Le curé par ce discours politique et charitable m'engagea insensiblement à lui découvrir toutes mes affaires, ce que je fis avec beaucoup d'ingénuité. Je lui avouai tout. Après quoi il me dit : Mon ami, quoiqu'il ne convienne guère aux ermites de thésauriser, cela ne diminue pas votre faute : en volant le frère Chrysostome, vous avez toujours péché contre l'article du Décalogue qui défend de dérober ; mais je me charge d'obliger l'hôtesse à rendre l'argent et de le faire tenir au frère dans son ermitage : vous pouvez dès à présent avoir la conscience en repos là-dessus. C'était, je vous jure, de quoi je ne m'inquiétais guère. Le curé, qui avait son dessein, n'en demeura pas là : Mon enfant, poursuivit-il, je veux m'intéresser pour vous, et vous procurer une bonne condition. Je vous enverrai dès demain par un muletier à mon neveu le chanoine de la cathédrale de Tolède. Il ne refusera pas à ma prière de vous recevoir au nombre de ses laquais, qui sont chez lui comme autant de bénéficiers qui vivent grassement du revenu de sa prébende ; vous serez là parfaitement bien, c'est une chose dont je puis vous assurer.

Cette assurance fut si consolante pour moi que je ne songeai plus ni à mon sac, ni aux coups de fouet que j'avais reçus. Je ne m'occupai l'esprit que du plaisir de vivre en bénéficier. Le jour suivant, tandis qu'on me faisait déjeuner, il arriva selon les ordres du curé un muletier au presbytère avec deux mules bâtées et bridées. On m'aida à monter sur l'une, le muletier s'élança sur l'autre, et nous prîmes la route de Tolède. Mon compagnon de voyage était un homme de belle humeur, et qui ne demandait qu'à se réjouir aux dépens du prochain : Mon petit cadet, me dit-il, vous avez un bon ami dans Monsieur le curé de Galves. Il ne pouvait vous donner une meilleure preuve de son affection que de vous placer auprès de son neveu le chanoine, que j'ai l'honneur de connaître, et qui sans contredit est la perle de son chapitre. Ce n'est point un de ces dévots dont le visage pâle et maigre prêche la mortification ; c'est une grosse face, un teint fleuri, une mine réjouie, un vivant qui ne se refuse point au plaisir qui se présente, et qui surtout aime la bonne chère. Vous serez dans sa maison comme un petit coq en pâte.

Le bourreau de muletier, s'apercevant que je l'écoutais avec une grande satisfaction, continua de me vanter le bonheur dont je jouirais quand je serais valet du chanoine. Il ne cessa de m'en parler, jusqu'à ce qu'étant arrivés au village d'Obisa, nous nous y arrêtâmes pour faire un peu reposer nos mules. Le muletier, allant et venant dans l'hôtellerie, laissa tomber par hasard de sa poche un papier que j'eus l'adresse de ramasser sans qu'il y prît garde, et que je trouvai moyen de lire pendant qu'il était à l'écurie. C'était une lettre adressée aux prêtres de l'Hôpital des Orphelins, et conçue dans ces termes : *Messieurs, j'ai cru que la charité m'obligeait à remettre entre vos mains un petit fripon qui s'est échappé de votre Hôpital ; il me paraît avoir de l'esprit, et mériter que vous ayez la bonté de le tenir enfermé chez vous. Je ne doute point qu'à force de corrections vous n'en fassiez un garçon raisonnable. Que Dieu conserve vos pieuses et charitables Seigneuries !*

LE CURÉ DE GALVES.

Lorsque j'eus achevé de lire cette lettre, qui m'apprenait

les bonnes intentions de Monsieur le curé, je ne demeurai pas incertain du parti que j'avais à prendre : sortir de l'hôtellerie, et gagner les bords du Tage à plus d'une lieue de là, fut l'ouvrage d'un moment. La crainte me prêta des ailes pour fuir les prêtres de l'Hôpital des Orphelins, où je ne voulais point absolument retourner, tant j'étais dégoûté de la manière dont on y enseignait le latin. J'entrai dans Tolède aussi gaiement que si j'eusse su où aller boire et manger. Il est vrai que c'est une ville de bénédiction, et dans laquelle un homme d'esprit, réduit à vivre aux dépens d'autrui, ne saurait mourir de faim. A peine fus-je dans la grande place qu'un cavalier bien vêtu [130], auprès de qui je passai, me retint par le bras et me dit : Petit garçon, veux-tu me servir ? je serais bien aise d'avoir un laquais tel que toi. Et moi, lui répondis-je, un maître comme vous. Cela étant, reprit-il, tu es à moi dès ce moment, et tu n'as qu'à me suivre; ce que je fis sans répliquer.

Ce cavalier, qui pouvait avoir trente ans, et qui se nommait don Abel, logeait dans un hôtel garni, où il occupait un assez bel appartement. C'était un joueur de profession; et voici de quelle sorte nous vivions ensemble. Le matin, je lui hachais du tabac pour fumer cinq ou six pipes; je lui nettoyais ses habits, et j'allais lui chercher un barbier pour le raser et lui redresser sa moustache. Après quoi il sortait pour courir les tripots, d'où il ne revenait au logis qu'entre onze heures et minuit. Mais tous les matins, avant que de sortir, il tirait de sa poche trois réaux qu'il me donnait à dépenser par jour, me laissant la liberté de faire ce qu'il me plairait jusqu'à dix heures du soir : pourvu que je fusse à l'hôtel quand il y rentrait, il était fort content de moi. Il me fit faire un pourpoint et un haut-de-chausses de livrée, avec quoi j'avais tout l'air d'un petit commissionnaire de coquettes. Je m'accommodais bien de ma condition, et certainement je n'en pouvais trouver une plus convenable à mon humeur.

Il y avait déjà près d'un mois que je menais une vie si heureuse, lorsque mon patron me demanda si j'étais satisfait de lui; et sur la réponse que je fis qu'on ne pouvait l'être davantage : Eh bien! reprit-il, nous partirons donc demain pour Séville, où mes affaires m'appellent. Tu ne seras pas fâché de voir cette capitale de l'Andalousie. *Qui n'a pas vu Séville*, dit le proverbe, *n'a rien vu*. Je lui témoignai que j'étais prêt à le suivre partout. Dès le même jour, le messager de Séville vint prendre, à l'hôtel garni, un grand coffre où étaient toutes les nippes de mon maître, et le lendemain nous partîmes pour l'Andalousie.

Le seigneur don Abel était si heureux au jeu qu'il ne perdait que quand il voulait, ce qui l'obligeait à changer souvent de lieu pour éviter le ressentiment des dupes, et ce qui était la cause de notre voyage. Etant arrivés à Séville, nous prîmes un logement dans un hôtel garni auprès de la porte de Cordoue; et nous recommençâmes à vivre comme à Tolède. Mais mon patron trouva de la différence entre ces deux villes. Il rencontra des joueurs qui jouaient aussi heureusement que lui dans les tripots de Séville; de sorte qu'il en revenait quelquefois fort chagrin. Un matin qu'il était encore de mauvaise humeur d'avoir perdu cent pistoles le jour précédent, il me demanda pourquoi je n'avais pas porté son linge sale chez une dame qui avait soin de le blanchir et de le parfumer; je répondis que je ne m'en étais pas souvenu. Là-dessus se mettant en colère, il m'appliqua sur le visage une demi-douzaine de soufflets si rudement qu'il me fit voir plus de lumières qu'il n'y en avait dans le Temple de Salomon : Tenez, petit malheureux, me dit-il, voilà pour vous apprendre à devenir attentif à vos devoirs. Faudra-t-il donc que je sois après vous sans cesse pour vous avertir de ce que vous avez à faire ? Pourquoi n'êtes-vous pas aussi habile à servir qu'à manger ? Ne sauriez-vous, puisque vous n'êtes pas une bête, prévenir mes ordres et mes besoins ? A ces mots, il sortit de son appartement, où il me laissa très mortifié d'avoir reçu des soufflets pour une faute si légère.

Je ne sais quelle aventure lui arriva peu de temps après dans un tripot; mais un soir il revint fort échauffé : Scipion, me dit-il, j'ai résolu d'aller en Italie, et je dois m'embarquer après demain sur un vaisseau qui s'en retourne à Gênes. J'ai mes raisons pour faire ce voyage; je crois que tu voudras bien m'accompagner, et profiter d'une si belle occasion de voir le plus charmant pays qu'il y ait au monde. Je fis réponse que j'y consentais, mais en même temps je me promis bien de disparaître au moment qu'il faudrait partir. Je m'imaginais par là me venger de lui, et je trouvais ce projet très ingénieux. J'en étais si content que je ne pus m'empêcher de le communiquer à un vaillant de profession [131] que je rencontrai dans la rue. Depuis que j'étais à Séville, j'avais fait quelques mauvaises connaissances, et principalement celle-là. Je lui contai de quelle manière et pourquoi j'avais été souffleté; ensuite je lui dis le dessein que j'avais de quitter don Abel, lorsqu'il serait prêt à s'embarquer, et je lui demandai ce qu'il pensait de ma résolution.

Le brave fronça les sourcils en m'écoutant, et releva les crocs de sa moustache; puis blâmant gravement mon maître : Petit bonhomme, me dit-il, vous êtes un garçon déshonoré pour jamais, si vous vous en tenez à la frivole vengeance que vous méditez. Il ne suffit pas de laisser don Abel partir tout seul, ce ne serait point assez le punir; il faut proportionner le châtiment à l'outrage. Enlevons-lui ses hardes et son argent, que nous partagerons en frères après son départ. Quoique j'eusse un penchant naturel à dérober, je fus effrayé de la proposition d'un vol de cette importance.

Cependant, l'archifripon qui me la faisait ne laissa pas de me persuader; et voici quel fut le succès de notre entreprise. Le brave, qui était un homme grand et robuste, vint le lendemain sur la fin du jour me trouver à l'hôtel garni. Je lui montrai le coffre où mon maître avait déjà serré ses nippes, et je lui demandai s'il pourrait lui seul porter un coffre si pesant. Si pesant! me dit-il; apprenez que, lorsqu'il s'agit d'enlever le bien d'autrui, j'emporterais l'arche de Noé. En achevant ces paroles, il s'approcha du coffre, le mit sans peine sur ses épaules et descendit l'escalier d'un pied léger. Je le suivis du même pas; et nous étions près d'enfiler la porte de la rue, quand don Abel, que son heureuse étoile amena là si à propos pour lui, se présenta tout à coup devant nous.

Où vas-tu avec ce coffre ? me dit-il. Je fus si troublé que je demeurai muet; et le brave, voyant le coup manqué, jeta le coffre à terre, et prit la fuite pour éviter les éclaircissements. Où vas-tu donc avec ce coffre ? me dit mon maître pour la seconde fois. Monsieur, lui répondis-je plus mort que vif, je vais le faire porter au vaisseau sur lequel vous devez demain vous embarquer pour l'Italie. Eh! sais-tu, me répliqua-t-il, sur quel vaisseau je dois faire ce voyage ? Non, Monsieur, lui repartis-je; mais qui a langue va à Rome; je m'en serais informé sur le port, et quelqu'un me l'aurait appris. A cette réponse, qui lui fut suspecte, il me lança un regard furieux. Je crus qu'il m'allait encore souffleter : Qui vous a commandé, s'écria-t-il, de faire emporter mon coffre hors de cet hôtel? C'est vous-même, lui dis-je. Est-il possible que vous ne vous souveniez plus du reproche que vous me fîtes il y a quelques jours ? Ne me dîtes-vous pas, en me maltraitant, que vous vouliez que je prévinsse vos ordres, et fisse de mon chef ce qu'il y aurait à faire pour votre service ? Or, pour me régler là-dessus, je faisais porter votre coffre au vaisseau. Alors le joueur, remarquant que j'avais plus de malice qu'il n'avait cru, me dit en me donnant mon congé d'un air froid : Allez, Monsieur Scipion, que le Ciel vous conduise! Je n'aime point à jouer avec des gens qui ont tantôt une carte de plus et tantôt une carte de moins. Otez-vous de devant mes yeux, ajouta-t-il en changeant de ton, de peur que je ne vous fasse chanter sans solfier.

Je lui épargnai la peine de me dire deux fois de me retirer. Je m'éloignai de lui dans le moment, mourant de peur qu'il ne me fît quitter mon habit, qu'heureusement il me laissa. Je marchais le long des rues en rêvant où je pourrais, avec deux réaux que j'avais pour tout bien, aller gîter. J'arrivai à la porte de l'archevêché; et, comme on travaillait alors au souper de monseigneur, il sortait des cuisines une agréable odeur qui se faisait sentir d'une lieue à la ronde : Peste! dis-je en moi-même, je m'accommoderais volontiers de quelqu'un de ces ragoûts qui prennent au nez; je me contenterais même d'y tremper les quatre doigts et le pouce. Mais quoi! ne puis-je imaginer un moyen de goûter de ces bonnes viandes dont je ne fais que sentir la fumée ? Pourquoi non ? cela ne paraît pas impossible. Je m'échauffai l'imagination là-dessus; et, à force de rêver, il me vint dans l'esprit une ruse que j'employai sur-le-champ et qui réussit. J'entrai dans la cour du palais archiépiscopal en courant vers les cuisines, et en criant de toute ma force : *Au secours! au secours!* comme si quelqu'un m'eût poursuivi pour m'assassiner.

A mes cris redoublés, maître Diego, le cuisinier de l'archevêque, accourut avec trois ou quatre marmitons pour en savoir la cause; et, ne voyant personne que moi, il me demanda pour quel sujet je criais si fort : Ah! Seigneur, lui répondis-je en faisant toutes les démonstrations d'un homme épouvanté, par saint Polycarpe! sauvez-moi, je vous prie, de la fureur d'un spadassin qui veut me tuer. Où est-il donc ce spadassin ? s'écria Diego. Vous êtes tout seul de votre compagnie, et je ne vois pas un chat à vos trousses. Allez mon enfant, rassurez-vous; c'est apparemment quelqu'un qui a voulu vous faire peur pour se divertir, et qui a bien fait de ne pas vous suivre dans ce palais, car nous lui aurions pour le moins coupé les oreilles. Non, non, dis-je au cuisinier, ce n'est pas pour rire qu'il m'a poursuivi. C'est un grand pendard qui voulait me dépouiller, et je suis sûr qu'il m'attend dans la rue. Il vous y attendra donc longtemps, reprit-il, puisque vous demeurerez ici jusqu'à demain. Vous y souperez et coucherez.

Je fus transporté de joie quand j'entendis ces dernières paroles; et ce fut pour moi un spectacle ravissant, lorsqu'ayant été conduit par maître Diego dans les cuisines, j'y vis les préparatifs du souper de monseigneur. Je comptai jusqu'à quinze personnes qui en étaient occupées, mais je ne pus nombrer les mets qui s'offrirent à ma vue, tant la Providence avait soin d'en pourvoir l'archevêché! Ce fut alors que, respirant à plein nez la fumée des ragoûts que je n'avais sentis que de loin, j'appris à connaître la sensualité. J'eus l'honneur de souper et de coucher avec les marmitons, dont je gagnai si bien l'amitié que le jour suivant, lorsque j'allai remercier maître Diego de m'avoir donné si généreusement un asile, il me dit : Nos garçons de cuisine m'ont témoigné tous qu'ils seraient ravis de vous avoir pour camarade, tant ils trouvent à leur gré votre humeur. De votre côté, seriez-vous bien aise d'être leur compagnon ? Je répondis que, si j'avais ce bonheur-là, je me croirais au comble de mes vœux. Si cela est, reprit-il, mon ami, regardez-vous dès à présent comme un officier de l'archevêché. A ces mots, il me mena et présenta au majordome, qui sur mon air éveillé me jugea digne d'être reçu parmi les fouille-au-pot.

Je ne fus pas plus tôt en possession d'un emploi si

honorable [132] que maître Diego, suivant l'usage des cuisiniers des grandes maisons qui envoient secrètement des viandes à leurs mignonnes, me choisit pour porter chez une dame du voisinage tantôt des longes de veau, et tantôt de la volaille ou du gibier. Cette bonne dame était une veuve de trente ans tout au plus, très jolie, très vive, qui avait tout l'air de n'être pas exactement fidèle à son cuisinier. Cependant il ne se contentait pas de lui fournir de la viande, du pain, du sucre et de l'huile, il faisait aussi sa provision de vin, et tout cela aux dépens de monseigneur l'archevêque.

J'achevai de me dégourdir dans le palais de Sa Grandeur, où je fis un tour assez plaisant, et dont on parle encore aujourd'hui dans Séville. Les pages et quelques autres domestiques, pour célébrer l'anniversaire de monseigneur, s'avisèrent de vouloir représenter une comédie. Ils choisirent celle des *Benavides* [133]; et, comme il leur fallait un garçon de mon âge pour faire le rôle du jeune roi de Léon, ils jetèrent les yeux sur moi. Le majordome, qui se piquait de déclamation, se chargea de m'exercer, et, après m'avoir donné quelques leçons, assura que je ne serais pas celui qui s'en acquitterait le plus mal. Comme c'était le patron qui faisait la dépense de la fête, on n'épargna rien pour la rendre magnifique. On construisit dans la plus grande salle du palais un théâtre qui fut bien décoré. On fit dans les ailes un lit de gazon, sur lequel je devais paraître endormi, quand les Maures viendraient se jeter sur moi pour me faire prisonnier. Lorsque les acteurs furent en état de jouer la pièce, l'archevêque fixa le jour de la représentation, et ne manqua pas de prier les seigneurs et les dames les plus considérables de la ville de s'y trouver.

Ce jour venu, chaque acteur ne s'occupa que de son habillement. Pour le mien, il me fut apporté par un tailleur accompagné de notre majordome, qui, s'étant donné la peine de me répéter mon rôle, se faisait un plaisir de me voir habiller. Le tailleur me revêtit d'une riche robe de velours bleu, garnie de galons et de boutons d'or, avec des manches pendantes, ornées de frange du même métal; et le majordome lui-même me posa sur la tête une couronne de carton, parsemée de quantité de perles fines mêlées parmi de faux diamants. De plus, ils me mirent une ceinture de soie couleur de rose à fleurs d'argent; et à chaque chose dont ils me paraient, il me semblait qu'ils m'attachaient des ailes pour m'envoler et m'en aller. Enfin la comédie commença sur la fin du jour. J'ouvris la scène par une tirade de vers qui aboutissait à dire que, ne pouvant me défendre des charmes du sommeil, j'allais m'y abandonner. En même temps, je me retirai dans les coulisses, et me jetai sur le lit de gazon qui m'y avait été préparé; mais, au lieu de m'y endormir, je me mis à rêver aux moyens de pouvoir gagner la rue et me sauver avec mes habits royaux. Un petit escalier dérobé, par où l'on descendait sous le théâtre et dans la salle, me parut propre à l'exécution de mon dessein. Je me levai légèrement, et, voyant que personne ne prenait garde à moi, j'enfilai cet escalier qui me conduisit dans la salle dont je gagnai la porte, en criant : *Place, place, je vais changer d'habit.* Chacun se rangea pour me laisser passer; de sorte qu'en moins de deux minutes je sortis impunément du palais à la faveur de la nuit, et me rendis à la maison du vaillant, mon ami.

Il fut dans le dernier étonnement de me voir vêtu comme j'étais. Je le mis au fait, et il en rit de tout son cœur. Puis m'embrassant avec d'autant plus de joie qu'il se flattait d'avoir part aux dépouilles du roi de Léon, il me félicita d'avoir fait un si beau coup, et me dit que, si je ne me démentais pas dans la suite, je ferais un jour du bruit dans le monde par mon esprit. Après nous être égayés tous deux et bien épanoui la rate, je dis au brave : Que ferons-nous de ce riche habillement ? Que cela ne vous embarrasse point, me répondit-il. Je connais un honnête fripier qui, sans témoigner la moindre curiosité, achète tout ce qu'on veut lui vendre, pourvu qu'il y trouve bien son compte. Demain matin j'irai le chercher et je vous l'amènerai ici. En effet, le jour suivant le brave sortit de grand matin de sa chambre, où il me laissa au lit, et revint deux heures après avec le fripier, qui portait un paquet de toile jaune. Mon ami, me dit-il, je vous présente le seigneur Ybagnez de Ségovie, qui, malgré le mauvais exemple que ses confrères lui donnent, se pique de la plus scrupuleuse intégrité. Il va vous dire au juste ce que vaut l'habillement dont vous voulez vous défaire, et vous pourrez vous en tenir à son estimation. Oh! pour cela, oui, dit le fripier. Il faudrait que je fusse un grand misérable pour priser une chose au-dessous de sa valeur. C'est ce qu'on n'a point encore reproché, Dieu merci, et ce qu'on ne reprochera jamais à Ybagnez de Ségovie. Voyons un peu, ajouta-t-il, les hardes que vous avez envie de vendre; je vous dirai en conscience ce qu'elles valent. Les voici, lui dit le brave en les lui montrant; convenez que rien n'est plus magnifique; remarquez bien la beauté de ce velours de Gênes et la richesse de cette garniture. J'en suis enchanté, répondit le fripier après avoir examiné l'habit avec beaucoup d'attention, rien n'est plus beau. Et que pensez-vous des perles qui sont à cette couronne ? reprit mon ami. Si elles étaient plus rondes, répondit Ybagnez, elles seraient inestimables; cependant telles qu'elles sont, je les trouve fort belles, et j'en suis aussi content que du reste. J'en demeure d'accord de bonne foi, continua-t-il. Un fourbe de fripier, à ma place, affecterait de mépriser la marchandise pour l'avoir à vil prix, et n'aurait pas honte d'en offrir vingt pistoles; mais moi, qui ai de la morale, j'en donnerai quarante.

Quand Ybagnez aurait dit cent, il n'eût pas encore été

un juste estimateur, puisque les perles seules en valaient bien deux cents. Le brave, qui s'entendait avec lui, me dit : Voyez le bonheur que vous avez d'être tombé entre les mains d'un honnête homme. Le seigneur Ybagnez apprécie les choses comme s'il était à l'article de la mort. Cela est vrai, dit le fripier; aussi n'y a-t-il pas une obole à rabattre ou à augmenter avec moi. Eh bien! ajouta-t-il, est-ce une affaire finie ? n'y a-t-il qu'à vous compter l'espèce ? Attendez, lui répondit le brave, il faut auparavant que mon petit ami essaye l'habit que je vous ai fait apporter ici pour lui; je suis bien trompé s'il n'est pas convenable à sa taille. Alors le fripier, ayant défait son paquet, me montra un pourpoint avec un haut-de-chausses d'un beau drap musc avec des boutons d'argent, le tout à demi usé. Je me levai pour essayer cet habillement, lequel, quoique trop large et trop long, parut à ces messieurs fait exprès pour moi. Ybagnez le prisa dix pistoles, et, comme il n'y avait rien à rabattre avec lui, il fallut en passer par là. De sorte qu'il tira de sa bourse trente pistoles qu'il étala sur la table; après quoi il fit un autre paquet de ma robe royale et de ma couronne, qu'il emporta.

Lorsqu'il fut sorti, le vaillant me dit : Je suis très satisfait de ce fripier. Il avait bien raison de l'être, car je suis sûr qu'il tira de lui pour le moins une centaine de pistoles de bénéfice. Mais il ne se contenta point de cela; il prit sans façon la moitié de l'argent qui était sur la table, et me laissa l'autre en me disant : Mon cher Scipion, avec ces quinze pistoles qui vous restent, je vous conseille de sortir incessamment de cette ville, où vous jugez bien qu'on ne manquera pas de vous chercher par ordre de monseigneur l'archevêque. Je serais au désespoir qu'après vous être signalé par une action qui fera honneur à votre histoire, vous vous fissiez sottement mettre en prison. Je lui répondis que j'avais bien résolu de m'éloigner de Séville : comme en effet, après avoir acheté un chapeau et quelques chemises, je gagnai la vaste et délicieuse campagne qui conduit entre des vignes et des oliviers à l'ancienne cité de Carmonne, et trois jours après j'arrivai à Cordoue.

J'allai loger dans une hôtellerie à l'entrée de la grande place où demeurent les marchands. Je me donnai pour un enfant de famille de Tolède qui voyageait pour son plaisir; j'étais assez proprement vêtu pour le faire croire, et quelques pistoles que j'affectai de laisser voir comme par hasard à l'hôte achevèrent de le lui persuader. Peut-être aussi que ma grande jeunesse lui fit penser que je pouvais être quelque petit libertin qui courait le pays après avoir volé ses parents. Quoi qu'il en soit, il ne parut point curieux d'en savoir plus que je ne lui en disais, de peur apparemment que sa curiosité ne m'obligeât à changer de logement. Pour six réaux par jour, on était bien dans cette hôtellerie, où il y avait beaucoup de monde ordinairement. Je comptai le soir au souper jusqu'à douze personnes à table. Ce qu'il y a de plaisant, c'est que chacun mangeait sans rien dire, à la réserve d'un seul homme, qui, parlant sans cesse à tort et à travers, compensait par son babil le silence des autres. Il faisait le bel esprit, débitait des contes, et s'efforçait par de bons mots de réjouir la compagnie, qui de temps en temps éclatait de rire, moins à la vérité pour applaudir à ses saillies que pour s'en moquer.

Pour moi, je faisais si peu d'attention aux discours de cet original que je me serais levé de table sans pouvoir rendre compte de ce qu'il avait dit, s'il n'eût trouvé moyen de m'intéresser dans ses discours : Messieurs, s'écria-t-il sur la fin du repas, je vous garde pour la bonne bouche une histoire des plus divertissantes, une aventure arrivée ces jours passés à l'archevêché de Séville. Je la tiens d'un bachelier de ma connaissance, qui en a, dit-il, été témoin. Ces paroles me causèrent quelque émotion; je ne doutai point que cette aventure ne fût la mienne, et je n'y fus pas trompé. Ce personnage en fit un récit fidèle, et m'apprit même ce que j'ignorais, c'est-à-dire ce qui s'était passé dans la salle après mon départ : ce que je vais vous raconter.

A peine eus-je pris la fuite que les Maures, qui suivant l'ordre de la pièce qu'on représentait devaient m'enlever, parurent sur la scène, dans le dessein de venir me surprendre sur le lit de gazon où ils me croyaient endormi; mais quand ils voulurent se jeter sur le roi de Léon, ils furent bien étonnés de ne trouver ni roi ni roc. Aussitôt la comédie fut interrompue. Voilà tous les acteurs en peine : les uns m'appellent : les autres me font chercher : celui-ci crie, et celui-là me donne à tous les diables. L'archevêque, s'apercevant que le trouble et la confusion régnaient derrière le théâtre, en demanda la cause. A la voix du prélat, un page, qui faisait le *Gracioso* dans la pièce, accourut, et dit à Sa Grandeur : Monseigneur, ne craignez plus que les Maures fassent prisonnier le roi de Léon; il vient de se sauver avec son habillement royal. Le Ciel en soit loué! s'écria l'archevêque. Il a parfaitement bien fait de fuir les ennemis de notre religion, et d'échapper aux fers qu'ils lui préparaient. Il sera sans doute retourné à Léon, la capitale de son royaume. Puisse-t-il y arriver sans malencontre! Au reste, je défends qu'on suive ses pas; je serais fâché que Sa Majesté reçût quelque mortification de ma part. Le prélat, ayant parlé de cette sorte, ordonna qu'on lût mon rôle et qu'on achevât la comédie.

CHAPITRE XI

Suite de l'histoire de Scipion.

Tant que j'eus de l'argent, mon hôte eut de grands égards pour moi; mais, du moment qu'il s'aperçut que je n'en avais plus guère, il me battit froid, me fit une querelle d'Allemand, et me pria un beau matin de sortir de sa maison. Je le quittai fièrement et j'entrai dans l'église des pères de Saint-Dominique, où, pendant que j'entendais la messe, un vieux mendiant vint me demander l'aumône. Je tirai de ma poche deux ou trois maravédis que je lui donnai en lui disant : Mon ami, priez Dieu qu'il me fasse trouver bientôt quelque bonne place; si votre prière est exaucée, vous ne vous repentirez pas de l'avoir faite; comptez sur ma reconnaissance.

A ces mots, le gueux me considéra fort attentivement, et me répondit d'un air sérieux : Quel poste souhaiteriez-vous d'avoir ? Je voudrais, lui répliquai-je, être laquais dans quelque maison où je fusse bien. Il me demanda si la chose pressait. On ne peut pas davantage, lui dis-je; car si je n'ai pas au plus tôt le bonheur d'être placé, il n'y a point de milieu : il faudra que je meure de faim ou que je devienne un de vos confrères. Si vous étiez réduit à cette nécessité, reprit-il, cela serait fâcheux pour vous, qui n'êtes pas fait à nos manières; mais, pour peu que vous y fussiez accoutumé, vous préféreriez notre état à la servitude, qui sans contredit est inférieure à la gueuserie. Cependant, puisque vous aimez mieux servir que de mener, comme moi, une vie libre et indépendante, vous aurez un maître incessamment. Tel que vous me voyez, je puis vous être utile. Soyez ici demain à la même heure.

Je n'eus garde d'y manquer. Je revins le jour suivant au même endroit, où je ne fus pas longtemps sans apercevoir le mendiant, qui vint me joindre, et qui me dit de prendre la peine de le suivre. Je le suivis. Il me conduisit à une cave qui n'était pas éloignée de l'église, et où il faisait résidence. Nous y entrâmes tous deux; et, nous étant assis sur un long banc qui avait pour le moins cent ans de service, il me tint ce discours : Une bonne action, comme dit le proverbe, trouve toujours sa récompense; vous me donnâtes hier l'aumône, et cela m'a déterminé à vous procurer une condition : ce qui sera bientôt fait, s'il plaît au Seigneur. Je connais un vieux dominicain, nommé le père Alexis, qui est un saint religieux, un grand directeur. J'ai l'honneur d'être son commissionnaire, et je m'acquitte de cet emploi avec tant de discrétion et de fidélité qu'il ne refuse point d'employer son crédit pour moi et pour mes amis. Je lui ai parlé de vous, et je l'ai mis dans la disposition de vous rendre service. Je vous présenterai à Sa Révérence quand il vous plaira.

Il n'y a pas un moment à perdre, dis-je aux vieux mendiant, allons voir tout à l'heure ce bon religieux. Le pauvre y consentit, et me mena sur-le-champ au père Alexis, que nous trouvâmes occupé dans sa chambre à écrire des lettres spirituelles. Il interrompit son travail pour me parler. Il me dit qu'à la prière du mendiant il voulait bien s'intéresser pour moi. Ayant appris, poursuivit-il, que le seigneur Baltazar Velasquez avait besoin d'un laquais, je lui ai écrit ce matin en votre faveur, et il vient de me faire réponse qu'il vous recevrait aveuglément de ma main. Vous pouvez dès ce jour le voir de ma part; c'est mon pénitent et mon ami. Là-dessus le moine m'exhorta pendant trois quarts d'heure à bien remplir mes devoirs. Il s'étendit principalement sur l'obligation où j'étais de servir Velasquez avec zèle; après quoi il m'assura qu'il aurait soin de me maintenir dans mon poste, pourvu que mon maître n'eût point de reproche à me faire.

Après avoir remercié le religieux des bontés qu'il avait pour moi, je sortis du monastère avec le mendiant, qui me dit que le seigneur Baltazar Velasquez était un vieux marchand de drap, un homme riche, simple et débonnaire. Je ne doute pas, ajouta-t-il, que vous ne soyez parfaitement bien dans sa maison. Je m'informai de la demeure du bourgeois, et je m'y rendis sur-le-champ, après avoir promis au gueux de reconnaître ses bons offices sitôt que j'aurais pris racine dans ma condition. J'entrai dans une boutique, où deux jeunes garçons marchands, proprement vêtus, se promenaient en long et en large, et faisaient les agréables en attendant la pratique. Je leur demandai si le maître y était, et leur dis que j'avais à lui parler de la part du père Alexis. A ce nom vénérable, on me fit passer dans une arrière-boutique, où le marchand feuilletait un gros registre qui était sur un bureau. Je le saluai respectueusement et m'étant approché de lui : Seigneur, lui dis-je, vous voyez le jeune homme que le révérend père Alexis vous a proposé pour laquais. Ah! mon enfant, me répondit-il, sois le bienvenu. Il suffit que tu me sois envoyé par ce saint homme. Je te reçois à mon service préférablement à trois ou quatre laquais qu'on me veut donner. C'est une affaire décidée. Tes gages courent dès ce jour.

Je n'eus pas besoin d'être longtemps chez ce bourgeois pour m'apercevoir qu'il était tel qu'on me l'avait dépeint. Il me parut même d'une si grande simplicité que je ne pus m'empêcher de penser que j'aurais bien de la peine à m'abstenir de lui jouer quelque tour. Il était veuf depuis quatre années, et il avait deux enfants, un garçon qui achevait son cinquième lustre, et une fille qui commençait son troisième. La fille, élevée par une duègne sévère, et dirigée par le père Alexis, marchait dans le sentier de la vertu; mais Gaspard Velasquez, son frère, quoiqu'on n'eût rien épargné pour en faire un honnête homme, avait tous les vices d'un jeune libertin. Il passait quelquefois des deux ou trois jours hors du logis; et si à son retour son père s'avisait de lui en faire des reproches, Gaspard lui imposait silence, en le prenant sur un ton plus haut que le sien.

Scipion, me dit un jour le vieillard, j'ai un fils qui fait toute ma peine. Il est plongé dans toute sorte de débauches : cela m'étonne, car son éducation n'a point été négligée. Je lui ai donné de bons maîtres; et le père Alexis, mon ami, a fait tous ses efforts pour le mettre dans le bon chemin. Il n'a pu en venir à bout; Gaspard s'est jeté dans le libertinage. Tu me diras peut-être que je l'ai traité avec trop de douceur dans sa puberté, et que c'est cela qui l'a perdu. Mais non, il a été châtié quand j'ai jugé à propos d'user de rigueur; car tout débonnaire que je suis, j'ai de la fermeté dans les occasions qui en demandent. Je l'ai même fait enfermer dans une maison de force, et il n'en est devenu que plus méchant. En un mot, c'est un de ces mauvais sujets que le bon exemple, les remontrances et les châtiments même ne sauraient corriger. Il n'y a que le Ciel qui puisse faire ce miracle.

Si je ne fus pas fort touché de la douleur de ce malheureux père, du moins je fis semblant de l'être. Que je vous plains, Monsieur! lui dis-je. Un homme de bien comme vous mériterait d'avoir un meilleur fils. Que veux-tu, mon enfant! me répondit-il. Dieu m'a voulu priver de cette consolation. Entre les sujets que Gaspard me donne de me plaindre de lui, poursuivit-il, je te dirai confidemment qu'il y en a un qui me cause beaucoup d'inquiétude; c'est l'envie qu'il a de me voler, et qu'il ne trouve que trop souvent moyen de satisfaire malgré ma vigilance. Le laquais à qui tu succèdes s'entendait avec lui, et c'est pour cela que j'ai chassé ce domestique. Pour toi, je compte que tu ne te laisseras pas corrompre par mon fils. Tu épouseras mes intérêts; je ne doute pas que le père Alexis ne te l'ait bien recommandé. Je vous en réponds, lui dis-je, Sa Révérence m'a exhorté pendant une heure à n'avoir en vue que votre bien; mais je puis vous assurer que je n'avais pas besoin pour cela de son exhortation. Je me sens disposé à vous servir fidèlement, et je vous promets enfin un zèle à toute épreuve.

Qui n'entend qu'une partie n'entend rien : Le jeune Velasquez, petit-maître en diable, jugeant à ma physionomie que je ne serais pas plus difficile à séduire que mon prédécesseur, m'attira dans un endroit écarté, et me parla dans ces termes : Ecoute, mon cher, je suis persuadé que mon père t'a chargé de m'espionner; prends-y garde, je t'en avertis, cet emploi n'est pas sans désagrément. Si je viens à m'apercevoir que tu m'observes, je te ferai mourir sous le bâton; au lieu que, si tu veux m'aider à tromper mon père, tu peux tout attendre de ma reconnaissance. Faut-il te parler plus clairement ? tu auras ta part des coups de filet que nous ferons ensemble. Tu n'as qu'à choisir : déclare-toi dans le moment pour le père ou pour le fils; point de neutralité.

Monsieur, lui répondis-je, vous me serrez furieusement le bouton; je vois bien que je ne pourrai me défendre de me ranger de votre parti, quoique dans le fond je me sente de la répugnance à trahir le seigneur Velasquez. Tu ne dois t'en faire aucun scrupule, reprit Gaspard; c'est un vieil avare qui voudrait encore me mener par la lisière; un vilain qui me refuse mon nécessaire, en refusant de fournir à mes plaisirs, car les plaisirs sont des besoins à vingt-cinq ans. C'est dans ce point de vue qu'il faut que tu regardes mon père. Voilà qui est fini, Monsieur, lui dis-je, il n'y a pas moyen de tenir contre un si juste sujet de plainte. Je m'offre à vous seconder dans vos louables entreprises; mais cachons bien tous deux notre intelligence, de peur qu'on ne mette à la porte votre fidèle adjoint. Vous ne ferez point mal, ce me semble, d'affecter de me haïr; parlez-moi brutalement devant le monde; ne mesurez pas les termes. Quelques soufflets même et quelques coups de pied au cul ne gâteront rien; au contraire, plus vous me donnerez de marques d'aversion, plus le seigneur Baltazar aura de confiance en moi. De mon côté, je ferai semblant d'éviter votre conversation. En vous servant à table, je paraîtrai ne m'en acquitter qu'à regret; et, quand je m'entretiendrai de Votre Seigneurie avec les garçons de boutique, ne trouvez pas mauvais que je dise pis que pendre de vous.

Vive Dieu! s'écria le jeune Velasquez à ces dernières paroles, je t'admire, mon ami; tu fais paraître à ton âge un génie étonnant pour l'intrigue; j'en conçois pour moi le plus heureux présage. J'espère qu'avec le secours de ton esprit, je ne laisserai pas une pistole à mon père. Vous me faites trop d'honneur, lui dis-je, de tant compter sur mon industrie. Je ferai mon possible pour justifier la bonne opinion que vous avez de moi; et si je ne puis y réussir, du moins ce ne sera pas ma faute.

Je ne tardai guère à faire connaître à Gaspard que j'étais effectivement l'homme qu'il lui fallait; et voici quel fut le premier service que je lui rendis. Le coffre-fort de Baltazar était dans la chambre de ce bonhomme à la ruelle de son lit, et lui servait de prie-Dieu. Toutes les fois que je le regardais, il me réjouissait la vue, et je lui disais souvent en moi-même : Coffre-fort, mon ami, seras-tu toujours fermé pour moi ? n'aurai-je jamais le plaisir de contempler le trésor que tu recèles ? Comme j'allais quand il me plaisait dans la chambre dont l'entrée n'était interdite qu'à Gaspard, il arriva un jour que j'aperçus son père, qui, croyant n'être vu de personne, après avoir ouvert et refermé son coffre-fort, en cacha la clef derrière une tapisserie. Je remarquai bien l'endroit, et fis part de cette découverte à mon jeune maître, qui me dit en m'embrassant de joie : Ah! mon cher Scipion, que viens-tu m'apprendre ? Notre fortune est faite, mon enfant. Je te donnerai dès aujourd'hui de la cire, tu prendras l'empreinte de la clef, et tu me la remettras entre les mains. Je n'aurai pas de peine à trouver un serrurier obligeant dans Cordoue, qui n'est pas la ville d'Espagne où il y a le moins de fripons.

Eh! pourquoi, dis-je à Gaspard, voulez-vous faire faire une fausse clef ? nous pouvons nous servir de la véritable. Oui, me répondit-il, mais je crains que mon père, par défiance ou autrement, ne s'avise de la cacher ailleurs, et le plus sûr est d'en avoir une qui soit à nous. J'approuvai sa crainte, et, me rendant à son sentiment, je me préparai à prendre l'empreinte de la clef, ce qui fut exécuté un beau matin, tandis que mon vieux patron faisait une visite au père Alexis, avec lequel il avait ordinairement de fort longs entretiens. Je n'en demeurai pas là : je me servis de la clef pour ouvrir le coffre-fort, qui, se trouvant rempli de grands et de petits sacs, me jeta dans un embarras charmant. Je ne savais lequel choisir, tant je me sentais d'affection pour les uns et pour les autres; néanmoins comme la peur d'être surpris ne me permettait pas de faire un long examen, je me saisis à tout hasard d'un des plus gros. Ensuite, ayant refermé le coffre et remis la clef derrière la tapisserie, je sortis de la chambre avec ma proie, que j'allais cacher sous mon lit, dans une petite garde-robe où je couchais.

Ayant fait si heureusement cette opération, je rejoignis promptement le jeune Velasquez, qui m'attendait dans une maison où il m'avait donné rendez-vous, et je le ravis en lui apprenant ce que je venais de faire. Il fut si content de moi qu'il m'accabla de caresses, et m'offrit généreusement la moitié des espèces qui étaient dans le sac, ce que je refusai. Non, non, Monsieur, lui dis-je, ce premier sac est pour vous seul; servez-vous-en pour vos besoins. Je retournerai incessamment au coffre-fort, où, grâce au Ciel, il y a de l'argent pour nous deux. En effet, trois jours après, j'enlevai un second sac où il y avait, ainsi que dans le premier, cinq cents écus, desquels je ne voulus accepter que le quart, quelques instances que me fît Gaspard pour m'obliger à les partager avec lui fraternellement.

Sitôt que ce jeune homme se vit si bien en fonds, et par conséquent en état de satisfaire la passion qu'il avait pour les femmes et pour le jeu, il s'y abandonna tout entier; il eut même le malheur de s'entêter d'une de ces fameuses coquettes qui dévorent et engloutissent en peu de temps les plus gros patrimoines : Il se jeta pour elle dans une dépense effroyable, ce qui me mit dans la nécessité de rendre tant de visites au coffre-fort que le vieux Velasquez s'aperçut enfin qu'on le volait. Scipion, me dit-il un matin, il faut que je te fasse une confidence : quelqu'un me vole, mon ami : on a ouvert mon coffre-fort ; on en a tiré plusieurs sacs ; c'est un fait constant. Qui dois-je accuser de ce larcin ? ou plutôt quel autre que mon fils peut l'avoir fait ? Gaspard sera furtivement entré dans ma chambre, ou bien tu l'y auras toi-même introduit ; car je suis tenté de te croire d'accord avec lui, quoique vous paraissiez tous deux fort mal ensemble. Néanmoins, je ne veux pas écouter ce soupçon, puisque le père Alexis m'a répondu de ta fidélité. Je répondis que, grâce à Dieu, le bien d'autrui ne me tentait point, et j'accompagnai ce mensonge d'une grimace hypocrite qui me servit d'apologie.

Effectivement, le vieillard ne m'en parla plus ; mais il ne laissa pas de m'envelopper dans sa défiance ; et, prenant des précautions contre nos attentats, il fit mettre à son coffre-fort une nouvelle serrure, dont il porta toujours depuis la clef dans ses poches. Par ce moyen, tout commerce étant rompu entre nous et les sacs, nous demeurâmes fort sots, particulièrement Gaspard, qui, ne pouvant plus faire la même dépense pour sa nymphe, craignit d'être obligé de ne la plus voir. Il eut pourtant l'esprit d'imaginer un expédient qui le fit rouler encore quelques jours, et cet ingénieux expédient fut de s'approprier par forme d'emprunt tout ce qui m'était revenu des saignées que j'avais faites au coffre-fort. Je lui donnai jusqu'à la dernière pièce ; ce qui pouvait, ce me semble, passer pour une restitution anticipée que je faisais au vieux marchand dans la personne de son héritier.

Ce jeune homme, lorsqu'il eut épuisé cette ressource, considérant qu'il n'en avait plus aucune autre, tomba dans une profonde et noire mélancolie qui troubla peu à peu sa raison. Il ne regarda plus son père que comme un homme qui faisait tout le malheur de sa vie. Il entra dans un vif désespoir, et, sans être retenu par la voix du sang, le misérable conçut l'horrible dessein de l'empoisonner ; il ne se contenta pas de me faire confidence de cet exécrable projet, il me proposa même de servir d'instrument à sa vengeance. À cette proposition, je me sentis saisi d'effroi : Monsieur, lui dis-je, est-il possible que vous soyez assez abandonné du Ciel pour avoir formé cette abominable résolution ? Quoi ! vous seriez capable de donner la mort à l'auteur de vos jours ? On verrait en Espagne, dans le sein du christianisme, commettre un crime dont la seule idée ferait horreur aux nations les plus barbares ! Non, mon cher maître, ajoutai-je en me mettant à ses genoux, non, vous ne ferez point une action qui soulèverait contre vous toute la terre, et qui serait suivie d'un infâme châtiment.

Je tins encore d'autres discours à Gaspard pour le

détourner d'une entreprise si coupable. Je ne sais où j'allai prendre tous les raisonnements d'honnête homme dont je me servis pour combattre son désespoir; mais il est certain que je lui parlai comme un docteur de Salamanque, tout jeune et tout fils que j'étais de la Coscolina. Cependant, j'eus beau lui représenter qu'il devait rentrer en lui-même, et rejeter courageusement les pensées détestables dont son esprit était assailli, toute mon éloquence fut inutile. Il baissa la tête sur son estomac; et, gardant un morne silence, quelque chose que je pusse lui dire, il me fit juger qu'il n'en démordrait point.

Là-dessus, prenant mon parti, je demandai un secret entretien à mon vieux maître, avec lequel m'étant enfermé : Monsieur, lui dis-je, souffrez que je me jette à vos pieds, et que j'implore votre miséricorde. En achevant ces paroles, je me prosternai devant lui avec beaucoup d'émotion, et le visage baigné de larmes. Le marchand, surpris de mon action et de mon air troublé, me demanda ce que j'avais fait. Une faute dont je me repens, lui répondis-je, et que je me reprocherai toute ma vie. J'ai eu la faiblesse d'écouter votre fils, et de l'aider à vous voler. En même temps je lui fis un aveu sincère de tout ce qui s'était passé à ce sujet; après quoi je lui rendis compte de la conversation que je venais d'avoir avec Gaspard dont je lui révélai le dessein, sans oublier la moindre circonstance.

Quelque mauvaise opinion que le vieux Velasquez eût de son fils, à peine pouvait-il ajouter foi à ce discours. Néanmoins, ne doutant point que mon rapport ne fût véritable : Scipion, me dit-il en me relevant, car j'étais toujours à ses pieds, je te pardonne en faveur de l'avis important que tu viens de me donner. Gaspard, poursuivit-il en élevant la voix, Gaspard en veut à mes jours! Ah! fils ingrat, monstre qu'il eût mieux valu étouffer en naissant que laisser vivre pour devenir un parricide, quel sujet as-tu d'attenter sur ma vie ? Je te fournis tous les ans une somme raisonnable pour tes plaisirs et tu n'es pas content! Faut-il donc, pour te satisfaire, que je te permette de dissiper tous mes biens ? Ayant fait cette apostrophe amère, il me recommanda le secret, et me dit de le laisser seul songer à ce qu'il avait à faire dans une conjoncture si délicate.

J'étais fort en peine de savoir quelle résolution prendrait ce père infortuné, lorsque le même jour il fit appeler Gaspard, et lui tint ce discours sans lui rien témoigner de ce qu'il avait dans l'âme : Mon fils, j'ai reçu une lettre de Merida, d'où l'on me mande que, si vous voulez vous marier, on vous offre une fille de quinze ans, parfaitement belle, et qui vous apportera une riche dot. Si vous n'avez point de répugnance pour le mariage, nous partirons demain au lever de l'aurore pour Merida; nous verrons la personne qu'on vous propose; et si elle est de votre goût, vous l'épouserez. Gaspard, entendant parler d'une riche dot, et croyant déjà la tenir, répondit sans hésiter qu'il était prêt à faire ce voyage; si bien qu'ils partirent le lendemain dès la pointe du jour, tous deux seuls et montés sur de bonnes mules.

Quand ils furent dans les montagnes de Fesira, et dans un endroit aussi chéri des voleurs que redouté des passants, Baltazar mit pied à terre, en disant à son fils d'en faire autant. Le jeune homme obéit et demanda pourquoi dans ce lieu-là on le faisait descendre de sa mule : Je vais te l'apprendre, lui répondit le vieillard en l'envisageant avec des yeux où sa douleur et sa colère étaient peintes : nous n'irons point à Merida; et l'hymen dont je t'ai parlé n'est qu'une fable que j'ai inventée pour t'attirer ici. Je n'ignore pas, fils ingrat et dénaturé, je n'ignore pas le forfait que tu médites. Je sais qu'un poison, préparé par tes soins, me doit être présenté; mais, insensé que tu es, as-tu pu te flatter que tu m'ôterais de cette façon impunément la vie ? Quelle erreur! Ton crime serait bientôt découvert, et tu périrais par la main d'un bourreau. Il est, continua-t-il, un moyen plus sûr de contenter ta rage sans t'exposer à une mort ignominieuse; nous sommes ici sans témoin, et dans un endroit où se commettent tous les jours des assassinats; puisque tu es si altéré de mon sang, enfonce ton poignard dans mon sein : on imputera ce meurtre à des brigands. A ces mots Baltazar, découvrant sa poitrine, et marquant la place de son cœur à son fils : Tiens, Gaspard, ajouta-t-il, porte-moi là un coup mortel pour me punir d'avoir produit un scélérat comme toi!

Le jeune Velasquez, frappé de ces paroles comme d'un coup de tonnerre, bien loin de chercher à se justifier, tomba tout à coup sans sentiment aux pieds de son père. Ce bon vieillard, le voyant dans cet état qui lui parut un commencement de repentir, ne put s'empêcher de céder à la faiblesse de la paternité; il s'empressa de le secourir; mais Gaspard n'eut pas sitôt repris l'usage de ses sens que, ne pouvant soutenir la présence d'un père si justement irrité, il fit un effort pour se relever; il remonta sur sa mule, et s'éloigna sans dire une parole. Baltazar le laissa disparaître, et, l'abandonnant à ses remords, revint à Cordoue, où six mois après il apprit qu'il s'était jeté dans la chartreuse de Séville, pour y passer le reste de ses jours dans la pénitence.

CHAPITRE XII

Fin de l'histoire de Scipion.

Le mauvais exemple produit quelquefois de très bons effets. La conduite que le jeune Velasquez avait tenue me fit faire de sérieuses réflexions sur la mienne. Je commençais à combattre mes inclinations furtives, et à vivre en garçon d'honneur. L'habitude que j'avais de me saisir de tout l'argent que je pouvais prendre était formée par tant d'actes réitérés qu'elle n'était pas aisée à vaincre. Cependant j'espérais en venir à bout, m'imaginant que, pour devenir vertueux, il ne fallait que le vouloir véritablement. J'entrepris donc ce grand ouvrage, et le Ciel sembla bénir mes efforts; je cessai de regarder d'un œil de cupidité le coffre-fort du vieux marchand; je crois même qu'il n'eût tenu qu'à moi d'en tirer des sacs, que je n'en aurais rien fait; j'avouerai pourtant qu'il y aurait eu de l'imprudence à mettre à cette épreuve mon intégrité naissante : aussi Velasquez s'en garda bien.

Don Manrique de Médrano, jeune gentilhomme et chevalier de l'ordre d'Alcantara, venait souvent au logis. Nous avions sa pratique, qui était une de nos plus nobles, si elle n'était pas une de nos meilleures. J'eus le bonheur de plaire à ce cavalier, qui, toutes les fois qu'il me rencontrait, m'agaçait toujours pour me faire parler, et paraissait m'écouter avec plaisir. Scipion, me dit-il un jour, si j'avais un laquais de ton humeur, je croirais posséder un trésor; et, si tu n'appartenais pas à un homme que je considère, je n'épargnerais rien pour te débaucher. Monsieur, lui répondis-je, vous auriez peu de peine à y réussir; car j'aime d'inclination les personnes de qualité; c'est ma folie : leurs manières aisées m'enlèvent. Cela étant, reprit don Manrique, je veux prier le seigneur Baltazar de consentir que tu passes de son service au mien : je ne crois pas qu'il me refuse cette grâce. Véritablement Velasquez la lui accorda d'autant plus facilement qu'il ne croyait pas la perte d'un laquais fripon irréparable. De mon côté, je fus bien aise de ce changement, le valet d'un bourgeois ne me paraissant qu'un gredin en comparaison du valet d'un chevalier d'Alcantara.

Pour vous faire un portrait fidèle de mon nouveau patron, je vous dirai que c'était un cavalier doué de la plus aimable figure, et qui revenait à tout le monde par la douceur de ses mœurs, et par son bon esprit. D'ailleurs, il avait beaucoup de valeur et de probité : il ne lui manquait que du bien; mais cadet d'une maison plus illustre que riche, il était obligé de vivre aux dépens d'une vieille tante qui demeurait à Tolède, et qui, l'aimant comme un fils, avait soin de lui faire tenir l'argent dont il avait besoin pour s'entretenir. Il était toujours vêtu proprement : on le recevait fort bien partout. Il voyait les principales dames de la ville, et entre autres la marquise d'Almenara [134]. C'était une veuve de soixante-douze ans, qui, par ses manières engageantes et les agréments de son esprit, attirait chez elle toute la noblesse de Cordoue : les hommes ainsi que les femmes se plaisaient à son entretien, et l'on appelait sa maison *la bonne compagnie*.

Mon maître était un des plus assidus courtisans de cette dame. Un soir qu'il venait de la quitter, il me parut avoir un air animé qui ne lui était pas naturel. Seigneur, lui dis-je, vous voilà bien agité ; votre fidèle serviteur peut-il vous en demander la cause ? Ne vous serait-il point arrivé quelque chose d'extraordinaire ? Le chevalier sourit à cette question, et m'avoua qu'effectivement il était occupé d'une conversation sérieuse qu'il venait d'avoir avec la marquise d'Almenara. Je voudrais bien, lui dis-je en riant, que cette mignonne septuagénaire vous eût fait une déclaration d'amour. Ne pense pas te moquer, me répondit-il, apprends, mon ami, que la marquise m'aime : Chevalier, m'a-t-elle dit, je connais votre peu de fortune comme votre noblesse ; j'ai de l'inclination pour vous, et j'ai résolu de vous épouser pour vous mettre à votre aise, ne pouvant honnêtement vous enrichir d'une autre manière. Je sais bien que ce mariage me donnera dans le monde un ridicule ; qu'on tiendra sur mon compte des discours médisants ; et qu'enfin je passerai pour une vieille folle qui veut se remarier. N'importe, je prétends mépriser les caquets pour vous faire un sort agréable : tout ce que je crains, a-t-elle ajouté, c'est que vous n'ayez de la répugnance à répondre à mes intentions.

Voilà, poursuivit le chevalier, ce que m'a dit la marquise ; j'en suis d'autant plus étonné que c'est la femme de Cordoue la plus sage et la plus raisonnable ; aussi lui ai-je fait réponse que j'étais surpris qu'elle me fît l'honneur de me proposer sa main, elle qui avait toujours persisté dans la résolution de soutenir jusqu'au bout son veuvage : A quoi elle a reparti qu'ayant des biens considérables, elle était bien aise de son vivant d'en faire part à un honnête homme qu'elle chérissait. Vous êtes apparemment, repris-je, déterminé à sauter le fossé ? En peux-tu douter ? me répondit-il. La marquise a des biens immenses, avec les qualités du cœur et de l'esprit. Il faudrait que j'eusse perdu le jugement pour laisser échapper un établissement si avantageux pour moi.

J'approuvai fort le dessein où mon maître était de profiter d'une si belle occasion de faire sa fortune, et même je lui conseillai de brusquer les choses, tant je craignais de les voir changer. Heureusement la dame avait encore plus que moi cette affaire à cœur ; elle donna de si bons ordres, que les préparatifs de son hyménée furent bientôt faits. Dès qu'on sut dans Cordoue que la vieille marquise d'Almenara se disposait à épouser le jeune don Manrique de Médrano, les railleurs commencèrent à s'égayer aux dépens de cette veuve ; mais ils eurent beau s'épuiser en mauvaises plaisanteries, ils ne la détournèrent point de son entreprise ; elle laissa parler toute la ville, et suivit son chevalier à l'autel. Leurs noces furent célébrées avec un éclat qui fournit une nouvelle matière à la médisance. La mariée, disait-on, aurait du moins dû par pudeur supprimer la pompe et le fracas qui ne conviennent point du tout aux vieilles veuves qui prennent de jeunes époux.

La marquise, au lieu de se montrer honteuse d'être à son âge femme du chevalier, se livrait sans contrainte à la joie qu'elle en ressentait. Il y eut chez elle un grand repas accompagné de symphonie, et la fête finit par un bal où se trouva toute la noblesse de Cordoue de l'un et de l'autre sexe. Sur la fin du bal, nos nouveaux mariés s'échappèrent pour gagner un appartement où, s'étant enfermés avec une femme de chambre et moi, la marquise adressa ces paroles à mon maître : Don Manrique, voici votre appartement; le mien est dans un autre endroit de cette maison : nous passerons la nuit dans des chambres séparées, et le jour nous vivrons ensemble comme une mère et son fils. Le chevalier y fut trompé d'abord : il crut que la dame ne parlait ainsi que pour l'engager à lui faire une douce violence; et, s'imaginant devoir par politesse paraître passionné, il s'approcha d'elle et s'offrit avec empressement à lui servir de valet de chambre; mais, bien loin de lui permettre de la déshabiller, elle le repoussa d'un air sérieux, et lui dit : Arrêtez, don Manrique; si vous me prenez pour une de ces tendres vieilles qui se remarient par fragilité, vous êtes dans l'erreur : je ne vous ai point épousé pour vous faire acheter les avantages que je vous fais par notre contrat de mariage; ce sont des dons purs de mon cœur, et je n'exige de votre reconnaissance que des sentiments d'amitié. A ces mots elle nous laissa, mon maître et moi, dans notre appartement, et se retira dans le sien avec sa suivante, en défendant absolument au chevalier de l'accompagner.

Après sa retraite, nous demeurâmes assez longtemps fort étourdis de ce que nous venions d'entendre. Scipion, me dit mon maître, te serais-tu jamais attendu au discours que la marquise m'a tenu ? Que penses-tu d'une pareille dame ? Je pense, Monsieur, lui répondis-je, que c'est une femme comme il n'y en a point. Quel bonheur pour vous de l'avoir! C'est posséder un bénéfice, sans être tenu d'acquitter les charges. Pour moi, reprit don Manrique, j'admire une épouse d'un caractère si estimable, et je prétends compenser par toutes les attentions imaginables le sacrifice qu'elle fait à sa délicatesse. Nous continuâmes à nous entretenir de la dame, et nous allâmes ensuite nous reposer, moi sur un grabat dans une garde-robe, et mon maître dans un beau lit qu'on lui avait préparé, et où je crois qu'au fond de son âme il ne fut pas fâché de coucher seul et d'en être quitte pour la peur.

Les réjouissances recommencèrent le jour suivant, et la nouvelle mariée parut de si belle humeur qu'elle donna beau jeu aux mauvais plaisants. Elle riait toute la première de ce qu'ils disaient; elle excitait même les rieurs à s'égayer, en se prêtant de bonne grâce à leurs saillies. Le chevalier de son côté ne se montrait pas moins content que son épouse; et l'on eût dit, à l'air tendre dont il la regardait et lui parlait, qu'il était dans le goût de la vieillesse. Les deux époux eurent le soir une nouvelle conversation, où il fut décidé que sans se gêner l'un l'autre ils vivraient de la même façon qu'ils avaient vécu avant leur mariage. Cependant il faut donner cette louange à don Manrique : il fit, par considération pour sa femme ce que peu de maris eussent fait à sa place; il abandonna une petite bourgeoise qu'il aimait, et dont il était aimé, ne voulant pas, dit-il, entretenir un commerce qui semblerait insulter à la conduite délicate que son épouse tenait avec lui.

Tandis qu'il donnait de si fortes marques de reconnaissance à cette vieille dame, elle les payait avec usure, quoiqu'elle les ignorât. Elle le rendit maître de son coffre-fort qui valait mieux que celui de Velasquez. Comme elle avait réformé sa maison pendant son veuvage, elle la remit sur le même pied où elle avait été du vivant de son premier époux; elle grossit son domestique, remplit ses écuries de chevaux et de mules; en un mot, par ses généreuses bontés, le chevalier le plus gueux de l'ordre d'Alcantara en devint le plus riche. Vous me demanderez peut-être ce que je gagnai à tout cela : je reçus cinquante pistoles de ma maîtresse, et cent de mon maître, qui de plus me fit son secrétaire avec quatre cents écus d'appointements; il eut même assez de confiance en moi pour vouloir que je fusse son trésorier.

Son trésorier! m'écriai-je en interrompant Scipion dans cet endroit, et en faisant un éclat de rire. Oui, Monsieur, répliqua-t-il d'un air froid et sérieux, oui, son trésorier; j'ose même dire que je me suis acquitté de cet emploi avec honneur. Il est vrai que je suis peut-être redevable de quelque chose à la caisse; car comme je prenais dedans mes gages d'avance, et que j'ai quitté brusquement le service du chevalier, il n'est pas impossible que le comptable soit en reste; en tout cas c'est le dernier reproche qu'on ait à me faire, puisque j'ai toujours été depuis ce temps-là plein de droiture et de probité.

J'étais donc, poursuivit le fils de la Coscolina, secrétaire et trésorier de don Manrique, qui paraissait aussi content de moi que j'étais satisfait de lui, lorsqu'il reçut une lettre de Tolède par laquelle on lui mandait que doña Theodora Muscoso, sa tante, était à l'extrémité. Il fut si sensible à cette nouvelle qu'il partit sur-le-champ pour se rendre auprès de cette dame qui lui servait de mère depuis plusieurs années. Je l'accompagnai dans ce voyage avec un valet de chambre et un laquais seulement; et tous quatre, montés sur les meilleurs chevaux de nos écuries, nous gagnâmes en diligence Tolède, où nous trouvâmes doña Theodora dans un état à nous faire espérer qu'elle ne mourrait point de sa maladie; et véritablement nos pronostics, quoique contraires à celui d'un vieux médecin qui la gouvernait, ne furent pas démentis par l'événement.

Pendant que la santé de notre bonne tante se rétablissait à vue d'œil, moins peut-être par les remèdes qu'on lui faisait prendre que par la présence de son cher neveu, Monsieur le trésorier passait son temps le plus agréablement qu'il lui était possible avec de jeunes gens dont la connaissance était fort propre à lui procurer des occasions de dépenser son argent. Ils m'entraînaient quelquefois dans des tripots, où ils m'engageaient à jouer avec eux; et, n'étant pas aussi habile joueur que mon maître don Abel, je perdais beaucoup plus souvent que je ne gagnais. Je prenais goût insensiblement au jeu, et, si je me fusse entièrement livré à cette passion, elle m'aurait réduit sans doute à tirer de la caisse quelques quartiers d'avance : mais heureusement l'amour sauva la caisse, et ma vertu. Un jour, comme je passais auprès de l'église *de los Reyes* [135], j'aperçus au travers d'une jalousie, dont les rideaux étaient ouverts, une jeune fille qui me parut moins une mortelle qu'une divinité. Je me servirais d'un terme encore plus fort, s'il y en avait, pour mieux vous exprimer l'impression que sa vue fit sur moi. Je m'informai d'elle, et à force de perquisitions j'appris qu'elle se nommait Béatrix, et qu'elle était suivante de doña Julia, fille cadette du comte de Polan.

Béatrix interrompit Scipion en riant à gorge déployée; puis adressant la parole à ma femme : Charmante Antonia, lui dit-elle, regardez-moi bien, je vous prie; n'ai-je pas à votre avis l'air d'une divinité ? Vous l'aviez alors à mes yeux, lui dit Scipion, et, depuis que votre fidélité ne m'est plus suspecte, vous me paraissez plus belle que jamais. Mon secrétaire, après une repartie si galante, poursuivit ainsi son histoire.

Cette découverte acheva de m'enflammer, non, à la vérité, d'une ardeur légitime. Je m'imaginai que je triompherais facilement de sa vertu, si je la tentais par des présents capables de l'ébranler; mais je jugeais mal de la chaste Béatrix. J'eus beau lui faire proposer par des femmes mercenaires ma bourse et mes soins, elle rejeta fièrement mes propositions. Sa résistance irrita mes désirs. J'eus recours au dernier expédient; je lui fis offrir ma main, qu'elle accepta lorsqu'elle sut que j'étais secrétaire et trésorier de don Manrique. Comme nous trouvâmes à propos de cacher notre mariage pendant quelque temps, nous nous mariâmes secrètement en présence de la dame Lorença Sephora, gouvernante de Séraphine, et devant quelques autres domestiques du comte de Polan. Je n'eus pas plus tôt épousé Béatrix qu'elle me facilita les moyens de la voir le jour, et de l'entretenir la nuit dans le jardin où je m'introduisais par une petite porte dont elle me donna une clef. Jamais deux époux n'ont été plus contents que nous l'étions l'un de l'autre, Béatrix et moi : nous attendions avec une égale impatience l'heure du rendez-vous ; nous y courions avec le même empressement ; et le temps que nous passions ensemble, quoiqu'il fût quelquefois assez long, nous semblait toujours trop court.

Une nuit, qui fut aussi cruelle pour moi que les précédentes avaient été douces, je fus surpris, en voulant entrer dans le jardin, de trouver la petite porte ouverte. Cette nouveauté m'alarma ; j'en tirai un mauvais augure : je devins pâle et tremblant, comme si j'eusse pressenti ce qui m'allait arriver ; et, m'avançant dans l'obscurité vers un cabinet de verdure, où j'avais accoutumé de parler à mon épouse, j'entendis la voix d'un homme. Je m'arrêtai tout à coup pour mieux ouïr, et mon oreille fut aussitôt frappée de ces paroles : *Ne me faites donc point languir, ma chère Béatrix, achevez mon bonheur ; songez que votre fortune y est attachée.* Au lieu d'avoir la patience d'écouter encore, je crus n'avoir pas besoin d'en entendre davantage ; une fureur jalouse s'empara de mon âme, et, ne respirant que vengeance, je tirai mon épée et j'entrai brusquement dans le cabinet. Ah ! lâche suborneur, m'écriai-je, qui que tu sois, il faut que tu m'arraches la vie avant que tu m'ôtes l'honneur. En disant ces mots, je chargeai le cavalier qui s'entretenait avec Béatrix. Il se mit promptement en défense, et se battit en homme qui savait mieux faire des armes que moi, qui n'avais reçu que quelques leçons d'escrime à Cordoue. Cependant, tout grand spadassin qu'il était, je lui portai un coup qu'il ne put parer, ou plutôt il fit un faux pas ; je le vis tomber, et, m'imaginant l'avoir mortellement blessé, je m'enfuis à toutes jambes sans vouloir répondre à Béatrix qui m'appelait.

Oui, vraiment, interrompit la femme de Scipion en nous adressant la parole, je l'appelais pour le tirer d'erreur. Le cavalier avec qui je m'entretenais dans le cabinet était don Fernand de Leyva. Ce seigneur, qui aimait Julie ma maîtresse, avait formé la résolution de l'enlever, croyant ne pouvoir l'obtenir que par ce moyen ; et je lui avais moi-même donné rendez-vous dans le jardin pour concerter avec lui cet enlèvement, dont il m'assurait que dépendait ma fortune ; mais j'eus beau rappeler mon époux, il s'éloigna de moi comme d'une femme infidèle.

Dans l'état où je me trouvais, reprit Scipion, j'étais capable de tout. Ceux qui savent par expérience ce que c'est que la jalousie, et quelles extravagances elle fait faire aux meilleurs esprits, ne seront point étonnés du désordre qu'elle produisit dans mon faible cerveau. Je passai dans le moment d'une extrémité à l'autre : je sentis succéder des mouvements de haine aux sentiments de tendresse que j'avais un instant auparavant pour mon épouse. Je fis serment de l'abandonner et de la bannir pour jamais de ma mémoire. D'ailleurs, je croyais avoir tué un cavalier, et dans cette opinion, craignant de tomber entre les mains de la justice, j'éprouvais ce trouble funeste qui suit partout, comme une furie, un homme qui vient de faire un mauvais coup. Dans cette horrible situation, ne songeant qu'à me sauver, je ne retournai point au logis, et je sortis à l'heure même de Tolède, n'ayant point d'autres hardes que l'habit dont j'étais revêtu. Il est vrai que j'avais dans mes poches une soixantaine de pistoles, ce qui ne laissait pas d'être une assez bonne ressource pour un jeune homme qui se proposait de vivre toujours dans la servitude.

Je marchai toute la nuit, ou pour mieux dire, je courus; car l'image des alguazils toujours présente à mon esprit me donnait sans cesse une nouvelle vigueur. L'aurore me découvrit entre Rodillas et Maqueda. Lorsque je fus à ce dernier bourg, me trouvant un peu fatigué, j'entrai dans l'église qu'on venait d'ouvrir, et, après y avoir fait une courte prière, je m'assis sur un banc pour me reposer. Je me mis à rêver à l'état de mes affaires, qui n'avaient que trop de quoi m'occuper, mais je n'eus pas le temps de faire bien des réflexions. J'entendis retentir l'église de trois ou quatre coups de fouet, qui me firent juger qu'il passait par là quelque muletier. Je me levai aussitôt pour aller voir si je ne me trompais pas; et, quand je fus à la porte, j'en aperçus un, qui, monté sur une mule, en menait deux autres en laisse : Arrêtez, mon ami, lui dis-je, où vont ces mules ? A Madrid, me répondit-il. J'ai amené de là ici deux bons religieux de Saint-Dominique, et je m'en retourne.

L'occasion qui se présentait de faire le voyage de Madrid m'en inspira l'envie; je fis marché avec le muletier; je montai sur une de ses mules, et nous poussâmes vers Illescas, où nous devions aller coucher. A peine fûmes-nous hors de Maqueda que le muletier, homme de trente-cinq à quarante ans, commença d'entonner des chants d'église à pleine tête. Il débuta par les prières que les chanoines disent à matines, ensuite il chanta le *Credo*, comme on le chante aux grandes messes; puis, passant aux vêpres, il les dit sans me faire grâce du *Magnificat*. Quoique le faquin m'étourdît les oreilles, je ne pouvais m'empêcher de rire; je l'excitais même à continuer quand il était obligé de s'arrêter pour reprendre haleine : Courage, l'ami, lui disais-je, poursuivez. Si le Ciel vous a donné de bons poumons, vous n'en faites pas un mauvais usage. Oh! pour cela, non, s'écria-t-il; je ne ressemble pas, Dieu merci, à la plupart des voituriers qui ne chantent que des chansons infâmes ou impies; je ne chante même jamais de romances sur nos guerres contre les Maures; car ce sont des choses du moins frivoles, si elles ne sont pas déshonnêtes. Vous avez, lui répliquai-je, une pureté de cœur que les muletiers ont rarement; avec votre extrême délicatesse sur le choix de vos chants, avez-vous aussi fait vœu de chasteté dans les hôtelleries où il y a de jeunes servantes ? Assurément, me repartit-il, la continence est encore une chose dont je me pique dans ces sortes de lieux; je ne m'y occupe que du soin que je dois avoir de mes mules. Je ne fus pas peu étonné d'entendre parler de cette sorte ce phénix des muletiers; et, le tenant pour un homme de bien et d'esprit, je liai avec lui conversation après qu'il eut chanté tout son soûl.

Nous arrivâmes à Illescas sur la fin de la journée. Lorsque nous fûmes à l'hôtellerie, je laissai à mon compagnon le soin des mules, et j'entrai dans la cuisine, où j'ordonnai à l'hôte de nous préparer un bon souper; ce qu'il promit de faire si bien que je me souviendrais, dit-il, toute ma vie d'avoir logé chez lui. Demandez, ajouta-t-il, demandez à votre muletier quel homme je suis. Vive Dieu! je défierais tous les cuisiniers de Madrid et de Tolède de faire une *olla podrida* comparable aux miennes. Je veux vous régaler ce soir d'un civet de lapereau de ma façon; vous verrez si j'ai tort de vanter mon savoir-faire. Là-dessus, me montrant une casserole où il y avait, à ce qu'il disait, un lapin déjà tout haché : Voilà, continua-t-il, ce que je prétends vous donner. Quand j'aurai mis là-dedans du poivre, du sel, du vin, un paquet de fines herbes, et quelques autres ingrédients que j'emploie dans mes sauces, j'espère que je vous servirai tantôt un ragoût digne d'un contador mayor.

L'hôte, après avoir ainsi fait son éloge, commença d'apprêter le souper. Pendant qu'il y travaillait, j'entrai dans une salle où, m'étant couché sur un grabat que j'y trouvai, je m'endormis de fatigue, n'ayant pris aucun repos la nuit précédente. Au bout de deux heures, le muletier vint me réveiller : Mon gentilhomme, me dit-il, votre souper est prêt; venez, s'il vous plaît, vous mettre à table. Il y en avait dans la salle une sur laquelle étaient deux couverts. Nous nous y assîmes, le muletier et moi, et l'on nous apporta le civet : je me jetai dessus avidement, je le trouvai d'un goût exquis, soit que la faim m'en fît juger trop favorablement, soit que ce fût un effet des ingrédients du cuisinier. On nous servit ensuite un morceau de mouton rôti, et, remarquant que le muletier ne faisait honneur qu'à ce dernier plat, je lui demandai pourquoi il ne touchait point à l'autre. Il me répondit, en souriant, qu'il n'aimait pas les ragoûts. Cette réponse, ou plutôt le souris dont il l'avait accompagnée, me parut mystérieux. Vous me cachez, lui dis-je, la véritable raison qui vous empêche de manger de ce civet; faites-moi le plaisir de me l'apprendre. Puisque vous êtes si curieux de le savoir, reprit-il, je vous dirai que j'ai de la répugnance à me bourrer l'estomac de ces sortes de ragoûts, depuis qu'en allant de Tolède à Cuença, on me servit un soir dans une hôtellerie pour un lapin de garenne un matou en hachis; cela m'a dégoûté des fricassées.

Le muletier ne m'eut pas sitôt dit ces paroles que, malgré la faim qui me dévorait, l'appétit me manqua tout à coup. Je me mis en tête que je venais de manger d'un lapin supposé, et je ne regardai plus le ragoût qu'en faisant la grimace. Mon compagnon ne me guérit pas l'esprit là-dessus, en me disant que les maîtres d'hôtellerie en Espagne faisaient assez souvent ce *quiproquo*, de même que les pâtissiers. Le discours, comme vous voyez, était fort consolant; aussi, je n'eus plus aucune envie de retourner au civet, pas même de toucher au plat de rôti, de peur que le mouton ne fût pas mieux vérifié que le lapin. Je me levai de table en maudissant le ragoût, l'hôte et l'hôtellerie; et, m'étant recouché sur le grabat, j'y passai la nuit plus tranquillement que je m'y étais attendu. Le jour suivant de grand matin, après avoir payé mon hôte aussi grassement que s'il m'eût fort bien traité, je m'éloignai d'Illescas, l'imagination encore si remplie du civet que je prenais pour des chats tous les animaux que j'apercevais.

J'arrivai de bonne heure à Madrid, où, sitôt que j'eus satisfait mon muletier, je louai une chambre garnie auprès de la Porte du Soleil. Mes yeux quoique accoutumés au grand monde ne laissèrent pas d'être éblouis du concours de seigneurs qu'on voit ordinairement dans le quartier de la Cour. J'admirai la prodigieuse quantité de carrosses, et le nombre infini de gentilshommes, de pages et de laquais qui étaient à la suite des Grands. Mon admiration redoubla, lorsqu'étant allé au lever du roi, j'aperçus ce monarque environné de ses courtisans. Je fus charmé de ce spectacle, et je dis en moi-même : Je ne m'étonne plus d'avoir ouï dire qu'il faut voir la Cour de Madrid pour en concevoir toute la magnificence; je suis ravi d'y être venu; j'ai un pressentiment que j'y ferai quelque chose. Je n'y fis pourtant rien, que quelques connaissances infructueuses. Je dépensai peu à peu mon argent, et je fus trop heureux de me donner avec tout mon mérite à un pédant de Salamanque, qu'une affaire de famille avait attiré à Madrid où il était né, et que le hasard me fit connaître. Je devins son *factotum*, et je le suivis à son université lorsqu'il y retourna.

Mon nouveau patron se nommait don Ignacio de Ipigna. Il prenait le *don* pour avoir été précepteur d'un duc, qui lui faisait par reconnaissance une pension à vie; il en avait une autre comme professeur émérite du collège; et, de plus, il tirait tous les ans du public un revenu de deux ou trois cents pistoles par les livres de morale dogmatique qu'il avait coutume de faire imprimer. La manière dont il composait ses ouvrages mérite bien que j'en fasse une glorieuse mention. Il passait presque toute la journée à lire les auteurs hébreux, grecs et latins, et à mettre sur un petit carré de papier chaque apophtegme ou pensée brillante qu'il y trouvait. A mesure qu'il remplissait des carrés, il m'employait à les enfiler dans un fil de fer en forme de guirlande, et chaque guirlande faisait un tome. Que nous faisions de mauvais livres! Il ne se passait guère de mois que nous ne fissions pour le moins deux volumes, et aussitôt la presse en gémissait : ce qu'il y a de plus surprenant, c'est que ces compilations se donnaient pour des nouveautés; et, si les critiques s'avisaient de reprocher à l'auteur qu'il pillait les anciens, il leur répondait avec une orgueilleuse effronterie : *Furto lætamur in ipso* [136].

Il était aussi grand commentateur, et il y avait tant d'érudition dans ses commentaires qu'il faisait souvent des remarques sur des choses qui n'étaient pas dignes d'être remarquées; comme sur ses carrés de papier il écrivait quelquefois très mal à propos des passages d'Hésiode et d'autres auteurs. Je ne laissai pas de profiter chez ce savant. Il y aurait de l'ingratitude à n'en pas convenir : j'y perfectionnai mon écriture à force de copier ses ouvrages; et si me traitant en élève plutôt qu'en valet il eut soin de me former l'esprit, il ne négligea point mes mœurs. Scipion, me disait-il quand par hasard il entendait dire que quelque domestique avait fait une friponnerie, prends bien garde, mon enfant, de suivre le mauvais exemple de ce fripon. Il faut qu'un valet serve son maître avec autant de fidélité que de zèle. En un mot, don Ignacio ne perdait aucune occasion de me porter à la vertu; et ses exhortations faisaient sur moi un si bon effet que je n'eus pas la moindre tentation de lui jouer quelque tour pendant quinze mois que je demeurai chez lui.

J'ai déjà dit que le docteur de Ipigna était originaire de Madrid; il y avait une parente, appelée Catalina, qui était femme de chambre de Madame la nourrice. Cette soubrette, qui est la même dont je me suis servi depuis pour tirer de la Tour de Ségovie le seigneur de Santillane, ayant envie de rendre service à don Ignacio, engagea sa maîtresse à demander pour lui un bénéfice au duc de Lerme. Ce ministre le fit nommer à l'archidiaconat de Grenade, lequel étant en pays conquis est à la nomination du roi. Nous partîmes pour Madrid sitôt que nous eûmes appris cette nouvelle, le docteur voulant remercier ses bienfaitrices avant que d'aller à Grenade. J'eus plus d'une occasion de voir Catalina et de lui parler. Mon humeur enjouée et mon air aisé lui plurent; de mon côté, je la trouvai si fort à mon gré que je ne pus me défendre de répondre aux petites marques d'amitié qu'elle me donna; enfin nous nous attachâmes l'un à l'autre. Pardonnez-moi cet aveu, ma chère Béatrix; comme je vous croyais infidèle, cette erreur doit me sauver de vos reproches.

Cependant le docteur don Ignacio se préparait à partir pour Grenade. Sa parente et moi, effrayés de la prochaine séparation qui nous menaçait, nous eûmes recours à un expédient qui nous en préserva : je feignis d'être malade, je me plaignis de la tête, je me plaignis de la poitrine, et je fis toutes les démonstrations d'un homme accablé de tous les maux du monde. Mon maître appela un médecin qui me dit bonnement, après m'avoir bien observé, que ma maladie était plus sérieuse qu'on ne pensait, et que selon toutes les apparences je garderais longtemps la chambre. Le docteur, impatient de se rendre à sa cathédrale, ne jugea point à propos de retarder son départ, il aima mieux prendre un autre garçon pour le servir; il se contenta de m'abandonner aux soins d'une garde, à laquelle il laissa une somme d'argent pour m'enterrer si je mourais, ou pour récompenser mes services si je revenais de ma maladie.

Sitôt que je sus don Ignacio parti pour Grenade, je fus guéri de tous mes maux. Je me levai, je congédiai mon médecin qui avait tant de pénétration, et je me défis de ma garde qui me vola plus de la moitié des espèces qu'elle devait me remettre. Tandis que je faisais ce personnage, Catalina jouait un autre rôle auprès de doña Anna de Guevara, sa maîtresse, à laquelle, faisant entendre que j'étais admirable pour l'intrigue, elle lui mit dans l'esprit de me choisir pour un de ses agents. Madame la nourrice, à qui l'amour des richesses faisait souvent former des entreprises, ayant besoin de pareils sujets, me reçut parmi ses domestiques, et ne tarda guère à m'éprouver. Elle me donna des commissions qui demandaient un peu d'adresse, et sans vanité je ne m'en acquittai point mal; aussi fut-elle autant satisfaite de moi que j'eus lieu d'être mécontent d'elle. La dame était si avare qu'elle ne me faisait pas la moindre part des fruits qu'elle recueillait de mon industrie et des mes peines. Elle s'imaginait qu'en me payant exactement mes gages, elle en usait avec moi assez généreusement. Cet excès d'avarice m'aurait bientôt fait sortir de chez elle si, je n'y eusse été retenu par les bontés de Catalina, qui, s'enflammant de plus en plus tous les jours, me proposa formellement de l'épouser.

Doucement, lui dis-je, mon aimable, cette cérémonie ne se peut faire entre nous si promptement, il faut auparavant que j'apprenne la mort d'une jeune personne qui vous a prévenue, et dont je suis devenu l'époux pour mes péchés. A d'autres, me répondit Catalina, vous vous dites marié pour me cacher poliment la répugnance que vous avez à me prendre pour votre épouse. Je lui protestai vainement que je lui disais la vérité, mon aveu sincère lui parut une défaite; et, s'en trouvant offensée, elle changea de manières à mon égard. Nous ne nous brouillâmes point; mais notre commerce se refroidit à vue d'œil, et nous n'eûmes plus l'un pour l'autre que des égards de bienséance et d'honnêteté.

Dans cette conjoncture j'appris qu'il fallait un laquais au seigneur Gil Blas de Santillane, secrétaire du premier ministre de la couronne d'Espagne, et ce poste me flatta d'autant plus, qu'on m'en parla comme du plus gracieux que je pusse occuper. Le seigneur de Santillane, me dit-on, est un cavalier plein de mérite, un garçon chéri du duc de Lerme, et qui par conséquent ne saurait manquer de pousser loin sa fortune : d'ailleurs il a le cœur généreux; en faisant ses affaires, vous ferez fort bien les vôtres. Je ne négligeai point cette occasion; j'allai me présenter au seigneur Gil Blas, pour qui d'abord je me sentis naître de l'inclination, et qui m'arrêta sur ma physionomie. Je ne balançai point à quitter pour lui Madame la nourrice; et il sera, s'il plaît au Ciel, le dernier de mes maîtres.

Scipion finit son histoire en cet endroit. Puis m'adressant la parole : Seigneur de Santillane, ajouta-t-il, faites-moi la grâce de témoigner à ces dames que vous m'avez toujours connu pour un serviteur aussi fidèle que zélé. J'ai besoin de votre témoignage pour leur persuader que le fils de la Coscolina a purgé ses mœurs, et fait succéder de vertueux sentiments à ses mauvaises inclinations.

Oui, Mesdames, dis-je alors, c'est de quoi je puis vous répondre. Si dans son enfance Scipion était un vrai *Picaro*, il s'est depuis si bien corrigé qu'il est devenu le modèle d'un parfait domestique. Bien loin d'avoir quelques reproches à lui faire sur la conduite qu'il a tenue avec moi, je dois plutôt avouer que je lui ai de grandes obligations. La nuit qu'on m'enleva pour me conduire à la Tour de Ségovie, il sauva du pillage et mit en sûreté une partie de mes effets qu'il pouvait impunément s'approprier; il ne se contenta pas même de songer à conserver mon bien, il vint par pure amitié s'enfermer avec moi dans ma prison, préférant aux charmes de la liberté le triste plaisir de partager mes peines.

Fin du dixième livre.

LIVRE ONZIÈME

CHAPITRE PREMIER

De la plus grande joie que Gil Blas ait jamais sentie, et du triste accident qui la troubla : Des changements qui arrivèrent à la Cour, et qui furent cause que Santillane y retourna.

J'ai déjà dit qu'Antonia et Béatrix s'accordaient ensemble parfaitement bien, l'une étant accoutumée à vivre en soubrette soumise, et l'autre s'accoutumant volontiers à faire la maîtresse. Nous étions, Scipion et moi, des maris trop galants et trop chéris de nos femmes pour n'avoir pas bientôt la satisfaction d'être pères; elles devinrent enceintes presque en même temps. Béatrix accoucha la première, mit au monde une fille, et peu de jours après Antonia nous combla tous de joie, en me donnant un fils. J'envoyai mon secrétaire à Valence porter cette nouvelle au gouverneur, qui vint à Lirias avec Séraphine et la marquise de Pliego tenir les enfants sur les fonts, se faisant un plaisir d'ajouter ce témoignage d'affection à tous ceux que j'avais déjà reçus de lui. Mon fils, qui eut pour parrain ce seigneur, et pour marraine la marquise, fut nommé Alphonse, et Madame la Gouvernante, voulant que j'eusse l'honneur d'être doublement son compère, tint avec moi la fille de Scipion, à laquelle nous donnâmes le nom de Séraphine.

La naissance de mon fils ne réjouit pas seulement les personnes du château; les habitants de Lirias la célébrèrent aussi par des fêtes qui firent connaître que tout le hameau prenait part au plaisir de son seigneur. Mais, hélas! nos réjouissances ne furent pas de longue durée; ou, pour mieux dire, elles se convertirent tout à coup en gémissements, en plaintes, en lamentations par un événement que plus de vingt années n'ont pu me faire oublier, et qui sera toujours présent à ma pensée. Mon fils mourut; et sa mère, quoiqu'elle fût heureusement accouchée de lui, le suivit de près; une fièvre violente emporta ma chère épouse après quatorze mois de mariage. Que le lecteur conçoive, s'il est possible, la douleur dont je fus saisi! je tombai dans un accablement stupide; à force de sentir la perte que je faisais, j'y paraissais comme insensible. Je fus cinq ou six jours dans cet état; je ne voulais prendre aucune nourriture, et je crois que, sans Scipion, je me serais laissé mourir de faim ou que la tête m'aurait tourné : mais cet adroit secrétaire sut tromper ma douleur en s'y conformant; il trouvait le secret de me faire avaler des bouillons en me les présentant d'un air si mortifié qu'il semblait me les donner moins pour conserver ma vie que pour nourrir mon affliction.

Cet affectionné serviteur écrivit à don Alphonse pour l'informer du malheur qui m'était arrivé et de la situation pitoyable où je me trouvais. Ce seigneur tendre et compatissant, cet ami généreux se rendit bientôt à Lirias. Je ne puis sans m'attendrir rappeler le moment où il s'offrit à mes yeux : Mon cher Santillane, me dit-il en m'embrassant, je ne viens point ici pour vous consoler; j'y viens pleurer avec vous Antonia, comme vous pleureriez avec moi Séraphine, si la Parque me l'eût ravie. Effectivement il répandit des larmes, et confondit ses soupirs avec les miens : tout accablé que j'étais de ma tristesse je ressentis vivement les bontés de don Alphonse.

Ce gouverneur eut avec Scipion un long entretien sur ce qu'il y avait à faire pour vaincre ma douleur. Ils jugèrent qu'il fallait pour quelque temps m'éloigner de Lirias où tout me retraçait sans cesse l'image d'Antonia. Sur quoi le fils de don César me proposa de m'emmener à Valence; et mon secrétaire appuya si bien la proposition que je l'acceptai. Je laissai Scipion et sa femme au château, dont le séjour véritablement ne servait qu'à irriter mes ennuis, et je partis avec le gouverneur. Lorsque je fus à Valence, don César et sa belle-fille n'épargnèrent rien pour faire diversion à mon chagrin; ils mirent tour à tour en usage les amusements les plus propres à me dissiper; mais malgré tous leurs soins je demeurai plongé dans une mélancolie dont ils ne purent me tirer. Il ne tenait pas non plus à Scipion que je ne reprisse ma tranquillité: il venait souvent de Lirias à Valence pour savoir de mes nouvelles; il s'en retournait d'autant plus triste ou d'autant plus gai qu'il me voyait plus ou moins de disposition à me consoler.

Il entra un matin dans ma chambre : Monsieur, me dit-il d'un air fort agité, il se répand dans la ville un bruit qui intéresse toute la monarchie : on dit que Philippe III ne vit plus, et que le prince son fils est sur le trône. On ajoute à cela, poursuivit-il, que le cardinal duc de Lerme a perdu son poste, qu'il lui est même défendu de paraître à la Cour, et que don Gaspar de Guzman, comte d'Olivarès, est présentement premier ministre [137]. Je me sentis un peu ému de cette nouvelle sans savoir pourquoi. Scipion s'en aperçut, et me demanda si je ne prenais aucune part à ce grand changement. Eh! quelle part veux-tu que j'y prenne, lui répondis-je, mon enfant ? J'ai quitté la Cour; tous les changements qui peuvent y arriver me doivent être indifférents.

Pour un homme de votre âge, reprit le fils de la Coscolina, vous êtes bien détaché du monde. A votre place j'aurais un désir curieux : j'irais à Madrid montrer mon visage au jeune monarque pour voir s'il me remettrait; c'est un plaisir que je me donnerais. Je t'entends, lui dis-je; tu voudrais que je retournasse à la Cour pour y tenter de nouveau la fortune, ou plutôt pour y redevenir un avare et un ambitieux. Pourquoi vos mœurs s'y corrompraient-elles encore ? me repartit Scipion. Ayez plus de confiance que vous n'en avez en votre vertu. Je vous réponds de vous-même. Les saines réflexions que votre disgrâce vous a fait faire sur la Cour ne vous permettent point d'en redouter les dangers. Rembarquez-vous hardiment sur une mer dont vous connaissez tous les écueils. Tais-toi, flatteur, interrompis-je en souriant, es-tu las de me voir mener une vie tranquille ? Je croyais que mon repos t'était plus cher.

Dans cet endroit de notre conversation, don César et son fils arrivèrent. Ils me confirmèrent la nouvelle de la mort du roi, ainsi que le malheur du duc de Lerme. Ils m'apprirent de plus que ce ministre, ayant fait demander la permission de se retirer à Rome, n'avait pu l'obtenir, et qu'il lui était ordonné de se rendre à son marquisat de Denia. Ensuite, comme s'ils eussent été d'accord avec mon secrétaire, ils me conseillèrent d'aller à Madrid me présenter aux yeux du nouveau roi, puisque j'en étais connu, et que je lui avais même rendu des services que les Grands récompensent assez volontiers. Pour moi, dit don Alphonse, je ne doute pas qu'il ne les reconnaisse; Philippe IV doit payer les dettes du prince d'Espagne. J'ai le même pressentiment, dit don César, et je regarde le voyage de Santillane à la Cour comme une occasion pour lui de parvenir aux grands emplois.

En vérité, mes seigneurs, m'écriai-je, vous ne pensez pas à ce que vous dites! Il semble, à vous entendre l'un et l'autre, que je n'aie qu'à me rendre à Madrid pour avoir la clef d'or [138], ou quelque gouvernement; vous êtes dans l'erreur. Je suis au contraire bien persuadé que le roi ne ferait aucune attention à ma figure, si je m'offrais à ses regards. J'en ferai, si vous le souhaitez, l'épreuve pour vous désabuser. Les seigneurs de Leyva me prirent au mot, et je ne pus me défendre de leur promettre que je partirais incessamment pour Madrid. Sitôt que mon secrétaire me vit déterminé à faire ce voyage, il en ressentit une joie immodérée; il s'imaginait que je ne paraîtrais pas plus tôt devant le nouveau monarque que ce prince me démêlerait dans la foule, et m'accablerait d'honneurs et de biens. Là-dessus, se berçant des plus brillantes chimères, il m'élevait aux premières charges de l'Etat, et se poussait à la faveur de mon élévation.

Je me disposai donc à retourner à la Cour, non dans la vue d'y sacrifier encore à la fortune, mais pour contenter don César et son fils, qui avaient dans l'epsrit que je posséderais bientôt les bonnes grâces du souverain. Il est vrai que je me sentais au fond de l'âme quelque envie d'éprouver si ce jeune prince me reconnaîtrait. Entraîné par ce mouvement curieux, sans espérance et sans dessein de tirer quelque avantage du nouveau règne, je pris le chemin de Madrid avec Scipion, abandonnant le soin de mon château à Béatrix, qui était une très bonne ménagère.

CHAPITRE II

Gil Blas se rend à Madrid ; il paraît à la Cour ; le roi le reconnaît et le recommande à son premier ministre. Suite de cette recommandation.

Nous nous rendîmes à Madrid en moins de huit jours, don Alphonse nous ayant donné deux de ses meilleurs chevaux pour faire plus de diligence. Nous allâmes descendre à un hôtel garni où j'avais déjà logé, chez Vincent Forrero, mon ancien hôte, qui fut bien aise de me revoir.

Comme c'était un homme qui se piquait de savoir tout ce qui se passait tant à la Cour que dans la ville, je lui demandai ce qu'il y avait de nouveau : Bien des choses, me répondit-il. Depuis la mort de Philippe III, les amis et les partisans du cardinal duc de Lerme se sont bien remués pour maintenir Son Eminence dans le ministère, mais leurs efforts ont été vains : le comte d'Olivarès l'a emporté sur eux. On prétend que l'Espagne ne perd point au change, et que ce nouveau premier ministre a le génie d'une si vaste étendue qu'il serait capable de gouverner le monde entier : Dieu le veuille! Ce qu'il y a de certain, continua-t-il, c'est que le peuple a conçu la plus haute opinion de sa capacité; nous verrons dans la suite si le duc de Lerme est bien ou mal remplacé. Forrero, s'étant mis en train de parler, me fit un détail de tous les changements qui s'étaient faits à la Cour depuis que le comte d'Olivarès tenait le gouvernail du vaisseau de la monarchie.

Deux jours après mon arrivée à Madrid, j'allai chez le roi l'après-dînée, et me mis sur son passage comme il entrait dans son cabinet; il ne me regarda point. Je retournai le lendemain au même endroit, et je ne fus pas plus heureux. Le surlendemain il jeta sur moi les yeux en passant, mais il ne parut pas faire la moindre attention à ma personne. Là-dessus je pris mon parti : Tu vois, dis-je à Scipion qui m'accompagnait, que le roi ne me reconnaît point, ou que, s'il me remet, il ne se soucie guère de renouveler connaissance avec moi. Je crois que nous ne ferons point mal de reprendre le chemin de Valence. N'allons pas si vite, Monsieur, me répondit mon secrétaire ; vous savez mieux que moi qu'on ne réussit à la Cour que par la patience. Ne vous lassez pas de vous montrer au prince ; à force de vous offrir à ses regards, vous l'obligerez à vous considérer plus attentivement, et à se rappeler les traits de son agent auprès de la belle Catalina.

Afin que Scipion n'eût rien à me reprocher, j'eus la complaisance de continuer le même manège pendant trois semaines ; et un jour enfin il arriva que le monarque, frappé de ma vue, me fit appeler. J'entrai dans son cabinet, non sans être troublé de me trouver tête à tête avec mon roi : Qui êtes-vous ? me dit-il ; vos traits ne me sont pas inconnus ; où vous ai-je vu ? Sire, lui répondis-je en tremblant, j'ai eu l'honneur de conduire une nuit Votre Majesté avec le comte de Lemos chez... Ah ! je m'en souviens, interrompit le prince, vous étiez secrétaire du duc de Lerme ; et, si je ne me trompe, Santillane est votre nom. Je n'ai pas oublié que dans cette occasion vous me servîtes avec beaucoup de zèle, et que vous fûtes assez mal payé de vos peines. N'avez-vous pas été en prison pour cette aventure ? Oui, sire, lui repartis-je, j'ai été six mois à la Tour de Ségovie ; mais vous avez eu la bonté de m'en faire sortir. Cela, reprit-il, ne m'acquitte point envers Santillane : il ne suffit pas de l'avoir fait remettre en liberté ; je dois lui tenir compte des maux qu'il a soufferts pour l'amour de moi.

Comme le prince achevait ces paroles, le comte d'Olivarès entra dans le cabinet. Tout fait ombrage aux favoris : il fut étonné de voir là un inconnu, et le roi redoubla sa surprise en lui disant : Comte, je mets ce jeune homme entre vos mains ; occupez-le, je vous charge du soin de l'avancer. Le ministre affecta de recevoir cet ordre d'un air gracieux en me considérant depuis les pieds jusqu'à la tête, et fort en peine de savoir qui j'étais : Allez, mon ami, ajouta le monarque en m'adressant la parole, et en me faisant signe de me retirer, le comte ne manquera pas de vous employer utilement pour mon service et pour vos intérêts.

Je sortis aussitôt du cabinet et rejoignis le fils de la Coscolina, qui, très impatient d'apprendre ce que le roi m'avait dit, était dans une agitation inconcevable. Il me demanda d'abord s'il fallait retourner à Valence, ou demeurer à la Cour. Tu vas en juger, lui répondis-je, et en même temps je le ravis en lui racontant mot pour mot le petit entretien que je venais d'avoir avec le monarque. Mon cher maître, me dit alors Scipion dans l'excès de sa joie, prendrez-vous une autre fois de mes almanachs ? Avouez que nous n'avions pas tort, les seigneurs de Leyva et moi, de vous exhorter à faire le voyage de Madrid. Je vous vois déjà dans un poste éminent ; vous deviendrez le Calderone du comte d'Olivarès. C'est ce que je ne souhaite point du tout, interrompis-je ; cette place est environnée de trop de précipices pour exciter mon envie. Je voudrais un bon emploi où je n'eusse aucune occasion de faire des injustices ni un honteux trafic des bienfaits du prince. Après l'usage que j'ai fait de ma faveur passée, je ne puis être assez en garde contre l'avarice et contre l'ambition. Allez, Monsieur, reprit mon secrétaire, le ministre vous donnera quelque bon poste que vous pourrez remplir sans cesser d'être honnête homme.

Plus pressé par Scipion que par ma curiosité, je me rendis le jour suivant chez le comte d'Olivarès avant le lever de l'aurore, ayant appris que tous les matins, soit en été, soit en hiver, il écoutait à la clarté des bougies tous ceux qui avaient à lui parler. Je me mis modestement dans un coin de la salle, et de là j'observai bien le comte quand il parut ; car j'avais fait peu d'attention à lui dans le cabinet du roi. Je vis un homme d'une taille au-dessus de la médiocre[139], et qui pouvait passer pour gros dans un pays où il est rare de voir des personnes qui ne soient pas maigres. Il avait les épaules si élevées, que je le crus bossu, quoiqu'il ne le fût pas ; sa tête, qui était d'une grosseur excessive, lui tombait sur la poitrine ; ses cheveux étaient noirs et plats, son visage long, son teint olivâtre, sa bouche enfoncée, et son menton pointu et fort relevé.

Tout cela ensemble ne faisait pas un beau seigneur ; néanmoins, comme je le croyais dans une disposition obligeante pour moi, je le regardais avec indulgence, je le trouvais agréable. Il est vrai qu'il recevait tout le monde d'un air affable et débonnaire, et qu'il prenait gracieusement les placets qu'on lui présentait ; ce qui semblait lui tenir lieu de bonne mine. Cependant, lorsqu'à mon tour je m'avançai pour le saluer et me faire connaître, il me lança un regard rude et menaçant ; puis, me tournant le dos sans daigner m'entendre, il rentra dans son cabinet. Je trouvai alors ce seigneur encore plus laid qu'il n'était naturellement ; je sortis de la salle fort étourdi d'un accueil si farouche, et ne sachant ce que j'en devais penser.

Ayant rejoint Scipion qui m'attendait à la porte : Sais-tu bien, lui dis-je, la réception qu'on m'a faite ? Non, me répondit-il, mais elle n'est pas difficile à deviner ; le ministre, prompt à se conformer aux volontés du prince, vous aura proposé sans doute un emploi considérable. C'est ce qui te trompe, lui répliquai-je : en même temps, je lui appris de quelle façon j'avais été reçu ; il m'écouta fort attentivement, et me dit : Il faut que le comte ne vous ait pas remis, ou qu'il vous ait pris pour un autre. Je vous conseille de le revoir ; je ne doute pas qu'il ne vous fasse meilleure mine. Je suivis le conseil de mon secrétaire : je me montrai pour la seconde fois devant le ministre, qui, me traitant encore plus mal que la première, fronça le sourcil en m'envisageant, comme si ma vue lui eût fait de la peine ; puis il détourna de moi ses regards, et se retira sans me dire mot.

Je fus piqué de ce procédé jusqu'au vif, et tenté de partir sur-le-champ pour retourner à Valence ; mais c'est à quoi Scipion ne manqua pas de s'opposer, ne pouvant se résoudre à renoncer aux espérances qu'il avait conçues. Ne vois-tu pas, lui dis-je, que le comte veut m'écarter de la Cour ? Le monarque lui a témoigné de la bonne volonté pour moi ; cela ne suffit-il pas pour m'attirer l'aversion de son favori ? Cédons, mon enfant, cédons de bonne grâce au pouvoir d'un ennemi si redoutable. Monsieur, répondit-il en colère contre le comte d'Olivarès, je n'abandonnerais pas si facilement le terrain. J'irais me plaindre au roi du peu de cas que le ministre fait de sa recommandation. Mauvais conseil, lui dis-je, mon ami : si je faisais cette démarche imprudente, je ne tarderais guère à m'en repentir. Je ne sais même si je ne cours pas quelque péril à m'arrêter dans cette ville.

Mon secrétaire, à ce discours, rentra en lui-même ; et, considérant qu'en effet nous avions affaire à un homme qui pouvait nous faire revoir la Tour de Ségovie, il partagea ma crainte. Il ne combattit plus l'envie que j'avais de quitter Madrid, dont je résolus de m'éloigner dès le lendemain.

CHAPITRE III

De ce qui empêcha Gil Blas d'exécuter la résolution où il était d'abandonner la Cour ; et du service important que Joseph Navarro lui rendit.

En m'en retournant à mon hôtel garni, je rencontrai Joseph Navarro, chef d'office de don Baltazar de Zuñiga, et mon ancien ami. Je le saluai, et l'abordai en lui demandant s'il me reconnaissait et s'il serait encore assez bon pour vouloir parler à un misérable qui avait payé d'ingratitude son amitié. Vous avouez donc, me dit-il, que vous n'en avez pas trop bien usé avec moi ! Oui, lui répondis-je, et vous êtes en droit de m'accabler de reproches ; je le mérite, si toutefois je n'ai pas expié mon crime par les remords qui l'ont suivi. Puisque vous vous êtes repenti de votre faute, reprit Navarro en m'embrassant, je ne dois plus m'en ressouvenir. De mon côté, je pressai Joseph entre mes bras; et tous deux nous reprîmes l'un pour l'autre nos premiers sentiments.

Il avait appris mon emprisonnement et la déroute de mes affaires, mais il ignorait tout le reste. Je l'en informai; je lui racontai jusqu'à la conversation que j'avais eue avec le roi, et je ne lui cachai pas la mauvaise réception que le ministre venait de me faire, non plus que le dessein où j'étais de me retirer dans ma solitude. Gardez-vous bien de vous en aller, me dit-il; puisque le monarque a témoigné de l'amitié pour vous, il faut bien que cela vous serve à quelque chose. Entre nous, le comte d'Olivarès a l'esprit un peu singulier; c'est un seigneur plein de fantaisies : quelquefois, comme dans cette occasion, il agit d'une manière qui révolte; et lui seul a la clef de ses actions hétéroclites. Au reste, quelques raisons qu'il ait de vous avoir mal reçu, tenez ici pied à boule; il n'empêchera pas que vous ne profitiez des bontés du prince; c'est de quoi je puis vous assurer; j'en dirai deux mots ce soir au seigneur don Baltazar de Zuñiga mon maître, qui est oncle du comte d'Olivarès, et qui partage avec lui les soins du gouvernement. Navarro, m'ayant ainsi parlé, me demanda où je demeurais, et là-dessus nous nous séparâmes.

Je ne fus pas longtemps sans le revoir; il vint le jour suivant me retrouver. Seigneur de Santillane, me dit-il, vous avez un protecteur; mon maître veut vous prêter son appui : sur le bien que je lui ai dit de Votre Seigneurie, il m'a promis de parler pour vous au comte d'Olivarès, son neveu, et je ne doute pas qu'il ne le prévienne en votre faveur. Mon ami Navarro, ne voulant pas me servir à demi, me présenta deux jours après à don Baltazar, qui me dit d'un air gracieux : Seigneur de Santillane, votre ami Joseph m'a fait votre éloge dans des termes qui m'ont mis dans vos intérêts. Je fis une profonde révérence au seigneur de Zuñiga, et lui répondis que je sentirais vivement toute ma vie l'obligation que j'avais à Navarro de m'avoir procuré la protection d'un ministre qu'on appelait, à juste titre, *le Flambeau du conseil*. Don Baltazar, à cette réponse flatteuse, me frappa sur l'épaule en riant, et reprit de cette sorte : Vous pouvez dès demain retourner chez le comte d'Olivarès, vous serez plus content de lui.

Je reparus donc pour la troisième fois devant le premier ministre, qui, m'ayant démêlé dans la foule, jeta sur moi un regard accompagné d'un souris dont je tirai bon augure. Cela va bien, dis-je en moi-même, l'oncle a fait entendre raison au neveu. Je ne m'attendis plus qu'à un accueil favorable, et mon attente fut remplie. Le comte, après avoir donné audience à tout le monde, me fit passer dans son cabinet, où il me dit d'un air familier : Ami Santillane, pardonne-moi l'embarras où je t'ai mis pour me divertir; je me suis fait un plaisir de t'inquiéter pour éprouver ta prudence, et voir ce que tu ferais dans ta mauvaise humeur. Je ne doute pas que tu ne te sois imaginé que tu me déplaisais; mais au contraire, mon enfant, je t'avouerai que ta personne me revient. Quand le roi mon maître ne m'aurait pas ordonné de prendre soin de ta fortune, je le ferais par ma propre inclination. D'ailleurs, don Baltazar de Zuñiga, mon oncle, à qui je ne puis rien refuser, m'a prié de te regarder comme un homme pour lequel il s'intéresse; il n'en faut pas davantage pour me déterminer à t'attacher à moi.

Ce début fit une si vive impression sur mes sens, qu'ils en furent troublés. Je me prosternai aux pieds du ministre, qui, m'ayant dit de me relever, poursuivit de cette manière : Reviens ici cette après-dînée, et demande mon intendant; il t'apprendra les ordres dont je l'aurai chargé. A ces mots, Son Excellence sortit de son cabinet pour aller entendre la messe; ce qu'elle avait coutume de faire tous les jours après avoir donné audience, ensuite elle se rendait au lever du roi.

CHAPITRE IV

Gil Blas se fait aimer du comte d'Olivarès.

Je ne manquai pas de retourner l'après-dînée chez le premier ministre et de demander son intendant, qui s'appelait don Raimond Caporis. Je ne lui eus pas sitôt décliné mon nom que, me saluant avec des marques de respect : Seigneur, me dit-il, suivez-moi, s'il vous plaît; je vais vous conduire à l'appartement qui vous est destiné dans cet hôtel. Après avoir dit ces paroles, il me mena par un petit escalier à une enfilade de cinq à six pièces de plain-pied, qui composaient le second étage d'une aile du logis, et qui étaient assez modestement meublées. Vous voyez, reprit-il, le logement que monseigneur vous donne, et vous y aurez une table de six couverts entretenue à ses dépens. Vous serez servi par ses propres domestiques ; il y aura toujours un carrosse à vos ordres. Ce n'est pas tout, ajouta-t-il, Son Excellence m'a fortement recommandé d'avoir pour vous les mêmes attentions que si vous étiez de la maison de Guzman.

Que diable signifie tout ceci ? dis-je en moi-même. Comment dois-je prendre ces distinctions ? N'y aurait-il point de la malice là-dedans, et ne serait-ce pas encore pour se divertir que le ministre me ferait un traitement si honorable ? Pendant que j'étais dans cette incertitude, flottant entre la crainte et l'espérance, un page vint m'avertir que le comte me demandait. Je me rendis dans le moment auprès de monseigneur, qui était tout seul dans son cabinet. Eh bien ! Santillane, me dit-il, es-tu satisfait de ton appartement et des ordres que j'ai donnés à don

Raimond ? Les bontés de Votre Excellence, lui répondis-je, me paraissent excessives, et je ne m'y prête qu'en tremblant. Pourquoi donc ? répliqua-t-il; puis-je faire trop d'honneur à un homme que le roi m'a confié, et dont il veut que je prenne soin ? Non, sans doute : je ne fais que mon devoir en te traitant honorablement. Ne t'étonne donc plus de ce que je fais pour toi, et compte qu'une fortune brillante et solide ne saurait t'échapper, si tu m'es aussi attaché que tu l'étais au duc de Lerme.

Mais à propos de ce seigneur, poursuivit-il, on dit que tu vivais familièrement avec lui. Je suis curieux de savoir comment vous fîtes tous deux connaissance, et quel emploi ce ministre te fit exercer. Ne me déguise rien; j'exige de toi un récit sincère. Je me souvins alors de l'embarras où je m'étais trouvé avec le duc de Lerme en pareil cas, et de quelle façon je m'en étais tiré : ce que je pratiquai encore fort heureusement, c'est-à-dire que dans ma narration j'adoucis les endroits rudes, et passai légèrement sur les choses qui me faisaient peu d'honneur. Je ménageai aussi le duc de Lerme, quoiqu'en ne l'épargnant point du tout j'eusse fait plus de plaisir à mon auditeur. Pour don Rodrigue de Calderone, je ne lui fis grâce de rien. Je détaillai tous les beaux coups que je savais qu'il avait faits dans le trafic des commanderies, des bénéfices et des gouvernements.

Ce que tu m'apprends de Calderone, interrompit le ministre, est conforme à certains mémoires qui m'ont été présentés contre lui, et qui contiennent des chefs d'accusation encore plus importants. On va bientôt lui faire son procès; et, si tu souhaites qu'il succombe dans cette affaire, je crois que tes vœux seront satisfaits. Je ne désire point sa mort, lui dis-je, quoiqu'il n'ait point tenu à lui que je n'aie trouvé la mienne dans la Tour de Ségovie, où il a été cause que j'ai fait un assez long séjour. Comment, reprit Son Excellence, c'est don Rodrigue qui a causé ta prison ? voilà ce que j'ignorais. Don Baltazar, à qui Navarro a raconté ton histoire, m'a bien dit que le feu roi te fit emprisonner pour te punir d'avoir mené la nuit le prince d'Espagne dans un lieu suspect; mais je n'en sais pas davantage, et je ne puis deviner quel rôle Calderone a joué dans cette pièce. Le rôle d'un amant qui se venge d'un outrage reçu, lui répondis-je. En même temps je lui fis un détail de l'aventure, qu'il trouva si divertissante que, tout grave qu'il était, il ne put s'empêcher d'en rire, ou plutôt d'en pleurer de plaisir. Catalina, tantôt nièce et tantôt petite-fille, le réjouit infiniment, aussi bien que la part qu'avait eue à tout cela le duc de Lerme.

Lorsque j'eus achevé mon récit, le comte me renvoya, en me disant que le lendemain il ne manquerait pas de m'occuper. Je courus aussitôt à l'hôtel de Zuñiga pour remercier don Baltazar de ses bons offices, et pour rendre compte à mon ami Joseph de la disposition favorable où le premier ministre était pour moi.

CHAPITRE V

De l'entretien secret que Gil Blas eut avec Navarro, et de la première occupation que le comte d'Olivarès lui donna.

D'abord que je vis Joseph, je lui dis avec agitation que j'avais bien des choses à lui apprendre. Il me mena dans un endroit particulier, où, l'ayant mis au fait, je lui demandai ce qu'il pensait de ce que je venais de lui dire. Je pense, me répondit-il, que vous êtes en train de faire une grosse fortune ; tout vous rit : vous plaisez au premier ministre ; et, ce qui ne doit pas être compté pour rien, c'est que je puis vous rendre le même service que vous rendit mon oncle Melchior de la Ronda, quand vous entrâtes à l'archevêché de Grenade. Il vous épargna la peine d'étudier le prélat et ses principaux officiers, en vous découvrant leurs différents caractères ; je veux à son exemple vous faire connaître le comte, la comtesse son épouse, et doña Maria de Guzman, leur fille unique.

Le ministre a l'esprit vif[140], pénétrant et propre à former de grands projets. Il se donne pour un homme universel, parce qu'il a une légère teinture de toutes les sciences ; il se croit capable de décider de tout. Il s'imagine être un profond jurisconsulte, un grand capitaine et un politique des plus raffinés. Ajoutez à cela qu'il est si entêté de ses opinions, qu'il les veut toujours suivre préférablement à celles des autres de peur de paraître déférer aux lumières de quelqu'un. Entre nous, ce défaut peut avoir d'étranges suites, dont le Ciel veuille préserver la monarchie ! Il brille dans le conseil par une éloquence naturelle, et il écrirait aussi bien qu'il parle, s'il n'affectait pas, pour donner plus de dignité à son style, de le rendre obscur et trop recherché. Il pense singulièrement ; il est capricieux et chimérique. Tel est le portrait de son esprit, et voici celui de son cœur. Il est généreux et bon ami. On le dit vindicatif, mais quel Espagnol ne l'est pas ? De plus on l'accuse d'ingratitude pour avoir fait exiler le duc d'Uzède et le frère Louis Aliaga, auxquels il avait, dit-on, de grandes obligations ; c'est ce qu'il faut encore lui pardonner, l'envie d'être premier ministre dispense d'être reconnaissant.

Doña Agnès de Zuñiga è Velasco, comtesse d'Olivarès, poursuivit Joseph, est une dame à qui je ne connais que le défaut de vendre au poids de l'or les grâces qu'elle fait obtenir. Pour doña Maria de Guzman, qui sans contredit est aujourd'hui le premier parti d'Espagne, c'est une personne accomplie et l'idole de son père. Réglez-vous là-dessus; faites bien votre cour à ces deux dames, et paraissez encore plus dévoué au comte d'Olivarès que vous ne l'étiez au duc de Lerme avant votre voyage de Ségovie : vous deviendrez un haut et puissant seigneur.

Je vous conseille encore, ajouta-t-il, de voir de temps en temps don Baltazar mon maître; quoique vous n'ayez plus besoin de lui pour vous avancer, ne laissez pas de le ménager. Vous êtes bien dans son esprit; conservez son estime et son amitié, il peut dans l'occasion vous servir. Comme l'oncle et le neveu, dis-je à Navarro, gouvernent ensemble l'Etat, n'y aurait-il point un peu de jalousie entre ces deux collègues ? Au contraire, me répondit-il, ils sont dans la plus parfaite union. Sans don Baltazar, le comte d'Olivarès ne serait peut-être pas premier ministre; car enfin, après la mort de Philippe III, tous les amis et les partisans de la maison de Sandoval se donnèrent de grands mouvements, les uns en faveur du cardinal, et les autres pour son fils; mais mon maître, le plus délié des courtisans[141], et le comte, qui n'est guère moins fin que lui, rompirent leurs mesures, et en prirent de si justes pour s'assurer cette place qu'ils l'emportèrent sur leurs concurrents. Le comte d'Olivarès, étant devenu premier ministre, a fait part de son administration [142] à don Baltazar son oncle, lui a laissé le soin des affaires du dehors et s'est réservé celles du dedans. De sorte que, resserrant par là les nœuds de l'amitié qui doit naturellement lier les personnes d'un même sang, ces deux seigneurs, indépendants l'un de l'autre, vivent dans une intelligence qui me paraît inaltérable.

Telle fut la conversation que j'eus avec Joseph, et dont je me promis bien de profiter; après quoi j'allai remercier le seigneur de Zuñiga de ce qu'il avait eu la bonté de faire pour moi. Il me dit fort poliment qu'il saisirait toujours les occasions où il s'agirait de me faire plaisir, et qu'il était bien aise que je fusse satisfait de son neveu, auquel il m'assura qu'il parlerait encore en ma faveur : voulant du moins, disait-il, me faire voir par là que mes intérêts lui étaient chers, et qu'au lieu d'un protecteur j'en avais deux. C'est ainsi que don Baltazar, par amitié pour Navarro, prenait ma fortune à cœur.

Dès ce soir-là même j'abandonnai mon hôtel garni pour aller loger chez le premier ministre où je soupai avec Scipion dans mon appartement. Nous y fûmes servis tous deux par des domestiques du logis, qui, pendant le repas, tandis que nous affections une gravité imposante, riaient peut-être en eux-mêmes du respect de commande qu'ils avaient pour nous. Lorsqu'après avoir desservi ils se furent retirés, mon secrétaire, cessant de se contraindre, me dit mille folies que son humeur gaie et ses espérances lui inspirèrent. Pour moi, quoique ravi de la brillante situation où je commençais à me voir, je ne me sentais encore aucune disposition à m'en laisser éblouir. Aussi, m'étant couché, je m'endormis tranquillement sans livrer mon esprit aux idées agréables dont je pouvais l'occuper, au lieu que l'ambitieux Scipion prit peu de repos. Il passa plus de la moitié de la nuit à thésauriser pour marier sa fille Séraphine.

J'étais à peine habillé le lendemain matin qu'on me vint chercher de la part de monseigneur. Je fus bientôt auprès de Son Excellence, qui me dit : Oh çà! Santillane, voyons un peu ce que tu sais faire. Tu m'as dit que le duc de Lerme te donnait des mémoires à rédiger; j'en ai un que je te destine pour ton coup d'essai. Je vais t'en dire la matière : il est question de composer un ouvrage qui prévienne le public en faveur de mon ministère. J'ai déjà fait courir le bruit [143] secrètement que j'ai trouvé les affaires fort dérangées; il s'agit présentement d'exposer aux yeux de la Cour et de la Ville le misérable état où la monarchie est réduite. Il faut faire là-dessus un tableau qui frappe le peuple et l'empêche de regretter mon prédécesseur. Après cela tu vanteras les mesures que j'ai prises pour rendre le règne du roi glorieux, ses Etats florissants, et ses sujets parfaitement heureux.

Après que monseigneur m'eut parlé de cette sorte, il me mit entre les mains un papier qui contenait les justes sujets qu'on avait de se plaindre de l'administration précédente; et je me souviens qu'il y avait dix articles [144], dont le moins important était capable d'alarmer les bons Espagnols; puis, m'ayant fait passer dans un petit cabinet voisin du sien, il m'y laissa travailler en liberté. Je commençai donc à composer mon mémoire le mieux qu'il me fut possible. J'exposai d'abord le mauvais état où se trouvait le royaume : les finances dissipées, les revenus royaux engagés à des partisans, et la marine ruinée. Je rapportai ensuite les fautes commises par ceux qui avaient gouverné l'Etat sous le dernier règne, et les suites fâcheuses qu'elles pouvaient avoir. Enfin je peignis la monarchie en péril, et censurai si vivement le précédent ministre que la perte du duc de Lerme était, suivant mon mémoire, un grand bonheur pour l'Espagne. Pour dire la vérité, quoique je n'eusse aucun ressentiment contre ce seigneur, je ne fus pas fâché de lui rendre ce bon office : Voilà l'homme.

Enfin après une peinture effrayante des maux qui menaçaient l'Espagne, je rassurais les esprits en faisant avec art concevoir aux peuples de belles espérances pour l'avenir. Je faisais parler le comte d'Olivarès comme un restaurateur envoyé du Ciel pour le salut de la nation; je promettais monts et merveilles. En un mot, j'entrai si bien dans les vues du nouveau ministre qu'il parut surpris de mon ouvrage lorsqu'il l'eut lu tout entier. Santillane, me dit-il, sais-tu bien que tu viens de faire un morceau digne d'un secrétaire d'Etat ? Je ne m'étonne plus si le duc de Lerme exerçait ta plume. Ton style est concis et même élégant; mais je le trouve un peu trop naturel. En même temps, m'ayant fait remarquer les endroits qui n'étaient pas de son goût, il les changea et je jugeai par ses corrections qu'il aimait, comme Navarro me l'avait dit, les expressions recherchées et l'obscurité. Néanmoins quoiqu'il voulût de la noblesse ou pour mieux dire du précieux dans la diction, il ne laissa pas de conserver les deux tiers de mon mémoire; et, pour me témoigner jusqu'à quel point il en était satisfait, il m'envoya par don Raimond trois cents pistoles à l'issue de mon dîner.

CHAPITRE VI

De l'usage que Gil Blas fit de ces trois cents pistoles, et des soins dont il chargea Scipion. Succès du mémoire dont on vient de parler.

Ce bienfait du ministre fournit à Scipion un nouveau sujet de me féliciter d'être venu à la Cour. Vous voyez, me dit-il, que la fortune a de grands desseins sur Votre Seigneurie. Etes-vous fâché présentement d'avoir quitté votre solitude? Vive le comte d'Olivarès! c'est bien un autre patron que son prédécesseur. Le duc de Lerme, quoique vous lui fussiez fort attaché, vous laissa languir plusieurs mois sans vous faire présent d'une pistole; et le comte vous a déjà fait une gratification que vous n'auriez osé espérer qu'après de longs services.

Je voudrais bien, ajouta-t-il, que les seigneurs de Leyva fussent témoins du bonheur dont vous jouissez, ou du moins qu'ils le sussent. Il est temps de les en informer, lui répondis-je, et c'est de quoi j'allais te parler. Je ne doute pas qu'ils n'aient une extrême impatience d'apprendre de mes nouvelles; mais j'attendais, pour leur en donner, que je me visse dans un état fixe, et que je pusse leur mander positivement si je demeurerais ou non à la Cour. A présent que je suis sûr de mon fait, tu n'as qu'à partir pour Valence quand il te plaira, pour aller instruire ces seigneurs de ma situation présente, que je regarde comme leur ouvrage, puisqu'il est certain que sans eux je ne me serais jamais déterminé à faire le voyage de Madrid. Mon cher maître, s'écria le fils de la Coscolina, que je vais leur causer de joie en leur racontant ce qui vous est arrivé! Que ne suis-je déjà aux portes de Valence! mais j'y serai bientôt. Les deux chevaux de don Alphonse sont tout prêts. Je vais me mettre en chemin avec un laquais de monseigneur. Outre que je serai bien aise d'avoir un compagnon sur la route, vous savez que la livrée d'un premier ministre jette de la poudre aux yeux.

Je ne pus m'empêcher de rire de la sotte vanité de mon

secrétaire; et cependant, plus vain peut-être encore que lui, je le laissai faire ce qu'il voulut : Pars, lui dis-je, et reviens promptement; car j'ai une autre commission à te donner. Je veux t'envoyer aux Asturies porter de l'argent à ma mère. J'ai par négligence laissé passer le temps auquel j'ai promis de lui faire tenir cent pistoles que tu t'es obligé de lui remettre toi-même en main propre. Ces sortes de paroles doivent être si sacrées pour un fils que je me reproche mon peu d'exactitude à les garder. Monsieur, me répondit Scipion, dans six semaines je vous rendrai compte de ces deux commissions; j'aurai parlé aux seigneurs de Leyva, fait un tour à votre château et revu la ville d'Oviedo, dont je ne puis me rappeler le souvenir sans donner au diable les trois quarts et demi de ses habitants. Je comptai donc au fils de la Coscolina cent pistoles pour la pension de ma mère avec cent autres pour lui, voulant qu'il fît gracieusement le long voyage qu'il allait entreprendre.

Quelques jours après son départ, monseigneur fit imprimer notre mémoire, qui ne fut pas plus tôt rendu public qu'il devint le sujet de toutes les conversations de Madrid. Le peuple, ami de la nouveauté, fut charmé de cet écrit; l'épuisement des finances qui était peint avec de vives couleurs le révolta contre le duc de Lerme; et, si les coups de griffe qu'y recevait ce ministre ne furent pas applaudis de tout le monde, du moins ils trouvèrent des approbateurs. Quant aux magnifiques promesses que le comte d'Olivarès y faisait, et entre autres celle de fournir par une sage économie aux dépenses de l'Etat, sans incommoder les sujets, elles éblouirent les citoyens en général, et les confirmèrent dans la grande opinion qu'ils avaient déjà de ses lumières : si bien que toute la ville retentit de ses louanges.

Ce ministre, ravi de se voir parvenu à son but, qui n'avait été dans cet ouvrage que de s'attirer l'affection publique, voulut la mériter véritablement par une action louable, et qui fût utile au roi. Pour cet effet, il eut recours à l'invention de l'empereur Galba [145], c'est-à-dire qu'il fit rendre gorge aux particuliers qui s'étaient enrichis, Dieu sait comment, dans les régies royales. Quand il eut tiré de ces sangsues le sang qu'elles avaient sucé, et qu'il en eut rempli les coffres du roi, il entreprit de l'y conserver, en faisant supprimer toutes les pensions, sans en excepter la sienne, aussi bien que les gratifications qui se faisaient des deniers du prince. Pour réussir dans ce dessein, qu'il ne pouvait exécuter sans changer la face du gouvernement, il me chargea de composer un nouveau mémoire dont il me dit la substance et la forme. Ensuite il me recommanda de m'élever autant qu'il me serait possible au-dessus de la simplicité ordinaire de mon style pour donner plus de noblesse à mes phrases. Cela suffit, Monseigneur, lui dis-je; Votre Excellence veut du sublime et du lumineux, elle en aura. Je m'enfermai dans le même cabinet où j'avais déjà travaillé; et là, je me mis à l'ouvrage, après avoir invoqué le génie éloquent de l'archevêque de Grenade.

Je débutai par représenter qu'il fallait garder avec soin tout l'argent qui était dans le Trésor royal, et qu'il ne devait être employé qu'aux seuls besoins de la monarchie; comme étant un fonds sacré, qu'il était à propos de réserver pour tenir en respect les ennemis de l'Espagne. Ensuite je faisais voir au monarque, car c'était à lui que s'adressait le mémoire, qu'en ôtant toutes les pensions et les gratifications qui se prenaient sur ses revenus ordinaires, il ne se priverait point pour cela du plaisir de récompenser ceux de ses sujets qui se rendraient dignes de ses grâces, puisque, sans toucher à son Trésor, il était en état de leur donner de grandes récompenses [146] : qu'il avait pour les uns des vice-royautés, des gouvernements, des ordres de chevalerie, des emplois militaires : pour les autres, des commanderies ou des pensions dessus, des titres avec des magistratures; et enfin toutes sortes de bénéfices pour les personnes consacrées au culte des autels.

Ce mémoire, qui était beaucoup plus long que le premier, m'occupa près de trois jours; mais heureusement je le fis à la fantaisie de mon maître, qui, le trouvant écrit avec emphase et farci de métaphores, m'accabla de louanges. Je suis bien content de cela, me dit-il en me montrant les endroits les plus enflés; voilà des expressions marquées au bon coin. Courage, mon ami, je prévois que tu me seras d'une grande utilité. Cependant, malgré les applaudissements qu'il me prodigua, il ne laissa pas de retoucher le mémoire. Il y mit beaucoup du sien, et fit une pièce d'éloquence qui charma le roi et toute la Cour. La ville y joignit son approbation, augura bien pour l'avenir, et se flatta que la monarchie reprendrait son ancien lustre [147] sous le ministère d'un si grand personnage. Son Excellence, voyant que cet écrit lui faisait beaucoup d'honneur, voulut, pour la part que j'y avais, que j'en recueillisse quelque fruit; elle me fit donner une pension de cinq cents écus sur la commanderie de Castille : ce qui me fut d'autant plus agréable, que ce n'était pas un bien mal acquis, quoique je l'eusse gagné bien aisément.

CHAPITRE VII

Par quel hasard, dans quel endroit et dans quel état Gil Blas retrouva son ami Fabrice, et de l'entretien qu'ils eurent ensemble.

Rien ne faisait plus de plaisir à Monseigneur que d'apprendre ce qu'on pensait à Madrid de la conduite qu'il tenait dans son ministère. Il me demandait tous les jours ce qu'on disait de lui dans le monde. Il avait même des espions qui pour son argent lui rendaient un compte exact de tout ce qui se passait dans la ville. Ils lui rapportaient jusqu'aux moindres discours qu'ils avaient entendus ; et, comme il leur ordonnait d'être sincères, son amour-propre en souffrait quelquefois ; car le peuple a une intempérance de langue qui ne respecte rien.

Quand je m'aperçus que le comte aimait qu'on lui fît des rapports, je me mis sur le pied d'aller l'après-dînée dans des lieux publics, et de me mêler à la conversation des honnêtes gens, quand il s'y en trouvait. Lorsqu'ils parlaient du gouvernement, je les écoutais avec attention, et s'ils disaient quelque chose qui méritât d'être redit à Son Excellence, je ne manquais pas de lui en faire part. Mais il faut observer que je ne lui rapportais rien qui ne fût à son avantage.

Un jour, en revenant de l'un de ces endroits, je passai devant la porte d'un hôpital. Il me prit envie d'y entrer. Je parcourus deux ou trois salles remplies de malades alités en promenant ma vue de toutes parts. Parmi ces malheureux, que je ne regardais pas sans compassion, j'en remarquai un qui me frappa ; je crus reconnaître en lui Fabrice, mon ancien camarade et mon compatriote. Pour le voir de plus près, je m'approchai de son lit, et, ne pouvant douter que ce ne fût le poète Nuñez, je demeurai quelques moments à le considérer sans rien dire. De son côté, il me remit aussi et m'envisagea de la même façon. Enfin rompant le silence : Mes yeux, lui dis-je, ne me trompent-ils point ? est-ce en effet Fabrice que je rencontre ici ? C'est lui-même, répondit-il froidement, et tu ne dois pas t'en étonner. Depuis que je t'ai quitté, j'ai toujours fait le métier d'auteur ; j'ai composé des romans, des comédies, toutes sortes d'ouvrages d'esprit. J'ai fait mon chemin ; je suis à l'hôpital.

Je ne pus m'empêcher de rire de ces paroles, et encore plus de l'air sérieux dont il les avait accompagnées. Eh quoi ! m'écriai-je, ta muse t'a conduit dans ce lieu ! elle t'a joué ce vilain tour-là ! Tu le vois, répondit-il, cette maison sert souvent de retraite aux beaux esprits. Tu as bien fait, mon enfant, de prendre une autre route que moi. Mais tu n'es plus, ce me semble, à la Cour, et tes affaires ont changé de face : je me souviens même d'avoir ouï dire que tu étais en prison par ordre du roi. On t'a dit la vérité, lui répliquai-je ; la situation charmante où tu me laissas quand nous nous séparâmes fut peu de temps après suivie d'un revers de fortune qui m'enleva mes biens et ma liberté. Cependant, mon ami, tu me revois dans un état plus brillant encore que celui où tu m'as vu. Cela n'est pas possible, dit Nuñez, ton maintien est sage et modeste ; tu n'as pas l'air vain et insolent que donne ordinairement la prospérité. Les disgrâces, repris-je, ont purifié ma vertu ; et j'ai appris à l'école de l'adversité à jouir des richesses sans m'en laisser posséder.

Dis-moi donc, interrompit Fabrice en se mettant avec transport à son séant, quel peut être ton emploi ? Que fais-tu présentement ? Ne serais-tu pas intendant d'un grand seigneur ruiné ou de quelque veuve opulente ? J'ai un meilleur poste, lui repartis-je; mais dispense-moi, je te prie, de t'en dire davantage à présent, je satisferai une autre fois ta curiosité. Je me contente en ce moment de t'apprendre que je suis en état de te faire plaisir, ou plutôt de te mettre à ton aise pour le reste de tes jours, pourvu que tu me promettes de ne plus composer d'ouvrages d'esprit, soit en vers, soit en prose. Te sens-tu capable de me faire un si grand sacrifice ? Je l'ai déjà fait au Ciel, me dit-il, dans une maladie mortelle dont tu me vois échappé. Un père de Saint-Dominique m'a fait abjurer la poésie, comme un amusement qui, s'il n'est pas criminel, détourne du moins du but de la sagesse.

Je t'en félicite, lui répliquai-je, mon cher Nuñez, mais gare la rechute ! C'est ce que je n'appréhende point du tout, repartit-il. J'ai pris une ferme résolution d'abandonner les muses : quand tu es entré dans cette salle, je composais des vers pour leur dire un éternel adieu. Monsieur Fabrice, lui dis-je alors en branlant la tête, je ne sais si nous devons, le père de Saint-Dominique et moi, nous fier à votre abjuration : vous me paraissez furieusement épris de ces doctes pucelles. Non, non, me répondit-il, j'ai rompu tous les nœuds qui m'attachaient à elles. J'ai plus fait : j'ai pris le public en aversion [148]. Il ne mérite pas qu'il y ait des auteurs qui veuillent lui consacrer leurs travaux; je serais fâché de faire quelque production qui lui plût. Ne crois pas, continua-t-il, que le chagrin me dicte ce langage; je te parle de sang-froid. Je méprise autant les applaudissements du public que ses sifflets. On ne sait qui gagne ou qui perd avec lui. C'est un capricieux qui pense aujourd'hui d'une façon, et qui demain pensera d'une autre. Que les poètes dramatiques sont fous de tirer vanité de leurs pièces quand elles réussissent ! Quelque bruit qu'elles fassent dans leur nouveauté, si on les remet au théâtre vingt ans après, elles sont pour la plupart assez mal reçues. La génération présente accuse de mauvais goût celle qui l'a précédée; et ses jugements sont contredits à leur tour par ceux de la génération suivante. D'où je conclus que les auteurs qui sont applaudis présentement doivent s'attendre à être sifflés dans la suite. Il en est de même des romans et des autres livres amusants qu'on met au jour; quoiqu'ils aient d'abord une approbation générale, ils tombent insensiblement dans le mépris. L'honneur qui nous revient de l'heureux succès d'un ouvrage n'est donc qu'une pure chimère, qu'une illusion de l'esprit, qu'un feu de paille dont la fumée se dissipe bientôt dans les airs.

Quoique je jugeasse bien que le poète des Asturies ne parlait ainsi que par mauvaise humeur, je ne fis pas semblant de m'en apercevoir. Je suis ravi, lui dis-je, que tu sois dégoûté du bel esprit et radicalement guéri de la rage d'écrire. Tu peux compter que je te ferai donner incessamment un emploi, où tu pourras t'enrichir sans être obligé de faire une grande dépense de génie. Tant mieux, s'écria-t-il; l'esprit me pue, et je le regarde à l'heure qu'il est comme le présent le plus funeste que le Ciel puisse faire à l'homme. Je souhaite, repris-je, mon cher Fabrice, que tu conserves toujours les sentiments où tu es. Si tu persistes à vouloir quitter la poésie, je te le répète, je te ferai obtenir bientôt un poste honnête et lucratif. Mais en attendant que je te rende ce service, ajoutai-je en lui présentant une bourse où il y avait une soixantaine de pistoles, je te prie de recevoir cette petite marque d'amitié.

O généreux ami! s'écria le fils du barbier Nuñez, transporté de joie et de reconnaissance, quelles grâces n'ai-je pas à rendre au Ciel de t'avoir fait entrer dans cet hôpital, d'où je vais dès ce jour sortir par ton assistance! comme effectivement il se fit transporter dans une chambre garnie. Mais avant que de nous séparer, je lui enseignai ma demeure, et l'invitai à me venir voir aussitôt que sa santé serait rétablie. Il fit paraître une extrême surprise, lorsque je lui dis que j'étais logé chez le comte d'Olivarès. O trop heureux Gil Blas, me dit-il, dont le sort est de plaire aux ministres! je me réjouis de ton bonheur, puisque tu en fais un si bon usage.

CHAPITRE VIII

Gil Blas se rend de jour en jour plus cher à son maître. Du retour de Scipion à Madrid, et de la relation qu'il fit de son voyage à Santillane.

Le comte d'Olivarès, que j'appellerai désormais *le comte-duc*, parce qu'il plut au roi dans ce temps-là de l'honorer de ce titre, avait un faible que je ne découvris pas infructueusement; c'était de vouloir être aimé. Dès qu'il s'apercevait que quelqu'un s'attachait à lui par inclination, il le prenait en amitié. Je n'eus garde de négliger cette observation. Je ne me contentais pas de bien faire ce qu'il me commandait; j'exécutais ses ordres avec des démonstrations de zèle qui le ravissaient. J'étudiais son goût en toutes choses pour m'y conformer, et prévenais ses désirs autant qu'il m'était possible.

Par cette conduite, qui mène presque toujours au but, je devins insensiblement le favori de mon maître, qui, de son côté, comme j'avais le même faible que lui, me gagna l'âme par les marques d'affection qu'il me donna. Je m'insinuai si avant dans ses bonnes grâces que je parvins à partager sa confiance avec le seigneur Carnero, son premier secrétaire.

Carnero s'était servi du même moyen que moi pour plaire à Son Excellence; et il y avait si bien réussi qu'elle lui faisait part des mystères du cabinet. Nous étions donc, ce secrétaire et moi, les deux confidents du premier ministre et les dépositaires de ses secrets : avec cette différence qu'il ne parlait à Carnero que d'affaires d'Etat, et qu'il ne m'entretenait, moi, que de ses intérêts particuliers; ce qui faisait, pour ainsi dire, deux départements séparés, dont nous étions également satisfaits l'un et l'autre. Nous vivions ensemble sans jalousie comme sans amitié. J'avais sujet d'être content de ma place, qui, me donnant sans cesse occasion d'être avec le comte-duc, me mettait à portée de voir le fond de son âme, que, tout dissimulé qu'il était naturellement, il cessa de me cacher, lorsqu'il ne douta plus de la sincérité de mon attachement pour lui.

Santillane, me dit-il un jour, tu as vu le duc de Lerme jouir d'une autorité qui ressemblait moins à celle d'un ministre favori qu'à la puissance d'un monarque absolu : cependant je suis encore plus heureux qu'il n'était au plus haut point de sa fortune. Il avait deux ennemis redoutables dans le duc d'Uzède, son propre fils, et dans le confesseur de Philippe III, au lieu que je ne vois personne auprès du roi qui ait assez de crédit pour me nuire, ni même que je soupçonne de mauvaise volonté pour moi.

Il est vrai, poursuivit-il, qu'à mon avènement au ministère j'ai eu grand soin de ne souffrir auprès du prince que des sujets à qui le sang ou l'amitié me lient. Je me suis défait, par des vice-royautés ou par des ambassades, de tous les seigneurs qui par leur mérite personnel auraient pu m'enlever quelque portion des bonnes grâces du souverain, que je veux posséder entièrement : de sorte que je puis dire, à l'heure qu'il est, qu'aucun Grand ne fait ombre à mon crédit. Tu vois, Gil Blas, ajouta-t-il, que je te découvre mon cœur. Comme j'ai lieu de penser que tu m'es tout dévoué, je t'ai choisi pour mon confident. Tu as de l'esprit; je te crois sage, prudent, discret; en un mot, tu me parais propre à te bien acquitter de vingt sortes de commissions qui demandent un garçon plein d'intelligence, et qui soit dans mes intérêts.

Je ne fus point à l'épreuve des images flatteuses que ces paroles offrirent à mon esprit. Quelques vapeurs d'avarice et d'ambition me montèrent subitement à la tête, et réveillèrent en moi des sentiments dont je croyais avoir triomphé. Je protestai au ministre que je répondrais de tout mon pouvoir à ses intentions, et je me tins prêt à exécuter sans scrupule tous les ordres dont il jugerait à propos de me charger.

Pendant que j'étais ainsi disposé à dresser de nouveaux autels à la fortune, Scipion revint de son voyage. Je n'ai pas, me dit-il, un long récit à vous faire : j'ai charmé les seigneurs de Leyva, en leur apprenant l'accueil que le roi vous a fait lorsqu'il vous a reconnu, et la manière dont le comte d'Olivarès en use avec vous.

J'interrompis Scipion : Mon ami, lui dis-je, tu leur aurais fait encore plus de plaisir, si tu leur avais pu dire sur quel pied je suis aujourd'hui auprès de monseigneur. C'est une chose prodigieuse que la rapidité des progrès que j'ai faits depuis ton départ dans le cœur de Son Excellence. Dieu en soit loué, mon cher maître! me répondit-il : je pressens que nous aurons de belles destinées à remplir.

Changeons de matière, lui dis-je; parlons d'Oviedo. Tu as été aux Asturies. Dans quel état y as-tu laissé ma mère ? Ah! Monsieur, me repartit-il en prenant tout à coup un air triste, je n'ai que des nouvelles affligeantes à vous annoncer de ce côté-là. O Ciel! m'écriai-je, ma mère est morte assurément! Il y a six mois, dit mon secrétaire, que la bonne dame a payé le tribut à la nature, aussi bien que le seigneur Gil Perez, votre oncle.

La mort de ma mère me causa une vive affliction, quoique dans mon enfance je n'eusse point reçu d'elle ces caresses dont les enfants ont grand besoin pour devenir reconnaissants dans la suite. Je donnai aussi au bon chanoine les larmes que je lui devais pour le soin qu'il avait eu de mon éducation. Ma douleur à la vérité ne fut pas longue, et dégénéra bientôt en un souvenir tendre que j'ai toujours conservé de mes parents.

CHAPITRE IX

Comment et à qui le comte-duc maria sa fille unique ; et des fruits amers que ce mariage produisit.

Peu de temps après le retour du fils de la Coscolina, le comte-duc tomba dans une rêverie où il demeura plongé pendant huit jours. Je m'imaginais qu'il méditait quelque grand coup d'Etat; mais ce qui le faisait rêver ne regardait que sa famille. Gil Blas, me dit-il une après-dînée, tu dois t'être aperçu que j'ai l'esprit embarrassé. Oui, mon enfant, je suis occupé d'une affaire [149] d'où dépend le repos de ma vie. Je veux bien t'en faire confidence.

Doña Maria, ma fille, continua-t-il, est nubile, et il se présente un grand nombre de seigneurs qui se la disputent. Le comte de Niéblès, fis aîné du duc de Medina Sidonia, chef de la maison de Guzman, et don Louis de Haro, fils aîné du marquis de Carpio et de ma sœur aînée, sont les deux concurrents qui paraissent le plus en droit d'obtenir la préférence. Le dernier surtout a un mérite si supérieur à celui de ses rivaux, que toute la Cour ne doute pas que je ne fasse choix de lui pour mon gendre. Néanmoins, sans entrer dans les raisons que j'ai de lui donner l'exclusion, de même qu'au comte de Niéblès, je te dirai que j'ai jeté les yeux sur don Ramire Nuñez de Guzman, marquis de Toral, chef de la maison des Guzman d'Abrados. C'est à ce jeune seigneur et aux enfants qu'il aura de ma fille que je prétends laisser tous mes biens, et les annexer au titre de comte d'Olivarès, auquel je joindrai la grandesse; de manière que mes petits-fils et leurs descendants sortis de la branche d'Abrados et de celle d'Olivarès passeront pour les aînés de la maison de Guzman.

Eh bien! Santillane, ajouta-t-il, n'approuves-tu pas mon dessein ? Pardonnez-moi, Monseigneur, lui répondis-je, ce projet est digne du génie qui l'a formé; tout ce que je crains, c'est que le duc de Medina Sidonia pourra bien en murmurer. Qu'il en murmure s'il veut, reprit le ministre, je m'en mets fort peu en peine. Je n'aime point sa branche, qui a usurpé sur celle d'Abrados le droit d'aînesse et les titres qui y sont attachés. Je serai moins sensible à ses plaintes qu'au chagrin qu'aura la marquise de Carpio, ma sœur, de voir échapper ma fille à son fils. Mais après tout je veux me satisfaire, et don Ramire l'emportera sur ses rivaux; c'est une chose décidée.

Le comte-duc, ayant pris cette résolution, ne l'exécuta pas sans donner une nouvelle marque de sa politique singulière. Il présenta un mémoire au roi, pour le prier, aussi bien que la reine, de vouloir bien marier eux-mêmes sa fille, en leur exposant les qualités des seigneurs qui la recherchaient, et s'en remettant entièrement au choix que feraient Leurs Majestés : mais il ne laissait pas, en parlant du marquis de Toral, de faire connaître que c'était celui de tous qui lui était le plus agréable. Aussi le roi, qui avait une complaisance aveugle pour son ministre, lui fit cette réponse : *Je crois don Ramire Nuñez digne de doña Maria ; cependant choisissez vous-même. Le parti qui vous conviendra le mieux sera celui qui me plaira davantage.*

LE ROI.

Le ministre affecta de montrer cette réponse; et, feignant de la regarder comme un ordre du prince, il se hâta de marier sa fille au marquis de Toral. Ce qui piqua vivement la marquise de Carpio, de même que tous les Guzman qui s'étaient flattés de l'espérance d'épouser doña Maria. Néanmoins, les uns et les autres, ne pouvant empêcher ce mariage, affectèrent de le célébrer avec les plus grandes démonstrations de joie. On eût dit que toute la famille en était charmée; mais les mécontents furent bientôt vengés d'une manière très cruelle pour le comte-duc. Doña

Maria accoucha au bout de dix mois d'une fille qui mourut en naissant, et fut elle-même peu de jours après la victime de sa couche.

Quelle perte pour un père qui n'avait, pour ainsi dire, des yeux que pour sa fille, et qui voyait avorter par là le dessein d'ôter le droit d'aînesse à la branche de Medina Sidonia! Il en fut si pénétré qu'il s'enferma pendant quelques jours et ne voulut voir personne que moi, qui, me conformant à sa vive douleur, parus aussi touché que lui. Il faut dire la vérité, je me servis de cette occasion pour donner de nouvelles larmes à la mémoire d'Antonia. Le rapport que sa mort avait avec celle de la marquise de Toral rouvrit une plaie mal fermée, et me mit si bien en train de m'affliger que le ministre, tout accablé qu'il était de sa propre douleur, fut frappé de la mienne. Il était étonné de me voir entrer si chaudement dans ses chagrins. Gil Blas, me dit-il un jour que je lui parus plongé dans une tristesse mortelle, c'est une assez douce consolation pour moi d'avoir un confident si sensible à mes peines. Ah! Monseigneur, lui répondis-je en lui faisant tout l'honneur de mon affliction, il faudrait que je fusse bien ingrat et d'un naturel bien dur si je ne les sentais pas vivement. Puis-je penser que vous pleurez une fille d'un mérite accompli, et que vous aimiez si tendrement, sans mêler mes pleurs aux vôtres ? Non, Monseigneur, je suis trop plein de vos bontés pour ne partager pas toute ma vie vos plaisirs et vos ennuis.

CHAPITRE X

Gil Blas rencontre par hasard le poète Nuñez, qui lui apprend qu'il a fait une tragédie qui doit être incessamment représentée sur le Théâtre du Prince. Du malheureux succès de cette pièce, et du bonheur étonnant dont il fut suivi.

Le ministre commençait à se consoler et moi par conséquent à reprendre ma bonne humeur, lorsqu'un soir je sortis tout seul en carrosse pour aller à la promenade. Je rencontrai en chemin le poète des Asturies, que je n'avais pas revu depuis sa sortie de l'hôpital. Il était fort proprement vêtu. Je l'appelai; je le fis monter dans mon carrosse, et nous nous promenâmes ensemble dans le pré Saint-Jérôme.

Monsieur Nuñez, lui dis-je, il est heureux pour moi de vous avoir rencontré par hasard; sans cela je n'aurais pas le plaisir que j'ai de... Point de reproches, Santillane, interrompit-il avec précipitation; je t'avouerai de bonne foi que je n'ai pas voulu t'aller voir : je vais t'en dire la raison. Tu m'as promis un bon poste, pourvu que j'abjure la poésie; et j'en ai trouvé un très solide, à condition que je ferai des vers. J'ai accepté ce dernier comme le plus convenable à mon honneur. Un de mes amis m'a placé auprès de don Bertrand Gomez del Ribero, trésorier des galères du roi. Ce don Bertrand, qui voulait avoir un bel esprit à ses gages, ayant trouvé ma versification très brillante, m'a choisi préférablement à cinq ou six auteurs qui se présentaient pour remplir l'emploi de secrétaire de ses commandements.

J'en suis ravi, mon cher Fabrice, lui dis-je; car ce don Bertrand est apparemment fort riche. Comment, riche! me répondit-il; on dit qu'il ignore lui-même jusqu'à quel point il l'est. Quoi qu'il en soit, voici en quoi consiste l'emploi que j'occupe chez lui. Comme il se pique d'être galant, et qu'il veut passer pour homme d'esprit, il est en commerce de lettres avec plusieurs dames fort spirituelles, et je lui prête ma plume pour composer des billets remplis de sel et d'agrément. J'écris pour lui à l'une en vers, à l'autre en prose, et je porte quelquefois les lettres moi-même pour faire voir la multiplicité de mes talents.

Mais tu ne m'apprends pas, lui dis-je, ce que je souhaite le plus de savoir. Es-tu bien payé de tes épigrammes épistolaires ? Très grassement, répondit-il. Les gens riches ne sont pas tous généreux, et j'en connais qui sont de francs vilains : mais don Bertrand en use avec moi fort noblement. Outre deux cents pistoles de gages fixes, je reçois de lui de temps en temps de petites gratifications; ce qui me met en état de faire le seigneur, et de bien passer mon temps avec quelques auteurs, ennemis comme moi du chagrin. Au reste, repris-je, ton trésorier a-t-il assez de goût pour sentir les beautés d'un ouvrage d'esprit, et pour en apercevoir les défauts ? Oh! que non, me répondit Nuñez; quoiqu'il ait un babil imposant, ce n'est point un connaisseur. Il ne laisse pas de se donner pour un *Tarpa* [150]. Il décide hardiment, et soutient son opinion d'un ton si haut et avec tant d'opiniâtreté que le plus souvent, lorsqu'il dispute, on est obligé de lui céder pour éviter une grêle de traits désobligeants dont il a coutume d'accabler ses contradicteurs.

Tu peux croire, poursuivit-il, que j'ai grand soin de ne le contredire jamais, quelque sujet qu'il m'en donne; car outre les épithètes désagréables que je ne manquerais pas de m'attirer, je pourrais fort bien me faire mettre à la porte. J'approuve donc prudemment ce qu'il loue, et je désapprouve de même tout ce qu'il trouve mauvais. Par cette complaisance qui ne me coûte guère, possédant, comme je fais, l'art de m'accommoder au caractère des personnes qui me sont utiles, j'ai gagné l'estime et l'amitié de mon patron. Il m'a engagé à composer une tragédie, dont il m'a donné l'idée. Je l'ai faite sous ses yeux; et, si elle réussit, je devrai à ses bons avis une partie de ma gloire.

Je demandai à notre poète le titre de sa tragédie : C'est, répondit-il, *Le Comte de Saldagne*. Cette pièce sera représentée dans trois jours sur le Théâtre du Prince. Je souhaite, lui répliquai-je, qu'elle ait une grande réussite, et j'ai assez bonne opinion de ton génie pour l'espérer. Je l'espère bien aussi, me dit-il, mais il n'y a point d'espérance plus trompeuse que celle-là, tant les auteurs sont incertains de l'événement d'un ouvrage dramatique!

Enfin, le jour de la première représentation arriva. Je ne pus aller à la comédie, monseigneur m'ayant chargé d'une commission qui m'en empêcha. Tout ce que je pus faire fut d'y envoyer Scipion, pour savoir du moins dès le soir même le succès d'une pièce à laquelle je m'intéressais. Après l'avoir impatiemment attendu, je le vis revenir d'un air qui me fit concevoir un mauvais présage. Eh bien! lui dis-je, comment *Le Comte de Saldagne* a-t-il été reçu du public ? Fort brutalement, répondit-il; jamais pièce n'a été plus cruellement traitée : je suis sorti indigné de l'insolence du parterre. Et moi je le suis, répliquai-je, de la fureur que Nuñez a de composer des poèmes dramatiques. Ne faut-il pas qu'il ait perdu le jugement, pour préférer les huées ignominieuses des spectateurs à l'heureux sort que je puis lui faire ? C'est ainsi que par amitié je pestais contre le poète des Asturies, et que je m'affligeais du malheur de sa pièce pendant qu'il s'en applaudissait.

En effet, je le vis deux jours après entrer chez moi, tout transporté de joie. Santillane, s'écria-t-il, je viens te faire part du ravissement où je suis. J'ai fait ma fortune, mon ami, en faisant une mauvaise pièce. Tu sais l'étrange accueil qu'on a fait au *Comte de Saldagne*. Tous les spectateurs à l'envi se sont déchaînés contre lui; et c'est à ce déchaînement général que je dois le bonheur de ma vie.

Je fus assez étonné d'entendre parler de cette manière le poète Nuñez. Comment donc, Fabrice, lui dis-je, serait-il possible que la chute de ta tragédie eût de quoi justifier ta joie immodérée ? Oui, sans doute, répondit-il : je t'ai déjà dit que don Bertrand avait mis du sien dans ma pièce; par conséquent il la trouvait excellente. Il a été piqué vivement de voir les spectateurs d'un sentiment contraire au sien. Nuñez, m'a-t-il dit ce matin, *Victrix causa Diis placuit, sed victa Catoni* [151] *:* Si ta pièce a déplu au public, en récompense elle me plaît à moi, et cela doit te suffire. Pour te consoler du mauvais goût du siècle, je te donne deux mille écus de rente à prendre sur tous mes biens : allons de ce pas chez mon notaire en passer le contrat. Nous y avons été sur-le-champ : le trésorier a signé l'acte de la donation, et m'a payé la première année d'avance...

Je félicitai Fabrice sur la malheureuse destinée du *Comte de Saldagne*, puisqu'elle avait tourné au profit de l'auteur. Tu as bien raison, continua-t-il, de me faire compliment là-dessus. Que je suis heureux d'avoir été sifflé à double carillon! Si le public plus bénévole m'eût honoré de ses applaudissements, à quoi cela m'aurait-il mené ? A rien. Je n'aurais tiré de mon travail qu'une somme assez médiocre, au lieu que les sifflets m'ont mis tout d'un coup à mon aise pour le reste de mes jours.

CHAPITRE XI

Santillane fait donner un emploi à Scipion, qui part pour la Nouvelle-Espagne.

Mon secrétaire ne regarda pas sans envie le bonheur inopiné du poète Nuñez : il ne cessa de m'en parler pendant huit jours. J'admire, disait-il, le caprice de la Fortune, qui se plaît quelquefois à combler de biens un détestable auteur, tandis qu'elle en laisse de bons dans la misère : Je voudrais bien qu'elle s'avisât de m'enrichir aussi du soir au lendemain. Cela pourra bien arriver, lui disais-je, et plus tôt que tu ne penses. Tu es ici dans son temple; car il me semble qu'on peut appeler le Temple de la Fortune la maison d'un premier ministre, où l'on accorde souvent des grâces qui engraissent tout à coup ceux qui les obtiennent. Cela est véritable, Monsieur, me répondait-il, mais il faut avoir la patience de les attendre. Encore une fois, Scipion, lui répliquais-je, sois tranquille; peut-être es-tu sur le point d'avoir quelque bonne commission. Effectivement il s'offrit peu de jours après une occasion de l'employer utilement au service du comte-duc, et je ne la laissai point échapper.

Je m'entretenais un matin avec don Raimond Caporis, intendant de ce premier ministre, et notre conversation roulait sur les revenus de Son Excellence. Monseigneur jouit, disait-il, des commanderies [152] de tous les ordres militaires, ce qui lui vaut par an quarante mille écus; et il n'est obligé que de porter la croix d'Alcantara. De plus, ses trois charges de grand chambellan, de grand écuyer et de grand chancelier des Indes lui rapportent deux cent mille écus; et tout cela n'est rien encore en comparaison des sommes immenses qu'il tire des Indes : Savez-vous bien de quelle manière ? Lorsque les vaisseaux du roi partent de Séville ou de Lisbonne pour ce pays-là, il y fait embarquer du vin, de l'huile et des grains que lui fournit sa comté d'Olivarès; il ne paye point de port. Avec cela il vend dans les Indes ces marchandises quatre fois plus qu'elles ne valent en Espagne; ensuite il emploie l'argent à acheter des épiceries, des couleurs, et d'autres choses qu'on a presque pour rien dans le Nouveau Monde, et qui se vendent fort cher en Europe. Il a déjà par ce trafic gagné plusieurs millions sans faire le moindre tort au roi.

Ce qui ne vous paraîtra pas étonnant, continua-t-il, c'est que les personnes employées à faire ce commerce reviennent toutes chargées de richesses, monseigneur trouvant bon qu'elles fassent leurs affaires avec les siennes.

Le fils de la Coscolina, qui écoutait notre entretien, ne put entendre parler ainsi don Raimond sans l'interrompre : Parbleu! seigneur Caporis, s'écria-t-il, je serais ravi d'être une de ces personnes-là; aussi bien il y a longtemps que je souhaite de voir le Mexique. Votre curiosité sera bientôt satisfaite, lui dit l'intendant, si le seigneur de Santillane ne s'oppose point à votre envie. Quelque délicat que je sois sur le choix des gens que j'envoie aux Indes faire ce trafic (car c'est moi qui les choisis), je vous mettrai aveuglément sur mon registre, si votre maître le veut. Vous me ferez plaisir, dis-je à don Raimond; donnez-moi cette marque d'amitié. Scipion est un garçon que j'aime, d'ailleurs très intelligent, et qui se gouvernera de façon qu'on n'aura pas le moindre reproche à lui faire. En un mot, j'en réponds comme de moi-même.

Cela étant, reprit Caporis, il n'a qu'à se rendre incessamment à Séville; les vaisseaux doivent mettre à la voile dans un mois pour les Indes. Je le chargerai à son départ d'une lettre pour un homme qui lui donnera toutes les instructions nécessaires pour s'enrichir, sans porter aucun préjudice aux intérêts de Son Excellence, qui doivent être sacrés pour lui.

Scipion, charmé d'avoir cet emploi, se hâta de partir pour Séville avec mille écus que je lui comptai, pour acheter dans l'Andalousie du vin et de l'huile et le mettre en état de trafiquer pour son compte dans les Indes. Cependant, tout ravi qu'il était de faire un voyage dont il espérait tirer tant de profit, il ne put me quitter sans répandre des pleurs, et je ne vis pas de sang-froid son départ.

CHAPITRE XII

Don Alphonse de Leyva vient à Madrid; motif de son voyage. De l'affliction qu'eut Gil Blas, et de la joie qui la suivit.

A peine eus-je perdu Scipion, qu'un page du ministre m'apporta un billet qui contenait ces paroles : *Si le seigneur de Santillane veut se donner la peine de se rendre à l'image Saint-Gabriel, dans la rue de Tolède, il y verra un de ses meilleurs amis.*

Quel peut être cet ami qui ne se nomme point ? dis-je en moi-même. Pourquoi me cache-t-il son nom ? Il veut apparemment me causer le plaisir de la surprise. Je sortis sur-le-champ, je pris le chemin de la rue de Tolède; et, en arrivant au lieu marqué, je ne fus pas peu étonné d'y trouver don Alphonse de Leyva. Que vois-je ? m'écriai-je. Vous ici, Seigneur! Oui, mon cher Gil Blas, répondit-il en me serrant étroitement entre ses bras, c'est don Alphonse lui-même qui s'offre à votre vue. Eh! qui vous amène à Madrid ? lui dis-je. Je vais vous surprendre, me repartit-il, et vous affliger, en vous apprenant le sujet de mon voyage. On m'a ôté le gouvernement de Valence, et le premier ministre me mande à la Cour pour rendre compte de ma conduite. Je demeurai un quart d'heure dans un stupide silence; puis reprenant la parole : De quoi, lui dis-je, vous accuse-t-on ? Je n'en sais rien, répondit-il, mais j'impute ma disgrâce à la visite que j'ai faite, il y a trois semaines, au cardinal-duc de Lerme, qui depuis un mois est relégué dans son château de Denia.

Oh! vraiment, interrompis-je, vous avez raison d'attribuer votre malheur à cette visite indiscrète : n'en cherchez point la cause ailleurs; et permettez-moi de vous dire que vous n'avez pas consulté votre prudence ordinaire, lorsque vous avez été voir ce ministre disgracié. La faute en est faite, me dit-il, et j'ai pris de bonne grâce mon parti : je vais me retirer avec ma famille au château de Leyva, où je passerai dans un profond repos le reste de mes jours. Tout ce qui me fait de la peine, ajouta-t-il, c'est d'être obligé de paraître devant un superbe ministre qui pourra me recevoir peu gracieusement. Quelle mortification pour un Espagnol! Cependant c'est une nécessité; mais, avant que de m'y soumettre, j'ai voulu vous parler. Seigneur, lui dis-je, ne vous présentez pas devant le ministre, que je n'aie su auparavant de quoi l'on vous accuse; le mal n'est peut-être pas sans remède. Quoi qu'il en soit, vous trouverez bon, s'il vous plaît, que je me donne pour vous tous les mouvements qu'exigent de moi la reconnaissance et l'amitié. A ces mots, je le laissai dans son hôtellerie, en l'assurant qu'il aurait incessamment de mes nouvelles.

Comme je ne me mêlais plus d'affaires d'Etat depuis les deux mémoires dont il a été fait une si éloquente mention, j'allai trouver Carnero, pour lui demander s'il était vrai qu'on eût ôté à don Alphonse de Leyva le gouvernement de la ville de Valence. Il me répondit que oui, mais qu'il en ignorait la raison. Là-dessus, je pris, sans balancer, la résolution de m'adresser à monseigneur même pour apprendre de sa propre bouche les sujets qu'il pouvait avoir de se plaindre du fils de don César.

J'étais si pénétré de ce fâcheux événement que je n'eus pas besoin d'affecter un air de tristesse pour paraître affligé aux yeux du comte-duc. Qu'as-tu donc, Santillane ?

me dit-il aussitôt qu'il me vit. J'aperçois sur ton visage une impression de chagrin; je vois même des larmes prêtes à couler de tes yeux. Quelqu'un t'aurait-il fait quelque offense ? Parle, tu seras bientôt vengé. Monseigneur, lui répondis-je en pleurant, quand je voudrais vous cacher ma douleur, je ne le pourrais pas; je suis au désespoir : on vient de me dire que don Alphonse de Leyva n'est plus gouverneur de Valence; on ne pouvait m'annoncer une nouvelle plus capable de me causer une mortelle affliction. Que dis-tu, Gil Blas ? reprit le ministre étonné; quel intérêt peux-tu prendre à ce don Alphonse et à son gouvernement ? Alors je lui fis un détail des obligations que j'avais aux seigneurs de Leyva; ensuite, je lui racontai de quelle façon j'avais obtenu du duc de Lerme, pour le fils de don César, le gouvernement dont il s'agissait.

Quand Son Excellence m'eut écouté jusqu'au bout avec une attention pleine de bonté pour moi, il me dit : Essuie tes pleurs, mon ami. Outre que j'ignorais ce que tu viens de m'apprendre, je t'avouerai que je regardais don Alphonse comme une créature du cardinal de Lerme. Je te mets à ma place : la visite qu'il a faite à cette Eminence ne te l'aurait-il pas rendu suspect ? Je veux bien croire pourtant qu'ayant été pourvu de son emploi par ce ministre, il peut avoir fait cette démarche par un pur mouvement de reconnaissance. Je suis fâché d'avoir déplacé un homme qui te devait son poste; mais si j'ai détruit ton ouvrage, je puis le réparer. Je veux même encore plus faire pour toi que le duc de Lerme : don Alphonse, ton ami, n'était que gouverneur de la ville de Valence, je le fais vice-roi du royaume d'Aragon : c'est ce que je te permets de lui faire savoir, et tu peux lui mander de venir prêter serment.

Lorsque j'eus entendu ces paroles, je passai d'une extrême douleur à un excès de joie qui me troubla l'esprit à un point qu'il y parut au remercîment que je fis à monseigneur : mais le désordre de mon discours ne lui déplut point; et, comme je lui appris que don Alphonse était à Madrid, il me dit que je pouvais le lui présenter dès ce jour-là même. Je courus aussitôt à l'image Saint-Gabriel, où je ravis le fils de don César en lui annonçant son nouvel emploi. Il ne pouvait croire ce que je lui disais, tant il avait de peine à se persuader que le premier ministre, quelque amitié qu'il eût pour moi, fût capable de donner des vice-royautés à ma considération! Je le menai au comte-duc, qui le reçut très poliment, et lui dit qu'il s'était si bien conduit dans son gouvernement de la ville de Valence, que le roi, le jugeant propre à remplir une plus grande place, l'avait nommé à la vice-royauté d'Aragon. D'ailleurs, ajouta-t-il, cette dignité n'est point au-dessus de votre naissance, et la noblesse aragonaise ne saurait murmurer contre le choix de la Cour.

Son Excellence ne fit aucune mention de moi, et le public ignora la part que j'avais à cette affaire; ce qui sauva don Alphonse et le ministre des mauvais discours qu'on aurait pu tenir dans le monde sur un vice-roi de ma façon.

Sitôt que le fils de don César fut sûr de son fait, il dépêcha un exprès à Valence pour en informer son père et Séraphine, qui se rendirent bientôt à Madrid. Leur premier soin fut de me venir trouver pour m'accabler de remercîments. Quel spectacle touchant et glorieux pour moi de voir les trois personnes du monde qui m'étaient les plus chères m'embrasser à l'envi! Aussi sensibles à mon zèle et à mon affection qu'à l'honneur que le poste de vice-roi allait faire à leur maison, ils ne pouvaient se lasser de me tenir des discours reconnaissants. Ils me parlaient même comme s'ils eussent parlé à un homme d'une condition égale à la leur. Il semblait qu'ils eussent oublié qu'ils avaient été mes maîtres. Ils croyaient ne pouvoir me témoigner assez d'amitié. Pour supprimer les circonstances inutiles, don Alphonse, après avoir reçu ses patentes, remercié le roi et son ministre, et prêté le serment ordinaire, partit de Madrid avec sa famille pour aller établir son séjour à Saragosse. Il y fit son entrée avec toute la magnificence imaginable; et les Aragonais firent connaître, par leurs acclamations, que je leur avais donné un vice-roi qui leur était fort agréable.

CHAPITRE XIII

Gil Blas rencontre chez le roi don Gaston de Cogollos et don André de Tordesillas; où ils allèrent tous trois. Fin de l'histoire de don Gaston et de doña Helena de Galisteo. Quel service Santillane rendit à Tordesillas.

Je nageais dans la joie d'avoir si heureusement changé en vice-roi un gouverneur déplacé. Les seigneurs de Leyva même en étaient moins ravis que moi. J'eus bientôt encore une autre occasion d'employer mon crédit pour un ami; ce que je crois devoir rapporter, pour faire connaître à mes lecteurs que je n'étais plus ce même Gil Blas qui sous le ministère précédent vendait les grâces de la Cour.

J'étais un jour dans l'antichambre du roi, où je m'entretenais avec des seigneurs qui, me connaissant pour un homme chéri du premier ministre, ne dédaignaient pas ma conversation. J'aperçus dans la foule don Gaston de Cogollos, ce prisonnier d'Etat que j'avais laissé dans la Tour de Ségovie. Il était avec le châtelain don André de Tordesillas. Je quittai volontiers ma compagnie pour aller embrasser ces deux amis. S'ils furent étonnés de me revoir là, je le fus bien davantage de les y rencontrer. Après de vives accolades de part et d'autre, don Gaston me dit : Seigneur de Santillane, nous avons bien des questions à nous faire mutuellement, et nous ne sommes pas ici dans un lieu commode pour cela : permettez que je vous emmène dans un endroit où le seigneur de Tordesillas et moi nous serons bien aises d'avoir avec vous un long entretien. J'y consentis; nous fendîmes la presse, et nous sortîmes du palais. Nous trouvâmes le carrosse de don Gaston qui l'attendait dans la rue; nous y montâmes tous trois, et nous nous rendîmes à la grande place du marché où se font les courses de taureaux. Là demeurait Cogollos, dans un fort bel hôtel.

Seigneur Gil Blas, me dit don André lorsque nous fûmes dans une salle magnifiquement meublée, il me semble qu'à votre départ de Ségovie vous haïssiez la Cour, et que vous étiez dans la résolution de vous en éloigner pour jamais. C'était en effet mon dessein, lui répondis-je; et tant qu'a vécu le feu roi, je n'ai pas changé de sentiment : mais quand j'ai su que le prince son fils était sur le trône, j'ai voulu voir si le nouveau monarque me reconnaîtrait. Il m'a reconnu, et j'ai eu le bonheur d'en être reçu favorablement; il m'a recommandé lui-même au premier ministre, qui m'a pris en amitié, et avec qui je suis beaucoup mieux que je ne l'ai jamais été avec le duc de Lerme. Voilà, Seigneur don André, ce que j'avais à vous apprendre; et vous, dites-moi si vous êtes toujours châtelain de la Tour de Ségovie. Non vraiment, me répondit-il; le comte-duc en a mis un autre à ma place. Il m'a cru apparemment tout dévoué à son prédécesseur. Et moi, dit alors don Gaston, j'ai été mis en liberté par une raison contraire : le premier ministre n'a pas sitôt su que j'étais dans les prisons de Ségovie par ordre du duc de Lerme qu'il m'en a fait sortir. Il s'agit à présent, seigneur Gil Blas, de vous conter ce qui m'est arrivé depuis que je suis libre.

La première chose que je fis, poursuivit-il, après avoir remercié don André des attentions qu'il avait eues pour moi pendant ma prison, fut de me rendre à Madrid. Je me présentai devant le comte-duc d'Olivarès, qui me dit : Ne craignez pas que le malheur qui vous est survenu fasse le moindre tort à votre réputation; vous êtes pleinement justifié : je suis d'autant plus assuré de votre innocence que le marquis de Villareal, dont on vous a soupçonné d'être complice, n'était pas coupable. Quoique Portugais, et parent même du duc de Bragance, il est moins dans ses intérêts que dans ceux du roi mon maître. On n'a donc point dû vous faire un crime de votre liaison avec ce marquis; et, pour réparer l'injustice qu'on vous a faite en vous accusant de trahison, le roi vous donne une lieutenance dans sa garde espagnole. J'acceptai cet emploi en suppliant Son Excellence de me permettre, avant que d'entrer en service, d'aller à Coria pour y voir doña Eléonor de Laxarilla, ma tante. Le ministre m'accorda un mois pour faire ce voyage, et je partis accompagné d'un seul laquais.

Nous avions déjà passé Colmenar, et nous étions engagés dans un chemin creux entre deux montagnes, quand nous aperçûmes un cavalier qui se défendait vaillamment contre trois hommes qui l'attaquaient tous ensemble. Je ne balançai point à le secourir; je me hâtai de le joindre, et je me mis à son côté. Je remarquai, en me battant, que nos ennemis étaient masqués, et que nous avions affaire à de vigoureux spadassins. Cependant malgré leur force et leur adresse nous demeurâmes vainqueurs : je perçai un des trois; il tomba de cheval, et les deux autres prirent la fuite à l'instant. Il est vrai que la victoire ne nous fut guère moins funeste qu'au malheureux que j'avais tué, puisque après l'action nous nous trouvâmes, mon compagnon et moi, dangereusement blessés. Mais représentez-vous quelle fut ma surprise, lorsque, dans ce cavalier, je reconnus Combados, le mari de doña Helena! Il ne fut pas moins étonné de voir que j'étais son défenseur : Ah! don Gaston, s'écria-t-il, quoi! c'est vous qui venez me secourir ? Quand vous avez si généreusement pris mon parti, vous ignoriez que c'était celui d'un homme qui vous a enlevé votre maîtresse. Je l'ignorais en effet, lui répondis-je; mais, quand je l'aurais su, pensez-vous que j'eusse balancé à faire ce que j'ai fait ? Jugeriez-vous assez mal de moi pour me croire une âme si basse ? Non, non, reprit-il, j'ai meilleure opinion de vous; et, si je meurs des blessures que je viens de recevoir, je souhaite que les vôtres ne vous empêchent point de profiter de ma mort. Combados, lui dis-je, quoique je n'aie pas encore oublié doña Helena, sachez que je ne désire point sa possession aux dépens de votre vie; je m'applaudis même d'avoir contribué à vous sauver des coups de trois assassins, puisqu'en cela j'ai fait une action agréable à votre épouse.

Pendant que nous nous parlions de cette sorte, mon laquais descendit de cheval; et, s'étant approché du cavalier qui était étendu sur la poussière, il lui ôta son masque et nous fit voir des traits que Combados reconnut d'abord. C'est Caprara, s'écria-t-il, ce perfide cousin qui, de dépit d'avoir manqué une riche succession qu'il m'avait injustement disputée, nourrissait depuis longtemps le désir de m'assassiner, et avait enfin choisi ce jour pour le satisfaire : mais le Ciel a permis qu'il ait été la victime de son attentat.

Cependant notre sang coulait à bon compte, et nous nous affaiblissions à vue d'œil. Néanmoins tout blessés que nous étions, nous eûmes la force de gagner le bourg de Villarejo, qui n'est qu'à deux portées de fusil du champ de bataille. En arrivant à la première hôtellerie, nous demandâmes des chirurgiens. Il en vint un, qu'on nous dit être fort habile. Il visita nos plaies, qu'il trouva très dangereuses, il nous pansa, et le lendemain il nous dit, après avoir levé l'appareil, que les blessures de don Blas étaient mortelles. Il jugea des miennes plus favorablement, et ses pronostics ne furent point faux.

Combados, se voyant condamné à la mort, ne songea plus qu'à s'y préparer. Il dépêcha un exprès à sa femme pour l'informer de ce qui s'était passé, et du triste état où il se trouvait. Doña Helena fut bientôt à Villarejo. Elle y arriva, l'esprit travaillé d'une inquiétude qui avait deux causes différentes : le péril que courait la vie de son époux, et la crainte de sentir, en me revoyant, rallumer un feu mal éteint. Cela lui causait une agitation terrible. Madame, lui dit don Blas lorsqu'elle fut en sa présence, vous arrivez assez à temps pour recevoir mes adieux. Je vais mourir, et je regarde ma mort comme une punition du Ciel, de vous avoir par une tromperie arrachée à don Gaston : bien loin d'en murmurer, je vous exhorte moi-même à lui rendre un cœur que je lui ai ravi. Doña Helena ne lui répondit que par des pleurs; et, véritablement, c'était la meilleure réponse qu'elle lui pût faire, n'étant pas encore assez détachée de moi pour avoir oublié l'artifice dont il s'était servi pour la déterminer à me manquer de foi.

Il arriva, comme le chirurgien l'avait pronostiqué, qu'en moins de trois jours Combados mourut de ses blessures, au lieu que les miennes annonçaient une prochaine guérison. La jeune veuve, uniquement occupée du soin de faire transporter à Coria le corps de son époux, pour lui rendre tous les honneurs qu'elle devait à sa cendre, partit de Villarejo pour s'en retourner, après s'être informée, comme par pure politesse, de l'état où je me trouvais. Dès que je pus la suivre, je pris le chemin de Coria, où j'achevai de me rétablir. Alors doña Eléonor, ma tante, et don George de Galisteo résolurent de nous marier promptement, Helena et moi, de peur que la fortune ne nous séparât encore par quelque nouvelle traverse. Ce mariage se fit sans éclat, à cause de la mort trop récente de don Blas; et peu de jours après je revins à Madrid avec doña Helena. Comme j'avais passé le temps prescrit par le comte-duc pour mon voyage, je craignais que ce ministre n'eût donné à un autre la lieutenance qu'il m'avait promise : mais il n'en avait point disposé, et il eut la bonté de recevoir les excuses que je lui fis de mon retardement.

Je suis donc, poursuivit Cogollos, lieutenant de la garde espagnole, et j'ai de l'agrément dans mon emploi. J'ai fait des amis d'un commerce agréable, et je vis content avec eux. Je voudrais pouvoir en dire autant, s'écria don André, mais je suis bien éloigné d'être satisfait de mon sort : j'ai perdu mon poste qui ne laissait pas de m'être fort utile, et je n'ai point d'amis qui aient assez de crédit pour m'en procurer un solide. Pardonnez-moi, seigneur don André, interrompis-je en souriant, vous avez en moi un ami qui peut vous être bon à quelque chose. Je vous ai déjà dit que je suis encore plus aimé du comte-duc que je ne l'étais du duc de Lerme, et vous osez me dire en face que vous n'avez personne qui puisse vous faire obtenir un solide emploi. Ne vous ai-je pas rendu déjà un pareil service ? Souvenez-vous que, par le crédit de l'archevêque de Grenade, je vous fis nommer pour aller remplir au Mexique un poste où vous auriez fait votre fortune, si l'amour ne vous eût point arrêté dans la ville d'Alicante. Je suis bien plus en état de vous servir présentement que j'ai l'oreille du premier ministre. Je m'abandonne donc à vous, répliqua Tordesillas; mais, ajouta-t-il en souriant à son tour, ne m'envoyez pas de grâce à la Nouvelle-Espagne; je n'y voudrais point aller quand on m'y voudrait faire président de l'Audience même de Mexique.

Nous fûmes interrompus dans cet endroit de notre entretien par doña Helena qui arriva dans la salle, et dont la personne toute gracieuse remplit l'idée charmante que je m'en étais formée. Madame, lui dit Cogollos, je vous présente le seigneur de Santillane, dont je vous ai parlé quelquefois, et dont l'aimable compagnie a souvent dans ma prison suspendu mes ennuis. Oui, Madame, dis-je à doña Helena, ma conversation lui plaisait, car vous en faisiez toujours la matière. La fille de don George répondit modestement à ma politesse; après quoi je pris congé de ces deux époux, en leur protestant que j'étais ravi que l'hymen eût enfin succédé à leurs longues amours. Ensuite m'adressant à Tordesillas, je le priai de m'apprendre sa demeure; et lorsqu'il me l'eut enseignée : Sans adieu, lui dis-je, don André; j'espère qu'avant huit jours vous verrez que je joins le pouvoir à la bonne volonté.

Je n'en eus pas le démenti. Dès le lendemain même, le comte-duc me fournit une occasion d'obliger ce châtelain. Santillane, me dit Son Excellence, la place de gouverneur de la prison de Valladolid est vacante : elle rapporte plus de trois cents pistoles par an; il me prend envie de te la donner. Je n'en veux point, Monseigneur, lui répondis-je, valût-elle dix mille ducats de rente; je renonce à tous les postes que je ne puis occuper sans m'éloigner de vous. Mais, reprit le ministre, tu peux fort bien remplir celui-là sans être obligé de quitter Madrid, que pour aller de temps en temps à Valladolid visiter la prison. Vous direz, lui repartis-je, tout ce qu'il vous plaira; je ne veux de cet emploi qu'à condition qu'il me sera permis de m'en démettre en faveur d'un brave gentilhomme appelé don André de Tordesillas, ci-devant châtelain de la Tour de Ségovie : j'aimerais à lui faire ce présent pour reconnaître les bons traitements qu'il m'a faits pendant ma prison.

Ce discours fit rire le ministre, qui me dit : A ce que je vois, Gil Blas, tu veux faire un gouverneur de prison royale comme tu as fait un vice-roi. Eh bien! soit, mon ami, je t'accorde la place vacante pour Tordesillas; mais dis-moi tout naturellement quel profit il doit t'en revenir : car je ne te crois pas assez sot pour vouloir employer ton crédit pour rien. Monseigneur, lui répondis-je, ne faut-il pas payer ses dettes ? Don André m'a fait sans intérêt tous les plaisirs qu'il a pu, ne dois-je pas lui rendre la pareille ? Vous êtes devenu bien désintéressé, monsieur de Santillane, me répliqua Son Excellence; il me semble que que vous l'étiez beaucoup moins sous le dernier ministère. J'en conviens, lui repartis-je, le mauvais exemple corrompit mes mœurs : comme tout se vendait alors, je me conformai à l'usage; et, comme aujourd'hui tout se donne, j'ai repris mon intégrité.

Je fis donc pourvoir don André de Tordesillas du gouvernement de la prison royale de Valladolid, et je l'envoyai bientôt dans cette ville, aussi satisfait de son nouvel établissement que je l'étais de m'être acquitté envers lui des obligations que je lui avais.

CHAPITRE XIV

Santillane va chez le poète Nuñez. Quelles personnes il y trouva, et quels discours y furent tenus.

Il me prit envie une après-dînée d'aller voir le poète des Asturies, me sentant fort curieux de savoir de quelle façon il était logé. Je me rendis à l'hôtel du seigneur don Bertrand Gomez del Ribero, et j'y demandai Nuñez. Il ne demeure plus ici, me dit un laquais qui était à la porte; c'est là qu'il loge à présent, ajouta-t-il en me montrant une maison voisine, il occupe un corps de logis sur le derrière. J'y allai; et, après avoir traversé une petite cour, j'entrai dans une salle toute nue, où je trouvai mon ami Fabrice encore à table, avec cinq ou six de ses confrères qu'il régalait ce jour-là.

Ils étaient sur la fin du repas, et par conséquent en train de disputer; mais aussitôt qu'ils m'aperçurent, ils firent succéder un profond silence à leurs bruyants discours. Nuñez se leva d'un air empressé pour me recevoir, en s'écriant : Messieurs, voilà le seigneur de Santillane qui veut bien m'honorer d'une de ses visites; rendez avec moi vos hommages au favori du premier ministre. A ces paroles, tous les convives se levèrent aussi pour me saluer; et, en faveur du titre qui m'avait été donné, ils me firent des civilités très respectueuses. Quoique je n'eusse besoin ni de boire ni de manger, je ne pus me défendre de me mettre à table avec eux, et même de faire raison à une *brinde* qu'ils me portèrent.

Comme il me parut que ma présence les empêchait de continuer à s'entretenir librement : Messieurs, leur dis-je, il me semble que j'ai interrompu votre entretien; reprenez-le, de grâce, ou je m'en vais. Ces messieurs, dit alors Fabrice, parlaient de l'*Iphigénie* d'Euripide. Le bachelier, Melchior de Villegas, qui est un savant du premier ordre, demandait au seigneur don Jacinte de Romarate ce qui l'intéressait dans cette tragédie. Oui, dit don Jacinte, et je lui ai répondu que c'était le péril où se trouvait Iphigénie. Et moi, dit le bachelier, je lui ai répliqué (ce que je suis prêt à démontrer) que ce n'est point ce péril qui fait le véritable intérêt de la pièce. Qu'est-ce que c'est donc ? s'écria le vieux licencié Gabriel de Léon. C'est le vent, repartit le bachelier.

Toute la compagnie fit un éclat de rire à cette repartie que je ne crus pas sérieuse; je m'imaginai que Melchior ne l'avait faite que pour égayer la conversation. Je ne connaissais pas ce savant : c'était un homme qui n'entendait nullement raillerie. Riez tant qu'il vous plaira, Messieurs, reprit-il froidement; je vous soutiens que c'est le vent seul qui doit intéresser, frapper, émouvoir le spectateur. Représentez-vous, poursuivit-il, une nombreuse armée qui s'est assemblée pour aller faire le siège de Troie : concevez toute l'impatience qu'ont les chefs et les soldats d'exécuter leur entreprise pour s'en retourner promptement dans la Grèce, où ils ont laissé ce qu'ils ont de plus cher, leurs dieux domestiques, leurs femmes et leurs enfants; cependant un maudit vent contraire les retient en Aulide, semble les clouer au port, et, s'il ne change point, ils ne pourront aller assiéger la ville de Priam. C'est donc le vent qui fait l'intérêt de cette tragédie. Je prends parti pour les Grecs, j'épouse leur dessein; je ne souhaite que le départ de leur flotte, et je vois d'un œil indifférent Iphigénie dans le péril, puisque sa mort est un moyen d'obtenir des dieux un vent favorable.

Sitôt que Villegas eut achevé de parler, les ris se renouvelèrent à ses dépens. Nuñez eut la malice d'appuyer son sentiment pour donner encore plus beau jeu aux railleurs, qui se mirent à faire à l'envi de mauvaises plaisanteries sur les vents. Mais le bachelier, les regardant tous d'un air flegmatique et orgueilleux, les traita d'ignorants et d'esprits vulgaires. Je m'attendais à tous moments à voir ces messieurs s'échauffer et se prendre au crin, fin ordinaire de leurs dissertations : cependant je fus trompé dans mon attente; ils se contentèrent de se dire des injures réciproquement, et se retirèrent quand ils eurent bu et mangé à discrétion.

Après leur retraite, je demandai à Fabrice pourquoi il ne demeurait plus chez son trésorier, et s'ils s'étaient brouillés tous deux. Brouillés! me répondit-il, le Ciel m'en préserve! je suis mieux que jamais avec le seigneur don Bertrand, qui m'a permis de loger en mon particulier; ainsi j'ai loué ce corps de logis pour y recevoir mes amis, et me réjouir avec eux en toute liberté, ce qui m'arrive fort souvent : car tu sais bien que je ne suis pas d'humeur à vouloir laisser de grandes richesses à mes héritiers; et, ce qu'il y a d'heureux pour moi, je suis présentement en état de faire tous les jours des parties de plaisir. J'en suis ravi, repris-je, mon cher Nuñez; et je ne puis m'empêcher de te féliciter encore sur le succès de ta dernière tragédie : les huit cents pièces dramatiques du grand Lope ne lui ont pas rapporté le quart de ce que t'a valu ton *Comte de Saldagne*.

Fin de l'onzième livre.

LIVRE DOUZIÈME

CHAPITRE PREMIER

Gil Blas est envoyé par le ministre à Tolède.
Du motif et du succès de son voyage.

Il y avait déjà près d'un mois que monseigneur me disait tous les jours : Santillane, le temps approche où je veux mettre ton adresse en œuvre; et ce temps ne venait point. Il arriva pourtant, et Son Excellence enfin me parla dans ces termes : On dit qu'il y a dans la troupe des comédiens de Tolède une jeune actrice qui fait du bruit par ses talents; on prétend qu'elle danse et chante divinement, et qu'elle enlève le spectateur par sa déclamation : on assure même qu'elle a de la beauté. Un pareil sujet mérite bien de paraître à la Cour. Le roi aime la comédie, la musique et la danse; il ne faut pas qu'il soit privé du plaisir de voir et d'entendre une personne d'un mérite si rare. J'ai donc résolu de t'envoyer à Tolède pour juger par toi-même si c'est en effet une actrice si merveilleuse : je m'en tiendrai à l'impression qu'elle aura faite sur toi; je m'en fie à ton discernement.

Je répondis à monseigneur que je lui rendrais bon compte de cette affaire, et je me disposai à partir avec un seul laquais, à qui je fis quitter la livrée du ministre pour faire les choses plus mystérieusement; ce qui fut fort du goût de Son Excellence. Je pris donc le chemin de Tolède, où, étant arrivé, j'allai descendre à une hôtellerie près du château. A peine eus-je mis pied à terre que l'hôte, me prenant sans doute pour quelque gentilhomme du pays, me dit : Seigneur cavalier, vous venez apparemment dans cette ville pour voir l'auguste cérémonie de l'*auto-da-fé* [a] qui doit se faire demain. Je lui répondis que oui, jugeant plus à propos de le lui laisser croire que de lui donner occasion de me questionner sur ce qui m'amenait à

a) *Acte de foi.*

Tolède. Vous verrez, reprit-il, une des plus belles processions qui aient jamais été faites : il y a, dit-on, plus de cent prisonniers, parmi lesquels on en compte plus de dix qui doivent être brûlés.

Véritablement le lendemain, avant le lever du soleil, j'entendis sonner toutes les cloches de la ville; et l'on faisait ce carillon pour avertir les peuples qu'on allait commencer l'*auto-da-fé*. Curieux de voir cette fête, je m'habillai à la hâte et me rendis à l'Inquisition. Il y avait tout auprès, et le long des rues par où la procession devait passer, des échafauds, sur l'un desquels je me plaçai pour mon argent. J'aperçus bientôt les Dominicains [153] qui marchaient les premiers, précédés de la bannière de l'Inquisition. Ces bons pères étaient immédiatement suivis des tristes victimes que le Saint-Office voulait immoler ce jour-là. Ces malheureux allaient l'un après l'autre, la tête et les pieds nus, ayant chacun un cierge à la main et son parrain [a] à son côté. Les uns avaient un grand scapulaire de toile jaune, parsemé de croix de Saint-André peintes en rouge, et appelé *san-benito ;* les autres portaient des *carochas*, qui sont des bonnets de carton élevés en forme de pain de sucre, et couverts de flammes et de figures diaboliques.

Comme je regardais de tous mes yeux ces infortunés avec une compassion [154] que je me gardais bien de laisser paraître, de peur qu'on ne m'en fît un crime, je crus reconnaître parmi ceux qui avaient la tête ornée de *carochas* le révérend père Hilaire et son compagnon le frère Ambroise. Ils passèrent si près de moi que ne pouvant m'y tromper : Que vois-je ? dis-je en moi-même. Le Ciel, las des désordres de la vie de ces deux scélérats, les a donc livrés à la justice de l'Inquisition! En parlant de cette sorte, je me sentis saisir d'effroi; il me prit un tremblement universel, et mes esprits se troublèrent au point que je pensai m'évanouir. La liaison que j'avais eue avec ces fripons, l'aventure de Xelva, enfin tout ce que nous avions fait ensemble vint dans ce moment s'offrir à ma pensée, et je m'imaginai ne pouvoir assez remercier Dieu de m'avoir préservé du scapulaire et des *carochas*.

Lorsque la cérémonie fut achevée, je m'en retournai à mon hôtellerie, tout tremblant du spectacle affreux que je venais de voir; mais les images affligeantes dont j'avais l'esprit rempli se dissipèrent insensiblement, et je ne pensai plus qu'à me bien acquitter de la commission dont mon maître m'avait chargé. J'attendis avec impatience l'heure de la comédie pour y aller, jugeant que c'était par là que je devais commencer; et sitôt qu'elle fut venue, je me rendis au théâtre, où je m'assis auprès d'un chevalier d'Alcantara. J'eus bientôt lié conversation avec lui : Sei-

a) *On appelle* parrains *toutes les personnes que l'Inquisiteur nomme pour accompagner les prisonniers dans l'*auto-da-fé *et qui sont obligés d'en répondre.*

gneur, lui dis-je, est-il permis à un étranger d'oser vous faire une question ? Seigneur cavalier, me répondit-il fort poliment, c'est de quoi je me tiendrai fort honoré. On m'a vanté, repris-je, les comédiens de Tolède; aurait-on eu tort de m'en dire du bien ? Non, repartit le chevalier, leur troupe n'est pas mauvaise; il y a même parmi eux de grands sujets : vous verrez entre autres la belle Lucrèce, une actrice de quatorze ans, qui vous étonnera. Vous n'aurez pas besoin, lorsqu'elle se montrera sur la scène, que je vous la fasse remarquer, vous la démêlerez aisément. Je demandai au chevalier si elle jouerait ce jour-là. Il me répondit que oui, et même qu'elle avait un rôle très brillant dans la pièce qu'on allait représenter.

La comédie commença. Il parut deux actrices qui n'avaient rien négligé de tout ce qui pouvait contribuer à les rendre charmantes; mais malgré l'éclat de leurs diamants, je ne pris ni l'une ni l'autre pour celle que j'attendais. Enfin Lucrèce sortit du fond du théâtre, et son arrivée sur la scène fut annoncée par un battement de mains long et général. Ah! la voici, dis-je en moi-même : Quel air de noblesse! que de grâces! les beaux yeux! la piquante créature! Effectivement j'en fus fort satisfait, ou plutôt sa personne me frappa vivement. Dès la première tirade de vers qu'elle récita, je lui trouvai du naturel, du feu, une intelligence au-dessus de son âge, et je joignis volontiers mes applaudissements à ceux qu'elle reçut de toute l'assemblée pendant la pièce. Eh bien! me dit le chevalier, vous voyez comme Lucrèce est avec le public ? Je n'en suis pas surpris, lui répondis-je. Vous le seriez encore moins, me répliqua-t-il, si vous l'eussiez entendu chanter; c'est une sirène : malheur à ceux qui l'écoutent sans se boucher les oreilles! Sa danse, poursuivit-il, n'est pas moins redoutable; ses pas aussi dangereux que sa voix charment les yeux, et forcent les cœurs à se rendre. Sur ce pied-là, m'écriai-je, il faut avouer que c'est un prodige : Quel heureux mortel a le plaisir de se ruiner pour une si aimable fille ? Elle n'a point d'amant déclaré, me dit-il, et la médisance même ne lui donne aucune intrigue secrète : cependant, ajouta-t-il, elle pourrait en avoir; car Lucrèce est sous la conduite de sa tante Estelle, qui sans contredit est la plus adroite de toutes les comédiennes.

Au nom d'Estelle, j'interrompis avec précipitation le chevalier pour lui demander si cette Estelle était une actrice de la troupe de Tolède. C'en est une des meilleures, me dit-il. Elle n'a pas joué aujourd'hui, et nous n'y avons pas gagné; elle fait ordinairement la suivante, et c'est un emploi qu'elle remplit admirablement bien. Qu'elle fait voir d'esprit dans son jeu! Peut-être même en met-elle trop; mais c'est un beau défaut qui doit trouver grâce. Le chevalier me dit donc des merveilles de cette Estelle; et, sur le portrait qu'il me fit de sa personne, je ne doutai point que ce ne fût Laure, cette même Laure dont j'ai tant parlé dans mon histoire, et que j'avais laissée à Grenade.

Pour en être plus sûr, je passai derrière le théâtre après la comédie. Je demandai Estelle; et, la cherchant des yeux partout, je la trouvai dans les foyers, où elle s'entretenait avec quelques seigneurs, qui ne regardaient peut-être en elle que la tante de Lucrèce. Je m'avançai pour saluer Laure; mais soit par fantaisie, soit pour me punir de mon départ précipité de la ville de Grenade, elle ne fit pas semblant de me connaître, et reçut mes civilités d'un air si sec que j'en fus un peu déconcerté. Au lieu de lui reprocher en riant son accueil glacé, je fus assez sot pour m'en fâcher; je me retirai même brusquement, et je résolus dans ma colère de m'en retourner à Madrid dès le lendemain. Pour me venger de Laure, disais-je, je ne veux pas que sa nièce ait l'honneur de paraître devant le roi : je n'ai pour cela qu'à faire au ministre le portrait qu'il me plaira de Lucrèce: je n'ai qu'à lui dire qu'elle danse de mauvaise grâce, qu'il y a de l'aigreur dans sa voix, et qu'enfin ses charmes ne consistent que dans sa jeunesse; je suis assuré que Son Excellence perdra l'envie de l'attirer à la Cour.

Telle était la vengeance que je me promettais de tirer du procédé de Laure à mon égard; mais mon ressentiment ne fut pas de longue durée. Le jour suivant, comme je me préparais à partir, un petit laquais entra dans ma chambre, et me dit : Voici un billet que j'ai à remettre au seigneur de Santillane. C'est moi, mon enfant, lui répondis-je en prenant la lettre que j'ouvris et qui contenait ces paroles : *Oubliez la manière dont vous fûtes reçu hier au soir dans les foyers comiques, et laissez-vous conduire où le porteur vous mènera.* Je suivis aussitôt le petit laquais, qui, quand nous fûmes auprès de la Comédie, m'introduisit dans une fort belle maison, où dans un appartement des plus propres je trouvai Laure à sa toilette.

Elle se leva pour m'embrasser, en me disant : Seigneur Gil Blas, je sais bien que vous n'avez pas sujet d'être content de la réception que je vous ai faite quand vous m'êtes venu saluer dans nos foyers; un ancien ami comme vous était en droit d'attendre de moi un accueil plus gracieux : mais je vous dirai, pour m'excuser, que j'étais de la plus mauvaise humeur du monde. Lorsque vous vous êtes montré à mes yeux, j'étais occupée de certains discours médisants qu'un de nos messieurs a tenus sur le compte de ma nièce, dont l'honneur m'intéresse plus que le mien. Votre brusque retraite, ajouta-t-elle, me fit tout à coup apercevoir de ma distraction, et dans le moment, je chargeai mon petit laquais de vous suivre pour savoir votre demeure dans le dessein de réparer aujourd'hui ma faute. Elle est toute réparée, lui dis-je, ma chère Laure; n'en parlons plus : apprenons-nous plutôt mutuellement ce qui nous est arrivé depuis le jour malheureux où la crainte d'un juste châtiment me fit sortir de Grenade avec précipitation. Je vous laissai, s'il vous en souvient, dans un assez grand embarras : comment vous en tirâtes-vous ? N'est-il pas vrai que vous eûtes besoin de toute votre adresse pour apaiser votre amant portugais ? Point du tout, répondit Laure; ne savez-vous pas bien qu'en pareil cas les hommes sont si faibles qu'ils épargnent quelquefois aux femmes jusqu'à la peine de se justifier ?

Je soutins, continua-t-elle, au marquis de Marialva que tu étais mon frère. Pardonnez-moi, monsieur de Santillane, si je vous parle aussi familièrement qu'autrefois; mais je ne puis me défaire de mes vieilles habitudes. Je te dirai que je payai d'audace. Ne voyez-vous pas, dis-je au seigneur portugais, que tout ceci est l'ouvrage de la jalousie et de la fureur ? Narcissa, ma camarade et ma rivale, enragée de me voir posséder tranquillement un cœur qu'elle a manqué, m'a joué ce tour-là. Elle a corrompu le sous-moucheur de chandelles, qui, pour servir son ressentiment, a l'effronterie de dire qu'il m'a vue à Madrid femme de chambre d'Arsénie : Rien n'est plus faux; la veuve de don Antonio Coello a toujours eu des sentiments trop élevés pour vouloir se mettre au service d'une fille de théâtre. D'ailleurs, ce qui prouve la fausseté de cette accusation et le complot de mes accusateurs, c'est la retraite précipitée de mon frère : s'il était présent, il pourrait confondre la calomnie; mais Narcissa sans doute aura employé quelque nouvel artifice pour le faire disparaître.

Quoique ces raisons, poursuivit Laure, ne fissent pas trop bien mon apologie, le marquis eut la bonté de s'en contenter, et ce débonnaire seigneur continua de m'aimer jusqu'au jour qu'il partit de Grenade pour retourner en Portugal. Véritablement son départ suivit de fort près le tien, et la femme de Zapata eut le plaisir de me voir perdre l'amant que je lui avais enlevé. Après cela, je demeurai encore quelques années à Grenade : ensuite, la division s'étant mise dans notre troupe (ce qui arrive quelquefois parmi nous), tous les comédiens se séparèrent : les uns s'en allèrent à Séville, les autres à Cordoue, et moi je vins à Tolède où je suis depuis dix ans avec ma nièce Lucrèce, que tu as vu jouer hier au soir, puisque tu étais à la comédie.

Je ne pus m'empêcher de rire dans cet endroit. Laure m'en demanda la cause. Ne la devinez-vous pas bien ? lui dis-je. Vous n'avez ni frère, ni sœur; par conséquent vous ne pouvez être tante de Lucrèce. Outre cela, quand je calcule en moi-même le temps qui s'est écoulé depuis notre dernière séparation, et que je confronte ce temps avec l'âge de votre nièce, il me semble que vous pourriez être toutes deux encore plus proches parentes.

Je vous entends, Monsieur Gil Blas, reprit en rougissant un peu la veuve de don Antonio; comme vous saisissez les époques! il n'y a pas moyen de vous en faire accroire. Eh bien! oui, mon ami, Lucrèce est fille du marquis de Marialva et la mienne : elle est le fruit de notre union; je ne saurais te le céler plus longtemps. Le grand effort que vous faites, lui dis-je, ma princesse, en me révélant ce secret, après m'avoir fait confidence de vos équipées avec l'économe de l'hôpital de Zamora! Je vous dirai de plus que Lucrèce est un sujet d'un mérite si singulier que le public ne peut assez vous remercier de lui avoir fait ce présent. Il serait à souhaiter que toutes vos camarades ne lui en fissent pas de plus mauvais.

Si quelque lecteur malin, rappelant ici les entretiens particuliers que j'eus à Grenade avec Laure, lorsque j'étais secrétaire du marquis de Marialva, me soupçonne de pouvoir disputer à ce seigneur l'honneur d'être père de Lucrèce, c'est un soupçon dont je veux bien à ma honte lui avouer l'injustice.

Je rendis compte à mon tour à Laure de mes principales aventures et de l'état présent de mes affaires. Elle écouta mon récit avec une attention qui me fit connaître qu'il ne lui était pas indifférent. Ami Santillane, me dit-elle quand je l'eus achevé, vous jouez à ce que je vois un assez beau rôle sur le théâtre du monde : vous ne sauriez croire jusqu'à quel point j'en suis ravie. Lorsque je mènerai Lucrèce à Madrid pour la faire entrer dans la troupe du Prince, j'ose me flatter qu'elle trouvera dans le seigneur de Santillane un puissant protecteur. N'en doutez nullement, lui répondis-je; vous pouvez compter sur moi : je ferais recevoir votre fille dans la troupe du Prince quand il vous plaira; c'est ce que je puis vous promettre sans trop présumer de mon pouvoir. Je vous prendrais au mot, reprit Laure, et je partirais dès demain pour Madrid, si je n'étais pas liée ici par des engagements avec ma troupe. Un ordre de la Cour peut rompre vos liens, lui repartis-je, et c'est de quoi je me charge : vous le recevrez avant huit jours. Je me fais un plaisir d'enlever Lucrèce aux Tolédans; une actrice si jolie est faite pour les gens de Cour, elle nous appartient de droit.

Lucrèce entra dans la chambre au moment que j'achevais ces paroles. Je crus voir la déesse Hébé, tant elle était mignonne et gracieuse! Elle venait de se lever; et sa beauté naturelle, brillant sans le secours de l'art, présentait à la vue un objet ravissant. Venez, ma nièce, lui dit sa mère, venez remercier monsieur de la bonne volonté qu'il a pour nous : c'est un de mes anciens amis, qui a beaucoup de crédit à la Cour, et qui se fait fort de nous mettre toutes deux dans la troupe du Prince. Ce discours parut faire plaisir à la petite fille, qui me fit une profonde révérence, et me dit avec un souris enchanteur : Je vous rends de très humbles grâces de votre obligeante intention; mais en voulant m'ôter à un public qui m'aime, êtes-vous sûr que je ne déplairai point à celui de Madrid ? Je perdrai peut-être au change. Je me souviens d'avoir ouï dire à ma tante qu'elle a vu des acteurs briller dans une ville, et révolter dans une autre; cela me fait peur : craignez de m'exposer au mépris de la Cour, et vous à ses reproches. Belle Lucrèce, lui répondis-je, c'est ce que nous ne devons appréhender ni l'un ni l'autre : Je crains plutôt qu'enflammant tous les cœurs, vous ne causiez de la division parmi nos Grands. La frayeur de ma nièce, me dit Laure, est mieux fondée que la vôtre; mais j'espère qu'elles seront vaines toutes deux : si Lucrèce ne peut faire de bruit par ses charmes, en récompense elle n'est pas assez mauvaise actrice pour devoir être méprisée.

Nous continuâmes encore quelque temps cette conversation, et j'eus lieu de juger, par tout ce que Lucrèce y mit du sien, que c'était une fille d'un esprit supérieur; ensuite je pris congé de ces deux dames, en leur protestant qu'elles auraient incessamment un ordre de la Cour pour se rendre à Madrid.

CHAPITRE II

Santillane rend compte de sa commission au ministre, qui le charge du soin de faire venir Lucrèce à Madrid. De l'arrivée de cette comédienne et de son début à la Cour.

A mon retour à Madrid je trouvai le comte-duc fort impatient d'apprendre le succès de mon voyage. Gil Blas, me dit-il, as-tu vu la comédienne en question ? vaut-elle la peine qu'on la fasse venir à la Cour ? Monseigneur, lui répondis-je, la renommée, qui loue ordinairement plus qu'il ne faut les belles personnes, ne dit pas assez de bien de la jeune Lucrèce; c'est un sujet admirable, tant pour sa beauté que pour ses talents.

Est-il possible! s'écria le ministre avec une satisfaction intérieure que je lus dans ses yeux, et qui me fit penser que c'était pour son propre compte qu'il m'avait envoyé à Tolède, est-il possible qu'elle soit aussi aimable que tu le dis ? Quand vous la verrez, lui repartis-je, vous avouerez qu'on ne peut faire son éloge qu'au rabais de ses charmes. Santillane, reprit Son Excellence, fais-moi une fidèle relation de ton voyage; je serai bien aise de l'entendre. Alors prenant la parole pour contenter mon maître, je lui contai jusqu'à l'histoire de Laure inclusivement. Je lui appris que cette actrice avait eu Lucrèce du marquis de Marialva, seigneur portugais, qui, s'étant arrêté à Grenade en voyageant, était devenu amoureux d'elle. Enfin quand j'eus fait à monseigneur un détail de ce qui s'était passé entre ces comédiennes et moi, il me dit : Je suis ravi que Lucrèce soit fille d'un homme de qualité; cela m'intéresse pour elle encore davantage; il faut l'attirer ici. Mais continue, ajouta-t-il, comme tu as commencé; ne me mêle point là-dedans : que tout roule sur Gil Blas de Santillane.

J'allais trouver Carnero, à qui je dis que Son Excellence voulait qu'il expédiât un ordre par lequel le roi recevait dans sa troupe Estelle et Lucrèce, actrices de la comédie de Tolède. Oui-da, seigneur de Santillane, répondit Carnero avec un souris malin, vous serez bientôt servi, puisque, selon toutes les apparences, vous vous intéressez pour ces deux dames. En même temps il dressa l'ordre lui-même et m'en délivra l'expédition, que j'envoyai sur-le-champ à Estelle par le même laquais qui m'avait accompagné à Tolède. Huit jours après, la mère et la fille arrivèrent à Madrid. Elles allèrent loger dans un hôtel garni, à deux pas de la troupe du Prince, et leur premier soin fut de m'en donner avis par un billet. Je me rendis dans le moment à cet hôtel, où, après mille offres de services de ma part, et autant de remerciements de la leur, je les laissai se préparer à leur début, que je leur souhaitai heureux et brillant.

Elles se firent annoncer au public comme deux actrices nouvelles, que la troupe du Prince venait de recevoir par ordre de la Cour. Elles débutèrent par une comédie qu'elles avaient coutume de jouer à Tolède avec applaudissement.

Dans quel endroit du monde n'aime-t-on pas la nouveauté en fait de spectacles ? Il se trouva ce jour-là dans la salle des comédiens un concours extraordinaire de spectateurs. On juge bien que je ne manquai pas cette représentation. Je souffris un peu avant que la pièce commençât. Tout prévenu que j'étais en faveur des talents de la mère et de la fille, je tremblais pour elles, tant j'étais dans leurs intérêts! Mais à peine eurent-elles ouvert la bouche qu'elles m'ôtèrent toute ma crainte par les applaudissements qu'elles reçurent. On regarda Estelle comme une actrice consommée dans le comique, et Lucrèce comme un prodige pour les rôles d'amoureuses. Cette dernière enleva tous les cœurs. Les uns admirèrent la beauté de ses yeux, les autres furent touchés de la douceur de sa voix; et tous, frappés de ses grâces et du vif éclat de sa jeunesse, sortirent enchantés de sa personne.

Le comte-duc, qui prenait encore plus de part que je ne croyais au début de cette actrice, était à la comédie ce soir-là. Je le vis sortir sur la fin de la pièce, fort satisfait, à ce qu'il me parut, de nos deux comédiennes. Curieux de savoir s'il en était véritablement bien affecté, je le suivis chez lui; et m'introduisant dans son cabinet où il venait d'entrer : Eh bien! Monseigneur, lui dis-je, Votre Excellence est-elle contente de la petite Marialva ? Mon Excellence, répondit-il en souriant, serait bien difficile, si elle refusait de joindre son suffrage à celui du public : oui, mon enfant, je suis charmé de ta Lucrèce, et je ne doute pas que le roi ne prenne plaisir à la voir.

CHAPITRE III

Lucrèce fait grand bruit à la Cour et joue devant le roi qui en devient amoureux. Suites de cet amour.

Le début des deux actrices nouvelles fit bientôt du bruit à la Cour; dès le lendemain il en fut parlé au lever du roi. Quelques seigneurs vantèrent surtout la jeune Lucrèce : ils en firent un si beau portrait que le monarque en fut frappé; mais, dissimulant l'impression que leurs discours faisaient sur lui, il gardait le silence et semblait n'y prêter aucune attention.

Cependant, d'abord qu'il se trouva seul avec le comte-duc, il lui demanda ce que c'était que certaine actrice qu'on louait tant. Le ministre lui répondit que c'était une jeune comédienne de Tolède, qui avait débuté le soir précédent avec beaucoup de succès. Cette actrice, ajouta-t-il, se nomme Lucrèce, nom fort convenable aux personnes de sa profession : elle est de la connaissance de Santillane, qui m'a dit d'elle tant de bien que j'ai jugé à propos de la recevoir dans la troupe de Votre Majesté. Le roi sourit en entendant prononcer mon nom, peut-être parce qu'il se ressouvint dans ce moment que c'était moi qui lui avais fait connaître Catalina, et qu'il eut un pressentiment que je lui rendrais le même service dans cette occasion. Comte, dit-il au ministre, je veux voir jouer dès demain cette Lucrèce; je vous charge du soin de le lui faire savoir.

Le comte-duc, m'ayant rapporté cet entretien et appris l'intention du roi, m'envoya chez nos deux comédiennes pour les en avertir. Je viens, dis-je à Laure que je rencontrai la première, vous annoncer une grande nouvelle : vous aurez demain parmi vos spectateurs le souverain de la monarchie; c'est de quoi le ministre m'a ordonné de vous informer. Je ne doute pas que vous ne fassiez tous vos efforts, votre fille et vous, pour répondre à l'honneur que ce monarque veut vous faire; mais je vous conseille de choisir une pièce où il y ait de la danse et de la musique, pour lui faire admirer tous les talents que Lucrèce possède. Nous suivrons votre conseil, me répondit Laure, et il ne tiendra pas à nous que le Prince ne soit satisfait. Il ne saurait manquer de l'être, lui dis-je en voyant arriver Lucrèce dans un déshabillé qui lui prêtait plus de charmes que ses habits de théâtre les plus superbes : il sera d'autant plus content de votre aimable nièce qu'il aime plus que toute autre chose la danse et le chant; il pourrait bien même être tenté de lui jeter le mouchoir. Je ne souhaite point du tout, reprit Laure, qu'il ait cette tentation; tout puissant monarque qu'il est, il pourrait trouver des obstacles à l'accomplissement de ses désirs. Lucrèce, quoique élevée dans les coulisses d'un théâtre, a de la vertu et, quelque plaisir qu'elle prenne à se voir applaudir sur la scène, elle aime encore mieux passer pour honnête fille que pour bonne actrice.

Ma tante, dit alors la petite Marialva en se mêlant à la conversation, pourquoi se faire des monstres pour les combattre ? Je ne serai jamais à la peine de repousser les soupirs du roi; la délicatesse de son goût le sauvera des reproches qu'il mériterait, s'il abaissait jusqu'à moi ses regards. Mais, charmante Lucrèce, lui dis-je, s'il arrivait que ce prince voulût s'attacher à vous et vous choisir pour sa maîtresse, seriez-vous assez cruelle pour le laisser languir dans vos fers comme un amant ordinaire ? Pourquoi non ? répondit-elle. Oui, sans doute; et, vertu à part, je sens que ma vanité serait plus flattée d'avoir résisté à sa passion que si je m'y étais rendue. Je ne fus pas peu étonné d'entendre parler de cette sorte une élève de Laure; et je quittai ces dames, en louant la dernière d'avoir donné à l'autre une si belle éducation.

Le jour suivant, le roi, impatient de voir Lucrèce, se rendit à la Comédie. On joua une pièce entremêlée de chants et de danses, et dans laquelle notre jeune actrice brilla beaucoup. Depuis le commencement jusqu'à la fin, j'eus les yeux attachés sur le monarque, et je m'appliquai à démêler dans les siens ce qu'il pensait; mais il mit en défaut ma pénétration, par un air de gravité qu'il affecta de conserver toujours. Je ne sus que le lendemain ce que j'étais en peine de savoir. Santillane, me dit le ministre, je viens de quitter le roi, qui m'a parlé de Lucrèce avec tant de vivacité que je ne doute pas qu'il ne soit épris de cette jeune comédienne; et, comme je lui ai dit que c'est toi qui l'as fait venir de Tolède, il m'a témoigné qu'il serait bien aise de t'entretenir là-dessus en particulier : Va de ce pas te présenter à la porte de sa chambre, où l'ordre de te faire entrer est déjà donné; cours et reviens promptement me rendre compte de cette conversation.

Je volai d'abord chez le roi, que je trouvai seul. Il se promenait à grands pas en m'attendant, et paraissait avoir la tête embarrassée. Il me fit plusieurs questions sur Lucrèce, dont il m'obligea de lui conter l'histoire : ensuite il me demanda si la petite personne n'avait pas déjà eu quelque galanterie. J'assurai hardiment que non, malgré la témérité de ces sortes d'assurances; ce qui me parut faire au prince un fort grand plaisir. Cela étant, reprit-il, je te choisis pour mon agent auprès de Lucrèce; je veux que ce soit par ton entremise qu'elle apprenne sa victoire. Va la lui annoncer de ma part, ajouta-t-il en me mettant entre les mains un écrin où il y avait pour plus de cinquante mille écus de pierreries, et dis-lui que je la prie d'accepter ce présent en attendant de plus solides marques de ma passion.

Avant de m'acquitter de cette commission, j'allai rejoindre le comte-duc, à qui je fis un fidèle rapport de ce que le roi m'avait dit. Je m'imaginais que ce ministre en serait plus affligé que réjoui; car je croyais, comme je l'ai déjà dit, qu'il avait des vues amoureuses sur Lucrèce, et qu'il apprendrait avec chagrin que son maître était devenu son rival : mais je me trompais. Bien loin d'en paraître mortifié, il en eut une si grande joie que, ne pouvant la contenir, il laissa échapper quelques paroles qui ne tombèrent point à terre : *Oh! parbleu, Philippe*, s'écria-t-il, *je vous tiens; c'est pour le coup que les affaires vont vous faire peur!* Cette apostrophe me découvrit toute la manœuvre du comte-duc : je vis par là que ce seigneur, craignant que le prince ne voulût s'occuper de choses sérieuses, cherchait à l'amuser [155] par les plaisirs les plus convenables à son humeur. Santillane, me dit-il ensuite, ne perds point de temps; hâte-toi, mon ami, d'aller exécuter l'ordre important qu'on t'a donné, et dont il y a bien des seigneurs à la Cour qui se feraient gloire d'être chargés. Songe, poursuivit-il, que tu n'as point ici de comte de Lemos qui t'enlève la meilleure partie de l'honneur du service rendu; tu l'auras tout entier, et de plus tout le fruit.

C'est ainsi que Son Excellence me dora la pilule, que j'avalai tout doucement, non sans en sentir l'amertume; car depuis ma prison je m'étais accoutumé à regarder les choses dans un point de vue moral, et je ne trouvais pas l'emploi de Mercure en chef aussi honorable qu'on me le disait : Cependant si je n'étais point assez vicieux pour m'en acquitter sans remords, je n'avais pas non plus assez de vertu pour refuser de le remplir. J'obéis donc d'autant plus volontiers au roi que je voyais en même temps que mon obéissance serait agréable au ministre, à qui je ne songeais qu'à plaire.

Je jugeai à propos de m'adresser d'abord à Laure, et de l'entretenir en particulier. Je lui exposai ma mission en termes mesurés, et lui présentai l'écrin à la fin de mon discours. A la vue des pierreries, la dame, ne pouvant cacher sa joie, la fit éclater en liberté. Seigneur Gil Blas, s'écria-t-elle, ce n'est pas devant le meilleur et le plus ancien de mes amis que je dois me contraindre; j'aurais tort de me parer d'une fausse sévérité de mœurs et de faire des grimaces avec vous. Oui, n'en doutez pas, continua-t-elle, je suis ravie que ma fille ait fait une conquête si précieuse; j'en conçois tous les avantages, mais entre nous je crains que Lucrèce ne les regarde d'un autre œil que moi : quoique fille de théâtre elle a la sagesse si fort en recommandation qu'elle a déjà rejeté les vœux de deux jeunes seigneurs aimables et riches. Vous me direz, poursuivit-elle, que ces deux seigneurs ne sont pas des rois : j'en conviens, et vraisemblablement l'amour d'un amant couronné doit étourdir la vertu de Lucrèce; néanmoins je ne puis m'empêcher de vous dire que la chose est incertaine, et je vous déclare que je ne contraindrai pas ma fille : Si, bien loin de se croire honorée de la tendresse passagère du roi, elle envisage cet honneur comme une infamie, que ce grand prince ne lui sache pas mauvais gré de s'y dérober! Revenez demain, ajouta-t-elle, je vous dirai s'il faut lui rendre une réponse favorable, ou ses pierreries.

Je ne doutais point du tout que Laure n'exhortât plutôt Lucrèce à s'écarter de son devoir qu'à s'y maintenir, et je comptais fort sur cette exhortation. Néanmoins j'appris avec surprise le jour suivant que Laure avait eu autant de peine à porter sa fille au mal que les autres mères en ont à porter les leurs au bien; et, ce qu'il y a de plus étonnant encore, c'est que Lucrèce, après avoir eu quelques entretiens secrets avec le monarque, eut tant de regret de s'être livrée à ses désirs qu'elle quitta tout à coup le monde et s'enferma dans le monastère de l'Incarnation [156], où bientôt elle tomba malade et mourut de chagrin. Laure de son côté ne pouvant se consoler de la perte de sa fille, et d'avoir sa mort à se reprocher, se retira dans le couvent des *Filles Pénitentes* pour y pleurer les plaisirs de ses beaux jours. Le roi fut touché de la retraite inopinée de Lucrèce; mais ce jeune prince, n'étant pas d'humeur à s'affliger longtemps, s'en consola peu à peu. Pour le comte-duc, quoiqu'il ne parût guère sensible à cet incident, il ne laissa pas d'en être très mortifié; ce que le lecteur n'aura pas de peine à croire.

CHAPITRE IV

Du nouvel emploi
que donna le ministre à Santillane.

Je sentis aussi très vivement le malheur de Lucrèce, et j'eus tant de remords d'y avoir contribué que, me regardant comme un infâme, malgré la qualité de l'amant dont j'avais servi les amours, je résolus d'abandonner pour jamais le caducée; je témoignai même au ministre la répugnance que j'avais à le porter, et je le priai de m'employer à toute autre chose. Santillane, me dit-il, ta délicatesse me charme; et, puisque tu es un si honnête garçon, je veux te donner une occupation plus convenable à ta sagesse. Voici ce que c'est : écoute attentivement la confidence que je vais te faire.

Quelques années avant que je fusse en faveur [157], continua-t-il, le hasard offrit un jour à ma vue une dame qui me parut si bien faite et si belle que je la fis suivre. J'appris que c'était une Génoise, nommée doña Margarita Spinola, qui vivait à Madrid du revenu de sa beauté : on me dit même que don Francisco de Valeasar, alcade de Cour, homme riche, vieux et marié, faisait pour cette coquette une dépense considérable. Ce rapport, qui n'aurait dû m'inspirer que du mépris pour elle, me fit concevoir un désir violent de partager ses bonnes grâces avec Valeasar. J'eus cette fantaisie; et, pour la satisfaire, j'eus recours à une médiatrice d'amour, qui eut l'adresse de me ménager en peu de temps une secrète entrevue avec la Génoise, et cette entrevue fut suivie de plusieurs autres; si bien que mon rival et moi nous étions également bien traités pour nos présents. Peut-être même avait-elle encore quelque autre galant aussi heureux que nous.

Quoi qu'il en soit, Marguerite, en recevant tant d'hommages confus, devint insensiblement mère, et mit au monde un garçon, dont elle voulut faire honneur à chacun de ses amants en particulier : mais aucun, ne pouvant en conscience se vanter d'être père de cet enfant, ne voulut le reconnaître; de sorte que la Génoise fut obligée de le nourrir du fruit de ses galanteries, ce qu'elle a fait pendant dix-huit années, au bout desquelles étant morte, elle a laissé son fils sans bien, et, qui pis est, sans éducation.

Voilà, poursuivit monseigneur, la confidence que j'avais à te faire, et je vais présentement t'instruire du grand dessein que j'ai formé : je veux tirer du néant cet enfant malheureux et, le faisant passer d'une extrémité à l'autre, l'élever aux honneurs, et le reconnaître pour mon fils.

A ce projet extravagant, il me fut impossible de me taire. Comment, Seigneur, m'écriai-je, Votre Excellence peut-elle avoir pris une résolution si étrange ? pardonnez-moi ce terme, il échappe à mon zèle. Tu la trouveras raisonnable, reprit-il avec précipitation, quand je t'aurai dit les raisons qui m'ont déterminé à la prendre : Je ne veux point que mes collatéraux soient mes héritiers. Tu me diras que je ne suis point encore dans un âge assez avancé pour désespérer d'avoir des enfants de Madame d'Olivarès. Mais chacun se connaît : qu'il te suffise d'apprendre que la chimie n'a pas de secrets que je n'aie inutilement mis en usage pour redevenir père. Ainsi, puisque la fortune, suppléant au défaut de la nature, me présente un enfant, dont peut-être dans le fond je suis le véritable père, je l'adopte; c'est une chose résolue.

Quand je vis que le ministre avait en tête cette adoption, je cessai de la combattre, le connaissant pour homme capable de faire une sottise plutôt que de démordre de son sentiment. Il ne s'agit plus, ajouta-t-il, que de donner de l'éducation à don Henri-Philippe de Guzman (car c'est le nom que je prétends qu'il porte dans le monde, jusqu'à ce qu'il soit en état de posséder les dignités qui l'attendent). C'est toi, mon cher Santillane, que je choisis pour le conduire : je me repose sur ton esprit, et sur ton attachement pour moi, du soin de faire sa maison, de lui donner toutes sortes de maîtres, en un mot de le rendre un cavalier accompli. Je voulus me défendre d'accepter cet emploi, en représentant au comte-duc qu'il ne me convenait guère d'élever de jeunes seigneurs, n'ayant jamais fait ce métier, qui demandait plus de lumières et de mérite que je n'en avais : mais il m'interrompit, et me ferma la bouche en me disant qu'il prétendait absolument que je fusse le gouverneur de ce fils adopté qu'il destinait aux premières charges de la monarchie. Je me préparai donc à remplir cette place pour contenter monseigneur, qui pour prix de ma complaisance grossit mon petit revenu d'une pension de mille écus qu'il me fit obtenir, ou plutôt qu'il me donna sur la commanderie de Mambra.

CHAPITRE V

Le fils de la Génoise est reconnu par acte authentique et nommé don Henri-Philippe de Guzman. Santillane fait la maison de ce jeune seigneur, et lui donne toutes sortes de maîtres.

Effectivement le comte-duc ne tarda guère à reconnaître [158] le fils de doña Margarita Spinola, et l'acte de reconnaissance s'en fit avec l'agrément et sous le bon plaisir du roi. Don Henri-Philippe de Guzman (c'est le nom que l'on donna à cet enfant de plusieurs pères) y fut déclaré unique héritier de la comté d'Olivarès et du duché de San Lucar. Le ministre, afin que personne n'en ignorât, fit savoir par Carnero cette déclaration aux ambassadeurs et aux Grands d'Espagne, qui n'en furent pas peu surpris. Les rieurs de Madrid en eurent pour longtemps à s'égayer, et les poètes satiriques ne perdirent pas une si belle occasion de faire couler le fiel de leur plume.

Je demandai au comte-duc où était le sujet qu'il voulait confier à mes soins. Il est dans cette ville, me répondit-il, sous la conduite d'une tante, à qui je l'ôterai d'abord que tu auras fait préparer une maison pour lui; ce qui fut bientôt exécuté. Je louai un hôtel, que je fis meubler magnifiquement. J'arrêtai des pages, un portier, des estafiers; et, à l'aide de Caporis, je remplis les places d'officiers. Quand j'eus tout mon monde, j'allai en avertir Son Excellence, qui sur-le-champ envoya chercher l'équivoque et nouveau rejeton de la tige des Guzman. Je vis un grand garçon d'une figure assez agréable. Don Henri, lui dit monseigneur en me montrant au doigt, ce cavalier que vous voyez est le guide que j'ai choisi pour vous conduire dans la carrière du monde; j'ai une entière confiance en lui, et je lui donne un pouvoir absolu sur vous. Oui, Santillane, ajouta-t-il en m'adressant la parole, je vous l'abandonne, et je ne doute pas que vous ne m'en rendiez bon compte. A ce discours le ministre en joignit encore d'autres pour exhorter le jeune homme à se conformer à mes volontés; après quoi j'emmenai don Henri avec moi à son hôtel.

Aussitôt que nous y fûmes arrivés, je fis passer en revue devant lui tous ses domestiques, en lui disant l'emploi que chacun avait dans sa maison. Il ne parut point étourdi du changement de sa condition; et, se prêtant volontiers au respect et aux déférences attentives qu'on avait pour lui, il semblait avoir toujours été ce qu'il était devenu par hasard. Il ne manquait pas d'esprit, mais il était d'une ignorance crasse; à peine savait-il lire et écrire. Je mis auprès de lui un précepteur pour lui enseigner les éléments de la langue latine, et j'arrêtai un maître de géographie, un maître d'histoire avec un maître d'escrime. On juge bien que je n'eus garde d'oublier un maître à danser : je ne fus embarrassé que sur le choix; il y en avait dans ce temps-là un grand nombre de fameux à Madrid, et je ne savais auquel je devais donner la préférence.

Tandis que j'étais dans cet embarras, je vis entrer dans la cour de notre hôtel un homme richement vêtu. On me dit qu'il demandait à me parler. J'allai au-devant de lui, m'imaginant que c'était tout au moins un chevalier de Saint-Jacques ou d'Alcantara. Je lui demandai ce qu'il y avait pour son service. Seigneur de Santillane, me répondit-il après m'avoir fait plusieurs révérences qui sentaient bien son métier, comme on m'a dit que c'est Votre Seigneurie qui choisit les maîtres du seigneur don Henri, je viens vous offrir mes services : je m'appelle Martin Ligero [159], et j'ai, grâce au Ciel, quelque réputation. Je n'ai pas coutume d'aller mendier des écoliers; cela ne convient qu'à de petits maîtres à danser. J'attends ordinairement qu'on me vienne chercher : mais montrant au duc de Medina Sidonia, à don Luis de Haro et à quelques autres seigneurs de la maison de Guzman, dont je suis en quelque façon le serviteur-né, je me fais un devoir de vous prévenir. Je vois par ce discours, lui répondis-je, que vous êtes l'homme qu'il nous faut : Combien prenez-vous par mois ? Quatre doubles pistoles, reprit-il, c'est le prix courant, et je ne donne que deux leçons par semaine. Quatre doublons par mois! m'écriai-je; c'est beaucoup. Comment beaucoup ! répliqua-t-il d'un air étonné; vous donneriez bien une pistole par mois à un maître de philosophie.

Il n'y eut pas moyen de tenir contre une si plaisante réplique; j'en ris de bon cœur, et je demandai au seigneur Ligero s'il croyait véritablement qu'un homme de son métier fût préférable à un maître de philosophie. Je le crois sans doute, me dit-il, nous sommes d'une plus grande utilité que ces messieurs : Que sont les hommes avant qu'ils passent par nos mains ? Des corps tout d'une pièce, des ours mal léchés; mais nos leçons les développent peu à peu, et leur font prendre insensiblement une forme : en un mot nous leur enseignons à se mouvoir avec grâce; nous leur donnons des attitudes avec des airs de noblesse et de gravité.

Je me rendis aux raisons de ce maître à danser, et je le retins pour montrer à don Henri sur le pied de quatre doubles pistoles par mois, puisque c'était un prix fait par les grands maîtres de l'art.

CHAPITRE VI

Scipion revient de la Nouvelle-Espagne.
Gil Blas le place auprès de don Henri.
Des études de ce jeune seigneur :
des honneurs qu'on lui fit,
et à quelle dame le comte-duc le maria.
Comment Gil Blas fut fait noble malgré lui.

Je n'avais point encore fait la moitié de la maison de don Henri, lorsque Scipion revint du Mexique[160]. Je lui demandai s'il était satisfait de son voyage. Je dois l'être, me répondit-il, puisque avec trois mille ducats en espèces j'ai apporté pour deux fois autant en marchandises de défaite en ce pays-ci. Je t'en félicite, repris-je, mon enfant : voilà ta fortune commencée; il ne tiendra qu'à toi de l'achever, en retournant aux Indes l'année prochaine : ou bien, si tu préfères à la peine d'aller si loin amasser du bien un poste agréable à Madrid, tu n'as qu'à parler; j'en ai un à te donner. Oh! parbleu, dit le fils de la Coscolina, il n'y a point à balancer; j'aime mieux remplir un bon emploi auprès de Votre Seigneurie que de m'exposer de nouveau aux périls d'une longue navigation. Expliquez-vous, mon maître; quelle occupation destinez-vous à votre serviteur ?

Pour mieux le mettre au fait, je lui contai l'histoire du petit seigneur que le comte-duc venait d'introduire dans la maison de Guzman. Après lui avoir fait ce détail curieux et lui avoir appris que ce ministre m'avait nommé gouverneur de don Henri, je lui dis que je voulais le faire valet de chambre de ce fils adopté. Scipion, qui ne demandait pas mieux, accepta volontiers ce poste, et le remplit si bien qu'en moins de trois ou quatre jours il s'attira la confiance et l'amitié de son nouveau maître.

Je m'étais imaginé que les pédagogues dont j'avais fait choix pour endoctriner le fils de la Génoise y perdraient leur latin, le croyant à son âge un sujet peu disciplinable; néanmoins il trompa mon attente. Il comprenait et retenait aisément tout ce qu'on lui enseignait; ses maîtres en étaient très contents. J'allai avec empressement annoncer cette nouvelle au comte-duc, qui la reçut avec une joie excessive. Santillane, s'écria-t-il avec transport, tu me ravis en m'apprenant que don Henri a beaucoup de mémoire et de pénétration. Je reconnais en lui mon sang; et ce qui achève de me persuader qu'il est mon fils, c'est que je me sens autant de tendresse pour lui que si je l'eusse eu de Madame d'Olivarès. Tu vois par là, mon ami, que la nature se déclare. Je n'eus garde de dire à monseigneur ce que je pensais là-dessus; et, respectant sa faiblesse, je le laissai jouir du plaisir faux ou véritable de se croire père de don Henri.

Quoique tous les Guzman eussent une haine mortelle pour ce jeune seigneur de fraîche date, ils la dissimulèrent par politique; il y en eut même qui affectèrent de rechercher son amitié : les ambassadeurs et les Grands qui étaient alors à Madrid le visitèrent et lui firent tous les honneurs qu'ils auraient rendus à un enfant légitime du comte-duc. Ce ministre, ravi de voir encenser son idole, ne tarda guère à le parer de dignités. Il commença par demander au roi pour don Henri la croix d'Alcantara [161] avec une commanderie de dix mille écus. Peu de temps après il le fit recevoir gentilhomme de la Chambre; ensuite, ayant pris la résolution de le marier, et voulant lui donner une dame de la plus noble maison d'Espagne, il jeta les yeux sur doña Juana de Velasco, fille du duc de Castille, et il eut assez d'autorité pour la lui faire épouser en dépit de ce duc et de ses parents.

Quelques jours avant ce mariage, monseigneur, m'ayant envoyé chercher, me dit, en me mettant des papiers entre les mains : Tiens, Gil Blas, voici des lettres de noblesse que j'ai fait expédier pour toi. Monseigneur, lui répondis-je assez surpris de ces paroles, Votre Excellence sait que je suis fils d'une duègne et d'un écuyer; ce serait, ce me semble, profaner la noblesse que de m'y agréger; et c'est, de toutes les grâces que Sa Majesté me peut faire, celle que je mérite et que je désire le moins. Ta naissance, reprit le ministre, est un obstacle facile à lever : Tu as été occupé des affaires de l'Etat sous le ministère du duc de Lerme et sous le mien; d'ailleurs, ajouta-t-il avec un souris, n'as-tu pas rendu au monarque des services qui méritent une récompense ? En un mot, Santillane, tu n'es pas indigne de l'honneur que j'ai voulu te faire : de plus le rang que tu tiens auprès de mon fils demande que tu sois noble; c'est à cause de cela que je t'ai donné des lettres de noblesse. Je me rends, Monseigneur, lui répliquai-je, puisque Votre

Excellence le veut absolument. En achevant ces mots, je sortis avec mes patentes que je serrai dans ma poche.

Je suis donc présentement gentilhomme! dis-je en moi-même lorsque je fus dans la rue, me voilà noble sans que j'en aie l'obligation à mes parents : je pourrai, quand il me plaira, me faire appeler don Gil Blas; et si quelqu'un de ma connaissance s'avise de me rire au nez en me nommant ainsi, je lui ferai signifier mes lettres : mais lisons-les, continuai-je en les tirant de ma poche, voyons un peu de quelle façon on y décrasse le vilain. Je lus donc mes patentes, qui portaient en substance que le roi, pour reconnaître le zèle que j'avais fait paraître en plus d'une occasion pour son service et pour le bien de l'Etat, avait jugé à propos de me gratifier de lettres de noblesse. J'ose dire à ma louange qu'elles ne m'inspirèrent aucun orgueil. Ayant toujours devant les yeux la bassesse de mon origine, cet honneur m'humiliait au lieu de me donner de la vanité : aussi je me promis bien de renfermer mes patentes dans un tiroir sans me vanter d'en être pourvu.

CHAPITRE VII

Gil Blas rencontre encore Fabrice par hasard. De la dernière conversation qu'ils eurent ensemble, et de l'avis important que Nuñez donna à Santillane.

Le poète des Asturies, comme on a dû le remarquer, me négligeait assez volontiers. De mon côté, mes occupations ne me permettaient guère de l'aller voir. Je ne l'avais point revu depuis le jour de la dissertation sur l'*Iphigénie* d'Euripide, lorsque le hasard me le fit encore rencontrer près de la porte du Soleil. Il sortait d'une imprimerie. Je l'abordai en lui disant : Ho! ho! Monsieur Nuñez, vous venez de chez un imprimeur : cela semble menacer le public d'un nouvel ouvrage de votre composition.

C'est à quoi il doit en effet s'attendre, me répondit-il; j'ai sous la presse actuellement une brochure qui doit faire du bruit dans la république des lettres. Je ne doute pas du mérite de ta production, lui répliquai-je; mais je m'étonne que tu t'amuses à composer des brochures : il me semble que ce sont des colifichets qui ne font pas grand honneur à l'esprit. Je le sais bien, repartit Fabrice, et je n'ignore pas qu'il n'y a que les gens qui lisent tout qui s'amusent à lire des brochures : cependant en voilà une qui m'échappe et je t'avouerai que c'est un enfant de la nécessité. La faim, comme tu sais, fait sortir le loup hors du bois.

Comment! m'écriai-je, est-ce l'auteur du *Comte de*

Saldagne qui me tient ce discours ? Un homme qui a deux mille écus de rente peut-il parler ainsi ? Doucement, mon ami, interrompit Nuñez; je ne suis plus ce poète fortuné qui jouissait d'une pension bien payée. Le désordre s'est mis subitement dans les affaires du trésorier don Bertrand : il a manié, dissipé les deniers du roi; tous ses biens sont saisis, et ma pension est allée à tous les diables. Cela est triste, lui dis-je; mais ne te reste-t-il pas encore quelque espérance de ce côté-là ? Pas la moindre, me répondit-il; le seigneur Gomez del Ribero, aussi gueux que son bel esprit, est abîmé : il ne reviendra, dit-on, jamais sur l'eau.

Sur ce pied-là, lui répliquai-je, mon enfant, il faut que je te cherche quelque poste qui te console de la perte de ta pension. Je te dispense de ce soin-là, me dit-il; quand tu m'offrirais dans les bureaux du ministère un emploi de trois mille écus d'appointements, je le refuserais : des occupations de commis ne conviennent pas au génie d'un nourrisson des Muses; il me faut des amusements littéraires. Que te dirai-je, enfin ? Je suis né pour vivre et mourir en poète, et je veux remplir mon sort.

Au reste, continua-t-il, ne t'imagine pas que nous soyons fort malheureux; outre que nous vivons dans une parfaite indépendance, nous sommes des gaillards sans souci : on croit que nous faisons souvent des repas de Démocrite, et l'on est là-dessus dans l'erreur. Il n'y a pas un de mes confrères, sans en excepter les faiseurs d'almanachs, qui ne soit commensal dans quelque bonne maison; pour moi, j'en ai deux où l'on me reçoit avec plaisir. J'ai deux couverts assurés : l'un chez un gros directeur des fermes, à qui j'ai dédié un roman; et l'autre chez un riche bourgeois de Madrid, qui a la rage de vouloir toujours avoir à sa table de beaux esprits : heureusement il n'est pas fort délicat sur le choix, et la ville lui en fournit autant qu'il en veut.

Je cesse donc de te plaindre, dis-je au poète des Asturies, puisque tu es content de ta condition. Quoi qu'il en soit, je te proteste de nouveau que tu as toujours dans Gil Blas un ami à l'épreuve de ta négligence à le cultiver; si tu as besoin de ma bourse, viens hardiment à moi : qu'une mauvaise honte ne te prive point d'un secours infaillible, et ne me ravisse point le plaisir de t'obliger.

A ce sentiment généreux, s'écria Nuñez, je te reconnais, Santillane, et je te rends mille grâces de la disposition favorable où je te vois pour moi; il faut, par reconnaissance, que je te donne un avis salutaire : Pendant que le comte-duc peut tout encore, et que tu possèdes ses bonnes grâces, profite du temps : hâte-toi de t'enrichir; car ce ministre, à ce qu'on m'a dit, branle dans le manche. Je demandai à Fabrice s'il savait cela de bonne part, et il me répondit : Je tiens cette nouvelle d'un vieux chevalier de Calatrave, qui a un talent tout particulier pour découvrir les choses les plus secrètes; on écoute cet homme comme un oracle, et voici ce que je lui ai entendu dire hier : Le comte-duc, disait-il, a un grand nombre d'ennemis qui se réunissent tous pour le perdre; il compte trop sur l'ascendant qu'il a sur l'esprit du roi : ce monarque, à ce qu'on prétend, commence à prêter l'oreille aux plaintes qui déjà vont jusqu'à lui. Je remerciai Nuñez de son avertissement; mais j'y fis peu d'attention, et je m'en retournai au logis, persuadé que l'autorité de mon maître était inébranlable, le regardant comme un de ces vieux chênes [162] qui ont pris racine dans une forêt, et que les orages ne sauraient abattre.

CHAPITRE VIII

Comment Gil Blas apprit
que l'avis de Fabrice n'était point faux.
Du voyage que le roi fit à Saragosse.

Cependant, ce que le poète des Asturies m'avait dit n'était pas sans fondement. Il y avait au palais une confédération furtive contre le comte-duc, de laquelle on prétendait que la reine était le chef, et toutefois il ne transpirait rien dans le public des mesures que les confédérés prenaient pour déplacer ce ministre. Il s'écoula même depuis ce temps-là plus d'une année, sans que je m'aperçusse que sa faveur eût reçu la moindre atteinte.

Mais la révolte des Catalans soutenus par la France, et les mauvais succès de la guerre contre ces rebelles, excitèrent les murmures du peuple, qui se plaignit du gouvernement. Ces plaintes donnèrent lieu à la tenue d'un conseil en présence du roi, qui voulut que le marquis de Grana, ambassadeur de l'Empereur à la Cour d'Espagne, s'y trouvât. Il y fut mis en délibération [163] s'il était plus à propos que le roi demeurât en Castille, ou qu'il passât en Aragon pour se faire voir à ses troupes. Le comte-duc, qui avait envie que ce prince ne partît point pour l'armée, parla le premier : il représenta qu'il était plus convenable à la majesté royale de ne pas sortir du centre de ses Etats, et il appuya son sentiment de toutes les raisons que son éloquence put lui fournir. Il n'eut pas plus tôt achevé son discours que son avis fut généralement suivi de toutes les personnes du conseil, à la réserve du marquis de Grana, qui n'écoutant que son zèle [164] pour la maison d'Autriche, et se laissant aller à la franchise de sa nation, combattit le sentiment du premier ministre et soutint l'avis contraire avec tant de force que le roi, frappé de la solidité de ses raisonnements, embrassa son opinion, quoiqu'elle fût opposée à toutes les voix du conseil, et marqua le jour de son départ pour l'armée.

C'était pour la première fois de sa vie que ce monarque

avait osé penser autrement que son favori, qui, regardant cette nouveauté comme un sanglant affront, en fut très mortifié. Dans le temps que ce ministre allait se retirer dans son cabinet pour y ronger en liberté son frein, il m'aperçut, m'appela, et, m'ayant fait entrer avec lui, il me raconta d'un air agité ce qui s'était passé au conseil, ensuite, comme un homme qui ne pouvait revenir de sa surprise : Oui, Santillane, continua-t-il, le roi, qui depuis plus de vingt ans ne parle que par ma bouche, et ne voit que par mes yeux, a préféré l'avis de Grana au mien : et de quelle manière encore ? en comblant d'éloges cet ambassadeur, et surtout en louant son zèle pour la maison d'Autriche, comme si cet Allemand en avait plus que moi.

Il est aisé de juger par là, poursuivit le ministre, qu'il y a un parti formé contre moi, et que la reine est à la tête. Eh! Monseigneur, lui dis-je, de quoi vous inquiétez-vous ? La reine depuis plus de douze ans n'est-elle pas accoutumée à vous voir maître des affaires, et n'avez-vous pas mis le roi dans l'habitude de ne la pas consulter ? A l'égard du marquis de Grana, le monarque peut s'être rangé de son sentiment par l'envie qu'il a de voir son armée et de faire une campagne. Tu n'y es pas, interrompit le comte-duc; dis plutôt que mes ennemis espèrent que le roi, étant parmi ses troupes, sera toujours environné des Grands qui l'auront suivi, et qu'il s'en trouvera plus d'un assez mécontent de moi pour oser lui tenir des discours injurieux à mon ministère. Mais ils se trompent, ajouta-t-il; je saurai bien, pendant le voyage, rendre ce prince inaccessible à tous les Grands : ce qu'il fit en effet d'une manière qui mérite bien d'être détaillée.

Le jour du départ du roi [165] étant venu, ce monarque, après avoir chargé la reine du soin du gouvernement en son absence, se mit en chemin pour Saragosse; mais avant que d'y arriver, il passa par Aranjuez, dont il trouva le séjour si délicieux qu'il s'y arrêta près de trois semaines. D'Aranjuez le ministre le fit aller à Cuença où il l'amusa encore plus longtemps par les divertissements qu'il lui donna. Ensuite les plaisirs de la chasse occupèrent ce prince à Molina d'Aragon; après quoi il fut conduit à Saragosse. Son armée n'était pas loin de là, et il se préparait à s'y rendre; mais le comte-duc lui en ôta l'envie, en lui faisant accroire qu'il se mettrait en danger d'être pris par les Français qui étaient maîtres de la plaine de Monçon : de sorte que le roi, épouvanté d'un péril qu'il n'avait nullement à craindre, prit le parti de demeurer enfermé chez lui comme dans une prison. Le ministre, profitant de sa terreur, et sous prétexte de veiller à sa sûreté, le garda pour ainsi dire à vue; si bien que les Grands qui avaient fait une excessive dépense pour se mettre en état de suivre leur souverain, n'eurent pas même la satisfaction d'obtenir de lui une audience particulière. Philippe enfin, s'ennuyant d'être mal logé à Saragosse, d'y passer encore plus mal son temps, ou, si vous voulez, d'être prisonnier, s'en retourna bientôt à Madrid. Ce monarque finit ainsi sa campagne, laissant au marquis de los Velez, général de ses troupes, le soin de soutenir l'honneur des armes d'Espagne.

CHAPITRE IX

De la révolution de Portugal, et de la disgrâce du comte-duc.

Peu de jours après le retour du roi, il se répandit à Madrid une fâcheuse nouvelle : on apprit que les Portugais, regardant la révolte des Catalans comme une belle occasion que la fortune leur offrait de secouer le joug espagnol, avaient pris les armes, et choisi pour leur roi le duc de Bragance, et qu'ils étaient dans la résolution de le maintenir sur ce trône, et qu'ils comptaient bien de n'en pas avoir le démenti, l'Espagne ayant alors sur les bras des ennemis en Allemagne, en Italie, en Flandre et en Catalogne. Ils ne pouvaient effectivement trouver une conjoncture plus favorable pour s'affranchir d'une domination qu'ils détestaient.

Ce qu'il y a de singulier, c'est que le comte-duc, dans le temps que la Cour et la Ville paraissaient consternés [166] de cette nouvelle, en voulut plaisanter avec le roi aux dépens du duc de Bragance; mais Philippe, bien loin de se prêter à ses mauvaises plaisanteries, prit un air sérieux qui le déconcerta et lui fit pressentir sa disgrâce. Ce ministre ne douta plus de sa chute, quand il apprit que la reine s'était ouvertement déclarée contre lui, et qu'elle l'accusait hautement d'avoir par sa mauvaise administration causé la révolte du Portugal. La plupart des Grands, et surtout ceux qui avaient été à Saragosse, ne s'aperçurent pas plus tôt qu'il se formait un orage sur la tête du comte-duc qu'ils se joignirent à la reine, et, ce qui porta le dernier coup à sa faveur, c'est que la duchesse douairière de Mantoue, ci-devant gouvernante de Portugal, revint de Lisbonne à Madrid, et fit voir clairement au roi que la révolution de ce royaume n'était arrivée que par la faute de son premier ministre.

Les discours de cette princesse firent toute l'impression qu'ils pouvaient faire sur l'esprit du monarque, qui, revenant enfin de son entêtement pour son favori, se dépouilla de toute l'affection qu'il avait pour lui. Lorsque ce ministre fut informé que le roi écoutait ses ennemis, il lui écrivit un billet pour lui demander la permission de se démettre de son emploi, et de s'éloigner de la cour, puisqu'on lui faisait l'injustice de lui imputer tous les malheurs arrivés à la monarchie pendant le cours de son ministère. Il croyait que cette lettre ferait un grand effet, et que le prince conservait encore pour lui assez d'amitié pour ne vouloir pas consentir à son éloignement; mais toute la réponse que lui fit Sa Majesté fut qu'elle lui accordait la permission qu'il demandait, et qu'il pouvait se retirer où bon lui semblerait.

Ces paroles écrites de la main du roi furent un coup de tonnerre pour monseigneur, qui ne s'y était nullement attendu. Néanmoins, quoiqu'il en fût étourdi, il affecta un air de constance, et me demanda ce que je ferais à sa place. Je prendrais, lui dis-je, aisément mon parti; j'abandonnerais la Cour, et j'irais à quelqu'une de mes terres passer tranquillement le reste de mes jours. Tu penses sainement, répliqua mon maître, et je prétends bien aller finir ma carrière à Loeches, après que j'aurai seulement une fois entretenu le monarque : je suis bien aise de lui remontrer que j'ai fait humainement tout ce que j'ai pu pour bien soutenir le pesant fardeau dont j'étais chargé, et qu'il n'a pas dépendu de moi de prévenir les tristes événements dont on me fait un crime, n'étant point en cela plus coupable qu'un habile pilote, qui, malgré tout ce qu'il peut faire, voit son vaisseau emporté par les vents et par les flots. Ce ministre se flattait encore qu'en parlant au Prince il pourrait rajuster les choses, et regagner le terrain qu'il avait perdu; mais il ne put en avoir audience, et de plus on lui envoya demander la clef dont il se servait pour entrer, quand il lui plaisait, dans l'appartement de Sa Majesté.

Jugeant alors qu'il n'y avait plus d'espérance pour lui [167], il se détermina tout de bon à la retraite. Il visita ses papiers, dont il brûla prudemment une grande quantité; ensuite il nomma les officiers de sa maison et les valets dont il voulait être suivi, donna des ordres pour son départ, et en fixa le jour au lendemain. Comme il craignait d'être insulté par la populace en sortant du palais, il s'échappa de grand matin par la porte des cuisines, monta dans un méchant carrosse avec son confesseur et moi, et prit impunément la route de Loeches, village dont il était seigneur, et où la comtesse son épouse a fait bâtir un magnifique couvent de religieuses de l'ordre de Saint-Dominique. Nous nous y rendîmes en moins de quatre heures, et toutes les personnes de sa suite y arrivèrent peu de temps après nous.

CHAPITRE X

De l'inquiétude et des soins
qui troublèrent d'abord le repos du comte-duc,
et de l'heureuse tranquillité qui leur succéda.
Des occupations de ce ministre dans sa retraite.

Madame d'Olivarès laissa partir son mari pour Loeches, et demeura quelques jours après lui à la Cour, dans le dessein d'essayer si par ses prières et par ses larmes elle ne pourrait pas le faire rappeler; mais elle eut beau se prosterner [168] devant Leurs Majestés, le roi n'eut aucun égard à ses remontrances, quoique préparées avec art, et la reine, qui la haïssait mortellement, vit avec plaisir couler ses pleurs. L'épouse du ministre ne se rebuta point; elle s'humilia jusqu'à implorer les bons offices des dames de la reine : mais le fruit qu'elle recueillit de ses bassesses fut de s'apercevoir qu'elles excitaient le mépris plutôt que la pitié. Désolée d'avoir fait en vain tant de démarches humiliantes, elle alla rejoindre son époux pour s'affliger avec lui de la perte d'une place qui sous un règne tel que celui de Philippe IV était peut-être la première de la monarchie.

Le rapport que cette dame fit de l'état où elle avait laissé Madrid redoubla le chagrin du comte-duc : Vos ennemis, lui dit-elle en pleurant, le duc de Medina Celi [169] et les autres grands qui vous haïssent, ne cessent de louer le roi de vous avoir ôté du ministère, et le peuple célèbre votre disgrâce avec une joie insolente, comme si la fin des malheurs de l'Etat était attachée à celle de votre administration. Madame, lui dit mon maître, suivez mon exemple, dévorez vos chagrins; il faut céder à l'orage qu'on ne peut détourner. J'avais cru, il est vrai, que je pourrais perpétuer ma faveur jusqu'à la fin de ma vie : illusion ordinaire des ministres et des favoris, qui oublient que leur sort dépend de leur souverain. Le duc de Lerme n'y a-t-il pas été trompé aussi bien que moi, quoiqu'il s'imaginât que la pourpre dont il était revêtu fût un sûr garant de l'éternelle durée de son autorité ?

C'est de cette façon que le comte-duc exhortait son épouse à s'armer de patience, pendant qu'il était lui-même dans une agitation qui se renouvelait tous les jours par les dépêches qu'il recevait de don Henri, lequel, étant demeuré à la cour pour observer ce qui s'y passerait, avait soin de l'en informer exactement. C'était Scipion qui apportait les lettres de ce jeune seigneur, auprès de qui il était encore, et avec qui je ne demeurais plus depuis son mariage avec doña Juana. Les dépêches de ce fils adopté étaient toujours remplies de fâcheuses nouvelles, et malheureusement on n'en attendait pas d'autres de lui. Tantôt il mandait que les Grands ne se contentaient pas de se réjouir publiquement de la retraite du comte-duc, qu'ils s'étaient tous réunis pour faire chasser ses créatures des charges et des emplois qu'elles possédaient, et les faire remplacer par ses ennemis. Une autre fois il écrivait que don Louis de Haro commençait d'entrer en faveur, et que suivant toutes les apparences il allait devenir premier ministre. De toutes les choses chagrinantes que mon maître apprit, celle qui parut l'affliger davantage fut le changement qui se fit dans la vice-royauté de Naples, que la Cour, pour le mortifier seulement, ôta au duc de Medina de Las Torrès qu'il aimait pour la donner à l'amirante de Castille qu'il avait toujours haï.

On peut dire que pendant trois mois [170] monseigneur ne sentit dans la solitude que trouble et que chagrin; mais son confesseur, qui était un religieux de l'ordre de Saint-Dominique, et qui joignait à une solide piété une mâle éloquence, eut le pouvoir de le consoler. A force de lui représenter avec énergie qu'il ne devait plus penser qu'à son salut, il eut, avec le secours de la grâce, le bonheur de détacher son esprit de la Cour. Son Excellence ne voulut plus savoir de nouvelles de Madrid, et n'eut plus d'autre soin que de se disposer à bien mourir. Madame d'Olivarès, de son côté, faisant aussi un bon usage de sa retraite, trouva, dans le couvent dont elle était fondatrice, une consolation préparée par la Providence : il y eut parmi les religieuses de saintes filles dont les discours pleins d'onction tournèrent insensiblement en douceur l'amertume de sa vie. A mesure que mon maître détournait sa pensée des affaires du monde, il devenait plus tranquille. Voici de quelle manière il réglait sa journée : il passait presque toute la matinée à entendre des messes dans l'église des religieuses, ensuite il revenait dîner; après quoi il s'amusait pendant deux heures à jouer à toutes sortes de jeux avec moi et quelques-uns de ses plus affectionnés domestiques : puis il se retirait ordinairement tout seul dans son cabinet, où il demeurait jusqu'au coucher du soleil; alors il faisait le tour de son jardin, ou bien il allait en carrosse se promener aux environs de son château, accompagné tantôt de son confesseur et tantôt de moi.

Un jour que j'étais seul avec lui, et que j'admirais la sérénité qui brillait sur son visage, je pris la liberté de lui dire : Monseigneur, permettez-moi de laisser éclater ma joie; à l'air de satisfaction que je vous vois, je juge que Votre Excellence commence à s'accoutumer à la retraite. J'y suis déjà tout accoutumé, me répondit-il; et, quoique je sois depuis longtemps dans l'habitude de m'occuper d'affaires, je te proteste, mon enfant, que je prends de jour en jour plus de goût à la vie douce et paisible que je mène ici.

CHAPITRE XI

Le comte-duc devient tout à coup triste et rêveur. Du sujet étonnant de sa tristesse, et de la suite fâcheuse qu'elle eut.

Monseigneur, pour varier ses occupations [171], s'amusait aussi quelquefois à cultiver son jardin. Un jour que je le regardais travailler, il me dit en plaisantant : Tu vois,

Santillane, un ministre banni de la Cour, devenu jardinier à Loeches. Monseigneur, lui répondis-je sur le même ton, je m'imagine voir Denys de Syracuse maître d'école à Corinthe. Mon maître sourit de ma réponse, et ne me sut pas mauvais gré de la comparaison.

Nous étions tous ravis au château de voir le patron, supérieur à sa disgrâce, trouver des charmes dans une vie si différente de celle qu'il avait toujours menée, lorsque nous nous aperçûmes avec douleur qu'il changeait à vue d'œil. Il devint sombre, rêveur, et tomba dans une mélancolie profonde. Il cessa de jouer avec nous, et ne parut plus sensible à tout ce que nous pouvions inventer pour le divertir. Il s'enfermait après son dîner dans son cabinet, où il demeurait tout seul jusqu'au soir. Nous nous imaginions que sa tristesse était causée par des retours de sa grandeur passée; et dans cette opinion nous lâchions après lui le père dominicain, dont pourtant l'éloquence ne pouvait triompher de la mélancolie de monseigneur, laquelle, au lieu de diminuer, semblait aller en augmentant.

Il me vint dans l'esprit que la tristesse de ce ministre pouvait avoir une cause particulière qu'il ne voulait pas dire; ce qui me fit former le dessein de lui arracher son secret. Pour y parvenir, j'épiai le moment de lui parler sans témoin, et l'ayant trouvé : Monseigneur, lui dis-je d'un air mêlé de respect et d'affection, est-il permis à Gil Blas d'oser faire une question à son maître ? Tu peux parler, me répondit-il, je te le permets. Qu'est devenu, repris-je, cet air content qui paraissait sur le visage de Votre Excellence ? N'auriez-vous plus l'ascendant que vous aviez pris sur la fortune ? Votre faveur perdue exciterait-elle en vous de nouveaux regrets ? Seriez-vous replongé dans cet abîme d'ennuis d'où votre vertu vous avait tiré ? Non, grâce au ciel, repartit le ministre, ma mémoire n'est plus occupée du personnage que j'ai fait à la Cour, et j'ai pour jamais oublié les honneurs qu'on m'y a rendus. Eh! pourquoi donc, lui répliquai-je, si vous avez la force de n'en plus rappeler le souvenir, avez-vous la faiblesse de vous abandonner à une mélancolie qui nous alarme tous ? Qu'avez-vous, mon cher maître ? poursuivis-je en me jetant à ses genoux; vous avez sans doute un secret chagrin qui vous dévore : pouvez-vous en faire un mystère à Santillane, dont vous connaissez la discrétion, le zèle et la fidélité ? Par quel malheur ai-je perdu votre confiance ?

Tu la possèdes toujours, me dit monseigneur; mais je t'avouerai que j'ai de la répugnance à te révéler ce qui fait le sujet de la tristesse où tu me vois enseveli : cependant je ne puis tenir contre les instances d'un serviteur et d'un ami tel que toi. Apprends donc ce qui fait ma peine; ce n'est qu'au seul Santillane que je puis me résoudre à faire une pareille confidence. Oui, continua-t-il, je suis la proie d'une noire mélancolie qui consume peu à peu mes jours : je vois presque à tout moment un spectre qui se présente devant moi sous une forme effroyable. J'ai beau me dire à moi-même que ce n'est qu'une illusion, qu'un fantôme qui n'a rien de réel, ses apparitions continuelles me blessent la vue et m'inquiètent. Si j'ai la tête assez forte pour être persuadé qu'en voyant ce spectre je ne vois rien, je suis assez faible pour m'affliger de cette vision. Voilà ce que tu m'as forcé de te dire, ajouta-t-il; juge à présent si j'ai tort de vouloir cacher à tout le monde la cause de ma mélancolie.

J'appris avec autant de douleur que d'étonnement une chose si extraordinaire, et qui supposait un dérangement dans la machine. Monseigneur, dis-je au ministre, cela ne viendrait-il point du peu de nourriture que vous prenez ? car votre sobriété est excessive. C'est ce que j'ai pensé d'abord, répondit-il, et, pour éprouver si c'était à la diète que je m'en devais prendre, je mange depuis quelques jours plus qu'à l'ordinaire; et tout cela est inutile, le fantôme ne disparaît point. Il disparaîtra, repris-je pour le consoler; et si Votre Excellence voulait un peu se dissiper en jouant encore avec ses fidèles serviteurs, je crois qu'elle ne tarderait guère à se voir délivrée de ses noires vapeurs.

Peu de temps après cet entretien, monseigneur tomba malade; et, sentant que l'affaire deviendrait sérieuse, il envoya chercher deux notaires à Madrid pour leur faire faire son testament. Il fit venir aussi trois fameux médecins qui avaient la réputation de guérir quelquefois leurs malades. Aussitôt que le bruit de l'arrivée de ces derniers se répandit dans le château, on n'y entendit que des plaintes et des gémissements; on y regarda la mort du maître comme prochaine, tant on y était prévenu contre ces messieurs. Ils avaient amené avec eux un apothicaire et un chirurgien, ordinaires exécuteurs de leurs ordonnances. Ils laissèrent d'abord les notaires faire leur métier, après quoi ils se disposèrent à faire le leur. Comme ils étaient dans les principes du docteur Sangrado, dès la première consultation ils ordonnèrent saignées sur saignées; en sorte qu'au bout de six jours ils réduisirent le comte-duc à l'extrémité et le septième ils le délivrèrent de sa vision.

Après la mort de ce ministre il régna dans le château de Loeches une vive et sincère douleur. Tous ses domestiques le pleurèrent amèrement. Bien loin de se consoler de sa perte par la certitude d'être compris dans son testament, il n'y en avait pas un qui n'eût volontiers renoncé à son legs pour le rappeler à la vie. Pour moi, qu'il avait le plus chéri, et qui m'étais attaché à lui par pure inclination pour sa personne, j'en fus encore plus touché que les autres. Je doute qu'Antonia m'ait coûté plus de larmes que le comte-duc.

CHAPITRE XII

De ce qui se passa au château de Loeches après la mort du comte-duc ; et du parti que prit Santillane.

Le ministre, ainsi qu'il l'avait ordonné, fut inhumé sans pompe et sans éclat dans le monastère des religieuses, au bruit de nos lamentations. Après les funérailles, Madame d'Olivarès nous fit lire le testament, dont tous les domestiques eurent sujet d'être satisfaits. Chacun avait un legs proportionné à la place qu'il occupait, et le moindre legs était de deux mille écus : le mien était le plus considérable de tous; monseigneur me laissait dix mille pistoles pour marquer l'affection singulière qu'il avait eue pour moi. Il n'oublia pas les hôpitaux, et fonda des services annuels dans plusieurs couvents.

Madame d'Olivarès renvoya tous les domestiques à Madrid toucher leurs legs chez l'intendant don Raimond Caporis, qui avait ordre de les leur délivrer; mais je ne pus partir avec eux : une grosse fièvre, fruit de mon affliction, me retint au château sept à huit jours. Pendant ce temps-là, le père de Saint-Dominique ne m'abandonna point. Ce bon religieux m'avait pris en amitié; et, s'intéressant à mon salut, il me demanda, quand il me vit convalescent, ce que je voulais devenir. Je n'en sais rien, lui répondis-je, mon révérend père; je ne suis point encore d'accord avec moi-même là-dessus : il y a des moments où je suis tenté de m'enfermer dans une cellule pour y faire pénitence. Moments précieux! s'écria le dominicain; seigneur de Santillane, vous feriez bien d'en profiter : Je vous conseille en ami, sans que vous cessiez pour cela d'être séculier, de vous retirer dans notre couvent de Madrid, par exemple; de vous en rendre bienfaiteur par une donation de tous vos biens, et d'y mourir sous l'habit de Saint-Dominique. Il y a bien des personnes qui expient une vie mondaine par une pareille fin.

Dans la disposition où était mon esprit, le conseil du religieux ne me révolta point, et je répondis à Sa Révérence que je ferais sur cela mes réflexions. Mais ayant consulté là-dessus Scipion, que je vis un moment après le moine, il s'éleva contre cette pensée, qui lui parut une idée de malade. Fi donc! seigneur de Santillane, me dit-il, une semblable retraite peut-elle vous flatter ? Votre château de Lirias ne vous en offre-t-il pas une plus agréable ? Si vous en étiez autrefois charmé, vous en goûterez encore mieux les douceurs présentement que vous êtes dans un âge plus propre à vous laisser toucher des beautés de la nature.

Le fils de la Coscolina n'eut pas de peine à me faire

changer de sentiment. Mon ami, lui dis-je, tu l'emportes sur le père de Saint-Dominique. Je vois bien en effet que je ferai mieux de retourner à mon château; je m'arrête à ce parti. Nous regagnerons Lirias aussitôt que je serai en état d'en reprendre le chemin : ce qui arriva bientôt; car n'ayant plus de fièvre, je me sentis en peu de temps assez fort pour exécuter cette résolution. Nous nous rendîmes à Madrid, Scipion et moi. La vue de cette ville ne me fit plus autant de plaisir qu'elle m'en avait fait auparavant. Comme je savais que presque tous ses habitants avaient en horreur la mémoire d'un ministre dont je conservais le plus tendre souvenir, je ne pouvais la regarder de bon œil : aussi je n'y demeurai que cinq ou six jours, que Scipion employa aux préparatifs de notre départ pour Lirias. Pendant qu'il songeait à notre équipage, j'allai trouver Caporis, qui me donna mon legs en doublons. Je vis aussi les receveurs des commanderies sur lesquelles j'avais des pensions; je pris des arrangements avec eux pour le payement : en un mot je mis ordre à toutes mes affaires.

La veille de notre départ, je demandai au fils de la Coscolina s'il avait pris congé de don Henri. Oui, me répondit-il, nous nous sommes séparés ce matin tous deux à l'amiable : il m'a pourtant témoigné qu'il était fâché que je le quittasse; mais s'il était content de moi, je ne l'étais guère de lui. Ce n'est point assez que le valet plaise au maître, il faut en même temps que le maître plaise au valet; autrement ils sont l'un et l'autre fort mal ensemble. D'ailleurs, ajouta-t-il, don Henri ne fait plus à la Cour qu'une pitoyable figure; il y est tombé dans le dernier mépris : on le montre au doigt dans les rues, et on ne l'appelle plus que le fils de la Génoise. Jugez s'il est gracieux pour un garçon d'honneur de servir un homme déshonoré.

Nous partîmes enfin de Madrid un beau jour au lever de l'aurore, et nous prîmes la route de Cuença. Voici dans quel ordre et dans quel équipage : nous étions mon confident et moi dans une chaise tirée par deux mules conduites par un postillon; trois mulets chargés de nos hardes et de notre argent, et menés par deux palefreniers, nous suivaient immédiatement; et deux grands laquais, choisis par Scipion, venaient ensuite montés sur deux mules et armés jusqu'aux dents : les palefreniers de leur côté portaient des sabres, et le postillon avait deux bons pistolets à l'arçon de sa selle. Comme nous étions sept hommes, dont il y en avait six fort résolus, je me mis gaiement en chemin, sans appréhender pour mon legs. Dans les villages par où nous passions, nos mulets faisaient orgueilleusement entendre leurs sonnettes; les paysans accouraient à leurs portes pour voir défiler notre équipage, qui leur paraissait tout au moins celui d'un Grand qui allait prendre possession d'une vice-royauté.

CHAPITRE XIII

Du retour de Gil Blas dans son château. De la joie qu'il eut de trouver Séraphine, sa filleule, nubile ; et de quelle dame il devint amoureux.

J'employai quinze jours à me rendre à Lirias, rien ne m'obligeant d'y aller à grandes journées; tout ce que je souhaitais, c'était d'y arriver heureusement, et mon souhait fut exaucé. La vue de mon château m'inspira d'abord quelques pensées tristes, en me rappelant le souvenir d'Antonia : mais je sus bientôt m'en distraire, ne voulant m'occuper que de ce qui pouvait me faire plaisir; outre que vingt-deux ans, qui s'étaient écoulés depuis sa mort, en avaient fort affaibli le sentiment.

Sitôt que je fus entré dans le château, Béatrix et sa fille vinrent me saluer d'un air empressé; ensuite le père, la mère et la fille s'accablèrent d'accolades avec des transports de joie qui me charmèrent. Après tant d'embrassements, je dis en regardant avec attention ma filleule : Est-il possible que ce soit là cette Séraphine que je laissai au berceau quand je partis de Lirias ? Je suis ravi de la revoir si grande et si jolie : il faut que nous songions à l'établir. Comment donc, mon cher parrain! s'écria ma filleule en rougissant un peu de mes dernières paroles, il n'y a qu'un instant que vous me voyez, et vous songez déjà à vous défaire de moi! Non, ma fille, lui répliquai-je, nous ne prétendons point vous perdre en vous mariant : nous voulons un mari qui vous possède sans qu'il vous enlève à vos parents, et qui vive, pour ainsi dire, avec nous.

Il s'en présente un de cette espèce, dit alors Béatrix : Un gentilhomme de ce pays-ci a vu Séraphine un jour à la messe, dans la chapelle de ce hameau, et en est devenu amoureux. Il m'est venu voir, m'a déclaré sa passion et demandé mon aveu. Quand vous l'auriez, lui ai-je dit, vous n'en seriez pas plus avancé; Séraphine dépend de son père et de son parrain, qui seuls peuvent disposer d'elle. Tout ce que je puis pour vous, c'est de leur écrire pour les informer de votre recherche, qui fait honneur à ma fille. Effectivement, Messieurs, poursuivit-elle, c'est ce que j'allais incessamment vous mander; mais vous voilà revenus, vous ferez ce que vous jugerez à propos.

Au reste, dit Scipion, de quel caractère est cet *hidalgo ?* Ne ressemble-t-il pas à la plupart de ses pareils ? n'est-il pas fier de sa noblesse et insolent avec les roturiers ? Oh! pour cela non, répondit Béatrix, c'est un garçon d'une douceur et d'une politesse achevée, de bonne mine d'ailleurs, et qui n'a pas encore trente ans accomplis. Vous nous faites, dis-je à Béatrix, un assez beau portrait de ce cavalier; comment s'appelle-t-il ? Don Juan de Jutella, repartit la femme de Scipion; il n'y a pas longtemps qu'il a recueilli la succession de son père, et il vit dans son château, éloigné d'ici d'une lieue, avec une sœur cadette qu'il a sous sa conduite. J'ai autrefois, repris-je, entendu parler de la famille de ce gentilhomme; c'est une des plus nobles du royaume de Valence. J'estime moins la noblesse, s'écria Scipion, que les qualités du cœur et de l'esprit, et ce don Juan nous conviendra si c'est un honnête homme. Il en a la réputation, dit Séraphine en se mêlant à l'entretien; les habitants de Lirias qui le connaissent en disent tous les biens du monde. A ces paroles de ma filleule, je regardai avec un souris son père, qui, les ayant saisies aussi bien que moi, jugea que le galant ne déplaisait point à sa fille.

Ce cavalier apprit bientôt notre arrivée à Lirias, puisque deux jours après nous le vîmes paraître au château. Il nous aborda de bonne grâce; et, bien loin de démentir par sa présence ce que Béatrix nous avait dit de lui, il nous fit concevoir une haute opinion de son mérite. Il nous dit qu'en qualité de voisin il venait nous féliciter sur notre heureux retour. Nous le reçûmes le plus gracieusement qu'il nous fut possible; mais cette visite ne fut que de pure civilité : elle se passa toute en compliments de part et d'autre; et don Juan, sans nous dire un mot de son amour pour Séraphine, se retira en nous priant seulement de lui permettre de nous revenir voir, et de profiter d'un voisinage qu'il prévoyait lui devoir être d'un grand agrément. Lorsqu'il nous eut quittés, Béatrix nous demanda ce que nous pensions de ce gentilhomme. Nous lui répondîmes qu'il nous avait prévenus en sa faveur, et qu'il nous semblait que la fortune ne pouvait offrir à Séraphine un meilleur parti.

Dès le jour suivant, je sortis après le dîner avec le fils de la Coscolina pour aller rendre la visite que nous devions à don Juan. Nous prîmes la route de son château conduits par un guide, qui nous dit après trois quarts d'heure de chemin : Voici le château du seigneur don Juan de Jutella. Nous eûmes beau regarder de tous nos yeux dans la campagne, nous fûmes longtemps sans l'apercevoir; nous ne le découvrîmes qu'en y arrivant, attendu qu'il était situé au pied d'une montagne, au milieu d'un bois dont les arbres élevés le dérobaient à notre vue. Il avait un air antique et délabré, qui prouvait moins l'opulence de son maître que sa noblesse. Néanmoins, quand nous y fûmes entrés, nous trouvâmes la caducité du bâtiment compensée par la propreté des meubles.

Don Juan nous reçut dans une salle bien ornée, où il nous présenta une dame qu'il appela devant nous sa sœur Dorothée, et qui pouvait avoir dix-neuf à vingt ans. Elle était fort parée, comme une personne qui s'étant attendue à notre visite avait envie de nous paraître aimable; et, s'offrant à ma vue avec tous ses charmes, elle fit sur moi la même impression qu'Antonia, c'est-à-dire que je fus troublé; mais je cachai si bien mon trouble que Scipion même ne le remarqua pas. Notre conversation roula, comme celle du jour précédent, sur le plaisir mutuel que nous nous faisions de nous voir quelquefois et de vivre ensemble en bons voisins. Il ne nous parla point encore de Séraphine, et nous ne lui dîmes rien qui pût l'engager à nous déclarer son amour; nous étions bien aises de le voir venir là-dessus. Pendant notre entretien je jetais souvent la vue sur Dorothée, quoique j'affectasse de l'envisager le moins qu'il m'était possible; et, toutes les fois que mes regards rencontraient les siens, c'étaient autant de traits nouveaux qu'elle me lançait dans le cœur. Je dirai pourtant, pour rendre une exacte justice à l'objet aimé, que ce n'était point une beauté parfaite; si elle avait la peau d'une blancheur éblouissante et la bouche plus vermeille que la rose, son nez était un peu trop long et ses yeux trop petits : cependant le tout ensemble m'enchantait.

Enfin, je ne sortis point du château de Jutella comme j'y étais entré; et, m'en retournant à Lirias l'esprit rempli de Dorothée, je ne voyais qu'elle, je ne parlais que d'elle. Comment donc, mon maître! me dit Scipion en me considérant d'un air étonné, vous êtes bien occupé de la sœur de don Juan! vous aurait-elle inspiré de l'amour ? Oui, mon ami, lui répondis-je, et j'en rougis de honte : O Ciel! moi qui, depuis la mort d'Antonia, ai regardé mille jolies personnes avec indifférence, faut-il que j'en rencontre une qui m'enflamme à mon âge, sans que je puisse m'en défendre ? Eh bien! Monsieur, reprit le fils de la Coscolina, vous devez vous applaudir de l'aventure, au lieu de vous en plaindre; vous êtes encore dans un âge où il n'y a point de ridicule à brûler d'une amoureuse ardeur, et le temps n'a point assez flétri votre front pour vous ôter l'espérance de plaire. Croyez-moi, quand vous reverrez don Juan, demandez-lui hardiment sa sœur : il ne peut la refuser à un homme comme vous; et d'ailleurs, s'il faut absolument être gentilhomme pour épouser Dorothée, ne l'êtes-vous pas ? Vous avez des lettres de noblesse, cela suffit pour votre postérité : lorsque le temps aura mis sur ces lettres le voile épais dont il couvre l'origine de toutes les maisons, après quatre ou cinq générations, la race des Santillane sera des plus illustres.

CHAPITRE XIV

Du double mariage qui fut fait à Lirias, et qui finit enfin l'histoire de Gil Blas de Santillane.

Scipion m'encouragea par ce discours à me déclarer amant de Dorothée, sans songer qu'il m'exposait à essuyer un refus. Je ne m'y déterminai néanmoins qu'en tremblant. Quoique je ne parusse pas avoir mon âge et que je pusse me donner dix bonnes années moins que je n'en avais, je ne laissais pas de me croire bien fondé à douter que je plusse à une jeune beauté. Je pris pourtant la résolution d'en risquer la demande sitôt que je verrais son frère, qui de son côté, n'étant pas sûr d'obtenir ma filleule, n'était pas sans inquiétude.

Il revint à mon château le lendemain matin dans le temps que j'achevais de m'habiller. Seigneur de Santillane, me dit-il, je viens aujourd'hui à Lirias pour vous parler d'une affaire sérieuse. Je le fis passer dans mon cabinet, où d'abord entrant en matière : Je crois, continua-t-il, que vous n'ignorez pas le sujet qui m'amène : j'aime Séraphine. Vous pouvez tout sur son père; je vous prie de me le rendre favorable; faites-moi obtenir l'objet de mon amour : que je vous doive le bonheur de ma vie. Seigneur don Juan, lui répondis-je, comme vous allez d'abord au fait, vous ne trouverez pas mauvais que je suive votre exemple, et qu'après vous avoir promis mes bons offices auprès du père de ma filleule, je vous demande les vôtres auprès de votre sœur.

A ces derniers mots don Juan laissa éclater une agréable surprise, dont je tirai un augure favorable. Serait-il possible, s'écria-t-il ensuite, que Dorothée eût fait hier la conquête de votre cœur ? Elle m'a charmé, lui dis-je, et je me croirai le plus heureux de tous les hommes, si ma recherche vous plaît à l'un et à l'autre. C'est de quoi vous devez être assuré, me répliqua-t-il; tout nobles que nous sommes, nous ne dédaignerons pas votre alliance. Je suis bien aise, lui repartis-je, que vous ne fassiez pas difficulté de recevoir pour beau-frère un roturier : je vous en estime davantage, vous montrez en cela votre bon esprit; mais quand vous seriez assez vain pour ne vouloir accorder la main de votre sœur qu'à un noble, sachez que j'ai de quoi contenter votre vanité : J'ai travaillé vingt ans dans les bureaux du ministère; et le roi, pour récompenser les services que j'ai rendus à l'Etat, m'a gratifié des lettres de noblesse que je vais vous faire voir. En achevant ces paroles, je tirai mes patentes d'un tiroir où je les tenais cachées, et je les présentai au gentilhomme, qui les lut d'un bout à l'autre attentivement avec une extrême satisfaction. Voilà qui est bon, reprit-il en me les rendant, Dorothée est à vous. Et vous, m'écriai-je, comptez sur Séraphine.

Ces deux mariages furent donc ainsi résolus entre nous. Il ne fut plus question que de savoir si les futures y consentiraient de bonne grâce; car don Juan et moi, également délicats, nous ne prétendions point les obtenir malgré elles. Ce gentilhomme retourna donc au château de Jutella pour me proposer à sa sœur; et moi j'assemblai Scipion, Béatrix et ma filleule, pour leur faire part de l'entretien que je venais d'avoir avec ce cavalier. Béatrix fut d'avis qu'on l'acceptât pour époux sans hésiter, et Séraphine fit connaître par son silence qu'elle était du sentiment de sa mère. Pour le père, il ne fut pas à la vérité d'une autre opinion; mais il témoigna quelque inquiétude sur la dot qu'il faudrait, disait-il, donner à un gentilhomme dont le château avait un si pressant besoin de réparation. Je fermai la bouche à Scipion, en lui disant que cela me regardait, et que je faisais présent à ma filleule de quatre mille pistoles pour payer sa dot.

Je revis don Juan dès le soir même. Vos affaires, lui dis-je, vont à merveille; je souhaite que les miennes ne soient pas dans un plus mauvais état. Elles vont aussi le mieux du monde, me répondit-il; je n'ai pas été à la peine d'employer l'autorité pour avoir le consentement de Dorothée : votre personne lui revient, et vos manières lui plaisent. Vous appréhendiez de n'être pas de son goût, et elle craint avec plus de raison que n'ayant à vous offrir que son cœur et sa main... Que voudrais-je de plus ? interrompis-je tout transporté de joie; puisque la charmante Dorothée n'a point de répugnance à lier son sort au mien, je n'en demande pas davantage : je suis assez riche pour l'épouser sans dot, et sa seule possession comblera tous mes vœux.

Don Juan et moi, fort satisfaits d'avoir heureusement amené les choses jusque-là, nous résolûmes, pour hâter nos noces, d'en supprimer les cérémonies superflues. J'abouchai ce gentilhomme avec les parents de Séraphine; et, après qu'ils furent convenus des conditions du mariage, il prit congé de nous, en nous promettant de revenir le lendemain avec Dorothée. L'envie que j'avais de paraître agréable à cette dame me fit employer trois bonnes heures pour le moins à m'ajuster, à m'adoniser; encore ne pus-je parvenir à me rendre content de ma personne. Pour un adolescent qui se prépare à voir sa maîtresse, ce n'est qu'un plaisir; mais pour un homme qui commence à vieillir, c'est une occupation. Cependant je fus plus heureux que je ne le méritais : je revis la sœur de don Juan, et j'en fus regardé d'un œil si favorable que je m'imaginai valoir encore quelque chose. J'eus avec elle un long entretien. Je fus charmé du caractère de son esprit, et je jugeai qu'avec de bonnes façons et beaucoup de complaisance je deviendrais un époux chéri. Plein d'une si douce espérance, j'envoyai chercher deux notaires à Valence, qui firent le contrat de mariage; puis nous eûmes recours au curé de Paterna, qui vint à Lirias, et nous maria, don Juan et moi, à nos maîtresses.

Je fis donc allumer pour la seconde fois le flambeau de l'hyménée et je n'eus pas sujet de m'en repentir. Dorothée en femme vertueuse se fit un plaisir de son devoir; et, sensible au soin que je prenais d'aller au-devant de ses désirs, elle s'attacha bientôt à moi comme si j'eusse été jeune. D'une autre part, don Juan et ma filleule s'enflammèrent d'une ardeur mutuelle; et, ce qu'il y a de singulier, les deux belles-sœurs conçurent l'une pour l'autre la plus vive et la plus sincère amitié. De mon côté je trouvai dans mon beau-frère tant de bonnes qualités que je me sentis naître pour lui une véritable affection, qu'il ne paya point d'ingratitude. Enfin l'union qui régnait entre nous tous était telle que le soir, lorsqu'il fallait nous quitter pour nous rassembler le lendemain, cette séparation ne se faisait pas sans peine; ce qui fut cause que des deux familles nous résolûmes de n'en faire qu'une, qui demeurerait tantôt au château de Lirias, et tantôt à celui de Jutella, auquel pour cet effet on fit de grandes réparations des pistoles de Son Excellence.

Il y a déjà trois ans, ami lecteur, que je mène une vie délicieuse avec des personnes si chères. Pour comble de satisfaction, le ciel a daigné m'accorder deux enfants dont l'éducation va devenir l'amusement de mes vieux jours, et dont je crois pieusement être le père.

Fin du douzième et dernier livre.

GLOSSAIRE [a]

Abîmer : plonger dans l'abîme (140); s'abîmer : se perdre, se couler.

Achever : *il faudrait cela pour m'achever* (147) : mettre la dernière main à ma formation.

Affectation : *ce que je fis avec tant de soin et d'affectation :* « C'est l'attachement particulier qu'on a plutôt pour une chose que pour une autre » *Richelet.*

Affecter : *j'affectais de lui parler* (57) : je prenais soin, je prenais sur moi de lui parler.

Afflictif : *peine afflictive* (275) : peine infamante.

Allure : *son allure pouvait fort bien être composée* (130) : son pas, sa façon de marcher.

Amour : *faire l'amour* (277) : courtiser.

Application : *faire des applications* (21) : rapporter à des cas particuliers.

Apozème : médicament composé de décoctions de substances végétales (468).

Audience : tribunal de justice dont la juridiction s'étendait sur l'ensemble du Mexique (570).

Baie : tromperie (29).

Béate : fausse dévote (77).

Bénéfice : b. à charge d'âme, qui obligeait à être prêtre et impliquait des obligations pastorales; b. simple, qui pouvait être possédé par un clerc tonsuré dont la seule obligation était de lire le bréviaire.

Bon : *j'avais pour confrères de bons enfants* (143) : « Le mot de *bon* se joint à quantité de substantifs pour désigner un homme complaisant ou d'une humeur agréable » *Trévoux.*

Bouche : *avoir bouche à cour* (167) : « C'est être nourri dans un logis » *Richelet.*

a) Les renvois donnés aux pages de cette édition illustrent les entrées du glossaire mais ne constituent pas une liste exhaustive des occurrences.

Bouchon : *faire valoir le bouchon* (26) : le cabaret; on appelait bouchon l'enseigne : « un chou, quelques brins de lierre, ou quelque autre branche » *Richelet*, et par extension le lieu même.

Bourre : *il y a de la bourre dans votre action* (143) : il y a de la gaucherie dans vos gestes et vos manières. L'emploi figuré et familier du mot est pris au langage des tanneurs et non des bourreliers; la bourre était le vieux tan resté « sur les peaux de mouton » au sortir de la tannerie, *Encyclopédie*.

Bride : *bride en main* (260) : Du calme! Expression du langage de l'équitation.

Brindes : *On leur porta des* brindes (499) : on but à leur santé.

Bureau : *l'air du Bureau* (453) : l'air du ministère.

Captif : prisonnier en pays barbaresque (346).

Caravanes : *faire mes caravanes* (42) : au sens propre, se disait des courses ou campagnes des chevaliers de Malte contre les musulmans.

Carreau : coussin servant de siège, pouf (167).

Celui-là : *je n'ai point remarqué celui-là* (304) : cela.

Cependant : pendant ce temps (32).

Chaise : *chaise roulante* (296) : « voiture légère traînée par un cheval, quelquefois deux » *Trévoux*.

Chef : *chef d'office* (382) : il s'agit d'un majordome et non d'un chef de cuisine ou chef.

Chevalier de l'industrie : homme qui ne subsiste que par adresse, tricheur professionnel (37).

Comiquement : drôlement et théâtralement (348).

Commettre : *Ne craignez point que je vous commette* (213) : plutôt que compromettre, c'est « exposer à recevoir quelque mortification » *Richelet*.

Commis : ce peut être souvent quelqu'un comme un directeur (431).

Commodité : *chercher quelque commodité pour Madrid* (102) : moyen de transport disponible, qui se présente.

Composé : *les histoires que nous venons d'entendre ne sont pas si composées ni si curieuses que la mienne* (37) : elles comprennent moins d'épisodes, d'enchaînements; *son allure pouvait fort bien être composée* (130) : étudiée, faite.

Compte : *à bon compte :* effectivement.

Condition : *se mettre en condition* (74) : la condition est l' « état d'une personne qui sert en une maison où elle rend service en qualité de domestique » *Richelet* (voir « domestique »).

Confisqué : *un corps confisqué, tant il s'y trouvait peu d'humide radical* (380) : le jeu de mots porte sur les deux sens, le moderne, « saisi », et l'ancien, « qui n'a plus de santé ».

Consumer : *Ils en ont consumé quatre éditions* (215) : consommé.

Coucher : *savoir bien coucher par écrit* (358) : rédiger. Façon de parler vieillie à l'époque et donc pittoresque dans la bouche de Chinchilla.

Croquer : *croquer le marmot* (390) : « attendre longtemps sur les degrés ou dans un vestibule » *Richelet.*

D'abord : dès l'abord (54).

Débauches : à côté du sens moderne, le mot a aussi celui de beuverie et ne va pas sans ambiguïté comme l'atteste un exemple de Courtilz de Sandras : « La première chose qu'il me demanda fut si j'avais été débauché. Je lui demandai ce que cela voulait dire, car je savais qu'il y avait plusieurs sortes de débauches, et je n'avais pas haï les femmes en mon temps; mais il me dit qu'il voulait parler du vin », *Mémoires de Mr. L. C. D. R.*, 2e éd., Cologne, 1688, p. 309.

Décréditer : discréditer (99).

Défaite : excuse, prétexte (111), ou bien, au sujet de marchandises, de bonne vente.

Demoiselle : femme mariée ou fille née de parents nobles (277).

Détail : *ce détail m'assassine* (440) : cette explication par le menu.

Dette : *dettes actives et passives :* celles dont on est créancier et celles dont on est débiteur.

Dîner : déjeuner (388).

Directeur : directeur spirituel, directeur de conscience (79).

Domestique : *Tous ces cavaliers sont des domestiques du comte de Montanos* (263) : « *Domestique* comprend tous ceux qui sont subordonnés à quelqu'un, qui composent sa maison, qui demeurent chez lui, ou qui sont censés y demeurer, comme intendants, secrétaires, commis, gens d'affaires » *Richelet.*

Dos : *faisant le gros dos* (477) : faisant l'important.

Echafauds : estrades (576).

Eclairer : montrer le chemin (67), « conduire quelqu'un à la faveur de quelque lumière » *Richelet.*

Ecot : *j'eus avec le traiteur une dispute pour l'écot* (390) : « ce que chacun paie par tête pour avoir bu et mangé au cabaret ou en quelque autre lieu où chacun paie ses dépens » *Richelet.*

Ecuyer : *mon père écuyer* (23) : « celui qui donne la main à une personne de qualité, et qui a soin de l'accompagner dans toutes les visites qu'elle fait » *Richelet.*

Effet : *en effet :* réellement.

Effets : *regardant mes effets comme un bien devenu légitime* (320), *tous mes effets avaient été abandonnés* (437) : il ne s'agit pas seulement de vêtements mais de biens meubles, dans le sens actuel d'effets bancaires.

Effort : *il faut pourtant vous faire cet effort* (206) : il faut vous y astreindre, vous y forcer; le sens est plus fort qu'aujourd'hui.

Egayer : *Tandis que je passais les jours à m'égayer dans mes réflexions* (58) : il semble bien qu'il y ait ici jeu de mots, je me plongeais et je m'amusais. Les dictionnaires rendent mal compte de l'aire sémantique de ce mot qui a subi des rencontres homophoniques avec aiguayer et égailler.

Ennui : tristesse, déplaisir (114).

Entretien : *tendres entretiens* (346), *un entretien qui dura jusqu'à midi* (354) : euphémisme galant.

Enseigne : *Il obtint pour moi une enseigne* (235) : une charge de porte-drapeau dans un régiment, quelque chose comme une sous-lieutenance.

Entrepris : *entrepris de tous ses membres* (47) : perclus, podagre.

Escompter : *j'escomptai ses visites* (379) : escompter, « c'est diminuer et rabattre sur une somme ce qu'il en faut rabattre » *Richelet*.

Evénement : issue, succès bon ou mauvais (47, 186).

Expédier : *celui des deux qui avait le plus expédié de malades* (186) : double sens : donné le plus de consultations et envoyé dans l'autre monde; expédier un client, c'était s'occuper de lui.

Exploiter : *exploiter sur les grands chemins* (36) : cliché facétieux de l'époque qui ne dit rien de plus que voler et qui n'évoquait sans doute pas l'idée ironique de faire des exploits.

Exprès : *envoyer par un homme exprès* (295) : un messager.

Faire : *je fais la comédie* (120) : je joue la comédie.

Faucher : *faucher le grand pré* (98) : être condamné à ramer sur les galères.

Faute : *sujettes à ces fautes de mémoire* (378) : défaillances, oublis.

Fief : *un fief dominant* (439) : seigneurie à laquelle on devait foi et hommage.

Figure : allure, silhouette (89).

Fondre : *fondre la vaisselle d'un petit marchand orfèvre* (346) : c'est manger son bien; le cliché (d'une époque où l'on faisait de la vaisselle d'argent) est facétieusement appliqué au sens propre.

Furtif : *inclinations furtives* (524) : au sens étymologique de tendances au vol.

Gagistes : (348) : « bas officiers à qui les comédiens donnent des gages, comme sont le concierge, le copiste et autres » *Richelet*.

Gaillard : *je n'ai qu'à me tenir gaillard* (357) : l'expression semble signifier « je n'ai qu'à bien me tenir ».

Garantir de : *je te garantis de l'événement* (87) : je t'assure du succès.

Garde-robe : *je couchais dans une garde-robe* (396) : petite

pièce attenant à une chambre où étaient rangés les vêtements et où couchait le valet.
Gêne : torture (30).
Généreusement : gratuitement (390).
Génie : *me mettre dans le génie* (214) : devenir un intrigant.
Gentillesse : *la gentillesse de notre diction* (366) : sa joliesse.
Gloire : honneur, réputation (161).
Gouverner : *Comment gouvernez-vous le vieil écuyer* (114) : quel crédit avez-vous sur lui ?
Gracieusement : *voulant qu'il fît gracieusement le long voyage* (551) : avec agrément et confort.
Grignon : croûton de pain (121) : selon *Richelet*, mot du vocabulaire burlesque.
Grison : « Il se dit des laquais qui ne portent point de couleurs, et que l'on fait habiller de gris pour les employer à des commissions secrètes » *Trévoux* (75).
Gueulée : *la nuit à boire et à dire des gueulées* (142) : « paroles sales et obscènes » *Richelet*.
Habitation : *les habitations que les Espagnols ont aux îles Philippines* (70) : les petites colonies.
Hausser : *hausser les épaules* (357) : *Richelet* ne donne que le sens moderne, qui ne convient pas, mais *Trévoux* signale dès 1741 un autre sens : « on dit d'une chose étonnante, inconcevable, à laquelle on ne s'attendait point, qu'elle fait *hausser* les épaules ».
Hibernois : irlandais (24) : « Il y a cependant des occasions où il faut dire *Hibernois* et non pas *Irlandais ;* par exemple, un philosophe ou répétiteur hibernois » *Trévoux*.
Horreur : *le silence et l'horreur* (59) : « obscurité profonde qui saisit et qui épouvante » *Richelet*.
Hôte : *je comptais sans mon hôte* (164) : compter sans son hôte, « c'est n'avoir rien fait qu'il ne faille encore voir et examiner » *Richelet*.
Imposer : *ces témoins (...) vous ont imposé* (201) : ils vous ont trompé.
Intéresser : *m'intéresser dans ses discours* (515) : m'en faire le sujet, parler de moi.
Joli : *un si joli garçon* (323) : un jeune homme d'autant de mérite; « Joli se dit des personnes qui ont des bonnes qualités, sans qu'il soit question de beauté » *Trévoux* qui cite Lesage à cet article en 1740.
Journalier : *les armes sont journalières :* le succès des armes varie; ce proverbe était alors courant.
Le : *L'ai-je bien entendu* (203) : ai-je bien entendu vos propos; le pronom est neutre.
Lévrier : *mettre ses lévriers sur nos traces* (339) : « Le peuple appelle les sergents et archers les lévriers du bourreau » *Trévoux*.
Licencié : licencié en droit ou en théologie (327).
Liqueur : *marchand de liqueurs* (412) : il s'agit tant de

spiritueux que de boissons non alcoolisées, limonade, sorbet, etc.

Lit : *lit de plume* (104) : « taie de coutil pleine de plumes qu'on met ordinairement entre deux matelas sur le bois de lit » *Richelet*.

Main : *cheval de main* (46) : « cheval qu'on mène à la main sans monter dessus » *Richelet ; nous avions tous deux fait notre main* (73) : nous avions volé.

Malpropre : inélégant (68).

Mannequin : « panier haut et rond » *Richelet* (34).

Marqué : *un caractère marqué* (171) : un original.

Marquer : *je marquai cette chasse-là* (432) : je pris bonne note de l'événement; cliché tiré du jeu de paume. *Je vous marque à la craie* (416) : je vous retiens; les fourriers marquaient ainsi les logements qu'ils réservaient pour la cour ou pour la troupe.

Marque, contremarque : *receveurs de marques et de contremarques* (348) : les ouvreurs qui prenaient les billets d'admission et les jetons de sortie à l'entracte.

Musc : *un beau drap musc* (514) : de couleur brune.

Méthodiquement : *nous chantions l'un et l'autre méthodiquement notre partie* (108) : selon les règles.

Mouchoir : *jeter le mouchoir :* « Le Grand Seigneur jette son mouchoir à celle de ses sultanes qu'il veut favoriser » *Trévoux*, ou plus clairement dont il désire les faveurs.

Muid : *un muid de vin pour une pinte d'eau* (92) : ce muid faisait 280 pintes.

Mule : *ferrer la mule* (374) : faire danser l'anse du panier.

Mulet : *garder le mulet* (182) : poireauter.

Nébuleux : *l'air nébuleux* (139) : l'air absent.

Nerveux : musclé (100).

Obstiner : *ne m'obstinait que pour irriter mon mal* (377) : ne me faisait face, ne me contrariait.

Occupé : *tu me parais bien occupé* (257) : bien préoccupé.

Officier : celui qui occupe une charge quelconque et aussi un « domestique » (322).

Officieux : serviable (332).

Opérateur : charlatan, vendeur de médicaments (408).

Ordinaire : *je ne fais point d'ordinaire* (128) : je ne prends pas mes repas chez moi; l'ordinaire était « ce qu'une personne a réglément à son dîner et à son souper » *Richelet*.

Orme : *vous attendre sous l'orme* (306) : attendre où vous n'avez pas dessein de venir, me faire poser un lapin.

Pâles couleurs : jaunisse (92).

Paraguantes : pot de vin, bakhchich.

Pareils : *mortel ennemi de nos pareils :* l'expression n'est pas péjorative.

Parties : *le quart de ses parties* (137) : de ses factures; *de vraies parties d'apothicaire* (379) : des comptes exagérément élevés.

Patriarche : *patriarche des Indes* (77) : nom donné au primat des colonies espagnoles d'Amérique.

Pédant : enseignant (24); terme péjoratif.

Peindre : *l'homme qui peint si bien* (328) : qui calligraphie si bien.

Penard : *vieux penard* (221) : vieillard cassé et usé.

Pensionnaire : *j'ai partout des pensionnaires* (387) : un pensionnaire est « celui qui reçoit pension de quelque grand pour être dans ses intérêts » *Richelet*.

Perquisition : *à force de perquisitions* (528) : de recherches exactes.

Petit : *dans une petite maison* (415) : il y a ici jeu de mots, car, à côté du sens littéral, est suggéré celui de « folie », maison destinée aux parties de plaisir.
petits-pieds (79) : petit gibier à plume.

Pied : *tenez ici pied à boule* (544) : ne quittez pas votre occupation.

Pistole : *plus difficile à garder que la pistole volante* (150) : « une pistole qu'on dit revenir toujours à son maître dans quelques mains qu'elle passe » *Trévoux*.

Pointe : *poursuivre ma pointe* (119) : poursuivre mon entreprise.

Prédicament : *ne sont pas toujours dans un trop bon prédicament* (180) : n'ont pas toujours trop bonne réputation.

Préfet : *préfet de collège* (126) : responsable de la direction des études et de la discipline.

Prévenir : *Calderone m'a prévenu* (414) : Calderone m'a devancé.

Prochain : *C'était la nuit prochaine* (184) : nous dirions « la nuit suivante ».

Propre : élégant (65).

Quadrille : *les chevaliers de ma quadrille* (143) : littéralement, une quadrille était un groupe de cavaliers participant à un tournoi.

Qualifié : *une personne qualifiée* (151) : de qualité.

Quarteau : *un quarteau de vin* (184) : le quart d'un muid de Paris faisait 70 pintes.

Rebattre : *tantôt le bon prélat se rebattait* (329) : se répétait.

Récompense : *en récompense :* par contre.

Refondre : *la dame Melancia la refondit bientôt* (115) : la réforma.

Régaler : *elle me prie de vous bien régaler* (67) : c'est bien traiter et pas seulement bien nourrir.

Réglé : *nos appointements ne sont pas réglés :* déterminés, fixes.

Rencontrer : *j'avais fort bien rencontré* (417) : la chance m'avait bien servi.

Représentation : *et c'est une belle représentation* (154) : interprétation.

Ressentiment : *combien il en avait de ressentiment* (256) : de reconnaissance. Le mot se prenait en bonne ou en mauvaise part (reconnaissance ou rancune).

Rêver : *Il rêva quelque temps* (66) : il réfléchit.

Roc : ancien nom de la tour aux échecs; *ne trouver ni roi ni roc* (515) : ne trouver personne.

Rouler : *font rouler tout doucement les auteurs* (125) : leur permettent de subsister.

Rudiment : premier manuel de latin.

Saoul : *saoul de ses femmes* (126) : rassasié, las de ses femmes.

Séduisant : *que vous êtes séduisante* (114) : persuasive, sans nuance érotique.

Semblant : *Je sortis sans faire semblant de les avoir remarqués* (226) : sans laisser paraître que je les avais remarqués. Le mot « semblant » conservait encore quelque chose du vieux sens d'*apparence*.

Succulent : *des viandes succulentes* (82) : pleines de sucs.

Surnom : nom de famille.

Théâtre : parfois au sens de scène; *J'étais derrière le théâtre* (274) : dans les coulisses.

Thermopole : « C'était chez les anciens une espèce de cabaret où l'on vendait des liqueurs douces et chaudes » *Trévoux* (93).

Thèse : *tapissées de cartes géographiques, de thèses de philosophie* (363) : « C'est une grande feuille de papier, ou deux grandes feuilles de papier collées l'une sur l'autre, au haut de l'une desquelles il y a un portrait ou une image, et, au bas de ce portrait ou de cette image, les propositions que prétend soutenir le répondant, et sur lesquelles on dispute un certain temps réglé » *Richelet*.

Tout à l'heure : tout de suite, immédiatement (76).

Traitant : « celui qui fait un traité avec le roi pour les fermes » *Richelet*, c'est-à-dire un particulier qui lève les impôts pour le compte du roi sur une base forfaitaire (42).

Uni : *esprit assez uni* (230) : égal.

Viandes : *On nous servit à notre tour des viandes avec profusion* (188) : des aliments. Le sens moderne existe aussi : *viandes succulentes* (82).

Vilain : *j'en connais qui sont de francs vilains* (560) : des ladres.

Visière : *me rompit en visière* (283) : « offenser quelqu'un mal à propos et sottement » *Richelet*.

Voiture : moyen de locomotion (26).

LISTE
de noms propres espagnols employés facétieusement.

Lesage donne à de nombreux personnages fictifs des noms réels (Acuña, Ipiña, etc.), noms de villages (Chinchilla, Castil Blazo, etc.), patronymes nobiliaires (Cogollos, Medina, etc.), noms de valets de comédie (Chilindron, Clarin, Mogicon). Souvent aussi, il leur attribue des noms parlants (qui caractérisent), ou des noms cocasses (qui font sourire) : un nom existant l'amuse (Villa Viciosa) et il s'en sert (421); il baptise une vieille dame (en qui on reconnaît Ninon de Lenclos) Inésille de Cantarilla (438), c'est-à-dire Inésille de Cruchon, par jeu.

noms parlants

Astuto (276) : astucieux.
Buena Garra (252) : bonne griffe.
Buenotrigo (495) : bon blé.
Campanario (230) : clocher.
Cordel (252) : corde.
Cuchillo (90) : couteau.
Descomulgado (141) : excommunié.
Deslenguado (368) : médisant.
de la Fuente (103) : de la fontaine.
Ligero : léger.
Llana (213) : simple (de *a la llaña*, simplement).
Muscada (424) : muscade.
Salero (428) : salière.
Sangrado (82) : saigné.
Sirena (422) : sirène.
Tonto (367) : sot.
Torbellino (76) : tourbillon.
Triaquero (483) : vendeur de thériaque (charlatan).
Talego : sac.
Ventoleria (172) : vantardise.
Zapata (121) : pantoufle.

noms cocasses

Alcacer (345) : vert-galant.
Apuntador : pointeur.
Cantarilla (383) : cruchon.
Caprara : sur la racine de « capra », chèvre.
Carnero (556) : mouton.
Catalina (415) : Catherine.
Coscolina (501) : *nom de prostituée.*
Centellés (139) : *évoque* « centellear », scintiller.
Forero (400) : propriétaire d'une terre donnée à bail emphytéotique.
Gamboa (142) : espèce de coing.
Majuelo : maïeul, jeune vigne.
Membrilla (253) : coing.
Moyadas (253) : mouillures.
Oloroso (110) : aromatique.
Pedrosa (139) : pierreuse.
Pliego (537) : pli, cahier.
Villa-Viciosa (368) : *en français déguisé* « ville vicieuse ».

On relève les noms italiens Azarini (280), Colifichini (277) et Mascarini (282) et le nom allemand Brutandorf (275), tous quatre dans l'« Histoire de don Raphaël » (V, 1) et transparents.

NOTES

1. *Stulte nudabit animi conscientiam :* Lesage ne cite en latin que le dernier de trois vers qu'il traduit de Phèdre, épilogue du livre II, 41, vers 21-23 : « Si quelque lecteur, s'égarant dans ses conjectures, prend pour lui une leçon commune à tous, *il montrera sottement à même le fond de sa conscience* » (trad. A. Brenot, coll. Budé).

2. Ce conte est librement adapté du Prologue de *Marcos de Obregón* de Vicente Espinel, dont Vidal d'Audiguier avait traduit la Première Partie en 1618 (exemplaires dans les Bibliothèques de l'Arsenal, de Bordeaux [Municipale], du Mans et au British Museum). Le thème dérive d'une tradition attestée dans *El Libro de los Exemplos* (nos 71 et 73) et dans le Prologue de *Calila é Dymna* (autre nom des *Fables* indiennes de Bidpaï) que Lesage a pu connaître *(« Et non sea tal como el home que decia que quería leer gramática, que se fué para un su amigo que era sabio, et escribiòle una carta en que eran las partes del fablar ») :* notez l'emploi du mot « *carta* » pour papier) : de toute manière, au lieu d'événements merveilleux, d'une bourde d'analphabète ou d'un jeu de mots latin (chez Espinel), la référence à *l'âme du licencié Pierre Garcias* est propre à l'auteur français; simple boutade, mais que n'aurait pas risquée un siècle plus tôt le chanoine Espinel. A noter aussi qu'on parlait du corps et de l'âme d'une devise, d'un emblème.

3. L'aventure du pique-assiette est tirée du *Marcos de Obregón*, I, 9.

4. Avoir le sort d'Antée : Etre étouffé.

5. La tentative du muletier vient encore du *Marcos de Obregón*, I, 10.

6. La capture de Gil par les brigands est inventée par Lesage, qui a pu se souvenir d'épisodes de gitans de *El donado hablador* par Yañez et d'*Estebanillo González*. La suite rappelle de loin *L'Ane d'or* d'Apulée, *Les Ethiopiques* ainsi qu'Ali Baba et les Quarante Voleurs.

7. Sainte Hermandad : littéralement *sainte confrérie*, maréchaussée qui était en particulier au service de l'Inquisition.

8. Plaisanterie personnelle, les Rollando étant une famille de Sarzeau, village natal de Lesage (Eugène Lintilhac, compte rendu de *Lesage romancier* de Léo Claretie, *Revue crit. d'hist. et de litt.*, 1892, p. 454).

9. Corrégidor : « lieutenant de police » dont les attributions étaient celles d'un commissaire de police et d'un juge d'instruction.

10. Ce lieu commun est longuement développé par Carlos García dans *La Desordenada codicia de los bienes ajenos*, ch. V et VI.

11. Les agnus étaient des morceaux de cire bénite représentant l'agneau céleste, les scapulaires, des morceaux d'étoffe bénite.

12. Ce subterfuge évoque la ruse utilisée par la mère de Guzman pour éloigner son amant en titre (Mateo Alemán, *Guzmán de Alfarache*, Ire P., I, II); Lesage s'amuse vraisemblablement à inverser l'effet d'un motif traditionnel.

13. Ainsi Marcos de Obregón reconnaît son mulet volé par un Egyptien, I, XVI.

14. Cette formule, rapprochée de quelques autres : aux frais et dépens (p. 31), mainlevée, saisie (p. 144), peine afflictive (p. 275), inclinations furtives (p. 524), témoigne peut-être de la culture juridique de l'auteur, qui se disait avocat sur son contrat de mariage en 1694.

[illegible]. L'épisode vient du *Marcos de Obregón*, III, 8 et 9, lequel est indirectement relié au 25ᵉ conte du *Décaméron*.

16. L'hôte vient pourtant de dire qu'il a été payé d'avance; exemple d'inadvertance rare chez Lesage.

17. L'aventure ici ramassée en quelques lignes sera plus tard développée au livre X dans l' « Histoire de Scipion », pp. 517 et suivantes.

18. Le bureau de placement pour lequel Théophraste Renaudot avait obtenu un brevet en 1612 avait été remis en ordre en 1703 (d'après Funck-Brentano, *Figaro et ses devanciers*).

19. Il s'agit d'une espèce d'exutoire ou de drain; Lesage se souvient d'une phrase de Cervantes, *Don Quichotte*, I, XLVIII.

20. Vicente Espinel dans *Marcos de Obregón* appelle son médecin *Sagredo* (Sacré); Lesage en fait Sangrado (Saigné) : amélioration humoristique et plaisanterie personnelle ou, du moins, réservée aux initiés.

21. Ce thème apparaît dans *Marcos de Obregón* (I, 9 et un éloge du vin I, 11). Le médecin Hecquet, qui paraît plus loin, IV, III, avait écrit sur *les Vertus de l'eau commune*. Lesage pensait davantage sans doute à son protecteur, l'abbé de Lyonne, dont Saint-Simon disait : « Il logeait à Paris dans son beau prieuré de Saint-Martin des Champs, où, tous les matins, les vingt dernières années de sa vie, il buvait depuis cinq heures du matin jusqu'à vingt et quelquefois vingt-deux pintes d'eau de la Seine sans se pouvoir passer à moins, outre ce qu'il en avalait encore à son dîner. » (*Mémoires*, éd. Boislisle, Hachette, t. XXVI, p. 95.)

22. Malgré la correction apportée par Lesage dans la deuxième édition de 1715, son arithmétique eût été plus certaine s'il avait mis le *tiers*, conformément à la retenue opérée par Gil au paragraphe précédent.

23. Ce docteur Cuchillo (Couteau) répond, comme le notait Neufchâteau dans son édition de 1820, au nom et à la description du médecin parisien Prosper Couteaux.

24. *Sic vos, non vobis :* Littéralement « Ainsi vous, non à vous », début de vers que Virgile aurait soumis à un particulier qui se serait attribué la paternité d'un poème de sa main; l'anecdote est apocryphe. La mise à l'épreuve d'un fourbe dans une compétition publique appartient au folklore. Le sens de l'anecdote est que les méchants dépouillent les bons du fruit légitime de leur effort.

25. Pedro de la Fuente : Neufchâteau voit dans ce nom parlant une allusion à Fontenelle.

26. *Señor escudero :* « Seigneur » écuyer.

27. Lesage insiste sur l'emprunt qu'il fait au roman de Vicente Espinel (I, II à V). Lesage allège, supprime les traits folkloriques du chien dont les aboiements trahissent l'amoureux caché, de la mule relâchée, de l'amant prétendument fugitif (cf. 76ᵉ conte du *Décaméron*), développe les effets dramatiques, modifie le comportement de l'écuyer Marcos et lui substitue une duègne de son invention : critique plaisante du personnage d'Espinel, critique réservée ici encore aux initiés; la cassolette est dans l'épisode d'Espinel mais les miaulements de matou et le coup de pierre sont empruntés au *Guzmán de Alfarache :* Espinel s'était d'ailleurs lui-même souvenu de ce passage du *Guzmán* dans son chap. XXI. Lesage omet le long repentir de Mergeline et les moralisations de l'écuyer.

28. *Argenti pallebat amore :* « L'amour de l'argent le rendait pâle » (Horace, *Satires*, II, III).

29. *Connubio junxit stabili propriamque dicavit :* « Il l'a unie d'un lien indissoluble et la lui a donnée pour toujours ». Lesage a mis au parfait le vers écrit par Virgile au futur, *Enéide*, I, vers 73, et IV, vers 126.

30. *Finis coronabit opus :* « La fin couronnera l'œuvre ». Ce proverbe est cité dans le *Dictionnaire de Trévoux* au présent; il a un sens chrétien : « La vertu parfaite doit se révéler jusqu'à la fin ».

31. *Ut ita dicam :* « Pour ainsi dire ».

32. Neufchâteau voit ici une allusion aux tragédies sanglantes de Crébillon le père.

33. La fin du chapitre parodie la tradition des collèges jésuites qui donnaient des représentations théâtrales à l'occasion de la distribution solennelle des prix.

34. Alexandre, averti par lettre que son médecin voulait l'empoisonner, but la potion puis tendit la lettre au médecin qu'il regarda fixement.

35. Mme d'Aulnoy écrivait dans sa *Relation du Voyage d'Espagne :* « L'on a si peu d'économie ici que lorsqu'un père meurt et qu'il laisse de

l'argent comptant et des pupilles, l'on enferme l'argent dans un bon coffre sans le faire profiter. » (9e Lettre.)

36. Thème personnel de Lesage, qui estima que ses tuteurs l'avaient dupé (voir encore p. 315 et plusieurs fois dans d'autres ouvrages).

37. A 20 %.

38. A 33 %.

39. Satire traditionnelle des mœurs bourgeoises qu'on trouve dans la célèbre scène de Monsieur Dimanche du *Dom Juan* de Molière et dans *Le Roman bourgeois* de Furetière : « C'est la coutume de ces bons bourgeois d'avoir toujours leurs enfants devant leurs yeux, d'en faire le principal sujet de leur entretien, d'en admirer les sottises et d'en boire toutes les ordures. » (Ed. Antoine Adam, *Romanciers du XVIIe siècle*, « Coll. de la Pléiade », p. 967.)

40. Page 163, il est question du « voyage de Cythère ». C'est le langage à la mode de la fin du règne de Louis XIV et de la Régence, et c'est l'époque de Watteau.

41. Selon Weigler, cité par H. Heinz *(Gil Blas und das zeitgenössische Leben in Frankreich)*, ce serait Mlle Duclos.

42. Selon Neufchâteau, dans son édition annotée (Paris, Lefèvre, 1825), ce serait Mlle Desmares.

43. D'après le *Mercure de France* de 1715, ce serait Ponteuil.

44. Phèdre : Livre V, fable v. Cette fable avait été utilisée par Boursault sous le titre *La Prévention* (citée par Neufchâteau) et par Perrault dans le *Parallèle des Anciens et des Modernes*, III, p. 216. Lesage imite librement le fabuliste latin dans tout le paragraphe suivant.

45. Lesage, dans les variantes de 1747, transporte l'action en Pologne pour respecter la chronologie mais non la vraisemblance. Voir l'*Avis* en tête du tome III.

46. Qui aurait dû avoir (même emploi de l'imparfait pp. 352 et 451).

47. Ce passage dramatise une anecdote historique rapportée au début du *Marcos de Obregón* (I, I).

48. La Nouvelle-Espagne : le Mexique.

49. Neufchâteau commente ainsi : « Cette discussion sur le choix de ces mots de *troupe* ou de *compagnie*, en parlant des comédiens, avait été souvent répétée. Il y avait, à cet égard, des anecdotes fort connues. Le premier président de Harlay avait dit aux comédiens qu'il rendrait compte à sa *troupe* de ce qu'ils lui demandaient au nom de leur *compagnie* ».

50. C'est, à n'en pas douter, comme le signalait Neufchâteau, de l'auteur-acteur Baron qu'il s'agit. Il avait quitté le théâtre en 1696 mais remonta sur les planches à l'âge de 68 ans. L'inimitié entre Lesage et Baron éclata quelques années plus tard lorsque le Théâtre de la Foire (Lesage et Fuzelier) parodièrent dans *Pierrot Romulus* le *Romulus* de La Motte qu'incarnait Baron.

51. C'est ici un lieu commun. La Bruyère avait écrit dans les *Caractères* (XII, 17) : « Le comédien couché dans son carrosse jette de la boue au visage de Corneille qui est à pied. »

52. Ici, l'attaque semble personnelle. Lesage s'était brouillé avec les Comédiens-Français à la suite de l'affaire de *Turcaret*.

53. Andry et Hecquet (voir note 21). Leur identité est signalée dès 1715 dans le *Journal littéraire* de La Haye. Camusat raconte leur querelle dans son *Histoire critique des journaux*, Amsterdam, 1734, t. II, p. 96 et suiv.

54. Adapté de la pièce de Francisco de Rojas y Zorilla, *Casarse por vengarse.*

55. Neufchâteau indique que le même moyen avait été employé dans *L'Esprit follet* de Hauteroche et évoque la cheminée tournante du maréchal de Richelieu. Outre que le détail se trouve dans l'espagnol, de tels subterfuges sont fréquents dans la littérature romanesque. (Cf. la 41e nouvelle du *Décaméron*.)

56. Adapté de la pièce de Diego de Córdova y Figueroa, *Todo es enredos en amor, y diablos son las mujeres.*

57. D'après Neufchâteau, il s'agirait de la traduction d'Horace publiée en 1710 par Tarteron et le petit critique serait Boindin. Notez qu'on affichait depuis le XVIe siècle les pages de titre des livres pour en assurer la publicité.

58. D'après Lenglet du Fresnoy, *De l'usage des romans*, 1734, p. 199, ce serait l'anagramme de Dagoumer.

59. Parodie ou réminiscence du vers de Thésée dans la *Phèdre* de Racine:
« J'ai vu, j'ai vu couler des larmes véritables. »
(Acte V, sc. III.)

60. Ce serait la marquise de Lambert, selon Neufchâteau.

61. Neufchâteau dit ignorer la clef de ce personnage.

62. Tourner le sas : le même procédé de divination est mentionné dans l' « Histoire de Scipion » (X, x, p. 503).

63. Tiré d'une nouvelle de Castillo Solórzano, « Mas puede amor que la sangre », du recueil *Sala de recreación*.

64. Lesage affectionne cette situation romanesque traditionnelle. Stendhal l'a employée dans *Le Chevalier de Saint-Ismier*.

65. L'épisode est adapté de la pièce de Hurtado de Mendoza, *Los empeños del mentir*, déjà utilisée en 1707 par Lesage dans *Crispin rival de son maître*. Le deuxième subterfuge de Raphaël (se faire passer pour un prince italien, p. 258) a quelque analogie avec un conte des *Mille et un Jours*.

66. L'épisode à la Cabrera est tiré du *Marcos de Obregón*, II, 8.

67. Le nom est celui de l'héroïne du conte-cadre des *Mille et un Jours* mais l'épisode barbaresque (dont on a rapproché *La Provençale*, longtemps attribuée à Regnard) est tiré de la fin de « La desgraciada amistad », nouvelle de Montalván dont Lesage avait adapté la plus grande partie dans « La force de l'amitié », l'une des histoires intercalaires du *Diable boiteux*, en 1707.

68. Ce testament facétieux, dont les versions médiévales françaises n'étaient pas alors connues, provient de la *Bibliothèque orientale* de D'Herbelot, article « cadhi ».

69. La légèreté du ton est Régence, non la chose ni l'expression, puisque Eustache Lenoble écrivait dans *La Fausse Comtesse d'Isamberg* en 1697 : « Qu'un homme serait heureux, Madame, qui pourrait être l'unique Fermier général de tant de beautés; si peu que vous les voulussiez mettre en parti, j'en sais un qui sans avoir besoin de croupières, ni s'amuser à en prendre, porterait le bail si haut qu'il l'emporterait sans doute sur tous ses concurrents. »

70. Pour montrer combien ceci est d'époque, voici une anecdote de même eau, bien que postérieure, rapportée par Jean Buvat dans sa *Gazette de la Régence* sous la date du 4 janvier 1717 : « Lundi dernier la Minier, actrice de l'Opéra, étant à la messe avec le marquis de Lautrec aux Capucins du Marais, causa longtemps avec lui sur le pied de son amant : après quoi il sortit avant elle; mais ayant su qu'elle était allée à une autre messe à Saint-Roch en rendez-vous avec un autre, il alla l'attendre de ce côté-là, si bien qu'à son sortir il lui donna de bons soufflets et comme il se douta qu'elle irait se plaindre au Régent près de qui elle a quelques amis, il alla le prévenir. Cependant la belle ne tarda pas à aller se jeter à ses pieds toute en pleurs; sur quoi Son Altesse lui dit : je ne me mêle pas d'une fille qui entend deux messes par jour, et la quitta, la laissant en risée à tout le public ».

71. L'épisode est tiré d'une pièce de Lope de Vega, *Las Ferias de Madrid* (dont les personnages sont Leandro, Patricio et Violante).

72. La matière est empruntée à la nouvelle « El Proteo de Madrid » du recueil de Castillo Solórzano, *Tardes entretenidas*.

73. Neufchâteau expliquait ainsi la brièveté du Livre VI : « Lesage s'était étendu sur le compte du saint office (...) mais ces détails parurent chatouilleux au censeur qui en raya une partie » (t. II, p. 208). Ni ici pourtant, ni plus loin (XII, 1), le ton n'est « philosophique » et la « Très humble remontrance aux inquisiteurs d'Espagne et de Portugal » de *L'Esprit des lois* de Montesquieu ne parut qu'en 1748. Mme d'Aulnoy, dans la 7e Lettre de sa *Relation du Voyage d'Espagne*, traite le sujet avec plus de sérieux et de sensibilité.

74. La note reproduit une phrase des *Remarques* de Dacier, t. X, sur le vers 450 de l'*Art poétique* d'Horace : « Aristarque était un très grand critique qui vivait du temps de Ptolomée Philadelphe, en même temps que Callimaque ».

75. « Le poète pâlit à ces paroles », écrivit Lesage dans le *Mélange amusant* en 1743 à propos de Santeuil, qui a sans doute servi de modèle (lointain) pour l'archevêque de Grenade.

76. Cette phrase de Lesage exprime un lieu commun moral et non une critique politique. Dacier citait au t. IX de ses *Remarques* (p. 182) l'Ecclésiaste, X : « Ne médis point de ton prince dans ta pensée, et ne dis point de mal du grand seigneur dans ton cabinet bien fermé : car les oiseaux des cieux rapporteront ce que tu as dit, ce qui a des ailes découvrira tes sentiments. »

77. *Gracioso :* bouffon de la comédie espagnole.

78. Oydor : auditeur, officier occupant une charge d'administration financière.

79. Déesse de la fornication et de la débauche. La référence, tirée sans

doute des *Remarques* de Dacier, t. V, p. 380, sur l'ode XVII du Livre V d'Horace, semble peu appropriée.

80. Le personnage de l'alchimiste est peut-être un souvenir du *Marcos de Obregón*, III, I.

81. Dacier, t. VI, à propos de la satire IV du Livre I, vers 133, commente : « Horace suit ici les préceptes des Pythagoriciens, qui voulaient qu'on ne s'endormît jamais sans avoir pensé auparavant trois fois à tout ce qu'on avait fait le jour. »

82. C'est-à-dire, je n'aurais pu (voir notes 46 et 99).

83. Manon exprimera la même idée quelques années plus tard dans sa lettre à des Grieux : « *Je travaille pour rendre mon chevalier riche et heureux* ».

84. Voici de nouveau une réminiscence ou plutôt une allusion au *Don Quichotte*, II, XXV.

85. Lesage avait croqué un portrait de vieux beau pareillement mutilé dans *Le Diable boiteux*, ch. III, p. 22.

86. Ce passage évoque l'hidalgo de *Lazarillo de Tormes*, que son valet apitoyé réussit à nourrir.

87. Cette rencontre littéraire peut être rapprochée d'*Estebanillo Gonzalez*, II, VI; Lesage qualifie plus loin Scipion de *Garçon de bonne humeur*, allusion certaine au roman espagnol (IX, VIII, p. 454).

88. Dacier, t. VI, à propos de la satire IV du Livre I, écrit : « On peut le comparer à un grand fleuve qui entraîne avec lui beaucoup de limon et de boue. »

89. Aristippe : Dacier, t. IX, sur l'épître XVII du Livre I : « des cyrénaïques qui voulaient qu'on fût également propre à vivre dans la solitude et à la Cour, dans la pauvreté et dans les richesses ».

90. Le *Dictionnaire de la Bible* de Simon, Lyon, Jean Certi, 1693, à la page 281[a] fournit les renseignements suivants : « Le dixième était un célèbre magicien juif qui par ses charmes et ses sortilèges semblait délivrer les possédés du malin esprit; il attachait, dit-on, au nez du possédé un anneau, où était enchâssée une racine dont Salomon se servait à cet usage et tout aussitôt que le démon l'avait flairée, il jetait ce pauvre possédé par terre et l'abandonnait; il récitait ensuite les mêmes paroles que Salomon avait laissées par écrit, et en faisant mention de ce prince défendait au démon de ne plus revenir dans le corps du possédé; il en avait fait l'expérience en la présence de l'empereur Vespasien, de ses fils et de plusieurs de ses capitaines et soldats. »

91. Novius : Dacier, t. VI, sur la satire VI du Livre I, pp. 428-429.

92. Anachronisme probablement volontaire.

93. L'anecdote se lit dans Dacier, t. IX, sur l'épître XVIII du Livre I.

94. On peut rapprocher, pour le ton et le thème, un passage de la *Vie de Guzman de Alfarache* lorsque le jeune héros sert un cuisinier, dans la traduction de Brémond, t. I, pp. 338-339 : « C'étaient des longes de veau, des pièces de lard, des jambons tout entiers, des langues de bœuf, des hures de sanglier, des pâtés de venaison, des pièces de salé et cent autres choses qui disparaissaient tout d'un coup. »

95. L'allusion à Ninon de Lenclos est précisée par l'indication que son père était *faiseur de luths* (cf. Tallemant des Réaux, *Historiettes*, éd. Mongrédien, t. VI, p. 5).

96. Jusqu'à la fin du chapitre, Lesage resserre le texte des *Anecdotes du ministère du Comte-Duc d'Olivarès* de Siri, traduites par Valdory, Paris, Musier et Barois, 1722 : « il gouvernait l'Espagne avec une si grande autorité qu'il semblait que ses conseils fissent le destin de l'Etat, que ses décisions fussent des oracles, et que ses actions ne pouvaient être assez dignement récompensées. Dans cette haute élévation, ne lui étant pas possible de pousser plus loin sa fortune, il ne songeait qu'à en fixer la durée et à la transmettre dans sa maison. Ainsi le duc d'Uzède son fils n'étant pas capable, selon lui, de remplir un jour sa place, il jeta les yeux sur le comte de Lemos son neveu (...) : imitant en cela l'habile pilote (...) quand le vent qu'il a favorable (...) lui devient contraire. (...) Quoique le duc d'Uzède (...) n'eût pas tout le génie requis pour remplir dignement le poste de son père (...). Le père et le fils (...) étaient tous deux si jaloux l'un de l'autre qu'ils ne se pouvaient souffrir et faisaient à l'envi tout ce qu'ils pouvaient pour se détruire mutuellement; sur quoi l'on peut comparer la faveur du prince à une belle maîtresse qui rompt par les charmes attachés à sa possession les nœuds les plus sacrés, et qui fait que deux rivaux, quelque unis qu'ils soient par les liens du sang et par une étroite amitié (...). Voyant qu'il ne le pouvait détruire dans l'esprit du roi, il résolut de faire tout son possible pour introduire du

moins dans les bonnes grâces du prince d'Espagne le comte de Lemos, afin de l'opposer au duc d'Uzède, et, en lui donnant par là une sorte de rival, exciter entre eux des mouvements d'envie, de haine et de colère qui les forceraient de recourir à lui pour en être protégés, ce qui, en le rendant utile et nécessaire à l'un et à l'autre, lui ferait toujours conserver une grande supériorité sur tous les deux. » (Pp. 26-31.)

97. Lesage fait allusion à la gouttière de la Mosquée de La Mecque, dont la vertu légendaire lui était connue par *La Sultane de Perse. Contes turcs* (1707, ouvrage auquel il avait très vraisemblablement collaboré) : « Il faut que vous les preniez (les richesses), ou bien que vous veniez avec moi sous la gouttière d'or » (p. 174).

98. Les intrigues du duc de Lemos sont prises aux *Anecdotes* de Siri, pp. 36 et 37.

99. « Quoiqu'il y dût faire », écrit Lesage en 1747. (Voir notes 46 et 82.)

100. L'anecdote vient en réalité de *La Sultane de Perse. Contes turcs* (voir note 97). Il faut remarquer toutefois que le tome III de *Gil Blas* parut en 1724, la même année que la traduction (publiée posthumément) par Antoine Galland des fables de Pilpay (ou Bidpaï) : Lesage avait pu mettre la main à cette traduction (il s'était probablement vu confier en 1715 la révision des papiers de Galland. Voir aussi la note 2).

101. Dacier, t. IX, sur l'épître XVIII du Livre I, p. 163 : « Et Isocrate (dit) que la folie et l'intempérance sont les compagnes inséparables des riches. »

102. Dacier, t. IX, sur l'épître XIX du Livre I, p. 229 : « Comme on dit des disciples de Porcius Latro, qui, pour imiter la pâleur que leur maître avait contractée par ses veilles et par ses travaux, burent du cumin, qui a la vertu de rendre pâle (...) : Voilà des gens bien avancés, ils sont aussi pâles que leur maître, ils sont donc aussi savants. »

103. Dacier, t. VII, sur la satire VIII du Livre II.

104. La note vient de Dacier, t. IX, p. 354, sur l'épître I du Livre II.

105. Littéralement Catherine; on pourrait traduire par Catin, le prénom étant mal porté. Il ne faut pas y voir le sens de *vérole* indiqué par les commentateurs à la suite de Neufchâteau (1820), qui avait pu le trouver dans le *Dictionnaire de l'abbé Gattel* (Lyon, 1790). Je dois ce rectificatif à l'obligeance de Marcel Bataillon. Le deuxième nom de Catalina, révélé au chapitre XII, p. 422, dit pareil en latin : Sirena. Dacier écrit au t. VII, p. 207, à propos de la satire III du Livre II, que les *sirenae* « étaient des courtisanes qui attiraient les hommes par leur beauté et par les charmes de leur voix ». A rapprocher le nom de Coscolina donné à la mère de Scipion (X, X, p. 501) et dont la connotation est semblable.

106. Mme d'Aulnoy avait déjà rapporté les aventures nocturnes de Philippe IV et du comte-duc d'Olivarès dans sa *Relation du Voyage d'Espagne* (1691), 5e Lettre.

107. Neufchâteau explique l'allusion (t. II, p. 144) : « C'est un trait connu de Bontemps, valet de chambre de Louis XIV. A tout ce qu'on lui demandait, il répondait d'abord : *J'en parlerai au roi.* Quelqu'un voulant savoir de lui l'époque à laquelle il croyait que devait accoucher sa femme qui était enceinte, Bontemps ne manqua pas de dire : *J'en parlerai au roi.* »

108. Voir note 87.

109. Dacier, t. III, p. 522.

110. Neufchâteau rappelle comment Nanon Babbien, la vieille servante de Mme de Maintenon, trafiqua de son influence.

111. Dacier, t. IX, pp. 199-200, à propos de l'épître XVIII du Livre I, traduisait ainsi les vers 364-367 des *Travaux et les Jours* d'Hésiode : « Ce qui est dans la maison ne fait aucun mal, et ce qui n'y est pas en peut faire. Il est bon de trouver chez soi toutes les choses nécessaires, et c'est un grand chagrin que d'avoir besoin de celles que l'on n'a pas en son pouvoir. »

112. Thème développé par Horace (satire VI du Livre II, odes I du Livre V et XVI du Livre III).

113. Dacier, t. IX, p. 196, commente le vers « quem Mandela bibit » : « Mandela était, sans doute, le hameau où était la maison d'Horace, ce hameau qui n'était que de cinq feux. »

114. *Inveni portum... :* « J'ai trouvé le port. Espérance et Fortune, adieu! Vous m'avez assez joué. Jouez-en d'autres maintenant! » D'après Neufchâteau, ce distique, rapporté par Furetière, serait l'œuvre d'un anonyme du XVIe siècle. Le premier vers réunit en fait deux formules épigraphiques communes. Antonio de Guevara avait conclu son célèbre *Menosprecio de corte y alabanza de aldea* (Mépris de cour et louange de campagne) sur ce distique :

Posui finem curis;
Spes et fortuna, valete valete.

(J'ai mis un terme à mes soucis. Espérance et fortune, adieu, adieu!). Je dois ce rapprochement à Jean Molino.

Lesage, qui a haussé le ton de son troisième tome, le termine en moraliste.

115. En 1615.

116. *Lapides clamabunt :* « Les pierres crieront. » Le vieux médecin prend ici les manières d'un prédicateur chrétien.

117. *Currus triumphalis antimonii :* le *Char triomphal de l'antimoine* est un livre de Basile Valentin, publié en 1677.

118. Lesage fait allusion à la querelle qui opposa Hecquet, partisan de la saignée du bras (1724), à Silva, partisan de celle du pied (1727).

119. C'est le titre même d'un ouvrage publié par Hecquet en 1732.

120. *Moço de mulas :* garçon muletier.

121. Selon Neufchâteau, ce vendeur de thériaque, ce charlatan, est Voltaire. Outre ce que l'on sait de l'inimitié littéraire qui opposa Lesage à son cadet, la suite du chapitre rend l'identification presque certaine.

122. Doublées de prix. Neufchâteau rappelle que cela avait été le cas « pour les représentations de *Zaïre* en 1732, d'*Adélaïde du Guesclin* en 1734 », deux tragédies de Voltaire.

123. Lope de Vega même et Calderon : lisons Corneille et Racine.

124. Cet emploi du temps ne sera établi qu'au début du chapitre suivant. L'erreur de Lesage trahit peut-être une insertion tardive de ce chapitre, qui prépare le chapitre I du Livre XII.

125. Albunea : Horace en parle dans les odes VII et XII de son Livre I.

126. Angélique : il s'agit des amours d'Angélique et de Roland dans le *Roland furieux* de l'Arioste.

127. Scipion avait pu lire une anecdote sur un cuisinier impatient de toucher son legs dans *Le Diable boiteux* (1707), ch. XII, p. 179.

128. Voir note 62. La bohémienne Coscolina porte un nom qui dénonce une fille de mauvaise vie (voir note 105).

129. Neufchâteau commente ainsi (t. III, p. 155) : « On sait que pareille aventure est arrivée, sous la régence, à une de ces filles qu'on nommait convulsionnaires, et qui passaient pour insensibles aux coups de barre, aux coups d'épée, etc., sur le tombeau de saint Pâris. »

130. La partie des aventures de Scipion qui commence ici et va jusqu'à la fin du chapitre est tirée de la *Vida y hechos de Estebanillo Gonzalez*, I, II. Lesage venait de publier en 1734 un volume de son *Estévanille Gonzalez* qu'il termina en 1741, et qui est le moins bon de ses romans.

131. Un tueur à gages; l'expression calquée de l'espagnol fait antiphrase.

132. Guzman exerça ce même emploi (Ire partie, II, v. Voir aussi note 94).

133. *Benavides :* pièce de Lope de Vega (1604).

134. Neufchâteau assure qu'il s'agit d'une histoire « connue arrivée à Paris ».

135. *De los Reyes :* « des rois ». La coquille typographique « Royes », corrigée parfois en *Rojos*, a donné lieu à des explications fantaisistes : église des moines noirs selon Neufchâteau, des Pères roux selon Dupouy.

136. *Furto laetamur in ipso :* « Nous nous réjouissons du larcin même » (hémistiche de Santeuil, sur qui consulter la note 75). Neufchâteau voit dans Ignacio de Ipigna une charge de Bouhours; le choix du prénom vise un jésuite.

137. En réalité le duc de Lerme se retira en 1618 et le comte d'Olivarès ne devint premier ministre qu'en 1621. Dans l'intervalle, le duc d'Uzède exerça le pouvoir. Lesage resserre les événements historiques pour les dramatiser.

138. « La charge de gentilhomme de la Chambre », *Anecdotes* de Siri, p. 55.

139. « Don Gaspard de Gusman comte d'Olivarès était d'une taille au-dessus de la médiocre, il avait assez d'embonpoint pour paraître gros dans un pays où la maigreur est ordinaire, et les épaules assez élevées pour qu'on le crût bossu, quoiqu'il ne le fût pas effectivement; il avait le visage long, les cheveux noirs, la bouche enfoncée, le menton fort relevé, les yeux et le nez ni beaux ni laids, la tête grosse et un peu penchante, le front large, le teint jaunâtre et le regard rude et menaçant; enfin, il n'était pas d'une figure agréable. (...) Il était d'un facile accès et d'un abord gracieux, il témoignait même à la première vue une grande envie de faire réussir les choses qu'on lui proposait. (...) La première maxime de tous ceux qui parviennent au poste de favori, est de ne point souffrir qu'aucun de ceux pour qui le prince paraît avoir quelque prédilection ait un libre accès auprès de sa personne », *Anecdotes*, pp. 48-52.

140. « Homme à grands projets (...) ingrat, vindicatif (...) un peu chimérique (...) il avait une teinture générale de toutes les sciences (...) il crut être devenu si habile qu'il pouvait non seulement gouverner les affaires civiles, politiques et militaires (...) il était naturellement éloquent et s'énonçait facilement : il écrivait bien, mais il affectait toujours dans ses lettres un sens mystérieux », *Anecdotes*, p. 49.

141. « Délié courtisan », *Anecdotes*, p. 43.

142. « On vit que le premier ministre ne faisait part de l'administration qu'au seul don Baltazar de Zuniga son oncle, auquel il laissa le loin de toutes les affaires du dehors, se réservant pour lui toutes celles du dedans », *Anecdotes*, p. 83.

143. « Il fit d'abord répandre des bruits sourds du grand désordre où il avait trouvé les affaires, et à quelque temps de là il exposa publiquement aux yeux de tout le monde le tableau qui représentait le misérable état où se trouvait la monarchie », *Anecdotes*, p. 59.

144. Lesage les résume d'après les *Anecdotes*, pp. 60-63.

145. « Suivant en cela l'exemple de l'empereur Galba, qui, à son avènement à l'Empire, trouvant le trésor public vide, le remplit en un instant en faisant rendre gorge à ceux qui l'avaient épuisé », *Anecdotes*, p. 64.

146. Leur énumération vient des *Anecdotes*, p. 75.

147. « Très propre à rétablir la monarchie dans son ancien lustre », *Anecdotes*, p. 82.

148. Lesage exprime à n'en pas douter sa propre amertume : il ne réussit plus au théâtre, ses derniers romans se vendent mal (le tome IV de *Gil Blas* ne fera pas exception). Le même point de vue est exprimé dans *La Valise trouvée* (1740) par un « vieil auteur ».

149. L'exposé condense les *Anecdotes*, pp. 90-96.

150. Dacier, t. VI, sur la satire x du Livre I, vers 38.

151. « La cause des vainqueurs plut aux Dieux, celle des vaincus à Caton » Lucain, *Pharsale*, I, vers 128.

152. Lesage démarque jusqu'à la fin du paragraphe la *Relation de ce qui s'est passé en Espagne à la disgrâce du comte-duc d'Olivarès* traduite d'italien en français (par André Félibien), Paris, Augustin Courbé, 1650, pp. 119 et 120. La *Relation*, écrite par Guidi, est défavorable au comte-duc alors que les *Anecdotes* de Siri lui sont favorables.

153. Lesage s'inspire maintenant de Colmenar, *Les Délices de l'Espagne et du Portugal*, t. VI, nouvelle éd., Leyden, 1715, pp. 905-906 : « La cérémonie (...) commence vers les six heures du matin (...) On tire les prisonniers de leur prison (...) on les couvre d'un *Sambenito*, qui est une espèce de roquet ou scapulaire (...) Ceux qui ne sont pas condamnés à la mort ont un *Sambenito* de toile jaune, chargé d'une croix de Saint André, peinte en rouge, devant et derrière (...) Ces malheureux (les condamnés à mort) sont coiffés de bonnets de carton, faits en pain de sucre, peints de diables et de flammes, appelés *carochas*. On leur met à tous un cierge de cire jaune à la main, et on leur donne à chacun un *familiar* du Saint Office, sous le nom de parrain, qui les accompagne, et est obligé de répondre d'eux (...) Ensuite la procession commence. Les *Dominicains* marchent les premiers, avec la bannière de Saint Dominique (...), ceux-ci sont suivis des prévenus, qui marchent un à un, nu-pieds et tête nue (...), chacun tenant son cierge à la main. » Voir ci-dessus la note 73.

154. Colmenar écrivait : « Lorsqu'un homme est accusé ou soupçonné de quelque crime (...) Il n'y a personne qui ose le défendre (...), non pas même intercéder pour lui, car tous ceux qui seraient assez hardis pour l'entreprendre se rendraient par là même suspects. » (Pp. 899-900).

155. « Le comte d'Olivarès, qui connaissait le faible de ce monarque pour les femmes, en lui procurant la jouissance de la belle Calderone, fameuse comédienne de Madrid et qui fut mère du célèbre don Juan d'Autriche, se remit plus avant que jamais dans ses bonnes grâces », *Anecdotes*, p. 115.

156. La comédienne Calderone le fit; l'épisode n'en fait pas moins écho à la liaison de Louis XIV avec la duchesse de La Vallière.

157. Les deux paragraphes qui suivent sont extraits de la *Relation* de Guidi; « Le comte étant à Madrid douze ans avant qu'il fût en faveur devint amoureux de dona Marguerita Spinola, dont le père était génois (...). Don Francisco de Valeasar, alcalde de la Cour et de l'Hôtel (...) encore qu'il fût marié, entretenait à ses dépens la maison et la personne de dona Marguerita; et par une profusion d'argent, de joyaux et de présents, se rendit l'unique possesseur de son lit (...). Cependant elle mit un fils au monde, que l'on ne douta point qu'il n'appartînt à l'alcalde, à cause qu'il avait toujours entretenu

la mère avec grande dépense. Mais comme il s'était bien aperçu qu'il n'avait pas été seul à travailler à cet ouvrage, il quitta de bon cœur un fruit qu'en conscience il n'estimait pas lui appartenir (...), sachant bien que cet enfant pouvait appartenir non seulement au comte, mais encore à plusieurs autres (...). » « Cet enfant de plusieurs pères » (Pp. 138-142).

158. Ce paragraphe reprend les pages 145-146 de la *Relation* de Guidi.

159. Ce nom parlant viserait, selon Neufchâteau, un certain Marcel.

160. Don Henri avait mené une vie scabreuse au Mexique. Lesage, qui n'en dit mot, a sans doute imaginé le voyage de Scipion en combinant cet épisode et les indications relatives au trafic pratiqué par le comte-duc.

161. « Don Henri reçut à Saragosse l'habit d'Alcantara avec une commanderie de dix mille écus. Il fut aussi déclaré gentilhomme de la Chambre du roi », Guidi, *Relation*, p. 151. Le mariage du bâtard est aussi tiré de Guidi.

162. « La faveur du comte-duc qui continuait depuis vingt-deux ans avait jeté de si profondes racines dans le cœur du roi que tout le monde la croyait aussi affermie que ces vieux chênes qui résistent à tous les orages », Guidi, *Relation*, p. 4.

163. « On y agita cette question s'il était à propos que le roi demeurât dans la Castille, ou qu'il passât en Aragon. Le comte parla le premier et fut d'avis que le roi ne devait point sortir de Castille. Sa voix ne manqua d'être suivie de toutes celles du Conseil (...). L'ambassadeur demeura le dernier à dire son sentiment qui fut contraire (...); car il prouva par des arguments très forts que le roi devait (...) se faire voir à son armée (...). Il sembla si étrange au comte et à tous ceux du Conseil que ce seigneur osât contredire lui seul les oracles du favori (...). Le roi, laissant l'avis de son favori et de tout le conseil, embrassa l'unique opinion de l'ambassadeur, dont il voulut avoir toutes les raisons par écrit, et lesquelles il honora publiquement de son approbation et de ses louanges », Guidi, *Relation*, pp. 87-90.

164. « La sincérité qui est naturelle à la nation allemande (...) le zèle qu'il avait pour la Maison d'Autriche », Guidi, *Relation*, p. 86.

165. « Le comte (...) dissipa le premier dessein de la reine en faisant que le roi employât tout le temps de son voyage plutôt dans la récréation que dans le travail : menant Sa Majesté au délicieux séjour d'Aranjuez, lui faisant goûter toute sorte de divertissements à Cuença, l'entretenant à Molina d'Aragon dans les plaisirs de la chasse et enfin le conduisant dans la prison de deux misérables logements à Saragosse, sans qu'il vît une seule fois son armée (...). Le pauvre roi demeurait enfermé sans oser seulement sortir à la campagne pour se divertir, parce que le comte l'épouvantait en lui faisant croire qu'il était en péril d'être pris par les Français qui s'étaient déjà rendus maîtres de Monçon et de toute la plaine d'Aragon de ce côté-là (...). De sorte que personne ne pouvait parler au roi sinon dans les audiences publiques, auxquelles le comte n'admettait personne, sinon ceux dont les affaires lui étaient connues. Les Grands d'Espagne, qui avec des dépenses extrêmes et des fatigues incroyables avaient suivi le roi à Saragosse, non seulement ne purent avoir une seule audience particulière de Sa Majesté (...) », Guidi, *Relation*, pp. 16-19.

166. « La nouvelle de la révolution arrivée en Portugal remplit de deuil et de tristesse toute la Cour d'Espagne, et y mit la consternation; il n'y eut que le comte d'Olivarès qui (...) fut avec un visage riant et d'un air content l'annoncer au roi (...). Le roi ne prit pas tout à fait pour bon la première partie du discours de son premier ministre », Siri, *Anecdotes*, pp. 364-365; « Sitôt que les courtisans se furent aperçus de ce refroidissement, plusieurs d'eux se joignirent à la reine (...). Le comte d'Olivarès s'aperçut à la fin qu'il se formait au-dessus de sa tête un épais nuage (...). Il écrivit un billet à ce monarque, par lequel il le suppliait de vouloir bien lui accorder la permission de se décharger du poids du gouvernement, de se démettre de ses charges, et de se retirer à Loeches (...), attendu que tous les désastres et les mauvais succès arrivés à la monarchie pendant son ministère lui étaient imputés, quoiqu'il eût fait humainement tout ce qui était possible », *ibid.*, p. 383; « ce billet, semblable à un coup de foudre (...) surprit et consterna étrangement le comte d'Olivarès », *ibid.*, p. 398.

Lesage a contracté les événements réels, le roi ayant dans un premier temps prié le comte de conserver le ministère.

167. « Il fut permis au comte qu'en présence du protonotaire et de Carnero il revît tous les papiers, et brûlât ceux qu'il voudrait; ce qu'il fit d'une très grande quantité (...). Le samedi matin le roi lui envoya demander la clef avec laquelle il entrait dans l'appartement de Sa Majesté quand il voulait », Guidi, *Relation*, pp. 102-103 ; « Il sortit par les portes des cuisines, et se mit

dans un méchant carrosse (...). Ainsi le comte arriva en sûreté à Loeches, lieu dont il est seigneur (...). où la comtesse a bâti un couvent de religieuses de l'Ordre de Saint Dominique des plus beaux et des plus commodes qui soient en Espagne », *ibid.*, pp. 111-113.

168. « Elle se jeta tout éplorée aux pieds de la reine », Guidi, *Relation*, p. 101.

169. « Celui de tous les Grands qui témoigna le plus ouvertement sa joie de la disgrâce de ce premier ministre fut le duc de Medina Celi (...). Tous ces seigneurs, non contents de témoigner publiquement le contentement qu'ils ressentaient de la disgrâce du comte d'Olivarès, s'unirent encore ensemble pour faire expulser ses créatures des charges et emplois qu'elles possédaient (...) et de les avoir données à ses plus grands ennemis (...). Dans le même temps, l'amirante de Castille, aussi ennemi déclaré du comte d'Olivarès, fut nommé à la vice-royauté de Naples à la place du duc de Medina de las Torres qui fut destitué seulement en vue de mortifier ce premier ministre qui avait pour lui une singulière affection », Siri, *Anecdotes*, pp. 415-416.

170. « Tant de sujets de mortification pour le comte d'Olivarès ne parurent le toucher que très médiocrement, et il affectait même d'ignorer la plupart des choses qui se faisaient à Madrid, il vivait dans sa retraite à Loeches (...), il se levait tous les jours de grand matin (...), il se rendait à la tribune d'une église de religieuses attenant son château qui avaient été établies et fondées en ce lieu-là par la comtesse d'Olivarès : là il demeurait ordinairement trois heures qui s'écoulaient à entendre plusieurs messes et à assister au service divin; ensuite il allait un peu se promener par la campagne dans son carrosse; de là il venait dîner, et après son dîner il se récréait pendant deux heures à divers jeux avec ses gens, puis il se retirait tout seul dans son appartement où il passait le reste de la journée; sur le soir, il faisait une seconde promenade, au retour il faisait une brève oraison dans l'église », Siri, *Anecdotes*, p. 427.

171. « [Il] s'appliquait quelquefois pour diversifier un peu ses amusements à l'agriculture, faisait entendre par là que, semblable à Denys de Syracuse qui, ayant été chassé de son royaume, n'avait point dédaigné de se faire maître d'école à Corinthe, aussi lui dépouillé de sa grandeur et banni de la Cour ne méprisait-il pas le vil métier de jardinier », Siri, *Anecdotes*, p. 427.

TABLE DES MATIÈRES

HISTOIRE DE GIL BLAS DE SANTILLANE

TOME PREMIER

LIVRE PREMIER

LIVRE SECOND

LIVRE TROISIÈME

TOME SECOND

LIVRE QUATRIÈME

LIVRE CINQUIÈME

LIVRE SIXIÈME

TOME TROISIÈME

LIVRE SEPTIÈME

LIVRE HUITIÈME

LIVRE NEUVIÈME

TOME QUATRIÈME

LIVRE DIXIÈME

LIVRE ONZIÈME